豪佛 鄭永鎬 博士
八旬頌祝紀念論叢

2015. 12

豪 佛 鄭 永 鎬 博 士
八旬頌祝紀念論叢刊行委員會

◆ 일러두기

1. 논총의 목차는 肖像畵, 畵報, 略曆, 論著 目錄, 祝辭, 回顧, 論文 및 資料, 刊行後記의 순으로 구성하였다.

2. 논문 및 자료는 중심 내용에 따라 고고학, 미술사, 역사학, 기타의 순으로 분류하였다.

3. 일부 논문의 경우 부득이하게 『文化史學』 第44號와 중복 게재하였다.

4. 논총에 게재된 논문과 자료 등의 필자 견해는 위원회와 무관하다.

豪佛 鄭永鎬 博士 肖像畵(孫連七 作)

豪佛 鄭永鎬 博士 肖像畫(松泉스님 作)

對馬島 通信使李藝功績碑(2005.11 建立)

對馬島 朝鮮國王姬墓塔과 塔碑(2006.10 建立)

對馬島 百濟王仁博士顯彰碑(2007.05 建立)

對馬島 通信使黃允吉顯彰碑(2011.12 建立)

對馬島 通信使黃允吉顯彰碑 撮影(2012.07)

對馬島 大韓人崔益鉉先生殉國之碑 撮影(2012.07)

경주 내남면 화곡지구 발굴조사 지도위원회(2005.10)

益山 彌勒寺址 石塔 자문회의(2006.08)

조선시대 우리 옷의 멋과 유행 패션쇼(2006.05)

제23회 일본속의 한민족사 탐방 日本 法隆寺에서(2008.12)

故 黃壽永 博士님 生前 모습(2008.08)

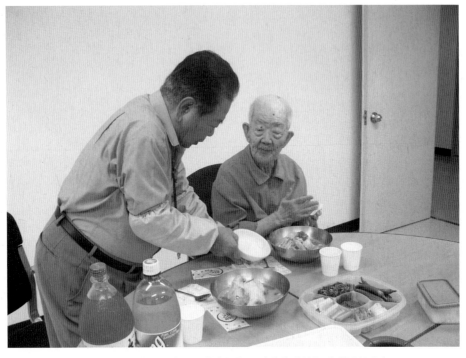

鄭永鎬 博士가 生前에 恩師 黃壽永 博士님에게 점심을 대접(2009.07)

막내딸 윤정 결혼식 폐백(2009.10)

韓國美術史學會 공로패(2010.11)

故 黃壽永 博士님 先塋에서 49齋 후 사모님과 함께(2011.03)

故 黃壽永 博士님 先塋에서 49齋 후 影幀을 모시고(2011.03)

江原道 襄陽 陳田寺에서(2011.04)

獨島에서(2011.07)

白頭山에서(2011.07)

中國 遼寧省 沈陽 白塔에서(2012.05)

中國 沈陽 七星山 石佛寺塔에서(2012.05)

中國 長白市에서 渤海 靈光塔을 보며(2012.05)

中國 朝陽 云接寺 摩雲塔에서(2012.08)

中國 長白市 渤海 靈光塔에서(2012.05)

中國 내몽골 赤峰市 紅山에서(2012.08)

中國 내몽골 遼나라 中京遺址에서(2012.08)

中國 내몽골 赤峰博物館에서(2012.08)

정영호 박사 내외분 스위스 융프라우 오르기전(2005.06)

정영호 박사 내외분 대만 타이페이역에서(2012)

慶州 佛國寺 三層石塔 해체 수리 착수 보고회(2012.09)

慶州 佛國寺 三層石塔 해체 수리 자문(2012.12)

對馬島 高麗學術文化財團 百済國王仁博士顯彰碑 學術踏査(2013.02)

中國 三座店城址에서(2012.08)

江原道 春川 槿花洞 幢竿支柱 앞에서(2013.02)

豪佛 鄭永鎬 博士 傘壽宴(2013.03)

豪佛 鄭永鎬 博士 傘壽宴(2013.03)

慶州 佛國寺 三層石塔 사리 수습(2013.04)

慶州 佛國寺 三層石塔 사리 수습 장면(2013.04)

26

慶州 佛國寺 三層石塔 해체 수리 자문(2013.06)

慶州 佛國寺 三層石塔 해체 수리 현장 회의(2013.06)

정영호 박사 내외분 싱가포르 마리나베이샌즈에서(2013.06)

정영호 박사 내외분 미국 씨애틀 스타벅스 1호점 앞에서(2014.05)

日本 柏原市立歷史資料館에서(2013.07)

日本 小浜市 福應山 佛國寺에서(2013.07)

中國 敖漢旗 降圣州佛塔에서(2013.08)

清老會 踏査 忠州 塔坪里 7層石塔에서(2013.12)

日本 當麻寺 奧院 寶物館 鐵佛 調査(2014.02)

日本 比叡山 延曆寺 國寶殿 百濟半跏思惟像 調査(2014.02)

日本 比叡山 延曆寺 國寶殿 百濟半跏思惟像 調查(2014.02)

日本 MIHO MUSEUM 金銅佛龕 調査(2014.02)

檀國大學校 石宙善紀念博物館 撮影 정리(2014.03)

慶州 佛國寺 性陀 會主스님과 함께(2014.03)

中國 鞍山市 千山地區 龍泉寺에서(2014.04)

中國 安重根義士紀念館 哈爾濱驛 앞에서(2014.07)

中國 琿春市 八連城址에서(2014.07)

中國 圖們市 豆滿江邊에서(2014.07)

中國 圖們市 豆滿江에서(2014.07)

中國 圖們市 豆滿江邊에서(2014.07)

中國 阜新市 塔山城址에서(2014.07)

中國 朝陽縣 雙塔寺塔 앞에서(2014.07)

中國 凌源市 十八里堡塔에서(2014.07)

鄭永鎬 博士님의 사모님 古稀宴(2014.10)

鄭永鎬 博士님의 사모님 古稀宴(2014.10)

日本 奈良縣 當麻寺에서(2013. 07)

中國 渤海 石燈 앞에서(2014.07)

中國 河北省 定州 開元寺塔 앞에서(2015.07)

慶州 蕉雨 黃壽永 博士 功德 追慕碑에서(2014.11)

蕉雨 黃壽永 博士 功德 追慕碑 除幕式(2014.11)

蕉雨 黃壽永 博士 功德 追慕碑 除幕式(2014.11)

蕉雨 黃壽永 博士 功德 追慕碑 除幕式(2014.11)

蕉雨 黃壽永 博士 功德 追慕碑 除幕式(2014.11)

慶州 南山 南山寺에서(2014.11)

慶州 佛國寺에서(2014.11)

樹默 秦弘燮 博士 功德 追慕碑 除幕式(2015.03)

樹默 秦弘燮 博士 功德 追慕碑 除幕式(2015.03)

48

樹默 秦弘燮 博士 功德 追慕碑 除幕式(2015.03)

又玄 高裕燮, 蕉雨 黃壽永, 樹默 秦弘燮 三傑碑(2015.10)

中國 普蘭店市 西山一塔에서(2015.04)

中國 普蘭店市 西山一塔에서(2015.04)

日本 對馬市議會 議員團 德惠翁主墓 參拜(2015.05)

日本 對馬市議會 議員團 南楊州 洪陵 見學(2015.05)

京畿道 廣州 觀音寺에서(2015.05)

中國 北京市 萬佛堂 花塔에서(2015.07)

中國 廊坊市 白塔寺에서(2015.07)

中國 山西省 渾源縣 圓覺寺塔(2015.10)

慶州 佛國寺 三層石塔 해체 수리 자문회의(2015.07)

慶州 佛國寺 三層石塔 해체 수리 현장 설명(2015.07)

慶州 佛國寺 三層石塔 해체 수리 현장 설명(2015.09)

慶州 佛國寺 三層石塔 해체 수리 자문회의(2015.09)

慶州 佛國寺 三層石塔 舍利 再奉安 儀式(2015.09)

慶州 佛國寺 三層石塔 舍利 再奉安(2015.09)

益山 彌勒寺址 石塔 현장 자문회의(2015.11)

석조문화재 수리 및 보존관리 국제학술심포지엄(2015.11)

益山 彌勒寺址 石塔 佛舍利 奉安前 紀念 撮影(2015.12)

益山 彌勒寺址 石塔 佛舍利 奉安(2015.12)

豪佛 鄭永鎬 博士 略歷

■ 學歷

1952. 3. 國立 서울大學校 師範大學 附屬 中·高等學校 卒業

1956. 3. 國立 서울大學校 師範大學 歷史科 卒業

1960. 2. 國立 서울大學校 文理科大學 政治學科 卒業

1974. 8. 文學博士 受位(檀國大學校 大學院, 舊制)

■ 經歷

1959. 4 ~ 1967. 2.	淑明女子高等學校 教師
1961. ~ 1968.	考古美術同人會 幹事(現 韓國美術史學會 前身)
1967. 3 ~ 1986. 3.	檀國大學校 史學科 教授·博物館長
1986. 4 ~ 2000. 2.	韓國敎員大學校 敎授·博物館長(學長·敎授部長 歷任)
1963. ~ 1984. ~ 2003.	文公部 文化財專門委員, 文化財委員(第1分科委員長 歷任)
1964. ~ 1971.	新羅 五岳·三山 學術調査團 委員
1964. ~ 1984.	文敎部 敎育課程審議委員, 高等考試委員
	佛敎美術展 審査委員
	韓國大學博物館協會 副會長
1982. ~ 1985.	日本 文化廳 東京國立文化財研究所 招聘敎授 및 客員敎授
1982. ~ 1986.	韓國美術史學會 會長
1983. ~ 1984.	文敎部 政策諮問委員會 國史分科委員長
1984. ~ 2010.	서울特別市 市史編纂委員
1986. 3 ~ 현재	日本 對馬島韓國先賢顯彰會 韓國側 實行委員長, 代表
1987. ~ 2009.	忠淸北道 文化財委員
1988. ~ 1992.	韓國梵鍾研究會 會長
1988. ~ 2000.	敎育部 國史編纂委員
1989. ~ 1998.	高麗學術文化財團 理事
1991. ~ 현재	韓國文化史學會 會長·名譽會長
1998. ~ 2002.	百濟王仁博士顯彰協會 會長
2000. ~ 2001.	韓國梵鍾研究會 會長

2000. ~ 현재	韓國教員大學校 名譽教授
2000. 9 ~ 2002. 8.	國立 順天大學校 碩座教授
2001. 6 ~ 현재	江原道 襄陽郡 名譽郡民
2001. 9 ~ 2002. 8.	東國大學校 碩座教授
2002. 3 ~ 2004. 2.	大田大學校 待遇教授
2002. 3 ~ 2014. 2.	檀國大學校 碩座教授 · 石宙善紀念博物館長
2002. 10 ~ 2010. 9.	서울歷史博物館 諮問委員
2003. 3 ~ 현재	(財)慶南文化財研究院 理事
2003. 3 ~ 현재	佛國寺聖寶博物館 建立諮問委員會 委員長
2003. 6 ~ 현재	(財)聖林文化財研究院 理事 · 院長 · 名譽院長
2005. 12 ~ 현재	(財)忠淸北道文化財研究院 理事
2011. 3 ~ 현재	日本 對馬市 國際諮問大使
2014. 6 ~ 현재	高麗學術文化財團 理事長

■ 重要 賞勳

1979. 10.	大韓民國 文化賞(大統領) 受賞
1981. 6.	又玄文化賞 受賞
2000. 2.	항조근정 勳章(1885號)
2001. 8.	萬海 學術賞 受賞
2002. 6.	功勞牌(大韓佛教 曹溪宗 宗正 法傳)

■ 重要 學會 活動

韓國美術史學會 회장, 운영위원, 종신회원
歷史學會 종신회원 및 평의원
歷史教育研究會 종신회원 및 평의원
震檀學會 종신회원
韓國史研究會 종신회원
日本朝鮮學會 정회원
日本美術史學會 정회원
國際博物館會 정회원

■ 日本 對馬島 建立 韓國 先賢 顯彰 10碑

1. 大韓人崔益鉉先生殉國之碑
   (1986.08. 嚴原町 修善寺, 151×45×25cm)

2. 新羅國使朴堤上公殉國之碑
   (1988.08. 上縣町 佐護湊, 219×131×113cm)

3. 朝鮮譯官使殉難之碑
   (1991.03. 上對馬町 鰐浦公園, 105.7×74.1×10.3cm)

4. 朝鮮通信使之碑
   (1992.02. 嚴原町 高麗門, 266×117×81cm)

5. 李王家宗伯爵家御結婚奉祝記念碑[德惠翁主碑]
   (2001.11. 嚴原町 金石城址, 278.5×101.4×23.7cm)

6. 朝鮮國譯官使並從者殉國靈位碑
   (2003.03. 上對馬町 鰐浦公園, 109×245×28.7cm)

7. 通信使李藝功績碑
   (2005.11. 峰町 円通寺, 235×72×39cm)

8. 朝鮮國王姬墓塔과 塔碑
   (2006.10. 上縣町 佐奈豊公園, 89.4×138×20.2cm)

9. 百濟國王仁博士顯彰碑
   (2007.05. 對馬町 鰐浦港, 232×100×65cm)

10. 通信使黃允吉顯彰碑
    (2011.12. 嚴原町 東里, 239.5×78.5×38.8cm)

※ 豪佛 鄭永鎬 博士께서는 日本 對馬市 國際諮問大使로 지금까지 총190회 한국과
   對馬島를 왕래하시었습니다.

豪佛 鄭永鎬 博士 論著 目錄

I. 著書

1966. 『國史問題研究』, 省文社

1967.11 『槐山地區 古蹟調査報告書』, 檀國大出版部(檀國大學校 博物館 古蹟調査報告 第1冊)

1968.11 『善山地區 古蹟調査報告書』, 檀國大出版部(檀國大學校 博物館 古蹟調査報告 第2冊)

1969.11 『尙州地區 古蹟調査報告書』, 檀國大出版部(檀國大學校 博物館 古蹟調査報告 第3冊)

1970.12 『우리나라의 문화재』-유형문화재-, 문화공보부 문화재관리국

1973.11 『韓國美術全集 7 -石造-』(編著), 同和出版公社

1974. 『新羅石造浮屠研究』, 信興出版社

1979. 『大學國史』(共著), 檀國大出版部

1979. 『韓國の石塔』, 日本近藤出版社

1981.12 『石塔』(責任監修), 韓國의 美 9, 중앙일보사

1981.12 『石燈・浮屠・碑』(責任監修), 韓國의 美 15, 중앙일보사

1982. 『韓國佛像三百選』(共著), 韓國精神文化研究院

1984.12 『忠州댐 水沒地區 文化遺蹟發掘調査綜合報告書 : 佛蹟分野』, 忠北大學校 博物館

1985.03 『金屬工藝』(責任監修), 韓國의 美 23, 중앙일보사

1985. 『慶熙宮址發掘調査報告書』, 檀國大學校 博物館

1987.10 『朴堤上史蹟調査報告書』, 韓國敎員大學校 博物館(학술조사보고 제1집)

1988.10 『昇州大谷里和順福矯里支石墓群發掘調査報書』, 韓國敎員大學校 博物館(학술조사보고 제2집)

1989.05 『석탑』, 대원사, 빛깔있는 책 47

1989.10 『壬亂義士 金俊臣公史蹟調査報告書』, 韓國敎員大學校 博物館(학술조사보고 제3집)

1990.10 『雲住寺의 石塔과 石佛』, 韓國敎員大學校 博物館(학술조사보고 제4집)

1990.11 『부도』, 대원사, 빛깔있는 책 56

1991.10 『飛中里一光三尊石佛 地表調査 및 簡易發掘調査報告書』, 韓國敎員大學校 博物館(학술조사보고 제5집)

1992.07 『國寶 7 石造』, 웅진출판주식회사

1992.10 『飛中里一光三尊石佛 復元調査 및 原位置探索調査報告書』, 韓國敎員大學校 博物館(학술조사보고 제6집)

1992.12 『韓國佛塔 100選』(共著), 韓國精神文化研究院

1993.06 『사천 구평리유적 -신석기시대 조개더미발굴 보고-』(共著), 단국대학교 중앙박물관

1993.10 『中原塔坪里寺址發掘調査報告書』, 韓國教員大學校 博物館(학술조사보고 제7집)

1994.10 『'93中原塔坪里遺蹟發掘調査報告書』, 韓國教員大學校 博物館(학술조사보고 제8집)

1995.10 『百濟王仁博士史蹟研究』, 韓國教員大學校 博物館(학술조사보고 제9집)

1996.10 『完州松廣寺』, 韓國教員大學校 博物館(학술조사보고 제10집)

1996.11 『報恩俗離山神補塔學術調査報告書』, 韓國教員大學校 博物館

1997.10 『佛國寺三層石塔 舍利具와 文武大王 海中陵』(共著), 韓國精神文化研究院

1997.11 『王仁』, 97년 11월의 문화인물 왕인박사, 문화체육부 한국문화예술진흥원

1997.12 『新羅佛敎初傳地域學術調査報告書』, 韓國教員大學校 博物館(학술조사보고 제11집)

1998.08 『한국의 석조미술』, 서울대학교 출판부

1998. 『壬亂最初의 義兵將 金俊臣公 義擧史蹟研究』

1998.12 『報恩俗離山神補塔學術調査 鎭川崇烈祠地表調査報告書』, 韓國教員大學校 博物館(학술
        조사보고 제12집)

1999.03 『연해주에 남아있는 발해 -沿海州 渤海遺蹟 調査報告-』(共著), 고려학술문화재단

1999.10 『그림과 명칭으로 보는 한국의 문화유산』 -문화유산 이해의 길잡이 1-(監修), 시공테크

1999.10 『그림과 명칭으로 보는 한국의 문화유산』 -문화유산 이해의 길잡이 2-(監修), 시공테크

1999.10 『鎭川金分信將軍史蹟 學術調査 報告書』(附:全州地方의 木佛調査), 韓國教員大學校 博物
        館(학술조사보고 제13집)

2000.03 『考古美術 첫걸음』, 豪佛 鄭永鎬 考古美術論集 1, 學研文化社

2004.07 『백제의 불상』, (재)백제문화개발연구원, 도서출판 주류성

2005.04 『道義國師와 陳田寺』, 學研文化社

II. 論 文

1. 寺院 · 寺址(古墳 포함)

1960.08 「原州의 寺蹟 ; 興法 · 法泉 · 居頓」, 『考古美術』 제1권 제1호 통권1호, 考古美術同人會

1960.12 「八公山 符仁寺」, 『考古美術』 제1권 제5호 통권5호, 考古美術同人會

1961.01 「八公山 地藏寺」, 『考古美術』 제2권 제1호 통권6호, 考古美術同人會

1961.02 「八公山 念佛庵」, 『考古美術』 제2권 제2호 통권7호, 考古美術同人會

1962.06 「寧越郡 酒泉 · 武陵里의 佛蹟調査」, 『歷史教育』 6, 역사교육연구회

1962.09 「彦陽 大谷里寺址의 調査」, 『考古美術』 제3권 제9호 통권26호, 考古美術同人會

1962.10 「堤川 月岳山 德周寺址의 調査」, 『考古美術』 第3권 第10호 통권27호, 考古美術同人會

1963.02 「金海郡 甘露里의 寺址」, 『考古美術』 第4권 第2호 통권31호, 考古美術同人會

1964.04 「念佛庵 上樑文」, 『考古美術』 第5권 第4호 통권45호, 考古美術同人會

1966.02 「覺淵寺 遺物調查略報(下)」, 『考古美術』 第7권 第2호 통권67호, 考古美術同人會

1966.04 「鷲棲寺의 塔・像과 石燈」(新羅五岳調查記 其六), 『考古美術』 第7권 第4호 통권69호, 考古美術同人會

1966.06 「襄陽 禪林院址에 대하여」, 『考古美術』 第7권 第6호 통권71호, 考古美術同人會

1966.08 「谷城郡 堂洞里 逸名寺址 調查(全南 谷城郡 佛蹟 三)」, 『考古美術』 第7권 第8호 통권73호, 考古美術同人會

1967.08 「泗川 舊坪里貝塚 發掘調查概要」, 『考古美術』 第8권 第8호 통권85호, 考古美術同人會

1967.09 「槐山 外沙里寺址 調查」, 『考古美術』 第8권 第9호 통권86호, 考古美術同人會

1967.09 「慶州 南山佛蹟 補遺(其一)」, 『史學志』 1, 檀國大學校 史學會

1968.04 「陰城 平谷里 寺址와 石佛坐像」, 『考古美術』 第9권 第4호 통권93호, 考古美術同人會

1968.09 「泗川 松旨里 石箱式 古墳群 發掘調查概要」, 『考古美術』 第9권 第9호 통권98호, 考古美術同人會

1968.09 「中原 靑龍寺址의 調查 −普覺國師定慧圓融塔과 塔碑 및 石燈을 中心으로−」, 『史叢』 12・13, 高麗大學校 史學會

1968.09 「忠州 丹湖寺의 遺蹟調查 −鐵造如來坐像과 三層石塔을 中心하여−」, 『史學志』 2, 檀國大學校 史學會

1969.03 「原城周浦里 道純庵의 遺跡」, 『考古美術』 101, 韓國美術史學會

1969.04 「襄陽 陳田寺址 遺蹟 調查 −石塔과 浮屠의 復元을 계기로−」, 『歷史教育』 第11 12合輯, 金聲近博士還曆紀念論叢, 歷史教育研究會

1969.06 「新羅三山調查 3次調查略報」, 『考古美術』 102, 韓國美術史學會

1969.07 「槐山地區 古蹟調查 補遺」, 『史學志』 3, 檀國大學校 史學會

1969. 「永同 寧國寺의 遺蹟」, 『李弘稙博士回甲紀念 韓國史學論叢』, 신구문화사

1969.12 「新羅 獅子山 興寧寺址 研究」, 『白山學報』 第7號, 白山學會

1970.07 「橫城地域의 佛教遺蹟」, 『李海南博士華甲紀念 史學論叢』, 一潮閣

1970. 「楊平 玉泉面의 佛蹟 −舍那寺와 玉泉里 遺蹟을 중심으로−」, 『白山學報』 第8號, 白山學會

1971.04 「古靈山 普光寺 遺蹟 − 崇禎七年銘 銅鍾을 中心하여 −」, 『惠庵 柳洪烈博士 華甲紀念論叢』, 惠庵柳洪烈博士 華甲紀念論叢刊行委員會

1971.11 「慶北 英陽地區 佛教遺蹟」, 『史學志』 5, 檀國大學校 史學會

1972.06 「新羅 深妙寺址의 推定」, 『考古美術』 113・114, 韓國美術史學會

1973.02 「圓光法師와 三岐山 金谷寺」, 『史叢』 17・18, 藍史鄭在覺博士華甲紀念, 高麗大學校 史學會

1974.04 「淸州·淸原地區 古蹟調査(第1次)」,『박물관신문』38, 국립중앙박물관

1974.06 「慶州警察署內의 石造物들」,『考古美術』121·122, 韓國美術史學會

1974.11 「慶北 靑松地區 遺蹟·遺物」,『史學志』8, 檀國大學校 史學會

1974.12 「楊平郡 介軍面上紫浦里遺蹟」,『八堂·昭陽댐水沒地區遺蹟發掘綜合調査報告書』

1975.02 「淸州·淸原地區 古蹟 第 2次 調査」,『박물관신문』46, 국립중앙박물관

1975.03 「忠州·中原地區 古蹟 第 1次 調査」,『박물관신문』47, 국립중앙박물관

1975.10 「襄陽 陳田寺址와 그 發掘調査 略報(上)」,『박물관신문』52, 국립중앙박물관

1975.10 「太白山 淨巖寺의 遺蹟遺物」,『藝術論文集』第14輯, 大韓民國 藝術院

1975.10 「蠶室地區第II地區遺蹟發掘調査 可樂洞 第6號墳」,『蠶室地區遺蹟發掘調査團報告書』

1975.11 「襄陽 陳田寺址와 그 發掘調査 略報(下)」,『박물관신문』53, 국립중앙박물관

1975.12 「忠州·中原地區 古蹟 2·3次 調査 略報」,『박물관신문』54, 국립중앙박물관

1976.04 「慶北 醴泉地區古蹟 第 1次 調査略報(上)」,『박물관신문』57, 국립중앙박물관

1976.05 「慶北 醴泉地區古蹟 第 1次 調査略報(下)」,『박물관신문』58, 국립중앙박물관

1976.06 「慶北 醴泉地區古蹟 第 2·3次 調査略報(上)」,『박물관신문』59, 국립중앙박물관

1976.07 「慶北 醴泉地區古蹟 第 2·3次 調査略報(中)」,『박물관신문』60, 국립중앙박물관

1976.08 「慶北 醴泉地區古蹟 第 2·3次 調査略報(下)」,『박물관신문』61, 국립중앙박물관

1977.12 「慶州 東川洞 逸名寺址 石造物에 대한 一考察」,『文化財』11, 文化財管理局

1980.09 「海南 隱蹟寺의 遺蹟 遺物」,『文化財』第13號, 文化財管理局

1980.12 「忠州댐 水沒地域佛蹟調査」,『忠州댐水沒地域文化財地表調査報告書』

1982.09 「利川地區 文化遺蹟 調査略報(上)」,『박물관신문』133, 국립중앙박물관

1982.12 「堤原 傳淨金寺址 發掘調査 報告」,『1982年度忠州댐水沒地區文化遺蹟發掘調査報告書』, 忠淸北道

1982.12 「淸風邑里 逸名寺址 發掘調査 報告」,『1982年度忠州댐水沒地區文化遺蹟發掘調査報告書』, 忠淸北道

1983.12 「中原 淨土寺址 A·B地區 發掘調査 報告」,『1983年度忠州댐水沒地區文化遺蹟發掘調査報告書』, 忠淸北道

1984.02 「廣州 春宮里 寺址 一考」,『藍史鄭在學博士古稀紀念 東洋學論叢』, 東洋學論叢編纂委員會, 高麗苑

1984.12 「夢村土城第IV地區發掘調査報告」,『夢村土城發掘調査報告書』

1985.12 「住岩댐水沒地區 美術史分野 調査報告」,『住岩댐 水沒地區 地表調査報告書』, 全南大學校 博物館

1988. 「福矯里 복교 支石墓」,『住岩댐水沒地域文化遺蹟發掘調査報告書』IV, 전남대 박물관

1989.11 「八公山 符仁寺」,『高麗大藏經研究資料集 II』, 高麗大藏經研究會

1997.08 「석굴암」,『재발견 한국의 문화유산』, 한국정신문화연구원 편, 민속원
1997.08 「불국사」,『재발견 한국의 문화유산』, 한국정신문화연구원 편, 민속원
1997.12 「구미·선산지역의 불교」,『韓國學論集』第24輯, 啓明大學校 韓國學硏究所
1998.12 「禪林院의 寶物들」,『양양선림원 학술강연회』, 양양문화원
2001.10 「陳田寺址의 道義國師 관련 사적」,『양양 진전사 복원에 따른 학술심포지엄』, 양양문화원
2002.01 「道義國師의 史蹟 硏究」,『曹溪宗祖 道義國師의 生涯와 思想』학술세미나, 조계종 교육원 불학연구소·불교신문사
2002.12 「陳田寺와 道義國師의 史蹟 硏究」,『博物館紀要』17, 檀國大學校 石宙善紀念博物館
2010.08 「강릉 굴산사지 사적 제448호」,『문화재대관 사적 제1권』(증보판), 문화재청 보존정책과
2010.08 「양양 낙산사 일원 사적 제495호」,『문화재대관 사적 제1권』(증보판), 문화재청 보존정책과
2015.09 「木浦 達聖寺의 歷史와 位相」,『木浦 達聖寺 冥府殿 地藏菩薩像과 腹藏物의 重要性 학술대회』, 대한불교조계종 달성사, 민족문화유산연구원

2. 彫刻

1960.11 「智異山 泉隱寺의 金銅佛龕」,『考古美術』제1권 제4호 통권4호, 考古美術同人會
1961.03 「八公山頂의 石佛 兩軀」,『考古美術』제2권 제3호 통권8호, 考古美術同人會
1961.07 「廣州郡 西部面 草一里 石佛立像」,『考古美術』제2권 제7호 통권12호, 考古美術同人會
1961.10 「鐵佛頭 二例」,『考古美術』제2권 제10호 통권15호, 考古美術同人會
1962.03 「密陽 舞鳳寺의 石造光背와 石佛坐像」,『考古美術』제3권 제2·3호 통권19·20호, 考古美術同人會
1962.05 「梁山 彌陀庵의 石佛立像」,『考古美術』제3권 제5호 통권22호, 考古美術同人會
1962.06 「月城郡 [부처재]의 石佛坐像」,『考古美術』제3권 제6호 통권23호, 考古美術同人會
1962.07 「東亞大藏 金銅佛과 康熙銘砲」,『考古美術』제3권 제7호 통권24호, 考古美術同人會
1962.12 「奉化 北枝里의 磨崖佛像」,『考古美術』제3권 제12호 통권29호, 考古美術同人會
1963.01 「靑銅佛頭 一例」,『考古美術』제4권 제1호 통권30호, 考古美術同人會
1963.03 「南原 周生面의 石佛 二軀」,『考古美術』제4권 제3호 통권32호, 考古美術同人會
1963.04 「完州 高山面 小向里의 石佛」,『考古美術』제4권 제4호 통권33호, 考古美術同人會
1963.05 「居昌郡 農山里 및 上川里의 石造佛像」,『考古美術』제4권 제5호 통권34호, 考古美術同人會
1963.07 「通度寺所藏 金銅佛像 三軀」,『考古美術』제4권 제7호 통권36호, 考古美術同人會
1963.12 「咸安 長春寺의 石造藥師如來坐像」,『考古美術』제4권 제12호 통권41호, 考古美術同人會
1964.03 「完州郡 三奇里의 石佛 二軀」,『考古美術』제5권 제3호 통권44호, 考古美術同人會
1964.05 「南原 禪院寺의 鐵佛坐像」,『考古美術』제5권 제5호 통권46호, 考古美術同人會

1964.07 「梁山 龍華寺의 石造如來坐像」, 『考古美術』 제5권 제6·7호 통권47·48호, 考古美術同人會

1964.08 「任實의 石佛 二軀」, 『考古美術』 제5권 제8호 통권49호, 考古美術同人會

1965.04 「八公山上峰의 磨崖如來坐像」, 『考古美術』 제6권 제3·4호 통권56·57호, 考古美術同人會

1965.08 「昌原 佛谷寺 毘盧舍那佛」, 『考古美術』 제6권 제8호 통권61호, 考古美術同人會

1965.12 「襄陽出土 青銅制菩薩坐像」, 『考古美術』 제6권 제12호 통권65호, 考古美術同人會

1966.01 「覺淵寺 石造毘盧舍那佛坐像(覺淵寺 調査記 上)」, 『考古美術』 제7권 제1호 통권66호, 考古美術同人會

1966.07 「谷城 石谷·竹谷의 石佛 三軀(全南谷城郡佛蹟 二)」, 『考古美術』 제7권 제7호 통권72호, 考古美術同人會

1966.12 「益山郡 德基里 石佛立像」, 『考古美術』 제7권 제12호 통권77호, 考古美術同人會

1967.02 「南原 新村里의 石佛坐像과 塔材」, 『考古美術』 제8권 제2호 통권79호, 考古美術同人會

1967.03 「竹嶺 白龍寺의 石佛坐像」, 『考古美術』 제8권 제3호 통권80호, 考古美術同人會

1967.04 「洪川 津里 石佛과 陽德院 三層石塔」, 『考古美術』 제8권 제4호 통권81호, 考古美術同人會

1967.05 「楊平 婆娑山 磨崖如來立像」, 『考古美術』 제8권 제5호 통권82호, 考古美術同人會

1968.02 「永川 仙源洞 鐵佛坐像」, 『考古美術』 제9권 제2호 통권91호, 考古美術同人會

1968.10 「金陵 廣德洞 磨崖菩薩立像」, 『考古美術』 제9권 제10호 통권99호, 考古美術同人會

1968.11 「永川 曉洞의 石佛 三軀」, 『考古美術』 제9권 제11호 통권100호, 考古美術同人會

1970. 「水鍾寺石塔內發見 金銅如來像」, 『考古美術』 106·107, 韓國美術史學會

1975.03 「陳田寺址 出土 青銅如來立像」, 『考古美術』 125, 韓國美術史學會

1975.12 「莊陸寺菩薩坐像과 그 腹藏發願文」, 『考古美術』 128, 韓國美術史學會

1978.01 「새로 發見한 文化財를 찾아 -星州老石洞의 磨崖三尊과 如來坐像-」, 『박물관신문』 77, 국립중앙박물관

1978.03 「星州 老石洞 道高山 磨崖三尊佛과 如來坐像」, 『考古美術』 136·137, 韓國美術史學會

1978.09 「鎭川 太和四年銘 磨崖佛立像」, 『考古美術』 138·139, 韓國美術史學會

1979. 「龜尾 眞坪洞 磨崖尊佛에 대하여」, 『學術論叢』 第3輯, 檀國大學校 大學院

1980.08 「中原鳳凰里磨崖半跏像과 佛 菩薩群」, 『考古美術』 146·147, 韓國美術史學會

1980.08 「清原 飛中里 三尊石佛」, 『박물관신문』 108, 국립중앙박물관

1981.12 「槐山 三訪里 磨崖如來坐像」, 『西原學報』 2, 西原學會

1982.06 「統一新羅時代의 石佛」, 『考古美術』 154·155, 統一新羅時代의 美術特輯 -彫刻-, 韓國美術史學會

1982.11 「利川 '太平興國'銘 磨崖半跏像」, 『史學志』 16, 檀國大學校 史學會

1984.12 「對馬島發見 百濟金銅半跏像」, 『百濟研究』 15, 忠南大學校 百濟研究所

1985.　　「對馬島의 새로운 佛像들」,『日本 對馬・壹岐島 綜合學術調査報告書』, 서울신문사

1985.04　「韓國新發見の磨崖半跏像二例」,『半跏思惟像の研究』, 日本 吉川弘文館(大西 修也 譯)

1985.09　「高麗時代의 磨崖佛」,『考古美術』166・167, 韓國美術史學會

1985.10　「日本 觀松院所藏 百濟 金銅半跏像 -百濟金銅佛渡日의 一例-」,『文山金三龍博士華甲紀念 韓國文化와 圓佛教思想』, 원광대학교 출판부

1985.11　「日本 觀松院所藏 金銅半跏像」,『第8回 馬韓・百濟文化 國際學術會議』, 圓光大學校 馬韓百濟文化研究所

1987.08　「日本 對馬島의 韓國金銅佛像 研究試論」,『三佛金元龍教授 停年退任紀念論叢 II』, 一志社

1988.06　「日本 松田 光氏所藏 金銅半跏思惟像 -百濟 金銅半跏思惟像 渡日의 一例-」,『蕉雨黃壽永博士 古稀紀念 美術史學論叢』, 通文館

1988.07　「寶城 柳新里 磨崖如來坐像 -中國佛 '어깨걸치개' 樣式 傳播의 一例-」,『孫寶基博士停年紀念 考古人類學論叢』, 지식산업사

1990.02　「日本 對馬島의 韓國佛像 新例」,『歷史教育論集』第13・14輯, 歷史教育研究會

1990.08　「日本佛像에 보이는 韓國文化의 影響」,『考古美術』185, 韓國美術史學會

1991.06　「韓國의 石佛」,『古美術』1991년 여름호, 韓國古美術協會

1992.06　「通度寺 金銅阿彌陀如來 三尊佛像」,『水邨朴永錫 教授華甲紀念 韓國史學論叢 (上)』

1992.07　「統一新羅時代 이후의 石佛」,『國寶 4 石佛』, 웅진출판주식회사

1992.09　「石窟 創建과 東海口 新羅遺蹟과의 關係」,『精神文化研究』제15권 제3호(통권 48호), 韓國精神文化研究院

1993.12　「淸原郡의 佛像」,『淸原文化』第2號, 淸原文化院

1995.06　「百濟金銅半跏思惟像의 新例」,『文化史學』3, 韓國文化史學會

1996.05　「益山地域 百濟佛像의 考察」,『韓國文化史上 益山의 位置』, 圓光大學校 馬韓・百濟文化研究所

1997.06　「高句麗 金銅如來立像과 金銅高等神像의 新例」,『文化史學』第6・7號(蕉雨黃壽永博士 八旬頌祝紀念論叢), 韓國文化史學會

1997.06　「三和寺 鐵佛과 三層石塔의 佛教美術史的 照明」,『한국 문화유산의 위상제고』, 동해문화원

1997.12　「三和寺 鐵佛과 三層石塔의 佛教美術史的 照明」,『文化史學』第8號, 韓國文化史學會

1998.06　「高句麗 金銅佛像의 新例」,『高句麗研究』5, 高句麗研究會

1998.10　「百濟佛像의 原流試論」,『史學研究』55・56, 竹田申載洪博士停年退任紀念論文集, 韓國史學會

1998.10　「渤海의 佛教와 佛像」,『서울대학교 박물관 소장 유물』, 서울대학교 박물관

1999.04　「渤海의 佛教와 佛像」,『高句麗研究』第6輯, 高句麗研究會

1999.10　「高句麗 金泥如來立像의 新例」,『고구려 미술사』, 고구려연구회 제11차 정기 학술발표회

1999.11 「高句麗 金泥如來立像의 新例」,『田雲德 總務院長 華甲紀念 佛教學 論叢』

2001.12 「高句麗佛像彫刻의 特性 研究」,『高句麗研究』第12輯, 高句麗研究會

2002.04 「高句麗 泥造菩薩立像의 新例」,『韓國의 美術文化史 論叢』, 孟仁在先生古稀紀念論叢刊
行委員會.

2002.06 「高麗 三尊千佛碑像의 新例」,『文化史學』第17號, 韓國文化史學會

2002.12 「淸虛堂・四溟堂 石造二尊碑像」,『文化史學』第18號, 韓國文化史學會

2003.06 「金銅仰蓮座內 金銅如來坐像 －金銅如來坐像 奉安의 新例－」,『文化史學』第19號, 韓國文
化史學會

2003.   「百濟半跏思惟像研究」,『百濟論叢』第7輯, 百濟文化開發研究院.

2004.12 「金銅半跏思惟像의 新例」,『文化史學』第22號, 韓國文化史學會

2004.12 「佛像을 中心한 高句麗의 正體性 研究」,『高句麗研究』第18輯, 高句麗研究會

2005.05 「고구려의 불교와 불상」,『한국 고대 GLOBAL PRIDE 고구려』, 고려대학교 박물관

2006.06 「洛山寺 空中舍利塔의 舍利莊嚴에 관하여」,『文化史學』第25號, 韓國文化史學會

2006.12 「6-7세기 삼국기 불상에 대하여」,『博物館紀要』21, 檀國大學校 石宙善紀念博物館

2007.12 「統一新羅와 高麗時代의 佛像 －石造佛像을 中心으로－」,『博物館紀要』22, 檀國大學校
石宙善紀念博物館

2008.   「연기지역의 고대 불적」,『燕岐 唐山城 정밀지표조사 연구보고서』, 백제문화개발연구원

2008.11 「朝鮮時代의 佛教彫刻」,『博物館紀要』23, 檀國大學校 石宙善紀念博物館

2011.01 「百濟와 中國 南朝의 金銅一光三尊佛에 關한 試論」,『文化史學』第35號, 韓國文化史學會

2012.06 「金銅菩薩立像의 新例」,『文化史學』第37號, 韓國文化史學會

3. 石塔

1960.09 「堤川의 模塼石塔 二基」,『考古美術』제1권 제2호 통권2호, 考古美術同人會

1960.10 「淨岩寺 水瑪瑙塔의 調査」,『考古美術』제1권 제3호 통권3호, 考古美術同人會

1961.04 「淳昌郡 邑內里 三層石塔에 對하여」,『考古美術』제2권 제4호 통권9호, 考古美術同人會

1961.09 「寧越 武陵里의 青石塔과 磨崖坐佛」,『考古美術』제2권 제9호 통권14호, 考古美術同人會

1961.10 「寧越 武陵里의 三層石塔과 石佛坐像」,『考古美術』제2권 제10호 통권15호, 考古美術同
人會

1963.09 「密陽 萬魚寺 三層石塔」,『考古美術』제4권 제9호 통권38호, 考古美術同人會

1963.10 「鎭川 玉城里의 塔像」,『考古美術』제4권 제10호 통권39호, 考古美術同人會

1963.11 「丹陽 香山里 三層石塔」,『考古美術』제4권 제11호 통권40호, 考古美術同人會

1964.04 「靈光 新川里의 三層石塔」,『考古美術』제5권 제4호 통권45호, 考古美術同人會

1964.09 「醴泉 青龍寺의 塔像」,『考古美術』제5권 제9호 통권50호, 考古美術同人會

1964.11 「靈岩의 石塔 二基」,『考古美術』 제5권 제11호 통권52호, 考古美術同人會

1964.12 「橫城邑內의 塔像(橫城佛蹟 其 一)」,『考古美術』 제5권 제12호 통권53호, 考古美術同人會

1965.01 「橫城 上洞里의 塔像(橫城佛蹟 其 二)」,『考古美術』 제6권 제1호 통권54호, 考古美術同人會

1965.02 「橫城 鴨谷里의 塔像(橫城佛蹟 其 三)」,『考古美術』 제6권 제2호 통권55호, 考古美術同人會

1965.05 「橫城 中金里 雙塔과 新垈里 石塔(橫城佛蹟 其 四)」,『考古美術』 제6권 제5호 통권58호, 考古美術同人會

1966.05 「谷城의 塔 像(全南 谷城郡 佛蹟 一)」,『考古美術』 제7권 제5호 통권70호, 考古美術同人會

1966.11 「襄陽郡 黃耳里 塔・像」,『考古美術』 제7권 제11호 통권76호, 考古美術同人會

1967.06 「襄陽 陳田寺址 三層石塔과 石造浮屠」,『考古美術』 제8권 제6호 통권83호, 考古美術同人會

1967.11 「陰城 文化洞 五層石塔」,『考古美術』 제8권 제11호 통권88호, 考古美術同人會

1967.12 「陰城 景湖亭의 三層石塔과 平谷里 菩薩立像」,『考古美術』 제8권 제12호 통권89호, 考古美術同人會

1968.07 「尙州 柳谷里와 三層石塔과 石燈材」,『考古美術』 제9권 제7호 통권96호, 考古美術同人會

1969. 「韓國石塔의 特殊樣式 考察(上) -統一新羅時代의 石塔을 中心으로-」,『論文集』3, 檀國大學校

1969.09 「香城寺址三層石塔」,『史學研究』 第21輯, 韓國史學會

1969.11 「韓國石塔의 始原 -統一新羅를 中心으로-」,『月刊中央』2-11, 중앙일보사

1969.12 「韓國石塔의 典型 ①」,『月刊中央』2-12, 중앙일보사

1970.01 「韓國石塔의 典型 ②」,『月刊中央』3-1, 중앙일보사

1970.02 「韓國石塔의 典型 ③」,『月刊中央』3-2, 중앙일보사

1970.03 「新羅石塔의 變遷 上」,『月刊中央』3-3, 중앙일보사

1970.04 「新羅石塔의 變遷 中」,『月刊中央』3-4, 중앙일보사

1970.05 「新羅石塔의 變遷 下」,『月刊中央』3-5, 중앙일보사

1970.06 「新羅의 裝飾 石塔 -統一新羅를 中心으로-」,『月刊中央』3-6, 중앙일보사

1970.07 「新羅의 塼塔 -統一新羅를 中心으로-」,『月刊中央』3-7, 중앙일보사

1970.08 「模塼石塔의 類型 -統一新羅의 代表作을 中心으로-」,『月刊中央』3-8, 중앙일보사

1970.11 「高麗時代의 塔婆 -그 變遷과 特徵을 中心으로-」,『月刊中央』32, 중앙일보사

1970.12 「韓國石塔의 特殊樣式考察(下) -高麗와 朝鮮時代石塔을 中心으로-」,『論文集』4, 檀國大學校

1971.12 「定林寺址五層石塔」,『月刊文化財』 1971년 12월호

1976.05 「高麗 石塔의 樣式上의 特性」,『東洋學』6, 第5回 東洋學學術會議錄, 檀國大學校 東洋學研究所

1977.12 「高麗時代 石塔의 特性에 관한 研究」,『檀國大學校 論文集』11 -人文・社會科學篇-, 檀

　　　　國大學校

1981.06 「三國時代의 佛敎建築」,『考古美術』150 −三國時代의 美術特輯−, 韓國美術史學會

1981.10 「新羅石塔の發生と變遷」,『新羅と日本古代文化』, 日本 吉川弘文館(泊勝美 譯)

1981.12 「韓國石塔樣式의 變遷」,『石塔』, 韓國의 美 9, 중앙일보사

1981.12 「異型石塔의 몇가지 例」,『石塔』, 韓國의 美 9, 중앙일보사

1984.10 「韓國의 塔婆」,『一洋』1984년 10월호

1984.12 「통일신라 : 탑파와 석조미술」,『韓國美術史』, 大韓民國 藝術院.

1984.12 「고려시대 : 탑파와 석조미술」,『韓國美術史』, 大韓民國 藝術院.

1985.10 「佛塔과 石造美術」,『歷史都市 慶州』(共著), 悅話堂.

1986.11 「朝鮮時代 石塔의 新例」,『李元淳敎授華甲紀念 史學論叢』, 교학사

1988.03 「불탑과 부도」,『한국의 전통문화』(共著), 한림대학 아시아문화연구소.

1989.12 「山淸大源寺 八層石塔硏究 −朝鮮時代 石塔의 新例−」,『龍岩車文爕敎授華甲紀念論叢』

1990.12 「朝鮮時代 石塔의 硏究試論」,『韓國佛敎美術史論』, 民族史

1991.06 「韓國의 佛塔美術」,『韓國의 農耕文化』第3輯, 京畿大學校 博物館

1991.12 「百濟의 石塔과 그 傳播」,『百濟의 彫刻과 美術』, 공주대학교 박물관·충청남도

1992.05 「昌慶宮內八角七層石塔 −成化六年銘 中國石塔의 一例−」,『歷史學의 諸問題』, 何石金昌
　　　　洙敎授華甲紀念史學論叢

1992.12 「韓國 中·近世 佛塔의 硏究」,『韓國佛塔 100選』, 韓國精神文化硏究院

1992.12 「咸平 龍泉寺 三層石塔 −朝鮮時代 石塔의 新例−」,『西巖趙恒來敎授華甲紀念 韓國史學
　　　　論叢』, 아세아문화사

1992.12 「百濟의 石塔과 그 傳播」,『百濟의 彫刻과 美術』, 公州大學校 博物館

1993.12 「圓覺寺址十層石塔과 敬天寺址十層石塔의 比較 試論」,『圓覺寺址十層石塔 정밀실측 보
　　　　고서』, 예그린 건축사무소

1994.06 「在日 高麗石塔 二基」,『文化史學』創刊號, 韓國文化史學會

1994.12 「益山彌勒寺址石塔과 王宮里五層石塔의 考察」,『文山 金三龍博士 古稀紀念論叢 馬韓·
　　　　百濟文化와 彌勒思想』, 원광대학교 출판국

1995.12 「三國時代의 佛塔 −한국의 불탑 연구(上)−」,『古美術』40, 1995년 가을·겨울호, 韓國古
　　　　美術協會

1996.06 「新羅時代의 佛塔 − 한국의 불탑 연구(中)−」,『古美術』41, 1996년 봄·여름호, 韓國古美
　　　　術協會

1996.10 「麗末鮮初의 石塔과 浮屠」,『高麗末 朝鮮初의 美術』, 國立全州博物館

1996.12 「多寶塔과 釋迦塔」,『佛國寺의 綜合的 考察』, 東國大學校 新羅文化硏究所

1996.12 「高麗·朝鮮時代의 佛塔」,『古美術』42, 1996년 가을·겨울호, 韓國古美術協會

1997.03 「朝鮮時代의 佛塔研究」,『韓國佛教의 座標』, 綠園스님古稀紀念 學術論叢, 불교시대사

1997.09 「多寶塔・釋迦塔과 舍利塔」,『新羅文化財學術發表會論文集』第18輯, 慶州 慶州市・東國 大學校 新羅文化研究所

1997.10 「佛國寺三層石塔 調査經緯」,『佛國寺三層石塔 舍利具와 文武大王 海中陵』, 韓國精神文 化研究院

1999.10 「百濟塔と蒲生の石塔寺三重石塔」,『石塔寺三重石塔のルーツを探る』

2000.10 「韓國美術史上 月精寺 八角九層石塔의 意義」,『월정사팔각구층석탑의 종합적 검토』, 월 정사 성보박물관 개관 1주년 기념 학술세미나

2008.11 「일본 시가현의 石塔寺 3층석탑을 찾아」,『日本 大阪・京都・奈良地域 百濟遺蹟 踏査 報 告』, (재)백제문화개발연구원

2009.02 「印度에서 新羅까지의 塔婆」,『실크로드와 신라문화』, 경주시・신라문화유산조사단

2009.12 「塔婆의 기원과 東方전파」,『博物館紀要』24, 檀國大學校 石宙善紀念博物館

2010.05 「高麗와 朝鮮時代의 塔婆」,『博物館紀要』25, 檀國大學校 石宙善紀念博物館

2014.11 「원각사지 10층석탑과의 비교연구-조형을 중심으로-」,『한국 전통불탑의 양식과 신앙 적 계승』, 천태종 종전연구원

2015.   「석조 탑파와 석조 부도」,『박물관 문화대학-역사속의 건축-』, 국립춘천박물관

4. 浮屠

1961.05 「雙鷄寺 浮屠에 對하여」,『考古美術』제2권 제5호 통권10호, 考古美術同人會

1964.02 「葆華閣의 槐山浮屠」,『考古美術』제5권 제2호 통권43호, 考古美術同人會

1972.05 「그림으로 보는 韓國古美術 -浮屠-」,『박물관신문』22, 국립중앙박물관

1973.11 「朝鮮前期 石造浮屠樣式의 一考察」,『東洋學』第3輯, 檀國大學校 東洋學研究所

1974.05 「雙磎寺 眞鑑禪師大空塔의 推定」,『古文化』12, 韓國大學博物館協會

1974.07 「禪林院 弘覺禪師塔의 推定」,『霞城李瑄根博士古稀紀念論文集 韓國學論集』

1974.12 「蔚州 望海寺 石造浮屠의 建造年代에 대하여」,『又軒丁仲煥博士還曆紀念論文集』

1974.   「新羅 石造浮屠 研究」, 단국대학교 박사학위논문

1975.03 「高麗浮屠의 研究」,『考古美術』175・176, 韓國美術史學會

1975.12 「韓國의 石造美術(3) 石造浮屠」,『박물관신문』54, 국립중앙박물관

1976.02 「韓國의 石造美術(4) 石造浮屠」,『박물관신문』55, 국립중앙박물관

1976.03 「韓國의 石造美術(5) 石造浮屠」,『박물관신문』56, 국립중앙박물관

1976.04 「韓國의 石造美術(6) 石造浮屠」,『박물관신문』57, 국립중앙박물관

1976.05 「韓國의 石造美術(7) 石造浮屠」,『박물관신문』58, 국립중앙박물관

1976.05 「達城 道鶴洞 石造浮屠」,『古文化』14, 韓國大學博物館協會

1976.06 「韓國의 石造美術(8) 新羅時代의 石造浮屠(1) 陳田寺址 浮屠」, 『박물관신문』 59, 국립중앙박물관

1976.06 「月岳山 月光寺址와 圓朗禪師大寶禪光塔에 대하여」, 『考古美術』 129·130, 韓國美術史學會

1976.07 「韓國의 石造美術(9) 新羅時代의 石造浮屠(2) 廉居和尙塔」, 『박물관신문』 60, 국립중앙박물관

1976.08 「韓國의 石造美術(10) 新羅時代의 石造浮屠(3) 大安寺 寂忍禪師照輪淸淨塔」, 『박물관신문』 61, 국립중앙박물관

1976.09 「韓國의 石造美術(11) 新羅時代의 石造浮屠(4) 雙峰寺 澈鑒禪師塔」, 『박물관신문』 62, 국립중앙박물관

1976.10 「韓國의 石造美術(12) 新羅時代의 石造浮屠(5) 寶林寺 普照禪師彰聖塔」, 『박물관신문』 63, 국립중앙박물관

1976.11 「韓國의 石造美術(13) 新羅時代의 石造浮屠(6) 鳳巖寺 智證大師寂照塔」, 『박물관신문』 64, 국립중앙박물관

1976.11 「新羅 石造浮屠의 一例」, 『史學志』 第10輯, 檀國大學校 史學會

1976.12 「韓國의 石造美術(14) 新羅時代의 石造浮屠(7) 實相寺 證覺大師凝蓼塔」, 『박물관신문』 65, 국립중앙박물관

1977.01 「韓國의 石造美術(15) 新羅時代의 石造浮屠(8) 實相寺 秀澈和尙楞伽寶月塔」, 『박물관신문』 66, 국립중앙박물관

1977.02 「韓國의 石造美術(16) 新羅時代의 石造浮屠(9) 鳳林寺 眞鏡大師寶月凌空塔」, 『박물관신문』 67, 국립중앙박물관

1977.03 「韓國의 石造美術(17) 新羅時代의 石造浮屠(10) 雙谿寺 浮屠」, 『박물관신문』 68, 국립중앙박물관

1977.05 「韓國의 石造美術(18) 新羅時代의 石造浮屠(11) 禪林院址 浮屠」, 『박물관신문』 70, 국립중앙박물관

1977.06 「韓國의 石造美術(19) 新羅時代의 石造浮屠(12) 石南寺 浮屠」, 『박물관신문』 71, 국립중앙박물관

1977.07 「韓國의 石造美術(20) 新羅時代의 石造浮屠(13) 太和寺址 十二支像浮屠」, 『박물관신문』 72, 국립중앙박물관

1977.08 「韓國의 石造美術(21) 新羅時代의 石造浮屠(14) 望海寺址 石造浮屠」, 『박물관신문』 73, 국립중앙박물관

1977.10 「韓國의 石造美術(22) 新羅時代의 石造浮屠(15) 鷰谷寺 東浮屠」, 『박물관신문』 74, 국립중앙박물관

1977.11 「韓國의 石造美術(23) 新羅時代의 石造浮屠(16) 聖住寺 朗慧和尙 白月保光塔」, 『박물관

74

신문』 75, 국립중앙박물관

1978.02 「韓國의 石造美術(24) 新羅時代의 石造浮屠(17) 月光寺 圓朗禪師 大寶禪光塔」, 『박물관 신문』 78, 국립중앙박물관

1978.05 「韓國의 石造美術(25) 新羅時代의 石造浮屠(18) 達成 道鶴洞 石造浮屠」, 『박물관신문』 81, 국립중앙박물관

1980.10 「高麗初期 石造浮屠 研究」, 『東洋學』 第10輯, 檀國大學校 東洋學研究所

1980.　 「扶餘 佳塔里 石造浮屠에 대하여」, 『心泉李康五教授華甲紀念論文集』, 학문사

1981.01 「韓國の石造浮屠(上) −新羅の浮屠」, 『月刊 韓國文化』 1981年 1月號(16號), 自由社

1981.02 「永同 深源里 石造浮屠」, 『西原學報』 창간호, 西原學會

1981.12 「浮屠의 起源과 八角圓堂型」, 『石燈·浮屠·碑』, 韓國의 美 15, 중앙일보사

1983.09 「統一新羅時代의 石造建築研究 −石造浮屠−」, 『考古美術』 158·159, 韓國美術史學會

1984.09 「高麗時代의 特殊型浮屠塔 研究」, 『東園金興培博士古稀紀念論文集』, 東園金興培博士古稀紀念論文集 編纂委員會, 한국외국어대학교

1984.12 「覺淵寺 通一大師浮屠塔」, 『尹武炳博士回甲紀念論叢』, 尹武炳博士回甲紀念論叢 刊行委員會

1985.10 「日本 八角堂佛殿의 原流」, 『제6회 한국사 학술회의 佛教美術을 통하여 본 古代 韓·日 關係史』, 국사편찬위원회

1985.12 「日本の[八角堂]佛殿の原流」, 『アジア公論』 158

1986.06 「日本 [八角堂] 佛殿의 源流」, 『韓國史論』 16, 國史編纂委員會

1987.04 「高麗後期 石造浮屠研究」, 『佛教와 諸科學』, 東國大學校 開校80周年紀念論叢, 東國大學校 出版部

1987.12 「高麗浮屠의 研究」, 『考古美術』 175·176, 韓國美術史學會

1990.06 「韓國의 石造浮屠」, 『古美術』 1990년 여름호, 韓國古美術協會

1996.06 「韓國의 石造浮屠美術」, 『韓國의 農耕文化』 第5輯, 京畿大學校 博物館

1996.11 「中國草堂寺鳩摩羅什舍利塔」, 『亞細亞文化研究』 1, 亞細亞文化研究所, 民族出版社

1997.09 「국보 제4호 고달사지부도」, 『문화체육가족』 1997년 가을호

1998.10 「한·중·일의 부도」, 『선불교와 사리탑』, 성철선사상연구원 제2차 학술회의, 백련불교 문화재단 부설 성철선사상연구원

1999.07 「崛山寺址 浮屠의 復原과 考察」, 『崛山寺址 浮屠 學術調査報告書』, 江原大學校 博物館

2003.02 「新羅 道義國師浮屠의 研究」, 『新羅 美術 世界의 理解』, 신라문화제학술논문집 제24집, 동국대학교 신라문화연구소

2011.05 「韓國의 浮屠」, 『博物館紀要』 26, 檀國大學校 石宙善紀念博物館

2012.12 「朝鮮時代의 石造浮屠」, 『博物館紀要』 27, 檀國大學校 石宙善紀念博物館

5. 石燈

1963.08 「光州 有銘石燈」,『考古美術』제4권 제8호 통권37호, 考古美術同人會

1990.09 「韓國의 石燈」,『古美術』1990년 가을호, 韓國古美術協會

2013.10 「廣明의 韓國 石燈」,『博物館紀要』28, 檀國大學校 石宙善紀念博物館

6. 其他 石造美術

1990. 「韓國의 石碑」,『古美術』1990년 겨울호, 韓國古美術協會

1991.03 「韓國의 幢竿과 幢竿支柱」,『古美術』1991년 봄호, 韓國古美術協會

1992.03 「韓國의 石氷庫」,『古美術』1992년 봄호, 韓國古美術協會

1992. 「韓國의 露柱와 石標」,『古美術』1992년 가을호, 韓國古美術協會

2014.07 「불교미술의 이해-불교미술에 담긴 역사문화-」,『월간문화재』2014년 7월호, 한국문화
재재단

2014.08 「불교미술의 이해-삼국시대부터 시작한 석조건축미술과 불교 조각-」,『월간문화재』
2014년 8월호, 한국문화재재단

2014.09 「불교미술의 이해-다양한 불교 공예와 불화-」,『월간문화재』2014년 9월호, 한국문화재
재단

7. 工藝

1961.06 「南原 實相寺의 靑銅銀入絲香爐」,『考古美術』제2권 제6호 통권11호, 考古美術同人會

1961.11 「正豊 二年銘小鐘(서울 朴秉來氏藏)」,『考古美術』제2권 제11호 통권16호, 考古美術同人會

1961.12 「百濟陶硯의 또 한 例」,『考古美術』제2권 제12호 통권17호, 考古美術同人會

1962.01 「在銘高麗 [飯子]의 新例」,『考古美術』제3권 제1호 통권18호, 考古美術同人會

1962.04 「正統元年銘 銅鐸」,『考古美術』제3권 제4호 통권21호, 考古美術同人會

1962.08 「固城 玉泉寺의 在銘飯子와 銀絲香爐」,『考古美術』제3권 제8호 통권25호, 考古美術同人會

1964.10 「康津 沙堂里 靑瓦窯址發掘 參觀記」,『考古美術』제5권 제10호 통권51호, 考古美術同人會

1965.06 「橫城 橋項里出土 高麗銅鍾」,『考古美術』제6권 제6호 통권59호, 考古美術同人會

1965.07 「高麗梵鍾의 新例」,『考古美術』제6권 제7호 통권60호, 考古美術同人會

1966.09 「泰安寺의 大鉢과 銅鐘 二口(全南 谷城郡 佛蹟 四)」,『考古美術』제7권 제9호 통권74호,
考古美術同人會

1970.05 「鬼面과 막새瓦 數例」,『古文化』8, 韓國大學博物館協會

1971.10 「朝鮮前期 梵鍾考」,『東洋學』1, 檀國大學校 東洋學研究所

1973.06 「高麗 金銅大塔의 新例」,『考古美術』118, 韓國美術史學會

1974.12 「寶林寺 石塔內 發見 舍利具에 對하여」,『考古美術』123 124, 韓國美術史學會

1975.06 「淨巖寺 水瑪瑙塔內 發見 舍利具에 대하여」,『東洋學』5, 檀國大學校 東洋學研究所

1979. 「韓國美術史上 梵鍾研究의 重要性」,『梵鍾』2, 韓國梵鍾研究會

1984.12 「高麗時代의 美術 -佛敎工藝-」,『韓國美術史』, 藝術院

1985.03 「韓國의 金屬佛具 槪觀」,『金屬工藝』, 韓國의 美 23, 중앙일보사

1985.03 「韓國銅鍾의 特性과 樣式變遷」,『金屬工藝』, 韓國의 美 23, 중앙일보사

1987.02 「金銅佛器의 新例 -高麗 金銅灌佛盤의 推定-」,『崔永禧先生華甲紀念 韓國史學論叢』, 崔永禧先生華甲紀念韓國史學論叢刊行委員會, 探求堂

1990.10 「幢竿의 佛敎文化史的 意味」,『철당간 보존과 주변환경 정비를 위한 심포지움』, 충북시민회

1991.09 「在日 至正十七年銘 靑銅香垸 -金象嵌梵字入 銀入絲香垸의 新例-」,『李箕永 博士 古稀紀念 佛敎와 歷史』, 한국불교연구원

1992.07 「在日 銀入絲 靑銅大盤의 新例 -灌佛盤의 推定-」,『中齊 張忠植博士 華甲紀念論叢 歷史學篇』

1992.12 「韓國의 托盞에 關한 小考 -在日銀製托盞 調査를 계기로-」,『擇窩許善道先生停年紀念 韓國史學論叢』, 一潮閣

1994.02 「民族文化와 朝鮮時代 梵鍾」,『세계의 종, 우리의 종 세미나』, 高村 李鍾根 會長1周忌 追悼, 종근당

1994. 「朝鮮時代 梵鍾 研究 試論」,『梵鍾』16, 韓國梵鍾研究會

1997.08 「성덕대왕신종」,『재발견 한국의 문화유산』, 한국정신문화연구원 편, 민속원

2000.06 「高麗 金銅塔의 新例」,『昔步 鄭明鎬 敎授 停年退任紀念論叢』

8. 金石文

1969.06 「永川 菁堤碑의 發見」,『考古美術』102, 韓國美術史學會

1978.03 「새로 發見한 文化財를 찾아 -丹陽 新羅赤城碑의 發見과 眞興王巡狩碑로서의 역사적 의의-」,『박물관신문』79, 국립중앙박물관

1978.09 「丹陽 新羅赤城碑片의 收拾發掘」,『박물관신문』85, 국립중앙박물관

1979.07 「中原 高句麗碑에 대하여」,『박물관신문』95, 국립중앙박물관

1979.11 「中原高句麗碑의 發見調査와 研究展望」,『史學志』13 -中原高句麗碑特輯號-, 檀國大學校 史學會

2000.12 「中原高句麗碑의 發見調査(1979年)와 意義」,『高句麗研究』10輯, 고구려발해학회

2011.10 「울진 봉평리 신라비와 한국의 금석문 연구」,『울진 봉평리 신라비와 한국 고대 금석문』,

울진군·한국고대사학회

9. 山城

1972.12 「百濟 助川城考」, 『百濟研究』 3, 忠南大學校 百濟研究所

1975.12 「百濟 古利山城考」, 『百濟文化』 7·8, 公州大學校 百濟文化研究所

1977.05 「新羅關門城에 對한 小考」, 『古文化』 15, 韓國大學博物館協會

1978.12 「半月地區木內里山城發掘調査報告」, 『半月地區遺蹟發掘調査報告書』

1980.10 「全義 高麗山城의 調査」, 『박물관신문』 110, 국립중앙박물관

1980.12 「丹陽 加隱巖山城에 對한 小考」, 『軍事』 창간호, 國防部

1981.03 「寧越 王儉城의 調査」, 『박물관신문』 115, 국립중앙박물관

1982.01 「寧越大野里城山城의 發見調査」, 『박물관신문』 125, 국립중앙박물관

1985.12 「全義 高麗山城 小考」, 『千寬宇先生還曆紀念 韓國史學論叢』, 正音文化社

1990.10 「尙州방면 및 秋風嶺 北方의 古代交通路 研究 -山城의 調査를 中心으로-」, 『國史館論叢』 第16輯, 國史編纂委員會

1997.08 「수원성」, 『재발견 한국의 문화유산』, 한국정신문화연구원 편, 민속원

2008.10 「尙州 白華山 今突城의 歷史的 考察」, 『백화산 학술세미나』, 상주시

10. 考古美術 一般

1965. 「韓國美術史年表」, 『韓國藝術總覽』, 大韓民國 藝術院

1967.12 「國史教育에 있어서의 考古美術의 諸問題(一) -現行 中學校 社會科 教科書中 國史를 中心하여-」, 『歷史教育』 10, 歷史教育研究會

1973.05 「韓國美術 2千年殿 -佛教彫刻 및 金屬工藝品室에서」, 『박물관신문』 27, 국립중앙박물관

1973.12 「韓國文化의 形成과 初期佛教美術에 關한 小考」, 『大邱史學』 第7·8輯, 大邱史學會

1973. 「韓國의 石造美術」, 『石造』, 韓國美術全集 7, 동아출판공사

1975.06 「光復 30年 韓國美術史 學界의 反省과 方向」, 『考古美術』 126, 韓國美術史學會

1975.10 「考古美術 -1974年度-」, 『韓國藝術志』 10, 大韓民國 藝術院.

1975.10 「韓國의 石造美術(1)」, 『박물관신문』 52, 국립중앙박물관

1975.10 「佛教文化財의 保護」-주제발표-, 『月刊 文化財』 1975년 10월호, 月刊文化財社

1975.11 「韓國의 石造美術(2)」, 『박물관신문』 53, 국립중앙박물관

1977. 「動産文化財의 保護와 流通秩序의 問題點」, 『月刊 文化財』 1977年 7月號, 月刊文化財社

1979.05 「서울地域의 百濟文化」, 『馬韓·百濟文化』 3, 馬韓·百濟文化研究所

1980.08 「三國遺事 考古學」, 『三國遺事의 新研究 新羅文化祭學術發表論文集』 창간호, 新羅文化

宣揚會/慶州市(『三國遺事의 研究』(1982년) 재수록)

1980.12 「丹陽 舍人岩의 岩刻바둑판 및 장기판」, 『박물관신문』 112, 국립중앙박물관

1982.12 「韓國石造美術 受難의 어제와 오늘」, 『西原學報』 3, 西原學會

1983.12 「中原文化[圈] 研究의 實際와 展望」, 『考古美術』 160, 韓國美術史學會

1983. 「韓國의 石造美術」, 『國寶』 7(石造), 예경산업사

1984.10 「壬辰·丁酉倭亂期의 文化財」, 『제14회 동양학학술회의강연초』, 東洋學研究所

1984.11 「百濟初期 遺蹟研究에 對하여」, 『馬韓 百濟文化』 7, 馬韓·百濟文化研究所

1984.12 「통일신라의 문화 -건축-」, 『한국사 3』, 국사편찬위원회

1984.12 「新羅美術研究에 있어서의 諸問題」, 『新羅文化』 創刊號, 東國大學校 新羅文化研究所

1985.05 「佛教美術」, 『日本 對馬·壹岐島 綜合學術調査報告書』, 서울신문사

1985.10 「壬辰·丁酉倭亂期의 文化財」, 『東洋學』 15, 第14會 東洋學學術會議錄, 東洋學研究所

1985.12 「百濟初期의 美術文化」, 『震檀學報』 60, 震檀學會

1986.05 「新羅 南川停址의 研究」, 『邊太燮博士 華甲紀念 史學論叢』, 三英社

1986.11 「三國遺事 考古學」, 『三國遺事研究論選集』, 白山資料院.

1986. 「鄉土史研究를 위한 資料調査 및 考證方法」, 『全國文化院』 10·11, 韓國文化院聯合會

1987. 「구평리 조개더미 유적의 신석기시대 토기」, 『博物館紀要』 3, 檀國大學校 中央博物館(4인 공저)

1987.12 「新羅遺蹟 發掘調査의 研究史的 考察 -慶州를 中心으로-」, 『新羅文化』 第3·4合輯, 東國大學校 新羅文化研究所

1987.12 「大谷里 도롱 支石墓」, 『住岩댐 水沒地域文化遺蹟發掘調査報告書Ⅰ』, 全南大學校博物館·全羅南道

1988. 「韓國의 佛教美術 -古代의 石造美術을 中心으로-」, 『青藍文化』 2, 한국교원대학교 역사교육과

1988.10 「福橋里 복교 支石墓」, 『住岩댐水沒地域 文化遺蹟發掘調査報告 Ⅳ』, 全南大學校 博物館

1988.11 「韓國古代의 美術 -石造美術을 中心하여-」, 『전통문화의 이해』, 韓國文化財保護協會

1990.12 「「고고미술」 발간을 도와주신 분들」, 『考古美術』 188, 韓國美術史學會

1992.01 「考古學과 歷史學의 接木 -考古學 研究方法을 中心으로-」, 『姜宇哲教授停年退任紀念論叢 이웃학문에서 본 韓國史』

1992.01 「考古學研究에 있어서의 基礎的 作業」, 『박물관휘보』 3, 서울시립대학교 박물관

1992.07 「韓國의 石造美術」, 『國寶 7 -石造-』, 예경산업사

1992.12 「百濟의 佛教美術」, 『百濟彫刻·工藝圖錄』, 百濟文化開發研究院

1994.02 「考古·美術을 통해본 韓 日關係研究試論 -在日 百濟金銅佛像을 中心하여-」, 『百濟研究』 第24輯, 忠南大學校 百濟研究所

1994.05 「일제의 문화재 약탈 및 파괴」, 『殉國』 1994년 5월호(통권40호), 순국선열유족회

1994.08 「문화유산의 올바른 가치평가-학문연구 보완 차원의 사회협력 방안-」,『古美術』1994년 봄·여름호, 韓國古美術協會

1995. 「中原地域 佛教美術에 대한 小考」,『중원문화권의 위상정립과 발전방향』, 중원문화학술회의 결과보고서, 충청북도/충북대 호서문화연구소

1995. 「한국 석조미술 연구의 길잡이」,『서평문화』제17집, 한국간행물윤리위원회

1995.09 「百濟美術의 特性」,『百濟美術의 源流』, 95 韓·日 地方文化 심포지움, 유성문화원

1996.05 「壬亂時 佛教文化財의 狀況과 保存對策」,『전라좌수영과 임진왜란 義僧水軍의 활동』, 麗川市

1996.12 「佛教文化에 있어서의 中原地域 佛教遺蹟의 位相」,『中原文化 國際學術會議 結果 報告書』, 충청북도/충북대 호서문화연구소

1998.10 「백제문화와 고대일본」,『백제의 고도 부여 그 역사와 문화의 발자취』, 부여군

1998. 「한국 미술 문화사의 정수」,『서평문화』1998년 가을호, 한국간행물윤리위원회

2000.08 「石窟庵과 東海口의 관련 新羅遺蹟」,『石窟庵의 新研究』, 新羅文化祭學術發表會論文集 第21輯, 東國大學校 新羅文化研究所

2000.02~2001.12 「聖寶餘話」연재 22편,『海印』, 합천 해인사

2004.12 「韓國文化의 日本 傳播-對馬의 韓國史蹟을 중심으로-」,『博物館誌』第13號, 충청대학박물관

2004.12 「益山地域 佛教美術과 그 意義」,『馬韓·百濟文化』第16輯, 圓光大學校 馬韓百濟文化研究所

2015.09 「일본의 문화재 약탈과 한일회담에 따른 반환 단상(斷想)」,『한일 문화재 반환 문제의 과거와 미래를 말하다』, 국외문화재재단

11. 歷史 一般

1972.11 「金分信의 百濟攻擊路 研究」,『史學志』6, 檀國大學校 史學會

1974.02 「高句麗의 佛教文化」,『佛教文化』통권2호, 佛教文化社

1986.12 「百濟史料에 關한 研究 -現存 遺蹟·遺物을 中心으로-」,『百濟研究』17, 忠南大學校 百濟研究所

1989.05 「高句麗의 錦江流域進出에 대한 小考」,『汕耘史學』3, 汕耘史學會

1989.06 「韓·日 高等學校 社會教科書의 比較研究」(3인 공동집필),『韓國教員大學校 教授論叢』第5輯 第1號, 韓國教員大學校

1989.12 「文化財掠奪」,『韓民族獨立運動史』5, 國史編纂委員會

1990.12 「新羅의 西北方經略과 三國統一」,『唐橋史蹟 研究學術發表會』, 店村聞慶文化院

1993. 「百濟의 새로운 인식」,『古代 韓·日 文化交流의 새로운 認識』, 충남대학교 백제연구소

1994.02 「高句麗의 東盟과 그 遺蹟」, 『民族文化의 諸問題 于江權兌遠教授停年紀念論叢』, 于江權
兌遠教授停年紀念論叢刊行委員會

1996.02 「國際化時代의 歷史教育과 歷史教科書 및 國史教科書에 관한 小考」, 『曉石愼克範博士退
任紀念論文集 教育文化의 世界化』

1996.05 「韓國茶詩에 표현된 自然觀 小考-花潭, 茶山, 西山大師, 草衣禪師를 中心으로-」, 『茶學
研究』 창간호, 부산여자전문대학 다문화연구소

1997.11 「위대한 선각자 王仁박사」, 『'97年 11月의 文化人物王仁기념 國際學術 세미나』, 영암문화원

1997.12 「東海廟에 관한 小考」, 『青藍史學』 창간호, 韓國教員大學校 青藍史學會

1998. 「日本內 韓國文化」, 『韓民族共榮體』 第6號, 海外韓民族研究所

2004.07 「고구려의 흥망」, 『한인교육연구』 통권22호, 재미한인학교협의회

2005.06 「忠州와 壬辰倭亂」, 『壬辰倭亂과 彈琴臺 전투 국제학술대회』, 忠州文化院

2005.12 「三國 鼎立期 漢江流域 占有의 意義」, 『博物館紀要』 20, 檀國大學校 石宙善紀念博物館

2007.06 「百濟國 王仁博士의 對馬鰐浦寄着 小考」, 『文化史學』 第27號, 韓國文化史學會

2009.07 「첫 발굴과 염라대왕」, 『건강과 행복』 2009년 7월호, 단국대학교 병원

2009.09 「자상한 파쇼 교수, 완력관장」, 『건강과 행복』 2009년 9월호, 단국대학교 병원

2009.11 「지표조사의 창시자는 우리 박물관이다」, 『건강과 행복』 2009년 11월호, 단국대학교 병원

2010.01 「대한불교 조계종의 종찰(宗刹) 진전사(陳田寺) 옛 터를 찾던 일」, 『건강과 행복』 2010년
1월호, 단국대학교 병원

2010.03 「우연히 발견한 단양의 신라적성비」, 『건강과 행복』 2010년 3월호, 단국대학교 병원

2010.05 「중원고구려비(中原高句麗碑) 발견의 역사적(歷史的) 의의(意義)」, 『건강과 행복』 2010
년 5월호, 단국대학교 병원

2010.08 「나의 新羅史 연구」, 『新羅史學報』 第19號, 新羅史學會

2010.12 「금석문과 석가탑 조사」 - 첫 번째 강연 -, 문자연구와 나, 『木簡과 文字』 第6號, 한국목
간학회

2010.12 「南京에서 백제를 보았다」, 『한·중백제문화유산 비교 연구 - 중국 南京·北京지역 博物
院(館)을 중심으로 -』, 백제문화개발연구원

Ⅲ. 其他

1. 隨筆

1971.02 「밤중에 地藏寺길」, 『박물관신문』 8, 국립중앙박물관

1973.01 「蔚珍 王避川의 저녁노을」, 『박물관신문』 25, 국립중앙박물관

1973.10 「필름을 整理하면서」,『박물관신문』32, 국립중앙박물관

2. 其他

1996.06 「全南 東部地域의 文化財 현황과 보존 활용방안」

1996.07 「일본에 심은 한국의 문화 -쓰시마(對馬島) 답사-」, 한국문화사학회

1996.07 「고속철도 건설에 따른 역사유적훼손 극소화 방안」

1996.09 「日本에 심은 韓國文化」, 韓國文化史學會

1996.09 「佛敎美術의 源流」

1996.11 「전통문화의 현대적 조명」

1997.06 「전통문화의 이해」

1997.09 「東海廟의 復元과 龍神圖」

1998.10 「21世紀 文化産業과 地方文化의 課題」

1998.11 「티벳고원으로 가는 길」

1998.11 「地方自治時代의 百濟文化財保存과 開發方向」

1998.12 「한국의 불교미술」

1998.12 「한국불교미술사」

1998.12 「韓國의 石造美術」

1999.09 「학교교육에서 예절교육 도입방식과 전망」

1999.10 「국제교류와 지방의 문화산업 육성」

1999.11 「문화재 보존과 그 중요성」

1999.12 「지난날의 이야기」,『文化史學』第11·12·13號, 韓國文化史學會

2000.06 「전통문화의 이해」, 군산대학교 개교 21주년 학술강연회

2002.06 「澗松 선생님과의 잊혀지지 않는 일들」,『文化史學』第17號, 韓國文化史學會

2003.02 「21세기 박물관의 역할과 발전방향」,『도시역사문화』제1집, 서울역사박물관

2004.12 「전통문화의 이해」

2006.10 「간송미술관과 전형필」,『한국미술 100년 ①』, 한길사

2011.03 「蕉雨 黃壽永 恩師님 靈前에 올립니다」,『大韓民國學術院通信』제212호, 大韓民國學術院

2013.01 「발로 뛴 사진 120만장 모아 한국미술사연구 집대성할 것」,『新東亞』2013년 1월호(통권 640호)

2014.   「蕉雨 黃壽永 博士」,『앞서 가신 회원의 발자취 II』, 大韓民國學術院

2015.05 「일본 속의 한국 고대문화」, 제2기 국외문화재 아카데미 일본 소재 한국문화재 이야기

豪佛 鄭永鎬 博士 八旬頌祝紀念論叢

- 目 次 -

豪佛 鄭永鎬 博士 肖像畵

豪佛 鄭永鎬 博士 畵報

豪佛 鄭永鎬 博士 略曆

豪佛 鄭永鎬 博士 論著 目錄

축하의 글

申瀅植*

豪佛 선생님! 八旬을 진심으로 축하드립니다.

사실 실제 팔순은 지났지만 은사님의 추모 사업을 여러 해 동안 진행하시느라 八旬頌祝紀念論叢 간행이 늦어졌습니다. 그동안 豪佛 선생님은 팔순도 멀리하신 채 두 분을 위한 추모사업을 진행하시어 2014년 11월 15일 蕉雨 黃壽永 교수님, 2015년 3월 7일 樹默 秦弘燮 교수님의 功德追慕碑가 大王岩이 잘 보이는 경주 대종천 입구에 성대하게 제막되었습니다. 이곳은 師弟關係의 돈독함과 아울러 開城 三傑로 불린 세 분의 학문과 업적을 영원히 기리는 곳이 되었습니다. 蕉雨 黃壽永 교수님과 樹默 秦弘燮 교수님에 대한 추모사업이 완결되지는 않았지만 큰 매듭을 지었다고 할 수 있습니다. 이걸 보면 豪佛 鄭永鎬 박사님은 師弟관계가 무엇인지를 굳이 말이 아닌 행동으로 보여주신 분이라 할 수 있습니다.

호불 선생님은 저의 박사학위 논문을 꼼꼼히 지도해주신 분이십니다. 엊그제 호불 선생님을 뵌 것 같은데 벌써 팔순이라고 하시니 정말 세월이 빠르다는 것을 실감하고 스스로도 체득하고 있습니다.

지금도 열정이 사그라지지 않고 전국을 누비고 계시며, 멀리 중국 일본 등 전 세계를 대상으로 답사하시며 문화사 연구에 평생을 바친 국보급 연구가이시자 우리나라 문화유산의 산증인이시기도 합니다. 여전히 문화유산에 대한 애착과 연구는 그 누구도 따를 수 없는 초인적인 열정과 집념을 가지신 분입니다.

제가 오랜 세월 선생님을 뵈면서 참 많은 것을 보고 배웠습니다. 먼저 우리나라 최고의 문화유산이라 할 수 있는 佛國寺 釋迦塔이 1966년 9월 도굴범들에 의하여

---

* 이화여자대학교 명예교수

훼손 사건이 일어났을 때 이를 무리없이 의연하게 처리하고 불국사의 보존에 많은 사람들의 주목을 받게 한 것 등은 우리들에게 많은 교훈을 주었습니다. 현재 佛國寺와 石窟庵이 세계문화유산으로 지정되어 있는데, 호불 선생님께서는 세계문화유산으로 지정될 수 있도록 혼신의 힘을 기울이기도 했습니다. 이처럼 호불 선생님과 같은 분들이 불국사와 석굴암이 원형대로 잘 보존될 수 있도록 관심을 가지고 노력을 해 왔기 때문에 찬란한 우리의 문화유산이 빛을 발하게 된 것입니다. 그러한 인연으로 지금까지 佛國寺에 聖寶博物館을 짓는 일에 자문을 해 주시고 계시며, 많은 사람들이 찾고 연구하는 풍성한 성보박물관이 될 수 있도록 그동안 자식처럼 아끼시던 유물과 서적을 기증하시기도 하셨습니다.

그리고 저의 연구 분야와 관련하여 잊을 수 없는 일은 호불 선생님께서 1978년 1월 丹陽 新羅 赤城碑 발견 조사와 연이어 1979년 4월 忠州 高句麗碑 발견 조사였습니다. 두 石碑의 발견은 한국고대사 연구에 혜성과 같은 존재였습니다. 영성한 기록으로 매번 난관에 봉착하기도 하고, 해결점을 찾지 못해 연구를 포기하는 경우도 있었는데, 두 석비의 金石文은 이러한 점을 어느 정도 극복해 주었습니다. 丹陽 赤城碑는 北漢山碑와 아울러 新羅 眞興王代의 역동적인 역사를 알 수 있게 해 주었으며, 忠州 高句麗碑는 고구려의 강한 면모와 한반도에서의 패권을 전해주고 있다는 점에서 『三國史記』를 뛰어 넘는 절대적인 史料가 되고 있습니다. 오늘날까지 두 석비는 고대사 연구에 기초가 되고 있다는 점에서 호불 선생님은 누구도 감히 할 수 없는 신의 계시를 받은 것이 아닌가 하는 생각도 듭니다. 열정이 신의 계시로 이어진 것으로 사료됩니다.

또한 오랫동안 日本 對馬島를 출입하면서 탄탄한 인맥과 신뢰를 쌓아 현재까지 韓國 先賢들의 10基의 顯彰碑를 세운 것은 그 누구도 해낼 수 없는 성과이기도 합니다. 우리나라 역사상 어느 누구도 이런 일을 해내지 못했으며, 앞으로도 하기 힘든 일입니다. 대마도는 오래전부터 우리나라와 밀접한 관계가 있었던 땅이었습니다. 그래서 지금도 한반도 관련 많은 유적과 유물들이 남아있고, 우리나라 사람들의 흔적이 발견되고 있습니다. 그중 일본과의 교류에 있어서 중요한 역할을 했던 인물들의 顯彰碑를 對馬島 곳곳에 세워 功德을 선양하고 영령을 추모했습니다. 역사에 길이 남을 일을 집념 하나로 해내셨습니다. 그동안 겪었을 고뇌와 노고에 감히 진심어린 박수를 보내드립니다.

이외에도 강원도 양양 陳田寺址를 발굴 조사하여 禪宗의 宗祖였던 道義國師 史蹟을 밝힌 것, 新羅五岳學術調査團으로서 신라 관련 많은 유적 유물을 조사하여 연구하고 학계에 이를 소개한 것, 新羅三山學術調査團으로 활동한 내용, 三年山城과 古利山城 등 많은 산성 관련 연구, 金石文과 工藝 관련 조사와 연구 등 모든 분야를 망라한 조사와 연구 성과는 오늘날 많은 연구자들에게 귀감이 되고 있습니다. 특히 百濟 出身 王仁은 일본의 學祖로 추앙받고 있는데, 오늘날 일본에 남아있는 왕인의 사적지를 조사한 성과 등은 백제를 넘어 우리나라의 역사와 위상을 한 단계 끌어올린 중요한 연구 성과라 할 수 있습니다.

오늘날 우리나라 考古美術史 연구에 초석이 된『考古美術』발간에 많은 역할을 하신 점은 대단한 성과라 할 수 있습니다. 1960년 考古美術同人會가 발족하여 당시 어려운 여건 속에서 100號까지 유인물로 매월 1호씩 발간한 것은 존경을 넘어 경이로운 일입니다. 그러한 열정과 노력이 있었기에 오늘날 한국의 고고학과 미술사라는 학문 분야가 발전할 수 있었다고 할 수 있습니다. 또한 한국 미술사학의 태두이신 又玄 高裕燮 선생님의 50周忌를 追悼하고자 韓國文化史學會를 조직하여『文化史學』이라는 학술지를 1994년 6월부터 지금까지 한 번도 쉬지 않고 발간해 온 것도 대단한 업적이라 할 수 있습니다. 이러한 노력들이 모여 오늘날 많은 사람들이 문화유산에 관심을 갖게 되었다고 할 수 있습니다.

豪佛 선생님은 학문적인 열정과 연구 못지않게 운동과 풍류에도 능하십니다. 호불 선생님은 여러 운동을 국가대표 못지않게 하시었는데, 특히 레슬링과 럭비는 타의 추종을 불허합니다. 팔순이시지만 지금도 젊은 시절의 단단한 근육질의 몸매가 남아있는 듯합니다. 또한 노래는 가수들 저리가라 이십니다. 음정 박자 잘 맞고, 힘이 넘치시는 성량은 많은 여인들을 울렸을 겁니다. 저도 웬만큼 한다하는데 호불 선생님에게는 못 미치고 있습니다.

지금도 호불 선생님께서는 여러 해 동안 조선일보사가 주관하고 있는 일본속의 한민족사 탐방을 비롯하여 日本 對馬島韓國先賢顯彰會 등 왕성한 활동을 하고 계십니다. 앞으로도 지금까지 해 오신 것처럼 후학들과 제자들을 위하여 다양한 활동을 해 주시기를 바랍니다.

그리고 이번에 많은 분들이 바쁘심에도 불구하고 刊行委員이 되어 여러 일들을 성심성의껏 해 주시었습니다. 또한 각박한 현실 속에서도 보기 드물게 초상화, 축사, 회고담, 논문 및 자료 등 총 50여분 이상이 그림과 글을 주시었습니다. 깊이 감사드립니다.

마지막으로 호불 선생님! 지금처럼 항상 변함없는 모습을 뵐 수 있도록 늘 건강하시고 댁내에도 행복이 가득하시길 진심으로 기원합니다. 다시 한 번 팔순을 진심으로 축하드립니다.

2015년 12월

신형식 拜

賀 序

李存熙*

먼저 豪佛 鄭永鎬 선생님의 팔순송축기념논총 출간을 축하합니다. 50여 명의 석학들이 주옥같은 논문을 준비해 주셨다니 그 분들께도 감사드리면서 이러한 자리에 제가 하서를 쓰게 된 것을 무한한 영광으로 생각합니다. 제가 호불 정영호 선생님을 처음 만난 것은 대학 입학 후 1학년 첫 답사를 갔을 때였습니다. 1957년의 일이였으니, 59년 전의 추억입니다. 역사를 전공하겠다는 청운의 뜻을 품고 입학한 우리학과 신입생들에게는 역사유적지의 첫 답사는 벅찬 희망과 잊지 못할 가슴 설렘으로 마치 초등학생 시절에 경험했던 소풍 전야의 기분이었습니다.

그러나 입학 당시 역사학과 교수 중에는 답사에 큰 관심을 갖고 역사현장에서 짜임새 있게 설명해 주시는 분이 안 계셨던 것으로 기억합니다. 호불 정영호 선생님께서 특별 초청되어 2박 3일 간의 답사 일정을 우리와 함께 해주신 것도 이와 같은 분위기 때문일 것입니다. 염색한 군복 상하의에 워커 군화를 신고 현장에 나타나신 호불 선생님은 정말 멋진 사나이였습니다. 패기와 의욕, 자신감에 넘치는 선생님은 원전 문헌과 논문 그리고 현장을 연결 지어 현실감 나는 입체적 설명에 마치 타임머신을 타고 천년을 뒤로돌아 백제시대에 이곳 시골 마을에 와있는 듯한 착각이 들게 하였습니다. 때론 탑 주위를 빙글빙글 돌기도 하고 어떤 경우에는 부처님을 참배하면서 예의를 갖추어 설명하시는 모습에 학생들은 크게 감명을 받았고, 선생님에 대한 존경심 또한 남다른 것으로 느꼈습니다. 그 후에도 선생님께서는 지칠 줄 모르는 왕성한 체력으로 역사현장을 누비셨고 학문연구에도 탁월한 능력을 보여 많은 연구 업적을 남기셨습니다. 이와 같은 첫 인연은 점차 굳게 다져져 60년이 지난 오늘날 까지 저에게는 생생한 추억으로 남게 되었습니다. 이제 건강, 열정, 연구, 교육, 예절, 신의 등의 낱말이 호불 선생님에 대한 키워드가 된 듯합니다. 선생님의 백넘버 유니폼이 된 것입니다.

선생님은 古代사학계와 교육계에 남기신 업적은 대단합니다. 문헌자료가 부족한 고대사 연

---

* 서울시립대학교 명예교수

구는 현장 발굴이 절대적 공헌입니다. 선생님은 이를 앞장서서 주도하신 대표적인 학자라는 것은 학계에서 모두가 인정하고 있습니다. 불철주야 동분서주하시다 보니 조용히 집안에서 가족과 식사하고 삶을 즐기는 시간은 거의 없었을 것입니다. 그러므로 선생님의 寺址 발굴 등 고고학 및 미술사학계에 대한 공헌은 가족 모두의 합작품으로 인정할 수 있습니다. 선생님은 특히 불교 석조미술사 연구에 심혈을 기울여『한국의 석조미술』이라는 역저를 저술하여 학계의 큰 주목을 받았습니다. 동양 삼국 중 한국은 흔히 '석탑의 나라'라고 부릅니다. 이를 학문적으로 증명한 대표적인 학자가 호불 선생님입니다. 선생님은 위 著述書에 한국의 石塔, 한국의 石造浮屠, 石燈, 石碑, 露柱, 石標, 石橋, 石氷庫, 瞻星臺, 북한의 석조미술 등을 총 망라하여 연구한 결과물을 수록하고 있습니다. 전국의 석탑, 석등, 석부도 등 불교 석조물은 거의 선생님께서 연구한 것으로 보아도 무리가 없겠습니다.

연구 학술논문 발표현장에서 호불 선생님께서는 늘 '우리 선생님'이란 경칭을 앞세워 스승 蕉雨 黃壽永 교수님의 학문적 권위를 높여 드리곤 하였습니다. 그 현장에 스승의 참석여부와는 관계없이 진심으로 스승을 존경하는 모습을 보여줌으로써 전통적 사제관계를 복원하려고 애쓰셨습니다. 참된 스승의 모습이 실종된 오늘날 교육적으로나 도덕적, 윤리적으로 모범을 보인 사례입니다.

그 뿐만 아니라, 호불 선생님께서는 국내외의 여러 학회에도 가입하여 열성을 보이셨고 박물관 발전에 기여하신 공로 또한 지대하십니다. 한국미술사학회 회장, 한국문화사학회 회장, 진단학회 종신회원, 한국박물관협회 부회장, 한국교원대학교 박물관장, 단국대학교 박물관장 등을 역임하면서 우리의 전통문화와 역사적 진실을 밝히는데 큰 공을 세우셨습니다. 대한민국정부에서도 그 공로를 인정하여 대한민국 문화상(대통령)을 수여하한 바 있고, 또 대한불교조계종 宗正 法傳 스님으로부터 공로패를 받은 영광도 호불 선생님의 남다른 불교사 연구의 업적 때문입니다.

아울러 호불 선생님은 한일관계사 연구와 발전에도 큰 기여를 하셨습니다. 일본 동경국립문화재연구소의 초빙교수와 객원교수, 일본 대마도 한국선현현창회 한국 측 대표 그리고 일본 對馬市 국제자문대사를 맡아 양국 간의 중요 역사문제를 해결하는데 혁혁한 공을 세운바 있습니다. 최근에는 백여 차례 이상 대마도를 방문하시어 한일 간의 첨예한 문제까지 해결하는 외교적 수완까지 보인 예는 유명한 일화로 남아 있습니다. 대마도 명예시민의 자격을 획득한 선생님은 지금도 정기적으로 대마도 시정토론회에도 참어하여 의견을 개진하신다니 그 탁월하신 능력과 대인관계 그리고 내면적인 인품에 경의를 표하지 않을 수 없습니다. 대마도를 찾은 한국관광객들이 현지에서 선생님의 애쓰신 흔적을 발견하고는 한편으로 놀라고 다른 한편으로는 존경심을 갖게 하고 있습니다.

조선일보사 후원으로 수차례 추진된 조선통신사행로 답사를 인솔한 것도 한일관계사 연구에 탁월한 공로를 인정받았기 때문입니다. 잘 알고 있는 바와 같이 조선통신사는 실제로 대마도의 역할이 적지 않았습니다. 1607년부터 1811년에 이르기까지 12회에 걸쳐 이루어진 통신사행에 대마도가 조선과 일본 사이에 가교역할을 했던 것이 사실이기 때문입니다. 조선통신사는 당시 양국 간의 중요한 외교적 수단이도 했습니다. 그러므로 조선통신사의 정확한 이해는 양국 역사의 진실에 접근하는 길이 될 것입니다. 이러한 의미에서 산 역사의 현장 탐방은 역사복원이라는 차원과 함께 두 나라의 왜곡된 역사를 바로 잡는 지름길이 될 수도 있습니다. 선생님의 노고에 경의를 표합니다.

한편, 선생님께서는 후학들로부터 남다른 존경심을 받고 있습니다. 스승에 대한 철저한 존경심과 후학 및 제자들을 사랑하시는 마음이 뛰어났기 때문입니다. 숙명여고 교사로 출발한 호불 선생님은 반세기에 가까운 40여 년 간 제자양성에 열정을 보이셨습니다. 단국대학교와 한국교원대학교에서 청년시절과 장년시절을 보내면서 연구, 강의에 전념하셨습니다. 혈기 방장한 젊은 시절을 이곳에서 다 보내셨습니다. 연구실과 강의실을 번갈아 왕복하면서 연구와 교육에만 시간을 보내셨습니다. 당시 선생님은 한국고대사, 한국미술사 등의 강의에 충실하셨고 명강의 교수로 명성이 높아 구름같이 모여든 학생들 때문에 힘이 들 정도였다는 일화도 있습니다.

여기에서 또 빼놓을 수 없는 것은 박물관에 관한 것입니다. 학내외에서 박물관의 설립과 발전에 기여한 공로가 호불 선생님을 능가할 분이 거의 없기 때문입니다. 현재 불국사성보박물관 건립자문위원회 위원장을 맡아 불국사박물관 개관에 노력하고 계신 것도 불국사 측의 요청이 있었지만 학계로부터 강력한 추천이 함께 작용한 것이 아닌가 생각합니다.

호불 선생님은 지금까지 앞만 보고 정신없이 뛰셨습니다. 이젠 무거운 짐을 내려놓으시고 한가하고 여유롭게 백세를 향유하시기 바랍니다.

2015년 12월
이존희 拜

정영호 박사님과의 인연

李浩官*

지난 65년이라는 세월이 너무도 빨리 지나간 것 같습니다. 필자가 鄭永鎬 박사님과 인연을 맺게 된 것은 1950년 6 25전쟁이 반발하여 부산으로 피난했던 시절이었습니다. 당시 서울대학교 사범대학 부속고등학교가 보수산 기슭의 애린원이라는 고아원 뒤편에 천막교사를 건립하고 개교하였을 때입니다. 필자는 1951년 3월에 부속고등학교에 입학하였고 정 박사님은 3학년생이었습니다. 정 박사님은 필자보다 2년 앞선 선배님이었습니다. 당시 필자인 저는 10대 후반이었고, 정 박사님께서는 20대 초반이었습니다.

필자는 1953년 정부가 서울로 환도할 때까지 그곳에서 1 · 2학년을 보냈는데 좋아하는 구기운동은 하지 못하고 기계체조인 철봉과 평행봉을 하였습니다. 하루는 평행봉에서 위험한 기술인 이단회전을 시도하다 그대로 땅에 떨어져 의식을 잃는 사고를 당했습니다. 그 때 손종묵 선생님께서 인공 호흡과 응급 처치를 해 주시어 생명을 구하게 되었고 그 덕으로 지금까지 무사히 지내고 있습니다. 생명의 은인이신 손종묵 선생님은 사범대학 부속고등학교의 훈육주임과 체육을 담당하고 계셨는데, 바로 정영호 박사님의 외삼촌이셨습니다. 이 일로 정영호 박사님의 집안과 인연을 맺게 되었습니다.

1953년 7월 서울 수복 후 동대문구 용두동에 터를 잡았던 부속고등학교 3학년 때 럭비선수로 활동하게 되었습니다. 이때 대학에 진학하였던 정영호 박사님은 당시 서울대학교 럭비선수이셨고, 후에 국가대표인 전략정보부대(MIG) 럭비 선수를 하시기도 했는데, 부속고등학교 럭비팀의 코치 겸 감독을 맡고 있었습니다. 당시 필자는 운동장에서 무릎을 다치면서까지 럭비운동을 하였으나 대부분 학생들은 대학에 진학하면 4년 동안 군면제 혜택을 받게 되므로 럭비부와 같은 운동부에서 활동을 하지 않고 진학준비에만 열중하던 시절이었습니다. 럭비를 하는 동안 감독님으로부터 기합도 받고, 애정 어린 충고를 듣기고 하였습니다.

그 후 필자는 대학에 진학에 진학하였고, 1962년 정영호 박사님이 문화재 전문위원으로 위촉될 때 까지 상당한 기간 동안 인연은 닿지 않았습니다. 필자는 1961년 1월 25일, 『문화재보

---

* 전 국립전주박물관장

호법』이 공포된 후 300여건의 미처리 문화재 신청 서류를 인계받았는데, 1962년 2월 16일부터 1963년 3월 12일까지 문화재관리국 문화재과장을 지내신 樹黙 秦弘燮 박사님께서 여러 가지 미결된 문화재관계 건의 해결을 위해 문화재위원과 문화재 전문위원을 위촉하는 일에 착수하였습니다. 당시 진홍섭 박사님께서는 필자를 불러 제1분과에 소속되는 전문위원 세분을 추천하였습니다. 그 세분은 회화, 도자기, 건축 관계는 孟仁在 선생님과 당시 숭례문 복구공사의 현장감독을 하던 申榮勳 선생님이 맡기로 하였고 불교미술관계인 석조미술과 불상, 금속공예 등에 대해서는 鄭永鎬 박사님이 맡기로 하였습니다. 이 세분이 새로운 『문화재보호법』과 「문화재위원회 위원 위촉규정」, 「전문위원 위촉 규정」 등에 따라 1962년 처음으로 專門委員으로 위촉되었습니다. 이때 종로구 수송동에 있던 숙명여자고등학교의 교사로 재직하던 정영호 박사님을 다시 만나게 되었고, 이후 인연을 이어가게 되었습니다. 당시 정영호 박사님께서는 전문위원 위촉을 흔쾌히 승낙하여 주셨으며, 이후 미결되었던 300여건의 문화재 신청 서류 등의 해결에 많은 역량과 가르침을 주셨습니다. 그 후 정영호 박사님은 단국대학교 교수로 자리를 옮기셨습니다.

한편, 1960년 8월 15일에 『考古美術』 창간호를 발간한 고고미술동인회에 정영호 박사님께서 필자를 추천해주어 가입하게 되었고, 여러 동인회 회원님들과 은사님들을 만나게 되면서 학문적인 지도와 연구, 조사, 기록 등에 걸쳐 많은 가르침을 받게 되었습니다. 그리고 더욱 잊지 못할 은혜를 주신 것은 1974년 9월이었습니다. 필자는 정영호 박사님의 도움과 지도로 단국대학교 대학원에 장학생으로 입학하게 되었고, 1977년 8월 27일 졸업할 수 있었습니다. 당시 필자의 나이는 44세였고 자녀를 둘 둔 가장이어서 감회가 남달랐습니다.

그리고 정영호 박사님이 전문위원으로 위촉된 이후 같이 문화재 신청지를 조사 다닐 때 정영호 박사님도 결혼하여 자녀분이 둘이었는데, 그 후 넷이 되었습니다. 모두 장성하여 가정을 이루어 독립해 나갈 때 정영호 박사님과 가족들과의 인연은 더욱 깊어졌습니다.

정영호 박사님은 우리나라에서 유적지 답사, 지표조사, 발굴조사 등을 처음으로 진행하였으며, 박사님이 주도한 단국대학교 박물관과 단국대학교 사학과의 활동이 시발이 되어 몇몇 대학도 이런 일에 동참하였습니다. 특히 1972년 9월부터 1974년 12월까지 3개 년 간 한국의 금속공예와 한국의 각 사찰에 현존하는 범종조사를 실시한 것은 정영호 박사님과의 인연이 깊어졌던 사업이었습니다. 당시 조사 후 대형보고서를 발간하게 된 것은 매우 큰 의미가 있었던 일이었고, 지금도 박사님의 업적을 잊지 못합니다. 또한 1972년 10월부터 1974년 11월까지 정영호 박사님을 위시하여 지금은 돌아가신 催南柱 선생님을 조사위원으로 모시고 경주 남산과 마석산, 금어산 등의 佛蹟調査를 완료하기도 하였습니다. 이는 우리나라 학계에서 처음으로 이루어진 의미있는 조사였습니다. 그때 문화재연구소와 정영호 박사님만이 칼라 슬라이드 필름으로 남산 불적과 마석산, 금어산의 모든 불적을 촬영하고 기록을 남겼던 것으로 기억됩니다. 이 일은 지금까지 누구도 할 수 없는 대단한 업적이라고 생각됩니다. 그리고 당시『三國遺事』,『三國史記』에 나오는 경주시와 월성군 일대에 걸쳐 분포하는 유적지에 대하여 오늘날의 정밀지표조사처럼 구석구석 세밀하게 조사했던 것도 큰 업적이라고 봅니다.

그 후 필자는 단국대학교 박물관과 사학과가 주관한 경남 사천 선진리 패총 발굴조사도 참가하였고, 그 이외에 고고미술동인회에서 시작한 新羅 3山 5嶽 調査에 간간히 참가했던 것을 큰 영광으로 생각하고 있습니다. 특히 八公山 符仁寺 石塔을 복원 할 때의 재미난 에피소드는 영원이 기억에 남을 일이라 생각합니다. 그곳에서 이미 고인이 된 경북대 김영화 선생에게서 밤새 般若心經을 불교적 음악으로 읍소하며 공부하시던 일은 지금도 눈에 선합니다. 이와 같이 정영호 박사님과 조사 현장을 누빌 때만 하여도 60세 미만인 장년기 때였습니다. 필자는 그 후에도 맡겨진 사업과 업무관계, 그리고 정영호 박사님께서 단국대학교와 한국교원대학교에서 진행하신 여러 유적 조사를 통해 발굴조사와 유물에 관해 고찰할 수 있는 안목을 키울 수 있었습니다.

1997년 정영호 박사님이 주도하여 시작된 靑老會를 통해 학문적 동지들이 매월 첫 토요일에 만나 여러 가지 학문적인 이야기와 그동안 살아온 인생 이야기를 통하여 옛정을 나눌 수 있게 된 것은 정영호 박사님의 큰 배려이자 보람이라고 느낍니다.

지금 필자의 나이도 여든이 넘었습니다. 시간이 지났지만 2년 선배인 정영호 박사님의 팔순 논총을 발간한다고 하니 왠지 모르게 마음이 悲感합니다. 서로 오래도록 건강하게 살아야 되지만 인간의 생명이 마음대로 되지 않는다는 것을 생각할 때 더욱 박사님의 팔순논총에 정이 갑니다.

이상으로 정영호 박사님과의 65년의 인연을 대략 살펴보았습니다.

정영호 박사님! 고맙습니다. 장수하십시오.

2015년 12월

미술사 공부의 여정에 만났던 이정표

申大鉉*

1

모든 공부가 마찬가지겠지만, 獨學은 어렵다. 어떤 분야든 혼자서 책을 보거나 연습해 깨닫고 실력을 늘리기란 현실적으로 잘 안 되는 일 같다. 처음 입문해 어느 정도 수준까지야 혼자 오를 수 있어도, 거기에 깊이를 더해 스스로 판단하고 수준을 높여 남한테 전문가라는 소리를 들을 정도가 되기까지는 가야 할 길이 참 멀기 때문이다. 그 긴 학문의 여정을 겁 없이 혼자 가다가는 길을 잃고 헤매며 고생만 하다 결국엔 제자리걸음하거나 더 가는 걸 포기하기 일쑤다. 제대로 공부하고 경지에 오를 때까지는 그 길을 먼저 先學이 방향을 일러줘야 하고, 수없이 많이 만나게 되는 어렵고 궁금한 문제를 그때그때 속 시원히 대답해 줘야 실력이 부쩍 는다. 훗날 대학자가 된 누구나 처음은 스승에게 배웠을 것이다.

孔子가 모름지기 '學而知之'를 강조한 것은, 공부를 혼자 하라는 말이 아니라, '스승의 가르침을 받아서'라는 부사구를 생략해 한 얘기였을 것이다. '天而知之'의 천부적 자질이 없다면 스승의 가르침을 받아야 '困而知之'를 면한다. 여행길에 나오는 갈림길에 서서 어디로 갈지 잘 몰라 머뭇거릴 때 이정표를 보면 얼마나 반갑고 고마운지 모른다. 가야 할 방향과 거리를 확실히 알면 적어도 방황은 하지 않으니까. 말없는 이정표 정도가 아니라 길을 모를 때마다 언제나 언행으로 가르쳐주는 사람이 있다면 더 말할 나위가 없다.

그런 면에서 좋은 선생님들을 만나 가르침을 받고 길을 인도받았다는 게 자신의 학문 여정에서 얼마나 큰 행운이었는지 혼자서 느낄 때가 많다. 그런 분 중의 한 사람이 豪佛 鄭永鎬 선생님이었다. 나는 한 세대 아래인 데다가 선생님이 봉직했던 단국대학교, 한국교원대학교 등과 직접적 인연이 없었다. 그래서 예를 들어 나와 비슷한 연배인 단국대학교의 朴慶植·嚴基杓 교

---

* 능인불교대학원대학교 교수

수 등에 비해 선생님과 큰 交分이 있다고 할 수 없을 것이다. 그렇지만 우리 모두 黃壽永 선생님의 영향과 가르침을 받았던 같은 學脈에 있는 사람으로서 늘 존경해 왔다. 그래서 내가 지금 여기에서 선생님과의 작은 인연을 말하려는 것은, 곁에서나마 선생님을 대하며 배웠던 바가 한두 가지가 아니어서이다. 지금까지 왔던 공부의 여정에 여러 가지 가르침과 도움을 받았기에, 이 글을 통해 그런 고마움을 표하고 싶어서다. 늘 가까운 곳에서 뵌 게 아니어서 내가 기억하는 것은 그다지 많지 않은데 그래도 선생님과 관련된 일은 오래도록 잊히지 않는다. 그 중에서 몇 가지를 회상하며 선생이 나같은 後學들에게 어떤 의미로 남아 있는지 말하려 한다.

2

1979년 고등학교 졸업반이 되어 문과를 선택했지만 대학은 어떤 과로 가야할 지 결정을 못했었다. 막연히 '시간이 가면 저절로 정해지겠지'라고만 생각했다. 그러던 어느 날 신문지상을 가득 장식한 기사가 눈에 들어왔다. 〈중원고구려비 발견〉이 대서특필된 것이다. 6세기 고구려의 남하정책을 알려주는 석비가 발견되었다는 것으로, 신문마다 커다란 활자로 제호를 뽑아 문화면 톱기사로 장식할 정도로 연일 국민적 관심을 끌었다. 나도 꽤 흥미롭게 보면서, '사학이라는 게 뿌리를 찾고, 잊혔던 과거를 새롭게 발견하는 공부로구나.' 하고 생각했는데 이때 나도 모르게 사학과를 동경하기 시작했던 것 같다. 이 비의 발견자인 '鄭永鎬 교수'라는 이름도 눈에 커다랗게 들어오면서 전설의 트로이 유적을 찾은 하인리히 슐리만(Heinrich Schliemann, 1822~1890)이나 둔황에서 숱한 고대 문서를 발견한 아우렐 스타인(Sir Mark Aurel Stein)과 마찬가지로 보였고, 또 선생이 발견한 중원고구려비도 내게는 아틀란티스 유적 발견과 매한가지로 여겨지며 머릿속에 뚜렷이 각인되었다.

겨울이 되어 예비고사를 보고 대학 진학 학과를 정할 때 이상할 정도로 별다른 망설임 없이 자연스럽게 사학과로 정한 것은 나로서는 당연한 일이었다.

3

동국대학교 사학과에 입학해 유적답사를 자주 가면서 자연스럽게 우리나라의 불상이나 탑 같은 불교미술에 흥미를 갖게 되었고 딴에는 선후배 앞에서 문화재를 설명하는 만용도 부렸다. 그렇게 띄엄띄엄 안 불교미술 지식은 초겨울 살얼음마냥 아주 얕았으니, 지금과 견주어 본다면 사진 기술도 좋고 전문가 못지않게 우리나라 문화재에 해박한 요즘의 일반인보다 낫지 않았을 것이다.

　미술사를 본격적으로 공부한 것은 1985년 동국대학교 대학원 미술사학과에 진학하면서부터 이니 어언 30년을 넘겼다. 당시만 해도 미술사는 비교적 생소한 분야 중 하나여서 대학원에 미술사학과가 설치된 곳은 동국대학교와 홍익대학교 등 모두 해봐야 서너 곳에 불과했다. 내가 다닌 동국대학교는 아직 석사과정에서도 졸업생이 나오지 않았을 때다. 사학과 동기이기도 한 車載善과 경주캠퍼스 영문과를 졸업한 尹京淑 두 才媛이 함께 입학했고 우리 셋을 포함해 朴洪國 현 위덕대학교 교수 등 3학기 세 명 등 모두 여섯 명이 석사과정 중에 있었다. 요즘은 전공자가 많아서 어느 학교나 석·박사 수업을 학부와 마찬가지로 널찍한 강의실에서 하지만, 그때는 적게는 두 명 많아야 대여섯 명 정도로 단출해서 교수 연구실에서 강의 받는 게 보통이었다. 학생 수가 적은 만큼 서로 유대감이 깊었고 요즘의 학계 분위기와는 다르게 교수들과도 자주 만나고 대화할 기회가 많았다. 석사 과정 중에 전부 8과목을 들었는데 鄭明鎬, 文明大 두 대학원 전임교수와 서울대학교 고고미술사학과의 安輝濬 교수에게 2과목씩 그리고 鄭永鎬 선생님과 鄭良謨 당시 경주국립박물관장에게 1과목씩 배웠다. 황수영 선생님은 당시 동국대학교 총장을 맡고 있었고 金禧庚 선생님은 학부에서만 강의해서 대학원에서 수업 받을 기회가 없었다. 모두 좋을 가르침을 내려주어 鈍才였으나마 지금 이 정도라도 알게 된 게 아닌가 싶어 고맙기 그지없다.

　정영호 선생님을 학교에서 처음 뵌 것은 1986년 봄, 3학기 수업 때였다. 선생님께서는 그 해에 단국대학교에서 한국교원대학교로 옮겼는데 수업을 위해 일부러 청주에서 서울까지 올라오는 수고를 해주셨다. 수업일은 목요일로 기억하는데, 수업시간을 오후 느지막이 잡았다. 선생님께서는 낮에 청주에서 버스로 올라왔고, 정명호 선생님 연구실에서 우리 동기 셋을 마주하셨다. 수업으로 뵌 것은 그때가 처음이었지만 고등학교때 〈중원고구려비〉 발견으로 신문에서 봤을 때가 기억에 생생하고, 대학원에 와서도 학계 소식으로 익히 듣던 분이었고 또 무엇보다도 황수영 선생님의 맏제자라 그랬는지 전혀 낯설지가 않았다. 그전부터 가까이 모셨던 분 마냥 마음이 편했고, 수업도 언제나 재미있었고 푸근해 딱딱한 강의로 전혀 느껴지지 않았다. 옛날이야기를 듣는 아이들 마냥 우리 모두 즐거워했었다.

　그때 배운 과목은 〈한국탑파사〉였다. 탑은 우리나라 곳곳에 많이 남아있지만 생각만큼 연구자가 많지 않았다. 개별 작품에 대한 논문은 적지 않았어도 막상 단행본으로 된 연구서는 드물어서 1981년에 선생님이 책임감수한 『石塔』(〈韓國의 美〉 9, 중앙일보사) 정도가 거의 유일한 전문서였다. 또 탑은 건축적 요소가 짙어서 다가가기가 쉽게 않은데다가 다른 글들은 한결같이 辭典的 해설로 일관되어 뭔가 실감이 되지 않았었다. 실감이 되지 않으면 지식이 되기 어렵다. 그런데 이 수업에서 선생님이 직접 발굴 조사를 했던 얘기들을 들으면서 당시의 생생한 경험을 들으니 자연스럽게 탑에 대한 새로운 관점을 얻을 수 있었다.

　지금 와서 수업 내용을 자세히 기억하지는 못한다. 요즘 학생들이 곧잘 하는 것처럼 강의를 녹음해 두기까지는 못했어도, 필기나마 그 때 그 때 좀 잘 해 둘 걸 하는 후회가 난다. 변명을 하자면, 선생님의 말씀이 워낙 구수하고 수업 분위기가 화기애애해서 사랑방에서 따뜻한 찻잔을 두고 정담을 나누는 것 같아서 심각하게 필기에 열중하는 게 좀 이상하기는 했다. 하지만 대신에 미술사 공부를 머리가 아니라 마음으로 하는 법을 배운것 같다. 수업에 썼던 특별한 교재는 없었는데, 사실 그럴 필요가 없었던 것이 선생님께서 하는 말씀 한 마디 한 마디가 모두 책에서 볼 수 없는 내용이었기 때문이다. 예전에 있었던 유적 조사와 발굴 얘기를 어제 일처럼 자세하게 설명해 주시는 덕에 마치 우리가 그 발굴 조사에 함께 했던 것처럼 아주 실감나게 이해할 수 있었다. 이런 얘기는 보고서나 논문을 읽는 것보다 훨씬 도움이 되었다. 나중에 대학원 학생들에게 강의를 하면서 느낀 것은 진지하게 이론을 설명하는 것보다도 이런 수업이 학생들에게 더 이해에 도움이 되고 전달력도 좋다는 점이다. 하지만 강의하는 사람 입장에서는 그만큼의 풍부한 경험과 통달할 정도의 지식이 없으면 도저히 할 수 없는 일로 아무나 쉽게 흉내 낼만한 것이 아니다.

우리들은 수업을 받으면서 선생님의 두 가지 면에 큰 인상을 받았다. 하나는 성품이 참으로 大人답게 호방하시다는 것이다. 편견일 수 있지만, 학부와 대학원에서 공부하면서 여러 교수들을 봐왔는데 학자란 꼼꼼해야만 해서 그런지 아무래도 성격이 탁 트인 사람들을 잘 못 것 같다. 어찌 보면 동전의 양 면 같기도 하다. 그런데 젊은 우리들이 보기에도 선생님만큼은 그렇지 않았다. 작은 일에 걸림이 없이 호탕하고 관점이 아주 넓었다. 선생님의 호가 '豪佛'인데 선생님만큼 그 사람의 성격과 잘 부합하는 호도 없을 것 같다. 이렇게 박식한데다 성품마저 바다보다 넓어 보이니 우리가 반하지 않을 수 없었다. 사실 이런 호방함은 선생님의 봄바람보다도 부드러운 인상과 푸근함을 주는 어투에 가려져 처음에는 잘 못 느낄 수 있는데, 선생님과 조금만 친해지면 선생님이야말로 外柔內剛의 전형임을 누구나 알 수 있을 것이다.

또 하나 우리들이 감탄한 면은 선생님의 엄청난 强記力이었다. 공부에 관한 한 아무리 사소해 보이는 것이라 하더라도 기억하지 못 하시는 부분이 없는 것 같았다. 물론 이것은 명민한 머리에 풍부한 경험이 어우러진 결과였을 것이다.

"어떻게 저렇게 자세히 기억하실 수 있담?"

우리는 수업을 마치고 나면 감탄사를 연발하곤 했는데, 서로 얘기를 나눠보니 역시 大家란 이런 점이 확실히 다르구나 하는 점을 모두 실감하고 있었다. 선생님은 어떤 주제든 직접 보고 경험한 일은 거의 대부분 정확히 기억을 하셨다. 공책에 적어놓은 것을 보고 말한다 하더라도 그렇게 정확히 알기는 어려울 듯했다. 십 년 이 십 년 된 일도 마치 어제 봤던 일처럼 지역은 물론이고 관계되었던 사람들의 이름과 분위기까지 자세히 얘기해 주니 머리에 쏙쏙 들어오지 않을 수가 없었다. 비록 한 학기만의 짧은 수업이었지만 이때 우리들이 받은 학문적 영향은 작지 않았다.

4

그 뒤 선생님을 다시 가까이 뵌 것은 1988년 1월에 『초우 황수영박사 고희기념논총』을 준비할 때였다. 논총이란 형식이 모두 그렇지만, 다양한 전공 분야에서 활약하는 제자와 지인들의 글이 모아지기에 원고 분량도 많고 내용도 보통 복잡한 게 아니다. 이렇게 다양한 주제를 담아야하다 보니 논총을 교정하고 편집하는 입장에서는 여간 어려운 일이 아니어서 어느 책처럼 출판사 사람들이 하기에 벅차다. 그래서 그 일은 대개 논총을 발간을 추진하는 쪽에서 하기 마련이다. 선생님께서는 연초 벽두에 제자들을 서울 청량리 미주아파트의 댁으로 불러 모아 교정 일을 맡겼다. 이것도 인연인지는 모르지만, 그 때 우리 집도 같은 아파트 옆 동이었다. 그래서 지하철 청량리역이나 집 근처에서 오가다가 간혹 선생님을 뵙기도 했다. 이렇게 한 동네였으니 댁에 자주 찾아가서 배움을 청했으면 훨씬 공부가 많이 되었을 텐데, 숫기가 없어 그랬는지 한 번도 일부러 댁으로 찾아뵙지 못했던 게 아쉽다.

여러 사람들이 선생님 댁에 모여 한 방에 책상을 펴놓고 죽 둘러앉아 교정을 보았다. 나중에 황수영 선생님께서 1965년 석굴암 보수공사를 마치고 보고서를 준비할 때 절 요사에 관계자들을 모두 모이게 해서 외출도 삼가게 하며 며칠 기한을 정해서 글을 쓰게 했다고 들었는데, 지금 생각하니 우리가 교정하던 일도 꼭 그런 방식이었던 것 같다. 좁은 공간 안에서 제한된 시간 안에 일을 끝내야 해서 힘들기도 했지만, 사실 이렇게 하지 않았으면 그 많은 글들을 제때 고치고 진행해 나갈 수 없었을 것이다. 수 십 편의 논문 교정을 단시에 마치기는 어려운 일이었지만, 선생님은 모여 일하는 사람들이 지루하거나 힘들지 않도록 세심하게 배려하고 또 맡은 일들을 적절하게 조정해가며 며칠 안에 교정 일을 다 끝낼 수 있도록 했었다. 사실 그 무렵은 대학원에서 미술사를 배운 지 얼마 안 되었던 때로 말이 석사과정 학생이지 그다지 아는 게 적었다. 그래도 이때 여러 학자들의 글들을 보게 되었고 그래서 학교 수업으로만은 알 수 없었던 여러 가지를 많이 배웠던 것 같다. 전공 지식의 폭을 넓힌 것도 중요했지만, 선생님을 바라보면서 스승을 대하는 극진한 태도를 보며 진정한 사제의 관계에 대해 배운 게 소중했다.

몇 년 뒤 通文館에서 『우현 고유섭 전집』 4권을 출판할 때 같은 황수영 선생님의 제자인 李基善(조형미술연구소장) 선배와 함께 교정을 맡았고, 또 그 뒤 『황수영 전집』 6권이 혜안출판사에서 나올 때도 황수영 선생님의 말씀에 따라 책의 체재를 잡고 아울러 교정과 편집을 전담하게 되었는데, 가만 생각해보면 이렇게 과분하게 몇번이나 선학과 스승의 전집 출간을 맡게 된 인연도 이때 정영호 선생님 댁에서 했던 교정 작업에서 그 싹이 심어진 것 같다.

『황수영 전집』은 황수영 선생님이 직접 출간을 결심하셔서 나올 수 있었다. 대개 전집이란 그 사람이 세상을 떠난 뒤에 나오는 게 일반적이다. 그런데 황수영 선생님께서는 은사 고유섭 선생님이 돌아가시고 나서 遺稿를 펴낼 때 궁금한 게 있지만 물어볼 데가 없어 아주 힘들었던 경험이 있어서, 당신이 자신의 전집을 스스로 준비하는 게 후학들의 노고를 덜어주는 일이라고 생각하셨노라고 말씀하시곤 했다. 전집 완간은 3년 가까이 걸릴 정도로 일이 적지 않았는데, 나중에 선생님께서 지금은 사라진 을지로 松園식당에서 여러 제자들과 함께 출판기념회를 주최하며 여러 선생님들 사이에서 특별히 내 이름을 부르며 수고했다고 말씀해 주셔서 송구스러웠던 기억이 새롭다. 정영호 선생님의 큰 도량과 세심한 배려를 다시 한 번 느꼈었다.

5

2005년부터 중앙승가대학교 대학원 불교학과에 불교문화재학 전공이 신설되어 강의 하게 되었고, 지도교수로 석사 및 박사를 지도하기도 했다. 불상이나 탑 같은 불교문화재를 가장 가까이 보는 스님들이 이에 대해 이론적으로 공부하는 것은 참 중요하다. 미술사를 하기 위해서는 연구 대상인 작품을 알기 전에 우리나라 미술사 연구사를 미리 설명하는 게 도움이 많이 된다고 생각하고 있다. 일종의 불교미술 史學史라고 해도 될 것 같다. 그래서 늘 수업 첫머리에 우현 고유섭으로 시작해서 초우 황수영 그리고 호불 정영호·昔步 정명호 두 분 등으로 이어지는 學脈을 소개하곤 한다. 어느 해인가 마침 단국대학교 석주선기념박물관에서 주최하는 세미나가 열려 學人스님들에게 참여를 적극 권유한 적 있다. 세미나에 다녀 온 학인들에게 세미나가 어땠느냐고 물어봤다. 대부분 아주 유익했다고 하며 특히 정영호 선생님의 말씀에 감탄했다고 답했다. 정영호 선생님은 발표자가 아니라 기조연설을 했었는데 뭐에 그리 감탄했느냐고 다시 물었다.

"여러 발표들 잘 들었지만, 그 중에도 특히 발표회 시작할 때 들었던 정영호 선생님 얘기가 아주 좋더군요."

"뭐가 좋았나요?"

"우리나라 탑과 부도에 대해 죽 설명하는데, 그렇게 재미있고 머리에 쏙쏙 들어오게 얘기하는 분은 처음이에요. 또 얼마나 博識하신지 마치 우리나라 문화재들을 전부 다 손바닥에 놓고 강의하는 것 같더군요."

내가 대학원에서 처음 수업 들었을 때의 느낌과 비슷했던 모양이었다. 이후 적어도 내가 강의하던 곳에서 불교미술사 및 문화재학을 배운 스님들은 선생님의 글과 책으로 공부하는 것을 아주 당연하게 생각하게 되었다.

6

정영호 선생님의 이력을 보면서 놀라는 것 중의 하나가 다양한 활동과 왕성한 저술이다. 수백편의 논문, 조사보고서나 도록 외에 20권에 달하는 저서 등은 어느 학자로서는 생각할 수도 없는 학문 역량이다. 선생님이 펴낸 수 십 편의 발굴보고서를 보더라도 얼마나 유적조사에 공을 들였는지 알 수 있다. 유적의 발굴뿐만 아니라 온전한 보존을 위해서도 애썼던 것은 진정한 고고학자의 면모를 보여준다. 특히 강원도 양양 陳田寺址는 선생님의 숱한 발굴 이력 중에서도 가장 중요한 업적이 아닌가 한다. 이에 관련된 일화가 있다. 이 지역은 발굴 이전부터 私有地였는데, 당시 발굴을 전후한 무렵에는 부근의 오색약수 등 명소와 연계되어 개발 붐이 한창 일고 있었다. 애써 발굴을 해 역사적 가치가 드러나도 사유지라 절터가 온전히 남지 않고 이런 데 휩쓸릴 가능성도 있었다. 선생님은 이를 우려해 사비를 들여 절터 일대를 구입해 결과적으로 진전사지가 이런 열풍에 휩싸이지 않고 보존될 수 있도록 했다. 그런데 발굴 이후 조계종에서는 道義선사가 宗祖이므로, 종조 선양을 위해 1980년대에 도의선사의 부도가 있는 진전사지를 복원하고 성역화 하기로 했다. 그러기 위해서는 우선 이 지역에 대한 조계종의 귀속이 필요했다. 이때 선생님은 이 부지를 아무 조건 없이 선뜻 조계종에 기증했다. 진전사는 1996년 착공된 양양 양수발전소의 하부 댐에서 그다지 멀지 않다. 만일 그때 선생님이 발굴후 더 이상 관심을 갖지 않았더라면 댐 건설 공사 등으로 인해 지금과 같은 복원 및 성지 조성은 이뤄질 수 없었을 지도 모른다. 이 이야기는 당시 선생님과 조계종의 중간에서 양쪽의 의견을 전달하고 조정했던 前 문화관광부 宗務官인 李勇夫 선생에게 전해들은 이야기다. 역사의 이면에는 늘 숨은 공로자가 있기 마련이다. 정영호 선생님과 진전사를 보면 이런 역사의 수레바퀴를 다시 한 번 떠올리게 된다.

지금 미술사학계 학회의 중심인 한국미술사학회의 전신은 1960년 창립된 考古美術同人會다. 이 학회는 그 이름에도 나타나듯이 연구 범위에 있어서 미술사와 고고학에 큰 구분 없이 활동했다. 어떤 이들은 이때를 미술사학의 未分化 시대라고 하지만, 두 분야가 함께 우리 힘으로 연구되고 이론을 정립해 나가던 당시의 시대적 배경에서는 최선의 學際 간 결합이었을 것이다. 또 어떤 면에서는, 현재 이뤄지는 미술사 및 고고학의 연구 경향이 아직 이런 분위기를 간직하고 있어서, 두 학문을 굳이 서로 다른 것으로 제한할 필요도 없을 것 같다. 미술사도 공예·건축·조각·회화 등으로 세분되어 연구되는 게 지금 학계의 대세다. 전문성을 강조하는 면에서는 당연하지만, 한 분야를 다른 것과 지나치게 구분할 필요는 없다고 생각한다. 예를 들어 불상 연구자가 불화는 회화이니 관심 밖이라고 한다면 이는 분명 넌센스다. 불교미술사 연구에서 어느 분야에든 기본적으로 적용되는 원칙이 있기 때문이다. 그런 면에서 고고미술사학회는 연구자가 경직되어 꼭 어느 한 분야에만 집중하는 게 아니라 다양한 분야에 걸쳐 공부하는 풍조가 지금에 비해서는 꽤 자연스러웠던 것 같다. 이런 당시 학계의 상황과 분위기 탓도 있었겠지만, 선생님은 이렇게 考古美術同人會의 창립멤버로 활동하며 불교미술사의 전 분야에 걸친 풍부한 경험과 깊은 知見을 바탕으로하여 학계의 발전을 주도하고 기초를 든든히 세웠다. 선생님처럼 고고학과 미술사를 통섭하고 두 분야를 함께 아우를 수 있는 깊은 역량을 갖춘 것은 다른 사람은 따를 수 없는 경지일 것이다. 특히 적어도 불교유적과 불탑 그리고 불상에 관한 한 선생님이 현존 최고의 전문가임은 누구나 인정한다. 선생님을 이을 만한 사람을 찾을 수 있을까 걱정될 정도다.

7

어떤 인물이 역사에 오르려면 객관화 작업이 선행되어야 후대에까지 이름이 남는다. 그리고 그 사람의 업적과 활동상을 평가하는 데는 동시대에 함께 호흡했던 사람들의 기억과 평가도 좋은 자료가 될 수 있다. 객관화가 된다는 것은 그에 대한 定義도 가능하다는 뜻일 텐데, 그렇다면 정영호 선생님은 미술사학계에 어떻게 정의될까? '불교미술사의 지평과 저변을 넓힌 인물', '학계의 맏형', '韓日 문화계의 架橋' 등 여러 표현이 가능할 것 같고, 다 옳은 말들이다. 이 책에 실린 여러 분들의 선생님에 대한 회고가 선생님을 우리나라 미술사학계에 미친 영향과 의미를 정의하는데 많은 도움이 될 것 같다. 이러한 공식적인 정의에 덧붙여 내 개인적 느낌을 말한다면, 무엇보다 선생님은 내가 학문적 正體性을 세우는데 있어서 황수영·정명호 두 분과 더불어 많은 영향을 주었던 분이라고 말하고 싶다. 아마 나뿐만 아니라 내 연배의 다른 여러 사람들도 같은 생각을 하고 있을 것 같다. 호불 선생님이 더욱 노익장 하여 계속해서 여러 후학들에게 미술사의 많은 영감을 느끼게 하시기를 기원해본다.

■ 論文 및 資料

安城 竹州山城
(최근 경기도에서 발굴 · 조사된 산성들의 역사적 맥락)

崔夢龍*

安城 竹州山城은 경기도 안성시 죽산면 매산리 산 106번지, 해발 372m인 飛鳳山 정상에서 동남쪽 약 1km 지점에 위치한다. 이 죽주산성은 단국대 매장문화재연구소[단국대 매장문화재연구소 · 안성시의 지표 및 발굴조사기간이 서기 2001년 2월 15일~서기 2001년 6월 20일, 그 후 남벽 정비구간의 조사를 거쳐 서기 2004년 8월 27일(금), 서기 2006년 7월 26일(수), 서기 2006년 9월 29일(금)의 발굴지도위원회 회의]에 의해 발굴 조사되었으며 경기도 기념물 69호(1973년 7월 10일 지정)로 지정되어있다. 이 성은 해발 229m의 비봉산 하의 봉우리를 중심으로 축조한 포곡식 산성으로 테뫼식으로 축조된 내성, 이를 감싸고 있는 테뫼식의 중성, 중성에서 동북쪽으로 형성된 계곡을 막아 축조한 포곡식 외성의 3중성의 형태를 지니고 있다(한백문화재연구원 · 안성시, 2008, p.12). 중성 1,690m, 외성 3,540m, 내성 270m의 둘레를 가진 3겹의 중첩된 石城(3중성)으로 현재 4개의 門址(남문지와 내성/중성의 懸門), 將臺址, 稚城과 높이 약 2.5m 안팎의 성벽이 남아 있다. 그리고 이 성은 역사적으로 고려시대에 보강 수축되어 防護別監을 두었고, 조선시대에 다시 이 성을 보수된 것으로 전해지고 있다. 현재 이 성 안에는 고려 고종 23년(서기 1236) 몽고병이 각종 공성무기와 계략으로 이 성의 함락을 위해 침략하였을 때, 주민들과 함께 격퇴한 竹州 防護別監 宋文冑 장군(?~서기 1236년) 사당인 戰功影閣이 있다. 그 후 임진왜란 때에도 邊以中 調度使가 왜군과 대치한 싸움터로서 외침의 수난을 극복한 역사적 교훈이 되는 유서 깊은 곳이다. 다시 말해 삼국시대 백제에서 고려를 거쳐 조선시대까지 이용되었던 성이다. 성의 初築

---

* 서울대학교 고고미술사학과 명예교수

※ 이 글은 서기 2015년 11월 13일(금) 한국고대학회 · 국립한국교통대학교 박물관 주최 '안성 죽주산성의 역사적 가치 재조명' 학술발표회 기조강연을 위해 만든 것으로 필자의 글
"2000 흙과 인류, 서울: 주류성
 2006 최근의 고고학 자료로 본 한국고고학 · 고대사의 신 연구, 서울: 주류성
 2008 한국 청동기 · 철기시대와 고대사회의 복원, 서울: 주류성
 2011 韓國 考古學 硏究의 諸 問題, 서울: 주류성
 2014 韓國 考古學 硏究, 서울: 주류성" 에서 발췌 요약한 것임을 알려둔다.

이나 축성 연대에 대해서는 정확한 기록이 없지만, 서기 2000년~서기 2004년 단국대학교 매장문화재연구소·안성시의 남벽정비를 포함한 3차의 조사와 한백문화재연구원·안성시의 서기 2006년~서기 2014년의 4차의 도합 7차의 조사[1]에 의하면 아직 정확한 백제시대의 석성흔적이 발견되지 않았지만 백제토기의 출토로 보아 백제 13대 近肖古王(서기 346년~서기 375년)이 서기 371년 백제의 첫 번째 석성인 하남 二聖山城(사적 422호)[2]을 축조하고 남쪽과 동쪽으로 영토를 확장한 이후 교통 상 중요한 요지로 인해 이곳에 석성이 들어섰던 것으로 추정된다.

이곳에서는 백제에서 조선시대에 이르는 유구와 유물이 나오고 있다.

① 철기시대 전기(기원전 400년~기원전 1년)의 점토대 토기, 무문토기(외벽 II층), 흑도와 옹

---

1) 이제까지 안성 죽주산성에 관한 7번의 조사보고서는 다음과 같다.
   ① 단국대학교 매장문화재연구소·안성시
      2002 안성 죽주산성 지표 및 발굴조사 보고서
      2004 안성 죽주산성 남벽 정비구간 발굴조사 지도위원회자료집
      2006 안성 죽주산성 남벽 정비구간 발굴조사 보고서
   ② 한백문화재연구원·안성시
      2008 안성 죽주산성 동벽 정비구간 문화재 발굴조사 보고서
      2011 안성 죽주산성 성벽 보수구간 내 유적: 동벽·남벽 일부
      2012 안성 죽주산성 2·4차 발굴조사 보고서, 부〉 북벽 정비구간 발굴조사보고서
      2014 안성 죽주산성 남벽 정비구간 내 유적

2) 사적 422호인 河南市 二聖山城은 백제 13대 近肖古王(서기 346년~서기 375년 재위)이 서기 371년 평양전투에서 고구려 16대 故國原王(서기 331년~서기 371년 재위)을 사살하고 고구려의 보복을 막기 위해 쌓은 백제 최초의 百濟 石城이다. 이는 고구려의 國內城과 丸都山城에서 영향을 받아 만들어 졌다. 고구려는 2대 瑠璃王 22년(서기 3년)에 집안의 國內城을 축조하고 10대 山上王 2년(서기 198년)에 丸都山城을 쌓았다. 현재까지 발굴 조사된 風納土城(사적 11호)과 夢村土城(사적 297호)은 中國에서 영향을 받아 만든 版築 土城이다. 『三國史記』百濟本紀에서 보이는 漢城時代 百濟(기원전 18년~서기 475년)의 都邑地 變遷은 河北慰禮城(溫祚王 元年, 기원전 18년, 중랑구 면목동과 광진구 중곡동 의 中浪川 一帶에 比定, 그러나 적석총의 밀집분포로 보아 연천 郡南面 牛井里, 中面 橫山里와 三串里, 白鶴面 鶴谷里일대도 가능하다.) → 河南慰禮城(온조왕 14년, 기원전 5년, 사적 11호 風納土城에 比定) → 漢山(근초고왕 26년, 서기 371년, 사적 422호 二聖山城에 比定) → 漢城(阿莘王 卽位年, 辰斯王 7년, 서기 391년, 하남시 春宮里 일대에 比定)으로 알려져 있다. 이는 기원전 18년에서 백제 21대 蓋鹵王(서기 455년~서기 475년 재위)이 고구려 20대 長壽王(서기 413년~서기 491년 재위)에 의해 패해 한성시대의 백제가 없어지고 22대 文周王(서기 475년~서기 477년 재위)이 公州로 遷都하는 서기 475년까지의 493년간의 漢城時代 百濟에 포함된 중요한 역사적 사건중의 하나이다. 한편 서기 2001년과 서기 2002년 실시된 9차와 10차 조사 시 懸門式 東門址에 대한 발굴은 한성시대 백제의 마지막 왕이었던 제21대 蓋鹵王(서기 455년~서기 475년 재위)이 이성산성에서 벌어진 고구려와의 전투에 패해 적군에게 잡혀 아차산성에서 처형되었을 가능성을 제시해 주었다. 즉, 이성산성이 한성시대 백제의 최후 격전지였을 가능성이 높다고 하겠다. 이후 신라 24대 眞興王의 서기 553년(眞興王 14년) 한강유역 진출 이후부터 통일신라시대에도 계속 점유되었으며, 고려시대의 개와 편, 조선시대의 백자편 등 모두 3,352점의 유물 출토되었다. 신라토기 중에는 皇龍寺址(사적 6호)와 雁鴨池(사적 18호, 臨海殿址)에서 출토된 토기들과 비슷한 통일신라 때의 것들이 많이 보인다. 특히 목간에서는 "辛卯五月八日向..北吳...前褥薩...六月九日.."과 "戊辰年正月十二日朋南漢城道使"(3차 조사, A지구 저수지) 라는 墨書銘이 발견되어 이 산성이 서기 391년(19대 廣開土王 원년)에서 서기 399년(광개토왕 9년) 신라에게 내리는 '密計'와도 관련이 있으며 서기 511년(고구려 20대 長壽王의 손자인 21대 文咨明王/文咨王 20년, 서기 491년~서기 519년 재위)과 서기 608년(신라 26대 眞平王 40년, 서기 579년~서기 632년 재위)에 사용되고 있었음을 알려주고 있다.

형 토기(단국대학교 매장문화재연구소·안성시 2002, pp.155~156: W-2-2 트렌치, 한백문화재연구원 안성시, 2008, p.156: 가 지구 보충성벽 외부에서 경질무문토기, 타날문토기, 연질토기 등 철기시대 전기~삼국시대 전기 유물이 나옴, 한백문화재연구원·안성시 2011: 외벽 II III층과 내벽 IV층), 유경석촉(한백문화재연구원·안성시, 2011, p.121, 사진 39-3)

② 백제시대[중성의 지표, 단국대학교 매장문화재연구소·안성시, 2002: W-2-2 초축 성벽기 단석과 암반을 덮고 있는 점토층 III과 IV층의 늦어도 서기 4세기~서기 5세기 이전의 백제토기가 출토, 한백문화재연구원·안성시 2011: 격자타날문 대옹 동체부(외벽 III층), 장란형 토기 동체부로 내벽 트렌치 내굴광선 안쪽, 발형토기 동체부(외벽 IV층), 견부에 삼각압인문(馬韓의 鋸齒文, 한백문화재연구원·안성시, 2014, p.80, 사진 18~10)과 원형 수혈(단국대 학교 매장문화재연구소·안성시, 2006, 수혈주거지 1호(p.42, 사진 91~92, 도면39)과 2호 (p.42, 사진 93~95, 도면 33)이 시문된 격자타날문 대옹편과 그 외에도 도가니로 추정되는 소형토기편이 내벽 트렌치 내굴광선 안쪽에서 출토됨], 삼국시대 주거지와 수혈(pp.81~89, 사진 19~27),

③ 신라(기저부는 암반 상면에 있는 토사를 전면 제토하고 암반을 'ㄴ'자형의 계단식으로 굴착하여 조성을 함, 즉 'ㄴ'자형으로 3단 굴착한 계단식 삭토법임을 확인, 한백문화재연구원 안성시 2008, p.154), 인천 桂陽山城(인천광역시의 기념물 제10호)과 유사한 계단식 'S' 자형 집수시설과 그곳에서 나온 물마개(木栓), 축기목, 목간, 삽, 쐐기, 자귀, 나막신 등 집수시설 관련 목재류, 문구류, 공구류, 생활구 등의 목제유물[한백문화재연구원 안성시, 2012, p.604, pp.618~623, 삽도 20~23, 가속질량분석(AMS: Accelerator Mass Spectrometry)연대는 서기 440년, 540년, 610년, 690년으로 5세기~7세기임, pp.665~667], 四面扁瓶(한백문화재연구원·안성시, 2012, p.344, 도면 869),

④ 고려시대의 청동제 동물상과 수저(단국대학교 매장문화재연구소·안성시, 2006, p.150, 사진 123, 도면 85 및 사진 125, 도면 87), 개와편

⑤ 조선시대의 개와와 분청사기와 청화백자편과 같은 유물, 집수시설(한백문화재연구원·안성시, 2012, p.607, 삽도 3)

단국대학교 매장문화재연구소(단국대학교 매장문화재연구소·안성시, 2002. p.206)에서 "…더구나 1차 성벽 기단부를 매몰한 III층과 IV층 은 성벽 축조 시 인위적으로 형성된 것이기 때문에 III층에서 출토되는 백제토기를 고려한다면 초축국은 백제로 축조시기는 늦어도 5세기 이전으로 추정할 수 있지 않을까 한다.…", 또 단국대학교 매장문화재연구소(단국대학교 매장문화재연구소·안성시, 2006, pp.30~39)에서 "성벽을 축조하기 위해 암반까지 굴착하였고…풍화암반 면을 정리한 후 약간의 점토를 다져 기저부를 조성한 다음 기단석을 쌓아 올렸다.…외

벽은 전면만 치석된 장방형의 석재를 品字形 쌓아 올렸으며.안성시, 축조방법은 협축법(남벽과 서벽)으로 축조되었다"고 보고하고 있다. 또 한백문화재연구원(한백문화재연구원·안성시, 2011, p.77)은 "초축성벽(I차 성벽)으로 파악되는 성벽 이전에 또 다른 성벽이 축조되었을 가능성도 있다."고 백제성벽의 축조 가능성을 언급하고 있다. 그리고 단국대학교 매장문화재연구소(2002) 발굴의 트렌치 W-2-2(p.163의 W-2-2 트렌치 상단 성벽 입면도 및 단면도)와 한백문화재연구원(한백문화재연구원·안성시, 2011) 발굴의 외벽 III층과 외벽 IV층에서 백제토기가 발견되었다는 사실은 인정·보고하면서 그와 관련된 유구에 대해서는 구체적인 언급은 없다. 일반적으로 백제 성곽의 구조는 암반까지 굴착하고 지대석 없이 기단석위에 장방형의 할석을 '品字形'으로 정연하게 '바른 층 쌓기 수법'을 보이며 때로는 상하 밀착되는 면을 깎아 맞추는 '그렝이 기법'도 나타나는데(심정보, 2012, p.35)이와 같은 백제의 축성수법은 하남 二聖山城(사적 422호), 이천 雪峰山城(사적 423호)과 雪城山城(경기도 기념물 76호), 忠州 薔薇山城(사적 400호), 抱川 半月城(사적 403호)에서 공통으로 나타난다. 그러나 이 성이 土城인지 아니면 石城인지 몰라도 처음 축조된 것은 백제시대로 보아도 될 것 같으며 죽주산성의 전체적인 축조구조, 유물과 맥락으로 보아 서기 371년 이후에 만들어진 石城일 가능성이 높다. 석성의 경우라면 그 연대는 백제 13대 近肖古王이 26년(서기 371년) 하남시에 이성산성이란 석성을 쌓고 동쪽과 남쪽으로 영역의 확대[3]를 꾀한 이후가 될 것이다. 다시 말해 이들 백제 산성들은 모두 하남 二聖山城이 만들어진 백제 13대 近肖古王 16년인 서기 371년 이후에서 고구려 20대 長壽王 63년 한성백제가 망하는 서기 475년 사이에 축조된 것으로 추정된다『三國史記』에 의하면 고구려 2대 瑠璃王(기원전 19년~서기 18년 재위)은 22년 서기 3년 고구려 초대 東明王(朱蒙, 기원전 37년~기원전 19년 재위)이 기원전 37년 세운 최초의 도읍지인 卒本/桓仁(五女山城, 下古城子, 紇升骨城 등이 초기 도읍지와 관련된 지명임)에서 集安(輯安)으로 옮겨 國內城을 축조하고, 10대 山

---

3) 백제초기의 유적은 충청북도 충주시 금릉동 백제초기 유적, 칠금동 탄금대 백제토성(철 생산 유적), 장미산성(사적 400호), 중앙탑면 탑평리 집자리 1호(서기 355년, 365년, 385년)와 강원도 홍천 하화계리, 원주 법천리, 춘천 천전리, 화천군 하남 원천리와 양평군 개군면 하자포리에서 발견되고 있다. 이는 13대 근초고왕의 영토확장과 관계가 있다. 그리고 필자는 河北慰禮城은 中浪川(최몽룡·권오영, 1985, pp.83~120 및 최몽룡·심정보 편저, 1991, p.82)으로 비정하였는데 현재는 연천군 중면 삼곶리(1994년 발굴, 이음식 돌무지무덤과 제단. 桓仁 古力墓子村 M19와 유사), 연천 군남면 우정리(2001), 연천 백학면 학곡리(2004), 연천 중면 횡산리(2009)와 임진강변에 산재한 아직 조사되지 않은 많은 수의 적석총의 존재로 보아 臨津江변의 漣川郡 일대로 비정하려고 한다. 그리고 西窮大海는 강화도 교동 華蓋山城, 東極走壤은 강원도 춘천을 넘어 화천 하남면 원촌리, 충청북도 충주시 금릉동 백제초기 유적, 칠금동 탄금대 백제토성(철 생산 유적), 장미산성(사적 400호), 중앙탑면 탑평리 집자리 1호(서기 355년, 365년, 385년)와 강원도 홍천 하화계리, 원주 법천리, 춘천 천전리, 화천군 하남 원천리, 양주 개군면 하자포리까지 이어지고, 南限熊川은 안성천, 평택, 성환과 직산보다는 천안 용원리, 공주 의당 수촌리(사적 460호)와 장선리(사적 433호), 서산 음암 부장리(사적 475호) 근처로 확대해석하고, 北至浿河는 예성강으로 보다 臨津江으로 추정하고자 한다(최몽룡, 2014, pp.491~535). 이는 현재 발굴·조사된 고고학 자료와 비교해 볼 때 가능하다.

上王 2년(서기 197년~서기 227년 재위) 서기 198년에 丸都山城을 쌓고 있다. 우리나라에서 청동기시대 이래 關防施設이 環壕 木柵 土城(+木柵) 石城이라는 발전 순에서 비추어 보면 이해가 된다. 그리고 안성 죽주산성이 만들어질 때 안성 望夷山城(경기도 안성시 이천시, 충청북도 음성군의 경계에 있는 마이산 정상에 축조된 성으로 경기도의 기념물 제 138호와 충청북도의 기념물 제 128호 陰城 望夷山城으로도 지정되었으며 연대는 신라 말~고려 초로도 추정되기도 한다), 하남 二聖山城 (근초고왕 26년, 서기 371년에 쌓은 백제 최초의 석성임, 사적 422호, 漢山에 比定), 이천 雪峰山城(사적 423호)과 雪城山城[경기도 기념물 76호, 4차 조사 시 성안에서 발굴된 集水池의 가속질량분석(AMS: Accelerator Mass Spectrometry)연대는 서기 370년~서기 410년임도 비슷한 시기에 축조된 것으로 보인다.

안성 죽주산성이 축조된 것은 이곳이 교통의 요지이며 동시에 곡창지대에서 찾을 수 있다. 이 성은 육로로는 서산-동해선인 國道 第38號 瑞山東海線의 중간지점에 해당하는 중요한 요충지로 이 길은 현재 충청남도 서산시 대산읍 독곶리 독곶 1 교차로에서 강원도 동해시 북평동 단봉삼거리까지 연결된다. 현재 이 도로는 장호원-충주 방면으로도 연결된다. 그리고 38호선의 주요경유지는 충청남도 서산시-당진시-아산시, 경기도 평택시-안성시-이천시, 충청북도 음성군-충주시-제천시, 강원도 영월군-정선군-태백시-삼척시-동해시이다. 그리고 안성 죽주산성 옆을 지나는 삼국시대의 奈兮忽(내혜홀)이라는 명칭을 가진 安城川의 水源은 서기 1918년에 간행된 『朝鮮地誌資料』에 의하면 경기도 용인군 원삼면, 河口는 경기도 진위군 현덕면과 충남 아산군 음봉면이며 황구지천과 오산천을 합류하여 현재 황해의 평택시, 아산만 방조제와 아산호 쪽으로 흘러들어간다. 길이는 76.2km이며 배가 다닐 수 있는 길이는 31.2km로 경기도 진위군 병남면과 부용면까지 운항한다. 안성천 주위에 큰 평야를 갖고 있어 마한·백제시대이래 곡창지대를 형성하고 있다. 그리고 안성 죽산 지역은 육로뿐만 아니라 하천을 통해 한강 중·상류유역, 安城川으로 진출하여 대 중국 서해항로를 확보할 수 있는 四通八達의 요지이다. 이러한 입지조건으로 인해 수운 교통로의 확보와 아울러 안성천 주위 곡창지대를 보호하는 목적으로 백제시대 이래 望夷山城(경기도 기념물 138호, 충청북도 기념물 128호 陰城 望夷山城)과 죽주산성 등의 關防遺蹟이 형성되었다. 그리고 이러한 지리적 이점을 바탕으로 안성천 주위에 奉業寺[경기도의 문화재자료 24호, 석조여래입상: 보물 983호, 봉업사명 청동북/금고/貞祐五年銘 鈑子/서기 1217년: 보물 576호, 오층석탑: 보물 435호, 奉業寺銘靑銅香爐: 보물 1414호, 당간지주: 경기도 유형문화재 89호, 삼층석탑: 경기도 유형문화재 78호, 경기도박물관의 안성 봉업사지 발굴, 서기 2004년 9월 22일 (수)의 발굴지도위원회 회의]·七長寺(칠장사오불회괘불탱: 국보 296호, 칠장사삼불회괘불탱: 보물 1256호, 慧炤國師碑/고려 문종 14년/서기 1060년: 보물 488호, 칠장사소조사천왕상: 경기도 유형문화재 115호, 대웅전목조석가삼존불좌상: 경기도 유형문화재 213호, 안성 칠장사 목조지장삼존상과 시왕상 일괄: 경기도 유형문화재 227호, 안성 칠장사 범종: 경기도 유형문화재 238호, 안성 칠장사 대웅전영산회상도: 경기도 유형문화재 239호)·長命寺址(고려초기 석불좌상) 등의 불교유적 그리고 통일신라와 고려시대에 만들어진 매산리 고분군 등의 무덤유적[매산리 장광마을, 비봉산 끝자락인 남사면 묘골, 서기 2005년 8월 30일(화) 발굴지도위원회 회의]이 자연스럽게 들어서게 되었다. 하지만 현재 불교유적들에 비해 고분에 대한 관심은 적으며 유적의 일부가 도굴되어 방치된 상태이다.

한강은 양평군 양수리를 기점으로 북한강과 남한강으로 나누어진다. 한강과 임진강을 포함하고 있는 경기도는 한국고고학 편년 상 철기시대 전기(기원전 400년~기원전 1년)중에 나타나는 한국 최초의 국가이며 역사시대의 시작이 되는 衛滿朝鮮(기원전 194년~기원전 108년)부터 한반도에 있어서 중요한 무대가 된다. 특히 그 다음의 삼국시대가 되면 朱蒙의 셋째아들로 기록된 溫祚王과의 父子之間의 나라로 알려진 高句麗와 百濟의 각축전이 전개된다. 이는 고구려에서는 가장 강성한 왕인 19대 廣開土王(서기 391년~서기 413년)과 20대 長壽王(서기 413년~서기 491년), 그리고 백제는 13대 近肖古王(서기 346~서기 375년) 때의 일이다. 이러한 관계는 서기 553년 신라의 24대 眞興王(서기 540년~서기 576년)이 한강유역에 진출할 때까지 지속된다. 신라는 24대 眞興王(서기 540~서기 576년 재위) 때 가장 활발한 영토 확장을 꾀한다. 신라는 眞興王 14년(서기 553년) 한강유역에 진출하여 新州를 형성한다(『三國史記』百濟本紀 권26, "聖王 三十一年 秋七月 新羅取東北鄙 置新州" 및 『三國史記』新羅本紀 권4 眞興王 十四年 ... 秋七月 取百濟東北鄙 置新州 以阿湌武力爲軍主). 그래서 경기도에는 백제, 고구려와 신라의 산성과 주거지를 포함하는 유적이 많이 남아 있으며 그 유적들도 이러한 역사적 맥락에서 살펴보아야 된다.

고구려 2대 瑠璃王이 22년(서기 3년)에 國內城을 축조하고, 10대 山上王 2년(서기 198년)에 丸都山城을 쌓고 있다. 중국 문물연구소는 길림성 문물연구소와 함께 2004년 6월 29일 江蘇省 蘇州에서 열리는 28차 국제기념물 유적협의회(ICOMOS)에 세계문화유산(WHC)으로 등재(2004년 7월 1일 등재됨)하기 위해 丸都山城(南甕門, 瞭望臺와 宮址 등), 國內城, 五女山城, 太王陵, 將軍塚과 五盔墳 등 43건을 발굴·정비하였다(북한은 같은 날 평양 동명왕릉, 진파리 고분 15기, 호남리 사신총, 강서 삼묘 등 모두 고분 97기를 등재함). 그 결과 太王陵을 19대 廣開土王(서기 391년~서기 413년 재위)의 무덤으로 추정하고 있다. 다시 말해 중국 측의 발굴조사는 삼국사기의 기록을 따라 유적을 설명해나가고 있다. 기원전 37년에 세운 고구려 건국을 그대로 인정하고 있다. 서기 371년 백제 13대 近肖古王(서기 346년~서기 375년 재위)때 평양에서 벌린 전투에서 고구려 16대 故國原王(서기 331년~371년 재위)이 전사한다. 또 20대 長壽王(서기 413년~491년 재위) 서기 427년 평양으로 천도한다. 그리고 백제 21대 蓋鹵王(서기 455년~서기 475년 재위)때 한성시대의 백제(기원전 18년~서기 475년)는 고구려에 의해 망하고(서기 475년) 백제 22대 文周王(서기 475년~서기 477년 재위)이 공주로 천도한다. 여기에 高句麗, 百濟와 新羅는 신화와 역사적 사건으로 서로 얽히어 있다. 그러나 한국의 고대사에서는 백제와 신라의 초기 역사를 인정하지 않고 있다. 그래서 삼국시대 초기에 대한 기본적인 서술은 通時的, 進化論的과 歷史的 脈絡을 고려해야 한다. 이것이 오늘날 경기도에 소재하고 있는 유적들을 통해 고구려, 백제와 신라사이의 역사적 문화적 맥락을 연구하는 첫 번째의 중요한 연구방향이자 목적이 된다.[4]

 필자는 청동기, 철기시대 전기와 후기(삼국시대 전기)의 고고학과 고대사의 흐름의 일관성에 무척 관심을 가져 몇 편의 글을 발표한 바 있다. 서기 1988년~서기 2012년의 제5·6·7차 고등학교 국사교과서에서부터 서기 1997년~서기 2002년 국사편찬위원회에서 간행한 한국사 1, 3과 4권에 이르기까지 초기철기시대와 원삼국시대란 용어를 제외한 새로운 편년을 설정해 사용해오고 있다. 한국 고고학 편년은 구석기시대~신석기시대-청동기시대(기원전 2000년~기원전 400년)-철기시대 전기(기원전 400년-기원전 1년)-철기시대 후기(삼국시대 전기 또는 삼한시대: 서기 1년~서기 300년: 종래의 원삼국시대)-삼국시대 후기(서기 300년-서기 660/668년)로 설정된다. 이러한 편년에 따르면 고구려사의 초기는 삼국시대 전기에 속한다. 그러나 한국의 역사고고학 시작은 衛滿朝鮮(기원전 194년~기원전 108년)때 부터이다. 그 중 철기시대 전기에 속하는 기원전 400년에서 기원전 1년까지의 약 400년의 기간은 한국고고학과 고대사에 있어서 매우 복잡하다. 이 시기에는 한국고대사에 있어서 중국의 영향을 받아 漢字, 鐵器와 土壙墓를 알게 되고 국가가 형성되는 등 역사시대가 시작되고 있다. 청동기시대에 도시·문명·국가가 발생하는 전 세계적인 추세에 비추어 우리나라에서는 국가가 이보다 늦은 철기시대 전기에

---

4) 中原지방에서 나타나는 유적들과 자료들의 고고학적 배경을 살펴보면『三國史記』의 기록대로 백제·고구려·신라는 역사적으로 긴밀한 관계를 갖게 되며, 이는 시계의 톱니바퀴처럼 서로 엇물려있다. 이런 의미에서 중원지방에 진출한 백제·고구려·신라의 역사와 남겨진 유적·유물들은 새로운 역사적 맥락에서 다시 한 번 검토를 거쳐야 할 필요가 생긴다. 다시 말해 충주는 칠금동 탄금대 백제토성(철 생산유적), 충주 칠금면 창동과 주덕의 철광산과 충주시 목행동 滑石(talc) 광산을 중심으로 하는 백제 고구려·신라의 각축장이었으며, 近肖古王 26년(서기 371년)에서 眞興王 12년(서기 551년) 사이가 역사적으로 주목받고 있다. 백제, 고구려와 신라의 삼국문화가 중첩·복합적으로 나타나고 있는 것도 이러한 역사적 맥락에서 이해가 된다. 이 점이 '中原文化'가 지니는 역사적 의미가 되며, 그 역사적 중요성은 서기 371년에서 서기 551년 사이의 180년간으로부터 나올 수 있을 것이다. 이는 충주시 중앙탑면 탑평리(육각형 구조를 가진 철제무기를 만들던 대장간과 같은 工房으로 서기 355, 365, 380년의 연대가 나옴)와 화천군 하남 원천리와 양평 개군면 상자포리에서 발견되는 주거지에서도 이해가 된다.

나타난다. 위만조선은 漢나라 7대 武帝(기원전 141년~기원전 87년)가 보낸 원정군에 의해 망한
다. 이 때는 史記의 저자인 司馬遷의 나이 37세이다. 그의 기록에 의하면 평양 근처의 王儉城에
자리하던 위만조선이 문헌상에 뚜렷이 나타나는 한국 최초의 고대국가를 형성하고 있었다. 衛
滿朝鮮은 위만-이름을 알 수 없는 아들-손자 右渠-太子 長을 거치는 4대 87년 간 존속하다가
중국 한나라에 의해 망한다. 그리고 樂浪, 臨屯[漢 武帝 元封 4년(기원전 108년漢 武帝 元封 3년
기원전 108년 설치-기원전 82년 임둔을 파하여 현도에 합침, 玄菟[기원전 107년~기원전 75년,
후일 예(濊 또는 東濊)지역에서 渾河 상류의 興京·老城 일대로 치소를 옮김]의 한사군이 들어
서는데, 오늘날 평양 낙랑구역에 樂浪이, 그리고 황해도와 경기도 북부에 帶方(처음 낙랑군에
속하다가 獻帝 建安 서기 196년~서기 220년간에 대방군이 됨)이 위치한다. 이들은 기원전 3세
기-기원전 2세기경부터 존재하고 있던 마한과 기원전 18년 마한의 바탕 위에 나라가 선 백제,
그리고 동쪽의 東濊, 남쪽의 辰韓과 弁韓에 막대한 영향을 끼쳤다.

문헌상 보이는 백제의 특징은 부여 또는 고구려로부터 이주한 정권으로서 나름대로 정통성
을 확보해나가는 동시에, 주위 마한(馬韓王 또는 西韓王이 통치)에 대한 정복을 강화하여서 조
금씩 세력을 확장해 간다. 그들의 세력 확장은 고고학적으로 보이는 산성이나 고분을 통해서
알 수 있다. 백제의 건국자는 朱蒙(高朱蒙/東明聖王)의 셋째 아들인 溫祚(기원전 18년~서기 28
년 재위)이다. 그는 아버지인 주몽을 찾아 부여에서 내려온 유리왕자(고구려의 제 2대왕) 존재
에 신분의 위협을 느껴 漢 成帝 鴻嘉 3년(기원전 18년) 형인 沸流와 함께 남하하여 하북위례성
(현 중랑천 근처이며, 온조왕 14년, 기원전 5년에 옮긴 하남위례성은 강동구에 위치한 몽촌토성
으로 추정됨)에 도읍을 정하고, 형인 비류는 彌鄒忽(인천)에 근거를 삼는다. 이들 형제는 삼국
유사에 의하면 고구려의 건국자인 주몽의 아들로, 그리고『三國史記』百濟本紀 별전(권23)에
는 그의 어머니인 召西奴가 처음 優台의 부인이었다가 나중 주몽에게 개가하기 때문에 주몽의
아들로 기록된다. 온조는 天孫인 해모수, 용왕의 딸인 河伯女(柳花)의 신화적인 요소와, 알에서
태어난 주몽의 탄생과 같은 난생설화가 없이, 처음부터 朱蒙-召西奴-優台라는 구체적이고 실
존적인 인물들 사이에서 태어난다. 그래서 백제에는 부여나 고구려다운 건국신화나 시조신화
가 없다. 이것이 백제가 어버이 나라인 고구려에 항상 열등의식을 지녀온 요소가 될 수 있을 것
이다. 이 점은 온조왕 원년에 東明王廟를 세운 것이나, 백제 13대 근초고왕이 서기 371년 평양
으로 처들어가 고구려 16대 故國原王(서기 331~서기 371년)을 사살하지만 평양을 백제의 영토
로 편입시키는 노력을 기울이지 않고 한성으로 되돌아오는 점 등에서 이해된다. 그래서 백제의
왕실은 고구려왕실에 대한 열등감의 극복과 아울러 왕실의 정통성을 부여하려고 애를 써왔던
것으로 보인다. 이와 같이 고구려와 백제는 부자지간의 나라로 신화와 문헌을 통해서 알 수 있

다. 그래서 경기도 소재 백제와 고구려 유적은 고구려와 백제의 역사적 맥락을 알 수 있게 해준 두 번째의 중요한 연구방향이 된다.

한성시대 백제의 대표적인 묘제는, 적석총, 토광묘, 옹관묘, 석곽묘와 석실분 등으로 나눌 수 있다. 적석총은 고구려 이주세력의 분묘로 보이며, 초기 백제의 지배세력이 사용한 것으로 보인다. 적석총은 크게 무기단식 적석총과 기단식 적석총으로 대별된다. 한강지역의 적석총에서는 무기단식이 보이지 않는데, 이것은 기단식을 축조할 때 남하해왔거나, 아니면 하천근처에 있던 무기단식 적석총이 모두 물에 의해서 없어진 때문으로 보인다. 石村洞 古墳群(사적 243호)이 있는 석촌동에는 백제시대의 대형 적석총 7기와 함께 토광묘, 옹관묘 등이 30여기 이상 확인되었다. 고구려의 영향인 돌무지무덤이 석촌동에 산재한다는 것은 고구려와 문화적으로 한성백제의 건국세력과 밀접한 관계에 있었음을 보여준다. 또 이 고분군 지역에는 3, 4호분과 같은 대형분 이외에도 소형의 토광묘와 같은 평민이나 일반 관리들의 것도 섞여 있으며, 서로 시기를 달리하면서 중복되게 형성된 것도 있어서 석촌동 일대에는 오랜 기간 동안 다양한 계급의 사람의 묘지가 써진 것으로 보여 진다. 이는 백제가 기원전 18년 앞서 살고 있던 마한의 기반 위에 건국하고 있기 때문이다. 다시 말해 여기에는 기원전 18년 건국한 백제에 앞서 마한[5]

---

5) 필자가 「전남지방 소재 지석묘의 형식과 분류」(최몽룡, 1978, pp.1~50), '고고학 측면에서 본 마한'(최몽룡, 1986, pp.5~16)과 「考古學上으로 본 馬韓研究」(최몽룡, 1994, pp.71~98)라는 글에서 "한국청동기·철기시대 土着人들의 支石墓社會는 鐵器時代가 해체되면서 점차 馬韓사회로 바뀌어 나갔다."는 요지를 처음 발표 할 때만 하더라도 한국고고학계에서 '馬韓'이란 용어는 그리 익숙한 표현이 아니었다. 그러나 최근 경기도, 충청남북도 및 전라남북도 지역에서 확인되고 있는 고고학적 유적 및 문화의 설명에 있어 지난 수십 년간 명확한 개념정의 없이 통용되어 오던 原三國時代란 용어가 '馬韓時代' 또는 '馬韓文化'란 용어로 대체되는 경향이 생겨나고 있는데, 이는 마한을 포함한 三韓社會 및 문화에 대한 학계의 관심이 증폭되고, 또 이를 뒷받침할만한 고고학 자료가 많아졌음에 따른 것이다. 지석묘사회의 해체 시기는 철기시대 전기로 기원전 400년~기원전 1년 사이에 속한다. 최근에 발굴 조사된 철기시대 전기에 속하는 유적으로 전라남도 여수 화양면 화동리 안골과 영암 서호면 엄길리 지석묘를 들 수 있다. 여천 화양면 화동리 안골 지석묘는 기원전 480년~기원전 70년 사이에 축조되었다. 그리고 영암 엄길리의 경우 이중의 개석 구조를 가진 지석묘로 그 아래에서 흑도장경호가 나오고 있어 그 연대는 기원전 3세기-기원전 2세기경으로 추정된다. 그리고 부여 송국리 유적(사적 249호)의 경우도 청동기시대후기에서 철기시대 전기로 넘어오면서 마한사회에로 이행이 되고 있다(최몽룡, 2011, pp.211~226). 馬韓사회는 고고학 상으로 기원전 3세기/기원전 2세기에서 서기 5세기 말/서기 6세기 초에 속하는 것으로 보인다. 마한은 한국고고학 편년 상 철기시대 전기에서 삼국시대 후기(서기 300년~서기 660/668년)까지 걸치며, 百濟보다 앞서 나타나서 백제와 거의 같은 시기에 共存하다가 마지막에 백제에 행정적으로 흡수·통합되었다. 三國志 魏志 東夷傳 弁辰條에 族長격인 渠帥(또는 長帥, 主帥라도 함)가 있으며 이는 격이나 규모에 따라 신지(臣智, 또는 秦支·踧支라고도 함), 검측(險側), 번예(樊濊), 살계(殺奚)와 읍차(邑借)로 불리어 지고 있었음을 알 수 있다. 이는 정치 진화상 같은 시기의 沃沮의 三老, 東濊의 侯, 邑長, 三老, 挹婁의 大人, 肅愼의 君長(唐 房喬/玄齡 等 撰 晋書 四夷傳)과 같은 國邑이나 邑落을 다스리던 혈연을 기반으로 하는 계급사회의 行政의 우두머리인 族長(chief)에 해당된다.

그리고 『三國史記』 권 제 1 신라본기 시조 赫居世 居西干 38년(기원전 20년) 및 39년(기원전 19년)조에 보이는 마한왕(馬韓王) 혹은 서한왕(西韓王)의 기록[三十八年春二月, 遣瓠公聘於馬韓. 馬韓王讓瓠公曰 辰卞二韓爲我屬國, 比年不輸職貢, 事大之禮, 其若是乎 對曰我國自二聖肇興, 人事修, 天時和, 倉分充實, 人民敬讓. 自辰韓遺

이 존재했으며 백제인은 그들 토착세력과 공존해 살았기 때문에 여러 가지 묘제가 혼재하고 있는 것으로 보여 진다. 백제 건국 전부터 있어왔던 토광묘가 후일 석곽묘로 발전해 나간다든지, 석곽묘·석실묘의 기원과 그들의 선후관계를 밝히는 것은 앞으로 풀어야할 고고학계의 과제이다. 아마도 이들 묘제의 변화는 한성시대 백제의 성장에 따른 토착세력인 마한의 축소와 관련이 있으며, 그 시작은 13대 근초고왕이 서기 369년 천안 용원리를 중심으로 하는 目支國으로 대표되는 마한세력을 토벌하고, 마한의 중심세력이 공주 의당면 수촌리나 익산 영등동 쪽으로 옮겨가는 것과 무관하지 않다. 마지막의 마한의 목지국은 나주 반남면 대안리·덕산리·신촌리(사적 76·77·78호)와 복암리(사적 404호)일대에 위치하게되며, 그 멸망 연대는 서기 5세기말이나 6세기 초가 된다. 이는 나주 금천면 신가리 당가 窯址에서 확인된다.

석촌동에서 제일 거대한 3호분은 긴 변 45.5m, 짧은 변 43.7m, 높이 4.5m의 규모로 형태는 방형 기단형식의 돌무덤이다. 계단은 3단까지 확인되었으며, 그 시기는 3세기 중엽에서 4세기에 축조된 것으로 보인다. 서기 1975년 조사된 4호분은 한 변이 23m~24m의 정방형으로 초층을 1면 세 개미만의 護石(받침돌, 보강제 등의 명칭)으로 받쳐놓아 將軍塚과 같은 고구려의 계단식 적석총 축조수법과 유사하다(신라의 경우 31대 신문왕릉〈사적 181호〉과 33대 성덕왕릉〈사적 28호〉에서 이와 같은 호석들이 보인다). 그러나 그 연대는 3호분과 비슷하거나 약간 늦은 것으로 추측된다. 왜냐하면 적석총보다 앞선 시기부터 존재했을 토광묘와 판축기법을 가미하여 축조했기 때문에 순수 고구려 양식에서 약간 벗어난 모습을 보여주기 때문이다. 그래도 발굴 당시 사적 11호 풍납토성의 경당지구에서 출토된 것과 같은 漢-樂浪 계통으로 보이는 기와 편이 많이 수습되었다. 이는 集安의 太王陵, 將軍塚과 千秋塚 등의 석실이 있는 계단식 적석총의 상부에서 발견된 건물터나 건물의 지붕에 얹은 기와 편들로 부터 구조상 상당한 유사점을 찾을 수 있다. 즉 고구려의 적석총은 무덤(墓)인 동시에 제사를 지낼 수 있는 廟의 기능인 享堂의 구조를 무덤의 상부에 가지고 있었다. 이런 점에서 연도가 있는 석실/석곽을 가진 석촌동 4호분 적석총[6]도 축조 연대만 문제가 될 뿐 고구려의 적석총과 같은 기능을 가지고 있었던 고구

民, 以至下韓樂浪倭人, 無不畏懷, 而吾王謙虛, 遣下臣修聘, 可謂過於禮矣. 而大王赫怒, 劫之以兵, 是何意耶 王慣欲殺之, 左右諫止, 乃許歸. 前此中國之人, 苦秦亂, 東來者衆. 多處馬韓東, 與辰韓雜居, 至是寖盛, 故馬韓忌之, 有責焉. 瓠公者未詳其族姓, 本倭人, 初以瓠繫腰, 度海而來, 故稱瓠公. 三十九年, 馬韓王薨. 或說上曰西韓王前辱我使, 今當其喪征之, 其國不足平也 上曰幸人之災 不仁也 不從. 乃遣使弔慰.)과『三國史記』백제본기 권 제23 시조 溫祚王 13년조(기원전 6년)의 馬韓에 사신을 보내 강역을 정했다는 기록(八月, 遣使馬韓告遷都. 遂畫定疆場, 北至浿河, 南限熊川, 西窮大海, 東極走壤) 등은 마한이 늦어도 기원전 1세기경에는 왕을 중심으로 하는 국가체계를 갖추었던, 신라와 백제보다 앞서 형성되었던 국가였음을 알려 준다.

6) 석촌동 4호분의 연대는 서기 198년(10대 山上王 2년)에서 서기 313년(15대 美川王 14년) 사이에 축조된 것으로 추정된다. 제원 청풍면 도화리 적석총의 경우, 3단의 기단은 갖추어져 있으나 석촌동 4호분에서와 같이 연도와 석실은 만들어지지 않았다. 제원 청풍면 도화리 적석총의 축조연대는 출토유물 중 樂浪陶器, 철제무기, 경질 무

려 계통의 무덤 양식인 것이다. 서기 1987년에 조사된 1호분의 경우 왕릉급의 대형 쌍분임이 확인되었다. 그 쌍분 전통은 압록강 유역의 환인현 고력묘자촌에 보이는 이음식 돌무지무덤과 연결되고 있어 백제 지배세력이 고구려와 관계가 깊다는 것에 또 하나의 증거를 보태준다. 자강도 시중군 로남리, 집안 양민과 하치 등지의 고구려 초기의 무기단식 적석총과 그 다음에 나타나는 집안 통구 禹山下, 환도산성 하 洞溝와 자강도 자성군 서해리 등지의 기단식 적석총들은 서울 석촌동 뿐만 아니라 남한강 및 북한강의 유역에서 많이 발견되고 있다. 남한강 상류에는 평창군 여만리와 응암리, 제천시 양평리와 도화리 등에서 발견된 바 있으며, 북한강 상류에서는 화천군 간척리와, 춘성 천전리, 춘천 중도에서도 보고되었다. 또한 경기도 연천군 삼곶리를 비롯해, 군남리와 학곡리에서도 백제시대의 초기 적석총이 발견되었다.[7] 임진강변인 연천 중면 횡산리에서도 적석총이 발견되었다는 것은 백제 적석총이 북에서 남하했다는 설을 재삼 확인시켜주는 것이며, 아울러 백제 적석총에 대한 많은 시사를 한다고 볼 수 있다. 그러나 고구려인이 남한강을 따라 남하하면서 만든 것으로 추측되는 단양군 영춘면 사지원리〈傳 溫達 (?~서기 590년 영양왕 1년)장군묘〉의 적석총이 서기 2001년 11월 한양대학교 박물관에 의해 발굴되었는데 이것은 山淸에 소재한 가야의 마지막 왕인 仇衡王陵(사적 214호)의 기단식 적석구조와 같이 편년이나 계통에 대한 아직 학계의 정확한 고증을 받지 못하고 있다. 그러나 한강유역

문토기 편들로 보아 기원전 2세기~기원전 1세기로 추측된다. 적석총들은 특히 남·북한강 유역에 주로 분포되어 있다. 이 시기도 백제가 공주로 천도하기 이전의 기간인 기원전 18년~서기 475년의 약 500년 동안으로, 漢城 백제라는 지리적인 위치와도 관련을 맺고 있다. 이 유적들은 백제 초기인 한성도읍시대의 연구에 중요한 실마리를 제공해주고 있다. 또한 『三國史記』의 초기 기록을 신뢰하지 않더라도 이미 이 시기에는 북부지역에서 고구려가 고대국가의 형태를 가지며, 자강도에 적석총이 축조되게 된다. 고구려 계통의 적석총이 남하하면서 임진강, 남한강, 북한강유역에 적석총이 축조된다. 그 대표적인 예로 경기도 연천 군남면 牛井里, 백학면 鶴谷里, 中面 橫山里와 三串里, 충북 堤原 淸風面 桃花里의 기원전 2세기~기원전 1세기경에 축조된 적석총들을 들 수 있다.

7) 『三國史記』권 제1 新羅本紀 始祖 赫居世 居西干 38년(기원전 20년) 및 39년(기원전 19년)조에 보이는 馬韓王 혹은 西韓王의 기록과 『三國史記』백제본기 권 제23 시조 溫祚王 13년 조(기원전 6년)의 마한에 사신을 보내 강역을 정했다는 기록(遣使馬韓告遷都. 遂畫定疆場, 北至浿河, 南限熊川, 西窮大海, 東極走壤 九月立城闕. 十四年春正月遷都 二月王巡撫部落 務勸農事 秋九月 築城漢江西北 分漢城民.(기원전 5년) 등은 마한이 늦어도 기원전 1세기경에는 왕을 중심으로 신라와 백제보다 앞서 국가체제를 갖추었음 알려 준다. 그리고 이 기록에서 필자는 河北慰禮城은 中浪川(최몽룡 외,「고고학 자료를 통해본 백제 초기의 영역고찰-도성 및 영역문제를 중심으로 본 한성시대 백제의 성장과정」,『천관우 선생 환력기념 한국사학 논총』, 1985, pp.83~120 및 최몽룡·심정보 편저,「한성시대 백제이 도읍지와 영역」,『백제사의 이해』, 학연문화사, 1991, p.82)으로 비정하였는데 현재는 연천군 중면 삼곶리(1994년 발굴, 이음식 돌무지무덤과 제단. 桓仁 古力墓子村 M19와 유사), 연천 군남면 우정리(2001), 연천 백학면 학곡리(2004), 연천 중면 횡산리(2009)와 임진강변에 산재한 아직 조사되지 않은 많은 수의 적석총의 존재로 보아 臨津江변의 漣川郡 일대로 비정하려고 한다. 그리고 西窮大海는 강화도 교동 華蓋山城, 東極走壤은 춘천을 넘어 화천 하남면 원촌리까지 이어지고, 南限熊川은 안성천, 평택, 성환과 직산보다는 천안 용원리, 공주 의당 수촌리(사적 460호)와 장선리(사적 433호), 서산 음암 부장리(사적 475호) 근처로 확대해석하고, 北至浿河는 예성강으로 보다 臨津江으로 추정하고자 한다. 이는 현재 발굴·조사된 고고학 자료와 비교해 볼 때 가능하다.

의 각지에 퍼져있는 적석총의 분포상황으로 볼 때 고구려에서 나타나는 무기단식, 기단식과 계단식 적석총이 모두 나오고 있다. 이들은 당시 백제는 『三國史記』 溫祚王代(13년, 기원전 6년)의 기록에서 보이는 바와 같이 동으로는 走壤(춘천), 남으로는 熊川(안성천), 북으로는 浿河(예성강)에 까지 세력을 확보하고 있었음을 확인시켜준다. 이와 같이 한강유역에 분포한 백제 초기의 적석총들은 이러한 백제초기의 영역을 알려주는 고고학적 자료의 하나이며, 이는 오히려 문헌의 기록을 보충해 주고 있다 하겠다. 고구려와 백제간의 역사적 맥락 및 계승성이 적석총으로 확인된다. 고구려의 적석총이 백제건국의 주체가 된다는 점은 고고학 자료를 통해본 백제 고구려 연구의 세 번째 중요성이 된다.

백제는 기원전 3세기~기원전 2세기에 성립한 앞선 馬韓의 바탕 위에서 성립한다. 그래서 백제초기 의 문화적 양상은 마한의 것과 그리 크게 다르지 않다. 그리고 백제의 건국은 삼국사기의 백제기록대로 기원전 18년으로 보아야 한다. 한강유역에서 마한으로부터 할양 받은 조그만 영역에서 출발한 백제가 강성해져 영역을 확장해 나가자 대신 마한은 그 범위가 축소되어 직산, 성환과 천안 용원리 일대(서기 369년 백제 근초고왕에 의해 점령당함)-공주·익산-나주로 그 중심지가 이동이 됨을 볼 수 있다. 백제를 포함한 삼국사기의 초기 기록을 인정해야만 현재의 한국고대사가 쉽게 풀려나갈 수 있다. 이는 최근 문제가 되는 고구려 초기 역사와 신라·백제와의 맥락에서 살펴 볼 수 있다. 그리고 한성시대 백제(기원 18년-서기 475년)에도 석성이 존재해 있었으며 이는 하남 이성산성(사적 422호), 이천 설봉산성(사적 423호), 설성산성(경기도 기념물 76호, 4차 조사 시의 방사성탄소 연대는 서기 370년~서기 410년 사이의 축조임을 알려줌)과 안성 죽주산성(경기도 기념물 69호)과 망이산성(경기도기념물 138호, 현재까지의 조사로는 토성만이 백제의 것으로 확인됨)에서 볼 수 있다. 백제 석성 축조의 기원은 13대 근초고왕이 서기 371년 평양에서 벌인 고국원왕과의 전투에서부터로 볼 수 있다. 이는 고구려의 國內城과 丸都山城에서 영향을 받아 만들었을 것이다. 고구려는 2대 유리왕 서기 3년에 집안의 國內城을 축조하고 10대 산상왕 서기 198년에 丸都山城을 쌓고 있다. 서기 2001년 충북대학교 박물관에 의해 발굴된 청주 부용면 부강리 남산골 산성의 발굴의 결과 고구려 군에 의한 함락이 서기 475년으로 그 하한이 되는 점도 이러한 역사적 맥락을 잘 보여준다. 방사성탄소연대는 서기 340년~서기 370년과 서기 470~서기 490년의 두 시기로 나온다. 이 남산골 산성은 청주 井北洞土城(사적 415호; 서기 130년~서기 260년 경 축조)과 같이 아마도 마한시대의 初築으로 후일 백제의 성이 되었다가 서기 475년 경 고구려 군에 함락 당한 것으로 여겨진다. 한성시대 백제의 영역에 속하는 지역에서의 백제성은 포천 반월성(사적 403호), 연천 호로고루성(경기도 기념물 174호)과 연기 운주성 등이 있다 瓠蘆古壘城(사적 467호)은 발굴결과 처음에는 백제시대의 판축으로 이루어진 토성으로 그 후 고구려의 석성으로 대체되었던 것으로 보인다. 이는 연천군 전곡읍 은대리 토성이 원래 백제의 토성이었는데 475년경 고구려군의 침입으로 고구려 석성으로 바뀐 것과 역사적 맥락을 함께 한다. 이들은 13대 근초고왕의 북진정책과 19대 광개토왕과 20대 장수왕의 남하정책과 관련이 있다. 그리고 이들 모두 한성시대의 백제가 망하는 서기 475년경 전후의 역사적인 맥락을 알려주는 중요한 유적이다. 파주 주월리(육계토성내, 서기 260년~서기 400년, 서기 240년~서기 425년)와 포천 자작리의 백제시대 집자리의 존재는 이들을 입증해준다. 한성시대의 백제의 영역은 근초고왕 때가 가장 강성했으며 그 영역도 여주 연양리와 하거리, 진천 석장리, 삼용리(사적 344호)와 산수리(사적 325호)를 넘어 원주 법천리에 이르며 강원도 문화재연구소가 발굴했던 춘천 거두리와 홍천 하화계리까지 이르는 것으로 알려지고 있다. 또 충남 연기 운주산성의 경우 이제까지 통일신라시대의 성으로 추정되었으나 발굴결과 백제시대의 초축인 석성으로 밝혀지고 있다. 백제시대의 최초의 석성인 하남시 이성산성(사적 422호), 이천 설봉산성(사적 423호), 설성산성(경기도 기념물 76호), 안성 죽주산성(경기도 기념물 69호), 평택 자미산성, 그리고 충주의 장미산성(사적 400호) 등이 알려져 있어 서로 비교가 된다. 그리고 서기 2002년~서기 2003년에 걸쳐 경기도박물관에 의해 파주 월롱산성, 의왕시 모락산성과, 고양시 법곳동 먹절산성 유적 등이 조사되었다. 그리고 당시 무역항구나 대외창구의 하나로 여겨진 화성 장안 3리나 멀리 광양 마노산성(전라남도 기념물 173호)에서도 고구려의 유물이 발견되거나, 그 영향이 확인된다. 최근 새로이 발견된 유적들로 서울 근교의 삼성동토성, 아차산성(사적 234호), 광동리, 태봉산, 도락산, 불곡산, 수락산, 국사봉, 망우산, 용마산, 아차산, 홍련봉, 구의동, 자양동, 시루봉 보루 등을 들 수 있으며, 이들을 통해 한성시대 백제의 멸망 당시 고구려의 남하한 육로를 알 수 있다. 아차산성의 경우 서기 1996년 보수 시 석성과 함께 보축 시설이 새로이 발견되었다. 석성의 연대는 삼국시대로 그리고 보축은 통일신라시대에 이루어진 것으로 추정되었다. 이곳은 삼국시대부터 전략적으로 매우 중요한 지역으로 신라가 삼국을 통일한 이후에도 이곳을 보축해 전략적 요충지로 삼았던 것으로 보인다. 앞으로 백제초기부터 통일신라시대에 이르는 역사적 맥락을 이곳에서 찾는 작업이 필요하다. 다시 말해 송파구일대의 지역은 백제 초기에는 수도로서, 삼국시대 중기이후에는 삼국의 한강유역 확보를 위한 쟁탈의 장으로서 한성시대의 백제를 연구하는데 빼놓아서는 안될 곳이다. 그리고 이 시기의 유적 또는 성벽의 발굴 시 그 유적이 속하는 한 시기·시대에 편중해 연구하지 말고 역사적 맥락 속에서 유기체적인 해석이 선행되어야 한다. 이는 앞 시대에 만들어진 성내 건물지나 성벽 등 유구에 대한 철저한 파괴, 개축과 보수 등을 고려해야하기 때문이다.

백제는 13대 近肖古王(서기 346년~서기 375년), 고구려는 19대 廣開土王(서기 391년~서기 413년)과 20대 長壽王(서기 413년~서기 491년), 그리고 신라는 24대 眞興王(서기 540~서기 576년 재위) 때 가장 활발한 영토 확장을 꾀한다. 신라는 眞興王 12년(서기 551년) 또는 14년(서기 553년) 한강유역에 진출하여 新州를 형성한다. 백제는 근초고왕 때(서기 369년경) 천안 龍院里에 있던 馬韓의 目支國세력을 남쪽으로 몰아내고, 북으로 평양에서 16대 고국원왕을 전사시킨다. 그 보복으로 고구려의 19대 廣開土王~20대 長壽王은 海路로 강화도 대룡리에 있던 것으로 추정되는 華蓋山城과 寅火里 分水嶺과 백제시대의 인천 영종도 퇴뫼재 토성을 거쳐 한강과 임진강이 서로 만나는 지점인 해발 119m, 길이 620m의 퇴뫼식산성인 關彌城(사적 351호 坡州 烏頭山城 또는 華蓋山城으로 추정, 서기 392년 고구려 광개토왕에 의해 함락됨)을 접수한다. 강화도 교동 대룡리 華蓋山城앞 갯벌에서 백제와 고구려시대의 유물이 발굴 조사되었으며, 이는 『三國史記』 百濟本紀 제3, 16대 辰斯王 8년(阿莘王 元年 서기 392년, 고구려 19대 廣開土王 2년) "冬十月高句麗攻拔關彌城"의 기록과 관련이 있다. 그리고 강화 교동 화개산성에서 파주 烏頭山城에 이르는 寅火里-分水嶺의 길목인 교동의 요지에 위치한 김포시 하성면 석탄리의 童城山城(해발 90m~100m, 퇴뫼식 석성)도 앞으로 주목해야할 곳 중의 하나이다. 그래서 고구려군은 해로로 한강을 따라 백제의 풍납동 토성(사적 11호)과 하남 二聖山城(사적 422호)에 이르게 되며 양평 양수리 두물머리에서 북한강을 따라 춘천에 그리고 남한강을 따라 충주와 단양까지 이르게 된다. 고구려군은 또 육로로 漣川 堂浦城(사적 468호), 隱垈里城(사적 469호), 瓠蘆古壘城(사적 467호)8), 왕징면 무등리(2보루, 장대봉), 파주 月籠山城과 德津山城

---

8) 임진강과 한탄강이 지류들과 합류하는 강 안 대지에 형성된 漣川의 瓠蘆古壘(사적 467호), 堂浦城(사적 468호), 隱垈里城(사적 469호) 등은 모두 고구려의 남방침투의 거점으로 활용된 중요한 성곽이었다. 이들은 모두 고구려가 남방의 신라나 백제를 견제할 목적으로 구축한 漢江-臨津江 유역의 고구려 관방유적 군 가운데에서도 대규모에 속하는 성곽이며 廣開土王-長壽王대에 이르는 시기에 추진된 남진정책의 배후기지로 활용되었다. 유적의 보존 상태 또한 매우 양호하다. 연천 호로고루에서는 잘 보존된 성벽이 확인되었고, 남한 내에서는 그 유례를 찾을 수 없을 만큼 많은 양의 고구려 기와가 출토되어 학계의 비상한 관심을 모은 바 있다. 연천 당포성은 고구려 축성양식을 밝힐 수 있는 폭 6m, 깊이 3m의 대형 塏字를 비롯하여 동벽 상단부위에 이른바 '柱洞'들이 확인되고, 성벽에 일정한 간격으로 수직 홈이 파여져 있고 그 끝에 동그랗게 판 確돌이 연결되어 있다는 점 등에서 중요성이 부각되고 있다. 이와 같은 주동은 서울 광진구 중곡동 용마산 2보루에서도 보이고 있는 전형적인 고구려 양식이며, 전남 광양시 광양 용강리에 있는 백제의 馬老山城(사적 492호) 開据式 남문과 동문, 검단산성(사적 408호), 고락산성(전라남도 시도기념물 244호)과도 비교가 된다. 이것은 앞으로 조사가 더 진행되어야 알겠지만 아마도 성문이 처음 開据式에서 이성산성 동문과 금산 佰嶺山城(잣고개, 서기 597년 丁巳년 27대 威德王이 쌓음, 충남 기념물 83호)에서 보이는 것과 같은 懸門式으로 바뀌었음이 아닌가 생각된다. 이는 광양 馬老山城(사적 492호, 開据式), 순천 劍丹山城(사적 418호, 懸門式), 여수 鼓樂山城(시도기념물 244호, 懸門式)에서도 확인된다. 그리고 남문의 성벽축조에서 고구려의 영향으로 보여 지는 '삼각형고임'이나 성벽 기초부터 위로 올라갈수록 한 단계씩 뒤로 물러가는 '퇴물림' 축조수법도 나타난다. 이는 파주 德津山城(경기도 기념물 218호)과 안성 望夷山城(경기도 기념물 138호)에서도 보인다. 은대리성(사적 469호)은 본래 동벽과 북벽 단면에서 보이는 바와 같이 처음에는 백제의 版築土城이었다가 서기 475년 이후 고구려에 넘어가 石城으로 개조된 비교적 원형을 잘 보존하고 있는 성곽으로 이 일대 고구려 성곽 중에서 규모가 가장 큰 것에 속한다. 이 성은 지역 거점이거나 治

을 거처 임진강과 한강을 관장하고 계속 남하하여 이성산성까지 다다른다. 그리고 고구려군은 남한강을 따라 영토를 확장하여 中原(충주: 고구려의 國原城) 고구려비(국보 205호, 長壽王 69년 481년), 정선 애산성지, 포항 냉수리, 경주 호우총(경주 호우총의 경우 國岡上廣開土地好太王壺杅十이라는 명문이 나와 고구려에서 얻어온 祭器가 부장된 것으로 보인다)과 부산 福泉洞에 이른다. 그리고 신라 21대 炤知王 10년(서기 488년)에 月城(사적 16호)을 수리하고 大宮을 설치하여 궁궐을 옮긴 월성의 해자 유적에서 고구려의 기와(숫막새)와 玄武와 力士像이 양각으로 새겨져 있는 土製方鼎이 발굴되었다. 이는 長壽王 69년(서기 481년)에 고구려가 경주부근에까지 진출하였다는 설을 뒷받침한다. 토제방정의 역사상은 순흥 於宿墓에서, 현무는 서기 427년 평양 천도 후 고구려 벽화분에서 발견되는 것과 비슷하다. 고구려의 묘제 중 석실묘는 연천 신답리(방사선 탄소연대는 서기 520/535년이 나옴), 연천 무등리, 여주 매룡리, 포항 냉수리와 춘천 천전리에서도 나타난다. 고구려의 영향을 받거나 고구려의 것으로 추측될지 모르는 것으로는 영주 순흥 태장리(乙卯於宿知述干墓, 서기 499/559년, 사적 238호)와 순흥 읍내리(사적 313호) 벽화분들을 들 수 있으며, 고구려 유물이 나온 곳은 맛졸임(귀죽임, 抹角藻井) 천장이 있는 두기의 석실묘가 조사된 경기도 용인시 기흥구 보정동, 성남시 판교 16지구, 경기도 이천 나정면 이치리, 대전 월평동산성, 화성 장안 3리, 서천 봉선리(사적 473호)와 홍천 두촌면 역내리 유적, 경기도 연천군 왕징면 강내리 등이 있다. 이 곳들은 고구려가 가장 강하던 19대 廣開土王(서기 391년~서기 413년)과 20대 長壽王(서기 413년~서기 491년 재위)때의 남쪽 경계선이라고 해도 무방하다. 이는 서기 4세기~서기 5세기 때의 삼국시대 후기(서기 300년~서기 660/668년)때의 일이다. 廣開土王과 長壽王 때 백제를 침공하기 위한 해로와 육로의 경유지를 살펴보면 선사시대 이래 형성된 羅濟通門과 같은 通商圈(interaction sphere) 또는 貿易路와도 부합한다. 주로 당시의 고속도로인 바다나 강을 이용한 水運이 절대적이다. 이러한 관계는 고구려 小獸林王(서기 372년), 백제 枕流王(서기 384년)과 신라 23대 法興王(서기 527년)때 정치적 기반을 굳히게 하기 위한 佛教의 수용과 전파를 통해 확대된다. 아직 발굴결과가 확실하지 않지만 서기 384년(백제 15대 枕流王 元年)이후 백제의 불교수용 초기 절터로 하남 天王寺址를 추정해볼 수 있다.

경기도에서 발견되는 백제·고구려·신라 유적들은 백제와의 접경지로 고구려의 최남단 전진기지이자 백제와 고구려와 양국 간에 대한 역사적 맥락을 살펴 균형 있는 연구를 살릴 수 있는 곳이다. 일시적인 유행으로 남한 내 고구려와 신라 유적의 중요성만을 강조하다보면 비교적으로 상대적인 열세를 면치 못하고 있는 백제의 연구는 뒷전으로 밀리게 되어 경기도내에서 백제사의 연구는 불모의 과제로 남을 수밖에 없다. 반면에 백제사만을 강조한다면 그나마 제대로

所城의 성격을 가지고 있는 것으로 파악된다.

남아있는 고구려 유적에 대한 연구의 앞날도 매우 불투명하게 될 것이다. 요컨대 고구려 유적의 연구는 초기백제의 중심지인 한성시대 백제(기원전 18년~서기 475년)가 위치하는 현 서울과 경기도의 특색을 살려 진행되어야 한다. 이를 배제시킨 고구려와 신라 편향의 조사 연구결과는 불완전해질 수밖에 없는 것이다. 최근 경기도에서 조사된 백제, 고구려와 신라 유적들을 통하여 위만조선, 낙랑과 고구려, 그리고 마한과 백제와의 역사적 관계와 맥락을 좀 더 신중히 고려하여 균형 있는 연구가 필요할 때가 되었다는 것을 알 수 있다. 다시 말하여 임진강과 남한강유역에 만들어진 백제, 고구려와 신라 유적의 주 대상(主敵)이 원삼국시대가 아닌 역사상의 실체인 마한, 백제, 고구려와 신라가 존재하는 삼국시대 전기(서기 1년~서기 300년)와 후기(서기 300년~서기 660/668년)이기 때문이다. 그 중 백제와 고구려와 백제 간의 끊임 없는 전쟁의 역사는 백제의 개로왕과 고구려의 광개토왕·장수왕과 사이에 일어난 한성시대 백제의 멸망으로 이어졌고, 그 해가 서기 475년이었다. 이는 서울 경기도 소재 산성의 조사에서 발견되는 백제 13대 近肖古王 26년(서기 371년)에서 고구려 20대 長壽王 63년 백제의 漢城을 함락하는 서기 475년을 거쳐 신라 24대 眞興王 14년(서기 553년)에 이르는 서기 371년에서 서기 553년 사이의 182년간의 백제·고구려·신라가 築造하거나 자기의 고유방식대로 重修한 山城과 住居址, 그리고 그곳에서 출토하는 유물들의 존재와 重疊은 『三國史記』의 기록에서 보이는 역사적 맥락(context)을 잘 보여준다. 安城 竹州山城의 발굴조사와 그에 대한 연구도 이러한 맥락에서 살펴보는 것이 중요하다.

【참고문헌】

경기도박물관,『고양 멱절산 유적 발굴조사』, 2003.
_____,『월롱산성』, 2003.
_____,「파주 육계토성 시굴조사 지도위원회자료」, 2005.
_____,『파주 주월리 유적』, 1999.
_____,『포천 자작리 유적 II-시굴조사보고서-』, 2004.
경기문화재단,『연천 학곡제 개수공사지역 내 학곡리 적석총 발굴조사』, 2002.
고려대학교 고고환경연구소,『아차산 3보루 1차 발굴조사 약보고』, 2005.
_____ _____,『홍련봉 2보루 1차 발굴조사 약보고』, 2005.
고려대학교 매장문화재연구소,『홍련봉 1보루 2차 발굴조사 약보고』, 2004.
광진구,『아차산성 '96 보수구간내 실측 및 수습발굴조사보고서』, 1998.
국립중앙박물관,『원주 법천리 고분군-제2차 학술발굴조사-』, 2000.
_____,『원주 법천리 I』, 2000.
단국대학교 매장문화재연구소,『안성 망이산성 3차 발굴조사 지도위원회자료집』, 2005.
_____ _____,『이천 설봉산성 4차 발굴조사 지도위원회자료집』, 2003.
_____ _____,『이천 설성산성 2-4차 발굴조사 지도위원회자료집』, 2002-5.
_____ _____,『연천 은대리성 지표 및 발굴조사 지도위원회자료집』, 2003.
_____ _____,『안성 죽주산성 지표 및 발굴조사 보고서』, 2002.
_____ _____,『안성 죽주산성 지표 및 발굴조사 완료 약보고서』, 2001.
_____ _____,『안성 죽주산성 남벽 정비구간 발굴조사 보고서』, 2006.
_____ _____,『안성 죽주산성 남벽 정비구간 발굴조사 지도위원회자료집』, 2004.
_____ _____,『평택 서부관방산성 시·발굴조사 지도위원회자료집』, 2004.
_____ _____,『포천 고모리산성지표조사 완료약보고서 및 보고서』, 2001.
_____ _____,『포천 반월산성 5차 발굴조사보고서』, 2005.
목포대학교·동신대학교 박물관,『금천-시계간 국가지원 지방도 사업구간내 문화재발굴조사 지도
        위원회현장설명회자료』, 2001.
서울대학교 박물관,『석촌동 고분군 I』, 2013.
_____ _____,『석촌동 적석총 발굴조사보고』, 1975.
_____ _____,『아차산성』, 2000.
_____ _____,『아차산 시루봉보루』, 2002.
_____ _____,『아차산 제 4보루』, 2000.
_____ _____,『용마산 2보루』, 2006.
서울대학교 박물관·구리시,『시루봉 보루 II』, 2013.

수원대학교 박물관,『화성 장안리 유적』, 2005.

순천대학교 박물관,『광양 마노산성 I』, 2005.

_____ _____,『광양 마로산성 3차 발굴조사 현장설명회자료』, 2004.

_____ _____,『광양 마로산성 4차 발굴조사 현장설명회자료』, 2005.

육군사관학교 화랑대연구소 국방유적연구실,『연천 당포성 II 시굴조사 보고서』, 2008.

_____ _____ _____,『정선 애산리산성 지표조사보고서』, 2003.

_____ _____ _____,『파주 덕진산성 시굴조사 지도위원회자료』, 2004.

중원문화재연구원,『충주 장미산성 발굴조사 현장설명회 자료집』, 2004.

충북대학교 박물관,『청원 I.C.-부용간 도로확장 및 포장공사구간 충북 청원 부강리 남성골 유적』,
        2002.

충청매장문화재연구원,『대전 월평동산성』, 2001.

충남발전연구원 충남역사문화연구소,『서천-공주간(6-2)고속도로 건설구간 내 봉선리유적』, 2003.

_____ _____,『연기 운주산성 발굴조사 개략보고서』, 2001.

한국문화재보호재단,『하남 천왕사지 시굴조사-지도위원회자료-』, 2001.

한국토지공사 토지박물관,『연천 군남제 개수공사지역 문화재 시굴조사-지도위원회자료』, 2001.

_____ _____,『연천 신답리고분』, 2003.

_____ _____,『연천 호로고루-지도위원회자료』, 2001.

한백문화재연구원,『안성 죽주산성 2~4차 발굴조사 보고서, 부) 북벽 정비구간 발굴조사보고서』,
        2012.

_____,『안성 죽주산성 남벽 정비구간 내 유적』, 2014.

_____,『안성 죽주산성 동벽 정비구간 문화재 발굴조사 보고서』, 2008.

_____,『안성 죽주산성 성벽 보수구간 내 유적: 동벽·남벽 일부』, 2011.

한양대학교 박물관,『단양 사지원리 태장이묘 발굴조사 지도위원회 자료집』, 2001.

_____ _____,『이성산성(제8차 발굴조사보고서)』, 2000.

_____ _____,『이성산성(제9차 발굴조사보고서)』, 2001.

_____ _____,『이성산성(제10차 발굴조사보고서)』, 2002.

경기문화재단,『경기도의 성곽』, 기전문화예술총서 13, 2003.

백종오·김병희·신영문,『한국 성곽연구 논저총람』, 서경, 2004.

서울대학교 박물관 경기도 박물관,『고구려: 한강유역의 요새』, 2000.

최몽룡,『인류문병발달사』, 개정6판, 쥬류성, 2015.

_____,『최근의 고고학 자료로 본 한국고고학·고대사의 신 연구』, 주류성, 2006.

_____,『韓國 考古學 研究』, 주류성, 2014.

_____,『韓國 考古學 研究의 諸 問題』, 주류성, 2011.

_____,『한국 청동기 · 철기시대와 고대사회의 복원』, 주류성, 2008.

_____,『흙과 인류』, 주류성, 2000.

최몽룡 · 백종오 편저,『고구려와 중원문화』, 주류성, 2014.

한양대학교 박물관,『풍납과 이성: 한강의 백제와 신라문화』, 한양대학교 개교 66주년 기념 특별전, 2005.

강동석 · 이희인,「강화도 교동 대룡리 패총」,『임진강유역의 고대사회』, 인하대학교박물관, 2002.

백종오,『고구려 기와 연구』, 단국대학교 대학원 박사학위논문, 2005.

_____,「고구려와 신라기와 비교연구-경기지역 고구려성곽 출토품을 중심으로」,『백산학보』67, 백산학회, 2003.

_____,「백제 한성기 산성의 현황과 특징」,『백산학보』69, 백산학회, 2004.

_____,「임진강유역 고구려 관방체계」,『임진강유역의 고대사회』, 인하대학교박물관, 2002.

_____,「임진강유역 고구려 평기와 연구」,『문화사학』21, 한국문화사학회, 2004.

_____,「朝鮮半島臨津江流域的高句麗關防體系研究」,『東北亞歷史與考古信息』總第40期, 2003.

_____,「중원 성곽유적의 회고와 전망」,『고구려와 중원문화』, 2014.

_____,「최근 발견 경기지역 고구려 유적」,『북방사논총』7, 고구려연구재단, 2005.

_____,「포천 성동리산성의 변천과정 검토」,『선사와 고대』20, 한국고대학회, 2004.

심정보,「대전 계족산성의 초축 시기에 대한 재검토」,『21세기의 한국고고학 III』, 희정 최몽룡교수 정년퇴임논총 III, 주류성, 2011.

_____,「이성산성 축조시기에 대한 검토」,『위례문화』15호, 하남문화원, 2012.

양시은,「남한 고구려성의 구조와 성격」,『고구려와 중원문화』, 2014.

차용걸,「충청지역 고구려계 유물출토 유적에 대한 소고-남성골 유적을 중심으로-」,『호운 최근묵 교수 정년기념논총』, 호운 최근묵교수 정년기념 논총간행위원회, 2003.

최몽룡,「고고학 측면에서 본 마한」,『백제연구』9, 원광대학교 마한 · 백제연구소, 1986.

_____,「考古學上으로 본 馬韓研究], 원광대학교 마한 백제문화연구소 주최 학술 심포지엄, 1994.

_____,「용인 할미산성 내 馬韓과 百濟의 宗敎 · 祭祀遺蹟-2012-2015년 발굴된 소위 할미산 "공유 성벽" 북쪽 외성의 역사 · 문화적 맥락-」,『용인 할미산성 발굴조사 성과와 보존활용을 위한 학술심포지엄』, 한국성곽학회 · 용인시, 2015.

_____,「전남지방 소재 지석묘의 형식과 분류」,『역사학보』78, 역사학회, 1978.

하문식 · 백종오 · 김병희,「백제 한성기 모락산성에 관한 연구」,『선사와 고대』18, 한국고대학회, 2003.

하문식 · 황보경,「하남 광암동 백제 돌방무덤연구」,『경기도의 고고학』, 주류성, 2007.

황보경,「한강유역 신라고분의 구조적 특징과 성곽과의 관계」,『21세기의 한국고고학 IV』, 주류성, 2011.

【Abstract】

Historical context of Jukju stone castle

Choi, Mong-Lyong
(Prof. Emeritus of Seoul National Univ)

Jukju stone castle(竹州山城, Gyonggido province monument no.69), located at the skirt of the Bibong mountain(above the sea level 229m, 飛鳳山) in Ansong(安城) city, Gyonggido province, estimated to have been first built around the late of 4 cen. A.D. for the enlargement of Baekje territory, roughly soon after the building of Isong stone castle(二聖山城, historical site no.422) in the year of 371 A.D, the first ever constructed castle with stones by the 26th rein of Geunchogo(近肖古王, rein 346 A.D.-375 A.D.), 13th king of Baekje dyansty who had killed the Gogukwon(故國原王, rein 331 A.D.-371 A.D), the 16th king of Goguryo dynasty in 371 A.D, and tried to have constructed strong defense system for fearing against retaliation attack of Goguryo aftermath. And the total 7th excavations of this castle by excavation organizations of Danguk(檀國) Univ. and Hanbaek(漢白) during 2001-2014 had confirmed till now several typical technologies of building method of each dynasties with 3-folds(tripartite) plans of stone castle including inner(270m), outer(1,690m) and castle with surrounding valley(3,540m, 包谷式山城), and produced many artefacts of Silla, Unified Silla, Goryo and Joseon dynasties in a row. We should reconsider that this castle with the geopolitical importance represents and explains the historical context containing wars and interaction sphere not only between Baekje and Goguryo dynasty in the year of 475 A.D,, and but also again between Goguryo and Silla dynasty in 553 A.D, in terms of specific records shown on the such history book as 'Samguksagi(三國史記)'. In a vein, it is time for archaeologists to decipher the true historical meaning and find comprehensible context from this Jukju stone castle excavated 7 times.

襄陽 地境里遺蹟의 發掘調査 成果와 意義

池賢柄*

目 次

Ⅰ. 머리말

地境里 新石器遺蹟[1]이 발굴조사 된지 벌써 20년이 지났다. 특히나 新石器時代 4호 住居址와 鐵器時代 1호 주거지와의 인연은 아직까지도 가슴 한편에 깊숙이 자리 잡고 있다고 해도 과언이 아니다. 지경리유적이 발굴조사 될 때 까지만 해도 동해안지방에서 신석기시대 유적하면 당연히 오산리유적을 떠올리게 되는데, 이 유적이 발굴조사 되면서 동해안의 신석기문화가 다시 한번 집 중 조명을 받게 되었다. 물론 지금은 고성 문암리·철통리,[2] 양양 오산리·가평리·송전리·용 호리,[3] 강릉 초당동 지변동유적[4] 등 많은 수의 유적들이 발굴조사 됨으로 중부 동해안 신석기문 화는 조 전기에는 동북문화가 주류를 이루지만 중기에는 동북·남해안·서해안문화가 함께 나

※ 본고는 2015년 한국 신석기학회 정기 학술대회 '한반도 중부지역의 신석기문화'에서 기조 강연한 내용을 수정
 보완한 글이다.
* 강원고고문화연구원 원장

1) 江陵大學校 博物館, 『襄陽 地境里 住居址』, 江陵大學校 博物館 學術叢書 36冊, 2002.
2) 國立文化財研究所, 『固城 文岩里遺蹟』, 2004.
   예맥문화재연구원, 『高城 鐵桶里遺蹟』 學術調査報告 第19冊, 2009.
3) 江原文化財研究所, 「양양군 강현면 용호리127번지 여관신축부지 문화유적 긴급발굴조사 보고서」, 『江陵 江門
   洞 鐵器·新羅時代 住居址』, 江原文化財研究所 學術叢書 19冊, 2004.
   國立文化財研究所, 『襄陽 柯坪里 先史遺蹟 發掘報告』, 1999.
   서울대학교 박물관, 『鰲山里遺蹟 Ⅰ』, 1984 ; 『鰲山里遺蹟 Ⅱ』, 1985 ; 『鰲山里遺蹟 Ⅲ』, 1988.
   예맥문화재연구원, 『襄陽 松田里遺蹟-양양 송전리 23-1번지 주택신축부지 내 유적 발굴조사보고서』, 2008.
4) 江原文化財研究所, 『江陵 草堂洞 新石器遺蹟-강릉 허균·허난설헌 자료관 건립부지 문화유적 발굴조사 보고
   서』, 2006.
   예맥문화재연구원, 『江陵 池邊洞遺蹟-강릉대학교 주차장 및 도로개설부지 발굴조사보고서』, 2007.

타나는 것으로 보아 종래 우리가 생각했던 이상으로 지역 간 문화교류가 상당히 빈번했던 것으로 여겨진다. 한편 신석기시대의 주거지 안에서 토기들이 들떠서 출토되는 현상에 대해서 의문시 되었던 바, 지경리 4호 주거지가 조사되면서 궁금증이 해소되었다고 볼 수 있다. 어깨선에서 바닥으로 내려가면서 중간 경사면에 단이 지는 평편한 곳에서 납작밑토기는 놓인 채로, 뾰족밑토기들은 박혀 있는 상태로 출토됨으로 토기의 기능과 용도를 밝혀 주었을 뿐만 아니라 토기들이 출토된 곳이 저장 공간인 선반으로 밝혀져 고등학교 교과서에 실리는 영광을 누리게 되었다.

지경리유적에서는 신석기시대의 주거지와 철기시대의 주거지가 함께 조사되었는데, 신석기시대 주거지 10棟, 야외노지 2基와 철기시대 주거지 7동이 발굴조사 되었다. 철기시대 1호 주거지는 장방형으로 길이가 28m, 폭이 8m로(67.76㎡, 약 68평) 당시까지만 해도 우리나라에서 가장 큰 규모의 주거지로 자리매김 하였다. 따라서 본고에서는 신석기시대의 주거구조를 중심으로 발굴조사 보고서를 기초로 간략하게 살펴보고자 한다.

Ⅱ. 遺蹟의 位置 및 考古學的 環境

1. 遺蹟의 位置

지경리유적이 위치한 지역은 행정구역상 강원도 양양군 현남면 지리 8-13임(A지구) 일대와 현남면 원포리 98-1(B지구) 일대 지역으로 해안가 사구지대이다. 동해와는 직선거리로 200m

그림 1) 지경리 신석기 및 철기시대유적 위치(위성사진-Google Earth)

정도 이격거리를 두고 있고 화상천이 양 지구 사이로 관류하면서 동해로 흘러 들어가고 있다. 경 위도 상으로는 북위 37°48′, 동경에 해당된다.

지경리유적은 해안가 사구지대의 남쪽 경사면과 화상천 북쪽 구릉의 끝자락 모래퇴적지에 위치한다.

따라서 유적의 남쪽지역을 A지구라 하고 북쪽지역을 B지구라 명칭하기로 하였다. A지구의 조사지역은 시굴조사 결과 약 2,000여평 정도였고, B지구는 대부분 공사로 파괴되어 약간의 토층만 확인할 수 있었으며, 양양 용호리유적[5]과 비슷한 동해를 바라보는 모래톱에 위치한 현상이다. A, B지구 간의 거리는 화상천을 사이에 두고 약 400m 정도 떨어져 있는데 B지구는 동해로 뻗은 구릉의 끝자락에 모래가 퇴적된 지형인데 반하여 A지구는 사방이 트인 남사면 사구지대이다.[6]

2. 自然 및 考古學的 環境

양양군은 북쪽으로 속초시와 고성군이 위치하고 남쪽으로는 강릉시, 서쪽으로는 태백산맥이 남-북으로 뻗어있고 동쪽으로는 동해가 위치하고 있는 한반도의 동쪽 중간에 위치한다. 영동과 영서의 구분을 짓는 태백산맥이 동해 가까이에 있어 동쪽으로는 급경사로 이루었고 서쪽으로는 고원과 산맥이 중첩되어 있다.

겨울철의 영동지방은 우리나라에서 비교적 따뜻한 편에 든다. 그 이유는 크게 2가지를 들 수 있는데 첫째는 푄(fohn)현상과 해양의 영향 때문이다.[7] 둘째는 동해의 넓고 깊은 바다와 접하고 있는 영동지방의 해안지대는 동해의 영향으로 겨울철은 덜 춥고 여름에는 더 시원하게 된다.

동해는 수심이 깊고 파도의 활동이 활발하여 태백산맥에서 흘러내리는 여러 하천들이 운반하는 토사는 하구로 유출된 다음 해안을 따라 이동하면서 사구를 형성한다. 따라서 동해안의 사빈은 하천의 하구를 중심으로 한 해안 충적뜰의 앞쪽에 크게 발달되어 있는 것이 특색이다.

동해안에는 해안사구가 잘 발달되어 있는데 사빈에서 바람에 의하여 쌓인 모래 언덕을 가리키는 것으로 이곳에는 식생이 정착되어 있는 경우가 많다. 주문진과 강릉 사이에는 이러한 사빈이 거의 연속적으로 분포한다. 이곳 해안에는 신리천, 연곡천, 사천천, 남대천 등 비교적 큰 하천들이 유입하다. 이들 하천들은 길이가 짧고 경사가 급한 태백산맥의 동해 사면을 흘러내리

---

5) 江原文化財研究所, 앞의 책, 2004.
6) 江陵大學校 博物館, 앞의 책, 2002.
7) 푄현상은 바람이 산지로 넘어갈 때 산지를 넘어간 바람이 산지를 넘기 전의 바람보다 고온건조해지는 현상이다. 겨울철 우리나라의 추운 날씨에 영향을 주는 시베리아 고기압에서 찬 북서풍이 불어올 때 이 북서풍이 태백산맥을 넘으면서 영동지역에 이르면 푄현상으로 기온이 높아지게 된다.

기 때문에 입가 굵은 모래를 공급하며 따라서 사빈도 입가 굵은 모래로 이루어져 있다. 이러한 모래는 주로 여름철의 홍수 시에 유출되는데 하구로 유출된 토사는 해안 물 흐름에 따라 주로 남쪽으로 운반된다.

그리고 이들 하천 유역의 기반암은 주로 화강암이기 때문에 사빈의 모래는 주로 석영, 장석 등의 광물질로 구성되어 있으며 사빈의 색깔도 전체적으로 희게 보인다. 사구는 사빈의 배후에 대개 일렬로 배역되어 있으나, 일련의 사구열이 해안선과 나란히 발달되어 있다. 지경리 신석기유적은 태백산맥에서 뻗어 내린 삼형제봉(617m)과 만월산(628m) 일대에서 발원하여 동해안으로 흘러드는 화상천 하구 남쪽 50m정도 떨어진 해발 7~9m의 퇴적사빈지형의 남서쪽 경사지에 위치한다. 동쪽으로는 200m정도 모래사장이 펼쳐지다 바다와 접하고 북쪽으로는 50m 정도에 화상천이 서에서 동쪽으로 흘러든다. 남쪽으로는 폭 250m, 길이 1.5㎞의 사빈이 길게 펼쳐지다 작은 구릉 넘어 석호인 향호와 접한다. 서쪽으로는 직삼각형 모양의 넓은 지경들이 펼쳐져 있는데 당시에는 호수였을 것으로 추정된다.

서쪽의 지경들 건너에는 태백산맥에서 뻗어 내린 20~30m 높이의 저구릉들이 여러 갈래로 나눠지는데 이 구릉의 능선부에는 청동기시대의 유적과 유물들이 확인된다. 지경리유적의 당시 지형을 추정해 보면 유적의 남쪽으로 연결되는 1.5㎞ 크기의 사빈을 제외하면 서쪽으로는 호수, 북쪽으로는 화상천, 동쪽으로는 동해가 위치한 것으로 볼 수 있다. 따라서 지경리유적은 어로 채집형의 주거 집단에 적합한 지형 조건을 갖추고 있다.[8]

이렇듯이 동해안에는 태백산맥의 계곡에서 발원한 하천이 동해에 다다르는 지역에는 사구나 사빈 지대가 형성되거나 호수들이 발달되어 있어 이들 하천이 바닷가에 다다르는 남쪽지역이나 북쪽지역에는 예외 없이 신석기시대 유적과 철기시대 유적이 분포하고 있는데, 지경리유적은 지금까지 한 유적에서 가장 많은 어망추가 발견된 것만 보더라도 주로 어로 생활에 많은 시간을 할애한 것으로 보이며, 4호 주거지에서는 많은 양의 도토리가 탄화된 상태로 갈판과 갈돌이 함께 출토된 점으로 보아 채집과 농경 생활을 병행한 것으로 판단된다.

3. 東海岸地域 新石器時代 遺蹟의 立地

영동지방은 태백산맥이 동해 쪽으로 급경사를 이루며 흘러내리기 때문에 큰 강과 퇴적평야는 없으나 짧은 군소 하천들이 발달되어 있고 이 군소 하천이 바닷가와 만나는 부근에는 사구지대와 저습지가 발달되어 있다.

동해는 수심이 깊고 파도의 활동이 활발하여 태백산맥에서 흘러내리는 여러 하천들이 운반

---

8) 江陵大學校 博物館, 앞의 책, 2002.

그림 2) 지경리 신석기 및 철기시대유적 전경

하는 토사가 하류로 유출된 다음 해안을 따라 이동하면서 沙濱과 砂丘를 형성한다. 따라서 동해안의 사구는 하천의 하구를 중심으로 한 해안충적들의 앞쪽에 크게 발달되어 있는 것이 특징인데 이는 사빈에서 바람에 의하여 쌓인 모래언덕으로 동해안에는 이러한 사빈이 거의 연속적으로 분포한다. 강원도 동해안에는 고성 남강, 양양 물지천·남대천·화상천, 강릉 연곡천·사천천·남대천·주수천·군선강 등 비교적 큰 하천들이 동해로 유입된다. 이들 하천은 길이가 짧고 경사가 급한 태백산맥을 흘러내리기 때문에 입자가 굵은 모래를 공급하며 따라서 사빈도 입자가 굵은 모래로 이루어져 있다. 이러한 모래는 주로 여름철의 홍수 시에 유출되는데 하구로 유출된 토사는 해안 물 흐름에 따라 주로 남쪽으로 운반된다. 이러한 사구와 사빈의 작용에 의하여 동해안에는 많은 석호가 발달되어 있다. 이 석호의 사구, 사빈 지대에는 여지없이 신석기시대 유적과 철기시대 유적이 분포하고 있어 지금까지 동해안에서 발견된 신석기시대의 조전 중기 유적은 모두 이 사구지대에 위치하나, 후·말기 유적은 사구지대나 潟湖 주변의 해발 20~40m 정도 되는 나지막한 구릉에서 발견되는 것으로 보아 신석기시대 후기 전반까지는 사구지대에서 생활하다 말기 단계에서 주변 구릉지대로 이주가 시작되어 靑銅器時代로 이어지는 것으로 볼 수 있는데 영동지방의 청동기시대 유적은 모두 구릉의 능선부에서 발견되고 있다.[9]

---

9) 江陵大學校 博物館, 앞의 책, 2002.

Ⅲ. 發掘調査 經緯 및 經過

지경리유적이 발견된 지역은 동해안 중심도로인 7번 국도를 4차선으로 확장 및 포장공사를 하는 구간으로 화상천 남쪽 면에 위치한다. 동 유적이 발견된 시기는 1994년 4월 28일 양양 고성지역 지표조사 과정에서 동 지점을 통과하면서 도로 개설을 위해 유적의 남쪽 경사지 일부를 평탄 작업을 하던 중 멀리서 보아도 한눈에 알아 볼 수 있을 정도의 유구 포함층이 선명하게 보였다. 다음 날 고동순과 함께 4월 29일 양양군 지표조사의 일환으로 이 지역을 답사하는 과정에서 유적을 확인함과 동시에 곧 바로 구두로 양양군에 매장문화재 발견신고를 하고 양양군 문화재 담당자와 함께 현장을 답사한 결과 주변지역의 토층 잘린 면과 바닥에서 많은 양의 신석기시대의 빗살문토기편과 석기, 철기시대의 적갈색경질무문토기편, 타날문토기편이 채집되었다.

따라서 강릉대 박물관에서는 1994년 5월 2일자로 양양군에 매장문화재 발견 신고와 함께 유적지 현상 보존을 요청하고 시공회사인 고려개발 측에서도 공사 중지를 요청하였다. 양양군에서는 원주지방국토관리청에 주문진-양양간 7번국도 확장공사구간 내에(지경리유적) 문화재가 매장되어 있기 때문에 선형변경 요청과 함께 공사에 앞서 반드시 발굴조사를 실시한 후 그 결과에 따라 유적을 처리 하도록 조치를 취하였다. 원주지방국토관리청에서는 1994년 6월 25일자로 선형불가 사유와 함께 매장문화재 발굴조사를 강릉대 박물관에 의뢰해 왔으나 시행청의 발굴조사비 미확보로 계속 미루어 오다 1994년 12월 1일자로 문화유적 발굴조사계획서를 제출 요구하였다. 따라서 우리 박물관에서는 1994년 12월 9일자로 발굴조사계획서를 제출하고 1995년 4월 8일자로 당국의 허가를 받아 4월 12일부터 시굴조사를 착수하여 약 40여 일간 시굴조사를 실시하였다.

시굴조사 지도위원회의 결과(1995. 5. 21) 지경리 A, B지구는 정밀발굴조사가 불가피한 지역으로 판명되었으며, 빠른 시일 내에 정밀발굴조사가 진행되어야 한다는 의견을 제시하였다. 이에 강릉대 박물관은 1995년 6월 8일자로 발굴조사계획서를 제출하고 당국의 허가를 받아 7월 10일부터 1996년 1월까지 약 6개월간 발굴조사를 실시한 결과 신석기시대 주거지 10동, 야외노지 2기와 철기시대 주거지 7동이 발굴조사 되었다.[10]

여기서 지경리 4호 주거지에 일화를 간단하게 소개하고자 한다. 사실 4호 주거지가 노출된 지점은 엄밀히 보면 발굴조사 구역 외곽이다. 그런데 동지역이 사구지대이다 보니 토층을 확인하고 나면 곧 바로 모래층이 무너져 내리기 때문에 토층조사가 되풀이되는 과정에서 4호 주거지의 어깨선 상면이 확인되었는데, 주거지가 맞다 아니다 라는 의견대립으로 더 이상의 조사를 할 수 없는 상황에 이르렀는데 본인의 의지대로 내부조사를 강행하여 4호 주거지가 세상에 빛

---

10) 江陵大學校 博物館, 앞의 책, 2002.

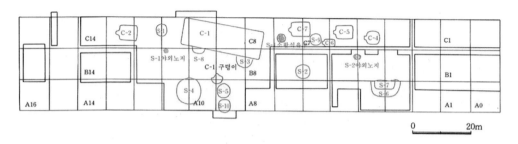

그림 3) 지경리 신석기 및 철기시대 유구 노출 현황도

을 보게 되어 고등학교 교과서에 사진이 실리는 영광을 누리게 되었다. 또 하나 철기시대 1호 주거지의 경우 시굴조사 과정에서는 길이가 너무 길어서 단지 흑색문화층으로만 인식되었는데 그렇다면 계속 연장되어야 함에도 불구하고 30m가 넘어서는 다시 백색모래층으로 연결되고 있어서 확장조사 결과 우리나라 최고의 크기를 자랑하는 길이 28m, 폭8m(224㎡, 약68평)의 철기시대 철자형 주거지가 확인되었다.

한편 지경리유적이 한창 발굴조사 중일 때 양양 가평리 신석기시대 주거유적이 국립문화재연구소에 의해 발굴조사 중에 있었기 때문에 본인은 거의 이틀에 한번 꼴로 가평리유적을 다녀오곤 했었는데, 가평리유적과 지경리유적을 비교 검토하는데 있어서 많은 도움이 되었다.

또한 발굴조사 후 지경리유적이 보존 조치되는 상황에 이르렀는데, 당시 화상천을 가로 지르는 교량의 교각과 양측 교대가 완성된 상태였기 때문에 전면 재검토하기에 이르렀다. 당시 원주지방국토관리청에서는 유적지를 2m 이상 복토하여 원형보존하고 유적의 북편에 위치한 화상교의 교각과 교대를 높이는 전면적인 설계변경을 통하여 지경리유적이 원형 보존되었다.[11]

Ⅳ. 調査現況

강원도지방의 신석기시대유적은 영동지역과 영서지역에서 분포양상이 다르게 나타나고 있다. 영서지역은 북한강 또는 남한강의 퇴적지형에 대부분 분포하고 있으나 예외적으로 강가의 바위그늘에서도 일부 확인되고 있고, 양구의 해안 펀치볼 같은 깊은 곳에서도 유물이 출토되고 있는 것으로 보아 신석기시대에는 이미 우리나라 대부분지역에 까지 신석기시대 사람들이 살았을 것으로 추정된다.

11) 당시 財源마련과 工期에 어려움이 있었음에도 불구하고 지경리유적 보존에 지원을 아끼지 않았던 원주지방국토관리청과 감독관, ㈜고려개발 소장님께 늦게나마 지면을 빌어 고마움을 전합니다.

영동지역에서는 호수가나 하천이 바다와 만나는 사구지대에서 유적이 주로 발견되고 있다. 동해안의 사구지대는 구릉이 끝나는 곳에서 시작하여 바닷가나 호수쪽으로 길게 또는 넓게 발달하여 입구를 막아 석호를 만드는데 신석기시대 후기 전반 유적까지는 대부분 사구지대에서 발견되고 있다. 이중 전기유적으로 구분되고 있는 융기문토기유적은 사구지대가 시작되는 구릉 가까운 곳에서 발견되고 있고, 중기유적은 사구지대의 중간이나 융기문토기유적 상층에 분포하고 있다. 문암리유적의 상층에서 신석기시대 중기 이후의 생산유적인 밭유적이 확인되었는데[12] 지경리유적의 남쪽 사면도 문암리유적과 비슷한 양상으로 형성된 유적이기 때문에 앞으로 이 지점에 대해서 주의 깊게 관찰해야 할 것으로 판단된다. 후기 전반 유적들도 사구지대에서 조사되지만 중반 이후 말기로 갈수록 고성 철통리유적처럼[13] 호수나 하천가 주변의 구릉지대에서 발견되고 있다.

이와 같이 동해안에서의 신석기시대유적 분포양상은 사구의 발생에 따른 석호의 발달과 기후의 변화에 따른 유적의 분포 양상이 다르게 나타나는 것으로 판단된다.[14]

1. 住居址

앞서 언급한 바와 같이 지경리 4호 주거지는 사연이 많은 주거지로 세상에 빛을 보지 못할 위기의 순간에 노출되었기 때문에 우리에게 많은 문제점들을 해결해준 주거지이다. 지경리 신석기시대 4호 주거지는 현 지표하 약 1.4m 깊이의 황백색의 모래층에서 주거지의 어깨윤곽선이 노출되어 확장한 결과 원형에 가까운 말각방형의 윤곽선이 노출되었다. 노출된 주거지의

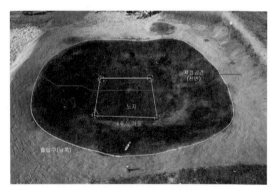

그림 4) 지경리 4호 주거지 저장공간

어깨윤곽선은 서편에서는 제3층인 흑갈색 모래층과 접하고 있었으나, 동편에서는 제4층인 황백색 모래층에서 노출된 점으로 보아 지경리의 모래 퇴적상태가 동에서 서로 경사졌음을 알 수 있고, 1호 주거지보다 약 1m 정도 높게 위치하고 있다.

조사는 먼저 주거지의 윤곽선 안에 +모양으로 둑을 남기고 퇴적된 흑갈색 모래층을 걷어내

---

12) 조미순,「고성 문암리유적의 발굴조사 성과와 의의」,『고성 문암리유적의 재조명 학술심포지엄』, 江原考古文化研究院, 2014.

13) 예맥문화재연구원, 앞의 책, 2009.

14) 池賢柄,「江原 先史考古學의 展望과 課題」,『季刊 한국의 고고학』, 주류성출판사, 2007.

자 바로 밑에서 간층인 백색 모래층이 약 10~30㎝ 정도 퇴적되어 있고, 백색 모래층 밑에 또 다시 흑갈색 모래층이 나오고 바닥으로 연결되었다. 동벽에서는 퇴적층을 일부 제거하자 90~120㎝ 간격의 기둥 흔적이 모두 안쪽으로 향한 채 11개가 노출되었다.

주거지의 윤곽(어깨)은 남-북 7.6m, 동-서 7.4m이고 면적은 약 56㎡(16평)이나 주거지 바닥은 가로, 세로 각각 4m의 방형으로 만들었고 면적은 16㎡이다. 주거지의 어깨선은 S-1호 주거지와 마찬가지로 경사지면서 내려오고 바닥은 약간의 진흙 흔적이 남아있다. 어깨선에는 약 90~270㎝ 간격으로 서까래로 보이는 숯기둥 흔적이 곳곳에 보이고 바닥 동쪽과 남쪽 모서리에는 지름 30㎝ 정도의 기둥 자국이 남아 있었다. 바닥과 벽의 경사면이 만나는 북벽 전체와 연이은 동 서벽 모서리 각각 1.5m 부분에는 ㄷ자 형태로 통나무를 두었다. 주거지의 정 중앙에는 장방형의 爐址(1.1m×0.74m)가 노출되었는데 안쪽에는 진흙이 얇게 깔려 있고 북편에 판석 1매(45㎝×13㎝)로 막음 하였고, 나머지 부분에는 작은 할석 11개를 놓았다. 노지 남서쪽 모서리와 남쪽 1m 지점에서 많은 양의 도토리가 나왔다. 출토 유물은 거의 대부분 주거지 바닥과 경사면 모서리 부분에서 5점, 경사면 아랫부분에서 9점이 출토되어 바닥과 중앙 경사면 위쪽에서는 출토되지 않는 것과는 대조를 이룬다. 또한 출토유물은 완전히 복원된 토기 14점과 갈판류 4점의 출토 위치가 구분되는데 토기류는 남서모서리 부분에서 8점, 서북모서리 부분에서 5점이 출토되었고 갈판은 모두 벽과 바닥의 모서리 부분에서 출토되었다.

출토된 토기들은 대부분 바닥이 모래에 박힌 채로 서 있거나 주저앉은 채로 출토된 것으로 보아 주거지가 소실될 당시의 상황이 긴박했던 것으로 추정해 볼 수 있다. 남벽 경사면에서는 모두 6점의 토기가 엉킨 채 심하게 파손되어 출토되었는데 위쪽에 목탄이 노출되는 것으로 보아 주거지 소실시 상부 목가구의 낙하로 토기가 파손된 것으로 보여 지며 그 아래에는 양면을 많이 사용한 갈판이 봉형 갈돌을 위에서 덮은 채 출토되었고, 그 위에는 발형토기가 파손된 채 출토되었다. 주거지의 남쪽모서리 지점에서 갈판(34㎝×30㎝×4㎝)이 2조각으로 나왔고, 동편 모서리와 바로 인접한 지점에서 갈판 3점과 갈돌 1점이 출토되었다.

또한 주거지의 북동편 모서리의 경사면에서 아가리에 단사선문과 바로 밑에 橫走魚骨文을 새긴 대형의 뾰족밑토기 1개체분이 파손된 상태로 나왔고, 바로 옆에서 목이 있는 옹형토기 1점이 나왔는데 어깨부분이 葉脈文을 종방향으로 가늘게 새겼다.[15]

1) 平面構造

신석기시대 주거지의 평면구조는 무期·前期에는 원형, 中期 말각방형, 後期 장(방)형으로 구분된다. 원형의 주거지로는 문암리 2호 주거지, 오산리 1·4·6·7·8·9호, 지경리 1·9호

---

15) 池賢柄, 앞의 글, 2007.

표 1. 신석기시대 주거유형

구분	신석기시대 주거유형		
조기	문암리 1,2호 주거지	오산리 1호 주거지	오산리 2호 주거지
전기	오산리 3호 주거지	오산리 4호 주거지	
중기	지경리 4호 주거지	초당동 1호 주거지	
후기	철통리 1호 주거지	철통리 2호 주거지	

주거지, 강릉 초당동 주거지 등이고, 말각 방형 주거지는 주로 지경리에서 확인되고 있는데 2·4·5·6·7·9·10호 주거지, 오산리 1호, 가평리 1호 주거지 등이 확인되고 있다. 타원형은 문암리 1호, 오산리 2·3호 주거지와 지경리 3호 주거지 등이 확인되고 있고, 장(방)형 주거지는 후기 유적인 고성 철통리유적에서 장방형 주거지는 3호 1동 뿐이고, 나머지는 모두 방형의 후기 주거지들로 2주식(1·6·7호)과 4주식(2·3·4·5호)의 주거지들이 능선 상에서 확인된 바 있다.

신석기시대 주거지들의 크기는 비교적 다양하게 나타나고 있는데 오산리 1·9호 주거지에서부터(약 2평) 지경리 7호 주거지(약 27평)와 같이 대형의 주거지들이 확인되고 있다. 물론 오산리 1호 주거지와 지경리 10호 주거지는 소형임에도 불구하고 내부에 노지가 확인되고 있어 사람이 거주하였던 것으로 볼 수 있다. 또한 지경리의 7호 주거지와 같은 대형급의 주거지들은 사람들이 거주한 것은 물론 이지만 아마도 지경리 마을의 족장급 내지는 다른 특별한 용도로 사용되었던 것으로 추정된다. 영동지역의 신석기시대 주거지 중 지경리 4호 주거지(약 17평)의 규모는 중대형급에 속하지만 주거지의 내부에서 나타나는 유물의 양상은 다양한 종류의 평저토기와 첨저토기 등과 다량의 석기 등이 출토되고 있어 다른 주거지들보다 월등한 양의 유물들이 출토되는 것으로 보아 7호 주거지와 같이 족장급의 주거지가 아닌가 생각된다.

대체적으로 영동지역에서 확인되는 신석기시대의 주거지들은 오산리와 문암리를 제외하고는 주거지의 외곽선과 바닥의 내곽선이 약 20~25°로 경사지게 마련하였으며, 이러한 경사각도는 지경리 4호 주거지에서 수혈 벽 중간지점에 저장 공간으로 활용하기 위하여 단을 두면서 경사지게 처리하였음을 알 수 있다.

2)上部構造

주거지의 상부 구조는 평면구조와 밀접하게 관련하여 변화되는 것으로 파악된다. 즉 원형일 경우는 주거지의 어깨선에 위치하여 둥글게 서까래가 돌아가는 것으로 파악되는데 지경리 1호 주거지에서는 60~70cm 간격으로 서까래가 안으로 넘어진 상태로 나왔고, 가평리 1호 주거지[16] 역시 100~150cm 간격으로 탄화된 서까래가 확인되었다. 따라서 원형의 주거지에서는 벽면으로 돌아가면서 당시 서까래로 썼던 탄화된 목재들이 일정간격으로 노출되었는데 모두가 중앙을 향하고 있는 점으로 미루어 보아 원뿔형의 모임지붕 구조로 추정된다. 이 경우 서까래가 모두 모일 경우 구조상 서까래를 한 곳에 모아 묶기에는 기둥의 굵기로 보아 어렵다고 판단된다. 그러나 서까래 몇 본을 꼭지점에 맞대어 잡아 묶는다면 그 외의 서까래는 굳이 한곳에 잡아 묶을 필요 없이 옆의 부재와 연결시키면 된다.[17] 그러나 아직까지 신석기시대의 수혈 주거에서 상부구조에 대해 이렇다할만한 목구조가 발견된 예가 없기 때문에 단지 추정으로만 복원할 뿐이나, 일부 주거지에서 서까래가 불에 탄 상태로 확인되고 있기 때문에 추정 가능하다고 본다. 이 경우 상부의 시설, 즉 꼭지점을 어떻게 마무리했을까 하는 점이다. 서까래가 힘을 받기에는 X자상으로 돌출되어야 하는데 바로 이 부분에 환기를 위한 까치구멍을 만들었던 것으로 추정된다. 실제로 중국의 新樂유적에서 복원된 주거지가 이와 같은 모양으로 X모양 위에 草茸으로 덮어 비를 막고 그 밑의 뚫린 구멍으로는 환기가 가능하게 처리하였던 것으로 본다.[18] 4호 주거지의 경우 1호 주거지보다 규모가 훨씬 크고 평면 모양도 말각방형이기 때문에 내부에 4주식의 기둥 위에 방형의 보를 올려 서까래의 하중을 받도록 하는 상부구조로 추정된다.

3) 바닥시설

영동지역의 신석기 및 철기시대의 주거지들은 강과 바다와 만나는 해안가의 사구지대에 위치하기 때문에 주거지의 바닥에는 예외 없이 진흙을 깔아 다지는데, 지경리 1호와 같이 몇몇 예외의 주거지에서는 맨바닥 즉, 모래바닥을 그대로 사용하는 주거지들도 확인되고 있다. 이와 같이 바닥에 진흙을 깔지 않은 이유는 2가지로 해석되는데, 아예 처음부터 진흙을 깔지 않았을 수도 있겠지만, 바닷가의 모래지형에서는 진흙을 얇게 깔았을 경우 진흙이 스며드는 경우를 볼 수 있다. 이러한 예는 철기시대의 주거지에서 일부 확인되고 있는 바, 주거지 바닥의 모래 속에서 진흙이 확인되고 있는 것으로 보아 신석기시대에도 진흙을 얇게 깔았을 경우도 전혀 배제할 수 없다.[19]

4) 爐址

선사시대 인들이 살아가기 위해서 주거지 안에 노지시설은 필수적이다. 물론 한시적인 주거

16) 國立文化財研究所, 앞의 책, 1999.
17) 張慶浩, 「우리나라 古代人의 住居生活과 建築」, 『강좌 한국고대사』 6, 가락국사적개발연구원, 2002, p.166.
18) 池賢柄, 앞의 글, 2007.
19) 池賢柄, 앞의 글, 2007.

지에서는 노지가 없는 경우도 상당 수 있지만 이 경우 야외노지가 존재하고 있기 때문에 큰 불편은 없을 것으로 판단된다. 그러나 노지가 단순히 난방만을 위한다기보다는 난방, 취사, 조명을 얻기 위하여 만들어진 것으로 볼 수 있다. 따라서 선사인들은 이러한 노지 시설의 기능을 효과적으로 증진시키기 위하여 여러 가지 시설들이 부가되는데, 야외노지의 경우 직경 1~1.5m크기로 할석과 냇돌로 쌓은 후 그 위에 불을 지펴 여러 가지 음식물을 조리해먹었던 것으로 볼 수 있으며 이러한 야외노지가 주거지 안으로 들어왔을 때에는 여러 가지 시설이 필요했던 것으로 볼 수 있다. 즉 돌은 잔열 효과를 높여 줄뿐만 아니라 불티가 밖으로 튀지 않도록 외곽에 돌을 돌릴 경우 화재에 의한 예방효과도 크다고 볼 수 있다. 실제로 청동기시대의 조양동 4호 주거지[20]와 안인리 11호 주거지[21]에서 화재에 의해 토기를 만들다가 말고 급히 대피한 관계로 토기가 짓눌린 상태로 태토와 함께 출토된 점으로 물론 방화도 있겠지만 실화에 의해 주거지가 불에 탄 것으로 볼 수 있다.

대부분의 주거지에서는 평면형태와 같이 내부에 방형 내지는 원형으로 노지 시설을 마련하였다. 노지의 위치는 대부분 주거지의 정중앙에 위치하여 爐址가 마련되었는데 무시설식 노지와 위석식 노지 등이 마련된다. 그러나 야외 노지에서는 잔열 효과를 최대한 높여주는 적석식 노지는 일정 수의 주거군에서 여러 개가 확인되고 있음을 알 수 있다. 위석식 노지와 함께 무시설식 노지가 다수를 차지하고 있는데 무시설식 노지는 말 그대로 아무런 시설 없이 바닥을 원형이나 타원형의 형태를 띠고 있다. 아직까지 강원지방의 신석기시대의 주거지에서는 점토둑식이나 그 밖의 잔열 효과를 높여주는 노지 시설은 발견되지 않고 있다. 다만 위석식노지로 약간의 잔열 효과를 높여 주는 시설이 고작이다. 지경리 4호 주거지의 위석식 노지로 주거지의 정중앙에서 장방형의 爐址가(1.1m×0.74m) 나왔는데 안쪽에는 진흙이 얇게 깔려 있고 북편에 판석 1매(45cm×13cm)로 막음하였고 나머지 부분은 작은 돌로 막음하였다. 또한 남서쪽 모서리와 인접한 지점에서 많은 양의 도토리와 갈판(34cm×30cm×4cm)이 나왔고, 동편 모서리와 바로 인접한 지점에서 갈판과 갈돌 1점이 함께 출토되었다.[22]

5) 出入口

신석기시대의 주거지에서는 출입시설이 발견된 예가 극히 드물기 때문에 최근에 몇몇 주거지에서 밝혀진 예로 출입구는 역시 남동쪽이나 남서쪽으로 나 있음이 확인되었다. 출입구의 외부시설은 아직까지 밝혀진 바가 없지만 주거지의 어깨선에서 동남향으로 돌출된 흔적이 남

---

20) 江陵大學校 博物館,『束草 朝陽洞 住居址』, 2000.
21) 江陵大學校 博物館,『江陵 安仁里 住居址』, 2011.
22) 池賢柄, 앞의 글, 2007.

아 있고, 특이한 점은 평면 말각방형의 주거지일 경우 남쪽의 단벽에 마련하는 것이 아니라 모서리 쪽에 안치한다는 점이다. 지경리의 4호 주거지에서는 희미하게나마 남서쪽에 출입구로 보이는 흔적이 남아 있었고, 가평리의 경우 남동쪽 모서리에 치우쳐서 출입시설이 마련된 것으로 확인되었다. 지경리 4호 주거지의 경우 남동쪽 모서리와 북서쪽 모서리에서 외부로 돌출 된 흔적이 확인되었지만 북서쪽 돌출부에서는 석제 어망추 20개가 일정구역 안에서 집중적으로 흩어져서 노출되었기 때문에 주거지의 방향과 유물 출토상태로 보아 북서쪽은 주거지에서 달아낸 저장공간으로 추정된다. 지경리와 가평리 주거지의 例에서 보듯이 출입구는 남쪽에 위치하여 폭 70~100cm로 짧게 돌출 되었으며 밖에

그림 6) 양양 가평리 신석기시대 주거지 및 출입구

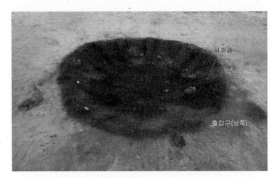

그림 7) 지경리 1호 주거지 및 출입구

서 안으로 비스듬히 경사지게 처리하였는데 이 부분에서 아직까지 정확한 출입구의 시설 등이 확인되지 않고 있다. 이점은 앞으로 좀 더 자료의 증가를 기대해보는 수밖에 없다.

또한 출입구 바로 안쪽에서 작업대로 보이는 돌(32cm×18cm×12cm)이 나왔고 남서편 어깨선에서 석제품 등 생활도구 등이 출토되는 것으로 보아 출입구쪽의 남쪽 부분이 작업 공간 내지는 남·녀간의 공간분할이 이뤄지지 않았나 생각된다.

6) 貯藏施設

대체적으로 영동지역에서 확인되는 신석기시대의 주거지들은 오산리와 문암리를 제외하고는 주거지의 외곽선과 바닥의 내곽선이 약 20~25°로 경사지게 마련하였으며, 이러한 경사각도는 지경리 4호 주거지에서 수혈 벽 중간지점에 저장 공간으로 활용하기 위하여 단을 두면서 경사지게 처리하였음을 알 수 있다. 주거지의 벽면은 경사지면서 내려오다가 꺾이면서 평탄면이 이어지고 또다시 꺾이면서 경사지게 내려오다가 바닥과 연결된다. 이러한 중간부분의 평탄면에 많은 양의 빗살무늬토기들이 박혀 있는 것으로 보아 종래 발굴조사 과정에서 많은 양의 토기들이 들떠서 출토된다는 현상에 대해서 상당한 의구심을 갖고 있었는데 지경리 4호 주거지

에서 확인된 저장 공간은 신석기시대 주거지 발굴조사에 있어 일대 변환기를 맞이하게 되었다.

V. 맺는말

강원지방의 新石器時代 주거지의 평면형태는 원형, 타원형, 말각방형, 장(방)형의 수혈식 내지는 지상식 주거구조가 영동지역에서 확인되었고, 영서지역에서는 춘천 천전리, 교동 동굴 주거지, 정선 고성리의 바위그늘 주거지가 확인되었다. 최근에 이르러서는 각종개발 등으로 인하여 구제 발굴조사가 이뤄지면서 신석기시대의 취락 등이 속속 밝혀지고 있다. 양양 용호리유적에서는 그동안 신석기시대 유적에서는 처음으로 야외노지 간 추정 연결 도로 등이 확인되었는데 이 점에 대해서는 좀 더 검토되어야 할 것으로 판단된다. 오산리유적과 고성 문암리유적은 隆起文土器의 주거유적으로 최하층에서 원형내지는 타원형의 주거지가 확인되었고, 문암리유적의 상층에서 신석기시대 중기 이후의 생산유적인 밭유적이 확인되었기 때문에 지형이 비슷한 지경리유적의 남쪽 평탄지에서 경작지가 확인될 가능성 매우 높을 것으로 본다. 양양 용호리와 강릉 초당동유적에서도 융기문토기가 확인되었지만 아직까지는 주거지가 확인된 바가 없기 때문에 차후 정식 발굴조사가 이뤄지길 기대하는 바이다. 고성 철통리유적에서 장방형 주거지는 1동 뿐이고 나머지는 모두 방형의 후기 주거지들로 능선 상에서 확인된 바 있다. 따라서 조·전기에는 타원형 내지는 원형의 평면구조를 축조하다가 점차 건축기술이 발전하면서 중기에는 말각방형의 주거가 안치되면서 후기에는 대부분 장(방)형의 평면구조로 건축기술이 발전하면서 자연스럽게 청동기시대로 변화 발전되는 것으로 보인다.

앞서 언급한 바와 같이 지경리유적이 발굴조사 되면서 영동지방의 신석기시대 중기의 사구지대에서 확인되는 주거지들의 어깨선 밑으로 단이 지면서 상당수의 토기들이 확인되는 바, 아마도 이 부분이 저장 공간인 선반 역할을 한 것으로 짐작된다.

지경리유적은 신석기시대 중기의 동북식 평저토기, 서북식 첨저토기, 남해안식 태선문토기 등이 복합적으로 나타나는 점으로 보아 신석기시대 중기에는 지역 간 문화교류가 활발했던 것임을 알 수 있을 뿐만 아니라 문화 전파 경로를 파악 할 수 있는 매우 귀중한 자료를 제공해 주었다.

【참고문헌】

江陵大學校 博物館,『江陵 安仁里 住居址』, 2011.

_____,『束草 朝陽洞 住居址』, 2000.

_____,『襄陽 地境里 住居址』, 江陵大學校 博物館 學術叢書 36冊, 2002.

江原文化財研究所,『江陵 草堂洞 新石器遺蹟-강릉 허균·허난설헌 자료관 건립부지 문화유적 발굴
　　　　조사 보고서』, 2006.

_____,「양양군 강현면 용호리127번지 여관신축부지 문화유적 긴급발굴조사 보고서」,
　　　　『江陵 江門洞 鐵器·新羅時代 住居址』, 江原文化財研究所 學術叢書 19冊, 2004.

國立文化財研究所,『固城 文岩里遺蹟』, 2004.

_____,『襄陽 柯坪里 先史遺蹟 發掘報告』, 1999.

서울대학교 박물관,『鰲山里遺蹟 I』, 1984

_____,『鰲山里遺蹟 II』, 1985.

_____,『鰲山里遺蹟 III』, 1988.

예맥문화재연구원,『江陵 池邊洞遺蹟-강릉대학교 주차장 및 도로개설부지 발굴조사보고서』, 2007.

_____,『高城 鐵桶里遺蹟』學術調査報告 第19冊, 2009.

_____,『襄陽 松田里遺蹟-양양 송전리 23-1번지 주택신축부지 내 유적 발굴조사보고
　　　　서』, 2008.

張慶浩,「우리나라 古代人의 住居生活과 建築」,『강좌 한국고대사』 6, 가락국사적개발연구원, 2002.

조미순,「고성 문암리유적의 발굴조사 성과와 의의」,『고성 문암리유적의 재조명 학술심포지엄』, 江
　　　　原考古文化研究院, 2014.

池賢柄,「江原 先史考古學의 展望과 課題」,『季刊 한국의 고고학』, 주류성출판사, 2007.

靑銅器時代 小形石室의 特徵과 意味

李榮文*

目 次

Ⅰ. 머리말

청동기시대 분묘 연구는 생활유적인 주거지(취락) 연구와 함께 당시 사회의 성격을 규명하는데 중요한 연구 분야의 하나이다. 그 연구는 주로 분묘의 구조적 특징에서 형식분류와 함께 선후관계 등 변천과정에 치중되어 왔으며, 한편으로 사회구조나 출토유물을 통한 사회적 의미를 살핀 글들이 발표되고 있다. 청동기시대의 분묘는 지석묘를 비롯한 석관묘, 석곽묘, 토광묘, 옹관묘, 주구묘 등 다양한 무덤들이 축조되었다. 개별적인 분묘나 특정 구조, 지역적인 분묘 양상 등에 치우쳐 있으며, 청동기시대 사회구조 연구나 사회 복원 차원의 연구는 매우 미진한 편이다.[1]

이러한 청동기시대 분묘에 대한 연구 경향에서 무덤이 가진 사회적 의미와 무덤 축조 사회의 복원이라는 큰 주제에 접근할 필요가 있다. 분묘는 당시 사회에서 일정한 규범 속에서 축조되었다고 볼 수 있는데, 입지나 무덤의 군집과 각 석실의 배치 양상에서 그 규범을 찾아내는 작업이

※ 본 논문은 2014학년도 목포대학교 교내연구비 지원에 의하여 연구되었다.

* 국립목포대학교 고고학과 교수

1) 무덤연구와 그 방향에 대해 한국고고학회에 전국대회를 개최한 바 있다. 한국고고학회, 『무덤연구의 새로운 시각』, 2008. 그리고 필자는 청동기시대 분묘 연구의 현황과 과제에 대해 여러 글에서 제시한 바 있다. 이영문, 「한국 청동기시대 연구의 반세기」, 『한국 고고학의 반세기』, 제19회 한국고고학전국대회, 1995; 이영문, 「한국 지석묘 조사 현황과 연구과제」, 『한국 지석묘』, 국립나주문화재연구소, 2012; 안재호, 「한국 청동기시대 연구의 성과와 과제」, 『동북아 청동기문화 조사연구의 성과와 과제』, 학연문화사, 2009.

필요한 것이다. 무덤들은 단독 또는 소군집을 이룬 것도 있지만 열상의 대군집을 이룬 경우도 많다. 대군집을 이룬 경우도 한 유력집단의 무덤군으로 볼 수 있지만 여러 세대에 걸쳐 조성되었다면 석실 구조나 부장유물의 변화, 묘역의 조성 과정 등에서 사회적 변화도 추론할 수 있다고 본다. 또한 석관묘군의 경우 지석묘와 한 묘역을 형성한 것과 4-6기로 개별 군집이 모여 대군집을 이룬 것 등 다양한 군집 양상을 보이고 있기 때문에 한 집단에 의해 조성한 것인지 여러 집단이 공동묘역으로 조성된 것인지 등 여러 측면에서 가설이라도 제시하여 논의해야 할 것이다.

청동기시대의 분묘 매장주체부인 석실 규모는 주로 1.5m 이상의 규모로 굴장이나 신전장이 가능한 크기인 반면에 1m 미만의 소형 석실들도 다수 발견되고 있다. 이러한 소형석실은 소아 무덤으로 보고 있기 때문에 당시 사회의 일면을 추론할 수 있는 점에서 주목할 만하다. 더 나아가 인골 자료에 보이는 화장 풍습의 유행은 청동기시대 장례풍습을 살피는데 중요한 자료가 된다. 지금까지 조사에서 보면 소형석실들은 석관묘군과 지석묘군에서 일반적인 무덤들과 함께 주로 확인되고 있으며, 소형 석실들만 군집을 이룬 경우는 없다. 대체로 각 무덤군 안에서 3-6기의 소군집을 이루면서 1-2기 정도가 발견되고 있으며, 단독 입지와 석실군의 한쪽에 입지한 것, 한 묘역의 한쪽에 잇대어진 입지 등 다양하게 나타나고 있다. 또한 일반 석실과 같은 부장유물인 석검이나 석촉, 부장용 토기, 옥 등이 소형 석실에 부장된 예가 많고, 화장한 흔적이 있지만 아직 이에 대해 구체적으로 접근한 글은 없다.

소형 석실에 대한 연구는 거의 없는 편으로 청동기시대 분묘 연구 속에서 논의되는 단편적인 것들만 언급되고 있다.[2] 하지만 소형석실에서 전기에 성행한 대부토기나 채문토기가 관외 부장된 예로 보아 전기부터 등장하였다고 볼 수 있다. 관외 부장된 토기가 출토된 토광묘의 경우도 묘광의 범위에서 부장위치를 관외로 보면 모두 1m 내외의 소형 목관이 안치되었을 가능성이 많다. 최근 소형석실에서 청동기시대 대표적인 석검이나 부장용 토기, 장신구인 옥의 출토된 예가 증가하고 있다.

본 글에서는 일반적으로 1m 미만으로 본 소형석실을 인골 자료를 토대로 1.1m 내외 까지 포함하여 분석하였다. 그리고 남한지역에서 발견된 소형석실 자료를 정리와 분석하여 석실의 형식 분류와 함께 무덤군내에서의 위치와 배치 양상, 공반유물을 통한 시기별 소형석실의 특징과 지역적 양상을 밝혀보고자 한다. 또 인골 자료를 분석하여 당시 장제 풍습과 소형석실의 기능적인 측면도 살펴보고, 청동기시대 각 분묘군에서 확인되는 소형 석실의 특징과 그 의미를 살펴보고자 하며, 더 나아가 청동기시대의 다양한 무덤 형태와 장제 풍습, 부장 의미, 사회적 의미 등을 제시하고자 한다.

---

2) 필자는 소형석실을 청동기시대 전기 무덤의 한 특징으로 본 바 있으며, 최근에 경남지역의 소형석실을 분석한 글이 있다. 이영문, 「한국 청동기시대 전기 묘제의 양상」, 『문화사학』35, 한국문화사학회, 2011, pp.35~74; 김동규 외, 「청동기시대 서부 경남지역의 석관 연구」, 『문물연구』26, 문물연구원, 2014, pp.1~25.

Ⅱ. 소형 석실의 설정

청동기시대 분묘의 석실 규모는 200cm 이상에서 40cm 미만까지 매우 다양하게 나타나고 있다. 이러한 석실 규모는 당시 장법과 매우 밀접히 관련되어 있었다고 생각된다. 분묘의 축조는 피장자를 위한 무덤의 유형, 규모, 석실 구조, 부장품 등 여러 측면에서 사회적 동의와 협의 하에서 이루어졌을 것으로 판단되기 때문이다.

남한지역 청동기시대 분묘 중에서 소형 석실이 공존하는 유적을 기준으로 하여 비교적 많은 석실이 조사된 석실 규모를 분석한 결과는 다음 표와 같다.[3]

【표 1】 소형석실이 공존한 분묘군 석실 규모 통계(단위 :cm)

구분\지역	유적수	200이상	190대	180대	170대	160대	150대	140대	130대	120대	110대	100대	90대	80대	70대	60대	50대	40이하	계
경남	28	72	13	34	46	49	49	41	29	13	22	25	27	25	18	30	19	15	527
경북	6	23	11	7	21	18	21	17	17	12	9	11	12	6	5	11	8	7	216
전남	16	46	21	24	41	43	56	40	34	23	29	20	33	15	9	10	3	11	458
전북	8	0	0	3	8	7	13	17	13	14	7	7	4	7	6	4	4	1	115
충남	3	1	0	0	1	1	4	12	4	4	6	3	3	6	3	3	1	3	55
계	61	142	45	68	117	118	143	127	97	66	73	66	79	59	41	58	35	37	1,371
계 비율		10.4%	3.3%	4.9%	8.5%	8.6%	10.4%	9.3%	7.1%	4.8%	5.3%	4.8%	5.8%	4.3%	3.0%	4.2%	2.6%	2.7%	100%
		180cm이상 255기(18.6%)			150~179cm 378기(27.6%)			120~149cm 290기(21.1%)			90~119cm 218기(15.9%)			60~89 158기(11.5%)			59cm이하 72기(5.3%)		100%

위 표에서 보면 신전장이 충분한 장축 길이에서 유·소아의 굴장이 가능한 길이까지 나타나 일정한 크기를 구분하기 어렵다. 하지만 석실이 무덤으로 사용된 점에서 신전장과 굴장 등 장법에 따라 다음과 같이 구분할 수 있다[4].

---

3) 표본 수는 소형 석실이 확인된 61개 유적에 1,371기를 분석한 것이다. 전남의 경우 광주 평동과 나주 영천, 함평 고양촌 등 석관묘군, 고흥 한천과 순천 우산리, 여수 월내동·적량동, 장흥 갈두·신풍리 마정 등 지석묘군 16개 유적 458기를, 전북의 경우 군산 축산리 등 석관묘군, 진안 여의곡·망덕·구곡 등 지석묘군 8개 유적 115기를, 경남의 경우 진주 남강댐지역과 이곡리·가호동·귀곡동, 마산 진동·신촌리, 사천 이금동, 함안 오곡리, 통영 남평리, 산청 매촌리 등 28개 유적 527기를, 경북의 경우 청도 화리, 대구 상동·대천동·시지동·신서동, 상주 청리 등 6개 유적 217기를, 충남의 경우 서천 오석리, 논산 마전리, 보령 관창리 등 3개 유적 55기 등이다. 충북과 경기, 강원은 석실군을 이룬 경우가 없고 소형 석실이 희박하여 제외하였다. 특히 강원 중도 분묘군에서도 상당수의 소형 석실과 인골 자료가 발견되었지만 아직 발굴이 진행 중이고 정확한 정보가 미흡하여 여기서는 제외하였다.
본 글에서 필요한 경우를 제외하고 각 유적의 주는 생략하였다.
4) 이외 장법은 세골장(이차장) 또는 화장도 있지만 우선 신전장과 굴장의 가능성을 가지고 분류하였다.

Ⅰ형 - 180cm 이상(신전장 규모인 석실)

Ⅱ형 - 179cm에서 150cm 이상(굴장보다 신전장이 우세한 규모인 석실)

Ⅲ형 - 149cm에서 120cm 이상(신전장보다 굴장이 우세한 규모인 석실)

Ⅳ형 - 110cm 이하(유 · 소아 신전장과 화장 규모인 석실)

위 표에 나타난 것으로 보면 Ⅰ형은 255기로 18.6%, Ⅱ형은 379기로 27.6%, Ⅲ형은 290기로 21.1%, Ⅳ형은 448기로 32.7%이다. 일반적으로 알려진 청동기시대 분묘의 크기에서 소형 석실이 분묘군에서 1/3를 차지하고 있음이 주목된다. 청동기시대의 분묘 규모는 경남과 경북 등 영남지역이 140~170cm대가 가장 많고, 전북과 충남 등 서해안지역은 120~150cm대에 집중되어 영남보다는 석실규모가 작은 점이 특징이며, 전남 등 서남부지역은 130~160cm대가 많아 양 지역 규모의 중간치를 보이고 있다. 이러한 지역에 따라 석실규모의 차이는 당시 문화적 영향을 주고받은 것으로 볼 수 있는데, 전남의 경우 규모가 큰 것은 전남 동부와 남해안지역에 많고, 영산강유역에서는 서해안지역과 비슷한 규모를 보인 점에서 양 지역의 관계 속에서 이해될 수 있다고 생각된다.

소형 석실은 448기인데 90cm에서 110cm 이내가 218기(48.6%)로 가장 많으며, 60cm에서 80cm가 158기(35.3%), 50cm이내가 72기(16.1%)로 구분할 수 있다. 이는 인골 자료로 보면 90cm에서 110cm 이내 석실은 유·소아의 신전장과 성인의 굴장, 60cm에서 80cm 내외 석실은 굴장과 화장, 50cm이내 석실은 화장이 확인되고 있어, 소형 석실에서도 장법에 따라 석실 규모를 채택하였음을 알 수 있다.

Ⅲ. 소형석실의 분류와 지역적 양상

1. 소형 석실의 분류

소형 석실은 규모가 작지만 석실의 축조 방법과 재료가 일반 무덤들과 별 다를 바 없다. 여기서는 석실의 축조 재료에 의해 크게 판석을 조립한 것(석관)과 할석을 쌓은 것(석곽), 토광형태인 것으로 구분되며[5], 할석을 이용할 때 한쪽 면을 판석을 사용한 것도 있다. 판석은 얇은 판석을 이용한 것, 두터운 판석을 이용한 것으로 구분된다.

---

5) 소형석실은 500여기가 있지만 석실구조를 알 수 있는 359기를 분석한 것이다. 석관a형은 두께가 5cm 내외로, b형은 두께가 10cm내외로 구분하였다. 이를 석관으로 명명하였다.

석관형 – 벽석을 판석으로 조립한 것
 Ⅰ형 – 장벽과 단벽석을 각 1매 판석으로
　　조립한 것
　　Ⅰa형 – 5cm 내외의 얇은 판석으로
　　　조립한 것
　　Ⅰb형 – 10cm 이상의 두터운 판석으로
　　　조립한 것
 Ⅱ형 – 단벽석은 1매, 장벽석 2매 이상으로
　　조립된 것
　　Ⅱa형 – 장벽석이 5cm 내외의 얇은
　　　판석을 이용한 것
　　Ⅱb형 – 장벽석이 10cm 이상의 두터운
　　　판석을 이용한 것
석곽형 – 벽석을 할석으로 쌓은 것
 Ⅰ형 – 벽석을 판석과 할석을 이용한 것
　　Ⅰa형 – 할석을 쌓고 한쪽 장벽이
　　　판석인 것
　　Ⅰb형 – 할석을 쌓고 한쪽 단벽이
　　　판석인 것
 Ⅱ형 – 장 단벽석을 할석으로 쌓은 것
　　Ⅱa형 – 3단 이상으로 정교한 벽석인 것
　　Ⅱb형 – 1-2단으로 조잡한 벽석인 것
토광형 – 목관 안치로 추정되는 토광인 것
 Ⅰ형 – 바닥에서 뜬 상태의 벽석이 있는 것
 Ⅱ형 – 토광만 확인 된 것

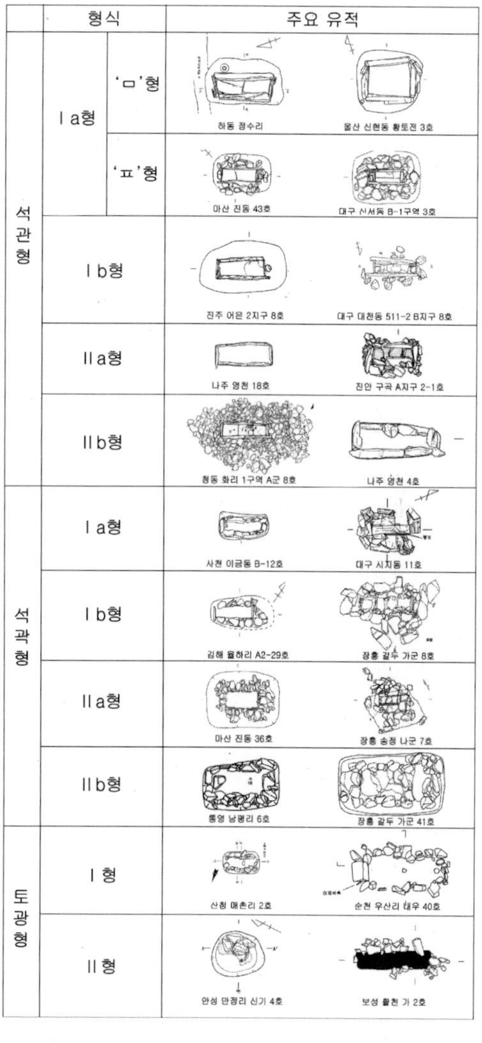

그림 1. 소형석실 형식분류표

2. 소형석실의 형식별 지역적 양상

　석관 Ⅰ형은 174기(48.5%)로 거의 절반에 가까운 소형 석실의 대표적인 형식이다. 판석을 이용한 성인용 석관 묘의 조립 방식과 동일한 형태를 보이고 있어, 성인 무덤의 구조를 그대로 소형 석실에도 적용한 것으로 여겨진다. 다른 점은 석관묘 석실의 장단비가 3:1 이상인 것에 비해 소형에서는 2:1 미만이 많다는 것이다. 소형이라는 규모면에서 축조상 편의성을 추구한 것이다.

【표 2】지역별 소형석실 형식 통계표

지역 \ 형식	석관				석곽			토광(기타)	계
	Ia	Ib	IIa	IIb	Ia	Ib	II		
강원	1	2							3
경북	19	17	2	3			15	4	60
경남	81	26	13	5		2	40	5	172
경기	5			2			1	1	9
충북				1				1	2
충남	1	1	11	10	1		1		25
전북		3	2	17	3	1	3	1	30
전남	5	13	3	10	8	2	14	3	58
계	112	62	31	48	12	5	74	15	359

　　석관Ⅰa형은 112기(31.2%)로 경남과 석관묘에서 주로 나타나며, 얇은 판석을 이용한 경남지역의 석관묘의 유행과 무관하지 않다. 석관Ⅰb형은 62기(17.3%)로 경남을 중심으로 경북과 전남에서 많은 수가 확인된다. 석관Ⅱ형은 79기(22.0%)로 충남과 경남, 전북, 전남에서 많지만 특히 충남과 전북에서 높은 비율을 보인 것은 소위 송국리식 묘제가 유행한 것과 무관하지 않은 것으로 생각된다.[6] 석관Ⅱa형은 31기로 경남과 충남이지만 충남에서 특히 유행한 형식이다. 석관Ⅱb형은 48기로 전북과 충남, 전남 등에 주로 많다. 이는 석관Ⅱa형보다 충남, 전북, 전남 등 서해안지역에 더 집중되는 편이다.

　　석곽Ⅰ형은 Ⅰa형이 17기로 소수이지만 석관Ⅱ형과 같이 서해안지역에 집중되며, 전남에서 가장 많이 확인된다. 전남지역의 석곽형 석실과 석관Ⅰ형이 유행한 경남의 석실과의 절충한 것으로 생각된다. 석곽Ⅰb형은 5기로 미미하다. 석곽Ⅱ형은 74기로 경남, 경북, 전남이 비율적으로 비슷하게 나타난다.

　　토광형은 순수토광과 토광내의 목관, 석개토광묘가 있지만 15기로 5%이내 매우 적은 수만이 확인된다. 하지만 토광묘 중에서 묘광이 신전장 규모에서도 목관을 안치하였다면 소형이었을 것으로 추정된다.[7]

　　이러한 분류에 의해 소형 석실의 모든 형식들이 호남과 영남, 충남지역에서 확인되지만 충

---

6) 김승옥, 「금강유역 송국리형 묘제 연구」, 『한국고고학보』 45집, 한국고고학회, 2001, pp.45~74.
　　이영문, 「소위 송국리형 묘제의 형성과 그 특징」, 『문화사학』 28, 한국문화사학회, 2007, pp.5~26.
　　박주영, 「호서지역 송국리형 분묘의 지역성 연구」, 『호서고고학』 32, 호서고고학회, 2015, pp.38~71.
7) 인골 자료에서 신장에 비해 석실의 규모가 적어도 10cm에서 20cm 이상으로 확인되고, 소형 무덤에서 확인된 석실과 묘광의 차이가 30~40cm 이상을 보이기 때문에 묘광이 160cm 정도라면 소형의 목관이 안치된 토광묘일 가능성이 많다.

북, 강원에서는 한정적이며,[8] 형식별 빈도수는 차이가 크다. 즉 영남은 석관 I 형과 석곽 II 형이, 호남은 석관 II 형이 주로 축조되었다. 이 분류에 의하면 석관형이 359기 중 253기(70.5%)로 압도적으로 많으며, 석곽형이 91기(25.3%)이고, 토광형이 15기(4.2%)이다. 석관형에서는 253기 중 174기인 석관 I 형이 68.8%로 다수를 차지하며, 석곽형에서는 91기 중 74기인 석곽 II 형은 81.3%로 절대 다수이다. 형식에 따른 지역과의 관계를 보면 크게 두 지역으로 나누어진다. 하나는 경남을 중심으로 한 인접지역인 경북과 전남 동부지역은 석관 I 형과 석곽 II 형이 유행하고 있고, 다른 하나는 충남을 중심으로 전북과 전남 서부지역은 석관 II 형의 비율이 높다. 이 지역들 중 전남은 경남 남해안지역과 서해안지역에서 유행한 소형 석실의 비율도 높게 나타난 점이 주목되는데, 양 지역으로 부터 영향을 주고받을 수 있는 점이지대라는 지역적 특성에 기인한 것으로 여겨진다.

소형 석실에서 장단비가 거의 방형에 가까운 1.5:1인 경우가 많다. 인골 자료에서도 굴장의 경우 장단비가 3:1을 보이지만 화장은 1:1 또는 2:1이내이다. 이는 무덤으로 사용된 석실이 장방형 형태가 기본인 것과는 다른 점인데, 무덤이라는 특성이 반영된 것으로 석실 길이보다는 일정한 크기의 너비를 생각하였던 것이 아닌가 한다. 장단비가 1.5:1에 가까운 석실의 경우 화장 이외에 다른 기능을 가졌을 것으로 추론해 볼 수 있다고 생각한다.

3. 소형석실의 분묘별 지역적 양상

소형 석실은 석관묘와 지석묘에서 주로 확인되고 있다. 분묘별과 소형 석실의 관계는 다음과 같다.

【표 3】 분묘별과 소형 석실 관계 통계표

분묘\형식	석관				석곽			토광 불명	계
	I a	I b	IIa	IIb	I a	I b	II		
지석묘	16	14	4	16	9	3	26	2	90
석관묘	96	48	27	31	3	2	48	11	266
주구석관				1					1
토광(석개,목관)								2	2
계	112	62	31	48	12	5	74	15	359

위 표에서 보면 석관묘는 석관형이 202기로 75.9%를 차지하여 절대 다수임을 알 수 있다. 석관형 중에서 석관 I 형이 144기로 40.1%로 다수를 차지하지만 석관 I a형이 96기로 26.7%이다.

---

8) 강원 춘천 중도에서 소형석실들이 다수 발견되었다고 하나 정확한 정보가 제시되지 않아 본 논문에서는 제외하였으나 경남이나 전남의 대군집 무덤군과 비교될 수 있는 자료라고 생각된다.

다음으로 석관 I b형과 석곽 II 형이 13.4%씩이며, 석관 II a형과 석관 II b형은 약 8%씩으로 매우 드문 양상이다. 이처럼 석관묘에서는 석관 I 형을 많이 축조하였지만 특히 석관 I a형을 선호하고 있음을 알 수 있다.

지석묘에서도 석관형이 50기(55.6%)로 많이 나타나지만 형식별로는 석곽 II 형이 많다. 석곽 II 형이 많이 나타난 것은 지석묘 석실이 주로 석곽형을 선호한 것과 무관하지 않다고 생각한다. 석관묘에 비해 석관 I b형과 석관 II b형이 석관a형에 비해 더 많이 보이고 있는 점은 상석의 무게를 지탱할 수 있는 더 두터운 판석을 채택한 것으로 여겨진다.

다음 표는 분묘별 지역별 양상을 살펴보기 위한 것이다

【표 4】분묘별과 지역과의 관계표

지역 ＼ 분묘	강원	경북	경남	경기	충북	충남	전북	전남	계
지석묘		5	24		2		11	48	90
석관묘	3	55	147	9		24	18	10	266
주구석관						1			1
토광(석개,기타)			1				1		2
계	3	60	172	9	2	25	30	58	359

위의 표에서 분묘별 소형석실의 관계를 보면 석관묘가 전 지역에서 고루 분포하고 있고, 소형 석실 비율에서도 압도적이다. 그 중에서도 경남을 비롯한 경북 등 영남지역과 충남, 전북으로 비율이 높은 편이다. 이러한 현상은 지석묘보다는 석관묘라는 묘제를 선호한 지역이라는 점이 공통적이다. 판석을 이용한 소형 석실의 축조 성행은 지형적으로 주변에서 쉽게 얇은 판석을 채석하는데 용이한 점도 주요한 요인으로 작용되었다고 생각된다. 이에 반해 지석묘가 다수 분포된 전남지역과 경남에서는 지석묘에서 소형 석실이 채택되고 있는 점이 주목된다. 이 지역은 지석묘가 성행한 지역으로 전통적인 묘제를 고수하면서 석관묘의 석실 구조를 받아들였던 것으로 볼 수 있다. 지석묘는 축조상 상석의 채석과 운반이라는 어려움과 공정 기간이 타 묘제와는 달리 상당한 기간이 소요되는 묘제이다. 피장자 시신의 부패 기간을 고려한다면 일정 기간 시신을 보관하는 시설이 마련되어 있어야 한다. 이런 점에서 시신을 매장한 석실 구조가 발견되지 않는 기반식 중 주형 지석이 있는 것과 상석하의 부석시설로 간단한 석실구조를 보인 것들은 시신을 임시 보관하던 가매장시설로 볼 수 있지 않을까 한다. 또한 제단 기능의 탁자식 지석묘도 이와 같은 기능을 한 것으로 추론된다.[9]

---

9) 필자는 상석하에 일정한 공간이 마련된 기반식 지석묘와 개폐가 용이한 탁자식 지석묘를 가매장시설 가능성을 제시한 바 있다. 이영문,「호남지역 지석묘의 형식과 구조에 대한 몇가지 문제」,『한국청동기학보』8, 한국청동

Ⅵ. 지석묘의 소형석실 유형과 군집 배치 양상

소형석실은 석관묘에서 주로 채택된 무덤이지만 지석묘에서도 상당 수의 소형석실이 확인되고 있다. 여기서는 지석묘의 매장주체부로 확인된 소형석실을 알아보고, 지석묘에서 소형석실의 위치와 석관묘에서의 소형 석실의 배치상태를 알아보고자 한다.

1. 지석묘 소형석실의 특징

지석묘에서 확인된 소형 석실은 90기로 48기가 조사된 전남지역에 밀집되어 있으며, 경남과 전북에서도 높은 비율을 차지한다. 특히 남해안지역과 전북 동부지역에 집중되는 양상이다. 상석을 갖춘 것을 대상으로 지석묘라 칭하지만 묘역시설을 갖춘 경우도 지석묘라고 보는 것이 일반적이다.[10] 묘역시설은 갖춘 것 중에는 소형 상석이 올려진 경우가 많고, 석관묘에서는 석실 주위를 돌린 듯한 간단한 묘역시설만 확인되고 있기 때문에 차이가 있다. 여기서는 소형 석실이 확인된 지석묘 중 상석 규모에 따라 크게 2유형으로 나누어 볼 수 있다. 상석이 2.5m 이상인 것과 1.5m 이내인 것으로 구분된다.

1) 대·중형 상석하의 소형석실

2.5m 이상인 비교적 큰 상석을 가진 지석묘는 전남지역에 밀집되어 확인되고 있다. 석실 형식은 석곽Ⅱ형과 석관Ⅰb형만 확인되고 있는데, 석곽형은 지석묘의 석실의 전통을 이어받은 형식이다. 그리고 석관형의 경우 할석제 판석으로 석관묘의 석실과는 달리 두터운 판석을 사용하였다는 점에서 차이를 보인다. 상석은 250cm 내외에서 고창 운곡리처럼 6m에 가까운 거대한 상석을 사용한 예도 있다.[11] 석실의 규모는 일반적인 소형 석실에서도 큰 규모인 점이 다르다. 주로 1m 내외들이 일반적이나 무안 상마리처럼 32cm정도의

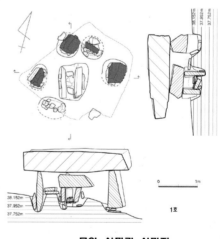

무안 상마리 상마정

그림 1. 기반식 지석묘와 결합된 소형석실

기학회, 2011.

10) 윤호필, 「청동기시대의 무덤 및 매장주체부의 검토」, 『한국청동기학보』 5, 한국청동기학회, 2009.

11) 전영래, 「고창·아산지구지석묘발굴조사보고서」, 『고창·아산댐 수몰지구보고서』, 원광대 마한·백제문화연구소, 1985.

극소형도 있다.[12] 부장유물은 이단병식석검이 부장된 합천 역평 지석묘[13]를 제외하고는 없거나 석실 주변에서 출토되는 양상이다.

특히 주목되는 것은 지석묘의 중앙에서 지석처럼 고인 소형 석실이 있는 점이다. 나주 마산리 3호[14]와 무안 상마리 1호, 고창 운곡리 B-3호는 석실 자체가 중앙에서 상석을 고이고 있는 형태인데, 마산리와 운곡리는 상석이 직접 석실을 덮고 있는데 반해 상마리 1호 지석묘는 중앙에 고인 석실은 길이 32cm, 너비 19cm, 높이 23cm이며, 그 위에 길이 82cm, 너비 75cm, 두께 32cm의 방형에 가까운 상석이 덮고 있다. 이 소형석실의 상석이 기반식 지석묘의 상석을 직접 받치고 있다. 이 소형 석실은 소형 탁자식 지석묘의 외형적 형태를 갖추고 있는 점에서 기반식과 탁자식 지석묘가 결합된 특이한 형태를 갖추고 있다. 이러한 상석하 가운데에 받치고 있는 지석은 무안 성동리 안골 지석묘에서 대형 지석묘 중앙에 자연석을 고인 기반식 지석묘에서도 확인되며[15] 고창과 영광에서 유행한 주형지석을 한 기반식 지석묘에서 종종 보이는 형태이다.[16]

【표 5】 중 대형 상석을 가진 지석묘

구분	석실형식	상석규모	석실규모	부장유물	비고
합천 역평 가5호	석곽II형	230×144×76	106×40×25	이단병식석검	
강진 수양리 수암 2호	석곽II형	258×190×89	103×35×42	일단경촉	
강진 수양리 수암 8호	석곽II형	254×170×104	110×45×57		
나주 마산리 3호	석관 I b형	320×260×40	95×95×70		중앙 지석겸
나주 판촌리 3호	석관 I b형	280×220×50	110×50×50		
무안 상마리 1호	석관 I b형	244×222×54	32×19×23		중앙 지석겸
순천 복성리 상비 4호	석곽II형	370×272×52	106×54×36		
장흥 송정리 나군 7호	석곽II형	255×185×66	102×35×50	석착	
고창 운곡리 B3호	석관 I b형	575×330×154	110×44×30		중앙 지석겸

2) 소형 상석하의 소형석실

소형 상석을 가진 지석묘의 소형 석실은 주로 전남과 경남 남해안지역 지석묘군에서 성행하고 있지만 전북 동부인 금강상류 지역에서도 확인되고 있다. 상석은 2m 이내이며, 보통 120~150cm 규모가 다수이고, 1m 내외도 있다. 이런 규모는 10~20명 정도면 상석 운반과 석실 축조가 가능한 크기다. 석실의 형식은 석관 I a형과 석관 I b형이 주로 사용되었으며 석곽II형

---

12) 동북아지석묘연구소, 『무안 공항 진입도로 내 상마정유적 약식보고서』, 2014.
13) 동의대학교박물관, 『거창, 합천 큰돌무덤』, 1987.
14) 최몽룡, 「대초·담양 수몰지구 유적발굴조사보고」, 『영산강수몰지구 유적발굴조사 보고서』, 1976.
15) 목포대학교박물관, 『무안 성동리 안골 지석묘』, 1997.
16) 김선기, 「고창지역 주형지석을 갖는 지석묘에 대하여」, 『호남고고학보』 5집, 호남고고학회, 1997, pp.163~186.

과 석관II형 등 두터운 판석을 이용한 경우도 있다. 석실의 규모는 앞의 지석묘에 비해 작아지는 경향이다. 90~100cm 내외와 50cm 내외로 구분된다. 부장유물도 앞의 지석묘에 비해 많아진 점이 주목되는데, 적색마연토기, 채문토기, 옥 이외에 반월형석도가 있다. 1m 내외의 석실에 주로 부장하고 있는 점은 앞의 지석묘와 유사점이 있다.

【표 6】 소형 상석을 가진 지석묘

구분	석실형식	상석규모	석실규모	부장유물	비고
진주 이곡리 16호	석관 I a형	120×105×18	84×37×25	채문, 옥	
진주 이곡리 28호	석관 I a형	165×135×60	95×30×26		
대구 시지동 1호	석관IIb형	150×135×90	35×20×3		
대구 신서동 3호	석관 I b형	214×113×145	57×25×18		
여수 월내동 상촌3 105호	석곽 I b형	148×98×36	110×30×28		
여수 월내동 상촌3 109-1	석곽II형	122×86×18	94×54×26		
여수 월내동 상촌3 78호	석관 I b형	94×84×20	106×54×36		
장흥 신풍리 마정 11호	석관 I b형	124×90×42	98×48×36	반월형석도	
진안 구곡C 8호	석곽 I a형	130×70×10	96×35×35	소옥1	
진안 여의곡A 1-46호	석곽II형	95×60×10	85×35×40		
제천 황석리 충14호	석관IIb형	120×100×10	100×45×30	적색마연1	
울산 신현동 황토전 6호	석관 I a형	153×90×20	45×25×20		

2. 지석묘의 소형석실 배치 유형

지석묘에 나타난 소형석실의 군집내 배치 양상은 크게 다음과 같이 구분된다.

　1유형 - 대형과 중형의 지석묘 상석하에 있는 소형석실
　2유형 - 묘역시설에 연접된 소형석실
　3유형 - 묘역시설을 한 단독 소형석실
　4유형 - 묘역시설내의 석실 사이에 있는 소형석실
　5유형 - 군집군에서 일정한 거리를 두고 독립되어 배치된 소형석실

　1유형은 앞에서 살펴 본 바와 같이 대형과 중형 상석을 가진 지석묘에서 소형 석실을 한 예이다. 고창 운곡리와 무안 상마리가 대표적이다. 고창 운곡리 B-3호는 상석이 길이가 575cm 에 이르며 너비는 330cm, 두께는 154cm로 지석이 고인 대형의 기반식 지석묘이다. 지석의 중앙에는 할석제 4매로 결구된 석실이 상석을 직접 받치고 있다. 이에 반해 무안 상마리 1호 지석묘는 길이가 244cm, 두께 54cm로 중형이지만 주형 지석으로 인해 중앙의 석실이 드러나 있는 상태

이며, 소형 석실에 또 다른 상석이 있는 특이한 형태이다. 이 석실은 소형 탁자식 지석묘 형태를 하고 있는 점에서 고창 운곡리와 차이가 있다.

2유형은 묘역시설에 잇대어 조성된 소형석실이며, 소형석실의 배치에서 가장 많이 보이는 유형이다. 소형 석실이 확인된 묘역시설은 장방형 묘역시설과 장타원형 묘역시설로 구분된다. 장방형 묘역시설에서도 연접형과 개별형으로 구분이 가능하다.

연접된 장방형 묘역시설 외곽에 소형석실이 배치된 곳은 여수 월내동 상촌III 지석묘와 사천 이금동이 대표적이다[17]. 이 지석묘군은 대규모 석실군을 이루고 있으며, 개별의 장방형 묘역이 잇대어 조성된 대형의 묘역시설 외곽에 소형석실이 배치되어 있다.

대형의 개별 장방형 묘역시설 주변에 소형 석실이 배치된 예는 진주 이곡리가 대표적이다.[18] 대형 장방형 묘역시설을 한 30호 주변에 석실 6기가 있는데, 소형 석실인 27호는 원형묘역시설을 하고 있다. 또 대형 장방형 묘역시설을 한 23호 주변에 4기가 군집을 이루고 있는데, 소형인 37호는 인접되어 있다. 청도 화리 지석묘군은 무질서한 적석 묘역을 하고 있는데, 소형 석실은 묘역의 가장자리에 있다.

장방형과 타원형 묘역시설에 잇대어 있거나 쌍을 이룬 예가 많다. 쌍을 이룬 경우가 많지만 3기가 세트를 이룬 것도 있는데, 석실 군집에서 매우 친연적인 관계를 암시한다. 2기 세트를 이루어 배치된 장흥 신풍리 마정 지석묘 13호 옆에 14호 소형석실과 쌍을 이루고 있고, 17호는 12호 옆에, 11호 묘역시설은 10호 묘역과 연접되어 있다.[19] 진주 이곡리 가지구 16호와 18호가, 8호와 15호가 각각 2기씩 세트를 이루고 있으며, 나지구 대형 장방형 묘역 30호 주변 원형 묘역에 소형 27호와 35호가, 원형묘역인 34호에 소형 33호가 인접해 2기가 세트를 이루고 있다. 이와 다르지만 무안 상마리는 판석편을 세워 구획한 묘역안에 소형 석실을 2기씩 배치한 예도 있다. 2기가 쌍으로 배치된 것은 종열과 병열 배치가 있는데, 장타원형 묘역시설에 흔히 보이는 것이다.

3유형은 단독의 묘역시설을 가진 소형 석실이며, 진주 이곡리 8호나 15호는 5m 내외의 원형 묘역안에 소형석실이 있다. 울산 다운동 1호도 가장자리를 큰돌로 구획한 6m 정도의 원형 묘역시설 가운데 소형석실이 있다.[20] 많지는 않지만 주로 영남지역에서 유행한 유형이다. 이 유형은 성인 무덤과 같은 구조를 보인 점에서 거의 대등한 관계를 가진 사람의 무덤으로 추정해 볼 수 있는 것이다.

4유형은 묘역시설 내와 석실 사이에 있는 소형석실인데, 묘역이 조성된 후 후대에 잇대어 만들거나 끼워넣은 듯한 양상이다. 이 유형은 묘역시설 석실 사이에 있는 것과 개별 묘역 사이에

---

17) 동북아지석묘연구소, 『여수 월내동 상촌 지석묘III』, 2012.
18) 동아세아문화재연구원, 『진주 이곡리 선사유적 I 』, 2007.
19) 호남문화재연구원, 『장흥 신풍유적 I 』, 2005.
20) 창원대학교박물관, 『울산 다운동 운곡유적』, 1998.

배치된 것 등이 있다. 앞의 예는 사천 이금동이나 여수 월내동 상촌Ⅲ 지석묘군에서 확인되고 있다. 여수 월내동 상촌Ⅲ 지석묘군에서는 묘역시설 사이에 소형 석실이 다수 확인되고 있는 데, 별도의 소형 묘역을 가진 것과 그 사이에 소형 석실들이 조성되어 있어 소형 석실이 매우 성행한 지석묘군이다. 뒤는 합천 저포리 7호 소형석실은 장방형 묘역시설을 갖춘 5호와 8호 지석묘 사이에 소형의 방형 적석을 하고 있다.

5유형은 분묘군에서 일정한 거리를 두고 독립되어 배치된 소형 석실인데, 단독 입지한 소형 석실도 이에 포함할 수 있다. 석실 군집군에서 10~20m 떨어져 독립되어 조성된 것과 30~40m 떨어져 거의 단독으로 조성된 것으로 구분이 가능하다. 대표적인 사례는 여수 적량동 상적Ⅱ 지석묘군으로 소형 석실은 석실군과는 10여 m 떨어진 가장 낮은 쪽에 위치해 있다. 석실군의 위쪽에는 이중구연단사선문 토기 등이 출토된 전기 주거지 5기가 중첩되어 있다. 여수 월내동 상촌Ⅲ 지석묘군의 북동부에 4기가 소군집을 이루고 있고, 소형 석실은 1기이다. 진주 이곡리 가지구에서 6기가 군집을 이루고 있으나 36호는 20m 이상 떨어져 독립되어 있다. 다지구의 소형 석실은 40호와 41호는 서로간 30m 간격으로 단독 배치된 경우도 있다.

3. 군집에서의 소형석실 조합 양상

각 석실군에서 소형 석실이 차지하는 관계는 소형 석실을 선호한 분묘와 성행한 시기를 알아 보기 위한 것이다. 이는 앞에서 살펴 본바와 같이 석관묘가 다수를 차지하지만 지석묘군에서도 소형 석실이 성행한 군집이 있고, 지역적으로 차이를 보이기 때문이다. 다음 표는 분묘군의 석실 수와 소형 석실의 수를 비교한 것이다.

【표 7】 유적별 군집 수와 소형석실 수 대비표

구분	단독,1기	5기 내외			10기 내외			20기 내외			30기 이상		
		유적	조사수	소형수	유적	조사수	소형수	유적	조사수	소형수	유적	조사수	소형수
경기 강원	평택 토진리	홍천 철정리 안성 만정리	3기 6기	2기 3기	안산 선부동	16기	5기						
충청	대전 용산동 천안 운전리 청양 학암리	서천 봉선리 논산 정지리 대전 용계동 보령 관당리	3기 7기 5기 5기	1기 3기 1기 1기	보령 관창리	13기	5기	서천 오석리 제천 황석리	25기 18기	10기 2기	논산 마전리	29기	3기
전북	익산 화산리	전주 효자4 진안여의곡c 군산 아동리 진안 구곡c 진안망덕 나 진안 여의곡	2기 2기 5기 5기 5기 5기	1기 1기 1기 1기 1기 1기	정읍 접지리 진안구곡 A	7기 10기	3기 3기	고창 운곡리 군산 축산리 진안망덕 가	23기 27기 18기	1기 7기 3기	진안 여의곡	53기	6기

지역													
전남		나주마산리 강진 수양리	5기 4기	1기 1기	광주 평동 나주 판촌리 보성 활천 여수 상적2 여수 화장동 강진 수양리	16기 14기 15기 11기 16기 15기	1기 1기 1기 1기 3기 1기	장흥 삼산리 나주 영천리 무안 상마리 순천 복성리 장흥송정 나 함평 고양촌	17기 21기 24기 19기 25기 22기	2기 3기 4기 1기 2기 2기	고흥 한천 순천 우산리 여수 상촌3 여수 화장동 장흥 송정리 장흥 신풍리	71기 57기 150기 33기 61기 34기	3기 3기 33기 1기 3기 7기
경북	경산 옥산리 경주 덕천리 경주 월산동 경주 황성동 달성 설화리 대구 동문동	대구 동천동 대구 서변동 대구 상인동	6기 6기 5기	1기 5기 1기	경산 옥곡동 대구 대천동	10기 12기	1기 5기	대구 시지동 청도 화리	24기 22기	8기 5기	대구 대천동 대구 상동 대구 신서동	53기 41기 48기	14기 2기 8기
경남	울산 구수리 울산 다운동 진주 소문리 하동 정수리 함안 괴산리	고성 두호리 울산 신형동 울산 덕신리 진주 상촌리 진주 평거동 김해 율하리 거제 오비리	3기 6기 5기 3기 3기 6기 6기	2기 2기 2기 2기 1기 1기 1기	마산 신촌리 사천 용현리 사천 이금동 사천이금동A 사천이금동B 사천이금동C 사천이금동D 진주 대평리 진주 귀곡동 진주 상촌리1 진주 상촌리2 진주 어은 2 진주 옥방 2 진주 옥방 5 합천 역평 합천 저포리	13기 8기 14기 11기 16기 12기 17기 11기 12기 8기 14기 8기 9기 12기 8기 9기	3기 4기 2기 4기 7기 2기 3기 5기 3기 2기 1기 5기 2기 2기 2기 1기	김해 율하A1 김해 율하A3 진주 상촌3 진주 옥방 8 창녕 부곡리	19기 21기 25기 21기 20기	3기 3기 3기 13기 2기	김해율하A2 마산 망곡리 마산 진동 산청 매촌리 진주 가호동 진주 이곡리 통영 남평리 함안 오곡리	34기 33기 45기 45기 40기 41기 70기 34기	8기 13기 12기 7기 16기 19기 2기 2기
계	16개소	24개소			28개소			18개소			19개소		

위 표에서 보면 단독으로 입지한 소형석실은 16개소로 비교적 높은 비율을 보인다고 할 수 있다. 가장 성행한 곳은 영남지역이며, 다음으로 호서지역이다. 소형 석실의 수가 많은 유적은 경남과 전남지역으로 지석묘군이 대부분으로, 대표적인 유적은 여수 월내동 상촌Ⅲ군과 사천 이금동 지석묘군이다. 이 두 유적은 거대한 묘역시설을 갖추고 있는 공통점이 있다. 묘역의 연접으로 거대하게 조성된 군집은 사천 이금동은 5개 군집으로, 여수 상촌은 6개 군집으로 분묘군을 형성하고 있다. 전체 석실 수와 소형석실의 구성비를 보면 여수 월내동 상촌Ⅲ군은 약 150기의 석실 중 33기를 차지하여 4.5기당 1기이며, 사천 이금동도 70여기의 석실 중 소형이 18기로 4기당 1기 꼴이다. 이외도 소형석실이 10기 이상 확인된 유적을 보면 서천 오석리는 25기 중 10기, 마산 망곡리는 33기 중 13기, 마산 진동은 45기 중 12기, 진주 가호동은 40기중 16기, 진주 이곡리는 41기중 19기 등이다. 이 유적들은 석관묘가 중심을 이룬 곳이며, 소형 석실의 비율은 3.7기에서 2.2기당 1기가 소형지만 2.5기가 중심을 이룬다.

5기 내외의 군집을 이룬 경우 소형석실이 1기 발견된 16개소로 많고(66.7%), 2기가 5개소, 3

기 이상이 3개소이다. 소형석실 2기 이상은 6기 이상에서만 확인된다. 군집군에서 소형석실의 비율은 2기에서 6기에 1기씩 차지하지만 4-6기 내외가 13기이다. 10기 내외에서 군집당 1-2기가 중심을 이루며, 소형 석실 5기 이상 발견된 곳은 안산 선부동, 보령 관창리, 대구 대천동, 사천 이금동 B군, 진주 대평리, 진주 어은 2지구 등이다. 소형석실 분포 수를 보면 1기가 8개소이며, 2기가 6개소, 3기가 7개소로 대부분을 차지하는데, 군집당 소형석실은 2-3기당과 4-6기당, 10기 이상으로 나누어진다.

20기 내외에서는 2~3기의 소형석실이 주로 확인되어 6-7기 정도에 소형석실 1기씩 조성되지만 소형석실이 많이 발견된 서천 오석리(10기), 군산 축산리(7기), 대구 시지동(8기), 진주 옥방 8지구(13기) 등은 소형 석실이 2-4기당 1기씩이다. 대군집을 이룬 30기 이상은 10기 내외 이상의 소형 석실이 발견된 곳이 다수이며, 2~3기가 발견된 곳도 7곳으로 대별되고 있다.

V. 소형석실의 부장유물과 지역적 특징

소형 석실에서 발견되는 부장유물은 석기류, 토기류, 장신구류 등이 대표적이다. 이런 부장유물은 여타 무덤에서 출토되는 양상과 같으며, 소형 석실에서도 성인의 무덤들과 같이 부장풍습을 보이고 있는 점에서 주목된다. 아직 청동기류는 발견되지 않았다.

1. 소형석실의 부장유물

(1) 석기류

1) 석검

소형석실에서 출토된 석검은 형식을 알 수 있는 것이 16점이다. 이단병식은 4점으로 유단병식은 병부 양쪽에 홈이 파여진 것(합천 역평) 1점과 돌려 파진 것(경주 월산리, 보령 관창리) 2점이며, 유절병식은 평택 토진리가 유일하다. 경주 월산리는 이단병식 석검 1점과 함께 삼각만입촉 17점, 환옥 4점이 공반되어 출토되었다.[21] 평택 토진리는 이단유절병식 1점과 능형에 이단경촉 1점이 공반되었다.[22]

일단병식 석검 중 병부가 유단으로 연결된 유단병식은 보령 관창리 8호, 여수 적량동 상적II-3호 석관, 합천 저포리 7호, 진주 안간리 2호 등 4점이며, 유절로 연결된 유절병식은 춘천 발

---

21) 영남문화재연구원,『경주 월산리 산 137-1번지』, 2006.
22) 경기문화재연구원,『평택 토진리 유적』, 2006.

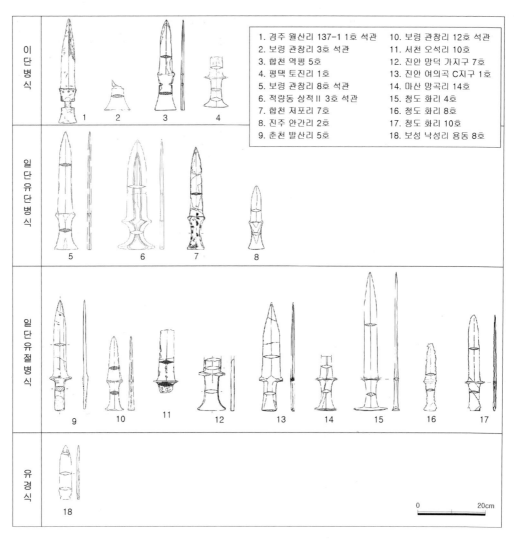

1. 경주 월산리 137-1 1호 석관
2. 보령 관창리 3호 석관
3. 합천 역평 5호
4. 평택 토진리 1호
5. 보령 관창리 8호 석관
6. 적량동 상적 II 3호 석관
7. 합천 저포리 7호
8. 진주 안간리 2호
9. 춘천 발산리 5호
10. 보령 관창리 12호 석관
11. 서천 오석리 10호
12. 진안 망덕 가지구 7호
13. 진안 여의곡 C지구 1호
14. 마산 망곡리 14호
15. 청도 화리 4호
16. 청도 화리 8호
17. 청도 화리 10호
18. 보성 낙성리 용동 8호

그림 3. 소형석실 출토 석검의 분류표

산리, 보령 관창리 12호, 서천 오석리 10호, 진안 망덕가군 7호, 여의곡 C1호, 마산 망곡리 14호, 청도 화리 4호, 10호, 8호 등 10점이다. 유경식 중 유구유경식이 보성 낙성리 용동 8호에서 출토되었다. 이러한 석검 중 유절병 일단병식 석검이 전 지역에서 출토되고 있다. 이단병식 석검과 유단병 일단병식은 전기적 요소가 강하며, 유절병 일단병식은 중기 단계의 특징적 석검이다.[23]

특히 유단병식 석검에서는 완형이 부장되지만 유절병식 석검에서는 분절한 석검이 부장된

---

23) 장용준·平郡達哉, 「유절병식 석검으로 본 무문토기시대 매장의례의 공유」, 『한국고고학보』72집, 한국고고학회, 2009, pp.36~71; 윤성현, 「남한 출토 유절식 석검에 대한 연구」, 『한국청동기학보』17, 한국청동기학회, 2015.

것이 많다. 분절된 석검은 이단병식인 평택 토진리 1호, 일단병식인 진안 망덕 가-7호와 마산 망곡리 14호는 봉부쪽 신부가 절단된 상태이고, 서천 오석리는 봉부와 병부 일부가 결실되어 있다. 이외 병부편은 진안 망덕 가-11호와 진안 여의곡 A-5호, 봉부편은 여수 월내동 상촌 83호, 논산 원남리 6호, 서천 봉선리 5호, 경주 덕천리 1호가, 신부편은 진안 여의곡 A-5호, 진주 이곡리 27호가 있다. 이러한 분절과 파검 현상은 남한 전역에서 나타나고 있으며, 석검 형식으로 보아 중기로 편년되기 때문에 전기에 비해 분절검이나 파검을 부장한 양상은 중기에 성행하였다고 할 수 있다.

2) 석촉

석촉 중 이른 시기에 등장하는 삼각만입촉은 평근촉 1점이 공반된 경주 덕천리 2점과 평근촉 3점이 공반된 경주 황성동 537-1 1호 3점, 이단병식 석검과 공반된 경주 월산리에서 17점 등 22점이다. 전기에 주로 출토되는 이단경촉은 아직 발견되지 않았다.

일단 유경식 석촉은 경부 끝 처리에서 평근촉과 첨근촉으로 구분할 수 있다.[24] 평근촉에서는 촉신과 뚜렷이 구분된 유경식(A형)과 촉신과 경부 구분이 애매한 소위 능형 또는 중간식이라 부른 유경식(B형)으로 구분할 수 있다. 평근촉 A형은 촉신이 5~9cm 정도나 6~7cm가 대부분이고, 경부 끝부분을 깎아서 예리하게 처리하여 마치 이단촉 흔적을 보인다. 첨근촉과 공반된 진안 여의곡 A 1-17호에서 1점, 역자식 석촉과 공반된 대구 시지동 1구역 13호에서 4점, 경산 옥곡동 9호에서 6점이 확인되었다. 평근촉 A형은 삼각만입촉과 공반되고 있어 비교적 이른 시기부터 나타난 형식이라 할 수 있다.

평근촉 B형은 능형의 촉신을 하고 촉신과 경부의 경계가 애매한 것으로 A형과 같이 경부 끝을 깎아서 예리하게 처리한 것이다. 평택 토진리 1호에서 1점, 춘천 발산리 5호 지석묘에서 3점, 대구 상동 35호에서 2점이 발견되었다.

첨근촉은 크기에 따라 세장한 부장용과 실생활용으로 구분할 수 있다. 첨근촉 A형은 촉신이 10cm 이상으로 세장한 것으로 경부를 깎아 이단촉의 흔적이 있는 것과 없는 것으로 다시 구분할 수 있다. 진주 옥방 5지구 B-2호 4점, 합천 저포리, 마산 진동리, 청도 화리 3점, 여수 화장동, 여수 월내동 상촌 등에서 출토되었다. 첨근촉 B형은 촉신이 5cm 내외로 짧으며 폭이 넓은 것이 많다. 진안 여의곡A 1-17호, 합천 저포리 7호, 김해 율하리, 마산 진동 15호, 청도 화리 8호 2점이 있다. 마산 진동과 청도 화리에서는 A형과 B형이 공반되어 발견되었다. 이 석촉은 1

---

24) 이는 화살대에 착장하는 방법에서 큰 차이가 있다. 삼각만입촉과 평근촉은 화살대 한쪽을 잘라 끼워서 착장하는 형식이고, 첨근촉은 구멍을 내거나 구멍이 있는 대나무 같은 화살대를 사용하였을 것으로 추정된다. 안재호, 『남한 전기무문토기의 편년』, 경북대학교 석사학위논문, 1991; 손준호, 「마제석촉의 변천과 형식별 기능 검토」, 『한국고고학보』 62, 한국고고학회, 2007, pp.90~113.

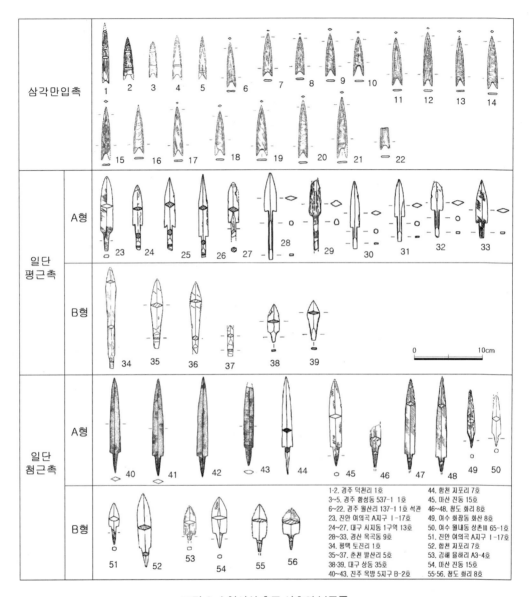

그림 4. 소형석실 출토 석촉의 분류표

점씩 부장된 석검과는 달리 보통 2점에서 4점이 발견되지만 경산 옥곡동 9호에서 6점이 공반된 경우도 있다.

3) 석도

석도는 많지 않고, 4점의 편을 포함해 6점인데, 완형은 2점에 불과하다.

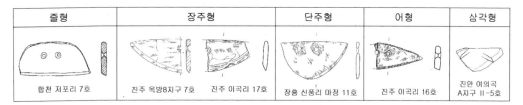

즐형	장주형		단주형	어형	삼각형
합천 저포리 7호	진주 옥방8지구 7호	진주 이곡리 17호	장흥 신풍리 마정 11호	진주 이곡리 16호	진안 여의곡 A지구 II-5호

그림 5. 소형석실 출토 석도

즐형 석도는 합천 저포리 7호에서 1점, 장주형 석도는 진주 옥방8지구 7호와 진주 이곡리 17호에서, 단주형 석도는 장흥 신풍리 마정 11호에서, 어형에 가까운 석도는 진주 이곡리에서, 삼각형 석도는 진안 여의곡 A2-5호에서 발견되었다. 모두 석실내 보다는 벽석이나 주변에서 발견된 것들이다. 이 중 즐형석도는 빠른 시기에 등장한 것으로 알려져 있다.[25]

(2) 토기류

1) 채문토기

전기의 대표적인 채문토기는 무덤의 부장토기로 주거지에서는 거의 출토되지 않는 토기이며, 경남 남해안지역에서 주로 관외 부장을 한 부장토기로 알려져 있다.[26] 소형 석실에서도 모두 경남지역에서만 확인되고 있으며, 고성 두호리 2호, 진주 옥방 8지구 7호와 20호, 진주 이곡리 16호와 27호, 41호 등에서 완형으로 부장된 채 발견되었다. 이 토기는 관내 보다는 관외에 부장된 것이 많다.

2) 적색마연호

소형토기 부장유물에서 가장 많이 출토되는 대표적인 토기이다. 적색마연호는 남한 청동기시대 무덤의 대표적인 부장유물로, 많은 학자에 의해 연구되어 왔지만 주로 형식분류를 통한 편년자료에 치우친 감이 없지 않다. 기형이 채문토기와 유사하지만 더 다양성을 보인 적색마연호는 시기성을 반영한 것으로 보는 것이 일반적이다.[27] 소형 석실에서 발견된 적색마연호는 크게 기형과 목부분의 형태에 따라 3형식으로 분류된다.

---

25) 손준호, 「한반도 출토 반월형석도의 변천과 지역상」, 『선사와 고대』17, 한국고대학회, 2002, pp.109~135.

26) 김현, 「경남지역 청동기시대무덤의 전개양상에 대한 고찰」, 『영남고고학』39, 영남고고학회, 2006, pp.5~44.

27) 송영진, 「한반도 남부지역의 적색마연토기 연구」, 『영남고고학』38, 영남고고학회, 2006, pp.27~63.

_____, 「남강유역 마연토기의 변화와 시기구분」, 『영남고고학』60, 영남고고학회, 2012, pp.31~72.

송영진·김규정, 「호남지역 마연토기의 변화와 특징」, 『한국청동기학보』14호, 한국청동기학회, 2014.

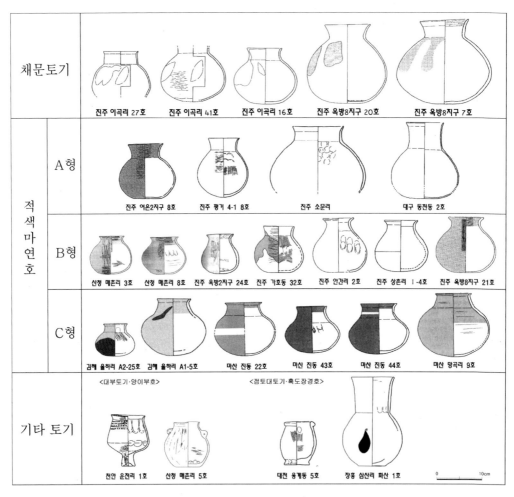

그림 6. 소형석실 출토 채문토기와 적색마연호 분류표

적색마연호 A형

　이 형식은 목부분이 C자형으로 외반되어 구연부 구경이 넓은 형태이면서 동체에서 목부분으로 연결되는 경계선 뚜렷한 구경부를 형성한 것이다. 동체부의 형태에 따라 다시 두 형식으로 구분이 가능하다. 동체가 원형이 가까운 구형과 바닥이 말각평저에 가까운 편구형으로 구분된다. 형태를 알 수 있는 적색마연호 A형은 7점으로 진주 옥방 8지구 20호, 7호, 진주 소문리, 진주 어은 2지구 8호, 진주 이곡리 16호, 진주 평거동 4-1 8호, 대구 동천동 2호 등 소형석실에서 부장유물로 발견되었다. 이도 채문토기와 같이 관외부장과 관내부장이 있으며, 관외부장은 부장칸에 부장한 것과 석실 장벽석이나 모서리부분에 부장된 것으로 구분이 가능하다.

적색마연호 B형

이 형식은 목부분 C자형으로 짧게 외반하나 A형에 비해 외반 정도가 약하고, 동체와 구분이 뚜렷하지 않으며, 바닥이 말각 또는 평저에 가까운 것이다. 이 형식의 토기는 진주 옥방 8지구 12호, 21호, 진주 안간리 2호, 진주 상촌리 4-2호와 1-4호, 산청 매촌리 8호와 3호, 진주 가호동 32호, 진주 옥방 2지구 24호 등에서 복원 가능한 완형으로 9점이 확인되었다.

적색마연호 C형

이 형식은 동체부 상단부터 좁혀져 내경하면서 구연부에서 최소경을 이룬 것으로 목과 동체부의 경계가 뚜렷한 것과 그렇지 않은 것으로 구분할 수 있다. 이 형식의 토기는 마산 망곡리 5호, 9호, 마산 진동 22호, 43호, 44호, 김해 율하 A2 25호, A1-5호 등에서 7점이 발견되었다.

이러한 적색마연호는 전 지역에서 확인되지만 완형으로 확실한 부장위치를 알 수 있는 것은 경남 남해안지역에 밀집되어 있는 편이다. A형은 대구를 포함한 영남지역에서 발견되지만 B형은 경남지역서, C형은 마산과 김해지역으로 지역성을 보인다.

3) 기타

발형토기는 적색마연호와 같은 영남지역에서만 확인되고 있다. 이 토기는 5점으로 김해 율하리 A1-4호, 마산 망곡리 17호와 25호, 진주 상촌리 1-3호, 대구 신서동 B-1구역 6호가 있으며, 마산 망곡리 17호 출토 발형토기는 구순부에 각목이 되어있다. 또 전기의 주거지에서 빈출되는 대부토기[28]는 천안 운전리 1호 출토품이 유일하며, 양이부토기는 산청 매촌리 5호에서 발견된 바 있다. 청동기시대 후기의 대표적인 토기인 점토대토기는 대전 용계동 5호에서, 흑도장경호는 장흥 삼산리 화산 1호 소형석실에서 출토되었다.

(3) 장신구류

1) 옥류

옥류에는 곡옥과 관옥, 환옥이 있다.

청동기시대 무덤에서 출토된 곡옥은 형태상 다양하지만 소형 석실에서는 반월형과 반결형만 출토되고 있다. 곡옥의 재질은 천하석제라는 공통점이 있다. 반월형 곡옥은 마산 망곡 5호, 진주 귀곡동 대촌 6호(3점), 진주 가호동 9호, 진주 옥방 8지구 21호, 사천 이금동 B3-1호, 진주 옥방 28호 등지에서 발견되었고, 반결형 곡옥은 진주 귀곡동 대촌 6호와 10호, 전주 효자 3지구 2호, 천안 학암리 1호 등지에서 출토되었다. 특히 진주 귀곡동 6호에서는 두 형식이 발견

---

28) 강병학, 「한반도 선사시대 굽다리토기 연구」, 『고문화』 66, 한국대학박물관협회, 2005, pp.5~35.
    김지현, 「청동기시대 전기의 대부토기에 대한 검토」, 『고고학』 9-2, 중부고고학회, 2010, pp.5~42.

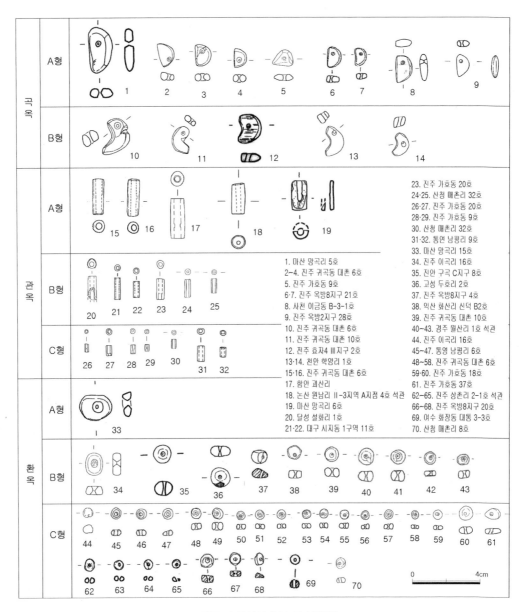

그림 7. 소형석실 출토 옥 분류표

되기도 하였다.

관옥은 크기에 따라 3형식으로 구분되지만 재질이 벽옥제라는 공통점이 있다. 관옥 A형은 2cm 내외 또는 그 이상으로 진주 귀곡동 대촌 6호(2점), 함안 괴산리, 논산 원남리, 마산 망곡리 5호 등에서 출토되었다. 관옥 B형은 1cm 내외의 소형으로 달성 설화리 1호, 대구 시지동 1구역 11호(2점), 진주 가호동 20호, 산청 매촌리 32호(2점), 통영 남평리 1점, 무안 상마리 1점 등지에서 발견되었다. 관옥 C형은 0.5cm 내외의 아주 작은 것으로, 진주 가호동 20호(2점)과 9호(2점), 산청 매촌리 32호, 통영 남평리 등지에서 1점 또는 2점씩 발견되었다. 특히 B형과 C형은 함께 공반되어 발견되기도 한다.

환옥도 관옥처럼 크기에 따라 3형으로 분류가 가능하다. 2cm 내외인 환옥 A형은 마산 망곡리 15호가 유일하다. 1cm 내외인 환옥 B형은 경주 월산리 1호(4점), 진주 이곡리 16호, 진안 구곡 C지구 8호, 고성 두호리 2호, 진주 옥방 8지구 4호, 익산 화산리 신덕 B2호, 진주 귀곡동 대촌 10호, 경주 월산리에서 발견되었다. 0.5cm 내외인 환옥 C형은 진주 이곡리 16호, 통영 남평리 6호, 진주 귀곡동 대촌 6호, 진주 상촌리 2-1호, 진주 가호동 18호와 37호, 진주 옥방8지구 20호, 산청 매촌리 8호, 여수 화장동 대통 3-3호에서 발견되었다.

2) 기타

청동기시대 무덤의 부장품으로 발견된 중에는 어망추, 방추차, 석도 등 구멍이 있는 유물이 한쪽 단벽쪽에 치우쳐 발견된 예가 있다. 이들 유물은 옥처럼 장신구로 사용하였고, 부장유물로 넣어 둔 것으로 보인다[29]. 어망추 중 토구형은 여수 월내동, 진안 구곡 A 2-1호, 순천 우산리 내우 40호에서, 대롱형은 월내동 상촌 진주 이곡리에서, 원반형 장흥 신풍리, 진주 옥방 8지구 7호와 8호에서 발견된 바 있고, 방추차는 진주 옥방8지구 8호와 적량동 상적 3호 출토품이 있다. 석도는 석실 내부에서 부장품으로 발견된 바 없다.

2. 유물의 공반관계

청동기시대 분묘의 연대는 주거지의 편년 자료를 응용한 편이고, 절대연대연대 자료도 많이 참조하는 경향을 보이고 있다.[30] 동시기에 매납된 유물로 판단되는 공반관계는 고고학적 시기와 편년의 설정 기준으로 중요한 지표가 되기 때문에 소형석실에서 부장된 공반유물을 중심으로 전, 중, 후기로 나누어 살펴보고자 한다. 다음은 소형 석실 출토 유물의 공반관계를 보여주는 표이다.

---

29) 이영문,「호남지방의 지석묘 출토유물에 대한 고찰」,『한국고고학보』25, 한국고고학회, 1990, pp.95~173.

30) 이의 대표적인 글로는 다음 논문이 있다. 이홍종 허의행,「호서지역 무문토기 변화와 편년」,『호서고고학』23, 호서고고학회, 2009, pp.110~143. 절대연대의 문제점도 지적하고 있다. 황재훈,「중서부지역 무문토기시대 전기의 시간성 재고」,『한국고고학보』92, 한국고고학회, 2014, pp.36~79.

【표 8】 소형석실 출토유물 공반관계표

| 구분 | 석검 | | | 석촉 | | | | | 토기 | | | | 장신구옥 | | | | | | | | 기타 |
| | 이단 | 일단 | | 삼각 | 일단평근 | | 일단첨근 | | 채문 | 적색마연호 | | | 곡옥 | | 관옥 | | | 환옥 | | | |
		유단	유절		A	B	A	B		A	B	C	반월	반결	A	B	C	A	B	C	
경주 월산리1호	1			17															4		
합천 역평5호	1						1														
평택 토진리1호	1					1															
합천 저포리7호		1					1	1													즐형석도
진주 안간리2호		1									1										
춘천 발산리5호			1			3															
마산 망곡리14호			1		4																
청도 화리8호			1		3	2															
경주 덕천리1호				3	1																석검편
경주 황성동1호				3	3																
진주 옥방8지구20호									1										3		
진주 이곡리16호									1											1	
진주 이곡리27호									1												석검편
고성 두호리2호									2										1		
산청 매촌리8호										1										1	
산청 매촌리32호										1						2	1				
진주 가호동32호							1	1	1												
진주 옥방8지구21호										1			2								
마산 망곡리9호						2						1									
마산 망곡리5호												1	1			1				1	
진주 가호동9호										1						2					
진주 귀곡동6호													1	1	2					11	

위 표에서 보면 석검은 모두 석촉과 공반관계를 보이며, 경주 월산리 석관묘에서만 환옥 4점이 공반되었다. 이는 일반 청동기시대 무덤의 보편적인 공반유물 양상과 같다. 이단병식 석검중 유단병식은 삼각만입촉과 평근촉 A형이, 유절병식은 첨근촉 A형이 공반되고 있고, 일단병식 석검 중 유단병식은 첨근촉 A형과 B형이, 유절병식은 평근촉 B형과 첨근촉 A형, B형과 공반되고 있다. 진주 안간리 적색마연호 B형과 공반된 예를 제외하고 석검과 부장토기는 공반관계를 이루지 않는 것이 주목된다. 석검의 형식에 따라 공반되는 석촉의 형식에 차이가 있음을 알수 있는데, 시기적 차이와 관련되고 있다. 석촉에서도 삼각만입촉과 일단평근촉 A형이 공반관계를 이루나 첨근촉끼리만 공반되고 있다.

부장토기를 보면 채문토기는 거의 옥과 공반관계를 보이는데, 옥 중에서도 환옥 B형과 C형만이 공반되고 있다. 적색마연호 중 채문토기와 유사한 A형은 공반관계가 확인되지 않고, 주로 단독으로 부장되는 양상이다. 적색마연호 B형은 일단첨근촉과 옥류들과 공반관계를 이루는데, 옥류는 곡옥, 관옥, 환옥 등 모든 형태들과 공반되고 있다. 적색마연호 C형도 B형과 같이 첨근촉과 옥류들과 공반관계를 이룬다.

장신구류인 옥은 주로 채문토기나 적색마연호와 공반관계를 이루나 경주 월산리를 제외하고는 석기인 석검이나 석촉과는 대체로 공반되지 않는 것이 특징적이다. 옥만이 공반을 보인 진주 가호동 9호에서 곡옥과 관옥이, 진주 귀곡동 6호에서는 곡옥 2점, 관옥 2점, 환옥 11점 등 15점이 부장유물로 발견되었다.

이상에서 살펴본 공관관계에서 시기를 구분하면 다음과 같이 정리할 수 있다.

전기의 유물로는 이단병식 중 유단병식, 삼각만입촉, 일단 평근촉 A형, 환옥 B형, 채문토기, 적색마연호 A형, 즐형석도 등을 들 수 있으며, 대표적인 유적으로는 경주 월산리 1호, 경주 덕천리 1호, 경주 황성동 1호, 합천 역평, 합천 저포리 7호, 진주 옥방 8지구 8호, 진주 이곡리 16호 27호, 고성 두호리 2호 등이 있다. 그리고 전기에서 중기로의 과도기 유물로는 이단병식 중 유절병식, 일단병식 석검 중 유단병식, 적색마연호 B형 등을 설정할 수 있고, 대표적인 유적으로는 평택 토진리, 진주 안간리 2호가 있다.

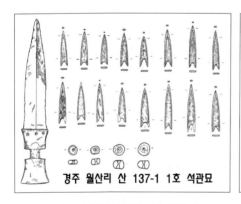
그림 8. 전기유물의 석검, 석촉, 옥 공반

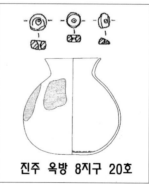
그림 9. 채문토기와 옥 공반

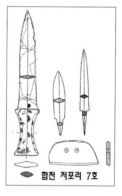
그림 10. 석검, 석촉, 석도 공반

중기의 유물로는 일단병식 석검 중 유절병식, 일단평근촉 B형, 첨근촉 A형과 B형, 적색마연호 B형과 C형, 환옥 C형 등이 있으며, 대표적인 유적으로는 산천 매촌리 8호 32호, 진주 가호동 32호, 진주 옥방 8지구 21호, 마산 망곡리 5호 9호, 진주 귀곡동 6호 등이 있다. 후기는 원형점토대토기와 흑도장경호가 출토된 대전 용계동 5호와 장흥 삼산리 화산 1호가 있다.

그림 11. 석검과 적색마연호 공반

그림 12. 적색마연호와 옥 공반

그림 13. 석검과 석촉 공반

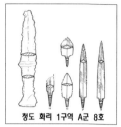

그림 14. 석검과 석촉 공반

3. 부장유물의 지역적 양상

청동시대 분묘의 출토유물은 지역간 상당한 차이를 보이고 있다. 석검의 경우 전 지역에서 출토되지만 지역적 형식 차이가 뚜렷하게 나타나고 있고, 부장토기의 경우도 거의 전국적이지만 경남 남해안이 중심을 이루며, 경북과 전남 동부 남해안 등에서 부장유물로 등장한다. 그래서 다음의 지역별 부장유물 출토 유구의 통계표는 소형 석실에서 발견되는 부장유물의 종류와 지역간의 관계, 소형석실의 성행과 부장풍습의 지역적 양상을 살펴보기 위한 것이다.

【표 10】지역별 부장유물 출토유구 통계표

구분			경기·강원	충남	전북	전남	경남	경북	계
석검	이단병식			2			1	1	4
	일단병식	유단병		1		1	2		4
		유절병	2	1	2		1	1	8
	유경식					1			1
석촉	삼각만입촉						3	3	
	평근유경식	A			1			3	4
		B	2					1	3
	첨근유경식	A			1	2	3	1	7
		B			1	1	4	1	7
석도	즐형						1		1
	장주형						2		2
	어형						1		1
	삼각형				1				1
마연토기 및 토기	채문토기						5		5
	적색마연호	A					6	1	7
		B					8		8
		C					7		7

	대부토기		1				1
	발형토기					4	1	5
	양이부호					1		1
	점토대토기		1					1
	흑도장경호			1				1
곡옥	반월형					6		6
	반결형		1	1		2		4
관옥	A		1			3		4
	B					3	3	6
	C				1	4		4
환옥	A					1		1
	B			2		5	1	8
	C					6		6
계		4	8	10	6	76	17	121

위 표에서 보면 석검과 석촉은 전 지역에서 확인되고 있지만 부장토기는 경남에, 옥은 남부 지역에서 주로 출토되는 양상이다.

석검 중 이단병식 석검은 충남과 영남지역에서 발견되지만 소수이고, 일단병식 석검은 전 지역에서 출토되지만 일단유단병식보다는 일단유절병식 석검 출토가 전 지역으로 그 범위가 가장 넓다. 석촉도 석검의 출토지와 거의 양상을 보이지만 석촉 중 삼각만입촉과 일단평근 A형은 경북에, 일단평근촉 B형은 경북과 강원에서 발견되어 지역성을 보이고 있다. 일단첨근촉은 영남과 호남지역에서 성행한 부장유물이다. 이러한 양상은 지역에 따라 선호도 차이가 있고, 시기적 차이도 보이고 있다고 할 수 있다.

부장토기에서 채문토기는 경남에, 적색마연토기는 경남지역 중심으로 집중적으로 발견되는 지역성이 매우 강한 모습을 보인다. 발형토기 부장도 영남에서만 발견되지만 경남이 중심이며, 이런 발형토기 부장은 청동기시대 분묘 부장유물로는 일반적이지 않은 유물이다. 옥도 경남에 집중적으로 나타나는데, 경기 강원을 제외한 남부지역에서 고루 부장되고 있다. 특히 관옥과 환옥이 천하석제로 그 산지가 진주 대평리를 중심으로 한 남강댐유역과 무관하지 않다고 보여진다.

전체적으로는 모든 유물의 부장은 경남지역에서 성행하였다고 할 수 있으며, 지석묘보다는 석관묘가 많아 소형석실이 가장 많이 발견되고 것과 관련된다고 볼 수 있다. 하지만 이런 유물의 부장 풍습은 성인용 무덤과 같은 양상이기 때문에 어린아이의 무덤으로 볼 수 있는 소형석실도 같은 차원에서 조성되었다고 생각된다. 이 지역은 수장급의 거대한 묘역시설이 유행하고, 그 주변에 다양한 석실이 조성되는 것과 연관되지 않았을까 한다.

Ⅵ. 소형 석실의 변천과 장법, 사회적 의미

1. 시기별 소형석실의 특징과 연대

(1) 전기의 소형석실

전기 소형석실의 입지는 단독 입지와 소군집이며, 소군집에서 소형석실은 1기만 확인된 것이 대부분이지만 2기도 있다. 단독입지에서는 평택 토진리 석관묘처럼 주거지보다 높은 위치의 구릉에 단독으로 위치해 있으나 석관 Ⅰa형으로 길이가 45cm로 극소형이다. 이외 단독입지를 한 경우는 하동 정수리, 진주 소문리, 경주 덕천리, 경주 월산리, 경주 황성동, 대구 동문동, 천안 운전리, 청양 학암리 등이 있다. 이러한 단독입지의 소형석실의 특징은 모두 석관묘이며, 부장토기는 관외 부장이나 부장칸을 마련한 것도 있고, 석기와 옥은 관내 부장되어 있다. 석실의 규모는 75cm에서 97cm에서 부장유물이 발견되고 있다. 소군집을 이룬 경우는 대개 3기에서 5기 이내이며, 고성 두호리는 3기 중 2기가 소형석실인데, 석관묘와 토광묘이다. 부장풍습은 단독입지와 같은 양상이다.

지석묘와 석관묘 공존한 전기 소형 석실은 진주 이곡리가 대표적이다. 진주 이곡리 가지구는 32기의 분묘군이지만 각각 소군집 형태를 이루고 있는데, 가장 높은 지대에 원형 묘역을 한 16호 지석묘는 부장칸에 채문토기와 옥이 부장되어 전기에 해당한 것으로 18호와 인접하여 2기 세트를 이루고 있다. 나지구 대형 장방형 묘역시설은 한 30호 주변에 원형 묘역을 한 27호와 35호는 세트 관계인데, 27호에서 채문토기가 관외 부장되어 있다. 진주 이곡리에서 조사된 41기 중 지석묘 8기와 석관묘 11기 등 19기가 소형이지만 부장유물은 2기로 지석묘에서만 채문토기가 부장칸과 관외 부장한 채 발견되어 빈약하며, 석관묘에서는 발견되지 않았다.

전기 소형석실에서 측정된 경주 덕천리 1호는 B.P.2770±60년(기원전 940년)이 유일하며, 삼각만입촉과 일단평근A형이 공반되었다. 하지만 소형석실이 발견된 분묘군과 인접한 주거지의 절대자료는 경주 덕천리의 경우 전기 주거지 연대는 B.P.2740년에서 B.P.3000년으로 기원전 900년에서 1200년에 걸쳐 있으며, 대부소호가 부장된 천안 운전리 주거지는 B.P.2720~2960년 사이로 기원전 900년에서 1100년 사이이고, 대전 용산동 주거지도 비슷한 연대치가 나왔다. 홍천 철정리 주거지는 B.P.2900년에서 B.P.3000년대에 집중되어 있어 기원전 1000~1200년대이며, 소형석실이 다수 확인된 대구 대천동 511-2 주거지는 B.P. 3030±50년과 B.P.3000±50년으로 기원전 1200년대이다. 이 주거지들이 소형석실을 축조한 집단이라고 상정하면 대체로 기원전 900년에서 1200년 사이에 걸쳐 있어 참고가 된다.

(2) 중기의 소형석실

중기의 분묘군은 전기에 비해 지석묘와 석관묘가 대단위로 조성되고, 다양한 입지와 석실 배치 양상이 나타나 소형석실이 가장 성행한 시기이다. 중기의 소형석실의 양상을 살펴보면 석실군에서 차별화된 무덤으로 조성된 경우는 춘천 발산리가 있다. 춘천 발산리 소형석실은 9기의 석실군의 높은 쪽에 치우쳐 묘역시설을 한 지석묘로 묘역이 없는 다른 무덤들과는 가장 차별화되어 있다. 또한 5매의 판석을 이용한 5각형 석실로 여타 석실과는 형태상 다른 특이한 형태이고, 묘역에는 출입시설 같은 구조를 가지고 있다. 이곳에서는 화장인골 출토와 함께 석검, 석촉이 부장되어 있었다.[31]

지석묘와 석관묘가 공존한 경우는 지석묘가 중심인 것과 석관묘가 중심인 것으로 나눌 수 있다. 지석묘가 중심인 유적은 여수 월내동 상촌과 김해 율하리, 사천 이금동, 무안 상마리 등이 있다. 여수 월내동 상촌은 150여기가 군집되어 전기에서 중기까지 지속된 초대형 분묘군이지만 중기가 중심이다. 33기의 소형석실들은 묘역시설에 연접해 조성한 것과 묘역사이에 조성한 것, 단독묘역을 한 것, 독립된 소군집(4기)에 1기만 있는 것 등 다양하다. 빠른 시기의 묘역군에서는 1-2기의 소형석실만 발견되지만 중기가 중심인 묘역군에서는 28기가 발견되어 중기에 와서 소형석실의 축조가 활발하였던 것으로 여겨진다. 김해 율하리 분묘군에서는 소형석실이 15기로 지석묘와 석관묘에서 모두 보이고 있고, 지석묘 상석은 소형이 대부분이다. 석실 형태는 석곽II형이 다수이며, 석실 규모도 80cm이상 110cm로 큰 것이 많다. 유물은 적색마연토기 B형과 C형이며 대부분 관내에서 출토되었다. 사천 이금동 소형석실은 지석묘 13기, 석관묘 5기 등 18기이며, 유물은 지석묘에서만 적색마연호와 옥이 출토되었다. 석실은 석관Ia형과 석곽II형이며, 지석묘에서는 두 형식이 있지만 석관묘는 석곽II형이다.[32] 무안 상마리는 지석묘와 석관묘가 혼재하며, 지석묘는 탁자식과 기반식이 공존한다. 소형석실은 24기 중 4기인데, 주형 지석을 한 기반식과 결합된 특이한 형태도 있으며, 판석으로 구획한 장방형 묘역 안에 소형 석관묘, 탁자식 지석묘에 인접된 소형 석관묘 등 다양한 모습을 보인다. 석실은 모두 50cm 이내들이다.

석관묘가 중심인 경우는 대구 서변동, 대구 대천동 유적을 들 수 있다. 대구 서변동은 24기 중 지석묘는 2기이며, 소형석실은 8기이다. 지석묘의 소형석실은 2m미만의 소형 상석에 석실 길이가 35cm와 45cm로 극소형이고, 석실 형식은 석관II형과 석곽II형이 대부분이다. 석관묘는 석관Ia형이 대부분이고, 길이 90cm-95cm크기에서만 관옥 2점과 석촉 4점 부장되어 발견되었다. 대구 대천동도 53기 중 지석묘는 2기이며 소형석실은 21기이나 부장유물은 발견되지

---

31) 이 석실은 뒤에서 언급하겠지만 집단 상징물의 매납 공간이라고 추정된다. 강원문화재연구원, 『춘천 발산리 지석묘군』, 2004.

32) 경남고고학연구소, 『사천 이금동 유적』, 2003.

않았다. 석실 형식은 석관Ⅰa형, 석관Ⅰb형, 석곽Ⅱ형이 혼재된 양상이다.

　석관묘만 군집된 경우는 호서나 호남보다는 영남지역에서 많이 조사되었다. 영남지역을 보면 마산 망곡리 석관묘군은 33기 중 13기가 소형이며, 일단유절병식과 적색마연호 C형, 무문토기발(모서리 관외) 등 중기 특징적 유물이 출토되었으며, 토기가 부장된 석실은 80cm 이상이나 석검과 석촉이 공반된 14호는 47cm로 극소형이다. 형식은 석관Ⅰa형과 Ⅰb형이 혼재되어 있다. 17호 장벽 옆에서 구순각목토기가 발견되어 중기에서도 빠른 시기로 보인다.[33] 마산 진동 석관묘는 45기 중 12기가 소형이며, 일단유절병식 석검과 적색마연호 B형과 C형이 출토되었고, 전기의 부장풍습인 관외 부장도 있다. 석실의 형태는 석관Ⅰa형 위주에 석관Ⅰb형, 석곽Ⅱ이 혼재한다. 진주 가호동 석관묘는 40기 중 16기가 소형이며, 석실 형식은 석관Ⅰa형이 대부분이고 석관Ⅰb형과 석관Ⅱa형이 일부 있다. 거의 개석이 확인되고, 치아나 인골이 나온 것도 4예나 된다. 유물도 곡옥 관옥 환옥 등 4곳에서 발견되었다. 마산 진동과 같은 거대한 원형과 장방형 묘역시설을 한 분묘들이 존재하고 그 주변에 석실들이 배치된 것으로 이 지역에서 우세한 집단들의 분묘군으로 상정되는 곳이다.

　호남지역은 경남지역에 비해 소형석실이 매우 빈약하고, 부장유물 또한 거의 없는 양상이 특징이다. 광주 평동은 석관묘 16기 중 1기가 소형이고, 나주 영천리는 석관묘 21기 중 3기만, 장흥 송정 나군 지석묘 25기 중 2기에서, 장흥 송정리 갈두 61기의 지석묘 중 3기, 함평 고양촌 22기의 석관묘 중 2기가 소형석실로 확인되었다. 호서지역을 보면 논산 마전 29기 석관묘 중 3기, 보령 관창리 13기 석관묘 중 5기 등 호남과 같거나 약간 많은 수를 보인다. 이러한 양상은 대체로 10기에서 20기 석실 중 1기의 소형 석실이 있는 양상은 경남지역과는 다른 점이다. 하지만 소형석실이 많은 곳을 보면 여수 월내동 상촌 150기 중 33기, 장흥 신풍리 마정 34기 중 7기, 군산 축산리 27기 중 7기, 서천 오석리 25기 10기 등이 있는데, 3~5기 중 1기의 소형석실이 있다.

　또 중기의 특징 중 하나로 길이가 50cm미만의 극소형 석실을 들 수 있다. 대구 서변동은 35cm, 45cm, 무안 상마리 29cm, 32cm가 있으며, 특히 울산 구수리 대암 37cm, 울산 다운동 운곡 45cm, 울산 신현동 황토전 6기 중 2기의 석실이 45cm, 45cm 등 울산지역은 극소형 석실이 집중된 점이 주목된다.[34] 유물은 거의 없지만 울산 구수리 대암에서는 적색마연호가 관내에 부장된 예도 있다.

　중기에 해당하는 소형석실 절대연대 자료는 적색마연호 저부편이 출토된 거제 오비리 8호 석관묘가 B.P.2660±40년(기원전 820년)과 무문토기발이 부장된 대구 신서동 6호 석관묘가 B.P.2540±40년(기원전 770년)으로 측정되었다. 소형석실과 한 분묘군에서 측정된 자료는 마

33) 우리문화재연구원, 『마산 망곡리유적』, 2010.
34) 황창현, 「울산지역 청동기시대 묘제의 특징」, 『청동기시대의 태화강문화』, 2010.
　　이수홍, 「검단리유형의 무덤에 대한 연구」, 『고고광장』 8호, 부산고고학연구회, 2011, pp.1~25.

산 진동 지석묘와 석관묘 연대는 B.P.2590±40년(기원전 785년)과 B.P.2690±40년(기원전 850년), 진안 여의곡 지석묘는 B.P.2460±40년(기원전 585년)과 B.P.2440±40년(기원전 500년)으로 나와 기원전 500년에서 800년 사이에 집중되어 있다. 주변에서 확인된 주거지 연대도 경산 옥산동 주거지는 B.P.2540±40년과 B.P.2580년±40년, B.P.2790±40년으로, 서천 오석리 주거지 측정 4예는 B.P.2420-2580년(기원전 470~630년), 이외 장흥 신풍, 함평 고양촌, 보령 관창리 등 주거지들은 B.P. 2400년에서 B.P.2700년대를 보이고 있다. 이처럼 중기의 연대는 기원전 400년에서 800년 사이에 집중되고 있어 참고가 된다.

3. 청동기시대와 소형석실의 장법

(1) 인골 자료로 본 청동기시대 장법

우리나라의 토양은 대부분 산성을 띠고 있기 때문에 유기물질인 인골은 쉽게 부식되어 흔적 조차 없는 경우가 허다하다. 그러나 지석묘나 석관묘에서 몇 예의 인골이 출토되어 그 당시 장법이나 두향, 부장풍습 등을 밝힐 수 있는 귀중한 자료가 되고 있다.

청동기시대 분묘에서 출토된 인골은 대부분 일부 뼈들만 확인되어 피장자의 신장이나 나이, 장법 등이 밝혀진 예는 드문 편이다. 지금까지 밝혀진 것을 보면 신장을 알 수 있는 9명은 대부분 150cm 내외 이상이며 170cm 이상도 3명이 있다. 피장자의 나이가 추정된 24명 중 20세에서 39세인 성년이 12명으로 절반을 차지하며, 40세에서 59세인 장년이 4명이며, 노년인 60세 이상은 2명이다. 20세 미만인 청소년과 유·소아는 6명으로 전체 1/4인 25%를 차지하여 당시 사망율이 높았음을 시사한다. 성별을 알 수 있는 25명 중 여자는 8명이고 남자는 17명이어서 무덤에 묻힌 사람은 주로 남자였음을 알 수 있다. 하지만 소형석실에서는 여자만 확인되고 있다. 장법에 대해서는 28명 중 화장이 7명, 신전장 13명, 굴장 8명으로 주로 신전장을 선호하였지만 화장이나 굴장도 성행하였을 보여준다.

【표 10】분묘 인골 출토 현황표 (단위:cm)

유 적	석실규모			석실	장법	성별	연령	신장	공반유물	비 고
사리원 광성동1-4	165	90	17	석관형	화장				청동장식과 편	2개체분
사리원 광성동1-5	178	110	15	석관형	화장				석촉, 유경석검, 석착	어금니, 두개골편
춘천 중도 1(중박83)	30	25		석관형	화장	여자	5-10세		석촉3, 숯(AD115)	머리뼈, 대퇴골
춘천 중도 1(강박81)	140	60		석관형					숯	뼈조각
춘천 천전리 적3호	120	70	40	석곽형					무문토기(적석)	인골과편
춘천 신매리 1군-2	?			?					석검편, 무문토기편	요골, 치골
양평 상자포리31호	120	50	30	석관형					무문토기, 타제석부	인골편(추정)

양평 상자포리 이-4	160	44		석관형					홍도, 유병석검, 석촉	인골편, 목탄
양평 앙덕리 1호	160			토광형					홍도, 흑요석, 예술품	인골
제천 양평리 D-1	200	100		석곽형			18-35세		석착	두개골, 대퇴부
중원 하천리 D1-2호	137	45	33	석곽형					석도, 방추차	치아
제천 황석리 13호	185	60	30	석관형	신전장	남자	성인	174	석검	오른팔 배, 왼팔 가슴
제천 황석리 충6호	190	130	50	석관형	신전장	남자	20가량		사슴 위팔뼈,달팽이	인골 완형
제천 황석리 충7호	160	40	25	석관형	신전장	남자	20-30세	140-150	곡옥, 관옥	머리뼈, 정강이뼈
제천 황석리 충13호	104	28	25	석관형	신전장		유아		홍도,가지문토기	머리뼈
제천 황석리 충17호	181	45	25	석관형	신전장	남자	30전후		석검	머리뼈 · 돼지이빨
진주 대평 어은2호 동	160	40	40	석관형	굴장				석검, 석촉3	인골편
제천 하천리 D지구 1호	155	45	45	지석묘	신전장					
사천 본촌리 가 1호	150	60	54	석관묘	신전장				석검, 석촉, 홍도	인골
사천 본촌리 가 2호	161	55	48	석관묘	신전장	여자	30대			
마산 진동1 15호	97	26	39	석관	굴장		8세 전후		유경촉	
진주 옥방 5지구 A-1호	130	45		석관묘	굴장	여자	60이상	148.7		인골
대구 매호동 지석묘 I군 1호	135	40	20	석관형			20전후			
대구 진천동 지석묘 3호 B	110	47	40	석관묘	굴장	여자	성인	150-160		치아 쌍석실
보은 부수리 고분군 1호	176	70	44	석관묘		여자				1차
보은 부수리 고분군 1호	176	70	44	석관묘		유아				2차(추가장)
제천 하천리 D지구 2호	137	50	40	석곽형	신전장	남자				
춘천 중도 지석묘2 1호	77	50	20	지석묘	굴장	여자	4-8세		일체형석촉	
춘천 발산리 5호	75	60	14	지석묘	화장		성인?		석검1, 석촉3	
진주 어은1지구 4호	90	20		석관묘			5세전후			두개골,사지골(강굴)
평택 토진리 1호	45	19	25	석관묘	화장		성인		석검1,석촉1	목탄,화장터
진주 대평리 옥방1지구 493호	130	33	28	석관형					홍도	두부
진주 대평리 옥방4지구 26호	171	47		석관형	신전장	남자	60세	164	석검(왼쪽발치)	인골양호
진주 대평리 옥방7지구 가-17호	168	70	43	석관형	신전장	여자	성인	149.3	홍도	齒首
장흥 유치면 갈두 가-48호	176	56	48	석곽형	화장?					인골편
나주 랑동유적 1호	154	60	52	지석묘	화장	남자	40세		석검	두개골,사지골
달성 평촌리 3호	167	49	43	석관묘	굴장	남자	30-34세	173	석검, 석촉, 저부편	인골
달성 평촌리 11호	140	58	50	석관묘			45-55세		석촉	인골혼
달성 평촌리 12호	125	45	38	석관묘		남자	20-24세		석검	인골혼
달성 평촌리 13호	135	35	35	석관묘		남자	25-29세		석검	인골혼
달성 평촌리 16호	192	70	33	석관묘	신전장	남자	45-55세		석검, 석촉	인골
달성 평촌리 17호	180	53	46	석관묘	(굴장)	남자	30-34세		석검, 석촉	인골
달성 평촌리 20호	150	52	45	석관묘	굴장	남자	30-34세	173	석검, 석촉	인골
달성 평촌리 21호	152	58	35	석관묘		남자	50세이상		환옥, 곡옥	치아
달성 평촌리 23호	133	45	45	석관묘	신전장	남자			석검, 석촉	인골
달성 평촌리 25호	155	45	38	석관묘		남자	12-18세		석검, 석촉	인골
달성 평촌리 27호	185	48	5	석관묘		남자	35-45세		석검	인골

진주 대평리 옥방 5지구 D-3호				석관묘					적마	인골흔/발치부장
괴산 군사학교 다-1호 지석묘	146	51	25						석검, 석촉	인골편
괴산 군사학교 라-3호	-	-	-	-					석촉	인골편
진주 가호동 1호	184	38	37	지석묘					청동환, 석검편(신부)	인골
산청 강루리(한겨레) 1호	105	50	42	석관묘					석검, 석촉, 적마	인골
마산 진동 I 15호	97	26	39	석관묘					석촉	인골

위 표에 나타난 인골 자료로 장법에 대해 분류하면 다음과 같다.

　신전장 Ⅰ형 - 180cm 이상
　　　　Ⅱ형 - 150~180cm 이하
　　　　Ⅲ형 - 150cm 이하
　굴　장 Ⅰ형 - 170~150cm 이상
　　　　Ⅱ형 - 150~120cm 이상
　　　　Ⅲ형 - 110cm 이하
　화　장 Ⅰ형 - 180~150cm 이상
　　　　Ⅱ형 - 80~40cm

　신전장Ⅰ형은 180cm 이상으로 대표적 유적은 달성 평촌리 16호와 27호, 제천 황석리 13호와 충6호, 충17호가 있다. 신전장Ⅱ형은 150cm 이상에서 170cm 내외의 석실 규모를 가진 것으로 제천 황석리 충7호, 충주 하천리 D-1호, 사천 본촌리 가-1호와 2호, 진주 대평리 옥방 Ⅰ-493호와 Ⅳ-가17호 등이 있다. 제천 황석리 충7호는 남자 성년으로 키가 140-150cm인데 석실은 160cm이다. 사천 본촌리 가-2호는 여자 성년으로 석실이 161cm이며, 사천 본촌리 가-1호는 석실이 150cm인데 신전장이다. 신전장Ⅲ형은 140cm이하의 석실규모를 가진 것인데, 충주 하천리 D-2호, 달성 평촌리 23호가 있다. 충주 하천리 D-2호는 남자의 신전장으로 석실이 137cm이고, 달성 평촌리 23호는 남자 신전장으로 석실이 133cm이지만 연령이 측정되지 않았다. 유아의 신전장은 제천 황석리 충13호의 경우 석실이 104cm이어서 유·소아의 경우 110cm 정도면 신전장이 가능하다.

　신전장의 경우 성인은 130cm 이상이면 가능하다고 볼 수 있겠지만 당시 신장으로 보아 성인은 적어도 150cm 이상의 석실이면 가능하다 하겠다. 신장이 150cm 이상이면 모두 석실이 160cm 이상이다. 유아의 신전장은 110cm 정도면 신전장이 가능하다.

　굴장Ⅰ형은 석실 길이가 170cm에서 150cm 이상의 크기를 가진 것인데, 달성 평촌리 3호와 20호는 키가 173cm인데 석실은 각각 167cm와 150cm이다. 진주 대평리 어은 동 석실도 굴장인데 석실이 160cm이다. 굴장Ⅱ형은 140cm에서 120cm 이상으로, 진주 옥방 5지구 A-1호는 노년 여자로 키가 148.7cm인데 석실은 130cm이다. 굴장Ⅲ형은 석실 길이가 110cm 이하인 것으로, 달성 진천동 3호는 여자로 키가 150-160cm인데 석실은 110cm이다. 춘천 중도 1호는 4-8세 여아의 굴장인데, 석실은 77cm이고, 8세 전후인 마산 진동 1지구 15호는 석실이 97cm이다. 굴장이 확인된 석실은 크기도 중요하지만 석실 너비가 50cm내외 이상인 점이 특징적이다. 달성 평촌리 17호처럼 신전장이 가능한 석실 크기에서도 굴장한 예도 있으며, 대체로 110cm 이상이면 성인의 굴장이 가능하다고 보여진다.

굴장의 경우 석실 길이가 키에 비해 23cm-18cm가 작은 것으로 나오지만 원래 석실 규모에 따라 장법이 결정된 것인지 아니면 남녀나 나이 등이 장법과 관련되는지, 또는 다른 원인이 있는 것인 밝힐 필요성이 있다35). 달성 평촌리의 경우 신전장과 굴장이 공존하고 있기 때문에 집단의 전통적인 장법보다는 다른 것에 기인하였을 것으로 보이기 때문이다.

화장Ⅰ형은 180cm에서 150cm 이상으로 신전장과 굴장이 가능한 규모이다. 사리원 광성동 Ⅰ-4호와 5호는 석실 길이가 165cm와 178cm이며, 나주 랑동 1호는 화장한 것인데 석실 길이가 154cm이다. 경기 광주 역동 1호 석곽묘는 길이가 190cm이고 너비가 90cm로 일반 석실규모에 비해 폭이 넓은 것으로 석곽내에서 화장한 것으로 보고 있다. 화장Ⅱ형은 석실길이 80cm 이하로 소형석실이다. 화장한 인골을 안치한 춘천 발산리 1호 지석묘는 석실 길이가 75cm이다. 성인을 화장한 평택 토진리 1호는 석실 길이가 45cm이며, 춘천 중도는 2-10세 여아를 화장한 것으로 석실 길이가 30cm이다. 성인이나 어린아이를 화장한 석실에서 40cm 미만에서도 나타나고 있음이 주목된다.36)

【표 11】 장법과 부장유물의 관계표

구분	검+촉+호	석검+석촉	석검	석촉	마연호	옥	유물무	계
신전장	1	2	3		2	1	3	12
굴장		4		2			2	8
화장		4	1	2			2	9
불명		1	3	1		1		6
계	1	10	7	5	2	2	7	34

인골자료에서 확인된 장법은 34예이나 장법을 알 수 없는 것이 6예이다. 위 표에서 보면 부장유물이 확인된 장법은 확인된 22기 중 화장 7기(31.8%), 신전장 9기(40.9%), 굴장 6기(27.3%)로 나타나 굴장이나 화장보다 신전장에서 더 많이 확인되고 있다. 모든 장법에서 석검, 석촉은 부

---

35) 굴장 풍습에 대해 몇가지 견해가 있다. 첫째 운반이 편리하고 묘광을 파는데 노동력이 절약이라는 설, 둘째 손이나 발을 굽히는 것은 당시 잠을 자거나 휴식을 하는 자세라는 설, 셋째 굴장 모습이 모태안에서의 자세라는 설, 넷째 죽은 자나 혼의 활동을 구속하기 위해서라는 설 등이 있다.
36) 김재현, 「인골로 본 장송과 피장자」, 『무덤연구의 새로운 시각』, 제51회 전국역사학대회 고고학부, 2008.

장유물로 발견되지만 적색마연호와 옥은 신전장에서만 발견되고 있다.[37] 부장유물의 조합을 보면 석검+석촉+적색마연호는 사천 본촌리 가 1호가 유일하며, 석검+석촉의 조합은 화장에서 사리원 광성동, 춘천 발산리, 평택 토진리 등 3예가 있고, 신전장에서 달성 평촌리 16호와 22호 등 2예, 굴장에서 진주 대평리 어은지구, 달성 평촌리 3호, 17호, 20호 등 4예 등 총 9기로 모든 장법에서 확인되고 있다. 석검만 부장된 것은 화장에서 나주 랑동 1예, 신전장에서 제천 황석리 13호와 충 17호, 진주 옥방 4지구 26호 등 3예, 굴장에서는 없다. 석촉만 발견된 것은 화장에서 춘천 중도 1예, 신전장에서는 없고, 굴장에서 마산 진동, 춘천 중도 2예가 있다. 장법에 따라 부장유물이 다르게 나타나고 있는데 신전장에는 대부분 석검, 석촉, 적색마연호, 옥 등이 조합되거나 단독으로 부장되고 있지만 굴장과 화장은 석검과 석촉만 부장되고 있는데, 석검과 석촉이 공반되는 경우가 가장 많고, 다음이 석검만 부장된 것이다. 당시 청동기시대에 가장 선호한 부장유물은 석검임을 알 수 있다.

【표 12】 연령과 부장유물의 관계표

구분	검+촉+호	석검+석촉	석검	석촉	마연호	옥	계
10세미만		1		3	1		5
10대		1					1
2-30대	1	3	3			1	8
4-50대		1	1	1		1	4
60대이상			1				1
성인		4	1		1		6
계	1	10	6	4	2	2	25

연령이 추정된 자료는 25예이다. 위 표에서 나타난 연령과 부장유물 현상은 2~30대의 부장이 가장 높고, 다음이 10세 미만과 4~50대가 그 다음이다. 이로 볼 때 당시 2~30대의 사망률이 높다고 할 수 있으며, 이는 당시 평균 연령으로 볼 수 있지 않을까 한다. 또한 10세 미만의 사망률도 상당하였음을 시사한 것으로 볼 수 있다. 20세 이상의 성인들은 석검과 석촉을 함께 부장하는 풍습이 성행하였다고 보여지며 특히 석검을 가장 선호하였던 것으로 나타난다. 석촉만 부장은 10세 미만에 많다. 자료가 1예에 불과하지만 적색마연호는 10세 미만의 소아나 60세 이상의 노년의 부장품에서 보이고, 옥은 성인에서만 나타난다.

37) 예외적으로 경기 광주 역동 석곽묘에서는 비파형동검 1점, 청동환형검파두식 1점, 삼각만입촉 13점, 환옥 3점이 출토되어 일반 무덤의 부장품과는 매우 차별화되어 있다. 이 석곽묘의 장법은 석곽내에서 화장한 것으로 보고 있으며, 유물 출토상으로 보면 화장 후 부장품을 배치한 것으로 보인다. 한얼문화유산연구원, 『광주 역동유적』, 2012.

【표 13】 성별과 부장유물의 관계표

구분	검+촉+호	석검+석촉	석검	석촉	마연호	옥	유물무	계
남자		6	7			2	1	16
여자				2	1		4	7
계		6	7	2	1	2	4	23

위 표는 성별과 부장유물의 관계표인데, 성별이 확인된 것은 18예인데, 성별에 따라 매우 다르게 나타난 것이 주목된다. 주로 남자 무덤에서 부장이 성행하였음을 보여주고 있으며 석검과 석촉 세트와 석검이 주이다. 옥도 남자 무덤에서만 확인되고 있다. 여자 무덤에서는 유물을 부장하지 않거나 석검이 부장되지 않는 특징을 보이며, 석촉 또는 적색마연호가 부장되는 정도이다.

이상에서 본 유물의 부장은 신전장과 굴장, 화장에서 성행하지만 신전장에서 가장 성행하였고, 부장유물로는 석검과 석촉을 세트로 부장하거나 석검만 부장한 것이 많아 석검을 가장 선호하였다. 또 남자 무덤에 석검과 석촉, 옥을 부장하였고, 여자 무덤에는 석촉과 적색마연호가 있지만 부장하지 않는 것이 양상이다.

(2) 소형 석실의 장법

소형 석실의 주 기능은 무덤이다. 석실 내에서의 인골이 출토되고, 일반 무덤처럼 부장유물이 발견되고 있기 때문이다. 소형석실에서 발견된 인골이 출토된 자료는 다음과 같다.

【표 14】 소형석실 인골 출토현황

유 적	석실규모(cm)			석실	장법	성별	연령	신장	공반유물	비 고
춘천 중도 1(중박83)	30	25		석관형	화장	여자	5-10세		석촉3(적석), 숯(AD115)	머리뼈, 대퇴골
춘천 발산리 5호	75	60	14	석관형	화장				석검, 석촉3	
제천 황석리 충13호	104	28	25	석관형	신전장		유아		홍도2(북)/가지문토기(남)	머리뼈?
마산 진동1 15호	97	26	39	석관묘	굴장		8세전후		세장유경촉,일단경식석촉	
대구 진천동 지석묘3 B	110	47	40	석관묘	굴장	여자		150-160		치아, 쌍석실
춘천 중도 지석묘2 1호	77	50	20	지석묘	굴장	여자	4-8세		일체형석촉	
진주 어은 1지구 4호	90	20		석관묘	신전장		5세전후			두개골, 사지골(강굴)
평택 토진리 1호	45	19	25	석관묘	화장		성인		석검1,석촉1	목탄, 화장골
마산 진동 I 15호	97	26	39	석관묘					석촉	인골

장법과 성별, 연령이 측정된 소형 석실에서 인골이 확인된 자료는 9건인데, 확인된 성별은 여자(3명)뿐이고, 성인을 화장한 평택 토진리를 제외한 연령은 10세 미만 들이다. 신전장한 예는 제천 황석리 충 13호와 진주 어은1지구 4호로 유아나 5세 전후의 소아를 신전장한 예가 있는데,

석실 크기는 길이가 90~110cm에 너비가 20-30cm이다. 굴장한 예는 마산 진동 1지구 15호와 춘천 중도 1호가 소아를 굴장하였는데 석실 크기는 길이 77~110cm, 너비가 26cm, 47cm, 50cm로 신전장보다 규모가 약간 작은 편이나 너비는 넓다. 대구 진천동 3호 B석실은 116cm인 석실과 잇대어진 쌍석실로 성인을 굴장한 것이다. 화장도 3예가 있는데 석실 크기는 길이가 75cm, 45cm, 35cm이고, 너비가 60cm, 25cm, 19cm로 규모가 매우 작고, 너비도 춘천 발산리를 제외하고 20cm 내외로 좁다.

이와 같은 소형 석실의 특징은 여자와 유·소아의 무덤으로 사용되고 있음을 알 수 있고, 굴장과 화장이 유행하였다고 여겨진다. 30-50cm의 극소형 석실은 화장이 특징적이다. 부장유물도 석검과 석촉, 적색마연토기가 있지만 9건 중 7개 석실에서 부장유물이 발견되어 일반적인 무덤보다 부장율이 매우 높다는 점도 특징적이다.

인골 자료로 본 장법과 석실 크기는 신전장은 길이가 100cm 내외, 너비가 20~30cm면 가능하다. 굴장은 신전장과 큰 차이가 없지만 길이가 80~100cm에 너비 30cm와 50cm 내외로 신전장보다 넓다. 화장은 50cm 미만, 너비 20cm 정도면 가능하다. 이러한 석실 규모는 앞서 살펴 본 소형 석실들이 대부분 유·소아장이라 한다면 청동기시대 유·소아의 사망률이 매우 높다는 것을 의미한다. 대규모의 분묘군에서 소형석실이 많이 확인되고 그 비율도 높은 점에서 당시 유력집단의 분묘군 조성에서 어린아이의 무덤을 축조한 풍습이 유행했다는 증거가 될 수 있다.

하지만 위의 표에서 본 바와 같이 평택 토진리 토광묘는 성인을 화장한 예이지만 석검과 석촉이 세트로 부장되어 있다. 일반 무덤에서도 석검과 석촉 부장은 성인과 남자 무덤에서 나타나 석검과 석촉이 공반 출토된 춘천 발산리 지석묘도 성인일 가능성이 높다. 어린아이 무덤에서는 석촉만이 발견되고 있기 때문에 성인과는 차별화된 부장유물에 대한 인식을 하고 있다고 보인다. 소형석실 중에서 사회적 신분이나 지위 상징물[38]이라 할 수 있는 석검이 부장된 점, 소형석실도 성인묘와 같은 부장유물의 출토비율이 높은 점, 대군집 분묘군에서 소형석실이 상당한 비율을 차지한 점 등에서 유·소아 무덤만으로 보기에는 납득이 가질 않는다. 오히려 상당수의 소형석실은 성인의 화장 무덤일 가능성도 많지 않을까 생각된다. 이는 추론에 불과하다고 할 수 있지만 성인 무덤과 소형석실이 세트를 이룬 경우도 있고, 단독 묘역을 가진 것이나 단독으로 입지한 것과 석검 부장묘 등은 성인의 화장묘로 추정되기 때문이다.[39]

---

38) 이영문, 「전남지방 출토 마제석검에 관한 연구」, 『한국상고사학보』 24호, 한국상고사학회, 1997, pp.7~71.
　　배진성. 「석검 출현의 이데올로기」, 『석헌정징원교수정년퇴임기념논총』, 부산대학교 고고학과, 2006.
39) 북한과 중국 동북지역 지석묘 등 분묘에서 다양한 화장이 성행하였다. 하문식, 『고조선지역의 고인돌연구』, 백산자료원, 1999.

4. 소형 석실의 사회적 의미

(1) 제의 관련 제단적 성격으로서의 소형 석실

청동기시대에는 다양한 제의나 의례 등 제사 행위가 활발하게 이루어진 것으로 알려져 있다.[40] 이런 제사행위에는 상징적 대상물이 있었을 것이며, 그 행위의 유형에 따라 입지나 공간도 일정하게 마련되어야 한다. 그런 의미에서 무덤의 기능을 가진 소형 석실중 제단의 성격을 가진 것을 가설로 제시하고자 한다. 대표적인 유적으로 경주 월산리와 홍천 철정리를 들 수 있다. 경주 월산리 석관묘는 단독으로 구릉사면 정상부에 입지하며 주변을 조망할 수 있는 입지를 가지고 있고, 이단병식 석검 1점과 삼각만입촉 17점, 환옥 4점이 석

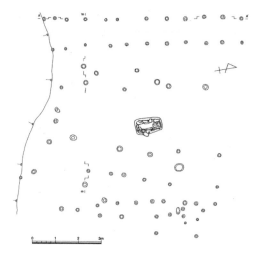

그림 15. 경주 월산리 석관묘 주변의 주혈 모습

실내의 시상석보다 5cm 위에서 출토되어 시신 안치 후 유물을 매납한 것으로 보고 있다. 주목되는 것은 석관묘 주변 10m×10m 범위에 열지어진 주혈과 무질서한 주혈이 있어, 석관묘와 관련된 시설 구조물로 볼 수 있는데, 그렇다면 석관묘를 둘러싸고 거대한 시설물이 설치되었을 가능성이 많다고 여겨진다. 이 석관묘는 환옥이 단벽쪽에 치우쳐 발견되어 무덤의 기능을 가진 것으로 판단되지만 의례 또는 제의적 행위와 관련된 시설안의 제단적인 성격으로 소형석실을 마련하였다고 생각되기 때문이다. 성별과 연령은 밝혀지지 않았지만 무덤 중심으로 한 지속적인 제의 행위가 이루어졌을 가능성이 높다고 보여진다.

홍천 철정리 석관묘는 2기가 인접되어 있으며, 주변의 전기 주거지와는 일정한 거리를 두고 있다. 석실은 할석형 판석을 이용해 ㅍ자형 석관 Ⅰb형으로 길이가 45cm와 52cm이며, 석관 주변을 천석으로 보강하였고, 내부에는 잔자갈을 20cm 이상 깔았다.[41] 형태상 탁자식의 축소형이다. 석관묘 주변은 넓은 공지가 마련되어 있어 이곳 주거집단 구성원들이 제단형 석관을 표지석으로 한 제의 활동이 이루어졌지 않을까 한다. 청동기시대 유적에서 주거군과 분묘군 사이, 또는 분묘군내에서 솟대를 세웠다고 추정되는 유구들이 최근 많이 발견되고 있는 것과도

---

40) 이상길, 『청동기시대 의례에 관한 고고학적 연구』, 대구효성카톨릭대학교 박사학위논문, 2000.
    윤호필, 「호남지역 청동기시대 분묘 의례」, 『호남지역 선사와 고대의 제사』 제22회 호남고고학회 학술대회, 2014.
41) 이러한 구조는 최근 춘천 중도 발굴에서 다수의 소형 석실이 발견되었다. 아직 공개되지 않아 본 논문에서는 제외하였지만 강원지역에서도 소형 석실이 유행하였다고 판단된다.

연관시킬 수 있기 때문이다. 이 솟대를 중심으로 한 제의는 마을의 안녕과 평화를 기원하는 집단 의례 같은 것일 수 있다.[42]

이와 함께 구릉 정상부나 사면부에 위치하면서 주변을 관망하기 용이한 단독입지 소형석실도 제단적인 성격을 가진 것으로 볼 수 있다. 이는 탁자식이나 기반식 지석묘 중 제단 성격을 가진 지석묘는 대형으로 주변이 내려다보이는 높은 지대에 단독입지와 같은 양상을 보이기 때문이다. 그렇다면 피장자를 위한 집단의 제의 행위가 소형석실이라는 묘표석을 중심으로 행해졌을 가능성도 있다고 생각된다.

이외에도 주혈이나 구상유구, 적석유구 등은 제사와 관련된 구획시설물로 판단할 수 있다. 이런 유구에서 많은 목탄이 발견된 경우는 토기 소성 또는 화장시설의 유구로 보고 있지만 평택 토진리 석관묘 바로 옆에서 목탄과 인골편이 발견된 수혈유구가 확인되기도 하였다. 화장시설의 경우 일반적으로 계속 사용되는 점에서 화장과 관련된 의식행위가 이루어졌을 가능성도 있다.

(2) 집단 상징물 매납공간으로서의 소형 석실

청동기시대 분묘 출토품 중 석검은 신분의 상징물이면서 사회적 지위, 집단의 권위 등 여러 기능을 가진 것으로 보기도 한다. 하지만 석검을 숭배하는 신앙이 있었을 가능성은 여수 오림동 암각화에서 찾아볼 수 있다.[43] 숭배대상으로 여긴 석검을 일정한 공간에 매납한 것으로 집단 상징물의 매납공간의 기능을 가설로 제시하고자 한다. 집단의 상징적인 神物로 여기는 유물을 일정한 공간을 마련하여 보관한 소형석실 중 매납의 성격이 강한 것으로 상정할 수 있다.

여수 오림동 암각화는 여러 물상이 새겨진 중심에 일단유단병식 석검이 위치하고, 그 하단 오른쪽 옆에 인물상 2인과 왼쪽에 배형상?(추정)이 있고, 그 아래쪽에는 창에 찔린 동물상[44]등이 음각되어 있다. 여기서 주목되는 것은 석검을 향해 두 손을 모아 무언가 기원하는 모습 또는 무언가 받치는 형상인 점에서 당시 제의 모습을 보여주는 자료로 판단된다. 바로 석검이 기원의 대상물로 표현되었다고 볼 수 있는 것이다.

이는 석검이 집단의 상징물로 매우 귀중하게 여겼을 것이고, 또한 일정한 공간에 보관하였다고 생각된다. 이런 점에서 여수 오림동 암각화 석검을 보면 길이가 30cm 정도로 일반 석검보다 검신 폭이 넓고, 병부폭과 심부폭이 거의 같아 일반 석검과는 약간의 차이가 있다. 아래 표는 여수 오림동 인접지역 출토 석검 10점에 대한 제원표이다.

---

42) 청동기시대의 유적에서 솟대(짐대)의 유구가 확인된 경우가 점차 늘어나고 있다. 이런 유구는 마한의 기록 중 立大木과 관련된 것으로 보기도 한다. 이종철, 「청동기시대 입대목 제의에 대한 고고학적 접근」, 『한국고고학보』96집, 한국고고학회, 2015.
43) 전남대학교 박물관, 『여수 오림동 지석묘』, 1992.
44) 화살을 쏘는 사냥 장면이라는 견해도 있다.

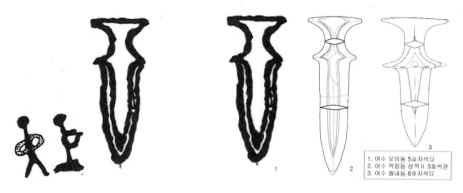

그림 16. 석검에 기원하는 인물상　　　　　　그림 17. 암각화 석검과 흡사한 석검

【표 15】 여수 오림동 주변 출토 일단유단병식 석검 제원표

구 분	전장	검신		심부폭	병부			비교
		길이	너비		길이	너비	병두폭	
여수 오림동 5호	30.0cm	21.0cm	9.0cm	12.0cm	9.0cm	5.0cm	13.0cm	암각화
여수 적량동 상적II 3호	34.2cm	25.2cm	6.5cm	9.7cm	9.0cm	4.4cm	12.1cm	완형
여수 적량동 상적II 4호	35.2cm	24.8cm	4.7cm	11.1cm	10.5cm	3.9cm	11.9cm	완형
여수 월내동 상촌III18호	42.6cm	31.2cm	6.6cm	9.6cm	10.8cm	3.4cm	17.0cm	완형
여수 월내동 상촌III54호	30.2cm	21.0cm	4.8cm	10.9cm	9.2cm	3.6cm	11.6cm	완형
여수 적량동 상적 17호	32.5cm	22.4cm	5.5cm	10.0cm	10.1cm	3.5cm	11.6cm	완형
여수 미평동 양지 4호	28.4cm	19.9cm	3.7cm	9.2cm	8.5cm	3.2cm	8.8cm	완형
여수 봉계동 대곡 4호	26.5cm	16.5cm	4.2cm	8.2cm	10.0cm	3.8cm	7.6cm	완형
여수 월내동 8호	26.3cm	16.3cm	5.9cm	13.3cm	10.0cm	4.0cm	13.3cm	각목공열토기
여수 월내동 22호	36.2cm	24.2cm	4.7cm	9.8cm	12.0cm	3.3cm	9.3cm	사선문토기

　이 중 여수 오림동 석검 암각화와 유사한 일단유단병식 석검은 적량동 상적II 3호 석관과 월내동 8호 지석묘 출토 석검이다. 월내동 8호 석검은 의기화된 것으로 오림동과는 형태상 유사하지만 차이가 있고, 석실내 부장품으로 발견되었으며, 지석묘 주변에서 구순각목공열토기편이 출토되어 비교적 빠른 시기에 해당된다. 적량동 상적 3호 석관출토 석검은 오림동 암각화보다 4cm 정도 크지만 형태상에서 유사하고, 석검에 나타난 문양은 매우 흡사하다. 이러한 점은 여수반도지역에서 동일한 석검을 제작하여 사용하였다는 점에서 당시 석검의 형태가 공유된 사회였다고 볼 수 있는 것이다.

　그래서 적량동 상적 3호 석관을 석검 상징물로 숭배하는 집단의 매납 공간이었을 가능성이 많다고 생각된다. 일반 석관과는 다른 구조를 가지고 있는 점도 무덤 외의 다른 기능을 생각하게 한다. 이 석관은 길이 63cm, 너비 42cm, 높이 26cm로 석관 평면이 1.5:1로 무덤의 소형 석관

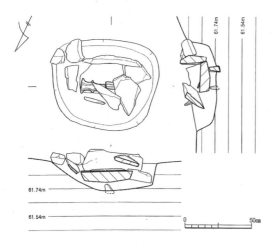

그림 18. 여수 적량동 상적 3호 석관

에 비해 너비가 넓은 편이고, 토광 바닥에 할석 2매를 세워 바닥석을 받치고 있는 점은 특별한 기능을 위한 특이한 구조라고 볼 수 있지 않을까 한다. 축조 과정은 처음부터 신성한 공간 조성을 위해 토광을 파고, 할석 2매로 받친 후 바닥석을 놓고, 석관을 축조한 후 바닥석 위에 석검을 안치하였다고 추정된다. 오늘날에도 신성한 공간의 표지석이나 제단에는 받침돌을 고이고 납작한 판석을 올려놓은 것 같은 것을 연상케 한다.

여수 암각화 이외에도 석검과 석촉을 지석묘 상석에 새겨진 것은 영일 인비리, 밀양 살내, 포항 칠포리 등이 알려져 있다. 이도 석검과 석촉 숭배와 관련된 것이 볼 수 있지 않을까 한다. 석검과 석촉이 부장된 소형 석실 중 춘천 발산리 5호와 합천 저포리 7호 지석묘가 주목된다. 춘천 발산리 지석묘는 묘역시설이 있고, 장방형인 일반 석실의 평면형태와 달리 5각형 석실에 출입구가 마련된 특이한 구조인데, 석실 장단비가 1.25:1이다. 5각형 석실안에는 화장된 인골이 있고, 이를 덮은 개석 상단에 일단유절병식 석검 1점과 평근능형촉을 매납하였다. 이는 일반적인 석실 구조나 형태, 부장위치에서 벗어난 것이어서 다른 시각에서 접근할 필요가 있다고 본다. 소형석실 개석위에 석검과 석촉을 매납한 것은 집단의 상징물을 보관하는 곳으로 이용되었을 가능성이 많다고 생각된다. 합천 저포리 7호는 일부 파괴되었지만 방형으로 전기 장방형 묘역시설을 한 5호와 7호사이에 서로 인접되어 있다. 석실의 장단비는 1.6:1의 평면 형태로, 석실내에 일단유단병식 석검과 첨근촉석촉이, 벽석에서 즐형석도가 발견되었다. 이도 석검의 안치로 보아 저포리 지석묘 축조집단들이 상징물의 매납공간으로 사용한 것으로 볼 수 있지 않을까 한다.[45]

(3) 소형석실이 지닌 사회적 의미

청동기시대 분묘의 조성과 피장자의 매장행위는 무덤 축조 집단들의 일정한 규범에 의해 이루어졌을 졌다고 보는 것이 일반적이다. 이런 점에서 소형 석실의 축조는 각 집단의 성향과 사회의 성격과도 밀접히 관련되었다고 할 수 있다. 소형석실은 단독이거나 독립된 것도 있지만 성인용 무덤 주위에 배장되는 것도 있고, 성인 2인과 함께 소형석실 1기가 세트를 이룬 것까지

---

45) 앞에서 제단적 성격의 경주 월산리 석관묘도 상징물 매납의 가능성도 있다. 그렇다면 집단 상징물을 보관 장소에는 신성한 공간의 시설물을 설치하였을 가능성도 생각해 보아야 한다.

다양하다. 한편 소형 석실의 수가 20기에 1기 정도로 희박한 것에서부터 5기에 1기 정도로 매우 높은 점유율을 보인 분묘군이 있으며, 부장유물이 출토된 것과 그렇지 않는 석실군 등 매우 다양한 모습을 보이고 있다.

인골 출토 자료에서도 확인된 소형 석실은 주로 유·소아묘로 사용되었다. 유·소아 무덤을 성인의 무덤군에 같이 매장한다고 하는 것은 어린아이라도 성인과 같은 예우를 한 것으로 볼 수 있는 것이다. 이러한 점은 사회발전단계에서 청동기시대 계급이 발생하였을 것으로 논하고 있으며, 권력의 세습이 이루어졌을 것이라는 근거로 제시되어 왔다.[46] 하지만 확실한 근거들이 더 확보되거나 보완할 필요가 있다. 청동기시대 사회에서 화려한 유물 부장묘와, 청동검 석검 옥 부장토기 같은 유물이 출토된 무덤, 거대한 규모의 묘역시설을 한 무덤, 대군집의 무덤군 등을 통해 계층과 계급 발생에 대해 논의되고 있다. 유물에서는 개인묘의 성격을, 거대한 묘역과 대군집 묘역은 집단의 성격을 추론하고 있다.[47]

여수 적량동과 월내동 지석묘군은 군집 수 뿐 아니라 비파형동검 부장묘가 등장하여 유력한 세력 집단의 무덤군으로 볼 수 있으며, 사천 이금동이나 마산 진동, 진주 가호동 등 분묘군에서는 거대한 묘역시설의 존재는 상당한 지위를 가진 권력자들의 개인묘로 상정할 수 있다. 이러한 분묘군에서 소아무덤을 한 묘역안 또는 연접해 조성한다는 것은 유력집단에서의 신분을 세습화하였다고 판단되기 때문에 귀속적 지위를 계승하는 계층사회였을 가능성이 높다고 본다.

소형석실에서 보이는 화장 풍습의 유행이다. 앞서 살펴본 인골자료에서 성인 무덤에서도 흔히 사용된 장법 중 하나이다. 인골자료의 대부분은 노천에서 700~800도에서 화장한 것으로 보고되고 있지만 광주 역동 석곽묘처럼 석곽내에서 화장한 것도 있다. 주변에서 화장한 예도 많아지고 있는데, 평택 토진리 소형석실 옆에서 다량의 목탄과 함께 인골편이 발견된 수혈로 보아 그럴 가능성이 높아졌다.[48] 화장과 관련된 고고학적 근거로 소형석실이 발견된 인근의 집석유구를 들고 있다.[49] 그 대표적인 예가 울주 김천, 마산 진북, 창원 마천 등으로 집석유구 3-4기와 소형 석실이 세트 관계를 보인다고 한다[50]. 분묘군의 가까운 곳에서 화장이 행해졌다면 장송의례 행위가 활발하게 이루어졌다고 할 수 있는 것이다. 피장자의 화장 행위를 통해 집단 구

---

46) 최몽룡교수가 지석묘사회를 족장사회로 언급한 이후 청동기시대의 족장사회에 대한 논쟁이 활발하게 이루어졌다. 최몽룡, 「전남지방 지석묘사회의 계급과 발생」, 『한국사연구』35호, 한국사연구회, 1981, pp.1~14; 김승옥, 「분묘 자료를 통해 본 청동기시대 사회조직과 변천」, 『계층사회와 지배자의 출현』, 한국고고학회, 2006.

47) 배진성, 「분묘 축조 사회의 개시」, 『한국고고학보』80, 한국고고학회, 2011, pp.5~28.

48) 경기문화재연구원, 앞의 책, 2006. 경기 광주 역동 석곽묘에서 인골편과 목탄이 발견되어 분묘 내에서의 화장 가능성을 암시한다. 이러한 석실내 화장은 다량의 목탄과 인골편이 발견된 경우 그럴 가능성이 매우 높다고 볼 수 있다. 한얼문화유산연구원, 『광주 역동유적』, 2012.,

49) 경기 광주 역동 석곽묘에서는 인골편과 목탄이 출토되어 분묘내에서의 화장도 행해졌을 가능성을 암시한다. 한얼문화유산연구원, 『광주 역동유적』, 2012.,

50) 김동규 외, 앞의 논문, 2014.

성원들이 모여 화합과 응집력을 극대화시킬 수 있는 계기가 될 수 있으며, 장송의례의 전통과 관습에 대한 규범이 논의되는 장으로 활용되었다고 볼 수 있는 것이다.

소형석실 비율에 따른 분묘군의 조성에서 가족 단위를 가정한다면 소형석실의 비율이 지역적으로 약간의 차이는 있지만 110cm 미만은 3기 중 1기로, 100cm 내외에서는 4기 중 1기 이상으로, 100cm 이하는 5기 중 1기 이상으로 나타나고 있다. 이 소형석실이 유·소아 무덤으로 상정하고, 가족 구성원 중에서 유·소아 무덤이 1기라고 한다면 4-5인 가족이라고 볼 수 있는 것이다. 당시 성별과 연령에 따른 축조 기획에 의해 무덤을 조성하였던 것으로 판단되기 때문에 남녀노소의 구분이 없이 무덤을 축조하였다고 하겠다.

분묘군에서의 소형 석실의 존재는 청동기시대 어린아이의 매장 풍습이 유행하였음을 입증하고 있다고 하겠다. 하지만 일부는 성인의 화장묘의 가능성도 많았다고 생각한다. 유·소아의 굴장도 어려운 50cm 이하도 5% 정도로 상당수가 확인되고 있으며, 일부에서는 화장이 확인되고 있고, 뼈만 안치한 세골장도 있었을 것으로 추론할 수 있다.

Ⅶ. 맺음말

이상에서 소형석실을 살펴보았다. 소형석실의 특징과 의미에 대해 요약한 것으로 맺음말을 대신하고자 한다.

소형석실은 남한지역 61개 유적 1,371기의 장축 길이를 살펴 유·소아장이 기본이라는 전제 하에 인골자료에서 확인된 110cm이하로 설정하였다. 전 석실 중 약 1/3이 소형석실이라는 점도 확인되었다. 소형석실은 일반 무덤과 별차이가 없는 구조와 형식을 보이고 있지만 일반 무덤이 3:1 이상과는 달리 장단비가 1.5:1.0이 많이 발견된 점이 다르다. 형식별 지역적 특징은 주로 판석을 이용한 석관형이 성행하였고, 각 1매씩으로 벽석을 조립한 석실이 주를 이루고 있다. 이런 형태의 석실은 경남지역이 중심을 이루고 있지만 장벽석을 2매 이상으로 한 것은 호서, 호남 등 서해안지역에서 선호한 양상으로, 중기의 대표적인 무덤인 소위 송국리식 무덤의 영향으로 생각된다. 또 할석을 이용한 석곽형 석실은 전남 남해안지역과 경남지역에서 많이 나타나 지석묘 성행지역이라는 점과 무관하지 않다. 소형석실은 대부분 석관묘에서 확인되고 있지만 서남부지역과 남해안지역에서는 지석묘의 하부구조로 많이 채택되고 있다. 이는 전통이 강한 지석묘 사회를 형성한 지역에서 석관묘의 전통을 이어받은 소형석실을 그들의 무덤으로 일부 요소만 받아들인 결과라고 생각된다.

규모가 큰 지석묘에서는 기반식 지석묘와 결합되어 상석하 중앙에 위치한 소형석실이 직접 상석을 받치는 지석역할도 겸하고 있으며, 소형 상석을 가진 지석묘는 중심 무덤 또는 규모가 큰 지석묘 주변에서 확인되는 양상이다.

소형석실은 석관묘군과 지석묘군의 중심에 위치하지 못하고, 대부분 중심 묘역 주변에 자리하고 있는 것이 특징적이다. 지석묘군에서는 큰 석실과 2기에서 3기가 세트를 이루고 있는 것도 있지만 묘역에 잇대어 배장적인 것과 거대한 묘역을 형성한 분묘군 등에서는 주로 1.5m 내외의 소형 상석을 이용하고 있다. 석관묘군에서는 단독으로 높은 지대에 자리한 것에서부터 무덤군에서 일정한 거리를 두고 독립 배치된 것도 있으나 대개 4~6기가 소군집을 이루고 무덤군에서 1~2기 정도 나타난 점이 지석묘와는 다르다.

소형석실의 부장유물은 일반 성인 무덤과 별 차이 없이 석검이나 석촉이 부장되고 있지만 비교적 부장율이 높은 점이 주목된다. 청동기는 아직 없지만 석검, 석촉, 부장토기류, 옥 등 다양한 형식의 유물들의 부장은 청동기시대 분묘 출토품과 같은 양상을 보이고 있다. 공반관계에 있어서 석검은 석촉과 공반되며, 채문토기와 적색마연토기는 주로 옥과 공반관계를 보이고, 옥만 부장된 것도 특징이다. 지역적으로 보면 경남지역은 소형석실에 다양한 유물이 부장되는 풍습이 성행한 지역으로 특히 부장토기와 옥의 부장이 성행하고 있다.

이러한 분석 결과에서 청동기시대 전기의 소형석실은 단독이나 소군집에서 확인되고, 석검과 석촉이 세트로 부장되거나 채문토기는 관외 부장되지만 많지 않다. 중기에 와서 석관묘의 소군집, 지석묘군에서 배장이나 세트 관계를 보이면서 가장 성행하였다. 석검과 석촉의 세트 부장도 많아지고, 적색마연토기와 옥의 부장이 성행한 점은 전기와는 다르다.

청동기시대 인골로 본 유물의 부장은 신전장과 굴장, 화장에서 성행하지만 신전장에서 가장 성행하였고, 부장유물로는 석검과 석촉을 세트로 부장하거나 석검만 부장한 것이 대부분으로 석검을 가장 선호하였다. 또 남자 무덤에 석검과 석촉, 옥을 부장하였고, 여자 무덤에는 석촉과 적색마연호가 있지만 부장하지 않는 것이 일반적인 양상이다.

소형석실의 장법은 인골자료에서 성인의 화장, 여자의 굴장, 유·소아의 신전장과 굴장 화장이 확인되었지만 성인의 신전장 규모에서도 화장 풍습이 유행한 점에서 소형석실 중 상당수는 성인의 화장묘일 가능성이 있음을 밝혔다. 소형석실은 기본적으로 무덤이지만 제의와 관련된 제단이나 집단의 상징물을 매납한 공간으로 활용하였을 가능성을 가설로 제시하였다. 유·소아장으로 볼 때 소형석실의 성행은 어린아이의 사망률이 매우 높았을 가능성이 있다. 대규모 군집에서 소형석실이 다수 확인되고, 성인과 같은 석실을 채택한 점에서 유력집단의 형성과 권력자의 존재와 관련하여 청동기시대 사회의 발전을 살필 수 있기 때문에 소형석실이 지닌 사회적 의미는 매우 크다고 할 것이다.

【참고문헌】

강병학,「한반도 선사시대 굽다리토기 연구」,『고문화』66, 한국대학박물관협회, 2005.

김동규 외,「청동기시대 서부 경남지역의 석관 연구」,『문물연구』26, 문물연구원, 2014.

김선기,「고창지역 주형지석을 갖는 지석묘에 대하여」,『호남고고학보』5집, 호남고고학회, 1997.

김승옥,「금강유역 송국리형 묘제 연구」,『한국고고학보』45집, 한국고고학회, 2001.

_____,「분묘 자료를 통해 본 청동기시대 사회조직과 변천」,『계층사회와 지배자의 출현』, 제30회 한국고고학전국대회, 한국고고학회, 2006.

김재현,「인골로 본 장송과 피장자」,『무덤연구의 새로운 시각』, 제51회 전국역사학대회 고고학부, 2008.

김지현,「청동기시대 전기의 대부토기에 대한 검토」,『고고학』9-2, 중부고고학회, 2010.

김현,「경남지역 청동기시대무덤의 전개양상에 대한 고찰」,『영남고고학』39, 영남고고학회, 2006.

박주영,「호서지역 송국리형 분묘의 지역성 연구」,『호서고고학』32, 호서고고학회, 2015.

배진성,「분묘 축조 사회의 개시」,『한국고고학보』80, 한국고고학회, 2011.

_____,「석검 출현의 이데올로기」,『석헌정징원교수정년퇴임기념논총』, 부산대학교 고고학과, 2006.

손준호,「마제석촉의 변천과 형식별 기능 검토」,『한국고고학보』62, 한국고고학회, 2007.

_____,「한반도 출토 반월형석도의 변천과 지역상」,『선사와 고대』17, 한국고대학회, 2002.

송영진,「남강유역 마연토기의 변화와 시기구분」,『영남고고학』60, 영남고고학회, 2012.

_____,「한반도 남부지역의 적색마연토기 연구」,『영남고고학』38, 영남고고학회, 2006.

_____·김규정,「호남지역 마연토기의 변화와 특징」,『한국청동기학보』14호, 한국청동기학회, 2014.

안재호,「한국 청동기시대 연구의 성과와 과제」,『동북아 청동기문화 조사연구의 성과와 과제』, 학연문화사, 2009.

윤성현,「남한 출토 유절식 석검에 대한 연구」,『한국청동기학보』17, 한국청동기학회, 2015.

윤호필,「청동기시대의 무덤 및 매장주체부의 검토」,『한국청동기학보』5, 한국청동기학회, 2009.

_____,「호남지역 청동기시대 분묘 의례」,『호남지역 선사와 고대의 제사』제22회 호남고고학회 학술대회, 2014.

이수홍,「검단리유형의 무덤에 대한 연구」,『고고광장』8호, 부산고고학연구회, 2011.

이영문,「소위 송국리형 묘제의 형성과 그 특징」,『문화사학』28, 한국문화사학회, 2007.

이영문,「전남지방 출토 마제석검에 관한 연구」,『한국상고사학보』24호, 한국상고사학회, 1997.

_____,「한국 청동기시대 연구의 반세기」,『한국 고고학의 반세기』제19회 한국고고학전국대회, 1995.

_____,「한국 청동기시대 전기 묘제의 양상」,『문화사학』35, 한국문화사학회, 2011.

_____,「한국 지석묘 조사 현황과 연구과제」,『한국 지석묘』, 국립나주문화재연구소, 2012.

_____,「호남지방의 지석묘 출토유물에 대한 고찰」,『한국고고학보』25, 한국고고학회, 1990.

이영문,「호남지역 지석묘의 형식과 구조에 대한 몇가지 문제」,『한국청동기학보』8, 한국청동기학회, 2011.

이종철,「청동기시대 입대목 제의에 대한 고고학적 접근」,『한국고고학보』96집, 한국고고학회, 2015.

이홍종·허의행,「호서지역 무문토기 변화와 편년」,『호서고고학』23, 호서고고학회, 2009.

장용준·平郡達哉,「유절병식 석검으로 본 무문토기시대 매장의례의 공유」,『한국고고학보』72집, 한국고고학회, 2009.

전영래,「고창·아산지구지석묘발굴조사보고서」,『고창·아산댐 수몰지구보고서』, 원광대 마한·백제문화연구소, 1985.

최몽룡,「대초·담양 수몰지구 유적발굴조사보고」,『영산강수몰지구 유적발굴조사 보고서』, 1976.

_____,「전남지방 지석묘사회의 계급과 발생」,『한국사연구』35호, 한국사연구회, 1981.

황재훈,「중서부지역 무문토기시대 전기의 시간성 재고」,『한국고고학보』92, 한국고고학회, 2014.

황창현,「울산지역 청동기시대 묘제의 특징」,『청동기시대의 태화강문화』, 2010.

안재호,『남한 전기무문토기의 편년』, 경북대학교 석사학위논문, 1991.

이상길,『청동기시대 의례에 관한 고고학적 연구』, 대구효성카톨릭대학교 박사학위논문, 2000.

강원문화재연구원,『춘천 발산리 지석묘군』, 2004.

경기문화재연구원,『평택 토진리 유적』, 2006.

경남고고학연구소,『사천 이금동 유적』, 2003.

동북아지석묘연구소,『무안 공항 진입도로 내 상마정유적 약식보고서』, 2014.

_____,『여수 월내동 상촌 지석묘Ⅲ』, 2012.

동아세아문화재연구원,『진주 이곡리 선사유적Ⅰ』, 2007.

동의대학교박물관,『거창,합천 큰돌무덤 』, 1987.

목포대학교박물관,『무안 성동리 안골 지석묘』, 1997.

영남문화재연구원,『경주 월산리 산 137-1번지』, 2006.

우리문화재연구원,『마산 망곡리유적』, 2010.

전남대학교 박물관,『여수 오림동 지석묘』, 1992.

창원대학교박물관,『울산 다운동 운곡유적』, 1998.

한얼문화유산연구원,『광주 역동유적』, 2012.

호남문화재연구원,『장흥 신풍유적Ⅰ』, 2005.

하문식,『고조선지역의 고인돌연구』, 백산자료원, 1999.

한국고고학회,『무덤연구의 새로운 시각』, 2008.

리지린의 古朝鮮史 研究와 그 影響

目 次

Ⅰ. 머리말

북한에서 고조선에 관한 토론이 활발히 이루어지던 1960년대 초, 리지린의 이름으로 『고조선 연구』(과학원출판사, 1963년)가 출간되었다. 이 책은 분량만 해도 410쪽에 달하는 대작으로, 고조선의 정치·경제·사회 구성을 유물사관의 입장에서 처음으로 체계화 한 성과이다.[1] 고조선 내용 외에도 예맥, 숙신, 부여, 진국(삼한), 옥저에 대해서도 장절을 설정하여 심도 있게 서술하고 있다.

『고조선 연구』 서술을 위해 리지린은 그 어느 저서보다도 많은 문헌 자료를 섭렵하여, 한국 초기국가 역사에 대한 종합 정리를 시도하였다.

오래 전에 공개된 중국의 석학 顧頡綱의 일기[2]를 통해 알려진 내용이지만, 리지린은 1958년 부터 1961년까지 3년 반 정도 북경대에서 유학하며 지도교수인 고힐강과 친밀한 관계를 유지하면서 많은 자료들을 얻을 수 있었고, 「古朝鮮研究」란 논문을 작성하여 박사학위를 받았으며, 귀국한 뒤에 바로 이 저작으로 책을 출간하게 된다.

리지린은 『고조선 연구』에서 60년대 초까지의 북한 고고학 연구 성과를 활용하기는 했으나, 그 보다는 중국의 여러 옛 문헌들 가운데서 고조선에 관련된 단편적인 기록들을 빠짐없이 망라

---

* 한국교원대학교 역사교육과 교수
1) 『고조선 연구』는 본문이 393면, 도판 12매, 지도 2매, 총 410면에 달하여 당시로서는 부피가 큰 책이었다.
2) 顧頡剛, 『顧頡剛日記』(第一卷至第十二卷), 聯經出版社, 2007.

하고, 이에 대해 史料批判을 가하는 데 중점을 두었다. 결과 고조선의 위치를 북중국에서 남만주에 걸친 것으로 주장하는 등 역사지리 문제에 있어서 하나의 대담한 가설을 제시하였다.

리지린의 『고조선 연구』는 북한 학계의 한국 고대사 연구 방향을 바꾸었을 뿐만 아니라, 1980년대 중반 이후 한국에 소개되면서 남한 학계의 고조선사에 대한 새로운 관심을 불러일으키고 기존의 인식을 바꾸는 역할을 하였다. 특히 한국상고사의 웅대한 모습을 그리는 일부 연구자 및 유사역사학자들에게 기본적인 고조선사 인식의 틀을 제공하였다.

최근 우리 사회에서는 역사 인식 및 역사 서술을 둘러싸고 많은 논란이 일고 있다. 특히 일부 유사역사학자들에 의해 한국 상고사에 대한 과장된 해석과 주장이 펼쳐지고 있다. 이들 유사역사학자들의 주장은 대부분 고조선 중심지를 만주 일대에 비정하는데, 그러한 주장은 멀리는 조선시대 역사학으로부터 시작하여 오늘날에는 리지린의 연구 성과가 그 바탕이 되고 있다고 하겠다.

최근 리지린의 고조선사 인식에 관한 일련의 연구 성과가 나오고 있다.[3] 특히 강인욱의 논문은 리지린의 행적에 대한 자세한 정리를 통해 그의 역사학 전반에 대한 많은 궁금증을 해소해 주었다. 그 동안 이러한 연구 성과가 있었음에도 본고를 작성하게 된 것은 아직도 많은 분들이 리지린의 고조선사 연구의 내용을 구체적으로 모르기 때문이다. 그리고 리지린의 고조선사 인식이 최근 우리 사회에 만연한 웅대한 한국상고사 주장의 배경이 되고 있다는 사실을 언급하고 싶었기 때문이다.

본고는 여러 유사 역사학자들 주장의 문제점을 파악하기 위한 전제로 그 배경이 된 리지린의 『고조선 연구』의 내용을 검토하였다. 그리고 그 내용이 오늘날까지 남·북한 학계에 어떠한 영향을 미치고 있는지에 대해서도 살펴보고자 한다.

Ⅱ. 리지린의 북경대 유학과 고조선사 연구

리지린은 신중국 성립이후 북한 학계에서 최초로 북경대학교에서 유학한 고대사 전공자이다. 지도교수는 『古史辨自序』로 유명한 顧頡綱 교수였다.

북경대 유학 이전 시기 리지린의 활동에 대해서는 이광린과 강인욱의 논문에 잘 정리되어 있다.[4] 그는 1916년에 평안남도 강동군에서 태어나 1935년에 평양광성보통고등학교를 우등으로

---

3) 노태돈, 「북한 학계의 고조선사 연구 동향」, 『한국사론』 41·42합집, 서울대학교 국사학과, 1999, pp.895~923; 이광린, 「북한에서의 「고조선」 연구」, 『역사학보』 124집, 역사학회, 1989, pp.1~23; 강인욱, 「리지린의 『고조선 연구』 와 조중고고발굴대-顧頡綱의 자료를 중심으로-」, 『선사와 고대』 45, 한국고대학회, 2015, pp.29~58; 이경섭, 「북한 초기 역사학계의 단군신화 인식과 특징-리상호와 리지린의 연구를 중심으로-」, 『선사와 고대』 45, 한국고대학회, 2015, pp.59~82.
4) 이광린, 앞의 논문, 1989; 강인욱, 앞의 논문, 2015, pp.33~38.

졸업했다.[5] 1936년 4월 일본 와세다 대학 제2고등학원 문과에 입학하여, 1938년 4월 동 대학 문학부 철학과 중국[支那]학과에 진학하고, 1941년 졸업하였다. 이후 석사과정 1년을 다닌 후에는 한국으로 돌아왔다. 귀국 후 1942년 4월 모교인 평양 光成중학교에서 교사로 임명되었다. 그러나 병으로 1944년 3월 사임하였다가 1945년 4월 다시 평안북도 宣川중학교 교사로 임명되었다.

해방직후에는 서울로 올라와서 경성법학전문학교[6]에서 역사학 교수로 잠시 재직했다. 하지만 건강상의 이유로 고향에 돌아와서 1946년부터는 평양고등사범학교(뒤에 평양 교원대학이라고 개칭)의 교편을 잡았다. 이후 한국전쟁이 발생하자 전후 체제 정비과정에서 과학원 력사연구소 고대사연구실로 직을 옮겼다.

이후 북경대로 유학하기 전까지 리지린의 학문 역정은 잘 알 수 없다. 최근에 나온 강인욱의 글을 보면, 북경대 유학 이전 리지린은 본격적인 한국사 연구자로서 활동은 하지 않았던 것 같다.[7]

오래 전에 공개된 중국의 석학 고힐강의 일기[8]에 따르면 리지린이 북경대학에 유학을 간 것은 1958년 3월 27일이었다. 그 때 당시 리지린의 신분은 교수로 나온다.

북경대 유학 시절에 쓴 고대사 관련 첫 논문은 『력사과학』, 「자료」란에 발표한 「광개토왕비 발견의 경위에 대하여」였다.[9] 이 글은 중국인들이 1875년이 1876년 경에 비를 발견하였을 것으로 보고 있는데, 분량이 3쪽에 불과한 간단한 자료 소개라 할 수 있다.

두 번째 논문은 1960년 2호와 4호에 발표한 「고조선 국가형성에 관한 한 측면의 고찰-한자 사용의 시기에 대하여」였다.[10] 이 논문은 뚜렷한 자료를 갖고 쓴 것은 아니었다. 문자를 사용했다는 것은 국가가 형성되었음을 말한다 하고 고조선이 문자를 사용하였을 시기를 서주 초, 즉 기원전 8세기로 보아야 한다고 하였다. 그리고 중국 문헌에 나오는 동이족에 대해 연구해야 되는데 그 까닭은 동이족의 한 계열인 고조선의 문화를 밝히기 위해서라고 말하였다.[11]

이 논문에서 주목되는 것은 글의 뒷부분에 〈기자전설에 대하여〉라는 절을 설정하고 그 설이 무근거함을 설파하고 있다는 점이다. 그리고 기자전설에 대한 그의 입론은 『사기』나 『상서대전』 등의 원문 외에, 정약용의 『我邦疆域考』와 박사 지도교수였던 고힐강의 「浪口村隨筆」 卷一 「箕子封國」 글을 보았다고 한다.[12] 리지린은 이 글을 쓰면서 이미 기자조선에 대한 자신의 생각을 정리하게 되었고, 거기에는 다산의 글이나 고힐강의 글이 영향을 주었음을 알 수 있다.

---

5) 동아일보 1935년 3월 5일자 보도.

6) 일제강점기 때 설립된 법관 양성학교로 경성제대 법학과와 함께 서울대학교 법과대학으로 통합되었다.

7) 강인욱, 앞의 논문, 2015, p.34쪽.

8) 顧頡剛, 『顧頡剛日記』 第八卷, 聯經出版社, 2007, 1958년 기록.

9) 리지린, 「자료 : 광개토왕비 발견의 경위에 대하여」, 『력사과학』 1959-5호.

10) 리지린, 「고조선 국가형성에 관한 한 측면의 고찰 한자 사용의 시기에 대하여(상)」, 『력사과학』 1960-2호; 「고조선 국가형성에 관한 한 측면의 고찰 한자 사용의 시기에 대하여(하)」, 『력사과학』 1960-4호.

11) 리지린, 앞의 논문, 『력사과학』 1960-2호, p.44.

12) 위의 논문, p.46, 각주 6번 참조.

기자조선에 대해 정리한 뒤에 리지린은 또 〈貊族과 고대 중국과의 관계〉에 대해 서술하면서, 늦어도 맹자시대, 즉 전국시대 초기에 중국 북부 지대에 거주했던 貊이 착취제도를 가진 국가였음을 주장하였다. 이 글을 작성함에는 『사기』나 『산해경』 외에 정약용의 글과 정인보의 글을 인용하고 있다.

「고조선 국가형성에 관한 한 측면의 고찰–한자 사용의 시기에 대하여(하)」에서는 〈肅愼과 고대 중국과의 관계에서 본 한자 전래의 시기〉 글을 통해 숙신이 고대 朝鮮과 같은 종족이었음을 말하고 있다. 여기서 숙신은 '珠申'으로 '영토'나 '管境'을 의미한다는 신채호의 해석을 근거로 비판적으로 수용하고 있다.

그리고 숙신족은 고대 鳥夷族으로도 불렀는데, 이들 조이족은 碣石山 근처에 있었다고 본다. 자연히 秦의 만리장성 동단과 관련된 갈석산을 지금의 灤河 일대에 비정하고 있다. 이상의 내용을 보면 리지린의 고조선 중심지 재요서설의 핵심적인 내용은 사실상 이 논문에서 서술되고 있음을 알 수 있다.

이어 리지린은 〈고조선 지명, 강명, 인명 등을 통해 본 한자 사용의 시기〉 글을 통해 고조선이 열하에서부터 요동에 이르는 지역에 위치하고 있었다고 보았다. 리지린은 『永平府志』(오늘날 하북성) 자료를 근거로 '조선'이란 국호가 고조선인들이 난하 유역 일대에 거주했을 시기에 그 강들의 명칭에 의해 제정되었다고 결론짓고 있다. 이 주장은 『위략』에서 고조선이 서방 2천리를 빼앗겼다는 기록을 볼 때 더 분명하다고 주장한다.[13]

이러한 리지린의 연구 성과는 북경대 유학 시절에 작성된 것으로, 아마도 리지린은 원고가 완성되면 곧바로 고힐강에게도 제출하여 검토를 받았던 것 같다. 『고힐강일기』 1960년 4월 16일자에는 리지린이 「중국문헌상 고조선의 위치」 논문을 제출하여 보았다고 쓰여 있다. 또 「고조선 국가형성에 관한 한 측면의 고찰–한자 사용의 시기에 대하여(하)」 논문을 『력사과학』에 게재한 두 달 뒤 고힐강은 리지린의 「중국문헌상 고조선영역의 변동」 논문을 고쳐주었다고 쓰고 있다.[14]

이처럼 1960년에 리지린은 고조선의 한자 사용에 대한 논문을 발표하고, 여기서 고조선사와 관련된 리지린의 생각을 거칠게나마 정리하고 있다. 따라서 「고조선 국가형성에 관한 한 측면의 고찰」 논문이 강인욱의 정리처럼 철학에 기반을 두어 추정하는 성격의 글은 아니라고 할 수 있다.

61년도에 들어서면 리지린은 논문을 완성하기 위해 고조선사 관련 나머지 주제들에 대해 집중적으로 집필을 서둘렀음을 알 수 있다. 『고힐강일기』에 나오는 리지린의 「고조선연구」 논문 준비 과정을 간략히 정리해 보면 아래와 같다.[15]

1월 17일에는 〈왕검성〉 등의 문제를 논하였다.

---

13) 위의 논문, pp.60~61.
14) 顧頡剛, 앞의 책, 2007, 1960년 기록.
15) 위의 책, 2007, 1961년 기록 참조.

2월 5일 〈단군전설고〉, 〈기자조선전설고〉 글을 보았다.

2월 7일 〈진~한초 요하와 패수의 위치〉 글을 보았다.

2월 8일 〈왕검성 위치〉 글을 보았다.

3월 17일 〈단군전설고〉 초고를 보았다.

3월 18일 〈기자조선전설고〉 검토를 마쳤다.

3월 20일 〈진~한초 요하와 패수의 위치〉 글을 수정하였다.

3월 22일 〈요하와 패수의 위치〉 글을 검토를 마쳤다.

3월 23일 〈왕검성 위치〉 글을 보았다.

5월 10일 〈예맥고〉 글을 읽었다.

5월 11일 〈숙신고〉 〈예맥고〉 글을 거칠게 보았다.

5월 17일 〈고고자료에 근거한 조선과 중국 관계〉 글을 보았다.

6월 2일 〈예맥고〉 글을 다시 보았다. 〈고조선의 국가형성 및 그 사회형태 〉 글을 보았다.

6월 5일 〈예맥고〉와 〈숙신고〉를 다시 보았다.

6월 7일 〈삼한고〉를 다시 보았다.

6월 15일 〈삼한고〉와 〈옥저고〉를 다시 보았다.

6월 19일 〈선진시대 중·조 관계〉를 다시 보았다.

6월 20일 리지린 논문의 〈결론〉 및 〈서언〉을 보았다.

6월 29일 리지린의 「고조선 연구」 논문의 심사보고를 마쳤다.

이상에서 리지린은 60년 여름부터 논문 작성에 집중하여 61년에는 거의 반년 만에 논문 내용을 다 마무리하고 있음을 볼 수 있다.

이처럼 리지린이 북경대에 유학하여 고힐강으로부터 박사 과정을 밟은 것은 순수한 학문적인 차원에서 였을까? 이에 대해 강인욱은 북한 역사학계에 고조선 중심지의 재요령성설을 정착하기 위한 과정보다는 당시 고조선사 연구를 주도해갔던 도유호의 고조선 중심지 재평양설을 잠재우기 위한 노력의 하나였다고 보았다.[16]

1960년대 초 북한 역사학계에서는 민족주의적인 시각에서 우리 역사의 주체적인 모습을 정리하기 위한 움직임이 강하게 일고 있었다. 리지린이 북경대학교에 유학할 당시 북한 역사학계에서는 일본제국주의를 반대함과 동시에, 중국 고대의 왕들이 우리의 영토를 침략했던 것을 반대하면서 자존심을 제고시킨다는 요구 아래, '失地收復'의 주장이 왕성하였다.[17]

---

16) 강인욱, 앞의 논문, 2015, pp.50~51.

17) 과학원출판사, 「학계소식: '우리 당 정책 연구에서 이룩한 또 하나의 새로운 성과'」, 『력사과학』 1962-3호, p.84.

『고힐강 일기』 64년 8월 13일 자에 보면 고힐강은 북한역사학계에 대해 다음과 같이 평하고 있다.

"조선사학자는 고조선족이 일찍이 중국 동북지방에 거주했다고 하면서 자존심을 부리고 있고, '실지수복'을 기도하고 있다. 리지린은 이러한 임무를 집행하는 데 관계한 한사람이다. 그 목적은 장차 고대 동북 각족(숙신, 예맥, 부여, 옥저 등)을 모두 고조선족 밑에 두고자 하는 것이다. 이로 인해 중국 동북지방 전부를 조선의 옛 영토로 인정하려는 것이다. 이제 다시 중국 동북지방에서 고고발굴이 행해지고 있는데, 지하 유물로 이를 실증하려고 하고 있다."

리지린은 이러한 학계의 요구를 실현하기 위해 문헌학자로서 고조선 만주 중심지설의 논리를 마련하고 정리하기 위해 북경대학교에서 유학하고, 이 방면의 자료를 수집하였던 것이다. 그리하여 결국 先秦 시대의 사서에서 淸代의 금석학까지 3천여 년에 이르는 중국의 사료를 총망라하여 서술된 『고조선연구』가 탄생하게 되었다.

Ⅲ. 해방 직후 북한 역사학계의 고대사 연구와 리지린

리지린은 북경에서 북한으로 귀국한 뒤, 사회과학원 고조선사연구실 주임을 맡았다고 한다.[18] 이후 리지린은 북한에서 '독자적으로 외래의 영향을 받지 않은' 새로운 북한 사학을 重建하는 데 중요한 역할을 하였다. 특히 당시 삼국시기의 사회 성격 규정을 위한 토론회와 초기 고조선사와 관련된 일련의 토론회에서 주요 논자로 부상하여 토론회를 주도해 나갔다.

당시 북한에서는 1960년부터 1962년까지의 기간에 거의 20회에 달하는 고조선을 주제로 한 학술토론회가 개최되었다. 특히 1961년에는 7회에 걸친 토론이 진행되어 고조선연구의 정점을 이루었다.

토론 과정에서 연구자들은 상대방과의 치열한 논쟁을 통해 자신의 견해를 수정, 보완하며 정치하게 다듬어 나갔다. 논쟁에 참여한 학자들은 당시 최고의 석학인 백남운, 리상호, 림건상, 황철산, 리응수, 리지린, 정찬영, 도유호, 박시형, 김석형 등이었다.

고조선 관련 토론회에서 리지린이 북경에서 돌아와 등장하기 전까지는 주로 도유호를 중심으로 정찬영 등 고고학자들이 주도해 나갔으며, 대개 고조선 재평양설이 중심이었다.

고조선 관련 토론회에서 리지린이 참석한 토론회는 1961년 8월 29일 및 9월 2일의 「고조선의 생산력과 국가형성」 토론회[19]와 1962년 7월~8월의 4차에 걸쳐 진행된 「'단군건국신화'에 대

---

18) 顧頡剛, 앞의 책, 2007, p.330.
19) 과학원출판사, 「고조선 문제에 대한 토론 개요」, 『력사과학』 1961-6호, pp.73~81; 『문화유산』 1961-5호, 1961.

한 과학 토론회」[20], 그리고 1962년 10월 25일, 12월 17일, 1963년 2월 14일의 3차에 걸쳐 진행된 「고조선 령역에 대한 학술토론회」였다.[21]

토론회 당시 리지린은 고조선의 위치가 遼寧省 일대였다는 견해를 주장하였다. 토론 과정에서 전반적인 분위기가 고조선 중심지의 재요령성설 쪽으로 기울었는데, 이는 토론을 주도한 백남운과 김석형이 모두 요령성설 쪽을 지지하였기 때문이다.

1961년 7월 6일[22], 그리고 7월 18일과 19일 양일간에 걸쳐 [고조선의 위치와 영역]에 대한 토론회가 있었다.[23] 고고학자는 도유호, 황철산, 정찬영, 황욱, 문헌학자는 림건상, 박시형, 리상호, 리필근, 백남운이 참가하여 서로 반대되는 의견을 제시했다. 그런데 이 토론회를 종결하는 마당에 이 토론회를 주관한 역사 연구소 소장 김석형은 遼河說이 가장 합리적인 것이라고 설명함으로써,[24] 북한학계의 움직임이 이전 평양설에서 1961년부터 요하설로 기울어지고 있음을 알 수 있었다.

1961년 8월 1일과 8일에 열린 [고조선의 종족 구성과 시기 구분에 대하여]라는 토론회에서도 자연히 고조선의 위치와 영역에 대한 문제를 거론하여 서로 팽팽히 맞섰다.[25] 이 때 과학원 원사 박시형이 "고조선의 중심은 평양이었으며 이에 대하여서는 고고학적 유물이 보여준다."라고 발언하여 토론은 아직 결말이 난 것처럼 보이지 않았다.

그러나 1961년 8월 29일과 9월 2일 [고조선의 생산력과 국가형성]에 대한 토론회에 문헌학자의 대표라 할 수 있는 리지린의 등장은 북한학계가 어떤 방향으로 나아가고 있는가를 보여 주었다.

리지린은 1961년 8월 29일과 9월 2일 양일간 열린 「고조선의 생산력과 국가형성」 토론회에서 고조선의 영역이 압록강 이북으로부터, 열하, 내몽고 일대에 뻗쳐 있었기 때문에 한반도 내의 발굴품을 갖고 고조선의 생산력을 논하기는 곤란하다고 하고, 어느 면에서나 고조선의 중심지는 만주의 대릉하, 王險城은 蓋平으로 보아야 된다고 하였다.

리지린의 주장에 대해 황철산이 浿水는 압록강이고 고조선의 중심지는 대동강 유역이라고 하였고, 정찬영도 이 주장에 찬동을 하였으나, 문헌학자 임건상과 백남운은 고고학자들의 주장이 근거가 빈약하고 사실과 너무 어긋난다 하고 고조선을 압록강 이북 요서, 요동지방에서 찾아야 한다고 논하였다.[26] 리지린의 설을 적극 지지하고 나섰다고 할 수 있다.

---

20) 과학원출판사, 「《단군 건국신화》에 대한 과학토론회 진행」, 『력사과학』 1962-6호, pp.90~96.

21) 과학원출판사, 「고조선 령역에 대한 학술 토론회」, 『력사과학』 1963-2호.

22) 리병선, 「《고조선 연구에서 제기되는 몇 가지 문제》에 대한 학술 토론회」, 『력사과학』 1961-5호.

23) 허종호, 「《고조선의 위치와 령역》에 대한 학술 토론회」, 『력사과학』 1961-5호.

24) 과학원출판사, 『력사과학』, 1961-5, 〈학계소식〉.

25) 김기웅, 「고조선 문제에 대한 토론 개요」, 『력사과학』 1961-6호.

26) 『문화유산』 1961-5호, 〈학계소식〉.

이에 대해 계속되는 논문을 통해 도유호를 비롯한 고고학자들이 문헌학자들의 주장에 거센 반론을 제기하자 역사연구소에서는 「고조선 영역에 대한 학술토론회」를 다시 열게 되었다. 그 것은 1962년 10월 25일, 12월 17일, 1963년 2월 14일의 일이었다. 모두 세 차례 개최되었다. 이 모임에서 리지린이 먼저 토론을 벌였고, 도유호, 박시형, 리상호, 림건상, 김석형이 뒤따라 자기 설을 내세웠다. 도유호를 제외하고 대부분이 문헌학자들이었다.[27]

당시 리지린은 이미 북경대 박사학위 논문을 준비하면서 작성한 고조선 중심지의 재요서설 내용을 중심으로 토론회를 주도하였다. 그리고 이때 발표된 논문을 중심으로 그해 1963년 8월 과학원 출판사에서 『고조선에 관한 토론 논문집』이란 단행본을 간행하였다.[28] 그것은 325면 에 달하는 방대한 분량의 책이었고, 이 책 속에는 리지린, 김석형, 황철산, 정찬영, 리상호, 림건 상의 논문이 실려 있었다.[29] 특히 리지린의 「고조선의 위치에 대하여」논문은 「고조선 연구」, 즉 북경대 박사학위 논문의 제1장 내용과 똑같다.

이 토론회로서 북한학계는 고조선의 위치와 영역 문제를 해결한 것처럼 보였다. 문헌학자의 주장을 받아들였던 것이다. 그러기 때문에 토론회를 마친 직후 리상호가 『력사과학』 1963년 2 호와 3호에 고조선 중심을 평양으로 보는 견해들에 대한 비판이란 논문을 발표하여, 평양으로 보는 견해는 고조선을 역사적으로 고찰하지 못했던가, 고찰하지 않으려는 것이라고 비판하였 다.[30]

이 무렵 리지린의 『고조선 연구』책이 간행되었다. 『력사과학』 1963년 5호에서는 즉각 이 책 의 서평을 게재하여,

"이 저서는 그러한 광범한 사료들을 맑스-레닌주의 력사관의 립장에서 종합, 정리하고 조선 고대사에 관한 자기의 새 체계를 수립한 것으로서 조선 고대사 발전에서의 하나의 리정표로 된 다. 즉 이 저서는 그 자체가 허다한 새롭고 긍정적인 연구 성과를 담고 있을 뿐만 아니라 수많은 문제들을 새로운 각도에서 고찰함으로서 광범한 토론을 위한 전제 조건을 조성하였고 이로써 장차 이 분야에 있어서의 연구를 가일층 촉진시킬 수 있는 계기를 지어 준 점에서도 획기적 의 의를 가지고 있다."[31]고 하여, 높이 칭찬하는 논조로 일관되어 있다.

토론 막바지에 당시로서는 젊은 편에 속했던 리지린의 견해가 크게 부각되었는데, 그의 연구

---

27) 과학원출판사, 『력사과학』 1963-2호, 〈학계소식〉.

28) 리지린 외, 『고조선에 관한 토론 론문집』, 과학원출판사, 1963.

29) 김석형의 「고조선의 연혁과 그 중심지들에 대하여」, 황철산의 「고조선의 위치와 종족에 대하여」, 정찬영의 「고조선에 관한 몇 가지 문제들에 대하여」, 림건상의 「고조선 위치에 대한 고찰」, 리지린의 「고조선의 위치」, 리상호의 「단군 건국 신화에 대하여」 등 6편이다.

30) 리상호, 「고조선 중심을 평양으로 보는 견해에 대한 비판(상)」, 『력사과학』 1963-2호; 「고조선 중심을 평양으로 보는 견해에 대한 비판(하)」, 『력사과학』 1963-3호.

31) 과학원출판사, 「서평-《고조선연구》에 대하여」, 『력사과학』 1963-5호.

성과는 별도로 『고조선연구』(1963)에 포괄하여 정리되었다. 이후 세부적으로 약간의 수정이 없었던 것은 아니지만, 1993년 단군릉 개건 이전까지 북한 학계의 공식적인 견해(고조선 중심지의 재요령성설)가 형성되는 데는 리지린의 주장이 커다란 역할을 하였다.

토론 과정에서 중국의 先秦시기 문헌부터 심지어 청대의 문헌까지 치밀하게 분석하여 고조선의 역사지리 연구와 자료 구사 등에서 다른 연구자들을 압도하였던 리지린만이 고조선 전공자로 남게 되었고 정찬영을 비롯한 고대사 연구자들은 고구려사를 비롯한 다른 전공으로 전환하였다.

1963년 전반기를 고비로 고조선에 대한 도유호 등 고고학자들의 주장이 힘을 잃고 리지린 등 문헌학자들의 고조선 요하설이 중심이 되었다. 이는 당시 북한 학계가 날로 편협한 국수주의적인 경향으로 가고 있었기 때문에 도유호 등이 생각하고 피력하였던 폭넓은 학문세계는 용납되지 않았던 것이다.[32] 이러한 북한 역사학계의 변화에 대해 강인욱은 문헌사학자와 고고학자 사이의 헤게모니를 둘러싼 투쟁과 밀접한 연관을 맺었다고 보았다. 특히 구체적으로 북한 역사학계에서 도유호에 대한 숙청 쪽에 무게를 두었다.[33] 이러한 분석은 실상과 맞는 해석이라 생각한다. 다만, 크게 보면 1960년대 초반 북한 역사학계에서 김일성이 강조하는 "주체를 확립하고 당성 원칙과 역사주의적 원칙을 철저히 고수하기 위해"서 고고학자들의 고조선 한반도 중심설보다는 문헌학자들의 고조선 만주설이 더 유리했던 것으로 보인다. 그리고 그 중심에 리지린이 있었던 것으로 볼 수 있다.

『력사과학』 1962년 3호 권두 글은 「맑스-레닌주의의 기치를 높이 들고 력사과학의 당성의 원칙을 고수하자」였다. 그리고 말미에 실린 〈학계소식〉 글에서 1962년 4월 13일에 열린 〈조선 혁명 수행에서 김일성 동지에 의한 맑스-레닌주의의 창조적 적응〉이라는 제목으로 열린 학술 대회에서 리지린의 발표 내용을 자세히 서술하고 있다.

보고대회에서 리지린은 '우리 당의 령도와 조선 력사학의 발전'이라는 제목으로 보고하였는데, "보고자는 우리 민족의 유구하고 우수한 력사학의 전통이 고조선 시기부터 면면히 계승 발전되어 오다가 일제 침략자들에 의해 유린되고 왜곡 말살 당하여 그 발전이 정체되지 않을 수 없었다고 언급하면서 그러나 일제 통치의 그와 같은 암담한 시기에도 우리 력사학의 유구하고 우수한 전통은 1930년대부터 새로운 길을 개척하면서 계승 발전되어 왔다고 하였다."[34]

계속해서 리지린은 "우리 력사상 첫 계급 국가의 형성 문제, 노예소유자 사회의 존부 문제에

---

32) 이광린, 「북한의 고고학-특히 도유호의 연구를 중심으로-」, 『동아연구』 20, 서강대학교 동아연구소, 1990, pp.128~129.

33) 강인욱, 앞의 논문, 2015, p.53.

34) 과학원출판사, 「학계소식 : '우리 당 정책 연구에서 이룩한 또 하나의 새로운 성과'」, 『력사과학』 1962-3호, p.84.

관한 토론들에서 그 일단을 볼 수 있었다고 지적하면서 우리 력사가들은 김일성 동지의 교시 정신에 철저히 립각하여 연구 사업을 진척시킨 결과 삼국에 선행한 계급국가가 자체 발전 법칙에 의해 형성되었음을 논증할 수 있었으며, 이로써 민족허무주의 경향과 자기의 력사를 남의 력사 발전 체계의 틀에 맞추려는 교조주의적인 부당한 견해를 극복할 수 있었다."고 피력하였다.[35]

학술대회에서 리지린의 보고 내용을 보면 기본적으로 60년대초 북한 역사학계에서는 일제 식민지 시기 이래 우리 학계에 만연한 민족 허무주의를 타파하고 우리 역사를 주체적으로 해석하고자 하는 노력이 일었고, 그러한 노력의 중심에 리지린의 고조선 연구가 있었다고 할 수 있다.

그리고 리지린은 고조선 관련 글 속에서 고조선 중심지 재요서설을 입증할 수 있는 유물 자료를 직접 조사함으로써 고조선과 관련된 여러 논란을 확실히 매듭지어야 한다고 주장하였다. 이러한 노력의 일환으로 1963년에는 朝中考古協定에 따라, 처음으로 만든 조선사회과학원의 여러 동료들과 함께 중국 大連 寧安 등지에서 유적을 발굴하고, 유물을 통해서 북한학계의 주장을 입증하려고 노력하였다.[36]

Ⅳ. 『고조선 연구』의 내용 검토

1. 머리말

이번 장에서는 본격적으로 리지린의 고조선사 연구의 결과인 『고조선 연구』 서술의 특징과 문제점에 대해 살펴보도록 하겠다.

리지린의 『고조선 연구』는 머리말과 맺는말 외에 모두 9장으로 구성되어 있다. 또 각 장 밑에는 몇 개의 절이 붙어 있다. 이 책에서 가장 주목할 것은 1장의 「고조선의 역사지리」와 9장의 「고조선의 사회성격」 부분이라 할 수 있다. 특히, 1장의 「고조선의 역사지리」 내용은 『고조선에 관한 토론 론문집』(1963년 발간)에 게재했던 논문의 내용과 똑같다. 즉 리지린은 토론회 당

---

35) 상동

36) 『고힐강일기』에는 1963년 6월과 1964년 7월에도 김기웅, 이제선 등과 함께 리지린이 북경을 방문했다고 기록하였다. 그리고 북한역사학계에 대해 평하기를, "조선사학자는 고조선족이 일찍이 중국 동북지방에 거주했다고 하면서 자존심을 부리고 있고, '실지수복'을 기도하고 있다. 리지린은 이러한 임무를 집행하는 데 관계한 한 사람이다. (중략) 이로 인해 중국 동북지방 전부를 조선의 옛 영토로 인정하려는 것이다. 이제 다시 중국 동북지방에서 고고발굴이 행해지고 있는데, 지하 유물로 이를 실증하려고 하고 있다. 이에 대해 중국에서는 특별히 제제하지는 않았다"고 하였다(『고힐강 일기』 64년 8월 13일; 강인욱, 앞의 논문, 2015, pp.51~52).

시에 이미 완성된 논문을 작성하였고, 그 내용을 중심으로 토론을 주도해갔던 것이다.

리지린은 「고조선의 역사지리」 내용을 먼저 정리한 후, 다음으로는 당시 많은 논란이 되었던 고조선사 관련 여러 주제, 즉 단군신화와 고조선의 종족 문제 등을 정리하였다. 이밖에 중국 동북지방 및 한반도에서 고조선과 동 시기에 존재하였던 초기국가 부여와 진국(삼한), 옥저, 숙신 등에 대해 종합적으로 고찰하여 한국고대사 속에서 첫국가로서 고조선이 여러 초기국가를 아우르는 역사였다고 위치지우고 있다. 끝으로 사회구성 문제와 관련하여 고조선은 고대 노예제 사회였으며 위만조선 이후 봉건사회로 나갔다고 하여 당시로서는 획기적인 입론을 주장하였다. 이 주장은 이후 북한학계의 기본 통설로 자리 잡았다.

『고조선 연구』의 '머리말'에서 리지린은 오늘날까지 고조선 역사를 체계적, 과학적으로 연구하지 못한 이유를 들면서 그것이 방법론상의 결함과 자료의 결핍에 있다고 지적하였다. 리지린은 이 두 가지가 항상 긴밀하게 결합되어 있다고 하면서 관계되는 모든 문헌 자료 및 고고학적 성과들을 종합하고, 그것을 맑스주의 방법론으로 옳게 처리해야만 종래 봉건 제국주의 사가, 일본 부르주아 역사가들의 우리 고대사에 대한 왜곡, 허위 날조 내지 발상을 극복할 수 있다는 것을 강조하였다.

'머리말'에서 리지린은 역사학에서 문헌 사료의 중요성을 설파하고 있다. 그리고 당시 북한 역사학계에 만연했던 민족주의적인 시각에서 중국의 사가들의 시각으로 정리된 우리 고대 역사 기록은 모두 왜곡되었고 날조되었다고 비판하고 있다. 특히 『수서』 신라전에서 신라가 낙랑의 옛 땅이라는 기록을 두고 이는 역사 위조이며 당의 삼국 침략의 구실을 제공해 주는 것이라고 보고 있다.[37]

그리고 이러한 중국 봉건사가들에 의해 왜곡된 사료를 정확하게 비판하고 그 사료의 이면에 숨겨진 우리나라 고대 사회의 현실을 밝히는 것은 오직 맑스-레닌주의 방법론에 의거함으로써만 가능하다고 강조한다. 이는 당시 북한 역사학계의 과제이자 김일성이 주도하는 주체적인 역사학 수립을 위한 노력 속에서 나온 주장이다.

2. 제1장. 고조선의 력사 지리

리지린이 가장 심혈을 기울인 1장에서는 고조선의 위치를 구명하기 위하여 가장 오래된 문헌 자료, 예를 들면 『管子』의 '發朝鮮', 『山海經』의 '朝鮮' 및 列陽, 『戰國策』의 '朝鮮遼東' 기록을 들고, 이 모든 자료들은 고조선이 현 요하 以東, 以西에 걸쳐 있었음을 보여준다고 논단하였다.

그러나 고조선의 영역은 고정불변하였던 것이 아니라 역사적으로 상당한 출입이 있었는바

37) 리지린, 앞의 책, 1963, pp.3~4.

저자는 고조선의 서부 국경선으로 되었던 浿水의 고증 및 중국 요동군의 위치 연혁의 고증을 밀접히 결부시켜 진행하였다.

입론의 가장 중요한 것은 漢初의 遼水가 지금의 遼河와 동일한 곳인가의 문제였다. 즉, 리지 린은 秦, 漢初의 遼水는 현재의 遼河가 아니라 灤河라는 입장에서 출발하여 浿水는 현재의 대 릉하, 고조선의 南邊은 현재의 압록강이란 견해를 피력하였다.[38]

이 설의 입증을 위해『산해경』海內東經의 "요수는 위고 동쪽을 나와 동남으로 발해에 물을 대고 요양에 들어간다."[39]는 기록에서 東南으로 흐르는 강을 찾고,『鹽鐵論』「險固篇」의 "연은 갈석에서 막히고 야곡을 끊고 요수로 둘렀다."[40]는 기록에서 남만주 일대에서 碣石이 遼水와 함께 있는 것으로 해석하였다. 이에 따르면 현재 山海關과 碣石山이 위치한 곳을 燕 長城이 끝 나는 곳이고 근처에 흐르는 난하가 요수라고 볼 수도 있을 것이다.

이 주장은 요서지역을 고조선의 영역으로 보고자 하는 기본적인 선입관을 바탕으로 江의 흐 르는 방향을 통해 遼水의 위치를 고증하며, 遼水나 碣石이 바로 고조선과 경계지역이라는 논리 에 바탕을 두었다. 그러나『산해경』에 나오는 江의 흐름만을 갖고 灤河를 遼水라고 주장하는 것 은 정황 논리일 뿐이지 그 옆을 흐르는 大凌河나 遼河도 같은 방향으로 흐른다는 점에서 주장의 신빙성이 떨어진다. 또한『염철론』에 기록된 碣石은 자세히 읽어보면 꼭 遼水 근처에 있는 것으 로 해석될 수 있는 것은 아니다. 특히 요수나 갈석이 燕의 障塞 근처에 위치하나 그것이 꼭 고조 선과 경계의 지역이라는 내용이 없고 오히려 山戎, 東胡와 경계한 지역일 가능성이 높다 하겠다. 설령 이 주장을 믿더라도 당시 遼水였던 灤河가 기원전 4세기(전국시대) 이후 현재의 遼河로 옮 겨지게 되는 이유와 그 과정을 전혀 입증할 수 없는 점 등 많은 문제를 내포하고 있다.

리지린은『魏略』에 기재된 秦開의 고조선 서방 2000리 경략[41]과『史記』匈奴列傳의 東胡 1000여 리 격퇴[42]를 동일한 사건으로 보고 이 시기에 요동일대로 비정되는 滿潘汗까지 고조선 의 영역이 퇴축된 것으로 본다. 그 후 漢初에는 고조선인민들의 반침략투쟁으로 인해 失地를 회복하여 고조선의 西界가 浿水(大凌河)까지 확대되었던 것으로 파악하고 있다. 그리고 고조선 의 수도 왕검성은 후의 蓋牟城(현 요동 개주시)으로 비정될 수 있으며 요동군 險瀆은 昌黎(요서 난하 일대) 부근에 있었다고 주장하였다.

리지린이 논거로 인용한『위략』의 고조선 기록과『사기』흉노열전 기록은 혼용할 수 없는 전 혀 다른 국가체에 대한 기록이다. 그러나 리지린은 고조선사의 명확한 해석을 위해서는 두 사

---

38) 위의 책, pp.44~77.
39)『山海經』海內東經. "遼水出衛皐東 東南注渤海 入遼陽"
40)『鹽鐵論』險固篇. "燕塞碣石 絶邪谷 繞援遼"
41)『三國志』卷30, 烏桓鮮卑東夷傳 第30, 韓條 所引『魏略』. "後子孫稍驕虐 燕乃見將秦開功其西方 取地二千餘里 至滿番汗爲界 朝鮮遂弱"
42)『史記』卷110, 匈奴列傳 第50. "燕亦築長城 自造陽至襄平 置上谷漁陽右北平遼西遼東郡以拒胡"

서의 기록이 절대적으로 중요함을 부각시켰다. 리지린의 두 사서에 대한 새로운 해석은 이후 남한 학계에서 요동설이나 중심지 이동론을 주장하는 학자들에게 많은 시사점을 주었고 개별 논문에 많이 응용되었다.

3. 제2장. 고조선 건국전설의 비판

2장에서 리지린은 단군신화를 몽고의 침략 하에서 민족의식을 고취시키기 위하여 고려 말에 만들어진 후대의 창작물로 보려는 일본인 학자들의 견해에 대해서 다른 학자와 마찬가지로 맹렬하게 비판하고 있다. 그러나 리지린은 고조선의 건국신화인 단군신화를 원시토테미즘의 한 잔영으로 보아 그 역사성을 부인했다.[43]

리지린에 의하면 단군신화는 발해, 황해 연안에 거주한 원주민인 鳥夷가 가지고 있던 卵生 신화와는 달리 북방 계통의 天降 신화이며 삼국의 건국 전설에 난생 신화의 요소가 있는 것은 濊族(고조선족)이 鳥夷族에게서 물려받은 것이라고 하였다.

한편 기자 전설은 기원전 3세기 말 秦代에 위작된 것으로 기자가 조선에 온 일은 없었다고 주장하였다.[44] 리지린은 기자동래설이 漢나라에 대한 고조선의 종속 관계를 강화하기 위해 날조된 것이며 기자조선을 주장하는 자들은 반동이며 사대주의자로 규정하였다.

리지린은 기자동래설에 내포되어 있는 의미에 대해 우선적으로 은-주 시대에 많은 중국인(은의 유민, 산동에 거주했던 동이족)들이 고조선 지역으로 이주하였던 사실을 알 수 있다는 점을 강조하였다. 그의 이러한 견해는 고조선사의 개시를 끌어올리려는 의도가 내재되어 있었던 것으로 판단된다.

그러나 그 논지의 합리성으로 인해 리지린의 주장은 최근까지도 기자동래설에 대한 인식의 정설로 받아들여지고 있다.

4. 제3장. 濊族과 貊族에 대한 고찰

제3장에서 저자는 濊, 貊에 관한 고대 기록들을 광범히 인용하고 예, 맥이 동일한 족속의 두 갈래 종족임을 논증하고, 옛 문헌들에서 '濊貊'이라 쓴 것은 이 두 종족이 같은 종족에 속했으며, 특히 기원 전 3세기 이후에 서로 雜居, 융합하였기 때문에 중국 사가들이 구별하지 못했으며 나중에는 구별할 수도 없게 된 데 기인한다고 썼다.

한편 동호는 鮮卑, 烏桓(烏丸)만의 선조가 아니라 오히려 貊族이 그 주요 종족으로 된 匈奴

---

43) 리지린, 앞의 책, 1963, pp.97~123.
44) 위의 책, pp.124~135.

동방의 제 종족들에 대한 총칭이었다고 저자는 인정하였다. 맥족의 후예는 기원 전 3세기 중엽에 송화강 이남으로 이동하여 扶餘를 건국하였고 또 그 일부는 기원전 1세기에 고조선의 동부지방인 압록강 중류 지역에서 高句麗 국가를 세웠다고 한다.

이상의 예맥에 대한 논의는 대체적인 내용이 비교적 수긍할만한 것으로 예맥에 대한 기본적인 정리가 잘 이루어졌다고 할 수 있다.

리지린은 예맥족의 先住族으로 鳥夷의 존재를 거론하고 있다. 이 鳥夷는 중국 고전에 전설상의 인물인 舜임금의 원정 대상으로서 처음 나타나고 있는데, 리지린의 주장에 따른다면 이는 황해 연안, 발해만, 한반도에 거주하던 고대의 종족이었다고 한다. 나아가 리지린은 고조선이 형성되기 이전의 원주민이 다름 아닌 조이였다고 주장한다. 그런데 대체로 기원전 2000년경에 예맥족이 남하하여 조이와 혼합하게 되었다는 것이다. 리지린은 숙신족도 그 혼합의 한 산물로 보았으며, 이는 뒤에 고조선의 주민으로 편입되어 고조선 서쪽에 살았다고 한다.

리지린이 동이족 대신 들고 나온 鳥夷는 『尙書』등 사서의 기록에서 보면 嵎夷, 萊夷, 淮夷와 더불어 東夷라는 총칭 아래 기록된 족속에 지나지 않는다. 따라서 리지린이 조이를 고조선 주민의 선조라고 주장한 것은 실로 무리하고 설득력이 떨어지는 주장이라고 할 수 있다.

리지린은 漢四郡, 특히 樂浪郡의 위치도 언급하였다. 그에 의하면, 고조선의 옛 중심지대는 현 요동반도와 중부 이북 일대이므로 낙랑군은 당연히 이 부근에 있어야 한다. 그는 더 나아가서 종래 일부 사가들이 후한(기원 44) 이후 낙랑군을 현 평양 부근에 비정하였던 설도 부정하고 낙랑군은 시종일관 현 遼東에 있었다고 강조하였다. 그 주된 논거의 하나는 111년에 부여왕이 직접 낙랑군을 공격하였는데[45] 당시 고구려와 적대적 관계에 놓여 있던 부여가 고구려의 영토를 경과함이 없이 낙랑을 치려면 낙랑이 고구려의 서쪽 내지 서북쪽에 있어야만 한다는 것이다.[46]

한사군의 위치와 관련하여 만주에 비정하는 리지린의 견해는 현실적인 자료를 무시한 논리상의 주장이다. 한사군, 특히 낙랑군의 위치와 관련해서 주목해야 할 것은 바로 고조선 후기 단계(초기 철기시대)에 고조선의 문화와 한의 문화가 복합되어 나오는 곳이 어디인가의 문제이다. 그것은 고조선인 거주 지역에 한인들이 들어와 살았기 때문이다. 그런데 낙랑군의 속현이었던 점제현의 신사비가 대동강 유역에서 나왔고, 한에서 유행한 벽돌무덤과 한 관리들이 거주한 토성이 현재에도 대동강 유역에 위치하고 있다. 최근 대동강 남안 일대에 통일거리를 조성하는 과정에서 수천 기의 낙랑 유물이 나왔다고 한다. 특히 최근 평양 정백동 364호 무덤에서 출토한 木牘[木簡] '樂浪初原四年 縣別 戶口簿'를 보면 낙랑군은 중국 내군과 동일하게 낙랑 지

---

45) 『後漢書』扶餘條. "至安帝永初五年 扶餘王始將步騎七八千人 寇鈔樂浪 殺傷吏民 後復歸附"
46) 리지린, 앞의 책, 1963, p.188.

역 토착민과 이주해 온 漢人을 모두 호적에 등재해서 관리했음을 알 수 있다. 그리고 漢의 법으로 관리하고 통치하기 위해 매년 실제 호구 파악과 호구부를 작성하였음을 알 수 있다.[47]

5. 제4장. 숙신에 대한 고찰

4장에서 리지린은 3세기 이후 중국 사서들에 나타난 肅愼은 挹婁, 靺鞨, 勿吉, 女眞의 전신으로서 기원 전 5세기 이전에 관련되는 숙신과는 하등의 연계도 닿지 않은 종족들이라고 주장하였다. 즉 중국 고문헌들에 보이는 기원전 5세기 이전 시기와 관련된 숙신은 稷愼, 息愼, 思愼 등으로도 표기되었으며, 이것은 朝鮮과도 상통되나 만주어 珠申(所屬, 管境의 뜻)과는 관계가 없는 것이라고 논단하였다.[48]

이처럼 리지린은 신채호의 주장을 참조하였으나 그와 달리 자신만의 논지를 만들었다. 그러나 기원전 5세기를 기준으로 그 이전과 이후를 구분할 수 있는지는 여전히 의문이다.

6. 제5장. 부여에 대한 고찰

5장에서는 부여의 종족, 고조선과의 관계, 부여국의 사회경제구성 등으로 나누어 자세하게 서술하였다.[49]

본래 고조선의 일부 지역이었던 땅들에서 일어난 나라들인 부여와 고구려는 결코 원시 사회에서 처음 계급 사회로 이행하여 세운 국가가 아니라는 것을 강조한다. 그리고 부여의 사회경제구성은 국가, 국왕, '가'-'하호'의 관계에서 보는 노예제 경제 형태가 주도적 위치를 차지하는 아시아적 노예제에 속하는 것이지만 부여 사회는 아시아적 노예제 사회로서는 발전된 노예제를 가지고 있었고, 기원 전후 시기에는 그 속에서 점차로 봉건적 관계가 싹 트고 발전하였으며 봉건 제도로의 이행이 시작되었다고 주장하였다.

부여와 관련된 리지린의 주장은 대체로 적절하다고 할 수 있다.

7. 제6장. 진국(삼한)에 대한 고찰

6장에서는 기원전 3세기 이전에 건국하였던 辰國은 오늘의 한반도를 차지한 나라였으며 기원 1세기 중엽까지의 그 북방한계선은 현 압록강이었다고 보았다. 진국은 3개의 '汗國', 즉 三韓

---

47) 윤용구,「새로 발견된 樂浪木簡-樂浪郡 初元四年 縣別 戶口簿-」,『한국고대사연구』46, 한국고대사연구회, 2007, pp.241~263;「平壤出土〈樂浪郡初元四年縣別戶口簿〉硏究」,『木簡과 文字 硏究』3, 한국목간학회, 2009.
48) 리지린, 앞의 책, 1963, pp.201~213.
49) 위의 책, pp.214~261.

으로 나뉘어져 있었고 다시 세분되어 78개국으로 되어 있었는데, 이 國이란 중국에서도 그러한 바와 같이 지방 행정 단위를 의미하는 것으로 보았다.

진국에는 기원전 2세기 초에 고조선의 準王이 망명해 가서 그 서북방(현 평안남북도 지방)을 일시 차지하게 되었다고 한다. 그의 왕조가 단절된 후 이 지역은 마한의 최리 가문의 관할 하에 들어갔으며, 최리가 망한 후에는 염사읍군 蘇馬諟가 44년 후한에 투항하여 여기에 한나라 세력이 침투하였다. 그러나 이것은 염사읍 일대가 한나라 낙랑군에 예속되었음을 의미하는 것이며 결코 낙랑군이 여기에 설치된 것을 의미하지 않는다고 강조하였다.

리지린은 한반도에는 고조선이 없었고 진국이 있었다고 한다. 진국은 삼한으로 염사읍군 소마시가 살았고, 나중에 낙랑군에 예속되었다고 본다. 즉 낙랑군에 예속된 것은 고조선이 아니라 염사읍군 소마시라는 것이다.

리지린의 진국과 삼한에 대한 이러한 해석은 이후 한강 이남의 초기국가 해석의 여러 가능성을 열어 주었다. 그러나 진국은 한강 이남에 존재한 것이 분명하므로 진국의 북방한계선을 압록강으로 설정한 것은 오류이다.[50]

8. 제7장. 옥저에 대한 고찰

7장에서 저자는 문헌 자료들에 3개의 옥저, 즉, 옥저·동옥저(남옥저)·북옥저가 보이는 바, 동옥저는 현 함경남북도에 있었으며, 옥저는 현도군이 처음 설치되었을 때의 지역이었다고 인정하였다. 그것은 옥저에 不耐城이 있었고 여기에 후에 고구려가 도읍을 정했기 때문이다. 또 같은 이유로 옥저족은 본시 예족의 일부였다는 것을 알 수 있다. 북옥저는 남옥저(동옥저)와 800여 리 떨어져 있었고 그 중간에는 읍루족이 살고 있었다.

이와 같이 저자는 옥저족이 예인이며 또 옥저가 낙랑군의 영동 7현 지역에 해당하는 것인 만큼 4군 설치 이전의 그 사회경제 구성도 고조선과 유사하였고, 따라서 결코 원시사회였다고는 볼 수 없다고 하였다.[51]

이러한 리지린의 옥저에 대한 정리는 어느 정도 안정적이고 인정할 수 있는 내용으로 서술되었다.

9. 제8장. 고고학적 유물을 통해 본 고대 조선 문화의 분포

8장에서 리지린은 고고학의 문외한으로 자처하면서도 지금까지 내외의 고고학자들이 내놓

---

50) 『史記』 朝鮮列伝에 辰國은 眞番 옆에 있는 나라로 나오는데, 대개 한강 이남의 경기도 일대나 금강 유역 일대로 비정할 수 있다(『史記』 朝鮮列傳 "眞番旁衆國(辰國)欲上書見天子, 又擁閼不通").

51) 송호정, 「두만강 유역의 고대문화와 정치집단의 성장」, 『호서사학』 50, 호서사학회, 2008, pp.50~53.

은 자료들과 미발표의 몇몇 자료들을 제시하면서 주로 형태상 유사성을 기준으로 석기, 토기, 청동기, 철기 등의 각종 유물을 분류하여 그 중 고조선 또는 고대 조선족의 유물로 간주되는 것을 열거하였다.

그 중에서도 북방식 및 남방식 거석문화의 出自의 차이성에 대한 지적은 저자의 새 학설에 속한다. 즉 그는 북방식 고인돌이 더 선행한 것이라고 주장하였다. 청동기 유물 가운데 평형(비파형) 단검은 요동, 요서 한반도에서 다 나오며 한반도 내의 세형동검보다는 선행하는 것이므로 전자(평형단검=비파형동검)는 고조선과 맥국의 문화 유물로, 후자(=세형동검)는 진국의 문화 유물로 인정하여야 할 것이라는 것이다. 저자는 종래 일본 고고학자들이 조선의 청동기문화가 시베리아 또는 중국에서 이식되었다고 한 견해를 반대하고 고대 조선족 내부에서 발생하였다고 주장하였다.

이처럼 리지린 당시의 북한 역사학계는 고고 자료에 대한 이해가 부족하여 비파형동검과 세형동검을 시기의 차이가 아니라 정치체의 차이로 보았는데, 이것은 오류이다.

10. 제9장. 고조선 국가형성과 그 사회경제구성

9장에서는 기원전 4세기에 '大夫'라는 관직이 있었으며 기원전 2세기 초에는 '박사'가 있었는데, 이것은 발달한 관료 기구의 존재를 말해준다고 하였다. 고조선에는 '犯禁八條'가 있었는데 그 내용은 노예제가 발전하여 고갈된 노예의 원천을 탐구하기 위하여 가혹한 형벌 노예제가 실시된 것을 보여준다고 보았다.

한편 기자 전설은 고조선이 기원전 12세기에 이미 고도의 문화를 가졌음을 반영하고 있다고 보여지기 때문에 이 시기에 고조선의 선진 부족들이 국가를 형성하기 시작했고 늦어도 기원전 8세기에는 朝鮮이란 통일국가가 형성되었다고 보았다.[52]

리지린은 부여에 선행한 고리국(맥국)에 아시아적 공동체에 기초한 총체적 노예제가 있었던 것처럼 고조선에서도 기원전 1000년기 초엽에는 총체적 노예제가 존재하였다고 인정하였다. 리지린은 현존 문헌 자료상의 고조선 국가(대개 기원전 8~5세기) 및 그 이후의 통일적 국가는 총체적 노예제의 유제가 아직 강하게 잔존한, 그리고 노예제도가 지배적 지위를 차지한 노예제 사회였으며 위만 이후 점차 봉건 사회로 이행하였다고 보았다.

이러한 리지린의 고조선 사회에 대한 해석은 이후 북한 역사학의 기본 틀이 되었다.

한편 리지린은 위만 왕조에 의한 정권 교체는 고조선의 발전된 노예제가 기원전 3세기~2세기 초에는 위기에 봉착하였음을 보여준다고 보았다. 즉 기원전 195년에 망명해 온 위만이 불과 수년 내에 고조선의 준왕을 축출한 데에는 그가 새로운 봉건적 관계의 형성을 지지하고 조장하

---

52) 리지린, 앞의 책, 1963, pp.369~361.

는 정책을 취하였고 자라나는 봉건 세력들과 결탁하여 낡은 노예소유자적 귀족들을 반대하는 인민들의 계급투쟁을 성공적으로 이용하였다는 사정이 크게 작용하였다고 보았다.

고조선 사회의 국가형성 시기를 늦어도 기원전 8세기경으로 소급하고 사회발전 정도를 발달된 노예소유자 사회로 간주한 리지린의 견해는 곧이어 중국 동북지방에서 고고학 자료의 증가, 특히 비파형동검 관계 유적, 유물에 대한 조사가 증가하면서 더욱 튼튼히 뒷받침되고 확고히 자리 잡게 되었다.[53]

1963년 『고조선연구』에서 표명되었던 고조선의 사회성격에 대한 리지린의 견해는 1960년대 중반 이후 학계 전반에 관철된 주체사상과 결부되어 재차 정리된 형태로 발표되었다.[54]

책의 맺는말에서 리지린은 사료 취급상의 몇 가지 원칙을 다시 한 번 강조하면서, 고조선의 위치, 고대 조선의 종족들, 사회 경제구성의 공통성, 정치제도의 특수성 등을 거듭 지적하고 고대사 연구의 완성을 위하여 비교 언어학자, 경제사가, 고고학자들과의 가일층 긴밀한 협조 및 공동 연구가 필요하다는 것을 제기하였다.

1960년대 중반에 형성된, 고조선 사회의 성격에 대한 이러한 기본 입장은 그 후 근본적인 내용의 변화 없이 약간의 새로운 사실이 추가되는 선에서 단군릉이 개건되는 1990년대 초까지 이어졌다.

V. 『고조선연구』의 특징 및 영향

리지린은 고조선의 역사지리를 연구하기 위해서는 소위 正史라고 불리는 史書에만 의존할 것이 아니라 흔히 野史로 분류되어 온 사서나 지리서에도 눈을 돌려야 한다고 강조한다.[55] 따라서 『史記』나 『漢書』못지않게 『管子』, 『山海經』, 『戰國策』 등의 先秦文獻은 물론이고 후대의 『遼史』나 『盛京通志』, 『滿洲源流考』 등에 실려 있는 기사를 최대한 활용하려고 하였다.

그러나 『요사』나 『만주원류고』 등의 후대 기록들은 杜撰이 많고 인용 시 엄밀하게 따져보아야 할 사료들이 대부분이다. 그러나 리지린은 그것을 자신의 입론에 맞게 자의적으로 해석하는 등 문헌에 대한 접근에서 보면 문제와 허점이 아주 많다. 특히 중국 사료에 대한 엄밀한 사료 비판이 결여되어 있고, 논리적 모순 역시 많이 발견된다.

고조선의 위치 문제에 대한 리지린의 견해는 평지돌출식의 독특한 것이라기보다는 당시 북

---

53) 조중고고학발굴대, 『중국 동북지방의 유적 발굴 보고』, 사회과학원출판사, 1966.
54) 리지린, 「조선고대 제국가의 령역과 고대사회의 성격」, 『력사과학론문집』2, 과학백과사전출판사, 1971.
55) 리지린, 앞의 책, 1963, 머리말, pp.2~3.

한 역사학계에서 고대사 논의를 주도하였던 문헌학자들에 의해 그려진 큰 틀[56] 안에서 고조선의 역사지리연구에 필요한 거의 모든 자료를 광범위하게 섭렵하여[57] 在遼寧省說의 체계를 완성하였다는 점에서 그 의의를 찾을 수 있다.

고조선사에 관한 연구는 중국 正史에 인용된 고조선 사료에서부터 논란이 되기 시작하여, 당시의 역사인식과 관련하여 조선 중·후기 실학자들에 의해 위치 문제가 본격적으로 논의되기 시작하였다. 한백겸, 정약용 등 실학자들은 조선 후기의 사회변동 속에서 한반도에 대한 재인식과 만주지역의 고대사에 대한 관심을 고조선의 위치 문제와 관련하여 피력하였다. 대개 실학자들의 논의는 만주 일대를 무대로 활동했다고 보는 학자(이종휘, 안정복 등)와 압록강 이남으로 설정하는 학자(한백겸, 정약용 등)의 두 부류로 나뉘어 진행되었다.

이러한 전통 역사학자들의 논의는 일제 식민통치 시기까지 이어졌다. 고조선사와 관련해서는 구체적으로 일본학자들과 민족주의 사학자로 나뉘어 각자의 민족적·현실적 처지와 관련하여 고조선의 평양중심설과 요동중심설이 대립되었다. 신채호 등 초기 민족주의 사가들이 그린 고조선사의 모습은 만주와 한반도를 아우른, 광대한 영역의 고조선 제국이었다. 고조선의 수도 또한 만주지역에 있었고 낙랑군 등 한군현의 위치도 남만주 지역이었음을 강조하였다. 나아가 '웅대한 고조선'의 역사상을 통해 민족정신을 진작시키고 조국 광복을 되찾자는 민족운동 차원으로 고조선사가 연구되었다.

리지린은 고대 노예제 사회를 이해하기 위한 주요한 국가로서 고조선사를 택하여 관련 사료를 총망라하여 논증하였다. 리지린의 고조선사 관련 주장은 조선후기 만주 중심의 고대사와 한반도 중심의 고대사 두 경향의 연구 가운데 만주 중심의 고대사 연구를 계승하고 있다. 그리고 일제 식민지 시기 이후에 민족주의 사학의 논리와 거기에 유물사관의 논리를 결부시켜 정리하였다.

리지린의 입장은 크게 보아 민족주의사학의 논리를 바탕으로 하고 있다. 여기에 북한사회 특유의 유물사관이 결합되면서 고대 노예제사회 체계와 결부시켜 고조선 사회를 해석한 것이다.

리지린 이후 북한학계는 고고학 자료, 즉 비파형동검문화에 대한 적극적 해석을 통해 그 문화의 출발지와 중심지가 요동이고 요령성과 길림성 일부, 한반도 서북지방의 비파형동검문화 지역을 고조선의 영역으로 설명하고 그 사회는 강상묘·루상묘의 예로 볼 때 노예를 순장하던 노예제사회라고 보게 된다.[58]

북한학계는 1960년대 유행한 문화의 전파론과 외인론이 배격되고, 독자적 발생설과 내재적

---

56) 1962년도 판 『조선통사』의 고대사 부분은 림건상이 집필하였다. 이러한 『조선통사』의 고조선 사회에 대한 정리된 내용이 고조선 연구 책에 반영되었다.
57) 심지어 淸代의 자료까지도 섭렵하여 다루고 있다.
58) 63년도 조중 공동발굴 보고서(조중공동고고학발굴대, 앞의 보고서, 1965) 참조.

발전론에 일방적으로 경도되었고, 이러한 입장은 주체사관이 확립되면서 더욱 강화되었다.

1970년대에 리지린의 연구는 러시아에 큰 영향을 주었다. 바로 유.엠.부찐이 그의 연구를 중심을 북한의 고조선 연구를 러시아어로 적극적으로 소개했다.[59] 부찐의 연구는 러시아어로 출판된 유일한 고조선 관련 서적으로 러시아 내에서 현재까지도 유일무이한 고조선에 관한 책이다. 이 책에서 부찐은 리지린의 견해를 거의 대부분 수용했다.

1980년대에 들어서 리지린의 저서는 남측 학계에도 적극적으로 소개되기 시작했다.『고조선 연구』는 고조선의 재요동설을 주장하는 학자들은 반드시 참고해야하는 책이 되었다. 지나치게 고조선의 영역을 넓게 보려는 리지린의 주장에 동조하는 학자는 많지 않았지만, 그래도 그가 제시한 엄청난 양의 전거는 결코 무시할 수 없기 때문이었다.

이 과정에서 남한의 윤내현 선생은 제일 먼저 리지린의 연구 성과를 입수하여 자신의 논지에 활용하면서 리지린의 연구를 표절했다는 논쟁도 불러일으켰다.[60] 윤내현은 북한학계의 주장에서 한 걸음 더 나아가 단군의 건국 연도인 2400년경에 요령 지역의 청동기문화인 夏家店下層文化를 바탕으로 고조선이 국가를 형성했다고 보았다. 고조선의 후신인 기자조선, 위만조선은 모두 고조선과 관계없는 중국과 고조선의 국경인 灤河 근처에 있는 나라로 비정하였다. 그리고 그 以東 지역에서부터 한반도 서북지역의 땅에 고조선의 영역을 설정하였다. 그리하여 고조선은 고대 帝國 단계로까지 발전하였다고 보았다.[61]

이러한 고조선 중심지 재요령성설의 가장 큰 문제점은 처음에 평양 지역에 설치된 고조선이 아무런 근거 자료가 없는데 지금의 난하(리지린과 윤내현이 말하는 요수) 유역으로 이동했다고 보는 점이다.[62] 『사기』 조선열전에 따르면, 위만은 준왕이 통치하는 고조선 땅으로 올 때 요하 동쪽의 장새를 나와 패수를 건너 진고공지 상하장에 거처했다고 한다. 이를 윤내현 설에 따르면 지금의 난하 동쪽의 장새를 나와 대릉하를 건너 거주해야 맞을 것인데, 요동고새를 나와 패수를 건너 온 위만의 거주지를 난하 동쪽 지역으로 비정하고 있어[63] 기록과 틀린 주장을 하고 있다.

최근 많은 유사역사학자들의 지지를 받고 있는 이덕일은 고조선 중심지가 요령성 일대에 위치하고 있었다고 주장하는데, 그 근거 자료로는 『위략』에 나오는 서방 2천리 상실 기사를 절대적으로 중시한다. 『사기』 조선열전의 조선상 역계경이 우거왕께 건의했다가 듣지 않자 동쪽 辰國 땅으로 갔다는 기록을 통해 고조선이 요하 서쪽 일대에 있었기에 역계경이 동쪽 진국으로

---

59) 유.엠.부찐,『고조선』, 소나무, 1990.
60) 이형구,「리지린과 윤내현의『고조선 연구』 비교」,『역사학보』 146, 역사학회, 1995.
61) 윤내현,『고조선 연구』, 一志社, 1994.
62) 위의 책, pp.331~357.
63) 위의 책, pp.368~378.

갔다고 주장한다.[64] 이러한 리지린의 고조선 재요서설은 고대의 요수가 난하라는 주장이 그 바탕이 되고 있다.

그러나 『사기』 조선열전에 역계경의 기록을 근거로 요서 지역에 고조선이 존재했다고 주장하기에는 그 근거가 너무 박약하다. 고조선 중심지 재요령성설은 고고학적으로 비파형동검문화 분포지역이 바로 고조선의 영역이라고 해석한다. 특히 요동반도 남단에 위치한 강상무덤과 루상무덤을 순장무덤으로 보아 무덤의 주인공은 당시 노예를 거느린 정치권력자 고조선의 왕이라고 보고, 당시에는 고조선이 遼東 지역에 중심을 가지고 있었다고 보았다.[65]

고조선 중심지 재요령성설을 주장하는 논자들은 비파형 동검과 청동기부장 무덤을 중요한 근거로 든다. 초기 청동기 시대의 특징적 유물인 비파형 동검은 한반도에서도 나오지만, 집중적으로 발견되는 곳은 역시 만주이다. 또 요서지역에서 청동기시대에 발전한 청동기문화, 하가점상층문화(=요서지역 청동기문화)를 고조선의 문화로 해석한다.

그러나 전술했듯이 중국 遼西 지역에는 청동기 시대 이후 문헌 자료상으로는 東胡나 山戎 등 戎狄의 거주지로 나오고 있다.[66] 이 동호에 대해 리지린은 예맥의 다른 이름이라고 해석한 반면, 이덕일 등 최근 남한의 유사 역사학자들은 이러한 사료를 처음부터 외면하고 있다.

Ⅵ. 글을 맺으며

고조선사에 대한 리지린의 견해는 1963년에 『고조선연구』란 단행본의 형태로 출간되었다. 이 책에 대해 북한학계에서는 '조선 고대사 발전에서의 하나의 리정표'이며, '장차 이 분야에 있어서의 연구를 가일층 촉진시킬 수 있는 계기를 심어준 점에서도 획기적 의의를 가지고 있다'라고 평가하였다.[67]

해방 직후 북한학계에서는 민족사의 체계적인 정리와 고고학 자료를 새로이 개발 · 재평가하

---

64) 이덕일, 『고조선은 대륙의 지배자였다』, 역사의 아침, 2006, pp.30~33.

65) 종래 북한학계를 비롯하여 남한학계의 일부 논문들은 고조선의 사회성격이 노예제적 성격을 지니고 있음을 바로 강상묘와 누상묘의 순장 실시와 그것을 고조선 왕의 무덤으로 여기는데 근거하고 있다. 그러나 강상묘와 누상묘는 요동지역 전체 청동기문화에서 독특한 지역성을 갖는 것으로 殉葬이라는 의미보다는 고조선 초기단계의 대표 무덤인 고인돌이나 우가촌 타두 등의 돌무지무덤 전통과 그 변화과정에서 파악해야 할 것으로 생각한다(사회과학출판사, 「기원전 천년기전반기의 고조선문화」, 『고고민속론문집』 1, 1969; 사회과학출판사, 『비파형단검문화에 대한 연구』, 1969; 박진욱, 「비파형단검문화에 관한 연구」, 과학백과사전출판사, 1987).

66) 『史記』 卷110, 匈奴列傳 第50. "晉北有林胡樓煩之戎 燕北有東胡山戎"; "二十三年 山戎伐燕…齊桓公救燕 遂伐山戎 至于孤竹而還(『史記』 齊太公世家)"; "桓公曰 寡人南伐至召陵望熊山 北伐山戎離支孤竹 西伐大夏涉流砂(『史記』 世家 齊太公)"

67) 과학원출판사, 「서평-《고조선연구》에 대하여」, 『력사과학』 1963-5호.

는 연구 속에서 민족형성과 고조선의 위치 및 사회성격에 대한 집중적인 연구가 이루어지게 되었다.

북한 역사학계는 삼국시대 사회성격에 대한 토론을 통해 삼국을 '봉건사회'로 규정함에 따라 자연히 그 이전 단계인 고조선·부여·진국을 '고대사회'라는 관점에서 바라보게 되었으며, 또한 그것을 증명하기 위한 집중적인 연구가 이루어졌다. 많은 논쟁 끝에 리지린의『고조선 연구』가 출간된 이후 고조선은 만주 요령성 일대에 위치하고 있었으며 노예제사회였다는 주장이 정설로 채택되어 1990년대 초까지 그 입장이 유지되었다. 따라서 리지린의『고조선 연구』는 그 주장의 사실성 여부를 떠나 사학사적으로 한국 고대사 연구에서 하나의 이정표를 세웠다고 할 수 있다.

리지린의 연구를 뒷받침해준 중요한 근거는 물론 단편적인 문헌자료였다. 리지린은 고조선을 세운 민족은 예맥이었고 이들은 동호라는 이름으로 불리기도 하면서 고조선이라는 국가를 요령성 일대에 건설했다고 보았다.

이러한 리지린의 고조선 연구는 멀리는 실학자들의 연구에 그 연원을 두고 있고, 가깝게는 일제 식민지 시기 민족주의 사학자들의 연구 성과를 계승하고 있다고 할 수 있다.

리지린의『고조선 연구』에서는 '우리 민족의 력사적 우수성', '찬란한 민족문화유산', '고상한 애국전통'을 밝혀야 한다는 김일성의 교시에 입각하여 우리나라 고대사회(고조선) 발전의 합법칙성을 체계화시키려고 노력하였다.

그 내용의 요지로서 "이전에 논의되던 아시아적 공동체사회는 고조선 이전에 존재했었고, 고조선사회는 이미 아시아적 공동체사회 이후의 노예제사회이며, 기원전 3세기부터는 벌써 봉건적 경제제도가 마련된다."는 제안은 북한 고대사 연구방향의 기본 전제로 자리 잡게 되었다. 또한 고조선 이후 시기인 고구려사 연구를 통해 고구려 사회에서는 대토지소유형태(영주적 토지 소유 포함)가 지배적이었으며 고구려는 지주계급과 농노적 예속 농민을 기본계급으로 하는 봉건사회로 규정되었다. 이에 따라 원시 → 고대(고조선·부여·진국) → 중세(고구려 및 삼국)의 시대구분이 북한 학계의 전근대 시대구분론으로 분명하게 확립되었다.

이처럼 리지린의 주장은 문헌과 고고학 자료에 대한 치밀한 접근으로 논리적으로 많은 설득력을 갖고 있다. 그러나 기본적으로 후대의 명확한 고조선의 위치 및 고고학 자료를 배제하고 고조선 재요령성설과 관련된 자료만을 논리적으로 구성하는 과정에서 결과적으로 실상과 다른 확대된 고조선상을 도출하였다. 또한 리지린의 견해를 포함한 북한학계의 고조선사 연구는 우리 민족사의 유구성과 위대함을 드러내고자 하는 목적에서 시작되었기 때문에 지나친 확대 해석을 피할 수 없었다.

【참고문헌】

『史記』.
『山海經』.
『三國志』.
『鹽鐵論』.
『後漢書』.

강인욱,「리지린의『고조선 연구』와 조중고고발굴대-顧頡剛의 자료를 중심으로-」,『선사와 고대』
　　45, 한국고대학회, 2015.
노태돈,「북한 학계의 고조선사 연구 동향」,『한국사론』41·42합집, 서울대학교 국사학과, 1999.
송호정,「기원전 2세기 준왕의 남래와 익산」,『한국고대사연구』78, 한국고대사연구회, 2015.
_____,「두만강 유역의 고대문화와 정치집단의 성장」,『호서사학』50, 호서사학회, 2008.
윤용구,「새로 발견된 樂浪木簡-樂浪郡 初元四年 縣別 戶口簿-」,『한국고대사연구』46, 한국고대사
　　연구회, 2007.
_____,「平壤出土〈樂浪郡初元四年縣別戶口簿〉研究」,『木簡과 文字 硏究』3, 한국목간학회, 2009.
이경섭,「북한 초기 역사학계의 단군신화 인식과 특징-리상호와 리지린의 연구를 중심으로-」,『선
　　사와 고대』45, 한국고대학회, 2015.
이광린,「북한에서의「고조선」연구」,『역사학보』124집, 역사학회, 1989.
_____,「북한의 고고학-특히 도유호의 연구를 중심으로-」,『동아연구』20, 서강대학교 동아연구소,
　　1990.
이형구,「리지린과 윤내현의『고조선 연구』비교」,『역사학보』146, 역사학회, 1995.

과학원출판사,「고조선 문제에 대한 토론 개요」,『력사과학』1961-6호.
_____,「고조선 령역에 대한 학술 토론회」,『력사과학』1963-2호.
_____,「《단군 건국신화》에 대한 과학토론회 진행」,『력사과학』1962-6호.
_____,「서평-《고조선연구》에 대하여」,『력사과학』1963-5호.
_____,「학계소식 : '우리 당 정책 연구에서 이룩한 또 하나의 새로운 성과'」,『력사과학』
　　1962-3호.
김기웅,「고조선 문제에 대한 토론 개요」,『력사과학』1961-6호.
리병선,「《고조선 연구에서 제기되는 몇 가지 문제》에 대한 학술 토론회」,『력사과학』1961-5호.
리상호,「고조선 중심을 평양으로 보는 견해에 대한 비판(상)」,『력사과학』1963-2호.
_____,「고조선 중심을 평양으로 보는 견해에 대한 비판(하)」,『력사과학』1963-3호.

리지린,「고조선 국가형성에 관한 한 측면의 고찰-한자 사용의 시기에 대하여(상)」,『력사과학』
　　　1960-2호.

＿＿＿,「고조선 국가형성에 관한 한 측면의 고찰-한자 사용의 시기에 대하여(하)」,『력사과학』
　　　1960-4호.

＿＿＿,「자료 : 광개토왕비 발견의 경위에 대하여」,『력사과학』1959-5호.

＿＿＿,「조선고대 제국가의 령역과 고대사회의 성격」,『력사과학론문집』2, 과학백과사전출판사,
　　　1971.

사회과학출판사,「기원전 천년기전반기의 고조선문화」,『고고민속론문집』1, 1969.

허종호,「《고조선의 위치와 령역》에 대한 학술 토론회」,『력사과학』1961-5호.

리지린,『고조선 연구』, 과학원출판사, 1963.

리지린 외,『고조선에 관한 토론 론문집』, 과학원출판사, 1963.

박진욱,『비파형단검문화에 관한 연구』, 과학백과사전출판사, 1987.

사회과학출판사,『비파형단검문화에 대한 연구』, 1969.

유. 엠.부찐,『고조선』, 소나무, 1990.

이덕일,『고조선은 대륙의 지배자였다』, 역사의 아침, 2006.

조중고고학발굴대,『중국 동북지방의 유적 발굴 보고』, 사회과학원출판사, 1966.

顧頡剛,『顧頡剛日記』(第一卷至第十二卷), 聯經出版社, 2007.

新發見の熊本縣鞠智城出土
銅造菩薩立像と瑞山磨崖三尊仏

大西修也*

目 次

Ⅰ. 鞠智城出土銅造菩薩像の現狀と法量

　1967年から發掘調査が續いている熊本縣山鹿市の朝鮮式山城鞠智城の貯水池跡から銅造菩薩立像が出土, 關係者の注目を集めている. 2009年春, 出土した仏像をはじめて手にした時, どうしてこのような仏像が山城から出てきたのだろうという驚きと同時に, 日韓古代彫刻史における百濟仏のもつ意味を再確認する契機となった.

　出土した銅造菩薩立像 (図1) は, 頭頂から像底まで一体となった無垢の鑄造仏で, 發掘に携わった女性は, 鐵錆びたボルトが出てきたと思ったらしい. 足下の蓮肉部に設けられた突起は台座に挿し込むための丸枘とみられるが, 貯水池跡から台座に該当する部分は見つかっていない. 現在, 菩薩の右体側を垂下する天衣の下端部, ならびに屈曲した右腕や指先に欠損箇所が認められる以外, ほぼ当初の姿を維持している. ただし, 水分を多量に含んだ黄褐色粘土質という出土環境の影響からか, 仏像の表面は赤褐色の被膜に覆われていて相貌の判讀が難しく, 鍍金の痕跡も確認されていない.

　　　　銅造菩薩立像實測値：全高12.7cm
　　　　　　　　　　　像高9.7cm
　　　　　　　　　　　最大幅3.0cm

---

* 九州大學 名譽教授

図1. 鞠智城出土銅造菩薩立像(部分)

円筒形
持　物

図2. 鞠智城出土像の復元描き起こし図

柄の長さ19mm, 徑14mm

　頭部に戴いた三面宝冠は正面を大きく山形に造り, 両側面を円形の花形飾としていたらしい. 側面の花形飾りの下に垂髪の結束帯をあらわし, 両肩に振り分けられた垂髪は自然な髪型にあらわされている. 両肩を覆った天衣は兩肘の内側を通って眞直ぐ垂下するタイプで, 腰から蓮肉部にかけて外側に大きく湾曲した後, 下端部はS字形に弧を描きながら前方に突き出ている. 体部正面の衣文は剥落のため不明な点もあるが, 両脚部の中央には幅廣い垂飾帯が表わされ, 先端部が両足の指先まで達している. 像背も丁寧に作られていて, ショールのように両肩を覆う天衣の襞, 裳が臀部で折り返され裳裾が蓮肉上面まで覆っている様子が表されている.

Ⅱ. 表現の特徴と制作年代

　鞠智城出土像の復元描き起こし図(図2)に示されたように, 蓮肉上に両足をそろえて立つ静視的な体軀と對照的な全体構成は, 從來の正面觀主体の彫刻を基本的に踏襲していることが分

かる. だが, その造形表現で注目されるのは天衣の處理方法である.

　三國末期および飛鳥後期から白鳳期の菩薩像は, 肩を覆って胸前に降りてきた天衣を脚部でX字状に交叉させたり, 體部正面で上下に二段懸けにした後, 兩手の前膊部を通って外側に垂下させるのが一般的である. 鞠智城出土像の場合, 兩肩を覆った天衣は胸部から兩肘の內側を通って體側を眞直ぐ垂下し台座に至るタイプで, 7世紀中頃から後半の制作とされる韓國の宝物195号金銅菩薩立像 同宝物331号金銅菩薩半跏像, 日本の法隆寺献納宝物179号金銅菩薩立像 同180号金銅觀音菩薩立像 同186号金銅菩薩立像などの類例があげられる.

　天衣の纏い方と共に注目されるのは, 側面觀(図3)に示された造形表現である. 菩薩の側面に目を轉じると, 腹部を中心に「く」の字に屈曲する體軀, 體側を垂下する天衣の下端部が大きく弧を描きながら前方へ反轉, 像の構成に奥行きとリズミカルな動きを与えており, ずんぐりとした童子形に特色をみせる献納宝物諸像とは明らかに造形感覺を異にする. 仏像といえども造形芸術作品としての評價は, その表現形式を通じて制作者(仏師)の美的芸術的人格を理解することであって, 鞠智城出土像の美的芸術的價値を決定するものは, まさにこの翻意する天衣表現にあるといっても過言ではない.

　この側面からみられることを想定した造形感覺は, 仏像と光背の關係にもあらわれている. すなわち, 菩薩の後頭部には頂部の髷を除くと頭光等を取り付けた柄や柄孔の痕跡がみられないことである. 台座はみつかっていないが, おそらく光背を後頭部に直接付けることを避け, 台座に設けられた支柱で別途支えることによって, 横や斜めからみられることで發揮される美的効果を考えてのことであろう. 日本の彫刻にこうした傾向が表われ始めるのは7世紀中頃からのことで, 上記献納宝物186号像の場合も同様であったらしく, 台座には光背支柱用の角柄穴が開けられている. 大型仏としては, 法隆寺大法藏院の百濟觀音菩薩像(図4)が台座後方に設けられた支柱で光背をささえており, 體側を垂下

図3. 鞠智城出土像
（左側面）

図4. 木造百濟觀音菩薩立像
（左側面部分）

した天衣を大きく前方に反轉させる表現とともに，鞠智城出土像の制作年代を考えるうえで參考となろう．

Ⅲ. 出土仏の學術的意義

出土仏は，胸元に兩手で何か持物を捧げ持つ銅造菩薩像で，一般的には宝珠を持っているものが多いことから「宝珠捧持菩薩」とか「捧宝珠菩薩」と呼ばれている．今回の持物（じもつ）は珠ではなく円筒形の容器狀を示し，下部は末廣がりの円錐形台座のようにみえる．日本や韓國で知られている宝珠捧持菩薩は，持物が宝珠形をする例はかなりあるが，容器狀の持物が見つかったのは大変珍しく，扶餘邑新里出土の百濟菩薩立像以來のことである．

菩薩が捧持する持物を「宝珠」とか「容器狀」と呼び混亂を招くかもしれないが，實はこの形態をめぐる解釋が，宝珠捧持菩薩それ自体の成立過程に大きくかかわっているのである．もともと宝珠捧持菩薩は中國長江流域で生まれた仏像で，中國では壺や甕のような容器に仏舍利をいれ，それを菩薩が捧持することに意味を持たせてつくりはじめたもので，いわゆる舍利供養をシンボライズした菩薩像なのである．何のために舍利供養をするのか，その背景には死後弥勒菩薩が修行している兜率陀天に往生したいと願う僧侶の切實な願いが込められていたからである．当初の舍利容器は壺のようであったが，やがて蓋付きの入れ物である盒や棗のような器に変わり，さらに容器の意味がなくなり宝珠そのものになっていったと考えられる．そのため持物が容器狀の形態をとどめるものをPre宝珠捧持菩薩として區別することにしている．このプレ宝珠捧持菩薩が朝鮮三國を經ることなく7世紀中頃の日本へ受け継がれる可能性は少ないとみている．その新例が百濟の築城技術が導入されたとされる朝鮮式山城の一つで確認されたことは，その百濟請來說も[1]含め今後の宝珠捧持菩薩研究にとって重要な意味を持つと考えている．

かつて宝珠捧持菩薩の系譜的研究で知られる韓國の金里那氏は，[2] 図像的特徴から尊名を明らかにすることは難しいとの立場から，日・中・韓の作例を網羅的に抽出し，その系譜を明ら

---

1) 百濟請來說を含め鞠智城出土銅造菩薩像に關する大西修也の報告や講演内容は，下記の文献に收録されている．
   熊本縣教育委員會，「鞠智城貯水池跡出土の銅造菩薩立像」，『鞠智城跡』，熊本縣文化財調査報告第249集，2009.7.
   熊本縣裝飾古墳館分館 溫故創生館，「百濟の仏像」，『鞠智城とその時代』，2011.3.
   熊本縣教育委員會，「百濟の仏像と東アジア」，『鞠智城シンポジウム2012成果報告書 ここまでわかった鞠智城』，2013.3月.
2) 金里那，翻譯大西修也，「宝珠捧持菩薩の系譜」，『法隆寺から藥師寺へ』，講談社，1990.

かにしようとした. その一方, 宝珠捧持菩薩の成立については, 『観経』が流布する以前の観音像の一形態にすぎず, 『法華経』普門品に説く福利除災の観音信仰を背景に生まれたものである. 宝珠は観音菩薩が超越的な存在であることを強調するために, 衆生を救済する無限の功徳と神通力の象徴である宝珠を持たせたと解釋した. これに對して八木春生は,[3] 金里那氏が指摘する中國の作例は宝珠捧持菩薩ではないという立場から, 宝珠捧持菩薩は中國南朝の造像とはかかわりなく百濟で成立したと主張する. 確かに, 壺や甕の形態をすべて宝珠の作例に含めた金氏の解釋はやや宝珠の定義そのものが曖昧であったと言えるかもしれない. だが, 仏教教理と図像學の解釋からすれば, 仏舍利があるなしにかかわらず, 仏舍利をいれた容器は宝珠と同じ意味を持つとされており, 仏舍利を入れた舍利莊嚴具がやがて宝珠へと轉換されていくのはしごく当然の成り行きといえる.

　従って, 舍利供養をシンボライズした図像の延長上に宝珠捧持菩薩が成立するという持論を[4]展開してきた私にとって, 宝珠捧持形ではないがその成立の先驅となる表現(容器狀の形態)をとどめた宝珠捧持菩薩が鞠智城からみつかったことは, 宝珠捧持の意味が舍利供養にあることを示す有力な資料が得られたことになる.

IV. 瑞山磨崖磨崖三尊仏への再照明

　容器狀の持物を捧持するプレ宝珠捧持菩薩を含め, 百濟や日本で數多くの宝珠捧持菩薩が造られた背景には, 益山弥勒寺の三所伽藍で明らかにされたように, 6世紀後半から7世紀前半にかけて盛行した弥勒信仰の台頭と無關係ではない. また藤原氏の『家伝』にあるように死者を弥勒菩薩の淨土である兜率陀天へと先導する引路菩薩の役割を,[5] 観音が担わされる場合もあったらしい. そうした宝珠捧持菩薩の起源や成立過程で注目されるのは, 中國では成都萬仏寺出土仏菩薩群像(図5)の一部に容器狀の持物を捧持する図像が表されていたものが, 徐々に獨尊像としての性格を強めていったことで, 百濟の瑞山磨崖三尊石仏や法隆寺夢殿の救世観音像のように等身大の大型仏像さえ登場することになる.

　瑞山磨崖三尊仏(図6)は, 東面する岩壁に如來立像(像高205cm)を中尊に, 向かって左に宝珠捧持形の菩薩立像(像高126cm), 右に半跏思惟像を配する三尊仏である. 三尊とも宝珠形の頭光を具備し, 豊滿な顔に快活な笑みをたたえた仏像で, 中尊は肩幅の廣い堂々たる体軀に与願

3) 八木春生,「中國南北朝時代における摩尼宝珠の表現の諸相再論」, 『佛教藝術』203号, 1992.
4) 大西修也,「宝珠捧持形菩薩の成立過程とその思想的背景」, 『東洋美術史論叢』, 雄山閣, 1999.
5) 石田尙豊,「飛鳥・白鳳の時代の小金銅仏」, 『奈良の寺 法隆寺小金銅仏』, 岩波書店, 1974.

図5. 普通四年銘釋迦文石像描き起し図

図6. 瑞山磨崖三尊仏 (部分)

施無畏の印相を示す. 日月と房飾りを中心装飾とする背丈の高い宝冠を戴く菩薩立像は, 胸元で左手の第一指と第二指を大きく開いて宝珠を持ち,[6] 右手を上から添えるようにして宝珠を捧持する. 両腕から体側にそってまっすぐ垂下する天衣の處理, 腹部で折り返された裳の無造作な表現には, それまでの彫刻には見られなかった新しい造形感覺が認められる. 当初, 黄壽永氏の600年頃とする七世紀初頭制作説を[7]支持してきた私自身, 泰安磨崖石仏や花田里四面石仏との比較研究を重ねるうちに, この新しい造形感覺を注視するようになり, 近頃では隋樣式の影響が顯著になる七世紀初頭から少し降った頃の作品ではないかと考えている.

　百濟では六世紀後半以降, 山東を経由して受容された東魏の一光三尊仏立像を[8]ベースに, 佳塔里出土如來像や泰安磨崖三尊仏にみられる丸みのある豊かな体軀の如來像を造りあげてきた. 瑞山磨崖三尊仏の中尊はその延長上に成立するもので, 存在感のある堂々たる体軀を有するのは当然である. その上, 彫刻に使用できる岩盤を最大限に利用して, 左右の大きさが異なる菩薩立像と半跏像を違和感なくまとめあげた空間認識はみごとである. 横幅のある半跏

---

6) 日本最大の宝珠捧持菩薩である救世觀音像 (像高178.8cm) の場合も, 左手の第一指と第二指を大きく開いて宝珠の蓮華座をしっかりと捉え, 右手は火焰宝珠を避けて裏側から添えるしぐさをする.

7) 黄壽永,「瑞山百濟磨崖三尊仏像」,『震檀學報』20号, 震檀學會, 1959.

8) 大西修也,「百濟仏立像と一光三尊形式」,『ミューゼアム』315号, 東京國立博物館, 1977.

像は中尊との間隔を廣めにとって調整し，如來に寄り添う菩薩は間隔を狹めると同時に奧行き表現によって如來の存在感を阻害しないようにしている.

　特に目を引くのが菩薩立像の蓮華座と天衣表現(図7)である. 中尊と半跏像は五葉單弁の蓮華座を伴うのに對し，菩薩の足下には二重素弁の円座が配されている. しかも俯瞰視で後方の蓮弁を大きく表現することで，菩薩を包み込む空間と奧行きを生み出している. 腹部でU字形に垂下する天衣は兩腕の前膊部から外側に垂れ，体側に沿って蓮華座まで垂下した後，下端部が大きく弧を描きながら前方へと反轉，蓮華座の前まで達している. この天衣の末端處理は，すでに鞠智城出土像ならびに法隆寺の百濟觀音でみた側面觀を意識した天衣表現に共通するもので，それを立体彫刻ではなく平板な浮彫で實現させている. 菩薩の天衣は兩肩を覆った後，体部正面でX字狀に交叉させたり，二段懸けにしてから兩腕の外側に垂らすのが一般的で，隋唐代になると鞠智城出土像のように兩腕の内側に垂らすものが多くなってくる. ところが瑞山菩薩像の場合，兩肩を覆うという原則を避けて腹下部のU字形衣文からはじまるという獨特な形式を採用しているわけで，様々な表現形式を生み出してきた中國でもあまりみられない表現である. 強いて理由をあげるとすれば，左脇侍に配された上半身裸形の半跏像との調和を意識して，こうした表現に至ったのであろうか.

図7. 瑞山磨崖三尊佛右脇侍菩薩　　図8. 善山出土金銅觀音菩薩立像　　図9. 法隆寺獻納宝物金銅觀音菩薩
　　　　　　　　　　　　　　　　　　　　　　（國宝183号）　　　　　　　　　　　立像（184号）

　瑞山磨崖佛で採用されたこの獨特な天衣は，その後の百濟や日本の仏像に影響をおよぼしたらしく，善山出土仏として知られる金銅觀音菩薩立像(國宝183号，図8)や碑巖寺半跏思惟石像など百濟彫刻の影響が指摘されている彫刻で確認できる．日本でも法隆寺獻納宝物の金銅觀音菩薩立像(176号)，同金銅觀音菩薩立像(184号，図9)などの白鳳仏に受け継がれている．

V. 仏教圏擴大の詔勅と鞠智城の役割

　百濟系銅造菩薩の出土で話題になっている鞠智城で，もう一つ注目されはじめているのが鞠智城の役割についての再檢討である．

　鞠智城は周囲3.5km，標高145mの台地に築かれた山城で，總面積55haで東京ドーム１２個分の廣さがある(図10)．鞠智城の築城に關する記載はないが，建物の修理時期が大野 基肄の二城とほぼ同じであることから，二城の築城を記した『書紀』天智四年(665)とほぼ同じ頃とみ

図10. 鞠智城跡全域図(部分)

られている. その役割については, 『續日本紀』文武二年 (698) 五月,「大宰府をして大野・基肆 鞠智の三城を繕治せしむ」とはじめて登場して以降, 様々な解釋がだされている. その中で注目されるのは, それまで大野城や基肆城への物資補給地としての役割を担っていたものが, この「三城繕治」の記載以降, 大隅・薩摩地方へ律令体制を擴大していくための據点として機能し, 規模も擴張されていったという見方である.

鞠智城の役割轉換を考えるとき注目されるのは, 『書紀』持統六年 (692) に發せられた詔である. 持統天皇が大宰府を司る大宰率河内王に下したもので,「詔して曰く, 宜しく沙門を大隅と阿多に遣わして仏教を伝えるべし」とある. これは鞠智城の名が『續日本紀』にはじめてみえる六年前のことである. この詔勅が出されたことで大宰府に新たな役割が加えられたことは確かで, 改築紀 (698 年) 以降の鞠智城は, 官衙的機能を利用して肥後から南九州を統括する役割を担っていたのではないかとする見方と一致する.

図11. 伊作地區伝世金銅宝珠捧持菩薩 (部分)

しかしながら, 天武天皇の崩御に際し都の隼人三百人余が驅けつけ哀悼を示したことを考えると, 大隅や阿多 (現在の吹上町から南九州市の一帶) への進出は單なる領土擴大をめざしたものではなく, 律令体制を推し進め仏教を廣めるという大儀名文のもとに行われたとみている. 持統はすでに后の時から仏教を篤く信仰していたこともあり, 即位するや仏教を全國に廣め國民を導いていきたいという決意を抱いていて, その表明が先の詔であったといえる. 創建期の鞠智城は確かに後方支援を担うような地理的位置にあるが, この詔を契機に國防の最前線は北から南に轉換されて鞠智城が前面に立つわ

図12. 八角建物跡に復元された三層鼓樓

けで, その存在意義が改めてクローズアップされることになった. もちろん, 律令体制に組み込まれた大隅や薩摩の地には僧侶が遣わされ, 詔勅の趣旨にそった布教活動が行なわれたことは言うまでもない.

　この大隅・阿多への布教活動で思い出されるのは, 1981年に鹿兒島縣日置郡吹上町伊作地区で確認された金銅宝珠捧持菩薩(像高16.3cm, 現在鹿兒島市黎明館藏)の存在である. この仏像については, 1994年に刊行された本誌 2 号に[9]報告したように, 頭部に山形宝冠を戴いて胸飾りを着け, 腹前に兩手で宝珠を捧げたいわゆる宝珠捧持形菩薩である(図11). 火災に遭い膚荒れが生じるなど傷みもあるが, 細部に刻線を多用する百濟系金銅仏であることは疑いなく七世紀前半の作品とみられる. 發見当時は九州の南端になぜ百濟仏が伝世するのか不可思議であったが, 布教活動に三宝の一つである仏像は欠かせず, 吹上町伊作の宝珠捧持菩薩もそうした仏像の一つであったとみることもできる.

　仏教圏の擴大という当時の狀況を知る手掛かりがもう一つある. 持統六年(692)の詔が出される三年前, 東北陸奧の蝦夷出身の僧侶が中央政府に願い出た內容から, 辺境の地における布教活動の實態が浮かび上がってくる. それによると, 仏教を廣めたいと思っても仏像も何も無く是非送って欲しい. 早速, 持統天皇は金銅藥師如來と觀世音菩薩をはじめ仏菩薩を莊嚴する釣鐘・香爐などを届けるよう命じている. 品目に宝帳や沙羅が含まれているところをみると, 仏像を祀る厨子なども届けられたらしい. 陸奧の蝦夷といえば國府多賀城をはじめ官衙的性格の強い城柵をもって東北経營を行った地域とされており, 半島系渡來仏としては最古の脇侍菩薩像をご神体とする船形山神社があることでも知られている. 鞠智城址では八角建物跡(図12)や百濟系古瓦を除き寺跡とされる施設はまだ確認されていないが, 陸奧では國府多賀城址をはじめ郡山城柵などから寺跡が確認されており, 布教活動を重視していた様子がうかがえる.

---

9) 大西修也,「宝珠捧持菩薩の基礎的研究−鹿兒島縣伊作伝來の金銅宝珠捧持像を中心として」,『文化史學』2, 韓國文化史學會, 1994.

'河南慰禮城'址 推定의 誤謬와 結果
-하남지역의 사례-

金世民*

目 次

Ⅰ. 머리말

　백제의 초기 도성인 '河南慰禮城'이 하남시 춘궁동에 있었다는 학설을 처음 만든 사람은 조선 후기의 실학자였던 다산 정약용이다. 그는 1811년(순조 11) 편찬한 그의 저술「我邦疆域考」를 통해 "온조의 옛 궁성은 본래 광주의 古邑에 있어 宮村이라 불렸고, 여기가 하남위례성"이라고 주장하여 하남시 춘궁동이 백제의 도읍지였다는 최초의 주창자가 되었다. 그 이후 그의 이러한 주장은 오랜 시간이 지난 1960년 이홍직이 「백제 건국에 관한 제문제」에서 춘궁동이 하남위례 성이라고 하였고, 1974년에는 윤무병이 「한강유역에 있어서의 백제문화 연구」에서 이성산성 이 하남위례성이라고 하였다. 이 학설은 1976년 이병도의『한국고대사연구』로 이어졌다.

　성주탁, 최몽룡, 권오영 등은 하남위례성은 몽촌토성이지만, '漢城'이 춘궁리 일대라고 하였 고, 이성산성은 '漢山'이라고 비정하였다. 조금씩 변화는 있지만 1980년대까지만 해도 여전히 이 학설은 위력을 가지고 있었다. 오랜 기간에 걸친 여러 학자의 이러한 학설은 일반인들, 특히 하남시민들에게 춘궁동이 백제의 도읍지인 하남위례성이라고 믿게 하는데 충분하였다.

　1986년 한양대박물관에 의해 시작된 이성산성의 발굴도 백제 한성시대의 도읍지를 규명하는 것이었다. 그러나 이성산성에서는 기대하는 백제유물이 출토되지 않은 반면, 1984년에 발굴을 시작한 몽촌토성은 3세기말에서 4세기에 걸친 백제의 토성임이 확인되면서 몽촌토성이 하남위

---

* 전 하남역사박물관장

례성이라는 설이 힘을 얻기 시작하였다.

1990년대에 들어서서는 기존의 성주탁, 최몽룡, 권오영, 노중국 외에 이도학, 박순발 등이 몽촌토성설에 합류하였고, 풍납토성이 발굴되면서부터는 강인구, 김기섭, 이형구, 김태식, 여호규, 신희권 등이 풍납토성설을 주장하였다. 결국 1980년대 이후 현재에 이르기까지 하남위례성은 몽촌토성과 풍납토성으로 양대 산맥을 이루게 되고 하남시는 중심에서 멀어지게 되었다.

이렇게 되자, 1990년대 이후 한종섭, 오순제 등 몇몇 향토사가들이 하남시 '교산동건물지'가 하남위례성의 왕궁이라는 주장을 제기하였다. 1999년부터 2002년까지 경기문화재연구원이 4차에 걸쳐 발굴한 교산동건물지는 결과적으로 백제시대의 왕궁지는 아니었다. 출토되는 유물들 역시 시기를 아무리 올려 잡아도 통일신라시대 이전으로 올라가지 못하고, 고려와 조선시대가 대다수를 차지하였다.

교산동건물지에서 왕궁 찾기가 실패로 끝나자 2003년에는 춘궁동의 속칭 '능너머유적'이 초기백제의 왕릉이라고 주장하였다. 이번에는 언론과 함께 하였다. 이 내용은 2003년 1월 2일자 「문화일보」 1면 기사로 보도되었다. 그러나 결과는 어떻게 끝났는지도 모르게 흐지부지되어 버렸다. 다시 2005년에는 KBS가 하남시 황산에서 '전방후원분'이 발견되었다고 보도하였으나 이 역시 헤프닝으로 끝나버렸다. 이 뿐만이 아니다. 하사창동의 '천왕사지', 춘궁동의 '동사지' 교산동의 교산동마애약여래좌상 등이 백제시대의 사찰과 관련이 있다거나, 덕풍천이 백제시대의 운하였다는 등 수많은 말들을 쏟아냈으나, 결국 학계에서 인정받을 만한 근거는 찾지 못하였다.

결국 조선후기 다산 정약용으로부터 시작된 춘궁동 하남위례성설은 문헌 위주의 연구에서는 어느 정도 설득력을 가지고 있었지만, 고고학에 의한 발굴이 활발해지기 시작한 1980년 이후에는 출토된 유구나 유물에 의해서 몽촌토성이나 풍납토성이 더 설득력을 얻게 되었다. 다시 말하면, 문헌의 고증에 의해서 탄생된 춘궁동 하남위례성은 고고학적 연구 축적과 함께 몽촌토성을 거쳐 풍납토성으로 그 위치를 수정해 갔던 것이다.

그런데 역사를 거슬러 올라가면, 문헌고증에 의해 탄생된 춘궁동 하남위례성 역시 처음부터 춘궁동으로 위치가 확정된 것도 아니었다. 과거 조선시대에는 천안의 직산이 원래 하남위례성이라고 인식한 사람들도 있었고, 또 옮겨간 곳은 남한산성이었다고 인식한 사람들도 있었다. 이 인식은 후기에 이르러 다산 정약용에 의해 부정되었다. 즉 서울의 하북위례성에서 그 옮겨간 곳은 하남위례성, 즉 지금의 하남시 춘궁동으로 바뀌게 된 것이다. 그러나 정약용의 이론도 이병도를 비롯한 학자들에 의해 일부 비판, 수정되었고, 고고학적으로도 뒷받침을 받지 못하였다. 따라서 이러한 이론은 언제든지 변화될 수 있는 것이었다. 직산, 남한산성, 하남시 춘궁동, 몽촌토성, 풍납토성 등으로 그 위치가 수정된 것은 그 때문이었다.

따라서 이 글에서는 먼저 조선시대로부터 현재까지 하남위례성에 대한 추정이 어떻게 변화되어 갔는지를 조선 초기로부터 후기, 해방 이후에서 현재까지 살펴보고자 한다. 특히 1980년 대 이후 그 위치가 몽촌토성, 풍납토성으로 바뀌면서 일부 향토사가들의 하남위례성지 찾기로 시작된 각종 발굴조사 과정과 그 결과가 무엇인지를 검토하여 반면교사로 삼고자 한다.

Ⅱ. 남한산성과 온조왕 廟

먼저, 직산이 백제의 위례성이라는 인식은 『三國遺事』,『高麗史』 등에 기록된 이래, 조선 후기에 이르기까지 여러 사람들에 의해 주장되었다. 『三國史記』에는 직산에 관한 기록이 없고, 또 『三國史記』가 편찬되던 당시 이미 위례성의 위치를 잃어버려 그곳이 어디인지 알 수 없다고 하였다.[1] 그런데, 『三國史記』보다 약 130여 년 뒤에 편찬된 『三國遺事』에는 별도의 설명 없이 그곳이 직산이라고 기록되었고, 이를 그대로 믿는 사람들도 나타났다.

하남위례성과 관련하여 『三國史記』「百濟本紀」에 의하면, 온조가 한산 부아악에서 아래를 내려다 보니 북쪽으로 한수가 흐르고 동쪽으로 높은 산악이 있었으며, 처음 도읍한 곳이 하남위례성이라는 것과, 그 해가 B.C. 18년(전한 성제 홍가 3)이라는 것, 그리고 B.C. 5년(온조왕 14) 1월에 한수 남쪽으로 도읍을 옮겼으며,[2] 다시 371년(근초고왕 26)에 도읍을 한산으로 옮겼다는 것이다.[3] 결국 이 기록에 따르면, 온조가 처음 도읍한 곳은 하남위례성이었는데, 그후 도읍을 한수 남쪽으로 옮겼으며, 근초고왕 때 다시 도읍을 한산으로 옮겼다는 것이다. 그러나 같은 『三國史記』 기록에서도 「백제본기」에서는 '하남위례성'이 「지리지」에서는 그냥 '위례성'으로 되어 있고, 371년(근초고왕 26)에 옮긴 도읍은 '한산'에서 '남평양'으로 다르게 기술되어 있는 부분은 있다.[4]

어쨌든 『三國史記』에서는 그곳이 어디라고는 명백하게 밝혀져 있지 않았으나, 그에 비해서 『三國遺事』는 위례성이 지금의 직산이라고 하였고, B.C. 5년(온조왕 14)에 한산으로 도읍을 옮겼는데, 그곳이 廣州라고 하였다.[5] 즉, 처음에 도읍한 위례성은 직산이고, B.C. 5년에 옮긴 도읍지는 광주의 漢山이라는 것이다. 이 한산도 『高麗史』에서는 '南漢山城'으로 기록하여 『三國史記』나 『三國遺事』와는 또 다르다.[6] 이를 다시 정리해보면, 『三國史記』에 기록된 백제의 최초 도읍지인 (하남)위례성이 『三國遺事』에서는 '직산'으로, B.C. 5년에 옮긴 한수 남쪽은 『삼국

---

1) 『三國史記』卷37, 地理4.
2) 『三國史記』卷23, 溫祚王 즉위년.
3) 『三國史記』卷24, 近肖古王 26년.
4) 『三國史記』卷37, 地理4.
5) 『三國遺事』卷1, 第1代 溫祚王.
6) 『高麗史』卷56, 志 第10, 地理1, 廣州牧.

유사』에서는 '한산'으로, 『高麗史』에서는 '남한산성'으로, 371년(근초고왕 26)에 다시 옮긴 한산
은 『高麗史』에서는 '남평양성'으로 각각 다르게 표기되어 있는 것이다. 사실 여부를 떠나서 『三
國遺事』에 직산이 위례성으로 표기된 이후 많은 사람들이 이를 그대로 인용하거나, 믿고 따르
게 되었다.

예를 들면, 서거정(1420~1488)은 『三國史節要』를 편찬하면서 여러 가지 書冊을 상고해 보
니, 직산이 백제의 처음 도읍지였음을 의심할 여지가 없었다고 하고, 溫祚王 이후에 직산으로
부터 南漢山城으로 도읍을 옮겼으니 이곳이 바로 지금의 廣州라고 하였다.[7] 서거정과 거의 동
시대 인물인 김종직(1431~1492)도 그의 시집에서 백제의 시조 온조가 위례성에서 한산주로
도읍을 옮겼는데, 한산주는 지금의 광주이고, 위례는 지금의 직산현이라고 하여,[8] 백제의 초기
도읍지인 위례성이 직산이라고 믿고 있었다.

뿐만 아니라 이익(1681~1763)은 지금 직산 위례성이 마한 동북쪽에 있는데, 백제의 도읍이
되었던 곳이라 하였고,[9] 안정복(1712~1791)도 『三國遺事』를 그대로 인용해 위례성이 지금의
직산현이라고 하고, 후에 지금의 광주인 한산 아래로 도읍을 옮겼다고 하였다.[10] 『東國輿地志』
나 『輿地圖書』에서의 인식도 마찬가지이다.

이와 같이 직산이 온조가 세운 하남위례성이라고 믿었기 때문에 온조의 사당도 당연히 직산
에 건립되었다. 직산의 온조 사당은 조선 초기인 1465년(세조 11)에 창건한 것으로 나라에서 봄
과 가을에 축문과 향을 내려 치제하였는데, 1597년(선조 30) 정유년에 왜병들이 불을 질러 태워
버렸으므로 곧 폐지되었다.[11] 이렇게 되자, 1603년(선조 36) 6월에 충청감사 柳根이 백제의 시
조 온조묘를 직산에 다시 세우기를 청하였다.[12]

충청감사 柳根이 아뢰기를, "백제의 시조 溫祚의 사당이 稷山에 있습니다. 변란을 겪은
뒤로는 겪은 뒤로는 비록 물력이 매우 탕갈되기는 했습니다마는, 廢墜된 것을 수리 복구하는
典禮를 마땅히 강구해야 할 것이니, 예관으로 하여금 정탈하여 시행하게 하소서." 하였는데,
이어 예조가 아뢰기를, "역대 시조의 사당에는 봄과 가을의 중간 달에 中祀를 차리게 한 것이
祀典에 기록되어 있습니다마는, 난리가 일어난 뒤로는 모든 제사를 미처 거행하지 못했습니다.
崇義殿, 箕子殿, 三聖祠는 지난 해에 수리했기 때문에, 현재 봄과 가을에 香祝을 내려 보내
제사를 차리고 있습니다. 본 도의 직산 땅에 있는 온조전은 장계대로 본도에서 형편에 따라
수리하고서 계문한 다음 처치할 일로 行移하는 것이 어떻겠습니까?" 하니, 윤허한다고

---

7) 『四佳集』, 稷山濟源樓詩 序.
8) 『佔畢齋集』, 詩集 第12卷.
9) 『星湖僿說』, 三韓始終.
10) 『東史綱目』, 百濟疆域考.
11) 『燃藜室記述』, 別集 第4卷, 祀典典故.
12) 『宣祖實錄』, 36년 6월 17일.

전교하였다

그런데 이들 기록의 공통점은 직산을 위례성이라 하면서도, 하나같이 후에 옮긴 곳은 남한산성, 한산주(광주), 한산 등으로 이해하고 있다는 것이다. 남한산성이 B.C. 5년(온조왕 14)에 옮겨온 두 번째 도읍지라는 인식은『三國遺事』및『高麗史』에 기록된 이래, 조선시대의『新增東國輿地勝覽』이나『東國輿地志』,『擇里志』,『輿地圖書』등에 그대로 이어져 내려온다. 즉『新增東國輿地勝覽』에서는 본래 백제의 남한산성이고 B.C. 6년(온조왕 13)에 위례성으로부터 이 곳에 도읍을 옮겼다고 하였다.[13]『東國地理志』는 온조가 하남위례성(직산)에 도읍하였고, 성궐을 한산에 쌓고 위례의 백성들을 옮기니 실로 도읍을 옮긴 것(곧 지금의 광주 남한산성이다)이라 하였다.[14]『東國輿地志』도 B.C. 5년(온조왕 14)에 위례성으로부터 남한산성에 도읍을 옮겼고, 근초고왕 26년에 도읍을 북한산으로 옮겼는데, 북한산은 지금의 한양이라고 하였다.[15]『擇里志』나『輿地圖書』등도 마찬가지이다.

이러한 인식은 지리지뿐만 아니라 조선시대 다른 자료에서도 나타난다. 즉『國朝寶鑑』에도 "남한산은 일명 일장산이기도 한데, 원래 백제의 옛 도읍지로서 서울과는 동으로 40리 거리에 위치하고 있다"[16]거나, "남한산성은 본디 백제의 옛 도읍지였다. 地誌를 상고해 보건대 B.C. 6년(온조왕 13)에 위례성에서 남한산성으로 도읍을 옮겼는데, 그 뒤 12대, 380여 년이 지난 371년(근초고왕 26)에 이르러 다시 남평양으로 도읍을 옮겼으니, 남평양이 바로 지금의 京都이다. 그런데 근초고왕이 도읍을 옮긴 때로부터 백제, 신라 그리고 고려조가 끝나는 1천여 년 동안 이 산성이 어떻게 변모해 왔는지에 대해서는 다시 상고할 길이 없다."[17]는 등이 그것이다. 그러니까 결국 이들 인식의 원초적인 근거는『三國遺事』였던 것이다.

남한산성이 백제의 도읍이라는 생각은 병자호란이 일어났던 인조 대에도 마찬가지였다. 따라서 온조왕에게 제사지내는 사당이 직산 외에 남한산성에도 세워지게 된다.『文獻備考』에는 남한산성 사당의 창건 연월은 상고할 수 없다[18]고 되어 있으나,『眉叟記言』에는 1636년(인조 14) 南漢山에 온조의 사당을 세웠다고 하고,[19]『燃藜室記述』에도 1636년(병자년) 3월에 남한산성에 온조묘를 세웠다[20]고 하였다. 그리고 이를 뒷받침해주는 것이 1636년(병자년) 12월 19일[21]과 26

---

13)『新增東國輿地勝覽』,「廣州牧」, 建置沿革.
14)『東國地理志』, 百濟國都.
15)『東國輿地志』,「建置沿革」,「城廓」,「古蹟」,「평고성」.
16)『國朝寶鑑』卷35, 仁祖 4년.
17)『谿谷先生集』第8卷, 南漢山城記.
18)『燃藜室記述』, 別集 第4卷, 祀典典故.
19)『眉叟記言』, 記言 第35卷, 原集 外篇, 東事.
20)『燃藜室記述』, 別集 第17卷, 邊圉典故.
21)『燃藜室記述』第25卷, 仁祖朝故事本末.

일 조정에서 관원을 명하여 온조왕에게 제사를 지냈고,[22] 다음 해 1월 10일에도 인조가 예조판
서 김상헌을 보내 제사를 지냈다[23]는 내용이다.

　그러나 『重訂南漢志』에는 인조 무인년, 즉 1638년(인조 16)에 사당을 세워서 제사를 지내도
록 했으며, 완풍군 이서를 배향했다고도 한다.[24] 『仁祖實錄』 이서의 졸기에는 이서가 죽자 영
의정에 추증하고 특별히 溫王廟를 세워 이서를 배향하도록 명했다고 하고,[25] 『丙子錄』에는 이
서가 병으로 軍中에서 죽자, 뒤에 온조왕의 廟를 세워 이서를 배향했다[26]고 하여, 이서가 사망
할 당시인 1637년 1월 2일까지는 온조왕의 사당이 없었던 것으로 기록하고 있다.

　『正祖實錄』에 의하면, 인조가 병자년 남한산성에 있을 때 꿈에 온조왕이 나타나서 적이 성에
올라오는 것을 알려주었기 때문에 적을 격퇴시킬 수 있었고, 이로 인해 인조가 還都한 날에 특
별히 명하여 온조묘를 세우고 봄가을로 제사를 지내게 했다고 하여 온조왕의 사당을 남한산성
에 세우게 된 배경을 보여주고 있다. 그러나 이 기록 역시 인조가 남한산성에 있을 때 온조묘를
세우지 않았다는 것을 알려주고 있다.

　　병자년에 적병이 밤을 타서 널빤지를 지고 성에 오르는 것을 아군이 발각하고 끓인 물을
　부으니 모두 문드러져 물러갔다 하는데, 이곳이 바로 그곳인가?" 하니, 領議政 金尙喆이
　말하기를, "그렇습니다. 그때 仁祖大王께서 꿈에 溫祚王이 와서 적병이 성에 오른다고 알리는
　것을 보셨습니다. 聖祖께서 놀라 깨어 곧 명하여 정탐하게 하셨더니 과연 그 말과 같아서
　將士를 시켜 격퇴하게 하셨는데 斬獲이 매우 많았으므로, 還都한 날에 특별히 명하여 溫祚廟를
　세워 봄, 가을로 제사하게 하셨으니, 일이 매우 靈異합니다.[27]

　이처럼 남한산성에 온조왕 사당을 세운 시기가 1636년(인조 14) 또는 1638년(인조 16) 등 정
확하지 않은 부분이 있다. 어쨌든 1639년(인조 17)에는 남한산성에 사당을 세워 온조왕에게 제
사지내고, 사당의 위판을 고쳐 써서 '백제시조왕'이라고 하였으며,[28] 그리고 숙종 때에는 영의
정 南九萬이 남한산성의 溫祚王 제사 祝文에 '溫王'이라 칭하는 것이 사리에 맞지 않으니, 온조

---

22) 『仁祖實錄』, 14年 12月 25日. 『續雜錄』 4, 丙子年 12月 26日.
23) 『續雜錄』 4, 丁丑年 1月 10日. 나만갑 저, 윤재영 역, 『丙子錄』, 명문당, 1987, p.61.
24) 오성, 김세민 역, 『重訂南漢志』 卷2, 단묘.
25) 『仁祖實錄』, 15年 1月 2日.
26) 나만갑 저, 윤재영 역 『丙子錄』, 명문당, 1987, p.53.
27) 『正祖實錄』, 3年 8月 9日.
28) 『仁祖實錄』, 17年 2月 2日. 남한산성에 사당을 세워 溫祚王을 제사하고 位版을 고쳐 써서 '百濟始祖王'이라 칭
　하였다. 예조에서 '우리나라의 史書 및 『輿地勝覽』에 모두 溫祚王으로 썼는데, 세대가 멀어져서 명호 및 시호
　를 분변할 수 없다'는 이유로 우리나라의 사서에 기록된 바에 의거하여 위판에 쓰자고 했는데, 상이 답하기를,
　"온조는 이름인 듯한데, 위판에 바로 쓰는 것이 어떠할지?'라고 했다. 예조가 '百濟始祖'라고 쓰기를 청하니, 상
　이 '王'자를 더 써 넣도록 명하였다.

왕이라고 하든지, 그 이름을 바로 거명하는 것을 꺼린다면 百濟始祖王으로 이라 고치도록 건의하자 숙종이 그대로 따랐다.[29] 그리고 1795년(정조 19) 을묘년에 崇烈이라 사액하고, 宣額日에는 친히 지은 제문으로 치제하였으며, 殿監 2명, 守僕 2명을 두었다.[30]

百濟 始祖의 廟號를 崇烈殿이라 하였다. 광주판관 李始源이 아뢰기를, "本府에 백제 시조의 사당이 있는데 아직도 그 이름이 없으니 사체 상으로 외람스럽기만 합니다. 麻田의 崇義殿이나 平壤의 崇靈殿과 같은 예에 의거하여 예문관으로 하여금 扁額의 이름을 정하게 한 뒤 본부에서 써서 현판을 거는 것이 좋겠습니다." 하니, 하교하기를, "역대 后王을 제사지내는 곳에는 모두 부르는 이름이 있으니, 예컨대 箕子의 崇仁殿이나 檀君과 東明王의 崇靈殿이나 신라 시조의 崇德殿이나 고려 시조의 崇義殿 등이 바로 그것이다. 그런데 유독 백제 시조의 사당에만 아직껏 殿號가 없다니 이는 흠이 되는 일일 뿐만이 아니라 公私 간의 文跡에 이름을 가지고 임시로 일컫는 것은 외람스럽기 짝이 없는 일이라 할 것이다. 일단 그런 줄 안 이상에는 즉시 바로잡아 고쳐야 마땅하니, 숭렬전이라는 칭호로 『文獻備考』와 『大典通編』, 『五禮儀』 등 책을 즉시 洗補改正토록 하라. 그리고 마침 筵席에서 하교하는 일이 있게 되었으니, 숭렬전의 편액은 대신에게 명하여 쓰도록 하고, 현판을 거는 날에는 守臣을 보내어 제사지내 주도록 하라. 祭文은 내가 직접 짓겠다." 하였다.[31]

결국 이상의 내용을 보면, 조선 초기로부터 후기에 이르기까지 온조가 직산의 위례성에서 나라를 세우고, 그 13년 후 남한산성으로 도읍을 옮겼다는 인식이 주류를 이루고 있음을 알 수 있다. 이것은 당시까지도 온조의 도읍지가 위례성(직산) → 남한산성(광주) → 남평양(북한산)으로 옮겨 다닌 것으로 이해되었을 뿐, 하남시 춘궁동 일대가 온조의 도읍지라는 인식은 아직 나타나지 않았다.

그러나 정약용이 [我邦疆域考]에서 광주 古邑을 거론한 후, 『重訂南漢志』와 『大東地志』에 가면 남한산성(山上)이 아니라 그 아래(山下)로 바뀌어 기록되기 시작하며, 심지어 한산도 남한산이 아니라 검단산이라는 인식도 나타나기 시작한다.

Ⅲ. 광주古邑과 宮村

이와 같은 직산위례성은 조선 후기 정약용에 의해 하북위례성으로 바뀌게 된다. 정약용은

---

29) 『肅宗實錄』, 21年 4月 17日.
30) 오성, 김세민 역, 『重訂南漢志』 卷2, 단묘.
31) 『正祖實錄』, 19年 9月 18日.

B.C. 6년(온조왕 13) 도읍을 옮긴 이유가 낙랑, 말갈의 침입 때문이므로 원래 도읍은 낙랑, 말갈과 가까운 곳이며, "어제 순행을 나가 한수의 남쪽을 보니 땅이 기름지다."라고 했으므로 한강 남쪽으로 옮기기 전의 위례성은 한강 북쪽에 있어야 한다는 것이다. 따라서 한강 남쪽의 위례성을 하남위례성이라 하였으니 한강 북쪽의 위례성은 하북위례성이라는 것이며,[32] 그 위치는 한양의 동북쪽이라고 하였다. 정약용의 하북위례성은 기록에도 없는 독창적인 연구의 결과로 직산을 한강 북쪽 서울로 바꿔놓았다.

뿐만 아니라 그는 B.C. 6년(온조왕 13)에 옮겼다는 하남위례성의 위치도 남한산성이 아니라 지금의 하남시 춘궁동이라고 하였다. 즉 『三國史記』의 내용 중 부아악(삼각산)에 올라 바라본 북쪽의 한수는 두미강(도미진)이고, 동쪽 높은 산은 검단산으로 비정하였다. 또한 온조의 옛 궁성이 광주의 古邑에 있기 때문에 宮村이라 불렀고, 이곳이 하남위례성이라고 하였다. 따라서 정약용은 온조의 도읍지를 하북위례성(한양 동북) → 하남위례성(광주고읍)으로 이해하였던 것이다. 그는 또 남한산성은 日長城으로 온조왕과는 관계가 없으니, 온조왕 廟도 광주고읍에 설치해야 한다고 주장하였다.[33]

살펴보건대, 동쪽으로의 높은 산은 검단산(廣州 古邑 동쪽-원주)을 말한 것이요, 서쪽으로 큰 바다에 막혔다고 한 것은 행주 어귀이다. (洌水가 바다로 들어가는 곳-원주) 남쪽으로 기름진 들을 바라본 것은 屯骨堤이다. (고이왕 9년 나라 사람에게 명령하여 벼밭을 남쪽 들에 개간했다.-원주) 북쪽으로의 한수는 斗尾江(度迷津-원주)이다. 온조의 옛 궁성은 본디 광주의 古邑에 있어 宮村이라 불렀고, 여기에 사는 백성들은 참외를 심어 생업으로 삼았다. 여기가 하남의 위례성이다. 온조 원년에 이미 여기에 도읍을 정했다면 어찌 13년 여름에 이르러 또 어찌 "내가 한수 남쪽을 보니 땅이 기름져 마땅히 도읍할 만하다."고 이르겠는가? 원년에 정했다는 도읍은 한수 북쪽에 있었음이 분명하고, 그리고 負兒嶽에 올라 하남을 바라보았다는 것은 13년의 일이 분명하다.[34]

그런데 정약용은 "온조의 옛 궁성이 본래 광주의 고읍에 있었기 때문에 그곳을 궁촌이라 불렀다"고 하여 궁촌이라는 지명이 온조의 궁성 때문에 나타난 지명이라고 생각하였다. 이와 같은 생각은 정약용뿐만 아니라 최근 다른 학자들의 논문에서도 보인다. 즉 동사지를 발굴하고 난 이후 문명대는 하남시의 춘궁리라는 지명이 고려시대 광주지역의 호족이었던 왕규의 외손

---

32) 김기섭, 「위례성의 위상과 위치」, 『한성백제사』 3, 왕도와 방어체계, 서울특별시사편찬위원회, 2008, pp.29~30.
33) 丁若鏞, 『經世遺表』 2, 추관형조. 백제 온조왕의 도읍은 지금의 廣州 古邑인데, 지금 사람들이 稷山을 온조왕이 도읍했던 곳이라 하는 것은 큰 잘못이다. 또 남한산성은 日長城으로 온조왕과는 관계가 없으니, 온조왕의 묘는 광주 고읍에다 설치함이 마땅하다.
34) 丁若鏞, 『與猶堂全書』 3, 我邦疆域考.

자인 광주원군과 관련하여 당시부터 사용된 지명이 아닌가 추정하였는데,[35] 춘궁이라는 명칭이 왕세자궁, 왕자궁 등을 지칭하는 명칭이었기 때문이다.

그러나 1911년 조선총독부에서 작성한 『朝鮮地誌資料』를 보면, 당시 광주군 서부면 11개 리중에 춘장리와 궁촌이 2개의 리로 분리되어 있는 것을 볼 수 있고,[36] 1915년 조선총독부 경기도고시 제10호, 「廣州郡面內洞里ノ名稱竝區域左ノ通定ム」에는 春長里와 宮村 2개 리를 춘궁리 1개 리로 합친 내용을 고시하고 있다. 따라서 춘궁리라는 지명은 일제강점기 춘장리와 궁촌을 합치면서 춘궁리의 '춘'자와 궁촌의 '궁'자를 합쳐 새로 만든 지명이었음을 알 수 있다.

그렇다면 '궁촌'이라는 지명은 어떻게 만들어진 것일까? 사람들은 대개 백제시대의 온조의 궁이 있었기 때문에 그렇게 불리었을 것이라 생각하지만, 사실 궁촌, 궁말, 궁리, 궁안이라는 지명은 하남시뿐만 아니라 어디에서나 흔히 볼 수 있는 지명이다.

예를 들면 강남구 수서동 역시 궁말 또는 궁촌으로 불렸는데, 조선 태조의 제7자 무안대군 방번 내외와 그 봉사손 세종의 제5자 광평대군의 묘가 있었기 때문에 붙여진 지명이고, 은평구 갈현동과 고양시의 궁말은 서오릉과 관련이 있다. 남양주시의 평내동에는 태조 이성계의 동생인 의안대군 이화의 사당이 있어 궁촌 또는 궁평이라 불렸고, 여주시 금사면 궁말(궁리)은 고려 공민왕이 홍건적의 난을 피해 남쪽으로 피신 가는 길에 이곳에서 묵었다고 붙여진 지명이다. 포천시 가산면 금현2리는 태조 이성계의 둘째 부인인 선덕왕후 강씨가 살던 곳이라 하여 궁말, 궁촌, 궁동이라 불렀다. 성남시 수진동에도 궁말이 있는데, 세종대왕의 제7자 평원대군과 관련이 있고, 수원시 영통구 원천동 궁말은 말죽을 끓여 먹이던 터라고 하며, 용인시 처인구 삼가동의 궁말은 궁방전과 관계가 있다. 강원도 삼척시 근덕면에는 공양왕릉이 있었기 때문에 궁촌으로 불리고, 원주시 문막읍 궁촌리는 고종의 순빈 엄씨의 慶佑宮과 관련이 있어 궁말, 궁촌으로 불리다가 궁촌리가 되었다고 한다.

이상의 내용만 보아도 궁촌, 궁말이라는 지명이 반드시 궁이 있어야 나타나는 지명이 아니라 왕족의 사당 또는 왕실과 관련된 토지, 왕족의 무덤과도 관련이 있다는 것을 알 수 있다. 역시 하남시의 궁말에도 최근까지 인조의 동생인 능창대군의 묘가 있었다(1999년 포천으로 이장). 인평대군의 장자인 복녕군의 2자인 의원군의 묘도 역시 이곳에 있었고, 인평대군의 묘도 초장지는 하남시 궁말이다. 따라서 하남시 궁촌, 궁말의 지명유래도 무조건 온조의 궁과 연결시키는 것은 재고의 여지가 있다.

어쨌든 이와 같은 정약용의 학설은 그후에 쓰여진 『重訂南漢志』, 『大東地志』는 물론, 일제강점기를 거쳐 해방 이후 고대사 학계에도 큰 영향을 미쳤으며, 1970년대까지도 가장 유력한 학설

---

35) 문명대, 「광주지역 사지발굴의 성과와 의의」, 『불교미술』 10, 1991, p.186.
36) 경기문화재단, 『경기 땅이름의 참모습 -《朝鮮地誌資料》 경기도편-』, 2008, p.961.

로 자리매김하였다. 뿐만 아니라 하남 주민들에게도 백제의 도읍지 하남위례성이 하남시 춘궁
동이었다는 인식에 크게 영향을 미쳤다. 정약용은 한강을 列水라 생각했고, 특히, 하남시 구간을
'두미강'이라고 표기하여, 당시 이 지역 사람들이 그렇게 부르고 있었음을 알 수 있게 하였다.

정약용의 「我邦疆域考」 이후 쓰여진 홍경모의 『重訂南漢志』도 하남 지역 사람들에게는 당
연히 파급력이 큰 자료임에 틀림없다. 홍경모는 『重訂南漢志』의 서문에서 백제의 도읍지와 관
련하여, 백제의 도읍지가 남한산성이라는 것을 강하게 부정하고 있다.

세상에서 산성을 백제 온조왕이 도읍한 성이라고 하나 무엇을 근거로 말하는 것인지
모르겠다. 백제사에서 온조 13년에 漢山 아래를 따라 성궐을 세웠다 하였는데, 한산이란 바로
오늘의 일장산이다. 온조가 산 아래를 따라 성궐을 세웠다면 성을 산 위에 쌓은 것은 아니다.
대개 그 옛 도읍은 바로 지금의 검단산 아래이며, 광주의 옛 읍치이다. 지금도 역시 옛 터를
찾을 만한 곳이 있다. 고사와 야승에 처음부터 성이 산 위에 있었다는 글이 없었는데, 세상
사람들이 옛 사실을 연구하지 않고 곧바로 그 옛 도읍이 남한산성에 있으며, 성은 온조가 쌓은
것이라고 하는 것은 무엇 때문인가? 온조가 비록 산 아래에 도읍을 했지만, 혹 산 위에다 柵을
설치하거나 흙을 산 위에 쌓아 관방의 땅으로 삼았던 것을 신라의 문무왕이 그 터에 그대로
다시 쌓았던 것은 아닐까? 백제의 역사는 소략하여 감히 알지는 못하지만, 특별히 백제의
古城이 산 아래에 있다고 써서 산 위에 있지 않았음을 밝혀둔다.[37]

그런데 홍경모가 서문에서 특히 백제의 古城이 산 아래에 있고, 산 위에 없었다고 강조한 이
유는 무엇일까? 그것은 역시 당시까지도 온조의 도읍지가 남한산성에 있다는 사람들의 인식
이 강하게 남아 있었음을 잘 보여준다고 할 수 있다. 어쨌든 홍경모의 『重訂南漢志』도 정약용
의 「我邦疆域考」와 같이 백제의 옛 도읍은 남한산성이 아니라, 산 아래이고, 그곳은 광주 고읍
이라고 생각하는 것은 같았다. 다만 정약용은 검단산이 광주 고읍의 동쪽에 있다고 했고, 고읍
은 지금의 춘궁동이라고 했는데, 홍경모는 백제의 도읍지가 광주 고읍이라고 하면서도 그곳을
검단산 아래라고 하여 조금 다르게 인식하고 있다. 검단산 아래가 하남위례성이라고 하는 것은
『大東地志』에서도 역시 마찬가지이나, 홍경모가 한산을 남한산이라고 한데 비해, 『大東地志』
는 검단산을 한산으로 보았기 때문이다. 또 '南漢'이라는 말은 漢江의 남쪽에 있기 때문에 생겨
난 명칭이며, 郡名으로 한산군 또는 남한산주라고 부른 것도 모두 한강 때문에 그렇게 불려진
것이라고 하였다.

뿐만 아니라 남한산을 府의 진산이라 하고, 검단산은 古邑의 진산이라고 하는 것으로 보아 읍
치가 남한산성으로 이전된 후 진산도 함께 옮겨간 것으로 보여 진다. 또한 이 책은 이성산에도 온

---

37) 오성, 김세민 역, 『重訂南漢志』 서례, 하남역사박물관, 2005.

조왕의 성지가 있다고 하여 이후 이성산이 하남위례성이라고 주장하는 근거가 되기도 하였다.

특히「史餘」의 '百濟始都'는 내용상 정약용의 설을 그대로 옮겨 홍경모가『重訂南漢志』를 편찬할 때 정약용의「我邦疆域考」를 전적으로 참고했음을 알 수 있다.『大東地志』역시 마찬가지이다.

백제 시조 13년 7월 드디어 漢山(곧 검단산이다. 방언으로는 크다는 것을 '漢'이라 하였으며 大山과 비슷하다.) 아래에 나아가 목책을 세우고 위례성의 민호를 옮겼으며 9월에 궁궐을 지었다. 14년 춘정월에 도읍을 한수의 남쪽으로 옮겨(광주부 북쪽 5리에 있고 광주부의 고읍이다) 하남위례성이라 하였다(백제 시조가 낙랑, 말갈의 환란을 피하여 도읍을 한남으로 옮긴 것이 명백하니 이것은 북쪽으로부터 남쪽으로 천도한 것이다. 대개 위례라는 호칭은 한북에서 한남으로 천도한 것에서 비롯된 것이다. 또한 옛날 이곳을 하남위례성이라 부른 것에서도 연유한다. 위례라는 것은 당시의 방언이며, 무릇 성곽으로 사방을 에워 쌓은 것을 말하여 圍哩라고 일렀으니, 위리는 위례와 소리가 비슷하다. 목책을 세우고 흙을 쌓아 넓은 성곽을 쌓았기 때문에 위례라 하였다. 東史에 직산현을 위례라 한 것은 잘못된 것이며, 한양 동북쪽의 땅이 도읍을 처음 정한 곳으로 맞다.) 13대 왕이 지나(375년) 근초고왕 26년에 이르러 도읍을 한수 북쪽 북한산이라 부르는 곳으로 옮겼다(광주부의 별칭이 남한이며, 비슷한 말로는 南北京이라 하였다). '금암산'에 "청량산의 북쪽 줄기로 가운데 龍虎洞이 있다. 금암산과 나란히 있는 줄기로 원덕산이 있고, 또 이성산이 있는데 백제의 성터이다." '금암산고성'은 "백제 때 축조하였다." '坪古城'은 "광진 위쪽 들 가운데 있으며, 양주의 楊渾城과 강을 사이에 두고 마주하고 있다."[38]

이와 같은 정약용의 학설은 1976년 이병도에 의해 부분적으로 부정되었다. 즉 이병도는『三國遺事』의 직산위례설은 물론 북한산위례설도 부정하고, 나아가 정약용이 하북위례성으로 비정한 한양 동북, 삼각산 東麓에도 그 흔적이 전혀 나타나지 않기 때문에 정약용이 가진 약점이 그것이라고 하였다. 또 낙랑을 춘천지방이라고 한 것이나, 한강을 列水라고 인식한 것도 모두 잘못이라고 비판하였다. 정약용의 학설이 완벽한 것은 아니라는 것이다. 그럼에도 불구하고 위례의 위치를 한강 북쪽에서 구하는 주장은 탁견이며, 하북위례설은 움직일 수 없는 정설이라 하였다.

그는 정약용과 달리 하북위례성을 서울의 세검정 계곡 부근에 비정하고, 하남위례성과 한성은 같은 것으로 보았지만, 한강 북쪽의 하북위례성과 한강 남쪽의 하남위례성, 그리고 하남위례성이 하남시 춘궁동에 있다는 것은 정약용과 같았다. 특히 정약용은 하남위례성의 위치를 광주 고읍, 궁촌이라는 표현을 썼지만, 이병도는 광주 '춘궁리', '교촌(현재의 교산동)'이라는 명칭을 사용하여 보다 현재화시켰다.

---

38)『大東地志』, 沿革, 山水.

하북의 本 慰禮城에 대하여 하남의 漢城(광주)을 「하남위례성」이라고 별칭하듯이, 本 漢城에 대하여 하북의 舊 慰禮城을 「북한성」, 또는 단지 「북성」이라고 하였던 것이다. 이 지대가 군사지리상으로는 그 要를 얻은 만큼 성지요새로는 매우 적합하다고 하겠으나 발전된 시대의 수도로는 너무도 狹窄하고 土薄하여 부적당하다고 아니할 수 없다. 그리고 보면 후일에 이곳에서 漢山(남한산)下인 지금의 광주 춘궁리 방면으로 천도한 이유의 하나도 여기에 있었던 것이 아닌가 생각된다.[39] 이 新都의 배후에는 이성산성(土城)이 둘려있거니와 이것은 후일 백제가 웅진(공주)으로 천도하여서도 배후에 공산성(石築)을 축조하고 또 그후 부여로 西遷하여서도 배후에 부소산성을 축조한 것과 같은 예제라고 할 수 있다. 요컨대 백제초기의 수도는 한수 북쪽의 위례성이었는데, 후일 한수 남쪽인 지금의 남한산 하의 춘궁리, 교촌 일대로 천도한 후 국호를 百濟로 개칭하고 또한 이를 하북위례성에 대칭하여 「하남위례성」이라고 일컫던 것이라고 보아야 하겠다.[40]

다산 정약용이라는 실학자에 의해 시작된 하남시 춘궁동의 하남위례성은 이홍직, 윤무병, 이병도로 이어졌지만, 역사학자들의 문헌고증은 여기까지였다. 문헌고증은 기록을 토대로 이루어지는 작업이기 때문에 추정지의 땅속까지는 알 수 없는 한계가 있다. 이 한계를 보완하는 것은 고고학적인 방법으로 유적을 발굴하는 것이다. 따라서 하남시에서 이루어진 그 첫 번째 발굴이 1986년 시작된 이성산성이었다. 이성산성 발굴은 최근까지 30여 년 동안 12차례에 걸친 오랜 학술발굴이었지만, 발굴기관의 결론은 백제가 아니라 신라성이었다. 이성산성이 신라성이라면 결국 백제의 하남위례성은 다른 곳에서 찾을 수밖에 없게 되었다. 그래서 향토사가들이 떠올린 곳이 교산동건물지이다.

Ⅳ. 교산동건물지와 백제왕궁

이미 일제강점기인 1934년 아유카이 후사노신(鮎貝房之進)은 객산 산기슭의 하사창리를 옛 왕성터로, 또 객산 산기슭에는 왕궁의 성벽으로 생각한 바 있다.[41] 1937년에 발간된 『京畿地方の名勝史蹟』에서도 백제를 건국한 시조 온조왕이 B.C. 6년(온조왕 13)에 풍납리 위례성에서 宮村으로 천도하였고 그 왕성은 객산 산록의 하사창리에 있었다고 한다. 또한 객산 정상에 신라식 토기 파편이 산재하며 교산리 일대에도 고와편이 산재하고 곳곳에 초석으로 생각되는 것들

---

39) 이병도, 『한국고대사연구』, 박영사, 1976, pp.495~496.
40) 이병도, 「백제의 건국과 한강」, 『한강사』, 서울특별시사편찬위원회, 1985.
41) 이도학, 앞의 책, p.49.

이 있는데 이곳은 신라가 통일한 후 설치한 한산주치의 유적이라고 하였다.[42]

오순제는 이철재 하남문화원장과 이훈종 박사가 교산동건물지를 광주객사라고 주장하였기 때문에 조사에 혼선이 주었다고 하면서, 고골의 향토사학자 김종규씨가 춘궁동 동사무소 아래에서 '광주객사'명문 기와를 발견하여 광주객사는 향교 부근에 관아와 객사, 향교가 나란히 있었다고 하였다. 따라서 오순제는 한종섭이 발견했다고 하는 객산토성이 하남위례성이고 그 서남쪽 모서리에 왕궁지가 남아 있다고 하여 교산동건물지가 왕궁이며 客山이 鎭山이라고 하였다.[43] 물론 '광주객사'의 명문기와는 그후 교산동건물지, 광주향교, 서부농협 등 여러 곳에서 출토되었다.

국립문화재연구소도 이 교산동건물지를 답사하였으나 조선시대 이전으로 올라가는 유물이 발견되지 않아서 조선시대 광주객사지로 추정하였다.[44] 그럼에도 불구하고 교산동 건물지가 한성백제의 왕궁지인지 아니면 객사지인지에 대한 논란이 끊이지 않자, 하남시에서는 1999년부터 경기문화재연구원으로 하여금 4차에 걸쳐 발굴을 실시하게 되었다.

그 결과, 교산동건물지는 백제시대의 왕궁은 아니었고, 통일신라후기에서 고려전기, 고려후기에서 조선전기, 그리고 조선후기 등까지 3시기에 사용된 건축물이었음이 밝혀졌다. 광주관아가 남한산성으로 이전한 후인 조선후기의 용도는 알 수 없으나, 교산동건물지의 초축 시기인 나말여초는 주름무늬병편, 해무리굽 청자완과 애선백사, 성달백사 등 당시 호족세력의 명칭이 나타나는 명문와가 다량으로 출토되었고, 두 번째 시기인 여말선초에는 상감, 인화기법의 분청사기, 상품의 백자가 집중적으로 출토되었으며, 다량의 광주객사 명문과 무술년 명문이 확인되었다. 조사단은 이 무술년을 객사에 부속된 청풍루가 중창, 중수되는 시기로 보았다.[45]

따라서 교산동건물지를 광주객사로 확정하기 위해서는 이 청풍루의 위치를 확인하는 것 또한 중요하게 되었다. 청풍루의 위치에 대해서는 『新增東國輿地勝覽』, 『東國輿地誌』, 『重訂南漢志』 등에 기록되어 있는데, 『新增東國輿地勝覽』 「樓亭」에는 "客館 동북쪽에 있는데 옛 청풍정이다. 목사 홍석이 다시 지어 누로 만들었다."하였고, 『東國輿地志』 「古蹟」에는 "청풍루 옛터가 古廣州 客館 북쪽에 있으며 李穀의 기문이 있다."고 하였으며, 『重訂南漢志』 「잉적」에는 "古邑의 客館 동북에 있으니 옛날에 청풍정이라 하였다가 목사 洪錫이 고쳐지어서 樓를 만들고 牧隱 李穡이 記를 지었다."고 하였다. 그리고 이곡의 기문에는 "官舍 북쪽 옛날 청풍정 터를 언

42) 朝鮮地方行政學會, 『京畿地方の名勝史蹟』, 1937. 百濟建國の祖溫祚王が九川面風納里の慰禮城からその十三年遷都した百濟古都城は此の地であると謂はれ其の王城は客山山麓の下司倉里にあつたものと見られている. 又客山の西部面に面せる山麓下司倉里には百濟式の古瓦片及火災に罹つた瓦片, 磚等多く發見せられ規模の大なるより百濟古都の王宮址と見られている.

43) 오순제, 『한성백제사』, 집문당, 1995, p.38, 각주 72 73.

44) 세종연구원, 『하남시 교산동일대 문화유적』, 1996, p.28.

45) 기전문화재연구원, 「하남 교산동 건물지-발굴조사 종합보고서-」, 2004, pp.187 189.

어서 네 기둥의 집을 지었다"고 하였다. 이들 기록의 공통점은 청풍루가 객관의 북쪽 또는 동북쪽에 있다는 것이다.

그런데 청풍루라는 명칭을 가진 樓 역시 廣州에만 있었던 것은 아니라 다른 지역에서도 볼수 있다. 예를 들면 전라도 영광에도 청풍루가 객관 동쪽에 있다고 하였고,[46] 大靜縣에도 청풍루가 객관 동쪽에 있다고 하였으며,[47] 강원도 원주의 경우, 향교에 청풍루가 있는데, 목사 申浩가 세웠다[48]고 한다. 또한『容齋集』에도 '淸風으로 부임하는 文欽之를 보내며'라는 칠언절구 시에 寒碧樓에서 公務를 보았다는[49] 구절이 있는데, 이 한벽루가 시 제목의 청풍루이고, 청풍루는 관청의 누각으로 이해되고 있다. 결국 타 지역에서도 청풍루는 객관, 또는 향교에 부속된 樓이고, 목사가 세운 건물이며, 방향은 객관의 동쪽 방향이라는 것을 알 수 있다.

어쨌든 청풍루가 객사의 동북, 또는 동쪽에 위치한 것은 공통적인데, 하남시의 경우, 광주향교, 교산동건물지를 중심으로 동쪽은 客山으로 막혀있기 때문에 객산 아래를 따라 동북쪽으로 뻗어 있는 도로를 따라가면 동경주에 이르게 되고 이 도로가 광주관아를 지나는 옛길이다. 동경주는 1911년 편찬된『朝鮮地誌資料』[50]「酒幕名」에는 東京子酒幕이 동부면 천현동에 있다고 기록되어 있어 당시의 지명이 동경자였던 것이다. 그런데 천현동에 세거하고 있는『咸平李氏咸城君派譜』및『咸平李氏大同譜』[51]를 보면 捕將公 李伯福의 묘가 광주군 동부읍 천현리 東亭子에 있다고 하고, 또 그 후손인 宏壽의 묘는 천현리 東亭에 있다고 하여 현재의 동경주를 '동정자' 또는 '동정'이라고 기록하고 있다. 이것으로 본다면 지금의 동경주는 원래 지명이 동정이었다가 동정자 → 동경자 → 동경주 등으로 변천되어 왔음을 알 수 있다. 따라서 이곳의 원래 명칭은 동경주가 아니라 동정이었으며(동정은 동정자와 혼용하여 쓰인다), 1413년(태종 13), 1414년(태종 14)에 태종이 광주 '동정'에 머물렀다는 기록은 이곳에 머물렀다는 것을 의미한다.

9월에 우리 태조가 … 해주의 東亭子에서 싸움이 한창일 때, 진흙 수렁의 넓이가 10여 척이나 되는 곳을 만났다.[52] 두 임금이 海州의 東亭子에 머물렀다.[53] 양주 東亭子에서 낮참을 들고 회암사 뒷산 동쪽에서 사냥하다가 대가가 회암사를 지나가니 寺僧 坦珠 등이 詩를 드리고 쌀을 청하니 米豆 각 20석씩 하사하였다.[54]

---

46)『新增東國輿地勝覽』第36卷, 靈光郡, 樓亭.
47)『新增東國輿地勝覽』第38卷, 大靜縣, 樓亭.
48)『新增東國輿地勝覽』第46卷, 原州牧, 學校.
49)『容齋集』第1卷, 七言絶句.
50)『경기 땅이름의 참모습 -《朝鮮地誌資料》경기도편 -』, 경기문화재단, 2008.
51)『咸平李氏咸城君派譜』卷4, p.109 및 p.111.『咸平李氏大同譜』卷3, p.263 및 p.265.
52)『高麗史節要』第30卷, 辛禑1, 辛禑 3년.
53)『世宗實錄』卷7, 2年 2月 7日.
54)『世宗實錄』卷84, 21年 閏2月 19日.

御駕가 廣州의 東亭에 머물렀다. 사슴 두 마리를 쏘아 잡아서 대언 趙末生에게 명하여 말을 달려 종묘에 薦新하게 하였는데 임금이 일찍이 이렇게 말하였었다. "전라도에 있으므로 비록 잡은 짐승들을 천신한다고 하더라도 길이 멀어서 고기의 맛이 모두 변할 것이다. 광주에서 몰이하여 다시 천신하고자 한다.[55]"

이와 같이 광주의 동정 역시 官과 밀접한 관련이 있는 정자이며, 방향 역시 교산동건물지에서 동북 방향에 있었다. 광주의 동정은 기문이 남아 있지 않으나, 公州東亭記가 남아있기 때문에 동정의 성격이나 규모는 파악할 수 있다. 즉 공주동정기에 의하면, 州와 府에는 반드시 迎春亭과 迎客亭이 있는데, 영춘정에서는 해마다 입춘에 수령과 부관은 아전과 군관, 병졸들을 거느리고 동쪽 교외에 나가서 관복을 착용하고 제사를 드리는데, 정자에서 행하지 않으면 적당한 곳이 없다고 하였으며, 또 영객정에서는 크고 작은 사절이 오고 갈 때면 주나 부에서는 이들을 영접하고 전송하는데 이 또한 정자가 꼭 필요하다고 하였다.

따라서 公州에 刺史로 부임한 驪興 閔祥伯은 이 두 가지 행사를 다할 수 있는 곳이 동정이므로 정자를 짓는 건축공사를 서두르게 하였는데, 서편과 남편의 행랑만 14칸이며, 옷 갈아 입는 장소와 음식 차리는 장소, 겨울에 사용할 온돌과 여름에 사용할 대청까지 마련하였다고 한다. 필자는 이미 「廣州邑治에 대한 研究」[56]에서 청풍루기문의 "東樓를 크게 이루고 그 나머지 軒宇는 수리 정비하니 무릇 20여 간"이라고 하는 내용의 東樓가 바로 東亭을 가리키는 것이 아닐까 추정한 바 있다. 그러나 교산동건물지와 동정(현재 동경주라고 지칭하는 곳)의 위치가 2km 가량 떨어져 있기 때문에 확신하기는 어렵다. 동정이 청풍루의 동루이든, 또는 별개의 또 다른 정자이든, 동정 역시 관아와 관련이 있고, 교산동건물지의 동북 방향에 있으며, 관아로 진입하는 입구에 있었던 것은 틀림없다.

Ⅴ. 능너머 고분과 온조왕릉

2003년 1월까지 4차에 걸친 발굴조사가 끝났음에도 교산동건물지가 하남위례성의 왕궁으로 확인되지 않은 가운데, 2003년 1월 2일 새해 첫 신문이 나오는 날 문화일보 1면과 28면에서 '한성백제 단서 찾았다', '한성백제 잊혀진 왕국을 찾아서(상)"라는 내용이 보도되었다. 즉, 그 내용을 보면, 하남시 춘궁동 고골 '능너머 고분군' 석실 2기에서 금허리띠 및 금동관으로 추정되는 왕족 부장품이 정밀 지하탐사 업체의 2차례 탐사에 의해 포착되었는데 폭 2~2.5m, 길이 3m

---

55) 『太宗實錄』 卷26, 13年 10月 10日. 『太宗實錄』 卷28, 14年 閏9月 18日.
56) 김세민, 「광주읍치에 대한 연구」, 『향토서울』 제77호, 서울특별시사편찬위원회, 2012, 참조.

의 인접한 석실 두 군데에서 정북 방향을 향한 동 물체(왕관 추정)와 금 물체(허리띠 추정)가 70~80㎝ 간격으로 놓여있고, 아래쪽에는 동, 철, 세라믹 물체(그릇과 토기 등 제기 추정)가 확인되었다는 것이다.

오순제는 인터뷰에서 아치형 석실구조 등을 볼 때 공주의 백제 무령왕릉에서 발굴된 금동왕관(금박은 대부분 벗겨짐), 금 허리띠와 유사한 왕과 왕비의 순장무덤일 가능성이 크다고 했고, 한종섭은 지난 96년 세종대박물관 측의 능너머 고분군 지표조사 때 銘文瓦에서 '해어른', 즉 초기백제 왕을 일컫는 丈解, 임금을 지킨다는 뜻의 王戌, 으뜸어른을 일컫는 元夫 등의 글귀가 발견된 것을 볼 때 백제초기 왕릉이 거의 확실하다고 했다. 한종섭은 삼국사기에 도성 안에 시조 온조묘가 있어 1년에 4번 제사를 지냈다는 기록이 있다며 백제시조 온조왕릉일 가능성도 배제할 수 없다고 주장했다.

백제왕을 지칭한다는 '해어른', '으뜸어른'은 그런 것을 기와에 새기는 사례가 있는지, 그런 용어가 기록에 나오는지, 그 기와가 초기 백제시대의 기와인지는 모르겠지만, 명문 해석의 경우, 王戌는 壬戌로도 보이고, 丈解라고 해석한 명문기와는 부근 나말여초의 건물지에서도 출토된 바가 있다.

1월 3일에도 1면에 '능너머고분 실태조사, 문화재청 보존지시', 6면의 사설 '한성백제 고분을 보호하라' 20면 '한성백제 잊혀진 왕국을 찾아서(중)'이 보도되었고, 1월 4일에는 20면 '한성백제 잊혀진 왕국을 찾아서(하)', 1월 6일에는 2면 '취재수첩 한성백제 발굴 국책사업으로'가 보도되어 1월 2일부터 6일까지 하남시가 집중 보도되었다.

그 후 4월 3일 다시 이곳에 대한 발굴 착수가 늦어지자 백제문화연구회와 문화연대 등 시민단체들은 하남시가 추진 중인 그린벨트 해제 대상에 포함된 것과 무관하지 않은 것으로 보고 그 배경에 촉각을 곤두세우고 있다고 보도하였다. 이어 문화재연구소는 석물 징후 외에 나머지 4곳에도 토기 파편 등으로 볼 수 있는 燒成 토양이 있는 징후가 포착되었다고 하면서 이 같은 지하탐사 결과는 민간지하탐사업체가 지난해 말 지중레이더 및 자력탐사로 실시한 탐사결과와 상당부분 일치한다는 것이다.

더 나아가 문화재연구소 유적조사연구실장은 "세슘자력탐사와 지중레이더탐사 결과 발굴이 필요하다는 입장을 문화재청에 보고했다"고 말했다. 이 내용이 보도되자 문화재청에서는 4월 4일 〈하남시 소재 '능너머 고분 석실 징후 포착' 보도 관련 국립문화재연구소 입장〉이라는 제목으로 보도자료를 내놓았다. 즉 국립문화재연구소는 탐사결과 4곳에서 燒成된 토양이 있을 가능성과 또 다른 4곳에서 석물이 있을 가능성을 제시한 바는 있지만, 여기에서 석물이란 토양 속에 큰 돌 혹은 돌들이 군집되어 있을 가능성만을 의미하는 것이지 '석실 고분'을 의미하는 것은 아니라는 것이다. 또한 유적조사연구실장이 "탐사결과 발굴이 필요하다는 입장을 문화재청에 보고했다"고 하였는데 당시 유적조사실장은 탐사결과 나타난 현상만을 보고하였을 뿐, 발굴의 필요성에 대하여는 전혀 언급한 사실이 없다고 하였다.

2003년 1월 2일 새해 벽두에 벌어졌던 이 사건은 그후 아무 일도 없었던 것처럼 그냥 그렇게 흐지부지 끝나버렸다. 그리고 지금은 아무도 그 부분에 대해 말하는 사람도 없다. 그리고 그로부터 2년이 2005년 이번에는 KBS가 황산에 백제 초기의 왕릉급 무덤으로 추정되는 전방후원분이 다수 분포한다고 뉴스를 통해 보도하였다. 조사자는 강동문화원이라고 알려져 있지만, 당연히 강동문화원이 단독으로 그런 조사를 한 것은 아니다. 이번에도 문화재청은 "서울 한성백제 전방후원분 발견 추정보도 관련지역 지표조사 및 탐사결과 발표"라는 타이틀로 보도자료를 내놓았다. 결론은 전방후원분이 아니라는 것이다. 전방후원분 논란에 대한 내용은 권오영이 이미 발표하였기 때문에 여기에서는 생략하기로 한다.[57]

VI. 맺는말

이상에서 본 바와 같이, 조선 초기까지는 온조 18년에 처음 도읍했다는 하남위례성의 위치는 정약용에 의해 한강 북쪽의 하북위례성 설이 나타나기 이전까지는 稷山이라는 인식이 지배적이었다. 또한 온조 13년에 옮겨왔다는 2번째 도읍지는 남한산성이었고, 그로 인해 인조 대에는 온조왕의 사당도 남한산성에 건립하였다. 『三國遺事』를 너무 맹신한 때문이다.

그런데 이와 같은 인식이 조선 후기 정약용에 의해 최초의 도읍지인 직산이 한강 이북으로 바뀌었고, 하남과 관련해서는 두 번째 도읍지인 남한산성이 광주 고읍으로 바뀌었다. 광주 고읍은 지금의 하남시 춘궁동이다. 어쨌든 정약용의 이 학설은 고고학의 도움 없이 오직 문헌에만 의존하던 당시로서는 획기적인 것이었다. 그리고 이 학설은 일부 비판을 받았음에도 불구하고 1970년대까지만 해도 대부분 그대로 통용되었다.

문제는 고고학적 연구 방법이 활발해진 1980년대 이후부터 정약용의 학설이 변화하기 시작했다는 것이다. 12차에 걸쳐 한양대학교가 발굴 조사한 이성산성은 신라성으로 결론이 났고, 경기문화재연구원의 4차에 걸친 교산동건물지 발굴 역시 백제의 왕궁이 아니라 여말선초, 조선 초기의 관영건물로 밝혀졌다. 천왕사지도 개발로 인해 거의 발굴이 끝나가고 있지만 나말여초 이상의 유물은 보이지 않는다. 동사지도 시굴조사 결과나, 3·5층 석탑의 양식 상 나말여초에 조성된 사찰로 생각되고 있다. 향토사가들이 지목했던 속칭 능너머고분이나 전방후원분 역시 논란 이상으로 밝혀진 것은 없다. 이들 학술 발굴 외에도 하남시에서는 최근 도로, 건축 등 각종

---

57) 권오영, 「무지와 만용이 빚은 최악의 오보, 서울의 전방후원분」, 『고고학』 5-1호, 중부고고학회, 2006.

공사로 인한 발굴조사가 상당 부분 이루어졌고, 현재에도 진행 중에 있다. 그런데 이들 발굴조사에서도 하남위례성의 흔적은 거의 나타나지 않는다.

여기 아니면 저기 식의 하남위례성 찾기가 논란과 불신만 확대 재생산하였고, 그 결과 하남시 춘궁동 일대는 개인주택 한 채 건축하려 해도 발굴하지 않으면 안 되는 상황이 되었다. 하남시는 경주 다음으로 가장 발굴이 많은 지역이 되었으며, 시와 주민들이 부담하는 비용 또한 막대하다. 그런데도 이 같은 상황은 지금도 계속되고 있다. 특정 유적에 대한 위치를 규명하는 일은 선입견이나 어떤 목적, 욕심으로 되는 일이 아니라 학문적인 연구와 과학적인 증거가 필요한 작업이다.

【참고문헌】

『三國史記』

『三國遺事』

『高麗史』

『高麗史節要』

『東國興地志』

『東國地理志』

『大東地志』

『東史綱目』

『新增東國輿地勝覽』

『朝鮮王朝實錄』

『經世遺表』

『谿谷先生集』

『眉叟記言』

『四佳集』

『星湖僿說』

『續雜錄』

『與猶堂全書』

『燃藜室記述』

『容齋集』

『佔畢齋集』

『咸平李氏大同譜』

『咸平李氏咸城君派譜』

경기문화재단,『경기 땅이름의 참모습 -《朝鮮地誌資料》경기도편-』, 2008.

기전문화재연구원,「하남 교산동 건물지-발굴조사 종합보고서-」, 2004.

나만갑 저, 윤재영 역,『丙子錄』, 명문당, 1987.

세종연구원,『하남시 교산동일대 문화유적』, 1996.

오성, 김세민 역,『重訂南漢志』서례, 하남역사박물관, 2005.

오순제,『한성백제사』, 집문당, 1995.

이병도,『한국고대사연구』, 박영사, 1976.

朝鮮地方行政學會,『京畿地方の名勝史蹟』, 1937.

권오영,「무지와 만용이 빚은 최악의 오보, 서울의 전방후원분」,『고고학』5-1호, 중부고고학회,
        2006.
김기섭,「위례성의 위상과 위치」,『한성백제사』3, 왕도와 방어체계, 서울특별시사편찬위원회, 2008.
김세민,「광주읍치에 대한 연구」,『향토서울』제77호, 서울특별시사편찬위원회, 2012
문명대,「광주지역 사지발굴의 성과와 의의」,『불교미술』10, 1991.
이병도,「백제의 건국과 한강」,『한강사』, 서울특별시사편찬위원회, 1985.

華城 雲坪里 漢城百濟時代 가마의 檢討

兪泰勇[*]

目 次

Ⅰ. 머리말

운평리 유적은 행정구역상 경기도 화성시 우정읍 운평리 산116번지 일대에 위치하고 있으며, 이곳에 대한 문화재 조사는 서해문화재연구원에 의해 2012년 11월 1일에서 5일까지 표본조사가 이루어 졌고, 2013년 3월 18일부터 4월 10일까지 발굴조사가 진행되었다.[1]

표본조사는 12개의 트렌치를 설정하고 제토작업을 진행하였으며, 그 결과 추정주거지 3기, 토기가마 1기, 민묘 1기, 구상유구 3기, 수혈유구 1기 등의 유구가 노출되었다. 발굴조사는 표본조사에서 유구가 확인되는 지점을 중심으로 실시하였으며, 조사구역은 지형에 따라 서쪽 능선 정상부를 Ⅰ구역, 그리고 동쪽 경사면을 Ⅱ구역으로 나누어 실시하였다. 발굴조사 결과, Ⅰ구역에서는 주거지 1기와 공방지 2기가 조사되었고, Ⅱ구역에서는 토기가마 1기, 주거지 1기, 공방지 1기, 민묘 2기가 조사되었다. 그리고 이들 유구에서 경질무문토기, 타날문토기, 철제품, 석제품 등이 다수 출토되었다. 화성 운평리 유적은 토기 생산을 위한 토기가마를 중심으로 주거지와 공방지 등의 관련 유구로 구성되었다. 여기에서는 한성백제시대 토기가마를 중심으로 고찰한다.

---

* (재)서해문화재연구원 원장
1) 서해문화재연구원, 『화성 운평리 토기가마 유적』, 2015.

II. 土器가마의 立地와 構造

1. 토기가마의 立地

(1) 한성백제 토기가마의 立地

土器가마는 신석기시대의 빗살무늬토기, 청동기시대의 무문토기, 초기철기시대의 경질무문토기는 대개 소성온도가 600~800℃에 이르는 低火度의 露天가마로 소성되었던 것으로 알려져 있다. 그런데 이러한 露天가마로는 高熱을 낼 수가 없어, 고화도의 경질토기를 만들기 위해 통풍을 조절하여 高火度를 낼 수 있는 지붕을 가진 움집같은 室窯와 언덕의 경사면에 길게 만들어진 터널형의 登窯가 발달하게 되었다. 登窯는 다시 내부에 격벽을 둔 連室 형식으로 발전되었으며, 室窯는 중국에서는 이미 신석기시대부터 나타나고 있으며, 은대에 이르러 경질토기가 만들어지는 바탕이 되었다. 그리고 한대에 이르면 등요가 널리 보급되기 시작하였고, 이러한 登窯는 낙랑시기 전후 무렵에 우리나라에도 도입된 것으로 알려져 있다.[2] 삼국시대에 이르면, 이러한 등요를 모체로 섭씨 1,100°이상의 고온에서 還元燔造할 수 있는 硬質土器가 만들어지기 시작하였다.

경기지역의 漢城百濟時期에 조성된 토기가마는 현재까지 모두 14개소 40基가 발굴되었다. 이를 지역별로 살펴보면, 임진강유역권에서는 파주 와동리유적, 운정유적, 능산리유적, 축현리유적 등이 조사되었고, 한강유역권에서는 김포 학운리유적, 인천 불로동유적, 서울 풍납토성 현대연합주택 및 1지구 재건축부지 유적, 광명 소하동유적 등이 발굴되었으며, 오산천-황구지천유역권에는 용인 농서리유적, 화성 청계리유적,[3] 평택 백봉리유적·현화리유적, 안성 양변리유적 등이 조사되었다.

이러한 漢城百濟時期 토기가마의 地域的 分布는 주로 대하천 유역의 구릉에 주로 立地하고 있으며, 토기의 성형에서 필요한 점토와 충분한 물의 공급이 필요하기 때문에 주변 하천과의 거리는 200m에서 최대 1200m 이상은 떨어지지 않는다. 이는 원거리에서 필요한 점토와 물을 가져오기에는 많은 노동력과 시간이 요구되기 때문이다. 이런 이유로 한성백제시기의 토기가마들은 양질의 점토를 쉽게 얻을 수 있고, 물을 원활하게 공급받기 위하여 주로 하천주변의 구릉에서 조사되고 있는 것이다. 대하천 주변의 谷部 구릉에 가마를 축조해야 토기의 제작이나 건조를 위한 작업공간의 활용이 용이했을 것이다.

한성백제시기에 조성된 토기가마는 입지적 측면에서 보면, 대체로 완만한 곡부 사면에 형성된 구릉의 경사도를 이용한 半地下式이나 地下式에 해당한다. 이런 형식의 가마는 대개 풍화암반층의 단단한 지반을 굴착하고 조성되어 있다. 토기의 소성에 가장 중요한 요건은 토기를 소

---

2) 顧幼靜, 「한국 경질토기의 기원연구-가마를 중심으로」, 전남대학교 석사학위논문, 2005, p.50.
3) 강아리, 「漢城百濟時代 大甕 가마 硏究」, 단국대학교 석사학위논문, 2009.

성할 수 있는 온도에 도달할 수 있게 하는 것이다.[4] 이를 위해 연료인 나무가 풍족해야 하고 토기의 소성 과정에서 열효율의 극대화를 위해 가마 바닥면의 경사가 필요하다. 따라서 이러한 지형적 이점을 이용하기 위해 한성백제 시기의 토기가마는 구릉의 경사면을 활용했을 것이다. 화성 운평리 토기가마도 동쪽 구릉 경사면에 축조되었는데, 터널식 원통형에 가까운 장타원형의 半地下式 登窯로 가마의 경사도는 약 13°이다.

경기지역에서 발굴된 한성 백제시기 토기가마 유적을 살펴보면, 토기가마 주변에서 공방지, 수혈유구, 건조장, 태토 저장공 등 가마와 관련된 부속시설이 조사되고 있다. 예로 들어, 파주 와동리 토기가마 유적에서는 수혈유구 1기가 확인되었고, 파주 운정리 토기가마 유적의 5지점에서 1호와 2호 주거지, 10호와 11호 수혈유구(폐기장), 12호 수혈유구(태토 저장공), 12지점에서 19호 수혈유구(작업장) 등이 조사되었다. 파주 능산리 토기가마유적에서는 圓形竪穴遺構(저장공) 20기가 발굴되었고, 풍납토성에서는 3호 주거지(추정공방지) 1기, 토기폐기유구 1기, 방형유구(창고) 1기 등이 발굴되었으며, 광명 소하동 토기가마유적에서는 추정공방지 1基가 발굴되었다. 용인 농서리 토기가마유적에서는 공방지 1기와 폐기장 1기가 조사되었고, 화성 가재리 토기가마유적에서는 공방지 1기와 수혈유구 2기가 같이 조사되었고,[5] 화성 청계리 토기가마유적에서는 공방지와 폐기장이 조사되었다.[6]

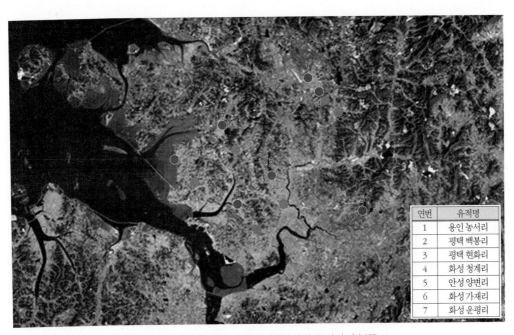

연번	유적명
1	용인 농서리
2	평택 백봉리
3	평택 현화리
4	화성 청계리
5	안성 양변리
6	화성 가재리
7	화성 운평리

〈사진1〉 경기 남부지역 한성백제시기 토기가마 분포

4) 배선주, 「경기지역 한성백제의 토기가마에 대한 연구」, 서울여자대학교 석사학위논문, 2013, p.28.
5) 한신대학교박물관, 『華城 佳才里 原三國 土器窯址』, 2007.
6) 강아리, 앞의 논문, 2009.

(2) 화성 운평리 토기가마의 입지

화성 운평리 토기가마의 지형은 해발 50m내외의 정상부에서 흘러내리는 완만한 구릉지이
며, 경작과 개간 등의 과정에서 切土로 인한 형질변경이 부분적으로 이루어진 상태로 하단부
에는 남서-북동방향의 경작지가 길게 조성되어 있다. 유적의 立地는 동북쪽 화수리에서 서남
쪽 운평리로 이어지는 낮은 구릉지대이며, 동쪽은 화옹방조제를 통해서 조성된 목리만들의 농
경지가 넓게 펼쳐져 있고, 서쪽과 남쪽에도 역시 화옹방조제 건설을 통해서 조성된 건지논골을
중심으로 분지형 마을과 대하양식장이 조성되어 있으며, 양식장 너머 서쪽은 아산만의 서해바
다가 펼쳐져 있다. 따라서 조사지역은 화옹방조제가 건축되기 이전에는 삼면이 바다인 반도형
태의 지형으로 형성되어 있었다.

유적의 지리적 조건을 보면, 조사지역의 서쪽 능선 정상부(해발 52.5m)에는 남북으로 길게
평지가 형성되어 있고, 동쪽은 대체로 급경사를 이루고 있다. 반면에 서쪽은 건지논골 방면으
로 완사면을 이루며, 이곳에 民家가 산발적으로 경사면을 따라 건축되어 있다. 地質은 조사지
점을 포함한 우정읍 일대는 선캠브리아기 상부편암으로 구성되어 있고, 분포지형은 저구릉지
와 구릉지에 해당되며, 퇴적양식은 잔적층이다. 토양모재는 산성암과 변성암이 확인되며, 심토
의 주토색은 적색계이다. 지형은 조사지점의 서쪽은 구릉 정상부의 평탄지에 해당하나 동쪽은
급경사로 형성되어 있다.

화성 운평리 토기가마 유적에서도 토기가마 주변에서 공방지 3기와 주거지 2기 등이 조사되
었다. 이러한 가마의 입지와 관련시설들의 조성은 토기의 제작에 필요한 요건들을 충족하기 위
한 것이다. 평택 백봉리 토기가마 유적에서 토기 생산을 위한 부속시설로서 작업장 1기가 발
굴된 바 있다. 따라서 운평리 토기가마 유적의 주변에서 발굴된 공방지나 수혈주거지는 토기의
생산에 필요한 요건들 가운데 토기의 성형에 필요한 점토, 물, 그리고 제작과 건조를 위한 수비
시설과 작업공간으로서 요구되는 시설물들이었던 것으로 판단된다.

2. 토기가마의 구조

(1) 구조

토기가마는 구릉 동쪽 경사면의 능선하단부에 위치하고 있으며, 이곳은 조사지역의 중간지
점에 해당하는 해발 18m지점에 해당한다. 토기가마의 주변으로는 서남쪽으로 7m지점에서 3
호 공방지가 조사되었고, 북동쪽으로 7m지점에서는 2호 주거지가 위치하고 있다. 토기가마는
표토면의 제토작업을 진행하면서 유구의 전체적인 윤곽선이 소성부로 보이는 부분의 벽체를
따라 확인되었고, 화구부로 보이는 하단부에 목탄 및 소토덩이 일부가 노출되었다. 내부에 대
한 발굴조사는 장축방향에 맞추어 중심 토층을 지정하고 4분법을 적용하여 내부퇴적토를 순차

적으로 제토하는 방식으로 진행하였다. 조사결과 토기가마는 아궁이-연소부-소성부 순서로 노출되었고, 배연부와 회구부 시설은 조사과정에서 확인되지 않은 것으로 볼아 후대에 교란 및 삭평 등으로 인해 유실된 것으로 판단된다.

토기가마의 구조는 터널식 원통형에 가까운 장타원형 형태의 半地下式 登窯로, 가마의 경사도는 약 13°이다. 가마의 평면형태는 경사가 낮은 화구부 부분은 연소부보다 좁게 조성되어 사면의 아래쪽으로 이어진다. 가마의 크기는 장축은 424㎝이고, 폭은 연소부는 138㎝이며, 소성실은 110㎝이다. 깊이는 20㎝이며, 가마의 장축방향은 N-88°-W이다.

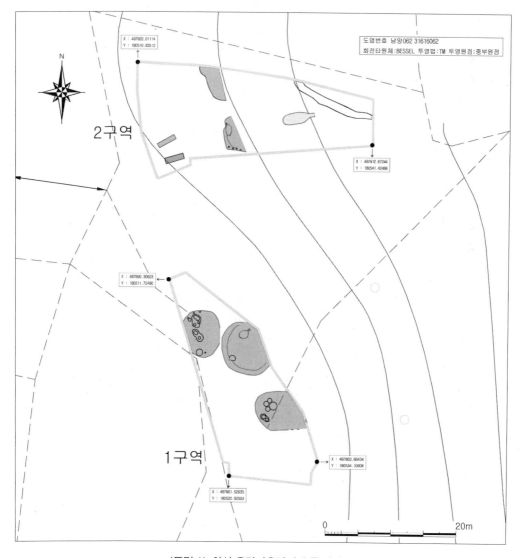

〈도면 1〉 화성 운평리유적의 유구 배치도

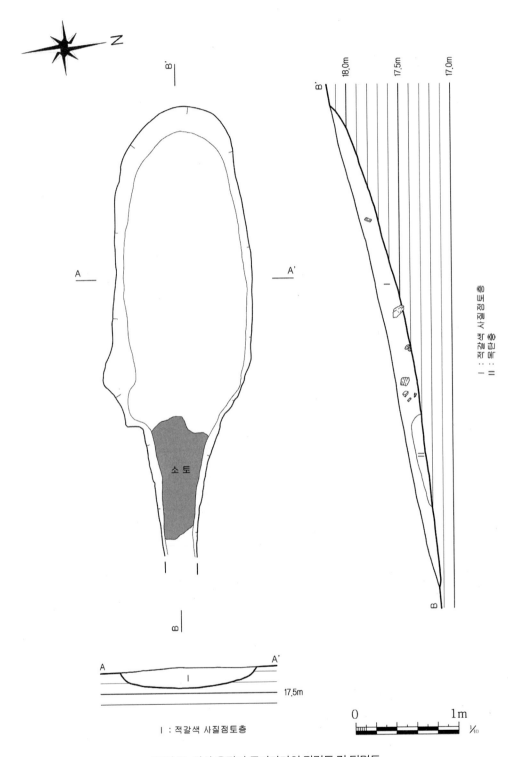

Ｎ

B'

18.0m

17.5m

17.0m

B'

A

A'

소 토

Ⅰ

Ⅰ : 적갈색 사질점토층

Ⅱ : 며탄층

B

B

A

A'

Ⅰ

17.5m

Ⅰ : 적갈색 사질점토층

0 ᅟᅟᅟᅟᅟᅟᅟᅟᅟ 1m

1/40

〈도면 2〉 화성 운평리 토기가마의 평면도 및 단면도

아궁이 시설로 火口部가 부분적으로 잔존하고 있는데, 연소실로 이어지면서 점차 넓어지는 역삼각형에 가깝게 평면형태로 조성하였다. 크기는 입구의 폭이 약 26㎝로 좁으며, 연소부로 연결되는 焚口 부분의 폭은 약 72㎝이다. 좌우 벽면에는 燒土가 붉게 硬化되어 있고, 화구부 및 연소부 초입부분에서 壁體, 燒土, 木炭 등이 노출되었다. 연소부와 소성부는 기반암인 풍화암반을 완만한 'U'형으로 굴토하여 축조하였다.

燃燒部은 하단부가 타원형으로 되어 있으며, 상단의 소성부로 좁게 이어진다. 연소부와 소성부의 경계선은 명확하지 않으나 바닥의 소성 상태와 목탄의 분포 상태로 대략적인 파악은 가능하다. 연소부의 최대 폭은 138㎝이고, 소성부로 이어지면서 점차적으로 좁아진다.

燒成部는 연소부에서 등고선 상면을 따라서 장타원 형태로 풍화암반층을 좌우 폭이 넓은 완만한 'U'형으로 굴착하고 조성하였다. 소성부의 길이는 325㎝이며, 소성부의 내부 바닥에서는 木炭이나 燒土의 흔적 등은 확인되지 않았다. 그리고 소성부 상단 끝부분에는 排煙部가 조성되어 있었을 것으로 판단되나 조사과정에서는 확인되지 않았다.

토기가마의 토층은 3개 층으로 구분되는데, 화구부 부분은 제2층~제3층의 두께가 약 13㎝인 목탄 및 소토층이고, 제1층은 가마벽체가 퇴적된 것으로 판단되는 적갈색에 석재가 일부 혼입된 사질점토층이다. 목탄과 소토층은 화구부에서 연소부에서 넓게 나타나고 있으나 소성부에서는 확인되지 않고, 단지 제1층의 단일 층으로 퇴적되어 확인된다. 토기가마는 화구부 및 소성부의 노출양상으로 볼 때 재사용한 흔적은 보이지 않으며, 단기간 사용 후 폐기된 것으로 판단된다. 유물은 소성부 내부조사시 硬質無文土器片과 打捺紋土器片이 소량 출토되었다.

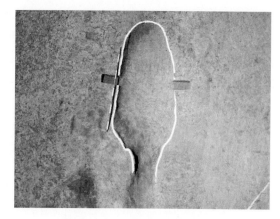

〈사진 2〉 토기가마(조사완료후, 동→서)

2) 형식

한성백제시기 토기가마의 형식은 평요와 등요로 구분하는데, 대개 소성실의 경사도가 10° 이하인 경우는 평요로 분류하며, 10°를 초과하는 경우에는 등요로 분류한다. 이 시기에 조성된 40기의 토기가마 가운데 평요는 풍납토성과 평택 현화리 토기가마유적 2기뿐이고, 27기는 등요이며, 나머지 11기는 정확한 구조가 확인되지 않았다.

平窯는 한강유역권의 풍납토성 토기가마 1기와 오산천-황구지천 유역권의 평택 현화리 토기가마 1기 등 모두 2기가 조사되었다. 평요의 구조를 보면, 평택 현화리 토기가마는 역제형의 평면형태나 연소실과 소성실의 구분이 뚜렷하지 않다. 반면에 풍납토성 토기가마는 폭이 좁고 깊은 원형의 폐기장에서 좁고 긴 연소실과 소성실 형태로 이루어져 있으며, 연소실과 소성실 사이에 약간의 단이 지면서 공간이 분리되어 있어 등요와 구조적 차이를 보여준다.

登窯는 반지하식과 지하식으로 구분되며, 구릉의 경사면을 이용하여 축조한 가마가 대다수를 차지하고 있다. 구조가 확인된 27기의 경기도지역 등요 가운데 25기는 半地下式이고, 2기는 地下式이다. 지하식 구조는 임진강 유역권의 파주 능산리 토기가마 1기와 한강유역권의 광명 소하동 토기가마에서 각 1基씩 2기가 조사되었으며, 반지하식 구조는 오산천-황구지천 유역권의 등요 모두에서 확인된다. 화성 운평리 토기가마도 반지하식 등요로 분류된다.

평면형태는 타원형(1:3이하), 장타원형(1:3이상), 역제형, 그리고 땅콩형이 있다. 타원형에는 인천 불로동 토기가마, 파주 능산리 1호 토기가마, 김포 학운리 1호 토기가마, 광명 소하동 토기가마 등이 있고, 장타원형에는 파주 와동리 2호 토기가마, 파주 운정 1호 토기가마, 파주 능산리 2호 토기가마, 용인 농서리 1호와 2호 토기가마, 화성 가재리 토기가마, 화성 청계리 토기가마, 화성 운평리 토기가마 등이 있다. 이외에도 땅콩형으로는 풍납토성 토기가마 1기와 역제형의 평택 현화리 토기가마 1기가 조사된 바 있다. 평면형태가 알려진 토기가마 가운데 장타원형은 11기, 타원형은 3기, 땅콩형 1기, 그리고 역제형 1기 등으로 조사되었다. 따라서 한성백제시기의 토기가마 평면형태는 장타원형이 압도적인 다수를 차지하고 있다.

토기가마의 크기는 파주 운정 1호 토기가마의 장축 길이는 942㎝로 가장 길고, 평택 현화리 토기가마의 장축 길이는 340㎝로 가장 짧다. 경기지역 한성백제 토기가마의 전체길이는 340㎝~942㎝ 내에 분포한다. 배선주[7]는 이러한 측정치를 토대로 소형(300~500㎝), 중형(501~700㎝), 대형(701㎝ 이상)으로 분류하고 있다. 소형에 속하는 토기가마는 풍납토성 토기가마, 광명 소하동 토기가마, 화성 가재리 4호 토기가마, 화성 청계리 6호 토기가마, 평택 현화리 토기가마로 5기가 해당되며, 중형에는 파주 와동리 2호 토기가마, 파주 능산리 1호 · 2호 토기가마, 용인 농서리 1호 · 2호 토기가마, 김포 학운리 2호 토기가마, 화성 청계리 1호~5호 등 모두 11기가 이에 해당되고, 대형 토기가마에는 파주 운정 1호 토기가마와 인천 불로동 토기가마로 모두 2기가 조사되었다. 토기가마의 크기에 따른 분포는 소형은 5기, 중형은 11기, 대형은 2기이다. 따라서 경기지역 한성백제 토기가마는 501~700㎝ 크기의 중형이 우세하게 축조되고 있음을 알 수 있다. 배선주의 분류에 따르면, 화성 운평리 토기가마의 크기는 424㎝에 이르므로 소형 토기가마로 분류된다.

경기지역 한성백제 토기가마의 입지는 주로 하천주변의 구릉에 입지해 있다. 토기의 원료가 되는 점토와 물, 그리고 가마 조성시 필요한 땔감을 근거리에서 얻을 수 있는 곳이 바로 하천주변의 구릉이기 때문이다. 경기지역 한성백제 토기가마의 평요와 등요로 나누어지며, 등요는 지하식과 반지하식으로 세분된다. 평면형태는 타원형(1:3이하), 장타원형(1:3이상), 역제형, 그리

---

7) 배선주, 앞의 논문, 2013, p.35.

고 땅콩형 등이 있다. 운평리 토기가마를 포함하여 한성백제시기의 구조와 평면형태가 밝혀진 17기의 토기가마 가운데 장타원형이 70.5%로 압도적인 다수를 차지하고 있고, 타원형은 17.6% 를 나타내고 있으며, 역제형과 땅콩형은 각각 5.8%를 차지한다. 토기가마의 전체규모는 장축 길이에 따라 소형(300~500㎝), 중형(501~700㎝), 대형(701㎝ 이상)으로 분류되며, 중형은 11기(57.8%)로 과반수 이상을 차지하고 있고, 대형과 소형은 각각 2기(10.5%)와 6기(31.5%)를 차지한다. 따라서 화성 운평리 토기가마는 반지하식의 등요이며, 평면형태는 장타원형에 속하고, 크기는 소형으로 분류할 수 있다.

Ⅲ. 出土遺物의 性格과 編年

1. 유물의 출토현황

화성 운평리 유적 발굴조사 결과 한성백제시대 초기에 해당하는 공방지 3기, 토기가마 1기, 주거지 2기, 조선시대 민묘 3기 등 모두 9기의 유구가 확인되었다. 특히 발굴조사에서 확인된 공방지는 대부분 능선 정상부인 Ⅰ구역에 집중 분포하고 있으며, Ⅱ구역에서는 공방지, 주거지, 토기가마 등이 등고선 중턱을 따라 분포한다. 이들 유구에서 출토된 유물은 모두 88점이며, 이 가운데 硬質無文土器 小壺[8]·단경호·장란형토기·시루·대옹 등의 土器類, 鐵斧·鐵刀子 등 鐵器類, 그리고 갈돌·모룻돌 등 石製類 같은 형태를 확인할 수 있는 유물은 모두 85점이다.[9]

출토유물을 재질별로 살펴보면, 표1에서 보는 바와 같이 토기가 71점으로 전체 83.5%를 차지하고 있으며, 토제품은 4점으로 4.7%, 철제품 5점으로 5.9%, 그리고 석제품 5점으로 5.9%의 출토비율을 나타낸다. 토기는 경질무문토기가 26점으로 36.6%의 출토율을 나타내고 있고, 타날문토기 계통의 토기가 45점으로 63.4%의 출토비율을 나타낸다. 하지만 1호 공방지에서는 경질무문토기편만 출토되었고, 1호 주거지에서는 경질무문토기와 타날문토기 이외에도 무문양의 회청색 경질토기 등 다양한 토기들이 출토되고 있음이 주목된다.

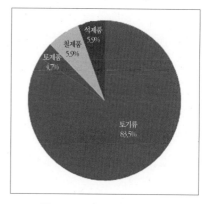

〈표 1〉 유물의 재질별 출토현황

---

8) 경질무문토기는 중도식무문토기, 풍납동식무문토기, 경질무문토기 등으로 불리고 있다. 이는 발견된 유적을 중심으로 토기를 명명한 결과이다. 따라서 본고에서는 속성을 중심으로 명명한 경질무문토기로 설명하였다.
9) 토기의 기형 분류는 국립문화재연구소, 『한성지역 백제토기 분류 표준화 방안 연구』, 2011 참조.

〈표 2〉 유구별 출토현황

유물	유구	공방지1호	공방지2호	공방지3호	주거지1호	주거지2호	가마	소계	합계
토기	경질무문토기	12	2	5	1	3	3	26	71
	장란형토기		2	1	1			4	
	시루				1			1	
	호		9	7	6	1	5	28	
	단경호			1	1			2	
	견부호				1			1	
	옹		2	2				4	
	심발형토기			1			1	2	
	파수		1	2				3	
토제품	방추차	1			1			2	4
	원반형토제품					1		1	
	미상토제품		1					1	
철제품	철부	1						1	5
	철도자	1				1		2	
	미상철제품					2		2	
석제품	갈돌	2		1		1		4	5
	모룻돌			1				1	
계		17	17	21	12	9	9	85	

　운평리 유적에서 출토된 84점의 유물을 각 유구별로 살펴보면, 1호 공방지와 2호 공방지에서 각각 17점(20.0%)이 출토되었고, 3호 공방지에서 21점(24.7%)이 수습되었다. 1호 주거지에서는 12점(14.1%)의 유물이 확인되었으며, 2호 주거지와 토기가마에서는 각각 9점(10.6%)의 유물이 출토되었다.

　1호 공방지에서 출토된 토기는 경질무문토기만 확인되었는데, 구연이 외반된 외반구연호가 대부분이다. 철제품으로는 철도자와 철부가 각각 1점씩 출토되었고, 석제품으로는 갈돌이 2점이다. 2호 주거지에서는 경질무문토기, 장란형토기, 호, 견부호 등 기형을 확인할 수 있는 다양한 토기가 확인되었다. 표2에 나타난 속성을 보면, 1호 주거지와 2호 공방지 그리고 토기가마 유구에서는 경질무문토기가 감소하는 반면 호형토기가 증가하고 있다. 壺는 대체로 원저단경호가 주로 확인되며, 유견단경호와 평저 단경호도 소량 확인된다. 3호 공방지와 2호 주거지 그리고 토기가마 등의 유구에서는 경질무문토기와 경질의 호형토기가 비슷한 비율로 출토되고 있다. 壺는 구연의 형태가 모두 短頸이며, 저부는 圓底가 대부분이다.

　한편, 토기의 器形으로 보아 경질무문토기를 제외한 타날문토기 가운데 壺形土器가 28점으로 62.2%를 차지하고 있으며, 장란형토기와 대옹편은 각각 4점(8.9%)이 출토되었고, 심발형토기와 단경호는 각각 2점(4.4%)씩 출토되었다. 따라서 운평리 토기가마 유적에서 출토된 토기류는 경질무문토기와 타날문 호형토기가 절대 다수를 차지하고 있음을 알 수 있다. 이는 화성 운평리 유적이 대체로 경질무문토기와 호형토기가 공반되는 시기에 운영되었으며, 특히 환원소성이 보급되어 器壁의 경질화가 이루어지던 시기로 볼 수 있다.

鐵器類는 1호 공방지와 2호 주거지에서만 확인되고 있다. 1호 주거지에서는 철도자과 단조철부가 확인된다. 석기는 1호 공방지, 3호 공방지, 2호 주거지에서 확인된다. 개체수가 적지만 갈돌과 모룻돌이다. 모룻돌은 3호 공방지에서만 출토되었다. 이러한 각 공방지와 주거지에서 소량의 철제품과 갈돌이나 모룻돌 등이 확인되는 것으로 보아 운평리유적은 서해안을 조망하는 위치에 조성되었고, 토기가마는 식량의 가공이나 생산을 위한 도구와 관련된 제작 작업도 동시에 진행하였던 유적이었다고 볼 수 있다.

2. 토기의 제작방법

앞에서 살펴보았듯이, 화성 운평리 유적에서 가장 많이 출토된 유물은 土器類이다. 특히 경질무문토기와 타날문이 시문된 壺形土器가 대다수를 차지하며, 소량의 장란형토기, 심발형토기, 시루 등이 확인된다. 따라서 본고에서는 확인 가능한 경질무문토기, 호형토기, 기타 토기로 나누어 서술하겠다.

경질무문토기는 유구에서 대부분 출토되었다. 경질무문토기는 대체로 경부에서 수직으로 올라가다 구연부에서 외반되고 있다. 구연부의 처리형태에 따라 분류하면 口脣을 둥글게 처리하는 A形式과 구순을 각지게 처리하는 B形式으로 나누어진다. 경질무문토기의 저부는 평저이나 저부의 접합방법에 따라 점토판에 기벽을 붙이는 a形式, 점토판에 기벽을 올려 접합하는 b形式으로 나눌 수 있다. 잔존된 형태로 구연부를 분류하면 A형식으로 제작된 토기는 7점이며, B형식은 2점이다. 저부는 a형식 저부는 7점, b형식 저부는 3점으로 분류된다.[10]

운평리 유적에서 출토된 경질무문토기들은 대체로 거친 점토질의 태토에 굵은 석영이나 장석계 석립이 다량 섞여 있고, 색조는 주로 적갈색을 띠지만 불에 그을려 부분적으로 황갈색이나 흑갈색을 띠는 것도 있다. 경질무문토기의 정면수법은 대부분 指頭로 조정을 하였다. 특히 저부 접합은 접합부에 指頭로 누르는 방식으로 하였으며, 내면은 점토 접합부를 손가락으로 아래에서 위쪽으로 길게 조정을 하였다.

---

10) 경질무문토기는 시대별로 일부 제작 양상에 차이가 있으나, 본고에서는 화성 운평리 유적에서 확인된 경질문문토기만 한정하여 제작기법을 살펴보았다. 차후 운평리 유적과 주변유적의 경질무문토기의 제작기법을 살펴본다면 당시 시기별 차이가 나타날 것으로 기대한다.

〈표 3〉 경질무문토기 구연부 제작형식과 저부 접합방법

구연부	저부
A形式	a形式
B形式	b形式

壺形土器는 1호 주거지에서 6점, 2호 주거지에서 1점, 2호 공방지에서 9점, 3호 공방지에서 7점, 그리고 토기가마에서 5점 등 모두 28점이 출토되었는데, 호형토기는 대부분 석영계 사립이 포함되지 않은 정선된 니질의 태토로 제작을 하였다. 소성상태는 주로 환원이며, 소성상태에 따라 경질과 연질로 분류된다. 壺의 器形으로 보아 유견호와 단경호가 주를 이루고 있다. 제작방법을 보면, 약간 외반된 구연부의 口脣을 각지게 조정하는 A式과 구순을 완만하게 조정하는 B식으로 구분된다. A식은 5점이 확인되며, B식은 1점만 확인된다. 저부의 형태는 圓底와 平底로 분류되는데, 잔존 器形으로 보아 대부분이 圓底로 확인되며, 2점만 平底로 제작되었다.

따라서 각 유구에서 확인된 호형토기는 주로 니질의 태토로 짧게 외반된 구연을 가졌으며,[11] 구순은 살짝 외반되어 각지게 조정한 단경호가 대부분이다. 또한, 저부의 형태는 원저가 주를 이루고 있다. 또한 호형토기는 환원소성에 경질화가 되면서 투수율이 낮아지는 결과가 확인되었는데, 이로 보아 물과 같은 저장용기로 사용되었을 것이다.[12]

---

11) 타날문토기 단경호는 구순이 약간 외반해 직립하는 형태가 가장 먼저 출현했을 것으로 보는 견해가 있다. 이는 낙랑계토기의 단경호의 구순형태가 유사하다는 점으로 보고 있다(한지선, 「중부지역 원삼국시대 타날문토기의 발생과 전개」, 『중부지역 원삼국시대 타날문토기의 등장과 전개』, 숭실대학교박물관, 2013).
12) 국립문화재연구소, 앞의 책, 2011, p.104 참조.
풍납토성 출토 토기의 투수시간(수분이 외벽으로 내어나오는 시간)

기종	경질호	연질호	연질발
투수시간(min)	15-20	5-8	3-5

〈표 4〉 화성 운평리 유적 壺 분류(안)

圓低短頸壺	有肩壺	平底壺

　화성 운평리 유적의 1호 주거지의 화덕에서 장란형토기와 시루가 각각 1점씩 출토되었다. 장란형토기는 조질의 태토를 사용하였다. 器形은 구연이 살짝 외반되며, 구순은 각지게 처리하였고, 동체부는 비교적 길며, 동체부 중상부에 最大胴徑을 가지고 있다. 저부는 원저 형태로 조성하였다.[13] 정면방법은 외면에 격자문을 타날한 후 물손질로 정면하였다. 시루는 정선된 니질의 태토를 사용하였으며, 구연은 직립되며, 구순은 각지게 처리하였다. 저부는 평저로 지름 1㎝이상의 원형투공으로 증기공을 조성하였다.

　이들 두 器種은 한성백제 지역 중앙에서 나타나는 유물의 기형과 다소 차이가 있다. 동체부가 긴 기형의 장란형토기는 주로 서해안지역을 포함한 호서지역과 호남지역 등에 주로 분포하고 있다. 시루도 주로 화성 당하리와 화성 고금산유적 등 화성지역에서 일부 확인되기도 하나 주로 차령산맥 이남의 호남지역 내륙지역에서 확인되는 器形이다.[14] 따라서 장란형토기와 시루의 형태로 보아 한성백제 중앙과는 분리된 지역적 특색을 반영한다고 할 수 있다.

　토기의 문양를 살펴보면, 운평리 유적에서 발굴된 타날문토기 가운데 기형과 재질을 막론하고 격자문 계통의 문양이 타날되어 있는 토기는 71.8%에 이른다. 평행선문 또는 평행선문+횡침선의 문양이 시문된 토기는 18.8%를 나타내고 있으며, 승문 또는 승문+횡침선 문양이 타날된 토기류는 9.4%의 출토비율을 나타내고 있다. 이외에도 2호 주거지에서 확인된 원저호는 동체부와 저부 상부까지 선문을 시문하였으며, 저부 하부는 격자로 타날한 복합문 등이 출토되기도 한다.

13) 김진홍은 이러한 기형의 변화는 주거구조에서의 부뚜막 발달에 의한 토기의 형태 변화로 보았으며, 경기지역에서는 호남지역처럼 長胴化되지 못하는데 이것 역시 난방시설의 차이로 보았다(김진홍, 「한성백제 후기 토기 연구-경기지역 출토 심발형토기와 장란형토기를 중심으로-」, 수원대학교 석사학위논문, 2008).

14) 이러한 저부 증기공의 형태와 구연의 형태에 따라 지역성이 나눌 수 있다. 구연의 형태를 외반구연과 직립으로 보았으며, 저부의 형태, 증기공의 투공상태 등으로 중부형, 호남형, 영남형, 영동형, 호서형으로 크게 5개의 지역군으로 분류를 하였다(박경신, 「한반도 중부이남지방 토기 시루의 성립과 전개」, 숭실대학교 석사학위논문, 2003).

〈표 5〉 한성 백제 장란형토기 및 시루 비교도

유물	화성 운평리 유적	화성 발안리 마을유적	풍납토성
장란형토기	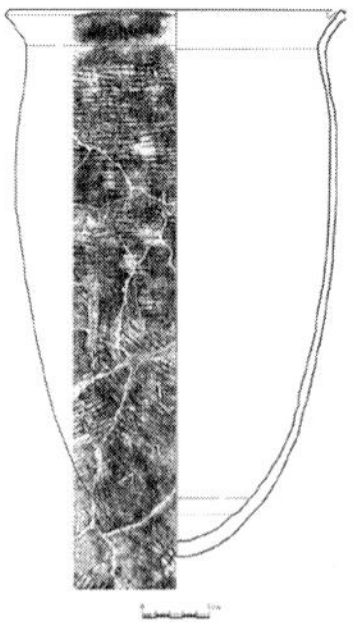	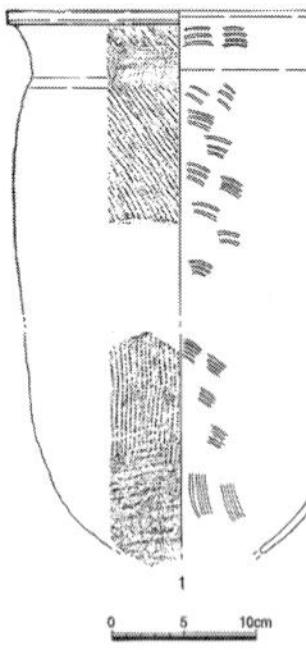	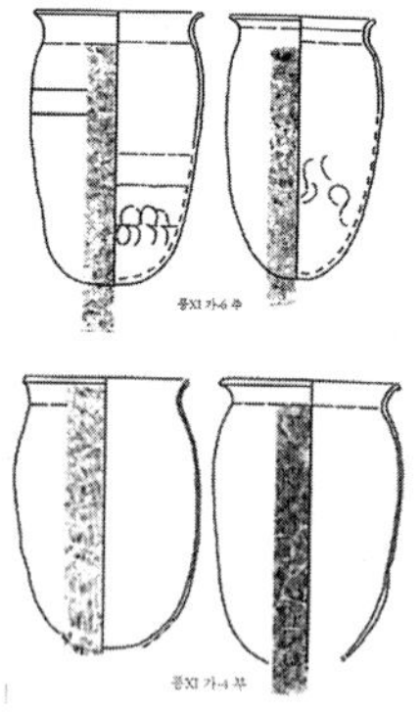
시루	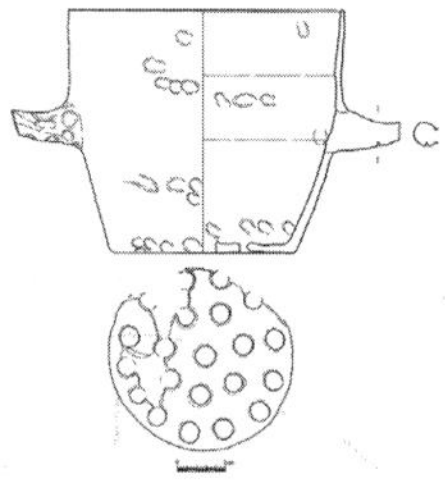	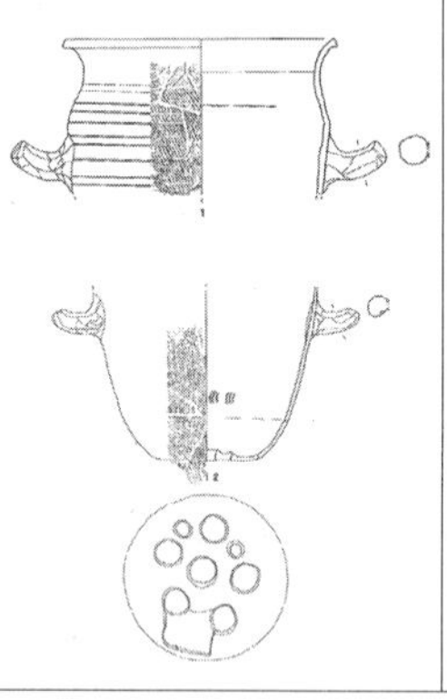	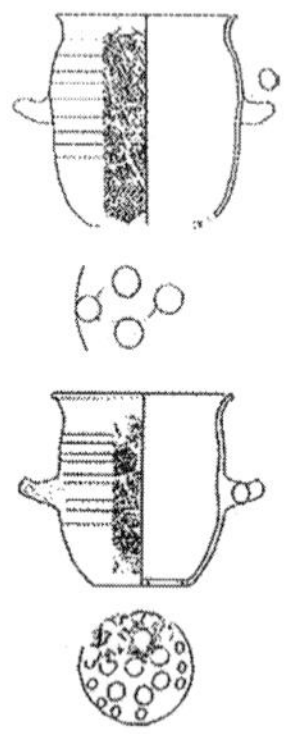

〈표 6〉 화성 운평리 유적 출토유물 문양 분류

격자문	격자+횡침선문	선문	선문+횡침선문	승문	승문+횡침선문	복합문
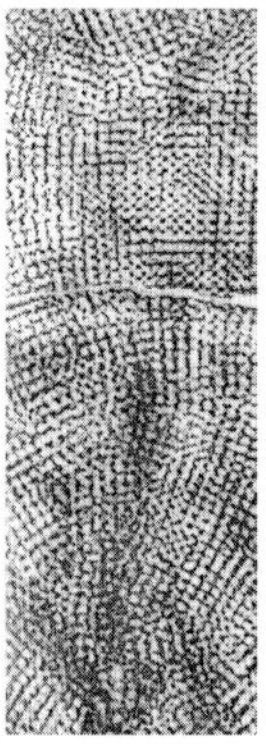	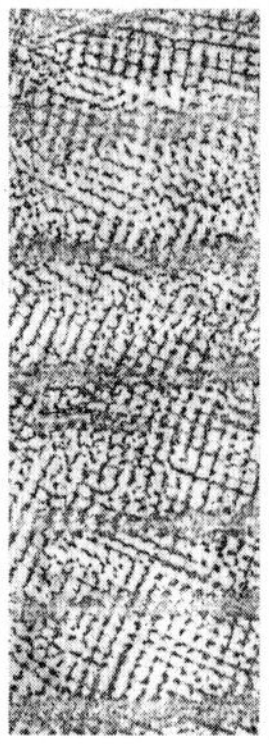	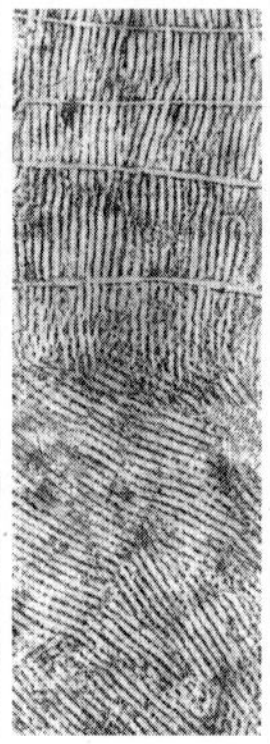		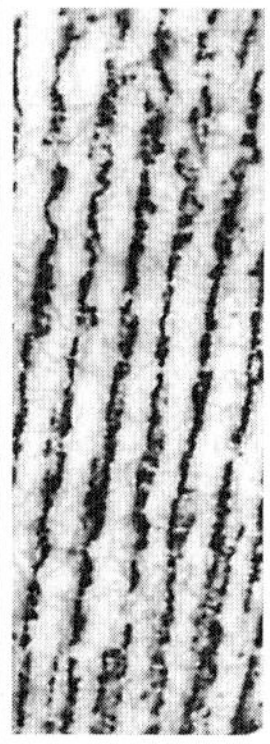	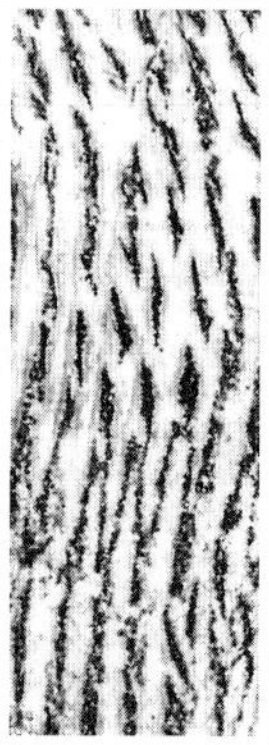	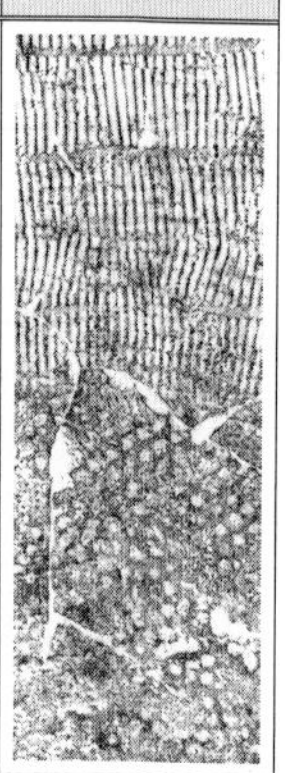

〈표 7〉 화성 운평리 유적 출토유물 문양 분류

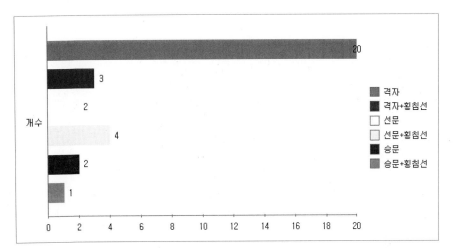

이러한 문양 양식의 결과를 보면, 운평리 유적에서 출토된 타날문토기의 대부분 격자문으로 타날되어 있으며, 일부에서 선문과 승문이 확인된다. 격자문이 증가하는 양상은 한성백제 초기의 중앙인 위례성과 지방이 분화되어 지역적 특색을 나타내는 것으로 보인다.[15]

3. 鐵製類와 石製類

철제류는 1호 공방지와 2호 주거지에서만 출토되었다. 특히 1호 공방지에서 완제품인 단조철부 1점과 철도자 1점이 출토되었다. 2호 주거지에서는 철도자 1점과 미상철제품 2점이 출토되었다. 단조철부의 身斧 평면형태는 장방형에 가깝고, 중앙부분에 홈이 파여 있다. 단면은 눌려있으나 말각장방형으로 보인다. 2점의 철도자는 단조로 제작하였으며, 단면은 이등변 삼각형의 형태이다.

화성 운평리 유적에서 확인된 철제품은 주조제품보다 경도가 강한 단조제조를 하였으며, 이 시기에 중부지방에서도 이러한 제작기법이 주로 나타나고 있다. 즉, 철기 제작기술이 발달에 따라 다양한 기종과 형식의 철기가 나타나며, 이러한 제작기술이 유지되면서 단조철제품의 제작과 더불어 생활유적에서 다수의 철기가 확인되는 시기이다. 이 시기에는 철제품의 사용이 보편화되는 시기이므로 김포 운양동이나 오산 수청동과 같은 분묘에서도 다량의 철기가 부장되

---

15) 한지선은 경질무문토기의 감소와 타날문토기의 등장을 III期로 설정하였다. 특히 타날문토기 중 심발형토기와 장란형 토기에 격자문이 타날된 양상은 중서부지방에만 확인되며, 장란형토기도 중부지방과 다르게 세장하게 기형으로 이는 중서부 지방과 중부지방의 문화권이 분리되어 변화, 발전해 나간다고 하였다(한지선, 「토기를 통해서 본 백제 고대국가 형성과정 연구」, 중앙대학교 석사학위논문, 2003).

는 시기이다.[16] 다음 표8은 화성지역의 대표적인 마을 유적인 화성 발안리 마을유적에서 확인 된 철제품과 비교한 것이다.

<표 8> 운평리와 발안리유적 철제품 비교표

유물명	화성 운평리 유적	화성 발안리 마을유적	
철부		주조철부	단조철부
철도자			
미상철기			

화성 운평리유적에서 확인된 石製類는 표9와 같이 총 5점으로 크게 갈돌과 모룻돌로 대별된 다. 1호 공방지에서는 갈돌 2점이 확인되었으며, 3호 공방지에서는 갈돌과 모룻돌이 각각 1점 씩 출토되었고, 2호 주거지에서는 갈돌 1점이 출토되었다. 갈돌은 규암제와 견운모 편암제 그 리고 이암제의 石材를 사용하였고, 모룻돌은 화강암을 사용하였다. 갈돌은 세장한 장방형의 형 태이며, 단면형태는 말각방형이다. 갈돌은 장축의 한 면 또는 여러 면을 번갈아 사용하였다.

모룻돌은 말각방형의 자연석을 그대로 사용하였으며, 상면에 종방향으로 마모면과 때린면이 관찰된다. 갈돌과 모룻돌은 신석기시대부터 이어져온 대표적인 생산관련 유물이다. 특히 갈돌 과 모룻돌은 석기나 철제품 등의 제작과 곡물의 탈곡 또는 갈아서 취식하는 마연 용도로 사용 된 것으로 추정된다.

---

16) 최영민, 「원삼국시대 한반도 중부지역 철기문화의 변천」, 『고고학』 제9권 2호, 2010, p.101.

〈표 9〉 화성 운평리 유적 출토 석제품 일람표

갈돌	모룻돌
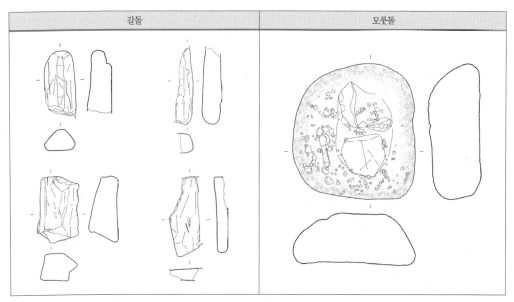	

4. 출토유물의 編年

화성 운평리 토기가마는 부속시설로서 공방지 3기와 주거지 2기가 조사되었으며, 이들 유구에서 경질무문토기, 회갈색 경질 타날문토기, 철제품, 석제품 등이 다수 출토되었다. 타날문토기에는 장란형토기, 시루, 壺, 심발형토기, 대옹편 등의 기종이 출토되었다. 토기가마에서는 硬質無文土器片 3점, 불에 그을린 壺片 5점, 그리고 심발형토기 1점 등이 출토되었다.

운평리 유적의 특징은 토기가마, 2호와 3호 공방지, 그리고 1호와 2호 주거지에서 경질무문토기편과 타날문토기가 공반하여 출토되고 있다는 점이다. 반면에 1호 공방지에서는 경질무문토기만 12점이 收拾되었다. 따라서 출토유물의 분포와 밀집도를 고려했을 경우 경질무문토기편만 출토되는 1호 공방지가 가장 선행하는 것으로 판단할 수 있으며, 공방지를 주거지로 재활용한 것으로 판단되는 1호 주거지에서 타날문토기편이 10점이 출토된 것에 비하여 경질무문토기편은 단 1점만 출토되었다. 따라서 조사된 유구 사이에는 다소 간의 시기적 차이가 존재할 것으로 보인다. 그러나 출토된 토기의 소성상태나 태토성분 또는 器種 등에서는 시기적 차이가 그리 크지 않은 것으로 판단되며, 특히 방사성탄소연대 측정 결과에서도 비슷한 측정치를 나타내주고 있다.

운평리유적에서 출토된 토기류는 경질무문토기는 26점(36.6%)이고, 회흑색 무문양을 포함한 타날문토기는 45점(63.4%)이다. 따라서 타날문토기 계통의 토기류 출토량이 26.8%로 높은 출토율을 나타낸다. 그런데 출토된 토기류를 살펴보면, 경질무문토기의 출토 器種은 小壺이고, 타날문토기의 출토 기종은 심발형토기, 장란형토기, 단경호, 시루, 대옹편 등으로 大分된다. 격자문이 타날된 적갈색 심발형토기는 그 태토성분이나 재질에 있어서 경질무문토기와 거의 유사한 연질이다. 장란형토기는 外面에 격자문이 타날되어 있다. 이러한 심발형토기나 장란형토기는 한강유역에서는 A.D. 200~250년 경에 출현하면서 경질무문토기를 대체하는 것으로 알려져 있다.[17] 운평리 출토 시루는 平底에 작은 둥근 구멍이 다수 뚫려 있는데, 이러한 시루는 A.D. 3世紀 경 圓底形의 중부지방과는 다른 중서부지방의 특징으로 알려져 있다.[18]

운평리 유적에서 출토된 타날문토기의 특징은 문양에 있어서 格子紋(71.8%)과 平行線紋(18.8%)이 주류를 이루고 있고, 繩紋은 9.4%로 극히 소수의 출토량을 보이고 있다. 일반적으로 한강유역을 포함한 중서부 지역의 타날문토기는 원삼국시대 제Ⅲ기를 기점으로 승문 타날 단계와 격자 타날 단계로 세분되며, 그 분기점은 A.D.150년 경으로 알려지고 있다.[19] 이런 측면에서 보면, 운평리유적에서 출토된 심발형토기의 문양은 모두 격자문인 점이 주목된다. 이외에도 운평리유적의 출토 토기 문양 중에는 격자문보다는 적지만, 外面에 평행선문이 타날된 壺片이 상당수 출토되고 있는 점이 주목된다. 평행선문은 원삼국 Ⅲ-2기에 성행하기 시작하는 문양이다.

운평리 토기가마의 주변에서 경질무문토기와 타날문토기가 공반하는 공방지 3기와 주거지 2기 등의 부속시설이 조사되었는데, 이러한 가마의 부속시설 조성과 유물의 출토 형태는 화성 가재리유적이나 청계리유적 등에서도 비슷한 양상을 보여주고 있다. 가재리유적의 토기가마에서는 타날문토기가 출토되었고, 공방지에서는 硬質無文土器와 打捺紋土器가 공반 출토되었다.[20] 청계리유적에서는 타날문토기가 출토되었고, 추정 공방지에서는 타날문토기와 경질무문토기가 공반하여 출토되었다.[21] 용인 농서리유적에서는 4기의 토기가마가 조사되었는데, 유구에서 타날문토기 大甕片과 壺片이 출토되었다.[22] 한편, 진천 토기가마에서는 1단계와 2단계에서는 경질무문토기와 타날문토기가 공반되나, 3단계에서는 경질무문토기가 퇴화하기 시작하여 4단계에 이르러 완전히 소멸하는 것으로 알려져 있다.[23]

운평리 토기가마는 경질무문토기와 격자 타날문토기의 출토 비율(71.9%)이 압도적으로 높고, 평행선문의 출토량은 18.8%를 나타내는 반면, 승문계 토기의 출토 비율은 9.4%로 아주 낮

---

17) 김종만, 『백제토기의 신연구』, 서경문화사, 2007, p.45.
   박순발, 『백제토기 탐구』, 주류성, 2006, pp.42~45.
18) 한지선, 앞의 논문, 2003.
19) 박순발, 앞의 책, 2006, p.39.
20) 한신대학교박물관, 앞의 보고서, 2007.
21) 강아리, 앞의 논문, 2009.
22) 기호문화재연구원, 『용인 농서리유적』, 2009.
23) 한남대학교 중앙박물관, 『鎭川 三龍里・山水里 土器 窯址群』, 2006.

은 비율을 나타낸다. 그리고 심발형토기와 장란형토기의 공반 출토 양상이나 작은 둥근 구멍이 다수 뚫려 있는 平底 시루 器形의 특징을 지니고 있다. 이러한 특징들은 원삼국 II-2기에서 원삼국 III-2기 사이로 편년된다. 이러한 編年은 유적에서 출토된 목탄을 試料로 한 放射性炭素年代 測定値와도 유사하게 나타난다. 즉, 1호 주거지의 C14는 1730±30B.P., 3호 공방지의 C14는 1780±40B.P., 그리고 토기가마의 C14는 1760±40 B.P.로 측정치가 산출되었다. 따라서 운평리 토기가마 유적의 편년은 AD 2세기 후반에서 3세기 초반으로 編年할 수 있을 것이다.

IV. 맺음말

화성 운평리 토기가마 유적은 경기도 화성시 우정읍 운평리 산116번지 일대에 위치하고 있으며, 이곳에 대한 조사는 2012년 11월 1일~5일까지 표본조사가 이루어 졌고, 2013년 3월 18일~4월 10일까지 발굴조사가 실시되었다.

토기가마는 터널식의 원통형에 가까운 장타원형 형태의 半地下式 登窯이며, 아궁이·소성부·연소부 등의 구조가 확인되었다. 평면형태는 경사가 낮은 화구부 부분은 연소부보다 좁게 조성되어 사면의 아래쪽으로 이어진다. 크기는 장축은 424㎝이고, 폭은 연소부는 138㎝이고, 소성실은 110㎝이다. 깊이는 20㎝이며, 가마의 장축방향은 N-88°-W이다. 내부에서 硬質無文土器片과 打捺紋土器片이 소량 출토되었다.

2기의 주거지 가운데 1호 주거지의 평면형태는 원형에 가까운 타원형이며, 확인된 유구의 장축 길이는 약 7.8m이고, 단축 폭은 약 5m이며, 깊이는 15㎝이다. 전체적으로 공방지의 벽을 따라서 약 60㎝ 내외의 폭으로 1단의 단을 조성하였고, 내부에서는 화덕시설, 구상유구, 수혈 등이 확인되었다. 2호 주거지의 평면형태는 타원형이나 장타원형이었을 것으로 추정되며, 잔존 장축 길이는 약 380㎝이고, 잔존 단축 폭은 약 200㎝이다. 주거지 서벽에서 부엌시설과 배연부 등이 확인되었다. 아궁이 주변에서 소토와 목탄은 다수 확인되었으나 관련 화덕시설은 확인되지 않았다. 이들 주거지 내부에서 경질무문토기편과 타날문토기편이 다수 출토되었다.

공방지는 모두 3기가 조사되었다. 1호 공방지의 평면형태는 원형에 가까운 타원형이며, 내부에서 주혈 6기와 竪穴遺構 3기가 확인되었다. 2호 공방지의 평면형태는 타원형이나 장타원형으로 추정되며, 크기는 장축 길이는 약 5.5m이고, 단축 길이는 약 4.3m이다. 3호 공방지는 동쪽 급경사면의 풍화암반토를 단면 'L'자형으로 굴토하여 조성하였고, 평면형태는 말각장방형으로 추정되며, 장축 길이는 약 460㎝이다. 내부에서 주혈과 화덕시설이 조사되었다. 1호 공방지에서는 경질무문토기편이 출토되었으나 2호와 3호 공방지에서는 경질무문토기와 타날문토기가 공반 출토되었다.

　　운평리 토기가마 유적에서 경질무문토기와 격자타날문토기다수 출토되었고, 반면에 승문은 소량 출토되었으며, 平底 器形의 시루 1점이 收拾되었다. 운평리 토기가마 유적은 원삼국 II-2기에서 원삼국 III-2기로 편년되며, 1호 주거지는 1730±30 B.P., 3호 공방지는 1780±40 B.P., 토기가마는 1760±40 B.P. 등의 放射性炭素年代가 측정되었다. 따라서 운평리 토기가마 유적은 AD 2세기 후반~3세기 초반으로 編年할 수 있다.

【참고문헌】

기호문화재연구원, 『용인 농서리유적』, 2009.
서해문화재연구원, 『화성 운평리 토기가마 유적』, 2015.
한남대학교 중앙박물관, 『鎭川 三龍里·山水里 土器 窯址群』, 2006.
한신대학교박물관, 『華城 佳才里 原三國 土器窯址』, 2007.

국립문화재연구소, 『한성지역 백제토기 분류 표준화 방안 연구』, 2011.
김종만, 『백제토기의 신연구』, 서경문화사, 2007.
박순발, 『백제토기 탐구』, 주류성, 2006.

강아리, 「漢城百濟時代 大甕 가마 硏究」, 단국대학교 석사학위논문, 2009.
顧幼靜, 「한국 경질토기의 기원연구-가마를 중심으로」, 전남대학교 석사학위논문, 2005.
박경신, 「한반도 중부이남지방 토기 시루의 성립과 전개」, 숭실대학교 석사학위논문, 2003.
배선주, 「경기지역 한성백제의 토기가마에 대한 연구」, 서울여자대학교 석사학위논문, 2013.
한지선, 「토기를 통해서 본 백제 고대국가 형성과정 연구」, 중앙대학교 석사학위논문, 2003.

최영민, 「원삼국시대 한반도 중부지역 철기문화의 변천」, 『고고학』 제9권 2호, 2010.
한지선, 「중부지역 원삼국시대 타날문토기의 발생과 전개」, 『중부지역 원삼국시대 타날문토기의 등장과 전개』, 숭실대학교박물관, 2013.

永川 大儀里 城址에 대한 考古學的 檢討
-三國史記 骨火城 및 金剛山城과 관련하여-

金大德*

目 次

Ⅰ. 머리말

　永川 大儀里 城址는 경상북도 영천시 고경면 대의리 산72번지 일원에 분포하고 있는 古代 성지이다. 대의리 성지는 문헌기록『邑誌』永陽誌 城郭條[1]와『新增東國輿地勝覽』永川郡 山川條,[2]『慶尙道地理志』安東道 永川郡條,[3]『慶尙道地理志』安東道 永川郡條[4]에 기록된 내용을 통해 영천 호족 출신의 황보능장이 통일신라 말 · 고려 초의 혼란기에 영천지방을 지키기 위하여 축조하였다고 전해오고 있으며, 이를 근거로 영천향토사연구회에서 금강산성 표석비를 성터 일원에 설치하여 현재 대의리 성지는 영천지역에서 금강산성으로 칭하여 지고 있다.

---

* (재)성림문화재연구원 연구부장

1) 金剛城 在郡東五里金剛山 新羅末嶺南諸州爲甄萱所陷金剛城將軍皇甫能長復骨火道同等縣築城據之一境賴安民 多歸 之及麗太祖立國歸附今城址遺存(金剛城 신라 말 영남의 여러나라가 견훤에게 함락될 때 황보능장이 골화 · 도동현 등에 성을 쌓고, 이 성에 의거하여 백성을 안심시키고 사람들도 다시 돌아오게 하였는데, 태조가 나라를 세우자 귀부하였고 현재 성지가 남아 있다고 한다).

2) 金剛城山(在郡東八里) 금강성산(金剛城山) 고을 동쪽 8리에 있다.

3) 一在三國時 稱臨皐郡 本切也火郡 在高麗太祖統合之時 以郡人金剛城將軍皇甫能長輔佐之功 合骨火縣 苦也火郡 道同縣 史丁火縣爲永州…(삼국시대 임고군은 본래 절야화군으로 고려 태조시 금강성장군 황보능장의 공으로 골화 등을 합하여 영주가 되었다).

4) 一當新羅之季 骨火縣金剛城將軍皇甫能長 見高麗太祖勃興…乃合能長所起之地骨火 等四縣爲永川 此土姓皇 甫所 由始也(신라 말에 골화현의 金剛城將軍 皇甫能長이 일어난 지역인 골화 등 네 개 현을 합하여 영천이 되었다).

〈도면 1〉 영천 문화유적 분포지도 대의리 성지 분포도　　　〈사진 1〉 영천 대의리 성지 위성사진

　　이러한 대의리 성지에 대한 고고학적 조사 및 연구는 2001년 대구대학교 박물관에서 처음 실시한 지표조사에서 북·동·서 성벽이 확인되어 영천시 문화유적 분포지도[5]에 대의리 성지로 등재되어 있다. 이후 이재수[6]는 『三國史記』智證王 5년 축성기사[7]에서 기록된 骨火城을 문헌 기록 검토 및 대의리 산성에 대한 기초 지표조사를 통해 骨火小國의 위치 비정과 함께 대의리 성지를 골화소국에 있었던 기존 城柵을 이용하여 축성한 골화성으로 판단하였다. 그리고 문헌 기록에 羅末麗初 등장하는 금강산성의 경우 골화성을 보완하여 지속되어진 산성으로 추정하고 있다.

　　본고에서는 최근 2014년 영천 대의리 성지에 대한 정밀지표조사[8]가 이루어지면서 확보된 자료의 새로운 분석을 통해 전술한 문헌에 기초한 선행 연구 및 지표조사를 수용·비판함과 더불어 영천 지역 내 성지 및 고분군 등을 검토하여 영천 대의리 성지의 역사적 의미(골화성 및 금강산성)와 성격을 객관적인 시각에서 고찰하고자 한다.

5) 永川市 大邱大學校博物館, 『文化遺蹟分布地圖　永川市-』, 1999.

6) 李在洙, 「骨火城에 대하여 -骨火小國과 關聯하여-」, 『骨伐』 제7집, 永川鄕土史學硏究會, 2002.

7) 五年 夏四月 制喪服法頒行 秋九月 徵役夫 築波里彌實珍德骨火等十二城(5년(서기 504) 여름 4월, 상복(喪服)에 관한 법률을 제정하여 반포하고 시행하였다. 가을 9월, 일꾼을 징발하여 파리(波里), 미실(彌實), 진덕(珍德), 골화(骨火) 등 열두 개 성을 쌓았다).

8) (재)성림문화재연구원, 『영천 금강산성 학술지표조사 보고서』, 2014. 영천시에서는 비지정문화재인 영천 대의리 성지(금강산성)에 대한 문화재 지정을 위해 2014년 필자가 재직 중인 (재)성림문화재연구원에 의뢰하게 되었으며, 지표조사 당시 필자 역시 직접 조사에 참여하여 기존 자료를 검토하는 과정에서 본고를 작성하게 된 계기가 되었다.

Ⅱ. 성지의 입지 · 규모 및 축조방법

1. 성지[9]의 입지

대의리 성지가 축성된 영천시는 경상북도의 남동쪽 중앙에 위치하며, 동쪽으로 포항시, 서쪽으로 군위군과 대구광역시와 접하고 있다. 그리고 남쪽으로는 경산시와 청도군 일부, 북쪽으로 청송군과 포항시 일부와 연접해 있어 삼국시대 신라가 북쪽으로 진출하기 위해서는 반드시 거쳐야 하는 지리적 요충지이다.

대의리 성지 주변부를 흐르고 있는 금호강과 형산강 양안에는 넓은 범람원이 형성되어 있으며, 이 같은 범람원은 자호천과 고촌천이 합류하는 영천시 완산동에서 대구 방향의 금호강과 경주로 이어지는 영천시 도남동 부근까지 연속적으로 발달해 있다. 대의리 성지는 이러한 넓은 평야지대가 한눈에 보이는 영천시 임고면에서 남서쪽으로 흐르는 자호천과 고경면 중앙부를 동서쪽으로 흐르는 고촌 · 금호강이 합류하는 남쪽 구릉에 축성되어 있다.

산성의 입지조건에 대해서는 조선시대 후기, 1812년 다산 정약용은 그의 저서 「民堡議民堡擇地之法」에서 변방의 요새인 보를 설치하기에 적합한 지형을 栲栳峰[10], 蒜峰[11], 紗帽峰[12], 馬鞍峰[13] 등 4가지로 구분하고 있으며, 1976년 백제산성의 축조여건 연구[14]에서 산지를 성벽이 둘러싼 모양에 따라 山頂식[15], 包谷식[16], 複合식 3가지로 분류하고 있다.[17]

영천 대의리 성지의 경우 선행 연구 결과에 의한 성지의 입지를 살펴보면〈도면 2〉에서 보는 바와 같이 산성의 북쪽은 자호천 · 고촌천 · 의곡천 등 하천의 범람 시 하천의 직접적 영향을 받

---

9) 趙曉植, 『洛東江 中流域 三國時代 城郭 研究』, 慶北大學校 大學院 碩士學位論文, 2005, p.22.
　　성곽의 명칭 부여에 있어 본고에서는 조효식의 안을 따라 가장 포괄적인 의미를 함축하는 것으로 보이는 城址라는 용어를 사용하고자 한다. 성지는 성곽을 비롯한 주변 일점 범위를 포함하는 것이라는 측면에서 좀 더 넓은 의미에 범위로 판단되며, 이렇게 볼 때 성지가 가장 넓은 범위에 해당된다. 이후 개별 성곽 테두리 내를 의미하는 성과 성곽이 그 하위에 들어가고 마지막, 산성, 토성 등은 그 하위 분류 개념에 포함된다.
10) 산의 사방이 높고 중앙부가 낮아 넓어지는 지형, 즉 분지형으로 다산 정약용은 4가지의 지형 중 가장 좋다고 한다.
11) 꼭대기가 평탄하고 넓으며, 사방이 절벽처럼 급격한 경사로 이루어진 지형으로 문자 그대로 마늘 모양으로 생긴 것을 말한다.
12) 배후에 장대용 봉우리가 있고 산이 마치 밀짚모자 혹은 사모관대처럼 생겨, 그 아래 民衆을 수용하게 된 산세이다.
13) 2좌의 산봉우리를 연결하여 양쪽 끝이 높으며, 그 가운데가 약간 낮고 잘록하게 들어가고 낮아져서 마치 재나 말안장처럼 생긴 지형이다.
14) 윤무병 · 성주탁, 「백제산성의 신유형」, 『백제연구』 6, 충남대학교 백제연구소, 1976.
15) 일명 테뫼식이라고 하며, 성벽이 산봉우리를 둘러 쌓은 형태이다. 작은 산성들에서 많이 확인된다. 세키노 타다시(關野貞)는 鉢圈식으로 분류하였다. 정약용의 산봉형과 마안형이 대개 테뫼식을 이르는 경우가 많다.
16) 계곡을 포함한 2개 이상의 산꼭대기를 두른 산성의 모습이다. 성벽의 낮은 곳에 계곡을 따라 시내나 개울이 흐르고, 거기에 문지가 조성된다. 이런 구조는 농성을 할 때, 생활의 필수적인 물을 확보하기 위한 조치이다. 대체로 고려시대에 몽고에 항전을 하기 위한 산성과 이를 보완한 조선시대 산성에서 확인된다.
17) 김호준 · 강형웅 · 강아리, 「고대산산성의 지표조사 방법」, 『야외고고학』 제4호, 2008, pp.10~12.

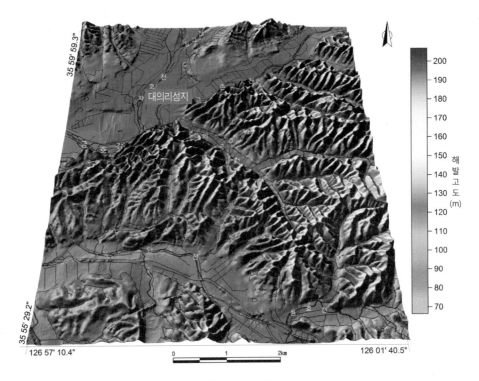

〈도면 2〉 영천 대의리 성지 주변 입체 지형도

는 절벽으로 금호강을 따라 안완산까지 해발 97~155m의 자연 절벽으로 형성되어 있으며, 북동쪽은 북서 방향으로 흘러 북쪽에서 곡류하여 자호천·고촌천과 합수하는 의곡천이 산성의 자연적인 해자 역할을 하고 있다.

남쪽으로는 해발 150m 내·외의 비교적 험준한 산악지대가 형성되어 적군들의 침입이 용이하지 않으며, 산성의 조성 위치 역시 금호강 주변 충적 평야를 한 눈에 관망[18]할 수 있는 높은 절벽의 구릉 상에 축성되어 적군을 조기에 발견하여 방어 할 수 있는 특징이 있다. 또한 정약용의 고로봉형과 비슷한 형태로 산의 사방이 높고 중앙부가 낮은 지형으로 이런 지형은 성 밖에서는 성안의 동정을 살필 수 없으며, 산성의 중앙에는 현재 도둑골이라는 계곡부가 형성되어 적들의 침입에 의한 入保 시 반드시 필요한 한 수원을 확보할 수 있는 장점이 있다. 대의리 성지의 성벽 형태는 구릉의 능선부를 연결하여 둘러쌓은 형태로서 자연의 지형적 유리함을 최대한 이용한 성지로 볼 수 있다.

---

18) 潘永煥,『韓國의 城郭』, 1978. p.201. 현존하는 성곽들을 보면 대부분이 평원을 앞에 둔 높은 山上에 위치하는 것이 일반적인데, 이것은 평원을 건너오는 적군을 조기에 발견하여 이에 방어하기 위해서이다. 그러나 평원에서 멀리 떨어진 깊은 산중에 축성하기도 하였는데 이것은 외부와 단절된 채 天險을 이용하여 持久戰을 펼치려는 의도에서이다.

2. 성지의 규모

영천 내의리 성지는 전술한 바와 같이 세곡부(도둑골)를 중심으로 북동쪽에 남쪽 방향으로 형성되어 있는 해발 148.3m-142.4m-156.5m-185.8m(도면 4 C~G 지점[19]) 참조, G 지점은 산성의 남쪽 중앙에 형성된 구릉으로 해발고도가 가장 높은 구릉)으로 이어지는 구릉의 능선부와 G지점에서 다시 북서쪽으로 연결되는 해발 16.4m-163.2m-180.2m(G~B 지점)의 구릉 능선이 모두 연결되는 포곡식 산성으로서 〈도면 3〉의 단면도에서 나타난 산성의 표고차는 약 80m 정도로 계곡부는 비교적 완만한 편이다.

산성의 범위에 대한 측량은 도보로 성벽 일원에 대해 DGPS로 좌표를 측정, 수치지형도에 좌표점을 기록·계측한 결과 영천 대의리 산성의 규모는 둘레 1,753m, 남북 685m, 동서 353m이며, 평면 형태는 남

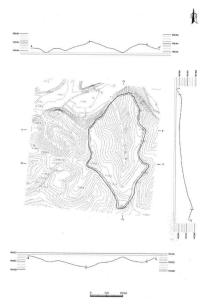

〈도면 3〉대의리 성지 평 단면도

북 방향 길이의 부정형 마름모에 가깝다. 성벽을 포함한 산성의 전체 면적은 약 158,073㎡ 정도로 대형의 포곡식 산성[20]에 속한다.

〈사진 2〉 영천 대의리 성지 입체사진

---

19) 이후 본고에서는 원고 기술의 편의를 위해 성지의 각 위치 설명 시〈도면 3〉에 표기된 바와 같이 산성의 각 지점에 대해 A~M으로 설명하고자 한다.

20) 조효식, 앞의 논문, 2005. 연구자는 산성의 입지 여건을 중점으로 포곡식 산성으 분류 방식을 크게 분지형(평지 구릉형), 평산형, 산간형(산정형과 계곡형)의 3가지로도 구분하고 있다.

3. 성벽의 축조방법

일반적으로 산성은 산세를 따라서 산에 쌓은 성을 지칭한다. 木柵·土壘·石築을 포함하여 산의 정상부나 사면을 이용해 적으로 하여금 많은 힘을 기울여 공격하게 하고, 아군이 적을 내려다보며 방어하려는 의도에서 축조된 것의 총칭이다.

〈사진 3〉 A~B지점 성벽의 잔존상태

〈사진 4〉 B~C지점 성벽의 잔존상태

〈사진 5〉 C지점 성벽의 잔존상태

〈사진 6〉 D지점 성벽의 잔존상태

〈사진 7〉 E지점 성벽의 잔존상태

〈사진 8〉 F~G지점 성벽의 잔존상태

산지 지형이 발달한 우리나라의 경우 현재 잔존하고 삼국시대 성지는 산의 경사면을 이용하거나 天險의 절벽을 이용하여 축성한 예가 대부분이다. 이는 工力이 적게 소요되었을 뿐만 아니라, 산성의 기능적 측면에서 淸野入保[21]하여 적의 양식이 다하고 지치게 하여, 후퇴하는 적을 공격하는 기본적인 전통적 전술이다.

앞서 성지의 입지분석에서 살펴본 바와 같이 영천 대의리 성지 역시 지리적 위치 및 지형적으로 천혜의 여건 아래 축조된 산성임을 알 수 있으며, 성벽 또한 구릉과 구릉이 이어지는 능선을 따라 성벽을 축성함으로써 지형적 특성과 장점을 최대한 이용하였다.[22]

대의리 성지의 성벽 축조는 A~C지점 북서쪽 성벽의 경우 현재 잔존 규모는 너비 3 4m, 높이 1m 정도로 자연절벽 위에 축성되어 다른 지점의 성벽보다 낮게 축조되었다. C~D지점 북동쪽 성벽 역시 자연절벽 위에 성벽을 축성하였으며, 남쪽 능선을 따라 동쪽 사면(D~F지점)은 대체로 완만한 경사를 형성하고 있다. 성벽의 현재 규모는 너비 2~3m, 높이 2m 정도이다. G~A지점 남서쪽 성벽은 남쪽 구릉 정상부(185.8m)에서 161.4m로 낮아져 서쪽 I지점 180.2m 구릉 정상부까지 높아지며, 북쪽(A지점 방향)으로 이어지는 능선부를 따라 성벽이 축성되어 있다. 성벽의 현재 규모는 너비 2m 내·외, 높이 1.5m 내·외이다.

그리고 영천 대의리 성지 A~J지점에 대한 성벽조사 과정에서 5~6곳의 지점에서 일부 훼손된 성벽 단면을 관찰한 결과 성벽의 축조에 할석과 토사가 혼용된 것이 확인되어 성벽의 주요 축성방법[23]은 토석혼축[24]으로 판단된다. 또한 토석혼축 성벽은 아래〈사진 9〉~〈사진 16〉과 같이 3가지의 축성 방법으로 분류할 수 있다.

첫 번째–산성의 북동쪽 D지점, 남쪽 G지점, 서쪽 J지점과 같이 기저부에 크기 5~50㎝ 정도의 할석을 쌓은 후 할석 상부에 토사(사질점토)를 덮은 경우.

---

21) 청야전술은 산성에 군관민을 입보하게 하고, 들판을 비움으로써 적의 군량 확보를 방해하고 전장을 길게 하여 보급을 어렵게 하는 전술이다. 그리고 일반 백성이 성안으로 입보하기 때문에 적의 군수물자를 운반하는 이적 행위를 원천에 방지할 수 있다. 그렇기 때문에 적은 군수물자를 운반하고 지키는데 병력이 많이 소요되고, 넓게 확대된 전장을 유지하는 병력 운용이 곤란하게 된다. 이것 역시 청야전술의 일환이라고 할 수 있다.

22) 현재 영천 대의리 산성은 영천시에서 영천 그린환경센터 조성 과정에서 공원을 조성하여 성벽의 상부의 토루는 영천 시민들의 등산로 이용되어 훼손되고 있는 상태이다. 따라서 영천시에서는 산성에 대한 더 이상의 훼손 방지를 위해 조속히 유적에 대한 보존·보호 대책을 강구하여야 할 것으로 생각된다.

23) 현재 우리나라 산성에 대한 연구에 의하면 산성은 지형에 의한 구분에서 평지성과 산성, 성벽의 축성 방법에 따라 토성, 토석혼축성, 석축성으로 구분되고 있다. 또한 산성은 성벽이 어떻게 축조되었느냐에 따라서 木柵 木杙 鹿角城 版築 削土 夾築 內托 혹은 山托의 축조방법이 있으나, 우리나라의 경우는 목책 판축 협축 내탁의 방법이 가장 많다고 한다.

24) 조효식,「영남지역 삼국시대 성곽의 지역별 특징」,『영남고고학』45호, 영남고고학회, 2008, p.50. 연구자에 의하면 엄밀한 의미에서 토석혼축벽은 석축성벽에 해당한다고 한다. 다만 석축의 경우도 잔존 상태가 양호한 것과 석재의 빈도가 낮은 것은 구분될 수 있으며, 이에 성벽 하단부의 일부 성돌만이 확인되거나 성벽 상면이 복토되어 있는 경우, 삭토만 이루어진 경우 등을 토석혼축 성벽으로 칭하고자 하였다.

〈사진 9〉 D지점 성벽

〈사진 10〉 D지점 성벽 세부

〈사진 11〉 F지점 성벽

〈사진 12〉 F지점 성벽 세부

〈사진 13〉 G지점 성벽

〈사진 14〉 H지점 성벽

〈사진 15〉 J지점 성벽

〈사진 16〉 F~G지점 성벽

두 번째-산성의 서쪽 F지점처럼 기저부에 토사(사질점토)를 먼저 깔고 중앙에 크기5~30㎝ 정도의 할석은 쌓은 후 할석 상부에 토사(사질점토)를 덮은 경우.

세 째-산성의 서쪽 F~G지점, 남동쪽 H지점의 경우 기저부에서부터 토사(사질점토)와 할석을 썩어 성벽을 축성한 경우.

위와 같이 동일한 산성 내에서 성벽의 축성방법 차이는 일반적으로 산성은 초축 이후 후대 산성을 수축 · 개축 · 증축[25]하여 계속 사용하였을 가능성과 산성의 축성 시 특별한 시설물(문 지 등)설치를 위해 부분적으로 성벽의 축성방법을 다르게 하였을 가능성이 있다. 대의리 성지 의 경우 전자일 가능성이 높으며, 이는 후장에서 검토하고자 한다.

Ⅲ. 성지의 공간(시설물) 및 유물 분석

1. 성지의 공간(시설물) 분석

산성 연구 결과에 의하면 산성과 관련된 시설물은 여장,[26] 치성과 포대, 문지, 해자, 장대지 및 건물지(군창고, 수혈 건물지 등), 집수시설, 망루, 기타시설(제사시설, 통신시설, 분묘군)이 있다. 현재까지 고대 산성에 대한 연구는 전면적인 발굴조사가 드문 상황으로서 고대 산성에 대한 고고학적 연구는 이러한 한계로 인해 지표조사를 중심으로 이루어진 것이 사실이다.[27] 본 고 역시 지표조사의 한계성을 벗어나기 어려운 부분들이 많지만, 정밀 지표조사에서 나타난 정 황증거 분석(유물산포 및 지형분석 등)을 통해 영천 대의리 성지에 대한 공간분석을 시도해 보 는 작업 역시 의미가 있을 것으로 판단된다.

〈도면 4〉는 지표조사를 통해 확인된 영천 대의리 성지의 현황도로서 성지의 동쪽 C-F지점과 서쪽 A-I지점 및 남서쪽 H지점 인근에서 유물산포지 3개소, 남쪽 M 지점 주변부에서 추정 집 수시설 1곳, K지점 주변부에서 추정 채석장 2곳, A-A1 인근 평탄지에서 고묘군 1개소 등이 확 인되었다. 따라서 이와 같은 기초자료와 함께 지형분석,[28] 선행 연구 등을 종합 검토하여 영천 대의리 성지의 공간 분석 및 산성의 내 · 외 이동경로 등에 고찰하고자 한다.

---

25) 박종익,『삼국시대의 산성에 대한 일고찰』, 동의대학교 석사학위논문, 1993, pp.5~6.
26) 체성벽 위에 쌓은 담으로 적의 화살이나 돌, 직사화기로부터 몸을 보호하는 동시에 공격을 할 수 있게 된 구조 물을 말한다. 여담, 치첩, 타, 성가퀴, 살받이터, 비예 등으로 불린다. 고대 산성에서 확인되는 예는 드물다.
27) 대체로 연구 중심은 산성의 분포와 변천사, 고대 교통로, 방어체계 등에 집중되어 있다.
28) 1925년 출간된 근대지도와 현재의 1/5,000의 수치 지형도를 비교 분석한 결과 산성이 입지한 위치가 산악지대 로 과거 이래 형질변경없이 현재의 지형과 큰 차이가 없음이 확인되었다.

1) 문지 시설

성문은 방어적인 측면에서 유일하게 외부와 연결되는 구조물로서 적 침입 시 가장 먼저 공격의 대상이 되며, 이곳이 함락되면 성곽은 방어시설로서 기능을 상실하게 된다.[29] 또한 성문은 통행이 편리한 곳에 만들어 놓아 사람의 출입은 물론 항쟁에 필요한 물자를 운송하기 편리한 위치에 설치[30] 하는 것이 일반적이다.

대의리 성지의 경우 지표조사에서 성벽으로 추정되는 함몰부[31]와 가시적으로 나타난 문지 시설은 확인되지 않아 성문의 위치를 명확하게 찾기 힘든 상황이다. 하지만, 성지가 위치한 지형적 특징을 고려하여 영천 대의리 성지의 문지를 추정해 보고자 한다.

앞장에서 성지의 입지를 고찰한 결과 대의리 성지는 자호천과 고경면 중앙부를 동서쪽으로 흐르는 고촌천 및 금호강이 합류하는 지점의 남쪽 구릉에 축성되어 북쪽으로는 하천이 자연 해자 역할을 하고 남·동·서쪽은 험준한 산악지대를 형성하고 있어 외부에서 산성 내부로 접근이 용이하지 않은 지형적 특징이 있다. 그러므로 북쪽 및 북서쪽 평야지대(읍락 중심지역으로 추정)에서 산성 내부로 진입을 위해서는 금호강 또는 자호천을 渡河하여 구릉의 능선을 따라 이동할 수밖에 없는 특성이 있다. 이는 1/5,000 수치지형도를 면밀히 검토한 결과, 대의리 산성 남서쪽은 남서쪽으로 뻗은 지맥의 능선[32]이 산성의 I지점 성벽과 직접 연결되어 있으며, 이 같은 지맥은 남쪽의 소곡부와 연결되어 금호강 도하 후 소곡부를 따라 2개의 지맥 능선을 이용, 산성 내부로 진입하기 용이한 것으로 판단된다.

따라서 사람(戰時 상황 시 民·官軍을 말함)의 출입 및 물자 수송의 편의성을 고려, 영천 대의리 산성 북서쪽 평야지대에서 산성의 진입을 위한 최단 거리는 현재 금호강에 설치된 완산보 남쪽 완산동 고분군 I·II가 분포한 구릉 동쪽 말단 일원으로 도하[33](현재의 강폭 약 425m)하여 동쪽 막등(해발고도 124.0m)과 진등 사이의 좁은 곡부를 따라 진등(해발고도 150.3m)의 능선을 통해 동진하면 대의리 산성의 성벽 I지점과 연결된다.(《도면 5참조》) 그러므로 이와 같은

---

29) 김병희·백영종,「고대·성곽 성문 축조기법에 대한 연구 I 신라 현문식 성문과 출토 철제품(확쇠)를 중심으로-」,『2007후쿠오카교류 한일국제학술대회』, 2007.
30) 손영식,『한국 성곽의 연구』, 문화재관리국, 1987, p.117.
31) 김호준·강형웅·강아리, 앞의 논문, 2008, pp.31~32. 기존 산성에 대한 발굴조사 결과를 바탕으로 고대산성의 경우에는 출입이 쉬운 곳을 피하고, 성문으로 접근하기가 용이하지 않는 곳을 택해서 평지와 경사면이 만나는 곳이나, 계곡의 안쪽, 능선에서 약간 빗겨난 부분에 문지를 설치하였으나, 통일신라시대 이후에는 출입이 용이한 곳으로 성문을 축조하는 경향이 있으며, 이러한 부분 중 인근 주민들이 이용하는 소로와 접근거나, 성벽이 함몰된 부분이 있을 경우 이천 설성산성과 같이 발굴조사에서 문지로 확인되는 경우가 있다고 한다.
32) 산성의 남서쪽으로 뻗은 3개의 지맥은 비교적 해발고도가 높지는 않지만, 구릉의 경사면은 다소 급경사를 이루고 있어 물자 수송이나, 사람이 통행하기에는 상당한 불편이 있어 구릉의 능선을 따라 이동하였을 가능성이 매우 높으며, 현재에도 이 능선부는 등산로 이용되고 있다.
33) 당시 인력 및 물자 수송은 산성의 기능적 성격으로 고려할 때 배를 사용하였을 것으로 추정된다.

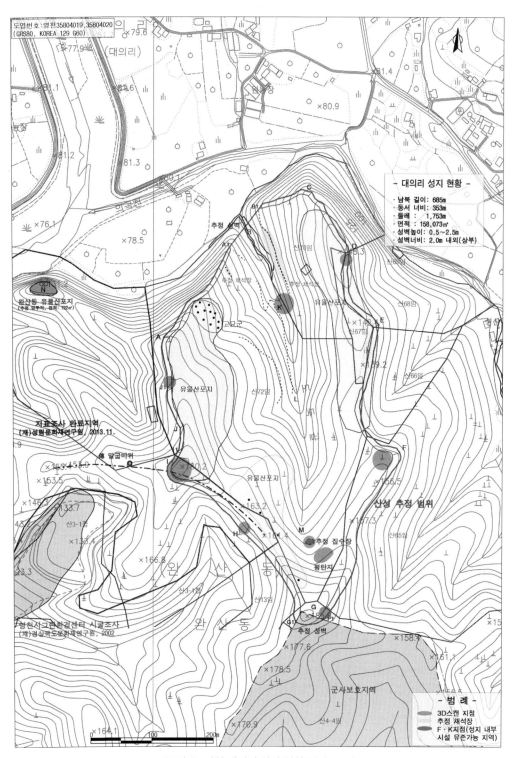

〈도면 4〉 영천 대의리 성지 현황도(1/5,000)

〈사진 17〉 B지점 계곡부 일원 전경   〈사진 18〉 I지점 일원 전경

근거와 현재 잔존한 지점의 평면 형태 및 채집유물 등의 정황을 고려할 때 성 내부로 진입하는 문지 시설은 I지점(서문지)일 가능성이 높다.

또 하나의 문지 추정 지점은 B지점 계곡부 일원(북문지)으로서 5~6세기 신라 산성연구[34]에 의하면 성문의 입지조건에서 계곡부에 해당되는 성문은 가장 낮은 계곡부 중심부에서 측면에 치우친 곳에 축조되고 있으며, 이는 성문 훼손 방지와 방어적 측면을 고려하였던 것으로 보고 있다. 대의리 성지의 경우 B지점 계곡부 일원은 산성의 전체 해발고도 가운데 80m 내·외로 가장 저지대에 해당되는 곳이며, 의곡천에서 도하하여 산성으로 진입할 때 A·I지점 보다는 용이한 곳으로서 현재 강폭은 약 126m 정도로 가장 좁은 곳이다. B지점 역시 지표조사 과정에서 문지 시설의 가능성을 염두에 두고 계곡부 안쪽을 정밀하게 관찰한 결과, K지점 남서쪽에서 뻗어 내린 작은 능선의 상단부의 경우 구릉 일부를 굴착하고 평탄화시켜 성문 입구의 적대와 같은 형태로 확인되었으나, 단정하기는 어려운 상황이다. 그리고 대의리 성지의 동쪽인 E(해발 142.3m)·F지점(해발 156.5m)은 구릉의 방향이 동쪽으로 현재 고경면 대의리 마을(곡부를 따라 남동쪽으로 이동하면 영천 북안면이 나오며, 북안면에서 경주로 연결된다)에서 의곡천을 넘어 능선을 따라 진입하면 E·F지점으로 연결되어 발굴조사 시 문지가 확인될 가능성이 있다. 두 지점 가운데 동선과 능선의 형태로 판단할 때 E지점일 가능성이 더 높다.

2) 건물지 시설(장대지, 창고, 망루 등)

전술한 바와 같이 영천 대의리 산성은 해발 142.4m~185.8m 의 크고 작은 구릉 능선에 토석 혼축으로 성벽을 축성한 산성이며, 중앙에 계곡부가 형성된 지형이다. 계곡을 중심으로 한 동쪽 사면부는 급사면, 서쪽 사면부는 동쪽 보다 상대적으로 완만한 경사도로서 지형적 특성 상

---

34) 白永鐘, 『5~6세기 신라산성 연구-소백산맥 북부일원을 중심으로-』, 단국대학교 대학원 석사학위논문, 2007, p. 28.

분지형으로 보이지만 실제 산성 내부 중앙에 곡부가 형성되어 규모가 큰 평탄한 지형은 확인되지 않는다. 다만 북동쪽 성벽과 북서쪽 성벽, 구릉의 정상부 등지에서 부분적으로 평탄한 지형이 확인되며, 실제로 유물들은 이러한 평탄면에서 다수 채집되었다. 따라서 각 지점에서 확인된 평탄한 지형에 대해 살펴보고자 한다.

① A·I·N지점 A·I·N 지점은 지표조사에서 유물산포지로 확인된 곳이다. A지점은 북서쪽 성벽과 인접한 해발 120m 지점의 평탄지로서 12기의 고묘군이 확인되었다. 규모는 잔존 높이 0.6 1.2m, 직경 5~10m 정도이며, 평면형태는 원형에 가깝다. 조성 연대는 고려시대 이후로 추정된다. 주변에서 통일신라~고려시대로 판단되는 와편이 확인되어 고묘군이 조성된 층위 주변부에 기타 시대 유구가 유존할 가능성이 있다.

N 지점은 A지점에서 북서쪽으로 형성된 좁은 능선부의 소로로 연결되며, 능선의 북쪽은 금호강과 연접하여 자연절벽을 형성하고 있다. 남쪽은 급경사를 이루고 있다. 대의리 성지 북서쪽에 돌출된 구릉 정상부로서 서쪽의 금호읍, 북서쪽의 신녕, 북쪽의 청송과 죽장 및 북동쪽의 안강 방향을 조망할 수 있는 지점이다. 따라서 지형적으로 망루와 같은 시설이 설치될 가능성[35]이 있는 높은 지점으로 통일신라~고려시대 유물로 판단되는 격자타날토기 편과 와편 등이 채집되었다.

I지점-I지점(문지가 있었던 곳으로 추정되는 지점)은 해발 180.2m구릉 정상부로서 북·남서쪽 방향의 능선 가장자리에 건물지와 관련된 석렬이 확인되고 있다. 또한 및 삼국~고려시대 토기편, 통일신라시대 와편 같은 유물이 주변부에서 다수 채집되어 문지와 함께 병영지(군사들의 숙소, 군창고 등)와 관련된 건물지 및 삼국시대 고분군이 있을 가능성이 있다.

②B-K-L지점

계곡부인 B-K-L지점 역시 문지가 있었던 곳으로 추정되는 지점으로서 계곡부 서쪽 사면부의 경우 L지점까지 서쪽 경사면의 약 20m 높이에서 정지된 계단상의 지형이 서쪽 능선부까지 확인되고 있다. 이러한 계단상의 지형은 3~4단 정도이며, 문지 주변의 이 같은 지형은 문지를 지키는 병사들의 숙소와 식량을 보관하는 군창고, 군기를 넣어 두는 군기고 등이 유존할 여지가 많다.

③C-D-E-F-G-M지점

C지점은 영천 대의리 성지 북쪽 가장 돌출된 곳으로 북쪽 전체를 조망할 수 있는 특징 때문에 망루의 설치 가능성이 있는 지점이다. D-E-F 지점은 해발고도 139.2m~148.3m의 구릉 능

---

35) 영천 대의리 산성 학술자문위원회 당시 국립중앙박물관 조효식 자문위원은 금호강 유역에 입지한 여러 산성에서 비슷한 형태가 확인된다고 한다.

〈사진 19〉 E지점 일원 전경　　　　　　　　〈사진 20〉 F지점 일원 전경

선부 평탄지형으로 성지 내에 가장 넓은 평탄지에 해당된다. 지표조사에서 대부완 대각, 기대편 등의 도질토기편과 통일신라시대 이후 와편이 확인되어 이 지점 역시 병영지와 관련된 건물지가 분포했던 곳으로 추정된다. F지점은 해발 150m 정도로 성벽은 동쪽으로 곡성의 형태로 돌출되어 평탄한 지형을 형성하고 있으며, 지형적으로 산성의 동쪽 대의리 궁각단마을과 남쪽 방향의 성산이씨 재실이 있는 갑골에서 산성의 동쪽 성벽으로 비교적 쉽게 접근이 가능한 곳이다. 그러므로 영천 대의리 성지 전체 성벽 가운데 적의 공격에 가장 취약한 곳으로 망루 및 기타 병영지가 조성이 추정되는 곳이다. 지표조사에서 삼국~고려시대 토기편과 통일신라시대 와편 등이 채집되었다. G지점은 대의리 성지의 남쪽, 해발고도(185.8m)가 가장 높은 구릉의 정상부로서 성지 전체를 조망할 수 있는 지점이며, 장대지를 설치할 수 있는 최적의 장소이다. 장대는 전투 시 군사를 지휘하기 용이한 지점에 축조한 장수의 지휘처소를 말하며, 대체로 산성 내 지형 중 가장 높고, 관측이나 지휘가 용이한 곳에 설치한다. 그리고 전투 시에는 지휘소인 반면 평시에는 성의 관리와 행정기능을 수반하는 장소로 활용된 것으로 추정된다.[36] M지점 집수시설 남동쪽 일원 역시 평탄지가 조성되어 있어 병영지 조성 가능성이 있다. 그리고 이외 각 구릉의 비교적 완만한 경사면의 경우 戰時 상황에서 성지 내 평탄지의 부족으로 민간인들의 임시 거주지가 조성되었을 개연성이 높은 곳이다.

3) 집수시설 및 채석장

산성은 평지가 아닌 곳에 입지하고 있기 때문에 籠城을 위한 수원 확보가 절대적이며, 집수시설은 산성 내부시설 가운데 반드시 필요한 요소로 볼 수 있다. 고대 산성의 집수시설에 대한 연구[37]

36) 김호준 · 강형웅 · 강아리, 앞의 논문, 2008, p.34.
37) 김윤아, 『고대 산성의 집수시설에 대한 연구』, 한양대학교 대학원 석사학위논문, 2007, p.8.

에 의하면 집수시설의 입지는 크게 산성의 정상부(36.2%), 성벽과 문지 부근(29.8%), 성 내부 평탄지와 곡부말단(34.0%)에 조성되었으며, 신라의 산성 집수시설은 원형이나, 장방형의 형태에 물이 새어나가지 않도록 점토로 다지고 그 안쪽은 석축을 쌓은 형태가 대부분으로 확인되었다.

영천 대의리 성지 내부에서 집수시설로 추정되는 석축시설은 계곡부의 상부인 M지점(해발 145m)에서 비교적 경사도가 완만한 지점으로 규모는 너비 2.5m, 잔존 높이 0.8m 정도석축의 아래쪽에 반원형의 석렬이 확인되었으며, 내부에는 황갈색사질점토가 퇴적되어 있었다. 석축과 석렬의 암질은 성벽과 동일한 석재가 사용되었으며, 석축의 노출 과정에서 6세기 전반으로 추정되는 대각편이 확인되었다. 산성 내 집수시설이 있을 또 하나의 가능성 지점은 B지점 계곡부의 말단 일원으로서 지형적으로 계곡부에 집중된 유수가 모여 북쪽 의곡천으로 합류하는 지점이며, 현재에도 유수가 흘러 항상 풍부한 수량을 유지하고 있는 곳이다. 따라서 지형적 검토를 통해 전술한 바와 같이 B지점 및 C~E 지점에 병영지와 관련된 시설이 분포할 경우 B지점 일원에서 집수시설이 발견될 가능성이 높다.

채석장은 성지 내부시설로 볼 수 없지만, 성지의 축성 과정과 축성의 주체를 살필 수 있는 중요 흔적으로 생각된다. 영천 대의리 성지 내에서 구릉 사면의 암반을 절취하여 석재를 채취한

〈사진 21〉 M지점 추정 집수장

〈사진 22〉 추정 집수장 세부시설

〈사진 23〉 A-B지점 경사면 채석장

〈사진 24〉 B1 지점 채석장

부분은 A-B 지점 사이의 계곡부 서쪽으로 약 17m 정도 확인되며, 반대쪽 계곡부 B1 지점 동쪽은 구릉 사면 암반부는 약 80m 정도(높이 1m 정도)가 이어져 축성에 필요한 석재를 채취한 것으로 판단된다. 현재 토석혼축 성벽에서 확인되고 있는 할석의 재질과 동일하다.

4) 산성 내 추정 문지시설 및 이동로

〈도면 5〉는 지금까지 분석한 영천 대의리 성지로 연결되는 문지 위치를 추정한 도면으로서 문지를 통한 산성의 출입로는 Ⅰ·B·E·F지점으로 판단하였으며, 북·서·동의 세 방향 가운데 주 출입로는 Ⅰ지점으로 생각된다. 이는 현재 대의리 성지 축조 집단의 집단 거주지가 명확하게 밝혀진 바 없지만, 대의리 성지 서쪽으로 금호강에 의해 형성된 넓은 평야 주변부로 당시 행정도시가 분포하고 있었을 것으로 추정된다. 이는 영천지역에서 가장 큰 규모의 삼국시대 고분군인 완산동 고분이 대의리 산성 서쪽 약 1.8㎞ 이격된 거리에 분포하고 있어 이를 뒷받침할 수 있는 근거로는 충분하다.

따라서 전쟁 상황 시 평소 거주지에서 동쪽 장안들에 축성된 산성으로 입보할 수 있는 최단 거리는 전술한 막등과 진등 사이의 좁은 곡부를 통해 연결되는 Ⅰ지점 성벽 일원이 최단 거리(약 1.2㎞)이다. 또한 진등과 막등 사이의 협곡은 육로로 대의리 성지 진입 시 반드시 거쳐야 하

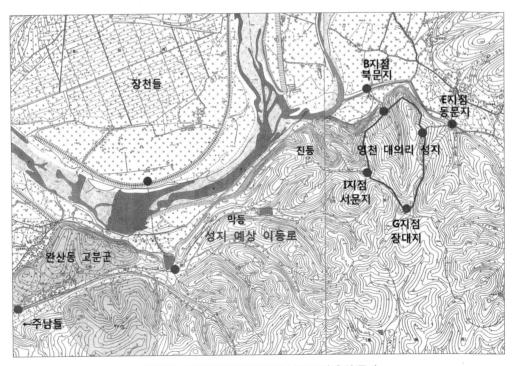

〈도면 5〉 영천 대의리 성지 예상 이동로 및 추정 문지

는 계곡부이므로 적의 침입 시 양쪽 구릉 상부에 군사가 매복하여 협공할 수 있는 좋은 지형적 특성이 있어 적의 접근이 용이하지 않은 장점을 가지고 있다. 또한 완산동 고분군 서쪽 주남들에서 영천 대의리 산성으로 진입하기 위해서는 완산동 고분군Ⅰ·Ⅱ가 조성된 구릉 사이의 협곡을 지나면 전술한 장천들에서 도하하는 지점과 만나게 된다. 완산동 고분군이 입지한 구릉 역시 적을 공격하기 위해 매복하기 좋은 지형이다.

이와 같이 천혜의 지형적 여건 속에 축조된 영천 대의리 성지는 산성 자체의 방어를 위해 사방을 감시하기 위한 망루가 설치되었을 것으로 판단되며, 이는 N지점과 C·E·F·G·I지점과 같이 출토된 유물과 주변 지형으로 판단할 때 이들 지점 일원이 가능성이 높은 것으로 추정하였다. 특히 I지점과 F지점은 구릉의 모양이 동-서 방향으로 돌출되어 자연적 치성[38]의 형태를 갖추고 있어 망루의 존재가 더욱 의심이 되는 곳이다.

성내의 건물지 시설(장대지, 창고, 망루 등)은 기존 산성에 대한 연구 성과를 통해 성내 평탄 지형으로 중심으로 추정하였으며, 기존 산성 발굴조사에서도 건물지 관련시설을 대부분 산성 내 평탄지에서 조사되었다. 평탄지의 범위와 성내 위치로 판단할 때 D-E지점 일원에 병영지 시설이 다수 분포하고 있을 것으로 판단하였으며, 장대지는 산성 내 해발고도가 가장 높은 G지점으로 추정하였다. 산성내 이동 경로는 〈도면 4·5〉에서 보는 바와 같이 대의리 성지는 구릉의 능선부를 따라 축성된 성지로 성지 내부의 사면부로는 이동이 쉽지 않다. 따라서 산성 내 주요 이동 경로는 각 지점 망루 추정지를 따라 물자 수송 및 인력이 이동[39]한 것으로 판단되며, 지표조사 과정에서 남동쪽 성벽의 서쪽 사면인 해발 160m 지점에 추정 집수장에서 남쪽으로 25m 이격되어 사면이 정지된 부분에 있으며, 또한 계곡부와 가까운 하단은 작은 소로가 곡부까지 이어져 있어 산성 내부에도 이들 시설물과 시설물을 연결하는 작은 소로 들이 필요에 따라 조성된 것으로 추정된다.

2. 채집유물 분석

고고학적 연구에서 유물은 유적 및 유구의 연대를 밝히는 가장 중요한 요소 중 하나이다. 그러나 명확한 유구에서 출토되지 않은 유물을 통해 유적이나 유구의 연대를 추정하는 방법은 많은 위험 요소를 가지고 있다. 하지만 산성 유적의 경우 대부분 산악지대에 축성되는 지형적 특징으로 인해 후대 교란(개발행위 등)의 영향으로 타 지역의 유물이 이동되어 반입될 요소(산성

---

38) 치성은 성벽에서 접근하는 적의 움직임을 관측하고, 전투할 때 성벽으로 접근하는 적을 3면에서 공격할 수 있도록 성벽의 일부를 튀어 나오게 쌓은 것을 말한다.

39) 현재 성벽 내 인접하여 회곽도와 같은 편평한 소로가 있으나, 등산객에 의해 조성된지는 명확하지 않다. 하지만, 성내 이동을 위한 회곽도의 가능성도 상당히 높다고 판단된다.

의 폐쇄적 특성)는 거의 희박하다. 따라서 지표조사 당시 산성 내부에서 채집된 유물은 당시 산성 축조집단과 연관된 유물로서 산성의 존속시기를 알 수 있는 중요 유물이라 볼 수 있다.

영천 대의리 성지 지표조사에서 채집된 유물은〈표 1〉과 같이 총 50여점으로서 유물은 대부분 편으로 채집되었다. 채집된 유물 가운데 시대가 명확한 유물은 삼국시대 토기편 10점, 고려시대 이후 토기편 3점, 통일신라시대 토기편 1점, 통일신라시대 이후 평기와편 19점, 고려시대 평기와 편 6점이다. 이외 삼국시대 추정 토기편 8점, 고려시대 추정 토기편 1점, 시대불명 토기 및 와편 각 1점씩이다.

<표 1> 영천 대의리 성지 지표채집 유물 속성표[40]

일련 번호	유물명	시대	크기(cm)			채집 위치	비고
			기고 (길이)	구경 (너비)	저경 (두께)		
1	호편	삼국	(3.6)	(3.8)	0.5	C지점	일부잔존, 회전물손질 정면
2	호편	불명	(2.2)	(4.6)	0.6	D지점	일부잔존, 회전물손질 정면
3	호편	삼국	(3.1)	(4.3)	0.6		일부잔존, 회전물손질 정면
4	대각	삼국	(5.4)	(7.2)	0.8	D-E지점	일부잔존, 투창흔, 대부완 대각으로 추정
5	토기편	삼국(?)	(1.8)	(2.1)	0.4		일부잔존, 회전물손질 정면
6	기대편	삼국	(8.3)	(4.9)	0.6		일부잔존, 2줄의 돌대, 파상문
7	토기편	고려(?)	(2.6)	(2.3)	0.5		일부잔존, 타날흔
8	토기편	삼국(?)	(2.0)	(3.9)	0.5	E지점	일부잔존, 회전물손질 정면
9	고배편	삼국	(9.1)	(7.8)	0.6		동체부 잔존, 2조의 침선
10	호편	삼국(?)	(12.1)	(15.4)	0.8	F지점	동체부 일부잔존, 격자문, 회전물손질
11	토기편	삼국(?)	(2.4)	(5.1)	0.6		일부잔존, 회전물손질 정면
12	호편	삼국(?)	(2.8)	(6.4)	0.7		일부잔존, 회전물손질 정면
13	암키와	고려	(9.8)	(5.1)	1.2		일부잔존, 격자문
14	토기편	불명	(2.8)	(3.2)	0.2	H지점	일부잔존
15	암키와	불명	(6.2)	(11.1)	1.5		일부잔존, 무문
16	암키와	고려	(9.2)	(11.3)	1.5		일부잔존, 세선문, 포목흔 확인
17	암키와	시대불명	(5.4)	(5.1)	1.6		일부잔존, 무문
18	암키와	고려	(5.2)	(3.3)	1.5		일부잔존, 무문, 포목흔 확인
19	암키와	고려	(9.1)	(8.5)	1.4		일부잔존, 무문, 포목흔 확인
20	대각	삼국	(6.2)	(2.8)	0.4	I지점	일부잔존, 2줄의 돌대, 회전물손질
21	토기편	삼국(?)	(4.2)	16.7	0.3		일부잔존, 사선문
22	암키와	통일신라	(4.6)	(4.2)	0.6		일부잔존, 세선문, 포목흔 확인
23	수키와	통일신라		(3.6)	(0.9)		일부잔존, 태선문
24	암키와	통일신라	(11.2)	(4.8)	0.8		일부잔존, 태선문
25	암키와	통일신라	(4.8)	(4.1)	1.5		일부잔존, 태선문, 포목흔 확인

40) (재)성림문화재연구원, 앞의 보고서, 2014, p.115. 표 6를 재 검토하여 수정·보완, 재 작성하였다.

26	토기편	삼국(?)	(4.9)	(5.5)	0.7	J지점	일부잔존, 자연유 흡착, 회전물손질
27	수키와	통일신라	(4.2)	(6.9)	1.4		일부잔존, 태선문, 포목흔 확인
28	암키와	통일신라	(5.4)	(9.8)	1.6	J A지점	일부잔존, 태신문
29	암키와	통일신라	(4.1)	(4.8)	1.5		일부잔존, 태선문, 포목흔 확인
30	토기편	통일신라	(7.2)	(4.5)	0.7		동체부 일부잔존, 2조의 침선, 인화문
31	토기편	삼국(?)	(5.1)	(3.2)	0.6		일부잔존, 회전물손질 정면
32	토기편	삼국	(4.2)	(5.4)	0.9		일부잔존, 2조의 침선, 자연유 흡착
33	토기편	고려	(8.1)	(5.2)	0.8		구연부 일부잔존, 1조의 돌대 확인
34	토기편	고려	(6.2)	(3.4)	0.9		구연부 일부잔존, 구연부 둥굴게 외반
35	수키와	통일신라	(11.9)	(6.1)	1.6	B지점	중판타날, 일부잔존, 태선문
36	토기편	삼국	(5.5)	(2.3)	0.6		회청색도질토기, 속심 암자색
37	암키와	통일신라	(15.4)	(17.1)	1.8		일부잔존, 세선문, 포목흔 확인
38	암키와	통일신라	(4.2)	(6.4)	1.6		일부잔존, 세선문
39	암키와	통일신라	(3.8)	(4.9)	1.8		일부잔존, 무문, 포목흔 확인
40	수키와	통일신라	(6.9)	(4.1)	1.6		일부잔존, 사선문, 포목흔 확인
41	토기편	고려	(10.2)	(10.9)	0.7	B-K지점	일부잔존, 1줄의 돌대
42	대각	삼국	(6.2)	(8.6)	0.9		일부잔존, 대부완 대각 추정, 1조의 침선
43	수키와	통일신라	(8.6)	(4.2)	1.7	M지점	일부잔존, 세선문
44	토기저부	삼국	(8.4)	(4.0)	1.5		회청색도질토기, 속심 암자색
45	암키와	통일신라	(2.4)	(2.8)	0.4		일부잔존, 격자문
46	암키와	통일신라	(2.8)	(4.9)	0.9		일부잔존, 태선문, 포목흔 확인
47	수키와	통일신라	(15.2)	(10.2)	1.2	N지점	중판타날, 일부잔존, 사선문
48	암키와	통일신라	(12.2)	(5.8)	0.7		일부잔존, 사선문+세격자문
49	암키와	통일신라	(9.2)	(5.5)	1.4		일부잔존, 태선문
50	암키와	통일신라	(7.8)	(4.1)	1.1		일부잔존, 사선문

　채집된 유물 대부분은 앞장에서 설명한 바와 같이 성지 내 평탄지형(유물산포지)과 계곡부로서 채집된 토기 가운데 연대[41]를 가늠 할 수 있는 유물은〈사진 25〉의 ①~⑤번이다. ①번 유물은 기대의 대각편으로 돌대 내부에 파상문이 있으며, 연대는 5세기대로 볼 수 있다. ②번과 ⑤ 유물은 대부완 대각으로서 투창이 확인된다. 기형과 각단의 형태로 판단할 때 삼국시대 토기 연구에서 대체로 6세기 전반으로 편년되고 있다. ③·④ 유물은 고배의 대각과 신부편으로 추정되며, 잔존한 편이 작아 정확한 연대를 파악하기 어렵지만 고배의 경우 고총고분이 조영될 시점에 집중적으로 출토되기 때문에 5세기경의 유물로 생각된다. 한편 B지점 계곡부에서 출토된 ⑥번 유물은 지그재그식 점열 형태의 파상문이 찍힌 인화문 토기로 통일신라시대 토기로 추

---

41) 金龍星, 『新羅의 高塚과 地域集團－大邱 慶山의 例』, 춘추각, 1999, pp.130~168. 본고 토기 편년은 김용성의 편년 안을 참고하였다.

①D-E지점(삼국) ②M지점 추정 집수장(삼국) ③I지점(삼국) ④E지점(삼국)

⑤D-E지점(삼국) ⑥B지점 계곡부(통일신라?) ⑦B지점 계곡부(고려) ⑧D-E지점(고려)

〈사진 25〉영천 대의리 성지 채집 삼국~고려시대 토기편

정된다. ⑦·⑧번 토기는 구연부와 동체편으로 격자 타날 방식과 구연의 형태로 볼 때 고려시대 토기로 판단된다.

대의리 성지에서 채집된 와편은 경주 왕경지역 발굴조사에서 다수 출토되고 있는 통일신라시대 선문(태선문과 세선문, 영천 대의리 산성 평기와 타날문은 태선문이 다수 확인된다)타날된 평기와가 주류를 이루며, 이 가운데〈사진 25〉의 ③번 수키와 편은 중판타날 방식[42]으로 타날되었다. 평기와 타날판에 대한 연구의 경우 통상적으로 단판 → 중판 → 장판 순으로 시기성을 가지는 것으로 보고 있으며, 단판 타날판이 언제부터 사용되었는지 정확히 알 수 없으나, 7세기 중엽 이전에는 단판이 유행하다가 중엽 이후부터는 중판이 나타나기 시작한 것으로 이해되고 있다. 장판 타날판은 8세기 중엽이후부터 9세기 이전에는 출현하여 통일신라에서 고려로 교체되는 9세기 이후부터 정형화되어 더 이상 변화되지 않은 것으로 추정되므로 현재 영천 대의리 산성에서 채집된 평기와 편의 연대는 대체로 8~9세기에서 고려시대로 추정 가능하다.

---

42) 이인숙,『통일신라~조선전기 평기와 제작기법의 변천』, 경북대학교 대학원 석사학위논문, 2004. 타날기법은 평기와를 제작하는 과정에서 거치는 일련의 제작공정 가운데 하나로서 태토를 두드려 그 안에 있는 공기를 빼내어서 터짐을 줄이고 태토의 밀도를 높이는 역할을 한다. 이러한 타날기법을 통해 타날판의 길이와 타날판에 새겨진 문양 등의 세부속성들이 파악된다. 먼저 타날판의 길이는 종방향으로 관찰되는 타날 단위의 수 및 그 길이에 따라 타날단위가 4~5회인 단판(6~8㎝)과 2~3회인 중판(15~20㎝), 1회인 장판(30~40㎝)으로 구분되며, 타날판의 구체적인 변화 시점에 대해서는 연구자 마다 의견 차이가 있는 상황이다.

①N지점(통일신라)　②I지점 (통일신라)　③I지점(통일신라)　④F지점(고려)

〈사진 26〉영천 대의리 성지 채집 통일신라~고려시대 와편

Ⅳ. 영천지역 성지와 비교 분석

영천지역은 경상도의 다른 지역과 비교했을 때 행정구역 내 비교적 많은 성이 분포하고 있다. 이들 중에는 대체로 문헌기록을 통하여 알려진 것이 대부분이며, 일부분의 성지는 최근 영천지역의 城址를 조사하는 연구자들에 의하여 확인이 이루어졌으나, 아직 영천 지역 및 금호강 일원의 경우 성지 유적과 관련하여 활발한 연구가 진행된 상황은 아니다. 본 장에서는 이와 관련하여 영천 대의리 성지와 관련하여 기존 문헌기록 및 선행 연구와 지금까지의 영천 대의리 성지에 대한 검토를 종합하여 영천지역 성지와 비교·분석하고자 한다.

아래는〈표 2〉는 문헌기록에 나타난 영천지역의 성지에 대한 분석을 시도[43]한 자료이다. 〈표 2〉에서 보이는 城에 대한 기록은 자료마다 다소 차이를 보이고 있다. 1~6번까지의 자료는『永陽誌』등 주로 문헌을 토대로 기록된 자료들이며, 7번 大儀洞城 이하의 자료들은『文化遺蹟總覽』에 기록된 성곽기사를 중심으로 정리된 것들이다. 따라서 7번 이하의 城과 1~6번까지 기입된 城이 중복될 수 있으며, 1~6번의 城 또한 시대를 달리하여 축성하였을 경우 같은 곳에 축조한 성이 다른 이름으로 표현된 경우도 있다고 연구자는 말하고 있다. 따라서 위의 표에 기록된 자료를 정리해 보면 7번의 대의동성은 현재 영천 문화유적 분포지도에 등재된 영천 대의리 성지로 볼 수 있다. 또한 3번의 臨川古縣城과 4번의 永州城에 대한 자료는 문헌기록에서 확인되며, 5·6번은 각각 현재 영천읍에 있는 것으로 축성 시기나 목적이 분명하다. 5번의 古邑城은 郡西二里에 있는 것으로 고려 우왕8년(1382년)에 쌓았다고 하며,[44] 현재 영천읍 西門通 일대로

---

43) 李在洙, 앞의 논문, 2001, p.71쪽. 수정 인용.

44)『勝覽』永川·古墳條를 비롯하여 各 邑誌에 古邑城의 축성내용이 똑같이 기록되어 있다. 한편 이 기록 중에

비정되고 있다. 6번의 永川邑城은 선조24년(1591년)에 郡守 元士容이 新築한 것으로,[45] 壬辰倭
亂이래 영천 지역 방어에 중요한 역할을 한 조선시대 邑城이라 전해지고 있다. 3~5번의 경우
문헌자료에서 확인되는 자료를 제외했을 경우 현재 확인되는 성의 형체나 잔존범위 등이 확
실하지 않아 영천 성지에서 확인되는 성지의 자료에서는 제외하였다. 한편 8번과 9번의 경우
영천시 임고면 금대리에 위치하는 동일한 성지로 확인되었으며, 10~17번의 성지 또한 현재
영천시 內에 잔존하는 성지로 조사되었다.

〈표 2〉 문헌기록에 나타난 영천지역의 성지에 대한 분석

연번	명칭	위치	현황 (길이×높이×너비, m)	비 고
1	骨火城			
2	金剛(山)城	在郡東五里 金剛山 東八里		有遺址卽道洞縣城
3	臨川古縣城	在南亭院西 邑距東南五里		
4	永州城	在南亭院西		1233년, 東京賊反亂
5	古邑城	.	1300尺	1382년, 在郡西二里
6	(永川)邑城	영천시 성내동	1902尺	
7	大儀洞城	고경면 대의리	900×0.9~1.8×1.8	金剛山
8	金大洞城	임고면 금대리	700×1×3	1591년
9	栢巖洞城	임고면 수성리		
10	佳上洞城	화산면 가상리	720(250)×1×2.5~3	
11	官基洞城	신령면 관기리		
12	蓮亭洞城	신령면 연정리		
13	華南洞城	신령면 화남리	670×0.9~1.8×3.6	
14	雉山洞城	신령면 치산리	1100×1.7×·	팔공산
15	治日洞城	청통면 치일리	(50)×2×·	
16	桂芝洞城	청통면 계지리		
17	新德洞城	청통면 신덕리	30×3×·	봉수

〈표 3〉영천 지역의 城址 일람[46]

연번	명칭	별칭	소재지	입지	형식	축조방식	규모 (둘레)	축조 시기	비고
1	永川邑城		창구동	평지		토축+석축	미상	조선	
2	金剛山城	大儀里山城 道同縣城	고경면 대의리	산지	포곡식	토축	900m	삼국?	

[…凡書城者完舊也 築者創始也 是城也…始得古器物必其舊址也…]라는 내용은 혹시 永州城을 다시 보완하여
축성하였을 가능성이 있다.
45) 『永陽誌』와 『永川全誌』에 永川邑城은 […萬曆辛卯 郡守元士容新築…]이라고 되어 있고, 『勝覽』과 各邑誌에는
永川邑城의 기록이 보이지 않는다.
46) 강종훈, 「대구·경북 지역 삼국시대 신라 성지의 조사 및 연구」, 『대구사학』 제77집, 대구사학회, 2004, p.11.

3	栢岩山城	金大里城址	임고면 금대리	산지	테뫼식	토축+석축	700m	삼국?	
4	佳上里城址	仙川里城址	화산면 가상리	산지	테뫼식	토축	720m	삼국?	화남면 선천리로 연결
5	桂芝里城址		청통면 계지리	미상		토축	미상	미상	
6	治日里城址		청통면 치일리	미상		토축	50m 잔존	조선?	
7	烽山城		청통면 신덕리	산지		토축	30m	조선	봉수대 관련 시설
8	稚山里城址	八公山城	신령면 치산리	산지	테뫼식	토석혼축	1.1km	미상	
9	華南里城址		신령면 화남리	산정상부	테뫼식	토석혼축+석축	670m	삼국	삼국시대 토기편 산재
10	薪積山城	蓮停里城址	신령면 연정리	산정상부		석축	미상	미상	화산면 당지리로 연결
11	花城里城址	官基里城址	신령면 화성리	낮은구릉		토석혼축+석축	미상	삼국?	

〈표 3〉은 영천 지역의 성지가 총 11개소로 보고되어 있다. 강종훈은 신녕면의 화남리 성지를 삼국시대에 축성된 것으로 보고 있으며, 금강산성과 백암산성, 가상리성지, 화성리성지 등도 삼국시대에 축성되었을 가능성을 엿보고 있다. 또한 축조 시기 미상으로 되어 있는 계지리성지나 치산리성지, 신적산성도 삼국시대까지 연원이 올라갈 가능성을 배제할 수 없다고 말한다. 〈표 3〉의 경우 城의 축조방식이나 규모, 시대까지 기록되어 있어 영천 지역 및 금호강 일원 성지를 연구하는데 좋은 기초 자료이다.

〈표 4〉는 영천시 문화유적분포지도에 등재된 성지의 목록을 정리한 것으로서 정밀 지표조사에서 총 7개의 성지가 조사되었다. 영천읍지를 비롯하여 현재까지 확인 된 성지의 정확한 위치와 규모, 그리고 축조양상이 기술되어 있어 영천시의 성지를 이해하는데 있어 도움을 주고 있다.

〈표 4〉영천시 문화유적분포지도 內 성지[47]

연번	명칭	소재지	축조시기	일련 번호
1	永川邑城	영천시 성내동 일대	조선	33
2	永川 大義里城址	영천시 고경면 대의리	삼국	102
3	永川 雉山里城址	영천시 신령면 치산리	삼국	286
4	永川 華南里城址	영천시 신령면 화남리 혈암산 일대	삼국	302
5	永川 花城里城址	영천시 신령면 화성리 732-1 일대	삼국~조선	322
6	永川 金大里城址	영천시 임고면 금대리 산153 일대	삼국~조선	332
7	永川 佳上里城址	영천시 화산면 가상리 백학산 일대	삼국	600

---

47) 永川市 大邱大學校博物館, 앞의 책, 2001.

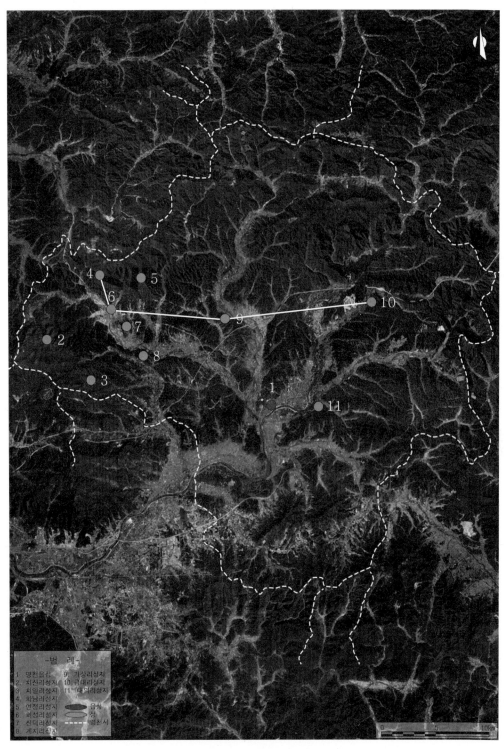

도면 6. 영천시 성지분포도

이상〈표 2〉~〈표 4〉는 현재까지 영천지역 성지에 대한 기초조사 자료를 정리한 것으로서 중복 및 누락된 자료를 정리·종합하면 영천지역 내 삼국~조선시대 산성 및 읍성은 대략〈도면 6〉과 같이 11개소로 볼 수 있다. 이 가운데 영천 대의리 성지와 같이 삼국시대축성된 것으로 추정되는 성지는 총 6개소(대의리 산성 포함)로서 대략적 지표조사 내용을 정리하면 아래와 같다.

① 영천 치산리 성지-영천의 가장 서쪽에 위치하고 있다. 팔공산의 동봉과 서봉을 포함한 산성으로 성지의 망루나 장대로 추정되는 동봉 주위로 소량이 토기편과 와편이 채집되었다고 한다. 형태는 지형으로 볼 때 동봉과 서봉, 산정부를 포함하는 테뫼식 산성으로 규모는 둘레 1100m, 성벽의 축조방식은 토석혼축이다. 주변으로 삼국시대 고분군은 분포하고 있지 않다.

② 화남리 성지-영천의 서쪽에 축성된 성지로 의성-군위-신녕-영천으로 이어지는 곡간 교통로 가운데 신녕면 화남리에 위치한 穴岩山에 축성된 성이다. 성은 산정부를 감싸는 테뫼식 산성으로 성벽은 석축과 토석혼축을 혼용하여 축성되었다. 성의 둘레는 약 670m 정도이다. 성 내에는 삼국시대 토기편이 산재해 있다. 화남리 성지 남서쪽 구릉 말단부에는 화남리 고분군이 분포하고 있다. 화남리 고분군은 2009년과 2011년 (재)성림문화재연구원에서 발굴조사를 실시하여 삼국시대 목곽묘, 석곽묘, 석실묘 등이 조사되었으며, 유물은 금동관편, 환두대도, 금제 세환이식, 철제 농공구류 등, 삼국시대 최상급 신분자의 고분에서 출토되는 유물들이 출토되어 주목되고 있다. 고분군의 조성연대는 5세기 전반~7세기로 추정되고 있다.

③ 화성리 성지-현재 신녕초등학교 좌측의 낮은 구릉 축성된 성으로 평면은 남북으로 긴 타원형을 띠고 남북단면상의 지형은 말안장의 형태(테뫼식)이다. 산성은 자연절벽 위에 토석혼축과 석축을 혼용하여 축성하였다. 성의 둘레는 약 1,000m이다. 동쪽 약 3㎞ 위치에 영천 효정리 삼국시대 고분군(직경 5~7m 정도의 소형 봉토분 4기 확인)이 분포하고 있다.

④ 가상리 성지-영천시의 중앙에 위치하며, 화산면 가상리 가실리마을의 뒷산인 백학산일원 토석혼축으로 축성한 산성이다. 테뫼식 산성으로 성의 북동편은 무성절벽구간이며, 성벽은 서남쪽에서 확인된다. 무성절벽구간인 북동편에는 화북천이 흐르고 있어 영천 대의리 산성과 비슷한 입지이다. 성벽의 평균 높이는 3~4m정도이며, 상면의 폭은 1.5m 정도 된다. 성벽의 둘레는 약 750m 정도로 추정되고 있다. 북서쪽 1.5㎞ 지점에 봉토직경 5m 내·외의 소형분 30여기가 분포하고 있는 영천 선천리 삼국시대 고분군 있으며, 북동쪽 약 1㎞ 지점에 영천 대천리 삼국시대 고분군이 조성되어 있다. 대천리 고분군은 현재 봉토 직경 5m 내·외의 소형분 20여기가 분포하고 있다.

⑤ 금대리 성지-영천의 동쪽에 위치하며, 임고면 금대리의 금대마을 앞 해발 240m의 무명고지에 축성된 토석혼축 성이다. 동쪽은 자연절벽을 이용한 무성절벽 구간이다. 성벽의 둘레는 약 700m로 추정되고 있다. 동쪽 약 500~1000m 구릉 상에 영천 금대리 삼국시대 고분군과 영천

사리 삼국시대 고분군이 분포하고 있다. 금대리 고분군은 찜대마을 뒤편 능선부에 조성된 고분 군으로서 고분은 직경 3~5m, 잔존 높이 1m 정도의 소형분 40여기가 있다. 사리 고분군 역시 직 경 5~6m 정도의 소형분 10여기가 조성되어 있다.

이상에서 영천지역 성지에 대한 특징을 살펴보면, 첫 번째, 입지와 분포의 경우 치산리 성지 는 해발고도 약 1100m의 험준한 산악지대 구릉의 정상부에 축조된 성으로 영천지역 성지가운 데 해발고도가 가장 높은 곳에 축성되었다. 치산리 성지 북동쪽으로 화남리 고분군이 조성된 북서쪽 구릉에는 화남리 성지(해발고도 약 439m)와 화성리 성지(해발고도 약 156m)가 위치하 고 있다.

영천시 신령에 분포한 ①~③ 성지는 신라가 대구를 거치지 않고 군위 · 의성을 지나, 안동 · 단양으로 진출하기 위해 이동해야 하는 중요한 군사적 요충지 및 교통로 상에 집중하여 입지 한 특징이 있다.[48] 그리고 화성리 성지에서 동쪽으로 가상리 성지(영천시 화남면, 해발고도 약 215m), 금대리 성지(영천시 임고면-해발고도 약 242m)는 횡선의 일직선으로 축성되어 화남리 성지-화성리 성지-가산리 성지-금대리 성지로 연결된 방어선[49](도면 6 참조)을 형성하고 있 으며, 그 남쪽으로 기타 다른 산성들과는 달리 상호 연계되기 어려운 위치에 영천의 중앙을 관 류하는 금호강변의 낮은 구릉에 대의리 성지가 입지하고 있다.

두 번째, 성의 형태분류 상 영천지역에 축조된 산성은 테뫼식 산성이 절대 다수이지만, 대의 리 성지만 포곡식 산성이다. 체성 길이에 따른 규모는 대의리 성지의 경우 둘레 1,753m로 영천 지역에서 가장 큰 대규모 산성이며, 이하 기타 성지는 700m 내 외로 중 · 소 규모의 성지이다. 현재까지 조사된 삼국시대 성지의 경우 일반적으로 포곡식 산성의 규모가 테뫼식 산성보다 규 모가 큰 것으로 파악되고 있다.

충북지역에 분포한 신라 산성에 대한 연구[50]에 의하면 고도가 높은 산에 축성된 산성의 경우 군사적 목적의 성격이 강한 장기적 전투 대비용으로 파악되고 있으며, 둘레 1000m 미만의 소규 모 산성은 독립된 기능을 발휘하기 보다는 유사시에만 입성하여 군사적 기능을 하는 보루성의 성격, 또는 지역 주민을 보호하기 위한 민보성의 성격으로 추정하고 있다. 그리고 둘레 1000m 이상의 대규모 산성(대부분 포곡식 산성)은 전략적 요충지에 입지하거나 전초기지의 기능을 수

---

48) 서영일, 『신라 육상 교통로 연구』, 학연문화사, 1999, p.24. 신라의 대외 진출로는 경주를 중심으로 네 방향으로 나누어 볼 수 있다. 북쪽은 안강-포항을 거쳐서 동해안을 따라 북상하는 길이고, 남쪽은 울산-동래를 거쳐서 낙동강 하구에 이르는 길이다. 서북쪽은 영천-대구-선산과 영천-의성을 거쳐 낙동강 중 · 상류 지역으로 진 출하는 길이고, 남서쪽은 청도-밀양을 거쳐 낙동강 하류로 향하는 통로이다.

49) 조효식, 「5세기 말 가야와 신라의 국경」, 『고대 동북아시아 역사지도의 현황과 과제-역사지도, 어떻게 만들어 야 좋은가?』, 동북아재단, 2007, pp.161~178. 성곽간 방어체계는 특정 정치체의 세력권 또는 영역을 설정하는 주요한 자료로 판단되고 있다.

50) 朴相允, 「忠北의 山城에 관한 歷史地理的 硏究」, 『淸州地理』, 2000, p.103.

행했던 산성으로 판단하고 있다. 또한 영남 낙동강 유역 신라 산성 연구[51]에 의하면 포곡식 산성보다 규모가 작은 테뫼식 산성은 그 특성상 단기간에 걸쳐 최소 인원을 동원해 구축할 수 있는 가상 효율적인 성곽이자, 하나의 성곽으로서가 아닌 유사 형태의 조건을 지닌 인접 성곽과 연계될 때 방어효과가 극대화 된다고 보고 있다. 그리고 둘레 2000m정도의 대규모 산성 대부분은 중심읍락 중심지와 비교적 인접한 곳에 위치하고 있으며, 이러한 점은 동원 인력 및 접근 성과도 관련성이 크다고 한다. 따라서 조망이 용이한 후방고지에 대형의 성곽을 구축함으로써 보다 점진적이고 안정된 방어망을 구축할 의도가 일부 포함된 것으로 추정하고 있다.

세 번째, 성벽의 축성 방법은 모두 토석혼축으로 화남리 성지[52]와 화성리 성지의 경우 토석혼축과 석축을 혼용하였다. 신라의 성벽 축성 방법은 삼국사기에 삼년산성이 자비마립간 13년 (470)에 축성된 것으로 기록되어 대략 5세기 후반부터는 석성이 축조되기 시작한 것으로 보고 있으며, 조효식[53] 역시 5세기 중엽 이전에는 주로 토석혼축 성이 주를 이루다 5세기 중엽~말 석축의 빈도가 높아진다고 한다. 따라서 영천 대의리 성지의 경우 채집된 토기편의 연대와 성벽의 축조 방법 등을 선행 연구 결과와 종합해 보면 5세기 대 존속하고 있었던 성지는 틀림없는 것으로 판단된다. 기타 영천지역 삼국시대 성지의 축성 연대 역시 비슷한 6세기 전·후로 추정된다.

끝으로 기타 삼국시대 산성 연구에서 나타난 바와 동일하게 영천 지역 성지 역시 산성 인접 지역에 고총고분군이 분포[54]하고 있다는 점이다. 영천지역의 경우 대의리 성지-완산동 고분군 (대형분), 화남리 성지-화남리 고분군[55](대형분), 화성리 성지-효정리 고분군(소형분), 가상리 성지-선천리 고분군(소형분)·대천리 고분군(소형분), 금대리 성지-금대리 고분군(소형분)· 사리 고분군[56](소형분)이 분포하고 있다.

이러한 고총고분군과 성지의 조합관계는 경주를 비롯한 삼국시대 모든 지방 거점에서 확인 되고 있으며, 배경원인에 대해서는 대체로 지방 세력 지원과 인력 동원 등을 기초로 한 신라의

---

51) 趙昺植, 앞의 논문, 2005, pp.59~64.
52) 지표조사 보고서에 의하면 현재 석축은 대략 8~9단 정도로 10여m 정도 유존하고 있다.
53) 조효식, 「낙동각 중류역 삼국시대 성곽의 변천과 방어체계」, 『영남고고학』 제44호, 영남고고학회, 2008, pp.42~45.
54) 조효식, 앞의 논문, 2005, p.73. 5세기 대의 경우 대형의 봉토를 지닌 고총고분군이 조영을 비롯해 일치되는 것이 많은데 반해, 6세기 이후에는 고총고분군이 확인되는 예는 거의 없고 대신 중소형의 고분군이 축조되는 곳이 많으며, 일부 고분군이 축조되지 않은 곳도 있다.
55) (재)성림문화재연구원, 『신녕-영천1 국도확장공사구간내 영천 화남리 신라묘군Ⅲ』, 2015. 전술한 바와 같이 2009~2011년 발굴조사 결과 고분군의 조성연대 5세기 전반~7세기경으로 인접한 화남리 성지 축성 연대 역시 동시기일 가능성이 높으므로 영천 대의리 성지와 화남리 성지는 비슷한 시기에 축성되었던 것으로 보인다.
56) (재)경북문화재연구원, 『대구-포항간 고속도로 신설구가 문화유적 발굴조사 보고서』, 2002. 1999년 발굴조사 결과 6세기 중반~7세기 중반의 횡구식 석실묘 11기가 조사되어 금대리 성지의 경우 영천 대의리 및 화남리 성지보다 늦게 축성되었을 가능성이 있다.

지방 지배방식과 관련된 것으로 보고 있다.[57] 또한 각각의 중심 고총고분군을 잇는 연결선이 삼국시대의 중요 교통로로 이해되고 있는 상황[58]에서 완산동 고분군·화남리 고분은 영천 지역에서 가장 큰 규모의 고분군으로 경주-영천-의성(소문국)으로 연결되는 교통로 상에 분포한 고분군이다.

따라서 지금까지의 분석을 종합 검토하면, 삼국시대 성지의 축성은 지리적으로 어떤 위치에 축조하는 하는 문제는 산성의 방어력을 강화하는데 중요한 부분으로서 외적이 쳐들어오기 어렵고 적을 공격하기 유리한 자연 지세에 성지를 축조하는 것이 최적이며, 대의리 성지역시 방어적 측면에서 북쪽으로 4개의 산성이 일직선상의 방어체계(의성-포항-기계-안강 방향)를 형성하고 있다.

또한 내부에서 성벽 축조에 사용되었던 할석을 확보하기 위한 대규모 채석장과 내·외부시설, 채성의 규모, 성의 형태 분류(대형의 산성에서 주로 확인되는 포곡식 산성), 영천에서 가장 큰 고총고분군인 완산동 고분군과의 조합 양상 등으로 판단할 때 5세기 이미 영천지역의 중심 읍락을 다스리기 위해 읍락 중심지의 배후 산악지에 대규모로 축성되어 있었던 거점 방어성으로 생각할 수 있다. 그리고 당시 대규모 성역을 위한 인력동원은 어떤 형태로든 권력을 행사 할 수 있는 체제하에서만 가능하므로 신라의 직접 지배하에 산성을 축성하였을 가능성이 높다. 따라서 영천 대의리 성지는 5~6세기 영천지역에서 가장 중심적인 성지로 추정 가능하다.

기타 5개의 삼국시대 성지는 5~6세기 신라가 지방에 대한 영향을 계속 강화해 나가는 시점에 축성된 성지들로서 대의리 성지와 연계되어 지방 행정 통치의 기능보다는 자연 지형을 최대한 이용하여 적에게 쉽게 노출되지 않고 성안에서 오랜 항전을 계속할 수 있도록 외적의 침략을 방어하는 전략적인 기능이 더 큰 대피성(보루성의 개념?)으로 판단된다.

V. 골화성과 금강산성에 대한 문제

현재 대의리 성지의 명칭에 대해서는 〈표 2〉의 조선시대 문헌 기록 등에서 보는 바와 같이 대의동성, 골화성, 금강산성 등의 이름으로 호칭되고 있다. 전술한 바와 같이 이재수에의해 처음으로 문헌에 기록된 골화성을 골화소국(영천의 옛 명칭)과 연관하여 영천 대의리 성지를 골화

---

57) 李熙濬, 『4~5세기 신라의 고고학적 연구』, 서울大學校 文學博士學位論文, 1998, pp.211~225.
정창희, 『5~6세기 대구 낙동강안 정치체의 구조와 동향』, 경북대학교 대학원 석사학위논문, 2004, pp.66~74. 고총고분에서 출토된 경주 토기와 장신구, 위세품 등을 통해 성곽 축조와 연계하여 신라의 보다 직접적인 지배방식과 관련이 있는 경우로 해석하고 있다.
58) 이희준, 『신라고고학연구』, 사회평론, 2007, p.85.

소국이 처음 초축(토성과 목책으로 이루어진 성지로 판단 함)하여 6세기 신라에 의해 재축성되었으며, 이후 황보능장 문헌 기록을 통해 고려 이후까지 지속된 산성으로 파악하였다. 현재 영천 향토사학회와 영천시 역시 현 대의리 성지를 나말려초 황보능장이 축성한 금강산성으로 파악하고 있다.

본고에서는 기본적으로 위와 같은 연구결과를 수용, 비록 발굴조사 이루어진 유적은 아니지만, 최근 정밀지표조사가 실시되어 새롭게 확보된 자료를 분석·검토함으로써 영천 대의리 성지에 대한 성격과 의미에 대해 객관적으로 접근하는데 그 목적이 있었다.

골화성 축성에 대한 삼국사기 기록은 지증왕 5년(504년)으로서 6세기 초에 해당된다. 영천 대의리 성지 정밀지표조사 당시 채집된 유물 가운데 연대 파악이 가능한 토기와 와편의의 경우 上限과 下限은 5세기~고려시대이며, 지형적 특성으로 유물이 다수 채집된 계곡부와 평탄지형에서도 조선시대 유물은 전혀 채집되지 않았다.

따라서 지표조사 결과에 의하면 영천 대의리 성지는 5세기에서 통일신라를 거쳐 고려시대까지 初築 이후 후대 산성을 수축·개축·증축하면서 산성으로서의 기능이 존속되어 오다 조선시대 廢城[59]되었을 가능성이 높으며, 삼국사기 지증왕 5년 기사(6세기) 이전인 5세기 어느 시점에는 이미 축성되어 있었던 성지로 판단된다.

하지만, 이재수의 논고처럼 골화소국 당시 축성되었다고 볼 수 있는 고고학적 근거는 아직 확인되지 않고 있는 상황이며, 이는 향후 발굴조사를 통해 대의리 성지의 성내 중심 건물지 및 성벽 최하층의 구조(토성)와 출토되는 유물의 편년이 파악되기 전까지 골화소국의 복속기사[60] 연대인 최소 3세기까지 대의리 성지의 초축 연대를 올려보기는 어려울 것으로 판단된다. 다만 삼국사기 문헌 기록상[61](아달라왕 5년) 신라의 최초 관도로 추정되는 죽령로(경주-영천-의성(소문국)-안동-영주-죽령)와 계립령로(경주-영천-경산-대구-칠곡-선산-상주-문경-계립령)로 판단할 때 신라 왕경인 경주에서 북쪽 진출을 위해 가장 인접한 영천지역에 이른 시기 거점지역 확보를 위한 산성이 축조되었을 개연성은 상당히 높지만 영천 대의리 성지를 골화소국 당시 축성되었던 성으로 단정하기에는 차후 완산동 고분군 발굴조사와 함께 연계하여 좀 더 많

---

59) 이는 대의리 성지 북서쪽 약 3km 지점, 금호강 북서쪽 일원에 조선시대 영천읍성이 축성되었던 사실로 판단할 때 가능성이 더욱 높다. 邑城은 조선시대 지방 군현의 주민을 보호하고 군사, 행정 기능을 담당하던 성을 지칭하며, 종묘와 왕궁이 있는 都城과는 구별된다.

60) 『三國史記』 卷 第二, 助賁尼師今 七年. "春二月 骨伐國王阿音夫 率衆來降 賜第宅 田莊安之 以其地爲郡(봄 2월에 골벌국왕 아음부가 무리를 이끌고 와서 항복하였으므로 집과 토지를 주어 편히 살게 하고 그 땅을 군으로 삼았다)"

61) 『三國史記』 卷 第二, 阿達羅尼師今 三年. "夏四月 隕霜 開雞立嶺路(여름 4월에 서리가 내렸다. 계립령의 길을 열었다)"
『三國史記』 卷 第二, 阿達羅尼師今 五年. "春三月 開竹嶺路 倭人來聘(봄 3월에 죽령을 개통하였다. 왜인이 사신을 보내와 예방하였다)"

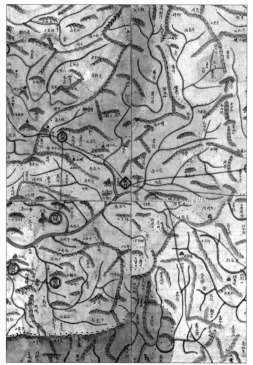

청구도 전국지도(출처 : 규장각 한국학연구원)　　　　　동여도 전국지도(출처 : 규장각 한국학연구원)

〈도면 7〉 조선시대 금강산성에 관한 고지도

은 자료가 확보되어야 할 것으로 판단된다.

　　그리고 영천지역 6개의 삼국시대 성지는 5~6세기 신라가 지방에 대한 영향을 계속 강화해 나
가는 시점에 집중되어 축성된 성지들로서 당시 시대 상황을 반영할 때 골화성 축성 기사가 대
의리 산성과 연결 될 수도 있으나, 기타 산성과의 연관성 역시 배제할 수 없다고 생각된다.

　　금강산성의 경우 조선시대 영천지역 고지도에서 그 지명이 확인되고 있다. 금강산성에 관한
고지도는 〈도면 7〉과 같이 현재 17~19세기에 발행된 조선시대 후기의 것들이 전해지고 있으며,
산성의 명칭은 지도가 발간된 연대마다 조금의 차이를 가지고 있다.

　　가장 빠른 시기에 제작된 조선지도(1750~1768)와 청구도(1834), 대동여지도(1861)에는 金剛
城이라 표기되어 있고, 가장 늦은 시기(19세기)에 발간된 동여도의 경우에는 기존에 쓰였던 금
강성이 金剛城山이라는 지명으로 바뀌어 제작되었다.

　　고지도 검토 결과 본고 Ⅱ장의 영천 대의리 성지가 이 입지하고 있는 고촌천 자호천 금호강
의 세 하천이 합류하는 지형이 고지도상에 비슷하게 표현되어 있고, 성의 위치 역시 현재의 대
의리 성지와 거의 일치하고 있어 영천 대의리 성지와 문헌기록의 금강산성은 동일한 성지로 생

각된다. 지표조사 당시 채집된 유물 역시 문헌 기록과 같은 연대로 판단된다.

VI. 맺음말

끝으로 본고의 내용을 정리하면서 맺음말을 대신하고자 하며, 지표조사라는 한계성으로 인해 원고 기술에 있어 많은 오류가 있음을 필자 스스로 인정하며, 향후 증가된 자료를 통해 이와 같은 문제를 지속적으로 보완하고자 한다.

영천 대의리 성지는 삼국시대 신라의 대외 진출로 가운데 경주를 중심으로 낙동강 중·상류 지역(영천-대구-선산-구미, 영천-의성(소문국))으로 진출하는 교통 및 군사적 요충지에 축성된 성지로서 적군의 침입이 쉽지 않은 천혜의 지형조건 속에 축성된 성지이다. 성지에 대한 분석 결과 체성의 둘레가 1,753m로 영천지역에서 가장 큰 대규모 성지이며, 지표조사에서 채집된 토기편의 연대와 성벽의 축조 방법 등을 선행 연구 결과와 종합할 때 5세기~고려시대 어느 시점까지 산성으로서의 기능적 역할을 하고 있었으나, 조선시대 폐성되어 군사적·행정적 기능은 상실했던 것으로 추정된다. 그리고 성벽 축성을 위한 채석장과 내·외부시설, 체성의 규모 및 형태 분류, 완산동 고분군과의 조합 양상 등으로 판단할 때 5세기 이미 영천지역의 중심읍락을 다스리기 위해 읍락 중심지의 배후 산악지에 대규모로 축성되어 있었던 거점 방어성으로서 신라의 직접 지배하에 산성을 축성하였을 가능성이 높다. 따라서 영천 대의리 성지는 위의 상황을 종합적으로 검토할 때 5~6세기 영천지역에서 가장 중심적인 성지로 추정된다.

그리고 이재수의 논고처럼 골화소국 당시 축성되었다고 볼 수 있는 고고학적 근거는 아직 확인되지 않고 있는 상황으로서 골화소국의 복속기사 연대인 최소 3세기까지 대의리 성지의 초축 연대를 올려보기는 어려울 것으로 판단된다. 이는 차후 완산동 고분군 발굴조사와 함께 연계하여 좀 더 많은 자료가 확보되어야 정확한 대의리 성지의 초축연대가 밝혀질 것으로 생각된다.

금강산성의 경우 17~19세기에 발행된 조선시대 후기 고지도인 조선지도와 청구도, 대동여지도, 동여도에 金剛城(金剛城山)이라는 명칭이 표기되어 있고, 본고 II장의 영천 대의리 성지가 이 입지하고 있는 고촌천·자호천·금호강의 세 하천이 합류하는 지점의 지형이 고지도상에 비슷하게 표현되어 있는 점과, 성의 위치 역시 현재의 대의리 산성과 거의 일치하고 있어 영천 대의리 산성과 문헌기록의 금강산성은 동일한 성지로 판단된다.

【참고문헌】

『三國史記』
『新增東國輿地勝覽』
『永陽誌』
『邑誌』
『慶尙道地理志』

金龍星,『新羅의 高塚과 地域集團-大邱·慶山의 例』, 춘추각, 1999.
서영일,『신라 육상 교통로 연구』, 학연문화사, 1999.
손영식,『한국 성곽의 연구』, 문화재관리국, 1987.
潘永煥,『韓國의 城郭』, 1978.
이희준,『신라고고학연구』, 사회평론, 2007.

문화재관리국,『文化遺蹟總覽』, 1977.
永川市·大邱大學校博物館,『文化遺蹟分布地圖-永川市-』, 1999.
(재)경북문화재연구원,『대구-포항간 고속도로 신설구가 문화유적 발굴조사 보고서』, 2002.
(재)성림문화재연구원,『신녕-영천1 국도확장공사구간내 영천 화남리 신라묘군Ⅲ』, 2015.
_____,『영천 금강산성 학술지표조사 보고서』, 2014.

김윤아,『고대 산성의 집수시설에 대한 연구』, 한양대학교 대학원 석사학위논문, 2007.
박종익,『삼국시대의 산성에 대한 일고찰』, 동의대학교 석사학위논문, 1993.
白永鐘,『5~6세기 신라산성 연구-소백산맥 북부일원을 중심으로-』, 단국대학교 대학원 석사학위논
        문, 2007.
이인숙,『통일신라~조선전기 평기와 제작기법의 변천』, 경북대학교 대학원 석사학위논문, 2004.
李熙濬,『4~5세기 신라의 고고학적 연구』, 서울大學校 文學博士學位論文, 1998.
정창희,『5~6세기 대구 낙동강안 정치체의 구조와 동향』, 경북대학교 대학원 석사학위논문, 2004.
趙晶植,『洛東江 中流域 三國時代 城郭 硏究』, 慶北大學校 大學院 碩士學位論文, 2005.

강종훈,「대구·경북 지역 삼국시대 신라 성지의 조사 및 연구」,『대구사학』제77집, 대구사학회,
        2004.
김병희·백영종,「고대·성곽 성문 축조기법에 대한 연구 Ⅰ 신라 현문식 성문과 출토 철제품(확쇠)
        를 중심으로-」,『2007후쿠오카교류 한일국제학술대회』, 2007.

김호준·강형웅·강아리, 「고대산산성의 지표조사 방법」, 『야외고고학』 제4호, 2008.

朴相允, 「忠北의 山城에 관한 歷史地理的 研究」, 『清州地理』, 2000.

윤무병·성수탁, 「백제산성의 신유형」, 『백제연구』 6, 충남대학교 백제연구소, 1976.

李在洙, 「骨火城에 대하여 -骨火小國과 關聯하여-」, 『骨伐』 제7집, 永川鄕土史學研究會, 2002.

조효식, 「5세기 말 가야와 신라의 국경」, 『고대 동북아시아 역사지도의 현황과 과제-역사지도, 어떻게 만들어야 좋은가?』, 동북아재단, 2007.

_____, 「낙동각 중류역 삼국시대 성곽의 변천과 방어체계」, 『영남고고학』 제44호, 영남고고학회, 2008.

_____, 「영남지역 삼국시대 성곽의 지역별 특징」, 『영남고고학』 45호, 영남고고학회, 2008.

龍仁 할미산성의 遺物 出土 樣相과 性格

姜眞周*

目 次

Ⅰ. 머리말

할미산성은 경기도 용인시 처인구 포곡읍 마성리와 기흥구 동백동의 경계에 위치한 할미산(해발 349m)의 정상부를 중심으로 축조된 석축산성이다. 지형은 동쪽으로 광주산맥이 지나고, 동남쪽에는 차령산맥이 뻗어있는 등 높은 산지에 둘러싸인 분지에 해당한다. 분지 내에는 산지에서 발원한 탄천, 오산천, 경안천 등이 흐르고 이 하천의 침식분지를 따라 고대로부터 교통로가 형성되었다.

이 성에 대해서는 『增補文獻備考』에 廢城된 姑母城[1]으로 처음 기록된 이후 다른 地誌類에는 나타나지 않다가, 1998년 충북대학교 중원문화연구소의 지표조사를 통해 새롭게 알려지게 되었다.[2] 이후 2004년부터 2005년에 걸쳐 경기도박물관에 의해 시굴조사[3]가 이루어지고 2011년부터 현재까지 한국문화유산연구원에 의해 4차에 걸친 발굴 조사가 진행[4]되고 있다.

---

* 국립한국교통대학교 강사
※ 본고는 "한국문화유산연구원, 2015, 용인 할미산성 발굴조사 성과와 보존활용 방안" 학술 심포지움의 발표문을 수정·보완하였다.
1) 『增補文獻備考』 卷26, 興地考14 關防2 城郭.
　 "姑母城 備局謄錄 並有廢城"
2) 충북대학교 중원문화연구소, 「할미산성」, 『용인의 옛성터』, 1999.
3) 경기도박물관, 『龍仁 할미산성』, 2005.
4) 한국문화유산연구원, 『龍仁 할미산성Ⅱ』, 2014.
　 ＿＿＿＿＿＿＿, 『龍仁 할미산성Ⅲ』, 2015.

할미산성은 시굴조사 당시 출토된 유물들을 통해 신라 북진기에 한시적으로 사용한 유적으로 주목을 받았다.[5] 다른 한강유역의 산성들이 삼국이 의해 번갈아 가며 점유되었던 것과는 달리 순수 신라산성으로 알려짐에 따라 6세기 중엽 신라의 산성의 축조 기법과 유물 양상들을 볼 수 있는 좋은 편년적 자료로 이용되었다. 그러나 현재 4차까지 조사가 이루어지면서 예상과는 달리 좁은 면적에 비해 주거지, 집수지, 굴립주 건물지, 다각건물지, 방형건물지, 수혈유구 등 많은 유구가 분포하고 2차 발굴조사 시 백제 토기가 2호 원형 수혈에서 확인됨에 따라 유적의 성격과 시기에 대한 재검토를 요하는 상황에 놓이게 되었다.

따라서 본고에서는 유적의 사용시기와 성격에 대해 도움이 되고자 출토된 유물 중 가장 많은 비중을 차지하는 토기와 금속제품을 중심으로 유물의 종류와 출토양상을 살핀 후 기종별로 분류를 시도하여 특징을 검토하도록 하겠다.[6]

Ⅱ. 기종 및 출토 양상

시굴 및 1·2차 발굴조사에서 많은 수의 유물이 출토되었으며 종류는 토기류, 기와류, 금속제류, 석제품 등으로 자기류나 목재류는 확인되지 않았다. 가장 많은 수를 차지하는 것은 토기류로 개체별 특징이 드러나는 것을 위주로 선별하였으며 나머지 기와류, 금속제류, 석제품 등은 비교적 적은 량이 수습되어 대부분 보고하였다.

표 1) 용인 할미산성 출토 종류별 유물 개체수

종류	토기류	금속제류	석제품	기와류	계
수량(점)	758	95	8	5	866
비율(%)	87.5	11.0	0.9	0.6	100

보고된 유물의 개체수를 분석한 결과 표1)과 같이 토기류〉금속제류〉석제품〉기와류 등의 순으로 나타났으며 토기류가 전체 유물의 87.5%로 가장 많은 수를 차지하고 있다. 다음으로 금속

_____,「용인 할미산성 3차 발굴조사 학술자문회의 자료」, 2015.
_____,「용인 할미산성 3·4차 발굴조사 학술자문회의 자료」, 2015.
_____,「용인 할미산성 3차 발굴조사 제2차 학술자문회의 자료」, 2015.
5) 백종오·오강석,「용인 할미산성의 축성방법과 시기」,『한국성곽학회 2005년 추계학술대회』, 한국성곽학회, 2005.
　백종오,「할미산성의 고고학적 검토」,『용인의 할미산과 할미산성』, 용인향토문화연구회, 2010.
6) 현재, 3·4차 조사가 함께 진행되고 있는 상황이기 때문에 여기서는 발간된 시굴조사와 1·2차 발굴보고서에 수록된 유물을 분석대상으로 하였다. 3·4차 조사에서 출토된 유물은 시기와 성격을 검토하면서 개략적으로 함께 살펴보도록 하겠다.

제류가 95점으로 11%를 차지하며, 나머지는 1% 미만의 비율을 보이고 있다.

　시굴조사는 성의 북쪽을 중심으로 시계방향으로 A~F지역까지 나누어 조사하였다. 1차 발굴조사는 시굴조사시 D지역이었던 성의 남쪽 회절부의 성벽과 내부를 발굴하여 5기의 주거지와 2기의 원형수혈, 수혈군 등을 확인하였다. 2차 발굴은 시굴조사시 공유벽이라 불렸던 축대시설과 북쪽 성벽과 성내 평탄지 부분에서 집수시설을 비롯하여 13기의 주거지, 6기의 원형수혈, 석렬유구, 적석유구, 수혈유구, 목책렬, 가마 등 여러 성격의 유구를 발견하였다.

표 2) 용인 할미산성 출토 조사별 유물 개체수

종류	토기류			금속제류			석제품			기와류			계
	시굴	1차발굴	2차발굴	시굴	1차발굴	2차발굴	시굴	1차발굴	2차발굴	시굴	1차발굴	2차발굴	
수량(점)	298	181	279	3	23	69		2	6		1	4	866
계	758			95			8			5			

　표2)에서 보이듯, 토기류는 시굴과 2차발굴조사에서 가장 많은 수가 수습되었으며, 금속류는 2차 발굴조사 지역이었던 성내 가장 높은 지역인 북쪽지역에서 집중되는 경향을 보였다. 석제품은 2차 발굴조사시 3호 주거지에서 출토된 숫돌을 제외하고 모두 지표에서 수습되었으며 8점 중 5점이 숫돌이며 1점은 석부, 2점은 용도 미상이다. 기와는 집수시설에서 확인된 1점을 제외하고 모두 지표에서 수습되었다. 1점만이 암키이고 나머지는 모두 수키와로 판단되며 문양은 2차조사시 수습된 기와 중 1점에서 승문이 시문되고 나머지는 모두 무문이다. 기와는 개체 수량이 워낙 적기 때문에 시기나 특징을 찾아보기 어렵다.

　할미산성에서 가장 많은 개체수를 차지하는 토기류를 기종별, 출토 지역별로 분류한 결과 표3)과 같이 확인되었다. 기종은 고배, 뚜껑, 완, 대부호, 호·옹류, 동이, 시루, 병, 접시, 합 등 10가지로 파악되었으며, 파수는 1점을 제외하고는 모두 우각형으로 주로 동이나 시루의 손잡이였을 것으로 보인다. 기타는 기형을 알 수 없는 편과 방추차 4점이다. 토기편은 동체와 저부편으로 대부분 호나 옹의 편으로 추정되지만 무리한 기종 추정은 하지 않았다.

　기종별 비율로 보면, 호·옹류가 26.8%로 가장 많은 비중을 보였으며 고배〉완〉뚜껑〉동이 등의 순이고 나머지는 소량으로 파악되었다. 시굴 조사에서는 수구가 확인된 남동벽안쪽에서(CS Tr.) 가장 많은 토기가 출토되었는데 다른 시설물은 확인되지 않았다. 발굴조사서 확인된 유구에서는 집수시설이 43점으로 가장 많고, 유구보다는 지표에서 다량 수습되었다.

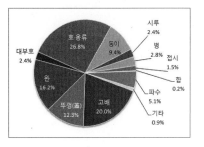

도 1) 할미산성 출토 토기의 기종 및 비율

표 3) 할미산성 시굴조사 및 1·2차 발굴조사 유구별 토기 출토 현황

출토지역		기종	고배	뚜껑(蓋)	완	대부호	호·옹류	동이	시루	병	접시	합	파수	기타	토기편	소계
시굴조사		A	6	4	11	2	3	2	·	·	·	·	1	·	37	66
		B	·	·	·	·	·	2	1	1	·	·	1	·	2	7
		CN	2	5	2	·	7	1	1	·	·	·	2	·	13	33
		CS	12	8	10	3	23	6	1	1	1	·	3	·	52	120
		D	1	4	6	·	2	1	·	·	1	·	·	·	8	23
		E	3	2	3	·	2	1	1	3	·	·	·	·	8	23
		지표	7	2	4	·	2	1	·	·	·	·	·	·	10	26
1차 발굴 조사		南회절부 성벽트렌치	20	5	14	2	16	11	1	1	3	1	2	·	15	91
		1호주거지	1	·	1	·	1	·	·	·	·	·	·	·	·	3
		2호주거지	3	·	·	·	·	·	·	·	·	·	·	·	1	4
		3호주거지	·	3	1	·	6	3	1	1	·	·	1	·	8	24
		4호주거지	2	2	1	·	1	·	·	·	·	·	·	·	5	11
		5호주거지	2	·	·	1	2	·	·	·	·	·	·	·	·	5
		1호원형수혈	·	·	·	·	·	·	·	·	·	·	·	·	1	1
		2호원형수혈	·	·	·	·	·	·	·	·	·	·	·	·	·	
		수혈군	·	·	1	1	1	·	·	·	·	·	1	·	·	4
		지표	4	6	7	2	9	1	1	·	·	1	·	·	7	38
2차 발굴 조사	I 지점	집수시설	9	1	6	·	15	1	·	2	·	·	·	·	9	43
		1호주거지	·	·	1	·	2	·	·	1	·	·	·	1(방추차)	1	6
		2호주거지	·	·	1	·	1	2	·	·	·	·	·	·	2	7
		3호주거지	·	·	·	·	·	·	·	·	·	·	·	·	·	
		4호주거지	1	1	·	·	1	·	·	·	·	·	·	1(방추차)	·	4
		5호주거지	·	·	·	·	·	·	·	·	·	·	·	·	·	
		6호주거지	·	·	·	·	1	·	·	·	·	·	·	·	3	4
		7호주거지	·	·	1	·	1	·	1	·	·	·	·	·	2	5
		8호주거지	1	·	2	·	3	·	·	·	·	·	·	·	1	7
		9호주거지	·	·	·	1	2	1	·	·	·	·	·	·	1	5
		10호주거지	·	·	·	·	·	·	·	·	·	·	·	·	·	
		11호주거지	1	·	·	·	·	·	·	·	·	·	·	·	2	3
		12호주거지	·	·	·	·	·	·	·	·	·	·	·	·	·	
		13호주거지	1	2	·	·	·	·	·	·	·	·	·	1(방추차)	·	4
		1호원형수혈	·	·	·	·	·	1	·	·	·	·	·	·	1	2
		2호원형수혈	1	·	·	·	1	·	·	·	·	·	·	·	·	2
		3호원형수혈	1	1	·	·	2	·	1	·	·	·	·	·	3	8
		4호원형수혈	1	2	1	·	1	1	·	1	·	·	·	·	2	9
		5호원형수혈	·	·	·	·	·	·	·	·	·	·	·	·	·	
		6호원형수혈	·	·	·	·	·	·	·	·	·	·	·	·	·	
		석렬유구	·	·	·	·	·	·	·	·	·	·	·	·	·	
		적석유구	·	·	·	·	·	·	·	·	·	·	·	·	·	
		수혈유구	·	·	·	·	1	·	·	·	·	·	·	·	1	2
		목책렬	·	·	·	·	·	·	·	·	·	·	·	·	·	
		지표	28	18	14	1	37	13	4	3	2	·	15	2(미상1, 방추차1)	14	151
	II 지점	축대시설	·	·	·	·	1	·	·	·	·	·	·	·	·	1
		가마	·	·	1	·	·	·	·	·	·	·	·	·	2	3
		지표	2	1	·	·	5	·	·	1	·	·	2	·	2	13
계			109	67	88	13	146	51	13	15	8	1	28	5	213	758

1차 발굴조사 지역인 남쪽 회절부에서는 남동쪽과 남서쪽 성벽에 기대어 설치한 트렌치에서 가장 많은 90여점의 유물이 보고되었다. 기종 중에서는 고배가 가장 많은 비율을 차지하며 호·옹류와 완의 비율도 높게 나타나고 있다.

주거지는 모두 방형으로 5기가 확인되었는데, 이중 가장 다양한 토기 기종이 확인된 것은 3호 주거지이다. 3호주거지 내 중앙에는 원형수혈이 위치하는데 이는 주거지와 동시기 혹은 주거지 사용 중 부가된 것으로 추정되었다. 때문에 원형수혈을 주거지의 부속시설로 보았으나 내부에서 유물은 출토되지 않았다.[7] 3호주거지가 어떠한 성격을 가졌는지는 다른 주거지들의 상태 또한 모두 양호하지 않아 알 수 없다. 다만, 부장용 혹은 제의용으로 여겨지는 고배편들이 3호 주거지를 제외한 다른 주거지에서는 모두 출토되는 양상이 확인된다. 수혈군은 목주의 흔적이 발견되고 수혈간의 거리가 일정하여 고상식 건물로 추정되었다. 여기에서는 완·부가구연장경호·호 편 등이 수습되었으며 시기는 성벽 축조시점과 동시기 또는 선행하는 것으로 보고 있다.[8] 이외 두 기의 원형수혈에서는 호의 잔편 외에는 발견된 것이 없어 성격과 시기를 판단하기 어렵다.

2차 발굴조사는 성의 북쪽(Ⅰ지점)과 시굴조사시 일명 공유벽이라 지칭되었던 축대시설(Ⅱ지점)에 대한 조사가 이루어졌다. 성의 북쪽에서는 집수시설을 비롯한 많은 유구가 확인되었는데, 이 중 집수시설에서 많은 양이 보고되었다. 집수시설은 정상부 평탄대지에 위치하며 규모는 장축 12.2m, 단축 5.9m, 최대깊이 2.8m로 암반을 수직으로 굴착하여 조성하였다. 2차에 걸쳐 사용한 것으로 추정되며 1차는 암반을 굴착한 후 네 면에 점토를 채운 점토집수지이고 유물은 고배·뚜껑·완·병·호·동이·철촉·철겸 등 45점이 보고되었다. 2차는 석재를 1~4단 정도 말각장방형의 형태로 쌓아 올려 사용하였는데, 유물은 수습되지 않았다. 주거지와 원형수혈에서는 대부분 3가지 정도의 기종만 수습된 반면, 4호 원형수혈이 적은 수량이나 고배·뚜껑·완·호·동이 등 다양한 기종이 확인되었다. 4호 원형수혈은 6호와 7호 주거지 인근에 위치하는데 6호 주거지가 7호 주거지 보다 먼저 조영되고 4호 원형수혈 또한 7호 주거지 보다는 앞서 조영된 것으로 보고 있다.[9] 또한, 3호 원형수혈에서는 뚜껑·고배·시루·호·철도자 등이, 4호에서는 뚜껑·고배·완·병·호·동이 등이 출토되었다. 이들 3호와 4호 원형수혈에서 수습된 목탄의 연대측정값은 각각 580년과 620년으로 측정되었다. 이외 석렬·적석·수혈·유구 등과 목책렬, 축대시설 추정 가마 등에서는 유물이 없거나 1~2점만 있어 성격과 시기를 파악하기 어렵다.

---

7) 3호 주거지 부뚜막 내부서 수습된 시료의 AMS 값이 BP 1530±40으로, 교정연대가 520년에 해당하는 것을 보고되었다(한국문화유산연구원, 앞의 보고서, 2014, p.87 및 pp.134~135).

8) 한국문화유산연구원, 앞의 보고서, 2014, p.110.

9) 한국문화유산연구원, 앞의 보고서, 2015, p.82.

표 4) 할미산성 시굴조사 및 1·2차 발굴조사 유구별 금속유물 출토 현황

출토지역		기종	철촉	소도	철겸	보습	괭이	철서	삼도	철분	철착	철정	도자	가위	이식	소찰	교구	철환	미상	소계
시굴		CS	2	·	·	·	·	·	·	·	·	·	·	·	·	1	·	·	·	3
1차 발굴조사		南회절부 성벽트렌치	4	·	2	1	1	·	·	·	·	1	1	·	1	·	·	·	4	15
		1호주거지	·	·	·	1	·	·	·	·	·	·	·	·	·	·	·	·	·	1
		3호주거지	·	·	·	·	·	·	·	·	·	·	·	·	·	·	·	·	1	1
		5호주거지	·	·	·	·	·	·	·	·	·	·	·	·	·	·	·	·	2	2
		지표	1	·	·	·	1	·	·	·	·	·	·	·	·	1	·	·	1	4
2차 발굴조사	I 지점	집수시설	1	·	1	·	·	·	·	·	·	·	·	·	·	·	·	·	·	2
		1호주거지	·	·	1	1	1	1	1	1	1	1	1	·	·	1	1	·	1	12
		3호주거지	·	·	·	·	·	·	1	·	·	·	·	·	·	·	·	·	·	1
		4호주거지	·	·	1	·	·	·	·	·	·	·	·	·	·	·	·	·	·	1
		7호주거지	·	·	·	·	·	·	·	·	·	·	·	1	·	·	·	·	·	1
		8호주거지	1	·	·	·	·	·	·	·	·	·	1	·	·	·	·	·	·	2
		9호주거지	1	·	·	·	·	·	·	·	·	·	1	·	·	·	·	·	1	3
		3호원형수혈	·	·	·	·	·	·	·	·	·	·	2	·	·	·	·	·	·	2
		5호원형수혈	·	·	·	·	1	·	·	·	·	·	·	·	·	·	·	·	·	1
		지표	28	1	2	1	·	·	·	·	·	1	·	·	·	2	2	2	2	41
	II지점	지표	·	·	1	·	1	·	·	·	·	·	·	·	·	·	1	·	·	3
계			38	1	8	4	5	1	2	1	1	3	6	1	1	5	4	2	12	95

금속유물은 동지금박이식 1점을 제외하고 모두 철제류이며 기종은 15가지로 95점이 출토되었다. 철촉이 가장 많은 비율을 차지하며 용도 미상을 제외하고 철겸, 도자, 괭이, 소찰 등이며 5점 이상 보이고 나머지는 1~2점이다.

금박이식은 장신구이며, 철제류는 주로 무기와 농공구로 사용된 기종들이다. 철제류는 토기 다음으로 많은 수량 출토되었으며, 2차 발굴조사에

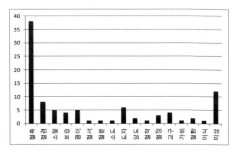

도 2) 금속유물 기종과 개체수

서 전체의 70%정도의 수량이 보고되었는데, 대부분 I지점에 해당된다. I지점은 성에서 가장 높은 지점인 북쪽에 해당되며 내부에 평탄지가 형성되어 있다. 특히 1호주거지에서 11기종에 달하는 철기가 출토되어 주목된다. 이러한 금속유물에 대한 형태와 기능에 대해서는 다음 장에 서 보다 자세히 살펴보도록 하겠다.

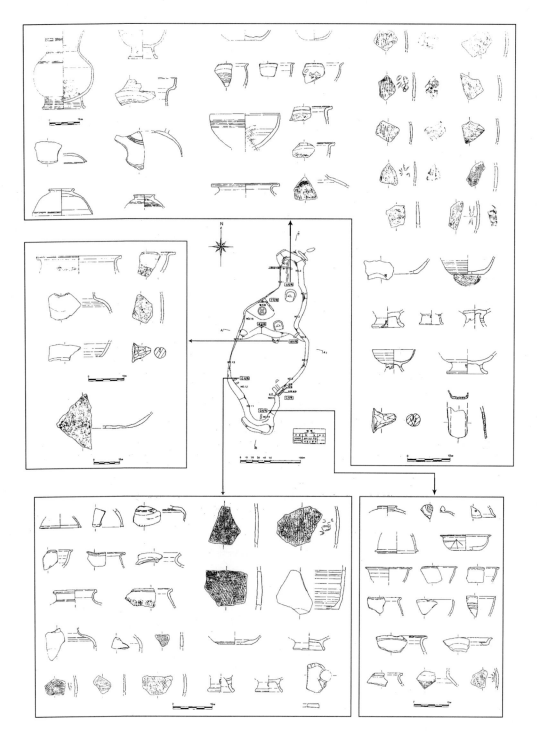

도 3) 할미산성 시굴조사 지역별 출토 유물 – A · B · C · D지점
(백종오, 앞의 논문, 2010, p.27, 전재)

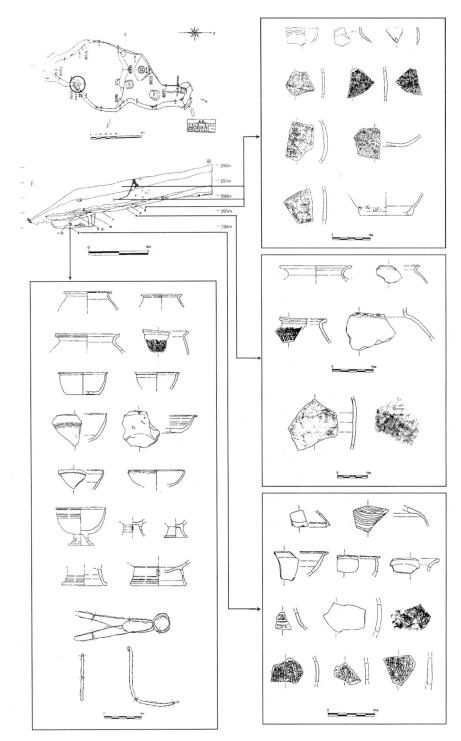

도 4) 할미산성 동벽 CS Tr. 수구지 출토 유물
(백종오, 앞의 논문, 2010, p.29, 전재)

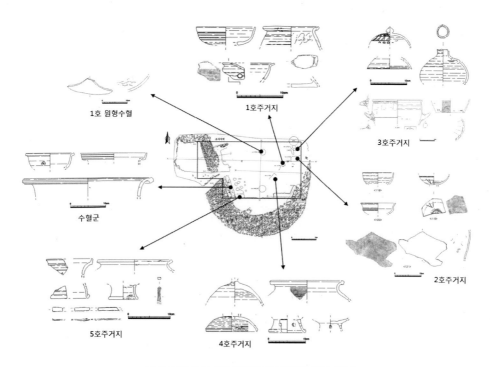

1호 원형수혈

1호주거지

3호주거지

수혈군

2호주거지

5호주거지

4호주거지

도 5) 할미산성 1차 발굴조사 유구별 출토 유물

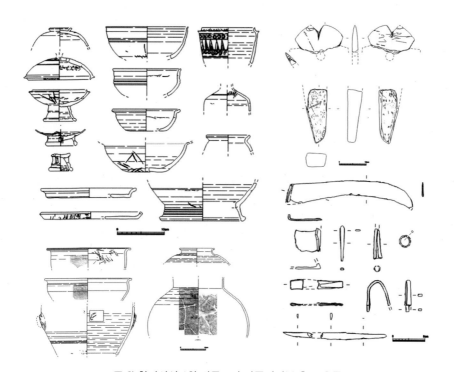

도 6) 할미산성 1차 발굴조사 남동회절부 출토 유물

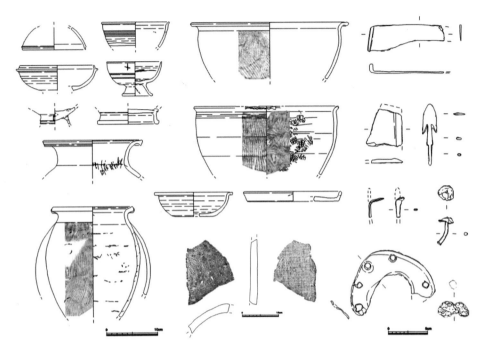

도 7) 할미산성 1차 발굴조사 남서회절부 출토 유물

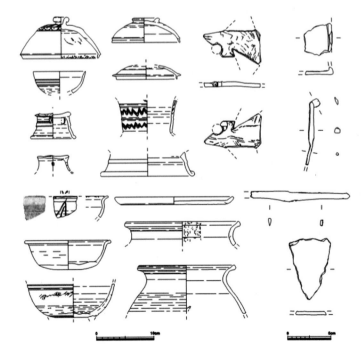

도 8) 할미산성 1차 발굴조사 지표 수습 유물

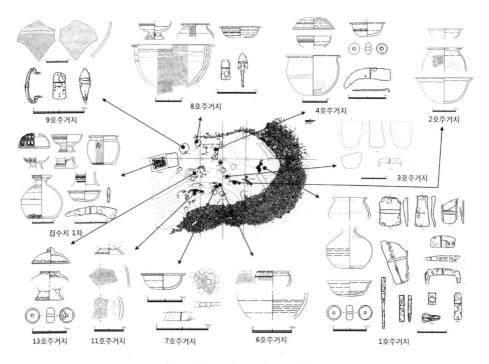

도 9) 할미산성 2차 발굴조사 주거지 출토 유물

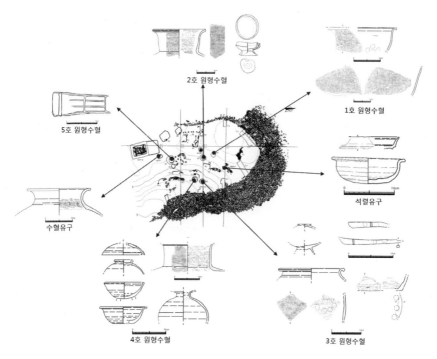

도 10) 할미산성 2차 발굴조사 원형수혈 · 석렬유구 · 수혈유구 출토 유물

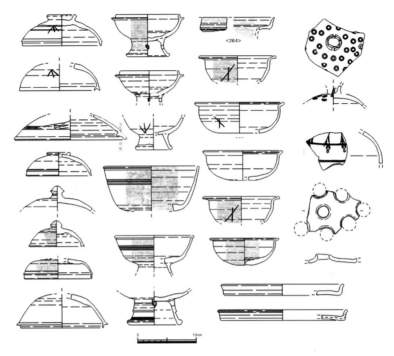

도 11) 할미산성 2차 발굴조사 Ⅰ지점 지표수습 유물1

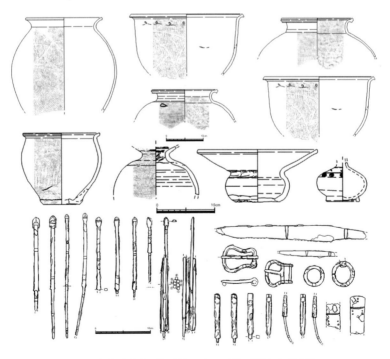

도 12) 할미산성 2차 발굴조사 Ⅰ지점 지표수습 유물2

Ⅲ. 분류 및 특징

1. 토기류

1) 고배

고배는 접시보다 깊은 배신에 대각이 다린 그릇을 말한다. 이러한 형태는 백제토기에도 나타나지만 신라토기는 긴 대각에 투창[10]이 뚫려있는 것이 특징이다. 생활유적이나 고분유적에 상관없이 출토되며 제의와 관련하여 사용된 것으로 추정된다.

용인 할미산성에서는 유개·무개 고배가 모두 확인되며 대부분 완형보다는 편으로 출토되었으며 보고서에 수록된 것은 109점이다. 1점을 제외한 108점은 모두 신라고배이며, 2차 발굴조사에서 Ⅰ지역 2호 원형수혈에서 백제고배 1점이 수습되었다.

신라 고배는 구연의 형태에 따라 유개고배와 무개고배로 나뉘며 전자는 뚜껑받이턱이 돌출된 것이고 후자는 직립한 것을 말한다. 주로 개와 함께 출토되고 유개고배에는 드림부형태가 'ㅏ'자인 개가, 무개고배에는 'ㅅ'자형 개가 대체로 짝을 이룬다. 먼저, 유개고배는 8점이 확인되었는데, 구연의 형태는 표5)와 같다.

표 5) 유개고배 구연부 형태

A	B	C

A형은 구연이 직립하고 뚜껑받이 턱이 평행하게 얕게 나온 형태이며, B형은 구연이 내경하고 뚜껑받이턱이 위로 살짝 올라와 있다. C형은 구연과 뚜껑받이턱이 짧고 받침턱이 거의 구연과 같은 위치까지 올라와 있는 형태이다. A형은 3점, B형은 4점, C형은 1점이 확인되었다.

무개고배는 31점이 수습되었다. 구연의 형태 총 4가지로 확인되는데, A·B형은 직립한 형태로 A형을 끝이 둥글고 B형은 비교적 뾰족하게 표현하였다. C·D형은 끝이 외반된 형태로 C형은 끝만 외반되었으며, D형은 굴곡진 동체에서 외반된 형태이다. 무개고배는 대체로 구연 아래

---

10) 본고에서 투창과 투공을 구분해서 사용하고자 한다. 투창은 전기양식토기의 고배나 혹은 후기양식토기 초에 나타나는 것으로 배신 보다 긴 대각에 장방형 혹은 사다리꼴 모양의 구멍을 낸 것을 말한다. 투공은 형태는 같지만 한변의 크기가 1cm 내외로 투창에 비해서 매우 작아진 것을 말한다. 후기에 들어서 투공은 현저히 낮아진 대각에 형식상으로만 남게 되는 것으로 여겨지며 점차 무투공화되어간다. 이처럼 투창과 투공은 전기양식과 후기양식을 나누는데 중요한 요소로 작용한다.

와 동체에 2~3줄의 횡선을 돌리는 것이 특징이다.

표 6) 무개고배 구연부 형태

A	B	C	D

완형으로 추정될 수 있는 무개고배는 모두 4점이 출토되었다. 유개고배에 비해 배신의 높이와 크기가 큰 것을 알 수 있다. 대각은 투공과 무투공이 모두 있으며 각단은 밖으로 외반되어 둥글게 처리하였다.

고배의 대부분은 구연과 각단부분이 결실된 것이 많은데, 할미산성에서는 모두 18점이 확인되었으며, 대각 부분만 잔존하는 것은 50점이 수습되었다. 우선 각단까지 남아있는 편을 중심으로 투공 대각과 무투공 대각을 나누어 볼 수 있다. 대각의 높이는 약 2~5cm 전후이며, 저경은 5~11.8cm 까지 확인되었다. 대각에는 돌개 있는 것과 없는 것이 관찰되며 투공은 1단만 나타났으며, 2단 투공은 확인되지 않았다. 대각편 중 투공이 있는 것이 37점으로 무투공 22점보다 많은 양을 보였다.

표 7) 고배 각단 형태

a	b	c	d	e

고배의 각단의 형태는 표7)과 같이 5가지 형태로 분석되었다. 각단 부분의 형태로만 볼 때, a형은 18점, b형 28점, c형 2점, d형 3점, e형 1점이다. 각단을 밖으로 둥글게 조성한 것이 가장 많은 수를 차지하였다.

표 8) 할미산성 완형 고배 형식

유개고배		무개고배		
①B-b	②B-c	③A-a	④C-b	B-e

①1차-남동회절부 ②2차-지표 ③2차-Ⅰ지점집수1차 ④시굴-북A지역 ⑤시굴-동CS Tr.8층

완형으로 추정되는 편에서 보면, 유개고배는 B형에서 각단이 c와 b가 결합되고 무개고배는 A-a, C-b, B-e가 확인된다. 적은 양의 완형의 고배에서도 각단이 여러 가지로 나타나는 것으로 보아 정형화된 형식을 아직까지 판단하기 어렵다.

2) 뚜껑(蓋)

蓋는 그릇의 내용물에 잡물이 들어가는 것과 상하는 것을 막기 위해 그릇의 아가리를 덮는 諸具이다. 신라토기에서 개는 주로 고배와 대부완에 씌워졌다. 구연의 형태에 따라 구연형태가 다른 개가 쓰였는데, 뚜껑받이턱이 있는 그릇에는 'ㅏ'자형 구연이, 직립구연에는 'ㅅ'자형 구연의 개가 사용되었다. 통일기를 전후로 해서 고배가 사라지고 대부완이 유행하는데, 개 또한 'ㅅ'자형이 주로 짝을 이룬다. 꼭지의 형태는 지름이 큰 굽형과 가운데 부분이 거의 붙어 단추모양같이 보이는 것이 있다. 이 외에 단면이 마름모꼴인 보주형과 꼭지가 없는 접시형 뚜껑도 있다.

용인 할미산성에서 보고된 뚜껑은 총 67점이다. 개신의 단면 형태는 모두 대체로 '△'형으로 보여지며, 뚜껑 꼭지와 드림부의 형태가 다르게 나타나고 있다. 통일양식토기에서 나타는 '凸' 형 형태와 드림부는 확인되지 않았다.

표 9) 뚜껑 동체 형태

Ⅰ	Ⅱ	Ⅲ
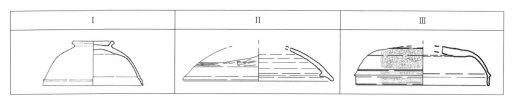		

표 9)와 같이 뚜껑은 대체로 '△'형이나 개신이 높은 형태와 낮은 형태 그리고 Ⅲ형과 같이 모가 둥근 방형의 형태도 나타나고 있다. 전체 중 개신의 형태를 알 수 있는 것은 28점으로 Ⅰ형은 11점, Ⅱ형은 16점, Ⅲ형은 1점이다.

표 10) 뚜껑 꼭지 형태

A(단추형)	B(굽형)	C(보주형)		

꼭지의 형태는 단추형, 굽형, 보주형으로 나뉘는데, 보주형은 대략 4가지 정도로 나뉘는데 개체수가 적어 형식을 따로 나누지는 않았다. A형인 단추형은 1점이 확인되며, B형은 17점, C은 9점이다.

표 11) 뚜껑 드림부 형태

a	b	c	d	e

드림부의 형태는 총 5가지로 나타나면 a형은 구연에서 거의 수평방향으로 얕게 턱을 조성했으며, b형은 구연이 내경한 형태, c형은 턱이 길고 사선으로 내려온 형태, d형은 안쪽으로 얕게 턱을 만든 형태, e형은 구연과 턱이 같은 짧게 같은 위치에 내려오거나 안턱이 살짝 들린 형태이다. a형은 11점, b형은 2점, c형은 8점, d형은 2점, e형은 12점이다.

뚜껑은 주로 Ⅰ-A·B-a·b가 조합되며, Ⅱ형은 C와 c·d·e가 결합된 형태가 많다. Ⅲ형은 2차 발굴조사시 지표에서 1점이 꼭지가 유실된 채 수습되어 형태를 알 수 없다.

Ⅰ-A·B-a·b이 조합된 형태의 경우 구경이 12~14cm 정도이며, Ⅱ와 d가 결합된 경우는 17~19cm, e는 주로 편이 많은데 구경이 추정되는 경우 10~12cm 정도로 확인되었다.

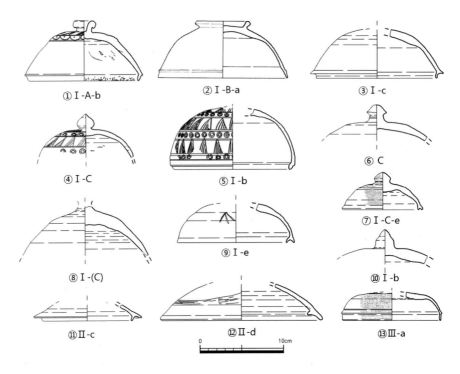

① Ⅰ-A-b   ② Ⅰ-B-a   ③ Ⅰ-c

④ Ⅰ-C   ⑤ Ⅰ-b   ⑥ C

⑦ Ⅰ-C-e

⑧ Ⅰ-(C)   ⑨ Ⅰ-e   ⑩ Ⅰ-b

⑪ Ⅱ-c   ⑫ Ⅱ-d   ⑬ Ⅲ-a

0   10cm

도 13) 할미산성 출토 뚜껑 형태
①⑪1차-지표 ②시굴-북A지역 ④1차-3호주거지 ⑤2차-Ⅰ집수1차
③⑥⑦⑨⑩⑫⑬2차-Ⅰ지표 ⑧1차-4호주거지

뚜껑에 시문된 문양은 삼각집선문+반원점문, 삼각집선문+이중원문이 있다. 삼각집선문+반원점문은 뚜껑과 인접한 개신 상부에 표현되었으며, 두 줄의 횡선으로 구획한 다음 위에는 삼각집선문을 아래는 반원점문을 두었다. 삼각집선+이중원문은 개신 전면에 시문되었는데 2줄의 횡선을 중심으로 위아래 삼각집선문과 이중원문을 둔 것을 1조로 모두 3조가 개신 전면에 표현되었다. 뚜껑과 개신의 일부가 남은 편에서 삼각집선문과 이중

표 12) 뚜껑 시문 문양

삼각집선문+반원점문	삼각집선문+이중원문

원문이 확인되었다(1차-3호주거지-124). 삼각집선문+이중원문이 있는 뚜껑은 Ⅰ-A-b이며, 삼각집선문+이중원문은 구연이 없는 편에서는 Ⅰ-C, 꼭지없는 편에서 Ⅰ-b로 나타났다. 이로 볼 때 삼각집선+이중원문은 Ⅰ-C-b 즉, 보주형 뚜껑에 반구형의 개신을 가지고 안으로 내경한 구연을 가진 뚜껑일 가능성이 있다.

3) 대부장경호

대부장경호는 대각이 달린 호를 말하며, 여기서는 부가구연대부장경호를 포함한다. 부가구연대부장경호는 6세기 이후부터 등장하며 횡구·횡혈식 고분의 출현과 직접적인 관련이 있는 것으로 보고 있다.[11] 형태는 그 명칭에 맞게 구연이 한번 꺾인 후 조성되었으며 저부에는 대각이 달려 있다. 세부적으로 보면, 구연은 사선으로 외반하거나 직립하였으며 부가구연은 수평하거나 사선으로 올라간 형태 등이 있다. 대각에는 방형 혹은 사다리꼴 모양의 투창이 이단 혹은

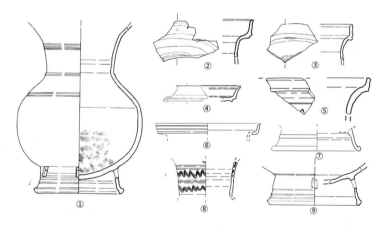

도 14) 할미산성 출토 (부가구연)대부장경호
①②시굴-북A지역③시굴-동CS Tr.외벽④2차-Ⅰ석렬유구
⑤1차-5호주거지⑥1차-수혈유구⑦⑧1차-지표⑨시굴-동CS Tr.8층

11) 홍보식, 『신라 후기 고분 문화 연구』, 춘추각, 2003.

일단으로 뚫려있고 각단은 돌출되거나 외반된 형태가 주류를 이룬다. 경부가 발달되었으며 최대경이 동체에 있어 동체지름이 구경이나 저경보다 크다.

용인 할미산성에서는 시굴조사시 구연을 제외한 거의 완형의 형태로 확인된 것과 부가구연 5점, 파상문이 시문된 경부 3점, 대각편 2점이 확인되었다. 시굴조사시 북서쪽 평탄지에서 확인된 장경호는 인위적으로 타격하여 결실된 것으로 보이며 경부 끝에서 수평을 꺾이는 것을 확인하여 부가구연대부장경호로 판단되었다. 동체는 최대경이 중간에서 위쪽으로 치우쳐있어 형태가 편구형이다. 대각에는 장방형의 투공이 5개 있으며 투공아래 2줄의 돌대가 돌아가고 있다. 또한, 3점의 부가구연은 구연의 길이에 차이는 있으나 구연이 꺾여 외반하고 구연아래 횡성을 돌린 것 등이 유사하게 관찰된다. 경부 혹은 경부와 견부의 경계에 돌대를 조성하였으며 밀집파상문이 시문된 편도 출토되었다.

4) 호 · 옹류

호는 음식을 저장하는 용기로써 높이가 50cm 넘는 것은 흔히 옹이라 말한다. 형태는 평저 혹은 원저의 저부이며 둥근 동체에서 외반된 구연으로 경부가 형성된다. 연질과 경질로 모두 만들어지며 동체에는 대부분이 타날문이 확인된다. 할미산성에서 호 · 옹으로 추정되는 것은 146점으로 완형 혹은 구연의 형태로 판단한 것이다. 토기편으로 분류된 것이 213점인데, 대부분 동체부편으로 호 · 옹의 잔편으로 여겨진다. 때문에 이를 포함하면 출토된 토기류 중 가장 많은 수량을 차지하고 있다.

표 13) 호 · 옹 구연부 형태

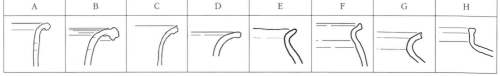

A	B	C	D	E	F	G	H

할미산성의 호 · 옹류는 우선 경부의 길이를 통한 장경호와 단경호로 구분되며, 구경이 15cm 이하인 소호로 구분 될 수 있다. 장경호는 대부분 구경이 20~40cm 사이로 크기와 형태로 보아 옹에 해당되는 것을 판단된다. 둥글게 외반되거나 구연에 두 개 홈을 돌려 굴곡지게 조성하였다. 단경호는 구경이 20cm 이하이며 비교적 짧은 경부에서 외반된 형태를 하고 있다. 구연은 장경호와 마찬가지고 둥글게 표현하거나 홈을 돌렸다. 구연부가 함께 있는 편을 통해 볼 때 장경호는 15점이며, 단경호는 36점, 소호는 18점 정도가 확인된다. 구연은 표13)에서와 같이 8가지이며 장경호와 단경호에서 E형을 제외하고는 모두 나타난다. 소호에서는 E · F · G형만 있고

나머지는 확인되지 않는다.

표 14) 호 · 옹 내외면 타날문 종류

외면			내면	
선문	격자문	선문중복	방사선문	선문

시문된 타날에 대한 전체적인 분석은 사실상 어려웠는데, 필자가 시굴조사 때 분석한 바로는 선문의 비율이 80%에 가까울 정도로 많았다.[12] 현재, 1 · 2차 보고서 상에서도 선문의 비율이 많으며 드물게 격자문이 확인된다. 또한 선문을 중복 타날하면서 격자와 같이 보이는 것도 있다. 내면에는 원형의 타날문이 얕게 시문된 것이 확인되며, 선문과 부채살문 등이 관찰된다.

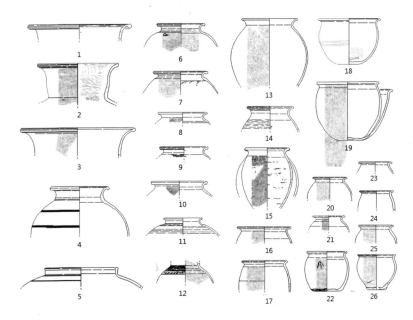

도 15) 할미산성 출토 호 · 옹류
1.1차-수혈 2.2차- I 2호원형수혈 3 · 24.2차- II지표 4 · 5 · 6 · 7 · 12 · 13 · 20 · 23 · 25 · 26.2차- I 지표
8 · 9 · 11 · 15.1차-남동회절부 10.1차-4호주거지 14.1차-지표 16 · 22.2차- I 지점 집수1차
17.2차- I 2호주거지 18.2차- I 4호주거지 19.2차-II지점 Tr.3 21.2차- I 9호주거지

---

12) 경기도박물관, 앞의 보고서, 2005, p.163.

5) 완

완은 소형 기종으로써 현재 우리가 사용하는 국그릇 형태에 외반된 구연을 갖고 있다. 신라 북진기에 증가하는 경향을 보이며 특히 한강유역 신라유적에서 높은 비율을 차지하고 있다. 형태적으로 외반된 구연에서 사선으로 내려와 편편한 바닥을 형성한다. 연질이 대부분이며 동체는 물레흔에 의해 굴곡이 진다. 할미산성에서는 바닥에 선문을 타날한 편이 5점 확인되었다. 구경은 대략 15cm를 전후로 하며, 높이는 5cm내외, 저경은 10cm 미만으로 만들어졌다.

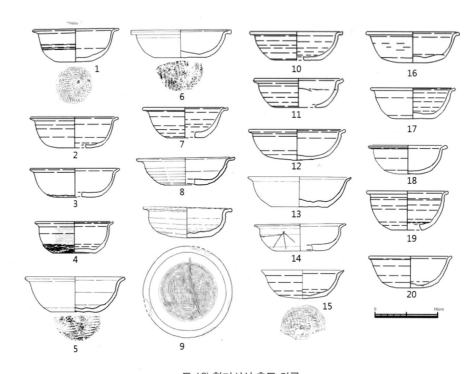

도 16) 할미산성 출토 완류
1.2차-Ⅰ4호주거지 2·3·4·19.Ⅱ-1지표 5·8.시굴-동CS Tr.외벽 6.시굴-시굴-동CS Tr. 5층
7.2차-Ⅰ4호수혈 9.2차-Ⅰ석렬 10·11.1차-남서회절부 12·17·20.2차-Ⅰ집수1차
13.시굴-북A지역 14.시굴-남D지역 15.1차-Ⅱ-1호주거지 16.1차-지표 18.2차-Ⅰ7호주거지

표 15) 완 구연 형태

A	B	C	D	E	F

용인 할미산성에서 보고된 완의 개체수는 88점이다. 완은 구연의 형태로 나뉠 수 있는데, A 형과 B형은 구연이 길게 외반하며 끝을 둥글게 혹은 반듯하게 조성했는지에 따라 구분하였다. C형은 짧게 외반하며 구순을 둥글게 하였으며, D형은 안에 홈을 돌렸다. E형은 끝이 뾰족하고 F형은 동체에 굴곡을 지면서 외반된 형태이다. A형은 7점이며, B형 10점, C형 22점, D형 11점, E형 2점, F형 4점 이다. 둥글게 외반한 C형이 가장 많이 확인되는 유형이다.

6) 병

병은 물이나 술 등의 액체 음료를 담는 목이 좁은 용기이다. 고분에 부장되기도 하나 대부분 생활유적에서 출토되는 것으로 보아 실생활용기로 여겨진다. 한강유역에서는 신라유적 중 고 분이나 생활유적에 상관없이 모두 확인된다. 병은 바닥의 형태와 굽의 유무에 따라 바닥이 편 평한 평저병과 굽이 부착된 대부병으로 나뉜다.

용인 할미산성에서는 10점의 병이 확인되었는데, 구연이 있는 경우 모두 부가구연이었으며 평저 2점, 굽이 달린 병이 1점이다. 동체의 최대경은 중앙에 있으며 평저의 경우 바닥과 동체가 만나는 부분에 깎기 조정을 하였다. 모두 표면이 박락되어 연질을 띠는 굽 달린 병을 제외하고 회색 혹은 회청색을 띠는 경질이다. 굽이 달린 병의 경우 견부에 횡선을 돌리고 상부에는 회오 리 문양을 돌리고 하부에는 다변화문 11개를 돌려가며 시문하였다. 같은 문양을 압인한 것으로 여겨지나 통일기 이후에 등장하는 문양과는 다른 형태이며, 통일기 인화문에서 다변화문의 경

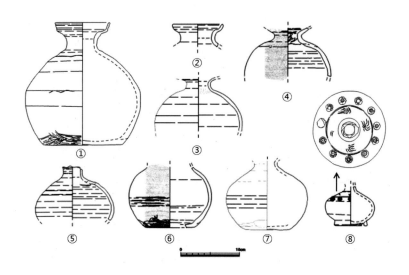

도 17) 할미산성 출토 병류
①2차-Ⅰ집수2차②2차-Ⅱ지표③2차-Ⅰ4호수혈유구④⑧2차-Ⅰ지표
⑤1차-3호주거지⑥2차-Ⅰ지표⑦2차-Ⅰ1호주거지

우 직선·점열문과 같이 많이 나타나고 있어 시기를 판단하기 어렵다.[13] 굽이 달린 호는 대부분 편구병으로 나타는데 할미산성 출토 병은 구형병이기는 하나 통일기에 등장하는 편구병에는 해당되지 않는다.[14]

7) 기타

동이·시루는 구연의 형태로는 구별하기 어렵다. 경부를 형성하지 않고 동체에서 바로 외반되는 경우가 많은데, 이들 기종은 모두 유사한 형태를 갖기 때문이다. 시루의 경우는 투공 있는 바닥이 확인되어야 알 수 있다. 동이·시루로 추정되는 것은 18점이며, 시루는 10점이다.

접시는 8점이 있으며, 구경은 20cm내외 높이는 2cm이하이다. 바닥은 편평하며 바닥에 횡선을 돌리거나 'ㅁ'부호가 음각된 편이 있다.

뚜껑받이 턱이 있는 합(1차-남동회절부32)도 1점 확인되었는데, 이중원문과 삼각집선문이 동체에 시문되었다. 이외 뚜껑(2차-Ⅰ지표205)으로 추정되는 편에는 이중원문이 압인되었다.

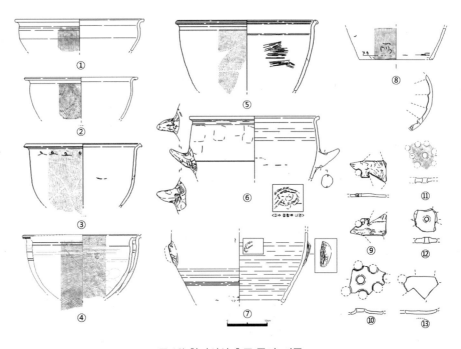

도 18) 할미산성 출토 동이, 시루
①④2차-Ⅰ8호주거지 ②1차-남서회절부 ③⑤⑩⑪⑬2차-Ⅰ지표
⑥⑧1차-3호주거지 ⑦1차-남동회절부 ⑨1차-지표 ⑪2차-Ⅰ3호주거지

---

13) 박성남,「서울·경기지역 성곽 및 고분 출토 신라 인화문토기 연구」, 경북대학교 석사학위논문, 2009, p.58.
14) 강진주,「한강유역 신라토기에 대한 고찰」, 단국대학교 석사학위논문, 2006, p.62.

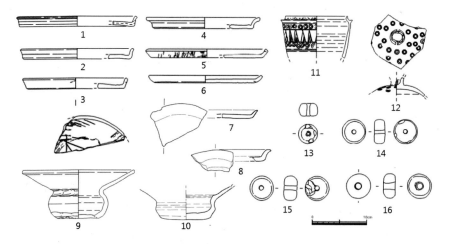

도 19) 할미산성 출토 토기류(1~8.접시, 11.합, 13~16.방추차, 9 · 10 · 12.용도미상)
1 · 2 · 9 · 12.2차- I 지표 3 · 4 · 5 · 11.1차-남동회절부 6. I -지표 7.시굴-동CS Tr. 8층
8.시굴-남D지역 10.마북동 28호 주거지 13.2차- II지표 14.2차- I 1호주거지
15.2차- I 13호주거지 16.2차- I 14호주거지

장방형의 투공 2개가 있으며 표면에는 자연유가 흡착되었다. 이와 유사한 것이 부여 능산리 사지 강당지 서측 건물지에서 발견되었다.[15]

이외 방추차 4점이 있는데, 지표에서 수습된 1점을 제외하고 3점은 성의 북쪽 지점에서 조사된 1 · 4 · 13호 주거지에서 출토되었다. 지름이 4cm 내외로 소형에 해당된다.

출토 유물 중 가장 특이한 토기편은 보고서에 일명 '타구'라고 부른 연질의 복주머니를 연상케하는 편이다. 이는 2차 발굴조사시 I 지점의 지표에서 수습되었는데, 연질로 정선된 태토를 사용하여 소성하였으며 회백색을 띠고 있다. 이 토기는 용인 마북동 유적 28호 주거지에서 신라토기인 고배, 호 · 옹, 완 등과 함께 출토된 사례가 있다.[16]

2. 금속유물

금속유물은 동지금박이식 1점을 포함한 철제류 94점이 보고되었다. 철제류는 무기류와 농공구에 해당되는 철촉, 철겸, 소찰, 보습, 괭이, 철서, 철분, 소도, 도자, 삼도, 철착, 철정, 교구, 가위, 철환 등 15가지의 기종이 확인되었다.

---

15) 김종만, 『사비시대 백제토기연구』, 서경, 2004, pp.278~279.
16) 크기는 잔존 높이 5.7cm, 저경이 7.8cm로 형태와 크기면에서 할미산성과 유사한 데도 불구하고 보고서상에는 대응으로 기술되어있다(경기문화재단, 『용인 마북동 취락유적-본문1』, 2009, pp.155~156; 사진1, p.115).

1) 무기

철촉은 보병전이 주를 이루었던 고대 전쟁에서 원거리 살상무기로써 사용된 것은 궁시 즉 활과 화살이었다. 초기 철기 시대부터 화살의 끝에 촉을 철을 만들어 끼워 넣음으로써 살상무기로서의 효과가 커졌으며 대부분의 유적에서는 나무로 만든 회살대 없이 촉만 발견되고 있다. 철촉은 鏃頭部-頸部-莖部로 분류하며 촉두 대개 유엽형, 사두형, 역자형, 추형, 도자형, 착두형 등이 있다. 莖部는 유무에 따라 無莖式과 有莖式으로 나뉘며 有莖式은 다시 無頸式과 有頸式으로 분류된다. 다시말해, 無莖式은 촉두만 있는 것을 말하며 有頸式은 鏃頭部, 頸部, 莖部가 모두 갖춰진 것을 말한다.

표 16) 할미산성 촉두부 형태

A(역자형)		B(유엽형)	C(사두형)
a	b		

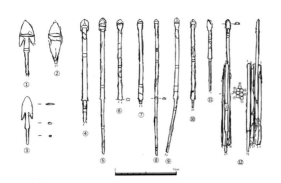

도 20) 할미산성 출토 철촉
①2차-Ⅰ1호주거지 ②2차-Ⅰ9호주거지
③1차-남서회절부 ④~⑫2차-Ⅰ지표

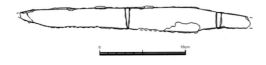

도 21) 할미산성 출토 소도 (2차-Ⅰ지표)

할미산성에서 철촉은 38점이 보고되었는데, 금속유물의 전체 40%로 가장 많은 비율 보이고 있다. 철촉은 크게 역자형, 유엽형, 사두형 등이 나타나며 無莖式은 유엽형에서 1점 확인되며 나머지 모두 有頸式으로 확인된다.

역자형의 형태는 두 가지로 나뉘는데, a는 b보다 두부가 큰 편이고 선단이 보다 뾰족하며 기부와 역자부분이 길게 만들어졌다. 반면, b는 선단부가 낮으며 역자부분도 짧게 조성되어 부식이 심하게 진행됐을 경우 유엽형이나 사두형과 같이 관찰될 수 있다. a는 有頸式이나 短頸하며 b는 長頸式으로만 확인된다. A-a는 2점으로 1차발굴조사 남서회절부와 2차발굴조사 8호주거지에서 출토되었다. B-b는 頸部가 11cm정도이며 2점이 2차발굴조사 지표에서 수습되었다. 유엽형은 無莖式으로 2차 발굴조사시 I 지역 9호 주거지에서 1점 확인된다. 사두형 또한 모두 有頸式으로만 나타나며 도면상 12점 정도 확인되어 가장 많은 수를 차지한다. 사두형의 頸部도 모두 잔존하는 경우 11~12cm로 거의 같은 길이로 만들어졌으며 모두 2차발굴조사 지표에서 수습되었다.

철촉외에 다른 무기류는 크게 보이지 않으나, 2차 발굴조사 지표에서 수습된 刀(유물번호 301) 한 점이 길이가 30cm 이상으로 무기로써 사용된 철제류로 추정된다.

2) 농구

농구에는 철겸, 보습, 괭이, 철서 등이 있다. 철겸은 곡물수확도구로써 세장하고 얇은 철판을 구부려 나무를 착장한 것으로 현재 사용하는 낫과 같다. 철겸은 無莖式의 밀낫과 有莖式의 벌낫으로 나뉘는데, 할미산성의 철겸은 밀낫만 확인된다. 전체적인 형태를 알 수 있는 것은 1차 발굴조사 남동회절부에서 출토(유물번호 71)된 것이 있으며 길이가 20cm정도이다.

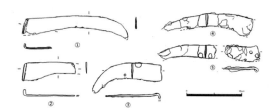

도 22) 할미산성 출토 철겸
①②1차 남동회절부 ③2차- I 4호주거지
④2차- I 집수1차 ⑤2차- I 지표

보습은 땅을 갈아서 흙덩이를 일으키는 역할을 하는 도구로 완형은 없고 신부의 잔편으로 추정하였다. 신부가 꺾이는 부분을 보고 추정하였는데 전체적인 크기와 형태를 판단하기는 어렵다.

괭이는 주조로 만들어졌으며 5점 정도가 확인되었다. 괭이는 땅을 파는 농구

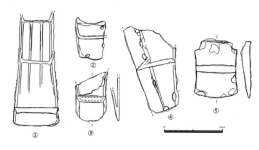

도 23) 할미산성 출토 철제농구(①~③주조괭이 ④보습 ⑤철서)
①2차- I 5호원형수혈 ②2차- II지표
③④⑤2차- I 호주거지

로 보고 있으며 형태는 신부의 평면 형태와 신부 상면에 돌대의 유무에 따라 형식을 나누어 본다. 그러나 할미산성에서는 소량 확인되며 1점을 제외하고는 전체적인 형태를 판단하기 어렵다. 그나마 잔존상태가 양호한 것은 2차 발굴조사 5호 원형수혈에서 출토된 주조괭이(유물번호 135)로 공부에서 인부로 내려올수록 사선으로 넓어지며 신부 상부에 2개의 돌대가 형성되었다. 이외 땅을 고르는 도구로 사용되는 철서로 추정되는 편이 2차발굴조사 1호 주거지에서 출토되기도 하였다.

3) 공구

공구로는 삼도(凹형), 철분, 철착, 철정, 도자, 가위 등이 있으며 기종별 수량은 6점이 보고된 도자 외에는 1~2점 정도로 소량이다. 삼도는 흔히 삼칼이라고 불리는 도구, 평면형태가 '凹'자형으로 생겨 '凹'형 철기라고도 한다. 이 도구는 최근까지도 사용되던 삼칼과 같이 나무껍질 등을 벗기는데 사용된 것으로 추정된다.[17] 할미산성에서는 2점이 보고되었는데, 2차발굴조사 1호·3호 주거지에서 출토되었다. 삼도는 아차산성, 설성산성, 반월산성, 한우물 등에서도 보고되었으며 특히 한우물에서 목재자루와 함께 출토[18]되어 착장방식을 알 수 있었다.[19]

철분과 철착은 자귀와 끌로써 목재나 금속 등의 표면을 깎아내어 정리하거나 구멍을 뚫는데 사용되었다. 할미산성에서는 모두 2차발굴조사 1호 주거지에서 출토되었다.

철정은 2점으로 남서회절부에서 출토된 것은 유두식으로 두부를 천판의 원형으로 두드리거나 단접하여 만든 것으로 추정된다. 도자는 소형 칼로 휴대할 수 있는 있는 절단 도구로써 할미산성에서는 6점이 보

도 24) 할미산성 출토 철제삼칼('凹' 형철기)
①2차-Ⅰ1호주거지 ②2차-Ⅰ3호주거지 ③호암산성 출토 삼칼

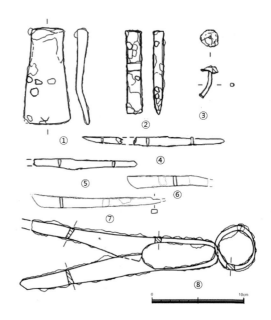

도 25) 할미산성 출토 철제공구
(①철분②철착③철정④~⑦도자⑧가위)
①②2차-Ⅰ1호주거지 ③1차-남서회절부
④1차-남동회절부
⑤1차-지표 ⑥⑦2차-Ⅰ3호원형수혈 ⑧시굴-동CS Tr. 8층

고되었다. 완형으로 확인된 것은 없고 길이는 대략 15cm 내외로 이며 주거지와 수혈유구, 지표 등에서 수습되었다. 가위는 교차하는 날을 통해 손잡이를 잡고 자르는 도구이다. 할미산성에서는 시굴조사시 동벽 CS Tr. 8층에서 수습되었다. 한쪽 날의 선단부만 결실되었을 뿐 거의 완형

---

17) 이남규, 「한성백제기 철기문화의 특성」, 『백제연구』3, 충남대학교 백제연구소, 2002, p.78.
18) 서울대학교, 『한우물』, 1990, p.147 및 p.210.
19) 송윤정, 「통일신라 철제 농·공구의 특성과 발전 양상」, 한신대학교 석사학위논문, 2006, p.75.

으로 출토되었으며 8자형으로 구부려서 만든 형태이다. 이러한 형태는 이천 설성산성[20])에서도 확인되었는데, 형태와 잔존 상태는 할미산성 출토품 좀 더 양호한 편이다.

3) 기타

할미산성에서는 무기와 농공구외에 이식, 소찰, 교구, 편자, 철제환 등이 출토되었다. 이식은 동제에 금박이 입힌 것으로 양단을 구부려 만든 뒤 단접하지 않았다. 출토지는 1차 발굴조사의 남서회절부이다. 소찰은 5점이 보고되었는데, 모두 2차 발굴조사 때 수습되었으며 1호・8호・9호 주거지에서 1점씩, 그리고 Ⅰ지역 지표에서 2점이 보고되었다. 길이는 9cm와 5cm 정도이고 너비는 2.5cm내외이다. 한쪽 끝 변은 양쪽 모서리에 각을 준 것과 호형으로 나타는 것 등이 있다. 가죽끈을 끼워 넣어 연결하기 위한 투공은 상단과 하단 그리고 측면에 배치되었다. 투공은 가로연결을 하기 위한 횡결공과 세로 연결을 위한 수결공으로 있는데, 현재의 상태로는 연결방법을 알 수 없다.

교구는 가죽이나 천으로 된 띠를 메기 위해 한 쪽에 달아 다른 한쪽의 구멍에 걸게하는 금속 기구로 초기철기시대부터 계속 사용되었다. 대부분 교구는 허리띠에 사용되었으나 마구류나 화살통에도 많이 사용되었다. 할미산성에 출토된 교구는 편을 포함하여 5점으로 소찰과 마찬가지로 2차발굴조사 시 Ⅰ지역의 1호 9호 주거지의 각 1점씩 지표에서 3점이 보고되었다. 형태와 크

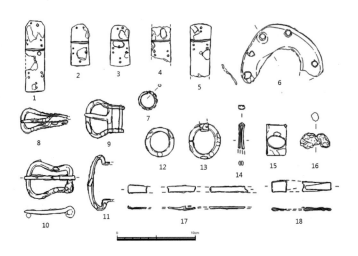

도 26) 할미산성 출토 동지금박이식 및 철제류
(1~5.소찰 6.편자 7.동지금박이식 8~11.교구 12・13 철제환 15~18.용도미상)
1・8・15.2차-Ⅰ1호주거지 2.2차 Ⅰ8호주거지 3・11.2차-Ⅰ9호주거지
4・5・9・10・12・13.2차-Ⅰ지표 6・16.1차-남서회절부 7・18.남동회절부 15・17.1차-5호주거지

---

20) 단국대학교 매장문화재연구소, 『이천 설성산성 2~3차 발굴조사 보고서』, 2004. 본문편, pp.315~316; 사진・도면・탑편, pp.558~559.

기가 모두 다르며 종축이 하나인 일단식과 두 개인 이단식으로 구분된다. 일단식은 지표에서 수습된 1점이 있으며, 1호주거지와 지표에서 수습된 나머지 2점이 이단으로 추정된다. 1호주거지의 경우 단일 유구에서 가장 많은 종류의 철기류가 확인된 곳이며, 지표의 3점은 화살촉과 함께 수습되어 허리띠보다는 화살통과 같은 무기류를 담거나 묶기 위해 사용된 것으로 추정된다.

마구류의 하나인 편자편으로 추정되는 것도 있는데, 남서회절부에서 1점이 보고되었다. 호상의 신부에 못을 박기 위한 투공이 5개가 배치되어 있다. 철환은 2점은 지표에서 수습되었으며 두께 0.6cm의 철을 구부려 만들었는데, 용도를 알 수 없다. 기타에는 용도를 알 수 없는 편을 포함되며, 여기에는 부속품으로 여겨지는 원통형 철제품과 추정 집게 편, 고리형 편, 얇은 철판을 꺾어 만든 철기편들과, 철제편, 슬래그로 추정된 편들이 있다.

VI. 시기 및 성격

앞서 살펴보았듯 할미산성에서 출토되는 유물은 토기류, 금속제류, 기와류, 석제품 등 4종류가 확인되었으며 이중 90% 가까이 비중을 차지하는 것은 토기류이다. 토기류 다음으로 출토된 것은 금속제류로 1점의 동지금박이식를 제외하면 모두 철제류에 해당된다. 기와류는 소량의 잔편들으로 시기와 성격을 판단하기 힘들며 석제품은 대부분 숫돌로 사용된 것들이다. 때문에 할미산성에서 유물에 대해 분석하고 시기를 가늠할 수 있는 것은 사실상 토기류에 의존할 수 밖에 없다.

토기류는 고배, 뚜껑, 완, 대부호, 호·옹류, 동이, 시루, 병, 접시, 합 등 10가지 기종으로 이들은 모두 생활유적이나 관방 그리고 고분에 관계없이 출토되는 기종들이다. 이 중 시기적 변화가 비교적 민감하게 드러나 편년자료로 이용되는 기종은 고배, 뚜껑, 완, 대부호, 병 등이다. 반면, 저장과 운반용기로 실생활에 주로 사용되는 호·옹, 동이, 시루 등은 형태와 속성의 변화가 둔감하기 때문에 주체와 시기를 추정하는데 한계가 있다.

기종별로 살펴보면, 고배는 유개고배와 무개고배가 있으며 대각에는 투공이 뚫린것과 무투공 모두 확인되고 각단은 밖으로 외반되거나 말아 둥글게 처리한 것이 많다. 완형으로 출토되는 고배의 배신과 대각의 비율은 1:1이거나 3:2정도로 확인되는데, 이러한 형태적 속성들은 신라의 후기양식토기의 전형적인 특징을 보이는 것이다. 뚜껑은 반구형의 뚜껑에는 꼭지가 단추형, 굽형, 보주형 등이 달려있다. 대부분 꼭지가 유실되었으나 형태적으로 볼 때 보주형으로 추정된 것들이 많다. 이는 그간 한강유역의 신라토기에서 다른 꼭지에 비해 소량 보고되어 특징적이다. 부가구연대부장경호는 시굴조사 때부터 수습되었는데, 6세기부터 등장하는 기종으로써 편년을 살피는데 중요한 표지적 유물로 작용된다. 이 기종은 통일기가 되면 인화문이 시문되고 동체가 주판알과 같은 형태로 편구화되어 부가구연대부장경병으로 변화된다. 때문에 한강유역의 부가구연대부장경호가 존속된 기간은 6세기 중엽부터 7세기 중엽경까지로 볼 수 있다.[21] 할미산성에서 출토되는 고배, 뚜껑, 부가구연대부장경호 등은 전형적인 신라토기후기양식들의 형태를 보이며, 이러한 후기양식토기들은 6세기 이후 등장하는 석실계 무덤에 부장되는 유물들로 신라가 적극적으로 대외팽창을 했던 시기와 같다.

완은 신라왕경지역보다는 신라가 6세기 이후 북진기에 활용한 유적에서 더욱 많은 수가 나타나고 있다. 완은 나말여초기까지 꾸준히 확인되고 있는데, 점차 크기가 커지고 구연이 직립되는 경향이 나타난다. 한강유역의 신라산성에서 출토된 토기 기종을 분석한 결과, 완은 통일 이전 시기에 사용된 유적에서는 호·옹류와 함께 가장 많은 수를 차지하고 통일기 이후 지속적으로 사용된 산성에서는 그 비율이 점차 줄어들고 있다.[22] 북진기 산성과 같이 군사적 성격이 강한 유적에서 완이 비율이 높게 나타나는 것은 완이 군사들의 개인용 배식기로 사용되었을 것으로 생각된다. 통일기 이후, 완의 비중이 낮아지는 것은 군사적 목적이 약해져 산성 내 주거한 사람들의 구성과 수가 변했거나 식생활에 변화가 온 것으로 볼 수 있다. 반면, 한강유역의 고구려 보루들에서는 접시류가 많은 수를 차지는데, 이는 신라와 고구려의 음식문화가 달랐다는 것을 보여준다. 완에는 액체를 담을 수 있지만, 접시는 액체상의 음식을 담기 어렵다는 것에서 그 차이를 알 수 있다.

할미산성의 병은 낮은 굽이 달린 1점을 제외하고는 평저로 추정되며, 구연이 잔존하는 경우 부가구연이고 동체는 구형이다. 저경이 구경보다 크고 목이 좁아드는 형태로 최대경은 동체 중앙에 있으며 호형을 띤다. 이러한 호형병은 주로 6세기대 고분에 부장되고 있어 시간적 위치를 가늠할 수 있다.[23] 병류는 시간이 지나면서 목이 세장해 지고 편구화되며 인화문이 화려하게 베풀어지다 나말여초기가 되면 소형화 되어 줄무늬·덧띠무늬가 시문되거나 무문의 편병으로 변화된다.

할미산성에서 출토된 토기의 문양은 뚜껑의 동체와 장경호의 경부, 합의 동체부, 병의 견부 등에서 확인된다. 앞서 살펴본 바와 같이 뚜껑의 동체에는 삼각집선문+반점문, 삼각집선+이중원문, 호의 경부에는 밀집파상문, 합의 동체부에서는 삼각집선문+이중원문, 병의 견문에서는 다변화문이 시문되었다. 삼각집선문과 조합된 문양과 밀집파상문은 인화문 토기 출현 이전 시기의 문양이다.[24] 다변화문의 경우 인화문으로 추정되는데, 이는 오랜 시간동안 다양한 형태로 유행한 것으로 보고 있다.[25] 대개 다변화문은 점열문과 같이 배치되는 경향이 나타나는 반면,

---

21) 강진주, 「부가구연대부장경호를 통해 본 신라의 한강유역 진출」, 『경기도의 고고학』, 주류성, 2007, p.648.
22) 강진주, 앞의 논문, 2006, pp.92~94.
23) 호형병은 파주 성동리 석실분, 여주 상리·매룡리·하거리 방미기골 고분군, 한우물 등에서 출토되었다(강진주, 앞의 논문, 2006, p.58).
24) 박성남, 앞의 논문, 2009, p.51.
25) 박성남, 앞의 논문, 2009, p.53.

할미산성에서는 바람개비를 연상케하는 문양과 함께 조합되어 다른 양상을 보인다. 이같은 문양 조합은 현재까지 다른 유적에서 사례를 찾아보기 어렵다. 때문에, 이 병에 시문된 다변화문이 다른 유물들과 시기적으로 맞춰볼 때 이른 시기의 인화문일 경우와 지표에서 수습되어 통일기 이후에 사용되었을 가능성 또한 생각해 볼 수 있다.

토기 표면에 부호가 확인되기도 하는데, 뚜껑의 동체, 고배의 배신, 완의 동체, 호와 동이의 동체 상부, 접시 바닥 등에서 확인되었다. 부호는 'ㅁ', 'Ⅹ', '∨', '▽', 'ㅇ' 등이 확인된다. 이러한 부호가 어떠한 의미를 나타낸 것인지는 아직까지 명확히 밝혀진 바가 없다. 할미산성 인근의 같은 시기에 조성된 보정동 고분군, 마북동 취락유적에서도 부호가 확인되나 이를 지역적인 특징으로 볼 수 없다. 지역과 시기를 달리하는 유적에서도 지속적으로 확인되고 있으며 고구려나 백제 토기에서도 부호가 있기 때문이다. 이들 부호는 토기의 생산시스템 즉, 생산지역 혹은 요지 가마의 위치 혹은 제작자, 사용 집단, 용도, 벽사적인 의미 등으로 볼 수 있으나 이는 아직 추정일 뿐이므로 더 많은 출토 사례와 연구성과를 기대해야 할 것 같다.

한편, 용도 미상에서 연질의 복주머니 형태를 한 토기는 그간 출토 사례가 널리 알려지지 않아 성격과 시기를 판단하기 어려운 기종 중의 하나이다.[26] 이 같은 형태와 유사한 토기는 인근의 용인 마북동 취락유적 28호 주거지에서 확인되었는데 신라의 고배, 호·옹, 완 등과 함께 출

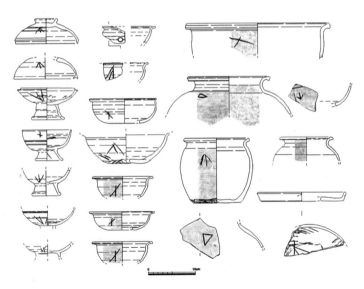

도 27) 부호가 새겨진 할미산성 출토 토기류

---

26) 이 기종은 경주 황룡사지에서도 출토된 사례가 있다. 황룡사지에서는 이형토기로 분류하였으며, 침그릇 다시 말해 唾壺로 보고 시기는 통일신라기로 보았다. 중국 당나라의 자기제 타호를 모방하여 토기로 번안한 신기종으로 추정하였는데(국립경주문화재연구소, 『유물로 본 신라 황룡사』, 2013, pp.245~246), 할미산성과 마북동 유적의 출토 양상으로 보아 성격과 시기에 대해 재고의 필요성이 여겨진다.

토되어 할미산성 출토 유물과 같은 시기에 사용된 기
종으로 파악된다.

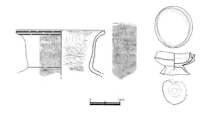

도 28) 할미산성 2차 발굴조사
I 지점 2호 원형수혈 출토 백제 토기

내용을 정리해보면, 할미산성 출토 토기류들의 주
요 편년은 신라가 한강유역에 진출한 6세기 중반에
서부터 통일기 이전까지로 볼 수 있다. 한강유역의
신라 유적들은 대략 4가지의 시기로 나누어 볼 수 있
는데, 1시기(6세기 중반~7세기 초)는 신라가 한강유
역에 진출하여 유적을 형성하는 시기, 2시기(7세기 초~8세기 초)는 한강 점령후 통일을 하기 위
해 백제·고구려·당과 치열한 접전을 벌인 통일전쟁기, 3시기(8세기 초~9세기 초)는 통일 후
안정화되는 시기, 4시기(9세기 이후)는 나말여초기로 지방 호족이 등장하여 고려로 이행하는
시기이다. 이중 할미산성은 1시기에 조성되어 사용된 유적으로 현재까지 인화문이 출토되지
않는 정황으로 보아 2시기에 사용되었더라도 7세기 중반을 넘지는 않을 것으로 여겨진다. 때문
에 할미산성은 신라에 의해 1세기를 전후한 시기에 한정적으로 사용된 유적이다.

그러나 발굴조사가 지속되면서 유적 연대의 하한과 상한에 대해 다시금 생각하게 하는 자료
들이 확인되었는데, 2차 발굴조사 시 2호 원형 수혈에서 출토된 백제고배와 옹편이다. 이외 아
직까지 백제로 확증할 수 있는 유물을 찾기 힘드나 앞으로의 발굴 조사의 결과에 따라 유적의
상한이 달라질 가능성도 있다. 여기에는 원형수혈, 굴립주 건물지 그리고 최근 발견된 다각건
물지와 방형 건물지 등의 유구 선후 관계와 성격의 파악이 중요할 것으로 여겨진다.

하안은 내려 볼 수 있는 유물은 호·옹의 형태와 매납유구 1에서 두 개의 뚜껑이 서로 맞물린
채로 출토된 합이다. 전자는 2차 발굴조사시 I 지역 9호주거지 바닥에서 출토된 돌대를 돌린

호·옹의 동체부편으로 이
는 통일기 이후에 나타는 형
태이다. 또한, 호·옹의 내
면에 방사선문 타날된 것은
통일신라 말 혹은 고려시기
호·옹의 편에서 주로 확인
된다.[27] 후자는 2차 발굴조
사 시 확인된 집수지의 남서
쪽 모서리 부근에 매납된 연
질 합으로 같은 형태의 뚜껑

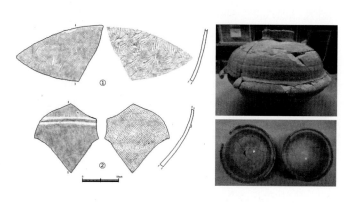

도 29) 나말여초기 속성이 보이는 할미산성 출토 토기류
(左.① 2차- I 집수지1차 ②2차- I 9호 주거지 右.매납유구 1 출토 합)

---

27) 한혜선, 「경기지역 출토 고려시대 질그릇 연구」, 단국대학교 석사학위논문, 2001, p.51.

2점으로 보이며, 드림부의 형태와 연질인 속성, 크기 등으로 볼 때 나말여초기의 경향이 반영된 것으로 추정된다. 따라서 현재까지의 출토된 양상으로 주요 사용 연대는 북진기로 한정해 볼 수 있지만, 백제 토기가 출토되고 나말여초기 토기의 성격도 보이고 있어 앞으로의 추이를 더 지켜봐야 할 것으로 여겨진다.

할미산성에서 출토되는 토기 기종들은 그간 한강유역 신라 산성에서 출토되는 기종 구성과 유사하다. 시굴조사시 파악되었던 기종은 7가지로 다른 한강유역 신라산성들이 10가지 이상 확인되는 것이 비해 다양하지 못한 것은 유적의 존속기간의 차이로 해석되었다.[28] 통일기에 접어 들면 凸형 뚜껑과 대부완, 벼루 등의 기종이 추가되는데 할미산성은 통일기 유물이 출토되지 않았기 때문이다. 특히, 통일 후까지 운용된 산성들에서 벼루가 사용된 것은 해당 산성이 각 지역의 행정적 치소를 담당했기 때문으로 해석되었다. 이러한 벼루가 최근 할미산성에서도 출토되어 주목되는데, 3차 발굴조사 시 축대시설과 인접한 2호 건물지와 집수시설에서 확인되어 통일기이전의 벼루 형태를 알 수 있는 좋은 자료가 될 것으로 여겨진다. 이는 북진기의 산성들이 군사와 행정적 기능이 같이 수반하기 때문에 사용되었을 수도 있고, 또는 최근 할미산성의 건물지들이 제의와 관련 시설로 주목되고 있어 의식을 위한 훼기로도 생각해 볼 수 있다.

철제유물은 무기, 농구, 공구 등 기타를 포함해 15기종 94점이 출토되었으며, 철솥과 같은 용기류, 다양한 무기류 및 공구류, 건축부재류 등은 출토되지 않았다. 한강유역에서 신라가 점유했던 다른 산성들에서는 설봉산성 8종류 31기종 총 182점, 설성산성 8종류 26기종 162점, 이성산성 6종류 13기종 88점, 아차산성 7기종 26기종 88점, 반월산성 10종류 26기종 131점 등[29] 다양한 철제류가 보고되었다. 다른 유적들에 비해 할미산성의 철제류가 다양하지 않은 것은 점유했던 시간과 성격에 차이가 있을 것이다. 한강유역의 다른 산성들이 대부분 백제에서 통일신라기까지 오랜기간 주체를 달리하며 운용되었기 때문에 그 안에서 신라의 철제유물들을 추정하기 어렵다. 그러나 할미산성의 철제유물들은 신라 북진기라는 한정된 시기를 보여줄 수 있기 때문에 오히려 가치가 클 수 있다.

철제류 중 가장 많은 수를 차지하는 것은 철촉이다. 철촉은 다른 철제유물들의 출토 양상과 같이 성의 북쪽에서 주로 수습되었다. 역자형, 유엽형, 사두형 등이 나타나며 無莖式은 유엽형에서 1점 확인되며 나머지 모두 有頸式으로 확인되었다. 역자형은 양주 대모산성, 하남 이성산성, 이천 설성 설봉산성, 인천 계양산성 등에서 보고되었다.[30] 사두형은 크게 보면 유엽형에 해당될 수 있는데, 한강유역 고대 산성에서 대부분 확인되고 있어 보편적으로 사용된 것을 알 수 있다.

---

28) 강진주, 앞의 논문, 2006, pp.92~93.
29) 송윤정, 앞의 논문, 2006, pp.14~18.
30) 남궁호, 「통일신라무기 연구」, 아주대학교 석사학위논문, 2015, pp.103~104.

공구 중 '∝'자형 가위는 시굴조사시 수구지가 확인된 동벽-CS Tr. 8층에서 출토되었다. 철제 가위는 절삭용으로 주로 통일신라시대 생활유적에서 출토되는 것으로 알려져 있다.[31] 그러나 할미산성의 경우 시굴조사시 8층에서 줄토되었고 동반된 유물들이 신라의 고배와 완, 호·옹류 들로 통일기 이전부터 사용된 것으로 볼 수 있다.

농구로는 철겸, 보습, 괭이, 철서 등이 있다. 보습은 잔존하는 편으로 추정하는데, 보습은 출토 예가 적어 그 의의가 크다고 할 수 있다. 이천 설봉산성, 이천 설성산성, 서울 아차산성, 안성 망이산성, 양주 대모산성 등에서 우경구가 확인되었지만 모두 통일신라시대로 추정되고 있다.[32] 그러나 할미산성이 북진기에 주로 사용된 유적이기 때문에 통일신라시대 보다 더 소급될 가능성이 있다. 신라의 철제 농구들은 6세기 이전까지만 해도 분묘에 부장되는 경향이 많았다. 농구 또한 당시에는 위세품으로써 의미가 있었기 때문으로 해석된다. 그러나 6세기 이후가 되면 지증왕 3년(502)년에 "始用牛耕"에서 드러나듯이 우경과 함께 철제농기구가 저변에 확대 보급 되었던 것으로 여겨진다.[33] 6세기는 신라에 있어서는 큰 변혁기에 해당되는 시기로 분묘가 석실분으로 변화하고 부장된 유물의 변화 등 또한 분명하게 드러나는 때이다. 실용성이 강조된 이 시기부터 철제농구도 분묘에 부장되기 보다는 실생활에 이용하여 생산력이 높아져 신라가 대외적인 확산을 하는데 큰 기여를 했을 것이다. 때문에 철제 농구들이 신라가 북진하면서 산성이나 주거지에서도 출토되는 것으로 여겨진다.

할미산성은 철제유물은 주로 2차발굴조사 I 지역에서 수습되었다. I 지역은 성내에서 가장 높은 지역인 북벽 인근이며 내부에는 평탄지가 있다. 특히 1호 주거지에서 무기류를 제외한 농공구들이 종류별로 출토되었는데, 수혈의 경우 제사 또는 퇴장유구로 볼 수 있으나 주거지의 경우는 생활 주거지이자 창고로 추정될 수 있다[34].

V. 맺음말

지금까지 출토된 유물의 양상과 특징을 통해 시기와 성격을 살펴보았는데, 할미산성에서 출토되는 유물은 대부분 신라 토기로 시기는 6세기 중반 이후부터 7세기 중반경까지로 볼 수 있다. 즉, 신라는 할미산성을 1세기를 전후한 짧은 시간동안 활발하게 사용했던 것으로 판단된다.

---

31) 김길식, 「청주 부모산성 출토 철제유물의 계통과 점유세력의 변화추이」, 『한국성곽학보』 24, 한국성곽학회, 2013, p.142

32) 김길식, 위의 논문, 2013, p.137; 송윤정(2006) 또한 통일신라시대 철제 농공구 연구를 진행하면서 이들 유적에서 출토되는 유물들을 통일신라시대로 분류하였다.

33) 이하나, 「4~6세기 신라 철제농구의 변천과 확산」, 경북대학교 석사학위논문, 2011, p.95.

34) 김길식, 위의 논문, 2013, p.137.

다만, 백제 토기와 매납유구 그리고 일부 돌대를 돌린 호·옹류 등으로 보아 상한과 하한을 달리 볼 수도 있으나 매우 소량에 해당되므로 적극적인 사용연대는 될 수 없다. 또한 유구의 선후관계로 볼 때 적어도 1세기 동안 두 번 이상의 사용 시기를 추정해 볼 수 있으나, 유물로는 판단하기 어렵다. 왜냐하면 산성은 유적의 특성상 고분과 같이 정치한 편년을 설정할 수 없는 한계가 있기 때문이다.

한편, 할미산성은 최근 3·4차의 발굴조사에서 다각형 건물지와 방형건물지 등이 발견되어 주목받고 있다. 향후 조사에서도 현재 설정된 유적의 연대와 유사한 유물들이 재차 확인된다면 한강유역의 신라유적에서 가장 빠른 시기의 다각형 건물지가 될 가능성이 있다. 더구나 이 건물지들은 제의와 관련된 시설로 추정되고 있어 할미산성에 대한 위상은 다시 재고되어야한다.

할미산성을 비롯한 이 지역의 중요성은 같은 시기에 조성된 마북동 취락유적과 보정동 고분군을 보더라도 짐작할 수 있다. 신라는 이 지역에 관방, 취락, 고분을 함께 배치하여 일찍부터 내륙의 거점 지역으로 기능하게 하였으며 할미산성은 군사적 행정적인 중심 역할을 갖고 있을 것이다. 앞으로 연차적인 학술발굴조사를 통해 더 많은 자료가 밝혀지길 기대하며 주변의 유적들과의 유기적인 관계 속에서 함께 조명되길 바란다.

【참고문헌】

『三國史記』
『增補文獻備考』

경기도박물관,『龍仁 할미산성』, 2005.
경기문화재단,『용인 마북동 취락유적-본문1』, 2009.
단국대학교 매장문화재연구소,『이천 설성산성 2~3차 발굴조사 보고서』, 2004.
서울대학교,『한우물』, 1990.
충북대학교 중원문화연구소,『용인의 옛성터』, 1999.
한국문화유산연구원,『龍仁 할미산성Ⅱ』, 2014.
_____,『龍仁 할미산성Ⅲ』, 2015.
_____,「용인 할미산성 3차 발굴조사 학술자문회의 자료」, 2015.
_____,「용인 할미산성 3·4차 발굴조사 학술자문회의 자료」, 2015.
_____,「용인 할미산성 3차 발굴조사 제2차 학술자문회의 자료」, 2015.

국립경주문화재연구소,『유물로 본 신라 황룡사』, 2013.
김종만,『사비시대 백제토기연구』, 서경, 2004.
홍보식,『신라 후기 고분 문화 연구』, 춘추각, 2003.

강진주,「한강유역 신라토기에 대한 고찰」, 단국대학교 석사학위논문, 2006.
남궁호,「통일신라무기 연구」, 아주대학교 석사학위논문, 2015.
박성남,「서울·경기지역 성곽 및 고분 출토 신라 인화문토기 연구」, 경북대학교 석사학위논문, 2009.
송윤정,「통일신라 철제 농·공구의 특성과 발전 양상」, 한신대학교 석사학위논문, 2006.
이하나,「4~6세기 신라 철제농구의 변천과 확산」, 경북대학교 석사학위논문, 2011.
한혜선,「경기지역 출토 고려시대 질그릇 연구」, 단국대학교 석사학위논문, 2001.

강진주,「부가구연대부장호를 통해 본 신라의 한강유역 진출」,『경기도의 고고학』, 주류성, 2007.
김길식,「청주 부모산성 출토 철제유물의 계통과 점유세력의 변화추이」,『한국성곽학보』24, 한국성
        곽학회, 2013.
백종오,「할미산성의 고고학적 검토」,『용인의 할미산과 할미산성』, 용인향토문화연구회, 2010.
백종오·오강석,「용인 할미산성의 축성방법과 시기」,『한국성곽학회 2005년 추계학술대회』, 한국
        성곽학회, 2005.
이남규,「한성백제기 철기문화의 특성」,『백제연구』3, 충남대학교 백제연구소, 2002.

『三國史記』新羅本紀의 新羅 王室 祭祀

金東淑*

目 次

Ⅰ. 머리말

신라고고학은 지난 30년간 괄목할 만한 연구 성장을 이루었는데 거기에는 신라의 공간적 범위에 대한 인식의 변화가 가장 큰 영향을 미쳤다고 할 수 있을 것이다. 그 연구 가운데에서도 고분 출토 토기를 통해 신라토기를 연대기적으로 정리한 최병현의 연구[1]를 시작으로 지방 혹은 지역사 관점에서 신라의 내부구조를 구체화한 김용성의 연구[2], 신라를 시공간 축으로 재구성한 이희준의 연구[3]가 가장 중요한 업적이었다고 판단된다.

위의 연구 성과를 토대로 지금은 신라고고학의 편년 문제, 무덤의 구조, 왕경과 왕궁의 구조, 생산시설과 같이 주제가 다양해지고 연구 성과 또한 집적되어 가고 있다. 하지만 그 하나하나의 문제를 다시 세부적으로 들여다보면 아직 해결하여야 할 과제가 산적해 있는 것도 사실이다. 이는 곧 발굴 자료의 부재 혹은 제한이라는 큰 숙제와 더불어 고고 자료가 지니는 근본적인 한계와도 맞물려 있다고 할 수 있을 것이다.

그럼에도 불구하고 신라고고학은 오랫동안 축적된 고분 발굴 자료를 중심으로 무덤의 구조와 편년 문제, 고분 제사에 관한 연구가 진행되어 왔고 이를 구체화하는 단계에 이르렀다. 특히 신라 고분 제사에 관한 연구는 가야 고분 제사와의 비교 연구[4]에서 시작하여 장례 절차의

---

* (재)성림문화재연구원 조사연구실장

1) 최병현, 「古新羅 積石木槨墳의 變遷과 編年」, 『韓國考古學報』10·11, 韓國考古學會, 1981.
2) 김용성, 「慶山·大邱地域 三國時代 古墳의 階層化와 地域集團」, 『嶺南考古學』6, 嶺南考古學會, 1989.
3) 이희준, 「4~5세기 新羅의 考古學的 硏究」, 서울大學校 大學院 考古美術史學科 文學博士學位論文, 1998.
4) 金東淑, 「新羅·加耶 古墳의 祭儀遺構와 遺物」, 慶北大學校 大學院 考古人類學科 碩士學位論文, 2000.

복원[5]에 이르는 문제로 구체화되기에 이르렀다. 이와 같은 연구 흐름 속에서 간과되어 왔던 부분은 문헌 자료를 통해 신라의 제사를 검토하는 작업이 아니었던가 생각된다. 역사시대의 고고학이 역사성을 배제하고 검토될 수 없음에도 불구하고 지금까지 신라고고학은 문헌 사료의 활용이나 분석에 인색했다는 지적은 누구도 부인할 수 없을 것이다. 왕실 중심의 역사 기록 일지라도 고고학 자료와의 접목조차 시도하지 않은 것은 분명 잘못이다.

본 연구는 신라의 제사를『三國史記』신라본기에 등장하는 내용을 중심으로 살펴봄으로서 신라 사회가 지녔던 제사의 의미를 다시 한 번 究明해 보고자 하는데 목적이 있다. 연구 대상 자료의 제한으로 인해 신라 왕실의 제사에 내용이 편중되어 있고 기타 문헌 사료를 함께 다루지 못한 점은 앞으로의 과제로 삼고자 하며, 이 연구가 신라의 제사를 종합적으로 구체화하는데 한 부분으로나마 다루어질 수 있다면 다행이겠다.

Ⅱ. 제사의 내용 검토

『三國史記』신라본기를 보면 1대 박혁거세부터 56대 경순왕에 이르기까지 전체 56명의 왕 가운데 55명의 왕이 재위한 기간에 제사 기록이 있다. 관련 기사가 없는 유일한 왕은 39대 소성왕으로 이는 재위 기간(798~800)이 매우 짧았기 때문이다. 이와 같이『삼국사기』신라본기에 제사 관련 내용이 빠지지 않고 다루어지고 있다는 사실은 신라 사회가 제사에 대해 지녔던 관념을 단적으로 보여주는 예라 할 수 있을 것이다. 이를 세부 내용별로 다시 나열해 보면 모두 103회이고 왕조에 따라 연대순으로 정리해 본 것이 아래〈표 1〉에 해당한다.

〈표 1〉『三國史記』신라본기 제사 관련 내용 연대순 정리 현황표

연번	왕위	연간	제사 관련 내용	
1	시조 박혁거세 (B.C. 57~4년)	60년	봄 3월 거서간이 붕어하여 사릉에 장사지냈다. 사릉은 담암사 북쪽에 있다.	1
2	2대 남해 차차웅 (4~24년)	3년	정월 시조묘를 건립하였다.	2
		21년	가을 9월에 메뚜기 떼가 나타났고 왕이 붕어하여 사릉원에 장사지냈다.	3
3	3대 유리 이사금 (24~57년)	2년	봄 2월 왕이 직접 시조묘에 제사지내고 죄수들을 크게 사면하였다.	4
		34년	겨울 10월에 왕이 붕어하여 사릉원에 장사지냈다.	5
4	4대 탈해 이사금 (57~80년)	2년	2월 왕이 직접 시조묘에 제사를 지냈다.	6
		24년	가을 8월 왕이 붕어하여 성의 북쪽 양정 언덕에 장사를 지냈다.	7
5	5대 파사 이사금 (80~112년)	2년	봄 2월 왕이 직접 시조묘에 제사를 지냈다.	8
		30년	가을 메뚜기 떼가 곡식을 해쳐 왕이 산천에 두루 제사를 지내고 기도를 올렸다. 메뚜기 떼가 없어지고 풍년이 들었다.	9

5) 김용성,「경산 임당 고총의 제의와 부장품의 의미」,『한국 고대사 속의 경산』, 경산시 · 대구사학회, 2008.

6	6대 지마 이사금 (112~134년)	2년	봄 2월 왕이 직접 시조묘에 제사를 지냈다.	10
7	7대 일성 이사금 (134~154년)	2년	봄 정월 왕이 직접 시조묘에 제사를 지냈다.	11
8	8대 아달라 이사금 (154~184년)	2년	봄 정월 왕이 시조묘에 직접 제사지내고 죄수들을 시면히 였다.	12
9	9대 벌휴 이사금 (184~196년)	원년	왕은 바람과 구름을 보고 점을 쳐서 홍수와 가뭄, 그 해에 풍년이 들 것인가 흉년이 들 것인가를 미리 알았으며, 또한 사람이 정직한가 사악한가를 알았으므로 사람들이 그를 성인이라고 불렀다.	13
		2년	봄 정월 시조묘에 직접 제사지내고 죄수들을 크게 사면하였다.	14
10	10대 나해 이사금 (196~230년)	2년	봄 왕이 시조묘에 참배하였다.	15
11	11대 조분 이사금 (230~247년)	원년	가을 7월 왕이 시조묘에 참배하였다.	16
12	12대 첨해 이사금 (247~261년)	원년	가을 7월 왕이 시조묘에 참배하였다.	17
		7년	5월부터 7월까지 비가 내리지 않으므로 조묘와 명산에 제사지내고 기원하였다.	18 19 20
13	13대 미추 이사금 (262~283년)	2년	2월 왕이 조묘에 직접 제사를 지내고 죄수들을 크게 사면하였다.	21
		3년	봄 2월 왕이 동쪽 지방을 순행하여 바다에 제사를 지냈다.	22
14	14대 유례 이사금 (283~298년)	2년	봄 정월 왕이 시조묘에 참배하였다.	23
15	15대 기림 이사금 (298~310년)	2년	2월 시조묘에 제사를 지냈다.	24
		3년	3월 우두주에 이르러 태백산에 제사를 지냈다.	25
16	16대 흘해 이사금 (310~356년)	2년	2월 시조묘에 직접 제사를 지냈다.	26
17	17대 내물 이사금 (356~402년)	3년	봄 2월 왕이 시조묘에 직접 제사를 지냈다. 보랏빛 구름이 묘당 위에 감돌고 신기한 새가 시조묘의 뜰에 모였다.	27
18	18대 실성 이사금 (402~417년)	3년	봄 2월 왕이 직접 시조묘에 참배하였다.	28
19	19대 눌지 마립간 (417~458년)	19년	2월 역대의 능원을 보수하였다. 여름 4월 시조묘에 제사지냈다.	29
20	20대 자비 마립간 (458~479년)	2년	봄 2월 왕이 시조묘에 참배하였다.	30
21	21대 소지 마립간 (479~500년)	2년	봄 2월 시조묘에 제사지냈다.	31
		7년	여름 4월 왕이 시조묘에 직접 제사지냈다. 묘지기 20호를 더 두었다.	32
		9년	봄 2월 내을에 신궁을 설치하였다. 내을은 시조가 처음 탄생한 곳이다.	33
		17년	봄 정월 왕이 신궁에 직접 제사를 지냈다.	34
22	22대 지증 마립간 (500~514년)	3년	봄 3월 순장을 금하는 명령을 내렸다. 이전에는 국왕이 죽으면 남녀 각각 다섯 명씩을 순장하였는데 이 때에 와서 폐지하였다. 왕이 직접 신궁에 제사를 지냈다.	35 36
23	23대 법흥왕 (514~540년)	3년	봄 왕이 직접 신궁에 제사를 지냈다.	37
24	24대 진흥왕 (540~576년)	37년	가을 8월 왕이 붕어하였고 애공사 북쪽 봉우리에 장사지냈다. 왕비가 세상을 떠나자 백성들이 예를 갖추어 장사지냈다.	38
25	25대 진지왕 (576~579년)	2년	봄 2월 왕이 직접 신궁에 제사지내고 대사령을 내렸다.	39
26	26대 진평왕 (579~632년)	2년	봄 2월 왕이 신궁에 직접 제사를 지냈다.	40
		50년	여름에 큰 가뭄이 들자 시장을 옮기고 용을 그려 기우제를 지냈다.	41
		54년	봄 정월 왕이 붕어하여 한지에 장사지냈다.	42
27	27대 선덕왕 (632~647년)	2년	봄 정월 왕이 직접 신궁에 제사지내고 대사령을 내렸다.	43
		16년	8월 왕이 붕어하였다. 시호를 선덕이라 하고 낭산에 장사지냈다.	44
28	28대 진덕왕 (647~654년)	원년	11월 왕이 직접 신궁에 제사를 지냈다.	45
		8년	봄 3월 왕이 붕어하여 시호를 진덕이라 하고 사량부에 장사냈다. 당 고종이 이를 듣고 영광문에서 추도식을 거행하였다. 그리고 대상승 장문수를 사절로 삼아 황제의 신임표를 가지고 와서 조문케 하였다.	46 47

29	29대 태종 무열왕 (654~661년)	8년	6월 왕이 붕어하였다. 시호를 무열이라 하고 영경사 북쪽에 장사지냈으며 태종이라는 시호를 올렸다. 당 고종이 부음을 듣고 낙성문에서 추도식을 거행하였다.	48
30	30대 문무왕 (661~681년)	5년	봄 2월 이찬 문왕이 사망하자 왕자의 예식으로 장사지냈다. 당 황제가 사신을 보내 조문하고 동시에 자주웃 한 벌과 허리띠 한 벌, 채색 능직 비단 1백필, 생초 2백필을 보내왔다. 왕이 당나라 사자에게 황금과 비단을 더욱 후하게 주었다.	49
		5년	가을 8월 왕이 웅진 취리산에서 흰 말을 잡아 맹세하였는데 먼저 하늘과 땅의 신, 그리고 강과 계곡의 신에게 제사를 지내고 그 다음 순서로 입에 피를 발랐다. 금서칠권을 만들어 종묘에 간직해 두고--제물은 제단의 북쪽 땅에 묻었으며 문서는 우리 종묘에 보관하였다. 유인권은 네 나라 사신을 거느리고 뱃길로 서쪽으로 돌아가 태산에 모여 제사를 지냈다.	50
		10년	종묘와 사직이 사라졌다. 제사를 주관할 사람도 공이 아니면 누구이겠는가?	51
		11년	다시 취리산에 제단을 쌓고 칙사 유인원과 마주하여 피를 입에 머금으면서 산하를 두고 맹약하였다.	52
		12년	부왕의 관과 상여를 옆에 두고 형벌에 관한 명령을 듣겠습니다.	53
		21년	가을 7월 1일 왕이 붕어하였다. 시호를 문무라 하고 여러 신하들이 유언에 따라 동해 어구 큰 바위에 장사지냈다. 왕은 '--종묘의 주인은 잠시라도 비어서는 안 될 것이니 태자는 나의 관 앞에서 왕위를 계승하라. -헛되이 재물을 낭비하는 것은 역사서의 비방거리가 될 것이요, 헛되이 사람을 수고롭게 하더라도 나의 혼백을 구제할 수는 없을 것이다.--숨을 거둔 열흘 후 바깥 뜰 창고 앞에서 나의 시체를 불교의 법식으로 화장하라.--장례의 절차는 철저히 검소하게 해야 할 것이다.'	54 55
31	31대 신문왕 (681~692년)	2년	봄 정월 왕이 직접 신궁에 제사지내고 죄수를 크게 사면하였다.	56
		7년	여름 4월 대신을 시켜 종묘에 제사를 지냈다.	57
		12년	가을 7월 왕이 붕어하였다. 시호를 신문이라 하고 낭산 동쪽에 장사지냈다.	58
32	32대 효소왕 (692~702년)	원년	효소왕이 왕위에 올랐다. --당의 측천무후가 사신을 보내 조문하고 제사를 지냈다.	59
		3년	봄 정월 왕이 직접 신궁에 제사지내고 죄수를 크게 사면하였다.	60
		11년	가을 7월에 왕이 붕어하였다. 시호를 효소라 하고 망덕사 동쪽에 장사지냈다.	61
33	33대 성덕왕 (702~737년)	원년	당나라 측천무후가 효소왕이 별세했다는 말을 듣고 애도하기 위하여 사신을 보내 조문하였다.	62
		2년	봄 정월 왕이 직접 신궁에 제사를 지냈다.	63
		14년	6월 큰 가뭄이 들자 왕이 하서주 용명악에 사는 거사 이효를 불러 임천사 연못에서 우제를 지내게 하였는데 곧 비가 열흘 동안이나 계속 내렸다.	64
		15년	여름 6월 가뭄이 들어 다시 거사 이효를 불러 기도하게 하니 곧 비가 왔다.	65
		36년	봄 2월 왕이 붕어하였다. 시호를 성덕이라 하고 이거사 남쪽에 장사지냈다.	66
34	34대 효성왕 (737~742년)	3년	봄 정월 왕이 조부의 사당에 참배하였다.	67
		6년	여름 5월 왕이 붕어하였다. 시호를 효성이라 하고 유언에 따라 관을 법류사 남쪽에서 불에 태우고 유골을 동해에 뿌렸다.	68
35	35대 경덕왕 (742~765년)	3년	여름 4월 왕이 직접 신궁에 제사지냈다.	69
36	36대 혜공왕 (765~780년)	2년	왕이 직접 신궁에 제사를 지냈다.	70
		12년	왕이 감은사에 행차하여 바다에 제사를 지냈다.	71
37	37대 선덕왕 (780~785년)	2년	봄 2월 왕이 직접 신궁에 제사를 지냈다.	72
		6년	봄 정월 왕이 위독해지자 다음과 같은 조서를 내렸다. "---과인이 죽은 후에는 불교의 법식대로 화장할 것이며 유골을 동해에 뿌리도록 하라"	73
38	38대 원성왕 (785~798년)	원년	2월 성덕대왕과 개성대왕의 두 묘당을 헐고, 시조대왕과 태종대왕, 문무대왕 및 조부 흥평대왕과 부 명덕대왕을 5묘로 정하였다.	참조
		3년	봄 2월 왕이 직접 신궁에 제사지내고 죄수들을 크게 면하였다.	74

38	38대 원성왕 (785~798년)	14년	겨울 12월 29일 왕이 붕어하였다. 유언에 따라 관을 봉덕사 남쪽에 옮겨 화장하였다.	75
39	40대 애장왕 (800~809년)	2년	봄 2월 왕이 시조묘에 참배하였다. 태종대왕과 문무대왕의 두 묘는 별도로 세우고, 시조대왕 및 왕의 고조부 명덕대왕, 증조부 원성대왕, 조부 혜충대왕, 이비지 소성대왕을 5묘로 정하였다.	76
		3년	봄 정월 왕이 직접 신궁에 제사지냈다.	77
40	41대 헌덕왕 (809~826년)	2년	2월 왕이 직접 신궁에 제사지냈다.	78
		9년	5월 비가 내리지 않아 산천에 두루 기도하였다. 가을 7월이 되자 비가 내렸다.	79 80
		18년	겨울 10월 왕이 붕어하였다. 천림사 북쪽에 장사지냈다.	81
41	42대 흥덕왕 (826~836년)	2년	봄 정월 왕이 직접 신궁에 제사를 지냈다. 당 문종은 헌덕왕이 붕어하였다는 소식을 듣고 ○○○○을 지절사로 파견하여 조의를 표하고 제사에 참여케 했다.	82
		8년	여름 4월 왕이 시조묘에 참배했다.	83
		11년	겨울 12월 왕이 붕어하였다. 조정에서는 왕의 유언에 따라 장화왕비의 능에 합장하였다.	84
42	43대 희강왕 (836~838년)	3년	봄 정월 왕은 궁중에서 목을 매 자살하였는데 그의 시호를 희강이라고 하고 소산에 장사지냈다.	85
43	44대 민애왕 (838~839년)	2년	봄 왕이 죽자 신하들이 예를 갖추어 장사지내고 시호를 민애라 하였다.	86
44	45대 신무왕 (839년)	원년	가을 7월 왕이 붕어하였다. 시호를 신무라 하고 제형산 서북쪽에 장사지냈다.	87
45	46대 문성왕 (839~857년)	19년	가을 왕이 붕어하였다. 시호를 문성이라 하고 공작지에서 장사지냈다.	88
46	47대 헌안왕 (857~861년)	2년	봄 정월 왕이 직접 신궁에 제사지냈다.	89
		5년	봄 정월에 왕이 붕어하였다. 시호를 헌안이라 하고 공작지에서 장사지냈다.	90
47	48대 경문왕 (861~875년)	2년	2월 왕이 직접 신궁에 제사지냈다.	91
		4년	봄 2월 왕이 감은사에 가서 바다에 제사를 지냈다.	92
		12년	봄 2월 왕이 직접 신궁에 제사지냈다.	93
48	49대 헌강왕 (875~886년)	12년	가을 왕이 붕어하였다. 시호를 헌강이라 하고 보리사 동남쪽에 장사지냈다.	94
49	50대 정강왕 (886~887년)	2년	가을 7월 왕이 붕어하였다. 시호를 정강이라 하고 보리사 동남쪽에 장사지냈다.	95
50	51대 진성왕 (887~897년)	11년	겨울 왕이 북궁에서 붕어하였다. 시호를 진성이라 하고 황산에 장사지냈다.	96
51	52대 효공왕 (897~912년)	16년	여름 왕이 붕어하였다. 시호를 효공이라 하고 사자사 북쪽에 장사지냈다.	97
52	53대 신덕왕 (912~917년)	6년	가을 왕이 붕어하였다. 시호를 신덕이라 하고 죽성에 장사지냈다.	98
53	54대 경명왕 (917~924년)	8년	가을 왕이 붕어하였다. 시호를 경명이라 하고 황복사 북쪽에 장사지냈다. 태조가 사신을 보내 조문하고 제사에 참여케 하였다.	99 100
54	55대 경애왕 (924~927년)	원년	겨울 10월 왕이 직접 신궁에 제사지내고 죄수들을 크게 사면하였다.	101
55	56대 경순왕 (927~935년)	원년	왕은 전 왕의 시체를 서쪽 대청에 모시고 여러 신하들과 함께 통곡하였다. 시호를 올려 경애라 하고 남산 해목령에 장사지냈다. 태조가 사신을 보내 조문하고 제사에 참여케 하였다.	102 103

위의 제사 관련 기록 가운데 가장 많이 언급된 것은 왕이 붕어하였을 때 장사지냈다는 내용이다. 이는 신라 건국 초부터 마지막 왕위인 경순왕에 이르기까지 27회가 확인된다. 왕의 붕어에 따라 장례절차가 엄격하게 진행되는 것은 새로운 왕이 왕위를 계승하고 왕권의 정당성을 공적으로 인정받을 수 있는 기회였기에 왕위에 오르면 통과의례로서 당연시 되었던 것으로 여겨진다. 장사를 지내는 장소는 사릉 혹은 사릉원, 양정 언덕, 애공사 북쪽 언덕, 한지, 영

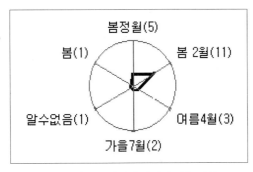

〈표 2〉 시조묘제사의 시기별 점유 현황

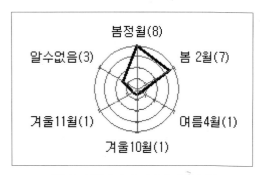

〈표 3〉 신궁제사의 시기별 점유 현황

경사 북쪽, 낭산 동쪽, 망덕사 동쪽, 이거사 남쪽, 봉덕사 남쪽, 천림사 북쪽, 소산, 제형산 서북쪽, 공작지(2회), 보리사 동남쪽(2회), 황산, 사자사 북쪽, 죽성, 황복사 북쪽, 남산 해목령 등으로 매우 다양하다. 왕의 장례에는 관과 상여가 이용되었음을 30대 문무왕 12년 기사를 통해 알 수 있다.

다음으로는 시조묘에 제사를 지냈다는 내용이 23회 언급되었다. 왕이 왕위에 오르면 늦어도 3년 이내 봄 정월이나 2월에 시조묘에 제사를 지냈는데, 봄 2월에는 11회, 봄 정월에는 5회, 여름 4월 3회, 가을 7월 2회, 봄 1회, 시기를 알 수 없는 경우도 1회 포함되어 있다.(표 2 참조) 이는 시조 박혁거세부터 21대 소지 마립간대(478~500)에 신궁을 설치하기 전까지 지속적으로 확인되는 내용이다. 한편 신궁은 소지 마립간 9년(489)에 설치되었는데, 이를 계기로 신라의 국가 제사는 큰 변화를 겪은 것으로 알려져 있다.[6] 소지 마립간은 대외적으로 주변국의 침범이 잦아 백제와의 동맹을 통해 고구려를 견제하였고, 대내적으로 국내의 기관도로인 관도를 개척하고 시장을 열었으며 각 지방을 순행하며 재해나 전쟁으로 고통받는 백성들을 위로하고 민심을 수습하는데 적극적이었다.

신궁은 시조가 탄생한 나을에 설치되었고 소지 마립간 17년(495) 봄 정월에 제사를 지낸 이후 55대 경애왕(924~927) 때까지 21회가 확인된다. 신궁제사를 지낸 시기는 조금씩 차이가 있지만 봄 정월과 2월이 가장 많고 여름 4월, 겨울 10월, 11월이 각 한 차례씩 확인된다. 또 시기를 분명하게 밝히지 않는 경우가 3회 확인된다. 신궁제사도 시조묘제사와 마찬가지로 대체로 정월과 2월에 집중적으로 진행되었음을 알 수 있었다.(표 3 참조)

〈표 4〉 제사 관련 내용별 빈도수

---

6) 최광식, 『고대한국의 국가와 제사』, 한길사, 1994, pp.214~215.
  위에 의하면 신궁 설치의 배경은 소지 마립간대에서 지증 마립간대에 걸친 국가 체제 정비 과정, 특히 중앙 통치력 확대 과정의 일환으로 이루어졌고, 신궁의 主神은 조상신이 아니라 천지신으로 보고 있다.

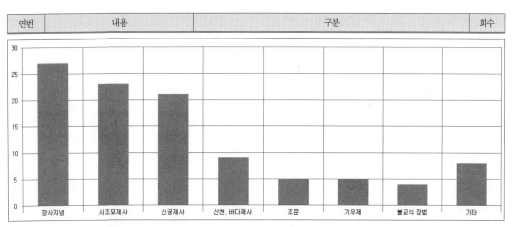

연번	내용	구분	회수
1	○○에 장사지냈다.	1, 3, 5, 7, 38, 42, 44, 46, 48, 49, 54, 58, 61, 66, 81, 85, 86, 87, 88, 90, 94, 95, 96, 97, 98, 99, 102	27
2	시조묘에 제사지냈다.	4, 6, 8, 10, 11, 12, 14, 15, 16, 17, 19, 21, 23, 24, 26, 27, 28, 29, 30, 31, 32, 76, 83	23
3	신궁에 제사지냈다.	34, 36, 37, 39, 40, 43, 45, 56, 60, 63, 69, 70, 72, 74, 77, 78, 82, 89, 91, 93, 101	21
4	산천과 바다에 제사지냈다.	9, 20, 22, 25, 50, 52, 71, 80, 92	9
5	왕의 붕어에 조문/조의를 표하였다.	47, 59, 62, 100, 103	5
6	비가 오지않아 기우제를 지냈다.	18, 41, 64, 65, 79	5
7	불교의 법식대로 화장하였다.	55, 68, 73, 75	4
8	기타	13, 33, 35, 51, 53, 57, 67, 84	8

　　더욱 흥미로운 사실은 왕이 메뚜기 떼가 들거나 비가 내리지 않아 농사가 어려울 때 혹은 결연한 맹세가 필요할 때 산천과 바다, 혹은 명산에서 제사를 지냈다는 내용이다. 5대 파사 이사금(80~112)대부터 48대 경문왕(861~875)에 이르기까지 9회가 확인된다. 이 외에도 가뭄에 기우제를 지냈다는 내용이 5회 등장하는데 특히 12대 첨해 이사금 7년(253) 5월부터 7월에 이르도록 비가 오지 않아 조묘와 명산에 제사지냈다는 내용이 확인되고 있다. 또 26대 진평왕 50년(628)에는 여름에 큰 가뭄이 있어 시장을 옮기고 용을 그려 비를 빌었다는 내용이 있으며, 33대 성덕왕 14년(715)에는 6월에 큰 가뭄이 있어 왕이 하서주(강릉) 용명악거사 이효를 불러 임천사 못 위에서 비를 빌게 하였더니 10일 동안이나 비가 왔다고 한다. 또 15년(716) 6월에도 가뭄이 있어 왕은 또 이효를 불러 기도를 하게 하였더니 곧 비가 왔다고 하고, 41대 헌덕왕 9년(817) 5월에 비가 오지 않아 두루 산천에 기도하였더니 7월에 가서야 비가 왔다고 한다. 이와 같이『삼국사기』신라본기에는 비가 없어 우물이 마르기도 하였을 뿐만 아니라 호우로 저지대의 택지가 침수되어 인명과 재산에 피해를 입기도 하고 서리가 내려 농사를 망치기도 하였다는 기사가 자주 등장한다. 이와 같이 자연 재해를 통해 집을 잃거나 흉년이 들어 백성들이 살기가 어려울 때 명산이나 대천을 찾아 왕이 혹은 왕의 지목을 받은 특정인이 제사를 지냈음을 알 수 있다.

또, 왕의 붕어 시 혹은 왕위에 올랐을 때 당에서 사절이 와서 조문을 했다는 내용이 28대 진덕왕부터 경순왕에 이르기까지 5회 언급되고 있다. 또, 30대 문무왕(661~681), 34대 효성왕(737~742), 37대 선덕왕(780~785), 38대 원성왕(785~798) 대에는 불교식 장법으로 화장하였다는 기록이 있다.

이외에도 2대 남해 차차웅대에는 시조묘를 건립하였다(6년)는 내용, 9대 벌휴 이사금대에는 왕이 바람과 구름을 보고 점을 쳐서 홍수와 가뭄, 풍년과 흉년을 미리 알았다(184년)는 내용, 21대 소지 마립간대에는 나을에 신궁을 설치(487년)하고, 22대 지증 마립간대에 순장을 금하는 명령을 내렸다(502년)는 내용, 31대 신문왕대에는 종묘에 제사지냈다(687년)는 내용, 34대 효성왕대에는 조부의 사당에 참배하였다(739년)는 내용, 42대 홍덕왕대에는 왕의 유언에 따라 장화왕비의 능에 합장하였다(836년)는 내용이 단편적이기는 하지만 신라의 제사를 언급하는데 매우 중요한 기록에 해당된다.(표 4 참조)

<표 5> 신라 연대기별 제사의 내용

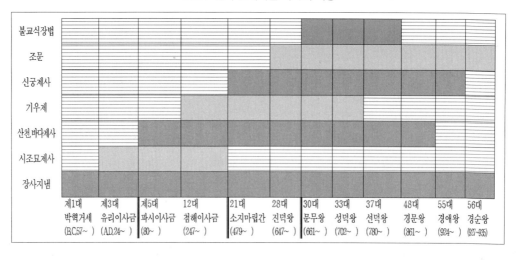

위의 <표 5>는 각 제사의 내용이 시작된 왕부터 그 내용이 소멸되는 왕까지를 연대 순으로 정리해 본 것이다. 이에 의하면 1대부터 56대까지 모든 왕조에서 ○○에서 장사지냈다는 내용이 있고, 제3대 유리 이사금부터 21대 소지 마립간기에 신궁이 만들어지기 전까지 시조묘제사가 있었음을 알 수 있다. 신궁제사는 56대 경순왕대까지 이루어졌다는 점으로 볼 때 신라 왕조에서 시조묘와 신궁 제사는 왕권을 유지하는 장치로써 가장 중요한 행사로 기능하였음을 알 수 있다. 또 원삼국시대 이래로 농사의 중요성이 강조되면서 제5대 파사 이사금대부터 48대 경문왕대까지 기우제 관련 기사가 등장하는 것은 천신에 대한 중요성이 더욱 강조되는 시기였음을 보여주고 있다.

조문과 관련된 제사 내용은 28대 진덕왕대부터 56대 경순왕대까지 확인되는데, 이는 당과의 교류는 물론 국왕의 장례가 국제간 외교 행위의 역할을 할 정도였음을 상상해 볼 수 있다. 30대 문무왕대(661)부터 37대 선덕왕대(861)까지 화장과 같은 불교식 장법이 행해졌다는 사실을 통해 신라 사회에 불교가 미친 영향이 매우 컸음을 확인하였다.

Ⅲ. 신라의 왕실 제사

신라본기를 통해 볼 때 신라의 제사를 엿볼 수 있는 몇 가지 키워드는 장례와 조문, 시조묘제사, 신궁제사, 산천제사, 기우제, 종묘와 사직으로 정리된다.

1. 장례와 조문, 殯殿

신라왕의 무덤 위치에 대해서는 황남대총 남분 한 기를 놓고도 내물(402년), 실성(417년), 눌지(458년) 설이 접점을 보지 못하고 있는 실정이다. 『三國史記』에는 왕의 붕어 시에 ○○에서 제사지냈다는 기록이 있지만 그 위치를 비정하는 것 또한 현실적인 어려움이 적지 않다. 어쨌든 30대 문무왕 21년(681)에는 '종묘의 주인은 잠시라도 비어서는 안 될 것이니 태자는 나의 관 앞에서 왕위를 계승하라' 라는 내용을 참조해 보면 장례는 왕권의 승계를 위한 엄중한 절차로 진행되었음은 물론, 이 과정에 국외의 조문 사절단이 참석했음도 알 수 있다. 기록으로 전하는 조문 기사는 진덕왕대(647~654)에 처음 등장하지만 이는 당과의 관계를 강조하기 위해 기록으로 남겨진 것에 불과하며 삼국 간에는 어떠한 형태로든 조문이 있었을 것임은 짐작할 수 있다.

조문에 관해서는 기록뿐만 아니라 고고자료를 통해서도 알 수 있다. 우리가 교섭과 교류의 산물로 치부하고 있는 많은 외래계 유물 가운데 장례 과정에서 조문사절단이 가지고 온 공헌물도 혼재되어 있을 가능성이 있기 때문이다. 이를 식별해 내기 위해서는 유물의 형태는 물론 제작방식이나 부장위치, 공반관계의 특이성 등을 잘 살펴보아야 한다. 이와 관련한 연구성과로 고령 지산동 70호 석곽묘 출토 소가야토기 안에서 고둥이 확인된 경우를 지역 외부로부터의 음식공헌의례로 파악한 연구 사례가 있다.[7] 또 경산 임당 조영 EⅢ-3호 부곽에서 출토된 대부장경호와 단경호의 제작방식을 면밀하게 검토하면서 제사에 필요한 제수용품을 담아온 것인지 원거리 정치체의 사람이 장례식에 참가하면서 증여품으로 지참한 것인지 앞으로 검토가 필요하다는 지적[8]은 한층 더 진전된 연구성과로 주목할 만하다. 앞으로 음식물이 들어있는 토기 혹

---

7) 金東淑, 「考古資料로 본 加耶人의 精神世界」, 『第13回 加耶史學術會議』, 김해시, 2007, p.71.
8) 김대환, 『慶山 林堂地域 古墳群 X - 造永 EⅢ-3號墳』, 嶺南大學校博物館, 2013, p.74.

은 외래계 유물에 대한 보다 세밀한 검토가 필요할 것이다.

다음으로 55대 경애왕(924~927)대의 빈전 관련 기사는 경순왕 즉위조에 '전 왕의 시체를 서쪽 대청에 모시고 여러 신하들과 함께 통곡하였다'는 내용에 따라 빈전은 궁성의 서쪽 건물에 있었음을 알 수 있다. 이와 관련하여 왕의 장례 모습을 생생하게 복원하는데 매우 중요한 기록으로『日本書紀』와『三國史記』열전 김유신전이 있다.[9]『日本書紀』에는 '42년(453) 봄 정월 을해 초하루 무자일에 천황이 죽었다. --신라왕은 천황이 이미 죽었다는 소식을 듣고 놀라고 슬퍼하여 배 80척으로 조공하고 아울러 각종 樂人 80명을 보냈다. 이들은 對馬島에 도착하여 큰 소리로 울고 筑紫에 이르러 모두 흰 옷을 입었으며, 조공물을 받쳐 들고 여러 가지 악기를 연주하였다. 나니와로부터 왕경에 이르기까지 울부짖기도 하고 춤추고 노래 부르기도 하였는데 마침내 殯宮에 참례하였다.' 또 김유신전에는 '673년 가을 7월 1일에 유신이 자기 집의 자기 방에서 죽으니 향년 79세였다. 대왕이 부음을 듣고 크게 슬퍼하여 賻儀(부의)로 문채를 놓은 비단 1천필과 租 2천섬을 주어 장사에 쓰게 하였다. 그리고 軍樂의 鼓吹手 100인을 주어 금산원에 장사지내게 하고, 담당관서에 명하여 碑를 세워 공적을 기록케 하였다' 위의 두 사례를 비추어 보건대 왕 혹은 왕급 피장자의 장례에 악인을 동원하여 악기를 연주하고, 노래하고 춤추는 장례 행렬이 있었음을 알 수 있다.

2. 시조묘제사

『三國史記』신라본기와 제사지에 의하면 신라에서는 남해 차차웅 3년(A.D. 6) 춘정월에 시조묘를 세웠고, 1년에 네 번 여기에서 친누이인 아로에게 제사를 지내게 하였다. 또 아달라 이사금 17년(170) 춘정월에는 이를 중수(수리)하였다. 다음으로 소지 마립간 7년(485) 4월에 시조묘에 친히 들러 수묘(守廟) 20집을 더 만들어 역대 왕들의 신주들을 시조묘에 모아 개별 혈족 집단별로 이루어지던 제사를 시조묘 중심으로 체계화하였다. 이는 신라의 시조묘제사가 왕위 계승의 정당성과 최고 권력의 공표라는 차원에서 계승된 왕실 주도의 제사였음을 보여주는 현상으로 이해된다.

한편 A.D. 3세기 자료인『三國志』韓傳에는 소도에 관한 기록이 있다. 이에 의하면 '매년 파종기인 5월과 수확기인 10월에 농경의례를 거행하였는데 이 때는 모두 밤낮으로 춤추고 노래하였으며 그 춤은 마치 鐸舞와 유사하다'고 하였다. 또 '귀신을 믿어 국읍에는 각 한 사람의 제천의식의 主祭者를 세우는데 이를 天君이라 한다. 諸國에는 別邑이 있어 이를 소도라 하는데 큰 나무를 세우고 방울과 북을 달아 귀신을 섬긴다.' 이에 따르면 3세기경까지 사로국에는

---

9) 이근직,「新羅의 喪葬禮와 陵園制度」,『신라 왕경인의 삶』, 新羅文化祭學術論文集 第28輯, 2007, pp.216~217.

조상의례로서 시조묘제사와 國中大會로서 농경의례인 소도의례가 존재했음을 알 수 있다. 그렇다면 두 문헌의 제사 내용에 비추어 볼 때 시조묘제사와 소도의례는 각기 다른 것일까? 이에 대해서는 3세기까지 각 소국들에 존재했던 소도의례는 사로국왕 중심의 조상의례적인 측면에서만 국한하여 서술한 것이며 이는 천지신을 제사하는 자연신 숭배와 조상에 대한 숭배가 미분화된 단계[10]임을 보여주는 사실로 이해하고자 한다.

삼국시대의 농경의례와 관련된 유물이 출토된 유적으로는 경주 쪽샘

주·부곽 모습

그림 1. 경주 쪽샘지구 41호분 전경 및 부곽 출토 철제 농기구
(현장설명회 자료 전재)

지구 41호분이 있다. 41호분 부곽에서는 실용구로 보기 힘든 대형의 철제 농기구가 1점 출토되었다. 이 유물은 길이 20cm 내외 무게 9kg이며 몸체 뒷면에 'T', '日'과 같은 기호가 표현되어 있어 농사에 사용하기 보다는 농경의례와 같은 제사에 사용된 유물이었을 것으로 판단된다.(그림 1)

3. 신궁제사

신궁은 『삼국사기』 신라본기 소지 마립간 9년(487) 2월에 시조가 처음 태어난 곳인 나을(奈乙)에 설치하였다. 한편 나을은 시조가 처음 탄생한 곳이라는 내용은 동일하지만, 『삼국사기』 제사지에는 제22대 지증 마립간대에 처음 설치된 것으로 전하고 있어 설치 시기에 차이를 보이고 있다. 여하튼 신라는 5세기 말에서 6세기 초에 국가 및 왕실의 최고제사를 시조묘제사에서 신궁제사로 옮긴 것은 분명하다. 신궁 설치 이후의 시조묘제사는 김씨 왕실의 왕권 강화를 위해 천신적 성격을 강조함으로써 그 권위를 계승하고자 한 의도가 있었던 것으로 이해된다.[11] 이와 같은 신궁은 농업 생산을 국가 재정의 기반으로 하던 고대사회에서 자연적 재해를 예방함

---

10) 鄭再敎, 「新羅의 國家的 成長과 神宮」, 『釜大史學』第十一輯, 1987, p.8.
11) 최광식, 『고대한국의 국가와 제사』, 한길사, 1994, p.209.
　　蔡美夏, 「新羅 宗廟制와 王權의 推移」, 慶熙大學校 大學院 史學科 博士學位論文, 2001, p.52.

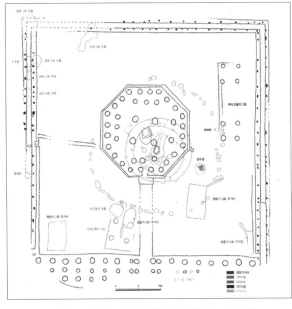

그림 2. 경주 나정유적 유구배치도(보고서 전재)

과 동시에 확대된 영토에 대한 종교적 사상적 통합력을 구축함으로써 왕권과 중앙집권력을 확대하기 위해 마련되었다. 그러나 불교 수용 이후 황룡사, 봉덕사 등 왕실의 지원을 받는 사원에서 국난 극복을 위한 종교의식이 행해짐에 따라 신궁제사는 그 기능이 분화되어 갔을 것이다.

신라의 신궁제사 유적으로 가장 유력한 후보지는 경주 나정유적이다.(그림 2) 이 유적을 발굴조사한 결과 용도미상의 구덩이(수혈유구)와 구상유구, 목책 등이 확인되었으며 3차례에 걸친 중건 과정을 통해 팔각

건물지가 만들어졌음이 밝혀졌다. 1차 시설에서는 구상유구(환호), 수혈유구, 목책열이 확인되었는데 수혈유구는 목주를 세우기 위한 시설로 보고 있고 주변의 구상유구는 안성 반제리유적이나 부천 고강동 선사유적과 같은 초기철기시대 환호유적과 비교되면서 제사시설로 보는데 이견은 없다.[12] 1차 시설의 조성 시기는 주변 수혈에서 출토된 두형토기와 점토대토기로 볼 때 초기철기시대로 보고 있다. 2차 시설은 1차 시설인 구상유구를 복토하여 그 상부에 평면 원형의 초석 건물지가 만들어 졌다. 초석은 2열로 배치되었으며 초석 간의 거리는 1m, 그 각은 10° 내외이다. 유구 내부에서 출토된 유물로 볼 때 6세기 전반을 넘지 않는 시기에 만들어졌음을 알 수 있다. 3차 시설인 팔각건물지는 2차 시설을 폐기하고 만들어졌다. 팔각건물지는 화강암을 다듬어 이중기단을 만들었으며 외곽으로 담장이 있고 남쪽 출입구에는 회랑이 있었던 것으로 확인되었다. 팔각건물지는 우물지를 메우는 과정에서 함께 묻혔던 의봉사년개토(儀鳳四年皆土)명(문무왕 19년, 679) 기와가 출토되어 문무왕대에 축조되었음을 알 수 있다. 이 팔각건물지의 성격에 대해서는 국가와 관련된 제사시설이라는 점에 의견의 일치를 보이고 있다.

최근 신라의 한강유역 진출기인 6세기 중반에 축조된 용인 할미산성에서 팔각형 등 다각을 이루는 2동의 건물지와 대형의 장방형 초석 건물지 2동 그리고 점토와 석재로 구축된 집수시설 1기가 확인되었다. 삼국시대부터 통일신라시대까지 축조된 6각, 8각, 12각 등 다각형 건물지는

---

12) 이문형, 「慶州 蘿井(史蹟 第『245號) 發掘調査 槪要」, 『慶州 蘿井-神話에서 歷史로-』, 중앙문화재연구원, 2005, p.43.

하남 이성산성과 공주 공산성, 중국 길림성의 환도산성 등 발견 사례가 적지 않다.[13] 이와 같은 팔각건물지와 집수시설, 좌우에 배치된 대형의 초석 건물지는 천신과 시조신을 모시는 의례적 공간으로 보고하고 있는데, 이를 참고할 때 경주 나정유적을 새롭게 해석해 볼 여지가 있을 것이다.

경주 나정유적은 1차 시설인 용도미상의 구덩이와 이를 둘러싼 구상유구, 목책열은 상당한 규모의 노동력이 동원되어야 축조가 가능한 시설이다. 또 구상유구와 목책열의 배치 상태로 볼 때 용도미상의 구덩이는 매우 독립된 공간으로 분리되어 있음을 알 수 있다. 따라서 나정유적은 초기철기시대부터 국가적 차원에서 제사가 이루어졌던 공간이었을 뿐만 아니라 7세기대에 팔각건물지가 조성될 때 까지도 제사 공간으로 신라 왕권에 의해 관리되던 지역이었다는 점에서 신궁제사 유적일 가능성이 크다고 판단된다.[14]

4. 산천제사와 기우제

『삼국사기』 신라본기에 파사 이사금 30년(109)에 처음으로 7월에 메뚜기 떼가 곡식을 해쳤는데, 왕이 산천에 두루 제사를 지내고 기도를 올려 메뚜기 떼가 없어지고 풍년이 들었다고 기록하고 있다. 첨해 이사금 7년(253)에는 5월부터 7월까지 비가 내리지 않아 조묘와 명산에 제사지내며 기원하였더니 곧 비가 내렸다고 한다. 또 미추 이사금 3년(264) 왕이 동쪽지방을 순행하다가 바다

그림 3. 경주 신당동 제사유구(보고서에서 전재)

에 제사를 지냈고, 기림 이사금 3년(300) 3월 우두주에 이르러 태백산에 제사를 지냈더니 낙랑과 대방 두 나라가 항복해 왔다고 한다. 혜공왕 12년(776)과 경문왕 4년(864)에도 왕이 감은사에 가서 바다에 제사를 지냈다. 한편 『삼국사기』 제사지에는 명산대천(名山大川)에서 대사·중사·소사가 행해졌다는 내용을 통해 볼 때 신라의 제사는 엄격하게 구분되어 있었음을 알 수 있다. 이와 같은 기록에 근거해 볼 때 관련 유적은 경주 혹은 인근에 분명히 존재하고 있겠지만 육안으로 드러나기 쉽지 않은 점이 있다. 백제의 경우를 참고할 때 부안 죽막동유적과 같이 주변을 조망하기 좋은 탁 트인 공간일 가능성이 크지만 지형 여건 또한 신라와 백제 모두 다르므

---

13) 이상국,「용인 할미산성 다각형 건물지의 구조와 특징」,『용인 할미산성 발굴조사 성과와 보존 활용 방안』, 2015.11, pp.71~94.

14) 물론 이에 대해서는 신화의 내용을 역사적 사실로 인식하는 것에 보다 신중해야 한다는 반대 의견도 적지 않다. 이은석,「왕경에서 본 나정」,『慶州 蘿井－神話에서 歷史로－』, 제1회 중앙문화재연구원 학술대회, 2005, p.109.

**그림 4. 경주 화곡리 자연수로 전경 및
출토 상형토기 각종(보고서에서 전재)**

로 이 또한 동일시 할 수 없을 것이다. 청동기시대와 일본의 고분시대 수변제사를 참조할 때 경주에서는 북천 주변이나 금장대와 같은 장소가 제사터로 이용되었을 가능성이 있지만 그 또한 밝혀진 바가 없다.

경주 신당동유적에서 확인된 수혈유구는 일정한 위치에서 군을 이루고 있다. 여기에 유물을 눕혀서 묻거나 거꾸로 엎어서 묻는 경우, 파쇄하거나 특정 부위를 매납한 경우 등 인위적 행위의 결과물로 추정되는 현상이 확인된다. 이 수혈유구는 형산강과 신당천이 만나는 지점에 위치하는 지형적 여건 때문에 6세기에서 7세기 전엽의 하천 제사유적으로 이해되고 있다.(그림 3)

통일신라시대의 대규모 토기공방이었던 경주 화곡리유적에서는 자연수로2의 B둑 주변에 할석을 넓게 깐 부석형태의 유구와 함께 주변에서 주수혈군이 산발적으로 확인되었다. 이 유적에서는 동물형, 인물형, 상형의 각종 토우와 상형토기가 다량으로 출토되었다. 유적의 성격을 고려할 때 각종 상형토기는 소비지로 공급하기 위해 제작하였던 물건이 불량으로 판단되어 폐기하였을 가능성이 없지 않다. 하지만 상형토기의 두부나 팔다리 부분만이 깨지고 몸통만 남아있다는 점은 파쇄에 의도성이 엿보인다는 점에서 단순 폐기로 보기 어려운 점이 있다. 이는 토기의 생산과 관련된 제사 혹은 수변이라는 자연 경관을 이용하여 모종의 제사 행위에 사용되었던 것이 폐기되었을 가능성이 매우 높다고 생각된다.(그림 4)

신라의 한 소국이었던 경산 임당 저습지유적에서는 복골, 소형토기, 각종 문양 및 인면상의 토구, 원반형 토제품 등과 같은 제사용 유물이 저습지의 가장자리에서 다량 출토되었다. 제사용 유물이 집중해서 출토된 위치로 보아 제사는 마을이 위치하는 저습지의 북쪽보다는 남쪽에서 마을을 바라보면서 이루어졌으며, 제사의 성격은 마을의 길흉화복을 비는 내용이었을 것으로 추정되고 있다.[15]

---

15) 장용석,『慶山 林堂洞 低濕池遺蹟Ⅲ』, (財)嶺南文化財研究院, 2008, pp.394~395.

통일신라시대에 축조된 창녕 화왕산성
의 경우 화왕산 정상부 한 가운데에 위치한
연못에서 제사의 흔적이 확인되었다.(그림
5) 이 연못의 내부에서는 토기류, 금속류와
함께 목간이 출토되었는데, 목간에서는 공
통적으로 "龍王"이 확인되어 제사의 내용이
기우제와 관련된 것임을 알 수 있다. 또 기
우제를 지내는 연월일, 제사 주체, 제사 대
상, 행위를 표현하고 있다. 당시 기우제를
지낼 때 '제사의 주관자는 진족이며 ○○년
6월 29일 진족이 용왕을 위해 제사(기우제)
를 열었다 또는 진족인 용왕을 위해 제사
(기우제)를 열었다'는 내용이 있다. 목간과
함께 연못에서는 제사 음식을 공헌하는 데
필요한 여러 가지 도구와 금속용기 외에도

그림 5. 창녕 화왕산성 연지 전경 및 출토유물
(보고서에서 전재)

호등·재갈과 같은 마구류가 출토되었다. 이와 같이 마구를 투기하는 것은 용왕에게 말을 제물로
바치는 행위를 상징적으로 표현한 것으로 이는 무덤에서 말을 제사에 사용하거나 이를 대신하는
의미로 마구를 봉토에 매납하는 양상과도 그 의미가 통한다고 하겠다.[16]

5. 종묘와 사직

종묘는 황제나 왕의 조상에 대한 제사를 행하는 장소와 관련 건축물을 말하며, 사직은 토지신
과 곡신을 의미한다.[17] 『三國史記』 신라본기에는 신문왕 7년(687) 태조대왕, 진지대왕, 문흥대
왕, 태종대왕, 문무대왕의 영전에 아뢴다고 하여 5묘의 범위가 확인된다. 또 원성왕 원년(785)
에 성덕대왕과 개성대왕의 두 묘당을 허물고 시조대왕과 태종대왕, 문무대왕, 흥평대왕, 명덕대
왕을 5묘로 정하였다는 기록이 있다. 애장왕 2년(801)에는 시조묘에 참배하고 태종대왕과 문무
대왕의 두 묘는 별도로 세우고, 시조대왕 및 왕의 고조부 명덕대왕, 증조부 원성대왕, 조부 혜충
대왕, 아버지 소성대왕을 5묘로 정하였다. 이와 같이 신라는 고대 중국의 예제 건축 원리를 도성
건립에 적용하였던 것이다. 『시경』에는 우선 종묘를 짓고 이어서 사직을 세운 후 궁전을 건축하

16) 金東淑, 「新羅·加耶 古墳의 祭儀遺構와 遺物」, 慶北大學校 大學院 考古人類學科 碩士學位論文, 2000, p.36.
17) 박순발, 「동아시아 고대 도성 廟壇의 기원과 전개」, 『한국 고대 도성의 의례공간과 왕권의 위상』, 제26회 한국
고대사학회 합동토론회, 2013, pp.2 14.

그림 6. 경주 황남동 123-2번지 대형건물지 지진구 전경 (보고서에서 전재)

였다고 할 만큼 이를 중요시하였다[18].

경주에서 종묘 관련 시설로 추정되는 유적은 계림 북편의 황남동 123-2번지 대형건물지 유적이 유력하다. 유적의 중심연대는 7세기 후반으로 추정된다. 이는 입구로 추정되는 담장형 유구의 남쪽에서 확인된 장대석의 가공 정도가 7세기 후반 무열왕릉 상석을 다듬은 정도와 같고, 초석 윗면을 다듬은 원형 초석이 8세기대의 특징과는 다르다는 점을 든 이근직

[19]의 연구성과 외에도 신라 왕경의 중심지인 월성에 근접해 있고 적심 직경이 1m 내외의 대형일 뿐만 아니라 일반적인 행정관아 건물과 다른 배치 및 초석 배열 상태를 보이고 있다는 점 때문이다. 또 건물의 조성 시기가 길 뿐만 아니라 일렬로 묻혀있는 지진구인 인화문유개합 안에서 황칠액이 존재하는 점을 볼 때 궁성과 관련된 유적임이 틀림없다. 그리고, 유적의 위치가 월성의 중심을 기준으로 정북이 아닌 서북쪽이며 이는 좌측에 해당한다는 점에서 북위의 낙양 도성제와 당 장안성의 도성제를 참고로 할 때 태묘, 즉 종묘의 위치와도 일치한다고 볼 수 있다. 따라서 신라 왕경에서 종묘와 사직의 위치는 정궁인 월성을 중심으로 왼쪽에 왕의 조상을 제사지내는 태묘인 종묘를 두고, 오른쪽에는 토지신과 곡신을 제사지내는 사직단을 두었을 가능성을 생각할

〈표 6〉 신라 상대 · 중대 · 하대 제사의 내용 추이도

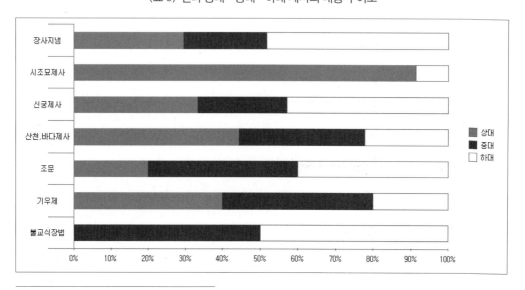

18) 박순발, 상게서, pp.21~22.
19) 이근직, 『천년의 왕도, 천년의 기억』, 학연문화사, 2013.

때 황남동 123-2번지 대형건물지는 종묘 유적으로 보아도 좋지 않을까 판단된다. (그림 6)

이상과 같이 신라는 상대, 중대, 하대를 거치면서 왕권의 계승을 정당화하고 神權을 유지하기 위해 시조묘제사와 신궁제사를 매우 중요하게 생각하였다. 시조묘제사는 상대에 집중되고, 신궁제사는 중대와 하대까지 유지되었다. 또 산천과 바다제사, 조문, 기우제 역시도 상대, 중대, 하대를 거쳐 지속적으로 확인되었지만, 중대와 하대에는 불교식 장법이 등장하였음을 알 수 있다.(표 6 참조)

IV. 맺음말

『삼국사기』 신라본기를 중심으로 신라의 제사를 살펴보면 왕은 왕위에 오르면 시조묘제사를 수행하는 일을 가장 우선으로 또 가장 중요한 일로 여겼음을 알 수 있다. 시조묘제사는 주로 정월과 2월에 지내며, 제사는 왕이 직접 진행하기도 하였다. 한편 제사지에 따르면 시조묘제사는 일년에 네 번 진행되었고 왕의 친누이인 아로가 맡아하였음을 알 수 있다. 시조묘제사는 농경의례 성격을 띤 천신제사와 구분하여 진행되었다. 또 새로운 왕의 즉위의례적 성격을 띠며 앞으로 펼칠 통치 행위의 정당성을 부여받았다. 즉위한 왕은 천신적이며 농경신적인 성격을 구현한 시조왕을 찬양하고 神力을 이어받은 존재임을 공표하는 장치로 활용하였다.

이와 같은 시조묘제사는 신궁이 설치되는 21대 소지 마립간 9년(487)까지 지속되었다. 신궁은 시조가 처음 탄생한 나을에 설치하였는데, 제사지에는 22대 지증 마립간대(500~514)에 설치하였다고 되어 있어 두 사서가 차이를 보이고 있다. 여하튼 5세기말 6세기초에 신라는 국가 제사를 시조묘에서 신궁제사 체계로 바꾼 것은 분명하다. 신라는 신궁 설치를 통해 종교 사상적 통합을 도모하고 왕권을 극대화하기 위한 장치로 이용하였던 것으로 이해된다. 신궁제사 유적은 나정유적을 가장 유력한 후보지로 들 수 있으며, 이 유적에서는 시대를 달리하며 축조된 용도미상의 구덩이와 초석 건물지, 팔각건물지가 발견되었는데 이는 최근 발굴조사된 용인 할미산성의 예를 통해 그 성격을 다시 한 번 재해석해 볼 여지를 두고 있다.

왕은 가뭄이 들었을 때는 기우제를 지내고, 국가에 어려운 일이 생겼을 때는 명산대천을 찾아 제사를 지냈다. 제사는 대사, 중사, 소사로 엄격히 구분하여 진행되었다. 경주 인근에서 이와 같은 제사유적이 발견된 사례로 경주 신당동유적, 경주 화곡리 생산유적, 경산 임당 저습지 유적, 창녕 화왕산성 통일신라시대 연지 유적 등이 있다. 도성 안에는 종묘와 사직을 두었는데 관련 유적으로는 황남동 123-2번지 대형 건물지를 들었다. 이 유적은 월성을 중심으로 좌측에 위치하며 유적의 중심연대가 7세기 후반이며 일렬로 묻혀있는 지진구인 인화문유개합 안에서 황칠액이 확인되어 궁성과 관련된 제사관련 시설로 보아도 좋을 것으로 판단되기 때문이다.

　왕이 죽었을 때는 빈의 기간을 두고 조문이 이루어질 수 있도록 하였다. 조문사절단은 그 지역의 음식이나 귀한 공헌물을 가지고 와서 장례에 사용하였다. 빈전은 왕실의 서쪽에 마련하여 조문 행렬을 맞이하였다. 빈의 기간이 끝나고 장지로 관이 이동되는 장례 행렬에는 악인이 동원되어 악기를 연주하고 노래하고 춤을 추기도 하였으며 통곡하기도 하는 장면이 연출되었다. 이와 같은 장례 절차는 새로운 왕위 승계를 공식적으로 알리고 왕권을 집중하기 위한 목적으로 이용되었으나, 불교·유교와 같은 고등 종교의 영향을 받아 순장의 금지, 박장, 합장, 화장의 형태로 점차 변화하는 과정을 거치게 되었다. 하지만 신라 사회에서 제사는 왕권의 신성성 유지를 위해 신라의 멸망 때 까지도 유지되고 있었음을 신궁제사를 통해 확인하였다.

【참고문헌】

金富軾 著·金種權 譯,『三國史記』, 明文堂, 1988.

국립경주문화재연구소,『慶州 皇南洞 大形建物址-123-2番地 遺蹟-』, 2009.

_____,「경주 쪽샘지구 E41호 적석목곽분 부곽 현장공개설명회 브로쉬어」, 2012.

(財)慶南文化財研究院,『昌寧 火旺山城內 蓮池』, 2009.

(財)聖林文化財研究院,『慶州 花谷里 生産遺蹟』, 2012.

(財)嶺南文化財研究院,『慶山 林堂洞 低濕池遺蹟 Ⅰ·Ⅱ·Ⅲ』, 2008.

(財)中央文化財研究院,『慶州 蘿井』, 2008.

韓國文化財保護財團,『慶州 神堂里 遺蹟』, 2009.

金元龍,『三國時代 開始에 관한 一考察」,『韓國考古學研究』, 一志社, 1987.

김대환,『慶山 林堂地域 古墳群Ⅹ-造永EⅢ-3號墳』, 嶺南大學校博物館, 2013.

金東淑,「新羅·加耶 古墳의 祭儀遺構와 遺物」, 慶北大學校 大學院 考古人類學科 碩士學位論文, 2000.

_____,「考古資料로 본 加耶人의 精神世界」,『第13回 加耶史學術會議』, 김해시, 2007.

김용성,「慶山 大邱地域 三國時代 古墳의 階層化와 地域集團」,『嶺南考古學』6, 嶺南考古學會, 1989.

_____,「경산 임당 고총의 제의와 부장품의 의미」,『한국 고대사 속의 경산』, 경산시·대구사학회, 2008.

나희라,「신라의 건국신화와 의례」,『한국 고대의 建國神話와 祭儀』, 제18회 한국고대사학회 합동토론회, 2005.

이근직,「新羅의 喪葬禮와 陵園制度」,『신라 왕경인의 삶』, 新羅文化祭學術論文集 第28輯, 2007.

_____,『천년의 왕도, 천년의 기억』, 학연문화사, 2013.

이상국,「용인 할미산성 다각형건물지의 구조와 특징」,『용인 할미산성 발굴조사 성과와 보존활용 방안』, 용인 할미산성(경기도 기념물 제215호) 발굴조사 성과와 보존활용을 위한 학술 심포지움, 2015.

이희준,「4~5세기 新羅의 考古學的 研究」, 서울大學校 大學院 考古美術史學科 文學博士學位論文, 1998.

鄭再敎,「新羅의 國家的 成長과 神宮」,『釜大史學』第十一輯, 1987.

蔡美夏,「新羅 宗廟制와 王權의 推移」, 慶熙大學校 大學院 史學科 博士學位論文, 2001.

최광식,『고대한국의 국가와 제사』, 한길사, 1994.

최병현,「古新羅 積石木槨墳의 變遷과 編年」,『韓國考古學報』10·11, 韓國考古學會, 1981.

우리나라의 鑄鍾遺構와 鑄鍾方法에 대하여

車順喆*

目 次

I. 시작하며

종은 외부충격으로 인한 진동으로 발생된 소리를 멀리 전달하는 악기로 인도의 간타(Ghanta)라는 타악기에서 유래된 것으로 보기도 하며, 중국 殷대이후 널리 제작된 청동기인 鍾이나 鐸을 혼합한 형식으로부터 발전된 것으로 보는 의견이 있다. 현존하는 종은 대부분 금속기이지만 선사시대에 사용된 종은 토제품으로 크기는 작지만 악기로서의 기능을 가지고 있었다고 생각된다.

사진 1. 중국 섬서성 서안시 斗門 출토(객성장문화기) 토제 종(중국국가박물관 소장)

현재까지 알려진 자료로 볼 때, 중국 신석기시대의 용산문화기에 속하는 커성좡(客省庄)문화기[1]에 속하는 섬서성 서안시 두문유적에서 출토된 토제 종은 기원전 2,500년전의 유물로 현존하는 최고 사례라 할 수 있다(그림

---

* 동국문화재연구원 조사연구실장
1) 커성좡(客省庄)문화는 중국 황하 중유역의 신석기시대 만기의 문화로 방사성탄소연대측정결과에 의하면 기원전 2,300~2,000년에 해당되며, 용산문화 중 하나이다. 섬서성 서안시 객성장에서 처음 확인된 이후, 渭河와 經河유역을 중심으로 분포하고 있다.

1). 이외에도 하남 陝縣 먀오디꺼우(廟底溝)[2] 양샤오(仰韶) 문화2) 유적에서 출토된 陶鍾은 일종의 단순한 타악기였는데 이는 "소리를 듣고 기뻐하는(聆音歡娛)" 역할을 담당했다고 보고 있다.

중국의 고대 범종은 商周시기 이래 장강을 경계로 남북의 두 유형으로 나뉘어져서 구분되고 있다. 장강 이북지역은 "북방계통 고종"이라 하고 장강 이남지역을 "남방계통 고종"이라고 한다. 북방의 고대 종은 한족의 문화를 짙게 반영하고 있으며 남방계통의 종은 다소의 차이는 있지만 중국 한족 보다는 변방의 지방 소수민족들의 문화가 섞여서 외래적인 요소들이 포함되어 있다는 점이 이 두 지역 종의 근본적인 차이라 할 수 있다.[3] 따라서 한국의 종을 연구하기 위해서는 남방계통 보다는 북방계통의 영향을 강하게 받았을 가능성이 많다고 여겨왔다. 그러므로 한국의 종은 중국에서 불교가 전해지던 시점인 삼국시대에 중국에서 그 제작기술이 건너왔다고 추정되므로, 비록 현존하는 사례가 통일신라시대의 작품들이지만 그 연원은 삼국시대에서 찾아야 될 것이다.

우리나라에서 범종이 사용된 사례는 기록을 통해서 살펴볼 수 있다. 『삼국유사』를 보면 신라 법흥왕 5년(544)에 대흥륜사를 낙성하자 "梁의 사신 심호가 사리를 가져왔다는 내용과 함께 陳 文帝의 天嘉 6년(565)에 법당을 세우고 범종을 걸었다[4]는 내용이 있으며, 백제시대의 6세기 후반 경 창건된 것으로 추정되는 부여 軍守里사지[5]와 東南里사지의 발굴조사에서 講堂址의 좌, 우편에서 확인된 방형의 건물지는 각각 鍾樓와 經樓로 추정되고 있다.[6] 따라서 적어도 삼국시대 6세기 후반 경부터는 이미 사찰에서 범종이 사용되었다고 추측해 볼 수 있다. 또한 황룡사지의 경우도 탑지의 남쪽에 鐘樓와 經樓가 위치했고 대종의 존재가 확인되고 있다. 따라서 우리나라에서 범종이 제작되어 사용된 시기는 삼국시대, 즉 6세기를 하한연대로 한다고 볼 수 있다.

---

2) 먀오디꺼우(廟底溝)문화는 중국 신석기시대인 양샤오(仰韶)에서 용산문화기 사이에 위치한다.

3) 전금운, 「중국범종」, 『상원사 동종의 종합적 검토』, 월정사 성보박물관, 2005, pp.111~112.

4) 『삼국유사』 권 제3 흥법 제3 '원종흥법염촉멸신'조.
　"大淸之初 梁使沈湖將舍利 天嘉六年 陳使劉思並僧明觀 奉內經並次 寺寺星張 塔塔雁行 堅法幢 懸梵鏡(鐘)"

5) 군수리 사지의 목탑지 중앙의 지표 아래 6척쯤 되는 곳에서 심초석이 노출되었고 이 위에서 발견된 활석제 불좌상과 금동보살입상은 제작연대는 6세기 후반경으로 추정되고 있으므로, 사찰의 창건연대는 이때와 비슷한 시기로 볼 수 있다. 따라서 백제의 경우 6세기 후반경부터는 이미 사찰 의식법구로 범종이 사용되었다고 추정된다.
　국립부여박물관, 『부여 군수리사지』 일제강점기 자료조사 보고6집, 2012.

6) 군수리사지는 1935년과 6년 2차에 걸쳐 이시다 모사쿠(石田茂作)에 의해 발굴조사 되었는데, 도면에 의하면 강당지 東西 양쪽에서 약 16尺 정도 떨어져 방형의 건물지가 나왔다 하며 역시 이시다 모사쿠에 의해 1938년에 발굴된 東南里寺址에도 강당지 좌우에서 방형건물지가 확인된 바 있다.
　朝鮮古蹟調査硏究會, 「扶餘に於ける百濟寺址の調査(槪報)」, 『昭和十三年度古蹟調査報告』, 1938
　국립부여박물관, 『부여 동남리사지』 일제강점기 자료조사 보고11집, 2014.

II. 종에 대하여

중국의 범종은 북방계와 남방계로 구분되고 있다.

북방계 범종은 현존하는 사례가 당대 이후 작품으로 우리나라 범종과 연관성이 지적되고 있다. 중국의 북방범종 중 현존하는 최고 범종으로 알려진 당 貞觀 3년(629)에 제작된 陝西省 富縣 寶室寺 종은 우리나라의 범종, 특히 통일신라시대 범종과의 연관성이 비교되는 작품이다. 중국 西安과 甘肅省 武威 등지에서 발견된 당시기의 종들은 조형, 장식 등이 보실사 종과 같이 아랫부분이 넓고 윗부분이 좁으며 종구는 물결무늬로 되어있다. 남방계통 범종에서 보이지 않는 화려한 문양이 종신에 가득하며 주조기법 또한 밀랍주조를 사용한 것으로 생각된다. 당시기 범종에서 보이는 비천상과 연판문, 한 마리의 짐승으로 표현된 鍾紐의 표현 등에서 통일신라 범종과의 연관성을 찾아 볼 수 있다(그림 2).

남방계 범종은 현존하는 사례가 남북조시기인 陳代 작품이 전하고 있다. 이 종은 현재까지 알려진 중국 범종 가운데 가장 오래된 예로 일본 나라국립박물관에 소장된 중국 陳 太建 7년(575)의 명문을 지닌 범종이다. 전체 높이가 29.1cm의 소형 종으로 초기 범종의 형태나 당시 중국 범종의 발전양상을 살펴볼 수 있는 자료이다(그림 3). 이 종은 상부인 천판부분이 둔덕지게 돌출되어 그 위로 하나의 몸체로 이어진 雙龍의 용뉴가 부착되었으며 몸체의 상단에는 隆起線

사진 2. 북방계 종(원보현 촬영)

陳 太建7年鐘 (575년)

사진 3. 남방계 종(나라국립박물관)

으로 구획된 上帶와 鍾口 위쪽에도 상대보다 조금 넓어진 下帶를 두었지만 문양은 전혀 시문되지 않았다. 또한 상대 아래의 종신에는 鍾乳의 장식이 없이 융기선으로 구획된 십자형 띠로 결박시켜 사분(四分)하였으며 십자형 띠의 중앙부인 종신 앞, 뒤면 중단쯤에는 8엽의 연화로 표현된 당좌(撞座)를 배치하였다. 그 한쪽 면 당좌 아래, 위의 띠 안에는 2행 26자의 명문이 음각되어 있다.[7]

따라서 북방의 고대 종은 한족의 문화를 짙게 지니고 있으며 남방계통의 종은 다소의 차이는 있지만 한족이 아닌 주변의 소수민족의 다양한 문화 요소들이 융합되어 있다는 점에서 차이를 보여주는 점이 두 지역 종의 근본적인 차이라 할 수 있다.[8] 남방계통인 陳太建七年(575년)은 형식적인 면에서 한국종에 직접적인 영향을 주었다고 보기는 힘들다. 삼국시대에 어떤 형태로 종이 만들어졌는지 모르지만 백제의 풍탁이나 이른 시기의 풍탁의 모습에서 이미 연곽과 연뢰, 당좌의 모습이 보이며 중국 북방 범종의 하대에서 보이는 곡선의 형태가 표현된 것으로 보아 범종 또한 비슷한 형태로 변화 발전되며 이후 오랜 기간이 경과되지 않아 중국이나 일본종과는 뚜렷이 구분되는 독자적인 범종으로 새로운 정착과 발전을 이루어나간 것으로 보인다.

결국 우리나라의 종의 특징은 종의 어깨를 장식한 4개의 方廓과 그 안에 3×3개씩 9개가 균일하게 배치되어 모두 36개를 이루는 종뉴 그리고 撞座와 같은 독특한 모습으로 미루어 볼 때 그 기원은 대체로 '甬鍾'이라 불리는 중국 고대 청동기에서 변화, 발전 된 것으로 보는 것이 지배적이다.[9]

현존하는 우리나라 최고의 종은 강원도 평창군 오대산 상원사에 소장되어 있는 성덕왕 24년에 제작된 開元 13년명 종(725년)을 들 수 있다. 이 종은 원래 있던 사찰의 소재지는 알 수 없으나, 조선 예종 1년(1469)에 안동 누문에 걸려 있었던 것을 현재의 위치인 상원사로 옮겨 보관해오고 있다는 기록이 전해진다.[10] 현재 상원사 동종(국보 36호, 높이 167cm, 구경 91cm)으로 불리는 이 종은 우리나라에서 현존하는 동종 중에서 그 제작연대를 알 수 있는 가장 오래된 종으로 천판에 새겨진 명문을 통해 확인할 수 있다. 명문은 용뉴를 사이에 두고 각 4행씩 8행으로 70자가 새겨져 있다. 이 명문을 통해 종의 제작시기와 중량(무게), 해당 사찰의 승려이름, 종을 만들기 위해 돈을 낸 시주자 이름, 종을 제작한 장인의 이름이 확인된다.[11] 이 종의 명문을 통해

---

7) 崔應天, 「禪林院址 梵鐘의 復原과 意義」, 『講座 美術史』, 제18호, 한국미술사연구소, 2002, pp.55~56.
8) 전금운, 「중국범종」, 『상원사 동종의 종합적 검토』, 월정사 성보박물관, 2005, pp111~112.
9) 坪井良平, 『朝鮮鐘』, 角川書店, 1975, pp.19~21.
10) 『永嘉誌』卷之六二.
　"樓門古鍾 重三千三百七十九斤撞之則聲音雄亮遠可聞百里江原道上元寺乃 內願堂也欲置遠聞之鍾求八道本府之鍾爲最成化己丑以 國命將移運踰竹嶺鍾幽吼極重難越折鍾乳送本府後可運至今在上元寺"
11) 이 종은 725년 3월8일에 제작되었으며, 종을 제작하는데 사용된 유기는 모두 3천3백정이 소요되었고, 종을 제

서 알 수 있는 장인의 계급이나 범종의 문양과 주조상태로 볼 때, 이 종은 한국 범종 제작사에서 초기 작품으로 보기보다는 통일신라 전성기 당시의 작품으로 볼 수 있다.

이 외에도 선림원 종을 살펴보면 종의 제작과정에 있어서 古尸山郡 仁近大乃末 紫草里가 시주한 옛날 종(280廷)에 선림원의 옛날 종(220廷)을 합쳐서 새롭게 큰 종(500廷)을 주조하였다는 내용이 기록되어 있다. 이는 기존에 있던 옛날 종(古鐘)에 시주 받은 금속을 더 보태어서 새로운 큰 종을 주조한 모습이 확인되는데, 이 역시 삼국시대 동종의 존재를 추정할 수 있는 자료이다.[12]

Ⅲ. 주종유구

동아시아지역에 불교가 전재된 이후, 사찰 내에서 사용된 의례용 법구로 사용된 범종은 중요한 기물 중 하나였다. 범종은 사찰에서 이루어지는 주요 법회나 행사에 사용되는 법구(法具)로 아름다운 소리를 내는 청동기물이다. 사찰의 법당 안이나 별도로 마련된 종루에 현가되어 사용되며 그 크기와 무게로 구분할 수 있다. 하지만 대형 범종의 경우에는 주조 후 현재까지 내려오는 범종들은 중소형이 대부분을 차지하고 있는데, 이는 범종이 파손될 경우에 다시 녹여서 청동을 재활용하기 때문이다.[13] 사찰에서 사용하는 법구, 즉 佛具는 불법을 수행하는데 필요한 모든 도구를 의미하는데, 우리나라에서는 梵鍾, 法鼓, 雲板, 木魚 등을 사찰 바깥 공간에 배치하고 사용했는데, 범종 역시 사찰 공간 안에서 별도의 건물인 종각 안에 봉안을 하고 사용을 하였다. 그러므로 종의 수요는 매우 많았다고 생각되며, 이를 만들었던 주종유구 역시 많았다고 추정되지만 현재까지 유적이 발견된 사례는 매우 드문 편이다. 종을 만들었던 주종유구는 그 규

작하는데 참여한 승려는 普衆이라는 주지와 6명의 스님이 있었음을 알 수 있다. 또한 시주는 적어도 6두품 이상의 권력과 재력을 가진 진골의 아내 두명이 함께 했음을 알 수 있다. 8행에는 종을 제작한 장인의 이름이 보이는데 종을 제작한 장인은 大舍라는 신라 국가의 관등이나 관직을 갖고 있었던 照南宅의 匠人 仕□이라는 이름을 가진 사람임을 알 수 있다.

"開元十三年 乙丑 三月八日 鍾成記之 都合鍮三千三百鋌 □□ 普衆都唯乃 孝□ 直歲 道直 衆僧忠七 沖安 貞應 旦越 有休大舍宅夫人休道里 德香 舍上 安舍照南毛匠 仕□大舍"

김재홍,「銘文을 통해 본 上院寺 銅鐘의 역사적 의의」,『상원사 동종의 종합적 검토』, 월정사 성보박물관, 2005. pp.73~74.

12) "貞元廿年 甲申 三月 廿三日 當寺鍾成內之 古尸山郡 仁近大乃末 紫草里 施賜乎 古鍾 金 二百八十廷 當寺古鍾 金 二百廿廷 此以本爲內 十方旦越 勸爲成內之 願旨是者 法界有情 皆佛道中到內去 誓內時寺聞賜主 信廣夫人君 上坐 令妙寺 日照和上 時司 元恩師 鍾成在伯士 當寺 覺智師 上和上 順應和上 良惠師 平法 善覺師 如於 / 日晶誓師 宣司 禮覺師 節唯乃 同說師"

13) 고려시대의 자료이지만 대구시 북구 국우동 건물지에서 발견된 종편은 종을 녹여서 새롭게 청동소지로 사용했음을 보여주는 자료이다.

영남문화재연구원,『칠곡3택지 개발사업지구 내 대구 국우동 건물지유적』, 2013.

모의 차이는 있지만, 한국, 중국 그리고 일본 등 여러 나라에서 모두 확인된다.

범종을 주조하기 위해서는 통상 지하에 마련된 작업장 안에 거푸집을 설치한 후 작업장 밖에 마련된 정련로에서 청동 주액을 거푸집 안으로 흘려보낸다. 이때 거푸집은 주액이 주입되는 주입공과 거푸집 안의 공기가 빠져나오는 공기배출공이 상부에 설치되며 주액 주입 후 최종단게에는 주입공과 공기배출공 안까지 청동 주액이 채워지면서 넘쳐흐르게 된다. 이후 주조물의 온도가 내려간 후 형틀을 제거하고 주조된 범종의 표면을 정리한 후 사용하게 된다.

주종유구를 구성하는 부분을 살펴보면, 먼저 주조 대상물의 주형이 안치되는 수혈(鑄造壙)과 주형에 쇳물을 주입하기 위한 溶解爐 그리고 부속시설로 용해로에 바람을 불어넣는 풀무시설과 연료를 쌓아둔 炭置場, 청동합금 원료를 보관하던 창고, 작업인원이 머무르던 작업장 등으로 구성된다. 주조공방 안에 이들 시설이 모두 확인되는 경우는 드물며 대부분의 경우는 주형이 안치된 수혈만 확인될 뿐이다. 수혈은 주조하기위한 범종의 크기에 따라서 그 규모가 정해지는데, 보통 범종의 지름의 3배 정도를 전후한 모습이 주를 이루고 있다. 주조작업이 이루어지는 작업공간은 사찰 안에서 넓은 공간을 사용할 수 있는 장소를 선정하는데, 마당 혹은 건물 외곽의 변두리에 입지한 경우가 많다. 전 천왕사지의 경우에는 주변에 기와가마가 위치한 점으로 볼 때, 사역 주변에 마련된 공방지역에 위치했다고 추정되며, 안성 봉업사지의 경우 삼층석탑과 인접한 모습이고 경주 감은사지의 경우에는 주조작업을 위한 건물을 만들고 그 안에 주조시설이 마련된 경우이다. 따라서 작업장은 주조작업을 마친 후 제작된 범종의 이동작업을 고려했을 가능성이 많으므로 범종의 사용처를 추정하는데 도움을 준다고 생각된다. 따라서 사역밖에 별도로 마련된 주조공방의 존재는 주조작업을 전담하던 전업 사찰공방의 존재를 추정할 수 있게 한다.

범종을 주조하기 위한 작업공간은 통상 지하식의 수혈로 만들어지는데, 방습을 위해서바닥에 점토나 숯, 소토 그리고 기와와 돌들을 한 벌 깔은 모습이다. 그리고 수혈 중앙에는 범종의 주형이 안치되는데, 주형이 놓이는 부분을 기준으로 안쪽에는 작은 원형의 수혈이 만들어져 있다. 이곳은 주형이 안치된 중앙부에 비해서 깊은데 주형의 내형을 고정시키는 틀이나 내형의 속심이 놓였던 자리로 볼 수 있다.

범종의 주형은 외형을 하나로 만든 〈일체형〉과 여러 개의 조각을 나누어진 외형을 조립해서 만든 〈조립형〉으로 구분되며, 범종의 크기가 소형인 경우에는 失蠟法으로 만들었지만, 대형의 경우에는 목형이나 점토를 성형하여 만든 틀을 이용하여 외형을 만들었다고 추정된다. 신라 범종 중 최대의 규모를 자랑하는 성덕대왕신종의 경우 여러 개의 이러한 외형이 조립된 모습과 문양틀을 반복하여 사용한 모습이 범종의 표면에서 관찰되는데, 이는 몇 개의 문양틀을 만든

후 조립형 외형에 문양을 찍어서 외형을 만들었음을 보여준다.[14] 범종의 크기에 따라서 외형의
제작방법이 다른 점은 결국 당시 범종제작기술의 한계에 따른 것으로 외형 제작의 어려움을 보
여준다고 판단된다.

주종유구에서 범종의 종구가 놓이는 부분은 강한 열로 인하여, 점토가 소결된 모습을 보여주
는데 내형과 외형의 흔적이 일부 확인되기도 하지만 대체로 원형의 띠모습으로 확인되는 경우
가 대부분이며 주조된 범종을 꺼내면서 주형이 부서진 경우에는 주형하부에 기초시설로 놓인
기와나 돌의 표면에 피열된 범위가 확인되기도 한다.

동아시아지역에서 주종유구가 확인된 사례를 살펴보면 중국에서 1개 유적이, 우리나라에서
는 5개 유적의 6례가 조사되었고, 일본에서는 1993년을 기준으로 40여개 유적에서 주종유구가
조사되었는데,[15] 최근에는 그 수가 50여개 유적으로 증가하고 있다.[16]

중국의 경우 현존 최고의 범종이 일본 나라국립박물관에 소장되어 있지만, 종을 만들었던 공
방의 사례는 그리 알려진 바가 없다. 최근 중국 하남성에서 발굴조사된 주종유구 사례가 국내
에 소개되었는데, 당시기에 철종을 주조한 유적이다.

이 유적은 중국 하남성 정주시 서대가 제3중학교 부지 내 주종유구[17]이다.

2002년 12월 하남성문물고고연구원에서 발굴조사한 주종유구로 발굴조사 후 이전 복원되었
다.[18]

사진 4. 중국 정주 당대 주종유구 전경
(曾曉敏, 2015)

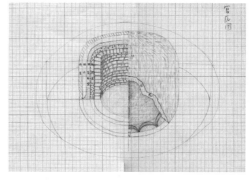

그림 1. 중국 정주 당대 주종유구 복원도
(한조회·증효민, 2015)

14) 나형용, 「성덕대왕신종의 주조법에 대한 고찰」, 『성덕대왕신종 종합논고집』, 국립경주박물관, 1999, pp.465~481.
15) 京都府埋藏文化財調查研究センター, 「梵鐘鑄造遺構の現狀とその諸問題」, 1982.
   神崎勝, 「梵鐘の鑄造遺跡とその變遷」, 『考古學硏究』157, 考古學硏究會, 1993, p.114.
16) 飛鳥資料館, 『古代の梵鐘』, 2003, p.21.
17) 한조회·증효민, 「하남 정주에서 발견된 주종(鑄鐘) 유적 연구」, 『고대 제철기술! 실험고고학으로 말하다』, 국립중원문화재연구소, 2015, pp.28~31.
18) 발굴조사 된 주종 유적은 현재 베이징 대종사박물관에서 야외전시물로 관리하고 있다.

주종 유적은 지하식구조로 작업장의 평면 형태는 원형이고 수직으로 파내려간 벽면에 바닥은 편평한 모습이다. 작업장의 규모는 지름 4.5m, 깊이 1.0m이다. 작업장의 벽면과 바닥은 주조작업 시 발생한 열로 인하여 그을려서 붉은색 燒土面이 되어있었다.

주종유구는 용범은 작업갱의 중앙에 위치하는데 현재는 내범만이 남아있다. 전체는 종 형태인데 가운데는 비어있고 상부는 훼손되었다. 저부 내경은 1.60m, 외경은 2.40m, 잔고는 1.34m이다. 안쪽에서 바깥쪽까지 세 부분으로 구성된다. 내층은 흙벽돌을 쌓아 만들었고 직벽에 아치형 천정이 더해져 종 형태를 띠는데 천정부는 훼손되었다. 두께는 0.16~0.20m이다. 흙벽돌은 사용흔으로 인해 붉게 그을려 있고 내부에 채운 홍갈색 흙에는 대량의 燒土 덩어리와 철 찌꺼기가 섞여 있다. 저부에는 풀과 나무를 태운 재(草木灰)가 두께 0.05m 퇴적되어 있다. 중간에 끼인 층은 모래흙에 대량의 소토 알갱이가 섞여있고 두께는 0.10m이다. 외층은 細沙土를 발랐고 두께는 0.10m정도인데 표면은 비교적 매끄러운 상태이다. 유적의 시기는 당대로 추정하고 있다.

우리나라에서 확인된 주종유구는 대부분 사찰 안에서 확인되고 있다. 이는 종 자체의 무게가 크고 운반하기 어려운 점을 고려한다면, 사용처 주변에서 종을 만들었음을 알 수 있다. 현재까지 국내에서 발견된 주종유구는 삼국~고려시대의 유적에서 모두 7곳이 확인되었다. 이들 유적은 삼국시대부터 고려시대까지 사찰 안에서 이루어진 대형 주물작업의 존재를 알려주는 자료로서 당시 주조기술을 파악할 수 있다.

1. 충청남도 서천군 종천지구 개복사지 - 백제

유적은 충청남도 서천군 종천면 신검리 10전 일원에 위치하며, 국강문화재연구소에서 발굴조사를 실시한 결과 삼국~고려시대의 사찰과 부속 공방시설 등이 확인되었다.[19]

주종유구는 사역 옆에 위치한 공방지구 안에서 확인되었다.

공방지는 유적 남동쪽 하단에 만들어진 수혈유구로 범종 주조작업과 관련된 주종유구와 부속시설들로 판단된다. 주종유구 하단에 놓인 수키와로 볼 때, 웅진시기 백제 때 운영된 사찰 공방으로 판단된다.

공방지의 평면형태는 세장방형이며 길이는 18.85m 이며, 잔존깊이는 64㎝ 정도이다. 동쪽으로 치우쳐 북벽의 일부분이 바깥으로 돌출되었다. 내부시설로 주종유구와 주혈, 벽구, 단시설

19) 국강문화재연구소, 「서천 종천지구 제1차 학술자문회의 자료」, 2014.
   국강문화재연구소, 「서천 종천지구 제2차 학술자문회의 자료」, 2014.
   국강문화재연구소, 「서천 종천지구 제3차 학술자문회의 자료」, 2014.
   국강문화재연구소, 「서천 종천지구 제4차 학술자문회의 자료」, 2014.
   국강문화재연구소, 「서천 종천지구 농업용저수지 둑높이기 사업부지 내 유적」, 2015.

사진 5. 주종유구 노출상태

사진 6. 주종유구 최종 노출상태

등이 확인되었다. 주종유구는 공방지의 중앙에서 서쪽으로 약간 치우쳐 위치하며 평면형태는 원형이다. 기저면의 규모는 196~215㎝ 정도이다. 울산 약사동유적, 하남 하사창동유적의 주종 유구와 비교해 보면 내부 수혈을 조성하지 않고, 공방지의 바닥면에 주종유구의 주형틀대를 높여서 설치한 차이점이 보인다.

주종유구는 점토와 석재를 원형으로 돌려 기초시설을 하였으며 동-서 양쪽 방향으로 공간을 마련하고 집선문의 수키와 2매를 연결시키고 안쪽으로 약간 기울여 설치하였다. 수키와 하부에 동-서 방향으로 얕은 구를 조성하였으며, 서편 수키와 하부에는 다량의 목탄 퇴적층이 확인 되었다. 기초시설 위에 55~66㎝ 크기의 판석 4매를 안쪽으로 약간 기울여 올려놓았으며, 외곽으로 빈공간은 소형 할석과 기와편, 갈색 점토로 보강하였다. 판석의 상면을 점토로 처리하고 정선된 세사립의 사질점토로 주형틀대를 조성하였다.

주형틀대의 직경은 약 90㎝ 정도이며, 북동쪽 부분이 잘 남아 있어 안쪽으로 단을 지은 부분이 확인된다. 흑회색과 적갈색으로 강하게 소결된 상태였다. 주종유구의 중심은 판석이 없이 비어있는 상태였으며, 내부에서 집선문의 암키와편과 청동슬래그가 확인되었다. 주종유구의 주변에서 청동슬래그 잔편과 거푸집 잔편이 소량 확인되었다.

주종유구의 동쪽과 서쪽으로 직경 55㎝ 정도의 중심주혈을 육각형 형태로 배치하고 중심주혈 사이에 직경 20~30㎝ 주혈을 배치한 양상이 확인되었다. 일부 주혈은 구로 연결되어 주변의 수혈과 남서쪽의 대형 수혈로 이어지는 양상이다. 주종유구의 북쪽과 남쪽 부분은 주혈을 배치하지 않고, 약 1m 간격으로 열려있는 공간을 마련하였다. 주형틀 상부의 거푸집을 고정하기 위한 가구시설의 주혈군으로 추정된다. 주종유구의 서편으로 2열로 축조된 후대의 석축시설이 확인되었다.

사진 7. 서천 개복사지 통일신라시대 수막새

주종유구가 위치한 북벽은 단시설과 벽구시설이 확인되었다. 북벽 동쪽의 돌출된 부분은 양쪽에 대형의 수혈이 배치된 양상으로 확인되었으며 내부에서 집선문 기와편이 출토되었다. 유물은 공방지의 동쪽 부분에서 집중적으로 집선문 암키와편과 수키와편, 연화문 수막새 등이 출토되었으며, 특징적으로 거치문과 당초문이 시문된 장식와편이 출토되었다.

2. 충청남도 공주시 수원사지 - 통일신라

공주 수원사지는 『삼국유사』에 기록이 보이는 사찰로 백제 27대 위덕왕대인 6세기말에 당시 도읍인 웅진(공주)에 존재했던 곳으로 웅진백제시기에 대통사와 함께 존재했던 사찰로 미륵신앙[20]과 관련된 곳이다. 1967년 탑지에 대한 발굴조사[21]이후 1989년의 시굴조사와 1991년의 발굴조사를 공주대학교 박물관에서 수행하였다.[22] 발굴조사결과 웅진백제시기의 사찰 흔적은 확인되지 않았으며, 통일신라~조선시대 초기까지 사찰이 유지되었던 모습이 확인되었다.

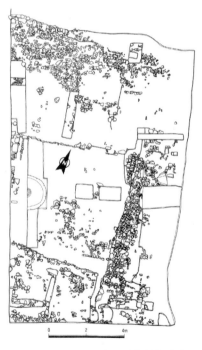

그림 2. 수원사지 동단부 주종유구 위치도

주종유구는 건물지 중앙 아래쪽에서 확인되었다. 건물의 기단보다 약 40㎝ 아래에 있는 생토층을 파고 들어간 평면형태가 원형인 구덩이로 위가 넓고 아래가 좁은 모습인데, 바닥면은 편평한 모습으로 규모는 지름 3.6m, 깊이 1.5m이다.

수혈 바닥에서 확인된 주형틀대는 유구가 절반만 조사된 관계로 인해 부분만 노출했지만, 보고서 사진을 보면 원형 주형틀대의 모습이 거의 들어난 모습이다. 바닥면에는 외면 지름 96㎝의 테두리가 확인되는데, 이 면을 따라서 2조의 점토띠가 돌아가는 모습이 확인된다. 이 부분은 범종의 종구가 놓이는 부분으로 추정되는데, 바깥 가장자리의 점토띠는 백색을 보이며 폭은 16㎝이다. 종구부분을 감싼 주형이 놓인 부분으로 추정된다. 이 안쪽에는 바깥지름이 48㎝되는 폭 10㎝ 정도의 점토대가 확인되는데, 바닥면 보다 3㎝ 정도

20) 길기태, 「수원사 미륵신앙의 성격」, 『백제문화』 36, 공주대학교 백제문화연구소, 1978, pp.5~29.
    김수태, 「웅진시대 백제 사원과 도성의 관계 수원사를 중심으로-」, 『백제문화』 50, 공주대학교 백제문화연구소, 2014, pp.75~102.
21) 김영배, 「수원사 탑지조사」, 『백제문화』 11, 공주사범대학 부설 백제문화연구소, 1978, pp.39~46.
22) 공주대학교박물관, 『수원사지』, 1999.

높게 남아있는 모습이다. 점토대가 확인된 부분은 주형의 안틀이 놓인 부분으로 보이는데, 주변에서 숯이 섞인 흑색과 회색의 고운 모래가 확인된 점으로 볼 때, 주조작업 시 강한 열을 받았다고 생각된다. 수혈의 중앙부분에도 둥근 원형의 흔적이 보이는데, 다른 주종유구에서도 바닥에서 수혈이 확인되는 점으로 볼 때, 바닥면에 또다른 원형 수혈이 존재할 가능성이 많다.

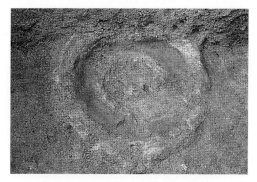

사진 8. 수원사지 주종유구의 주형틀대

수혈 내부에는 잡석과 황갈색 사질점토가 채워진 모습으로, 동시에 인위적으로 매몰되었음을 알 수 있다. 내부에서 유물이 발견되지 않아서 주종유구의 시기를 알 수는 없지만, 조사자는 사찰이 창건된 시기의 유적으로 통일신라시대 말기에서 고려시대 초기로 보고 있다.

3. 경기도 하남시 전 천왕사지 - 통일신라

전 천왕사지는 창건과 관련된 내용이 밝혀지진 않았지만 출토된 명문와로 볼 때, 天王寺로 불려졌다. 『고려사』와 『고려사절요』 그리고 『조선왕조실록』(세종실록)에 광주 천왕사 불사리와 관련된 내용이 나타나며, 원주 고달사지에 소재한 〈원종국사혜진탑지〉에 광주 천왕사와 관련된 기록이 남아있다. 또한 현재 국립중앙박물관으로 옮겨진 춘궁리 철불의 석조대좌가 부근 민가에 전해오다가 현재 하남역사박물관으로 옮겨져 있다. 사역과 주변 일대에 대한 시굴[23] 및 발굴조사가 지속적으로 이루어진 결과, 전 천왕사지의 가람배치와 규모가 확인되었고, 특히 사역 바깥에 만들어진 사원의 별원과 공방시설 등이 조사되었다.[24] 공방시설은 주종유구 1기와 청동용해로 1기가 확인되었다. 이 두 유적은 서로 상관관계를 가지고 있다고 추정된다.

청동 용해로는 하남시 하사창동 352번지 유적에서 확인되었다.[25] 평면형태는 말각방형으로 규모는 장축 3m, 단축 2.5m 정도이다. 수혈 바닥에는 노벽체와 슬래그가 무너져서 채워진 모습을 보여준다. 수혈 내부에서 출토된 벽체와 슬래그에 대한 XRF분석결과 청동 제련과 관련된

23) 한국문화재보호재단, 『하남 천왕사지 시굴조사 보고서』, 2001.
한국문화재보호재단, 『하남 천왕사지 2차 시굴조사 보고서』, 2002.
24) 한국문화재보호재단, 「3. 하남 하사창동 64-3번지 유적」, 『2011년도 소규모 발굴조사 보고서 I -경기1-』, 2013.
한국문화재보호재단, 「4. 하남 하사창동 68-2번지 유적」, 『2011년도 소규모 발굴조사 보고서 I -경기1-』, 2013.
25) 한국문화재보호재단, 「하남 하사창동 352번지 창고시설 신축부지 내 문화유적 국비지원 발굴조사 약보고서」, 2014.

사진 9. 제련로 노출상태

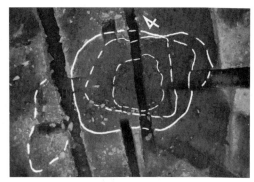

사진 10. 제련로 바닥 노출상태

제련로로 확인되었다.[26)]

　하남시 하사창동 64-2, 344번지 유적에서는 주종유구가 확인되었다.[27)] 주종유구의 서쪽 굴광부분은 나말려초 시기의 방형 수혈주거지가 축조되면서 중복된 모습을 보여주는데, 이로 볼 때, 유적의 조성시기는 통일신라시대로 판단된다.

　주종유구는 원형의 작업공간을 굴광하고 중앙에 주형틀대를 마련한 형식이다. 작업공간은 전체적으로 원형에 가까우며, 벽면은 수직으로 굴착하였다. 규모는 지름 340㎝, 잔존깊이 33㎝ 정도이다. 수혈 내부는 점토, 숯과 소토 등을 이용하여 다졌는데, 바닥면에는 숯을 부분적으로 얇게 깔았으며, 숯 위에는 소토와 숯을 섞어 약 30~15㎝ 정도 다짐하였다.

　범종을 주조하면서 종구가 놓이는 주형틀대는 작업공간의 중앙부분에 원형으로 설치하였는데, 평면형태는 원형이며, 규모는 지름 94㎝, 잔존 높이는 14㎝이다. 축조방법은 주형틀대 하부인 작업공간 바닥면에 3개의 (타)원형 수혈을 마련하고, 이 수혈들의 중심부쪽 굴광선에 주형틀대의 외연이 맞닿도록 주형틀대를 시설하였다. 3개의 타원형은 약 120° 간격으로 주형틀대 하부 외연에 배치되어 있는데, 그 내부에는 기와편, 숯이 혼입되어 채워져 있었다. 주형틀대의 단면형태는 중앙부가 뚫린 凸자형의 모습이다. 즉, 점토를 이용하여 하단부를 넓게 축조하고, 하단부 외연에서 약 10~20㎝ 정도 들여 돌출된 상부구조를 마련하였다. 주형틀대의 내부는 가장 안쪽의 적갈색 사질점토와 접해 석재, 기와, 점토를 이용하여 2단으로 적석을 하였고, 중앙부분은 원형에 가까운 모습으로 뚫린 모습이었다. 주형틀대의 상면의 동쪽 부분에서 회백색으로 소결된 반원형의 띠가 노출되었는데, 원래는 원형이었을 것으로 추정된다. 두께는 5㎝ 정도이며, 추정 지름은 52㎝이다. 이 회백색 소결 띠의 상면에서 청동슬래그가 출토되었다.

---

26) XRF분석결과를 보면 알루미늄과 티타늄 성분이 확인되는 점으로 볼 때, 흙이 섞인 분말 또는 잘게 부숴진 동광석을 제련했을 가능성이 크다고 생각된다.

27) 한국문화재재단, 「2. 하남 하사창동 64-2, 344번지 유적」, 『2012년도 소규모 발굴조사 보고서 I -경기·강원 1-』, 2015.

사진 11. 주종유구 내부 모습　　　　사진 12. 주종유구 바닥 노출상태

4. 경상북도 경주시 감은사지 - 고려

　감은사는 통일신라시대 초기의 사찰로 신문왕이 아버지인 문무왕의 호국에 대한 염원을 담은 사찰로 682년 창건되었다. 1959년 국립박물관에서 서탑 해체복원과 함께 가람에 대한 조사가 이루어졌고,[28] 이후 국립경주문화재연구소에서 유적정비를 위한 발굴조사를 1979년부터 1980년까지 3차에 걸쳐 실시하였다.[29]

　주종유구는 가람의 남북중심축에서 서쪽으로 58.1m 떨어진 곳으로 석탑의 동서 중심선에서 북쪽으로 30㎝ 떨어진 곳이 건물의 중심이다. 따라서 주종공방은 동서 삼층석탑의 사이에 마련된 공간 안에서 한시적인 작업을 한 임시시설로 추정된다.

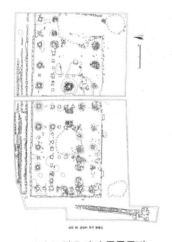

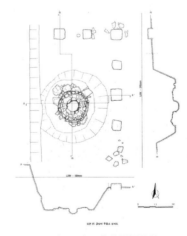

그림 3. 감은사지 주종공방　　　　그림 4. 감은사지 주종유구

---

28) 김재원·윤무병,『감은사』국립박물관 특별조사보고 제2책, 을유문화사, 1961.
29) 국립경주문화재연구소,『감은사지 발굴조사보고서』, 1997.

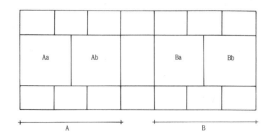

그림 5. 감은사 고려시대 주종공방 평면도

공방건물의 기단은 외진 초석 중심에서 1.5m정도 거리가 떨어졌는데, 4면이 모두 같은 거리이다. 결구된 기단의 형식은 지대석 없이 면석을 바로 지면에 묻은 다음 위에는 턱이 없는 갑석을 얹은 모습이다. 면석에는 탱주를 두지 않고 바로 맞대은 모습이다. 남쪽 기단 바깥에는 장대석이 놓여있는데 계단으로 추정된다. 이런 기단 모습은 강당 서편의 건물지와 같은 모습으로 고려시대로 추정된다.

공방건물은 정면 7칸, 측면 3칸 구조지만 내부 구조는 공방의 작업공간 구분으로 인해서 소형 초석을 촘촘하게 배치한 모습이다. 평면 형태로 보면 중앙을 중심으로 각각 동서 작업공간으로 구분되는 모습을 보여준다. 서쪽을 A구역, 동쪽을 B구역으로 구분하면, 각 공간의 작업실은 내진에는 별도의 주좌를 두지 않은 소형초석을 놓았다. 건물의 내부구조는 도리칸의 외진 어칸을 기준으로 했을 때, 동서로 양분되어 대칭을 이루고 있다. 즉, 도리칸의 어칸을 제외한 양쪽 3칸과 보칸의 어칸에 해당되는 구간에서 독립된 작업공간인 A, B구역이 위치한다.

A구역 외진은 동서 8칸, 남북 4칸으로 동서방향 가운데 초석을 기준으로 다시 양분되어 소공간인 Aa와 Ab로 구분되는데, 내부는 통칸으로 되어 있는데, 동서 5.25m, 남북 4.8m의 크기로 A구역 전체 규모는 동서 10.5m, 남북 4.8m가 된다. Ab에서는 지름 4m 정도의 수혈이 확인되었는데, 상면은 고열로 단단하게 소결된 모습으로 주변에서 청동 슬래그가 발견된 점으로 볼 때, 청동을 녹이던 제련로로 추정된다.

B구역은 A구역과 정확하게 대칭되는 모습을 보여주는데, Ba구역에서 지름 3m, 깊이 1m정도의 수혈이 확인되었다. 수혈 내부에는 30㎝ 안팎의 할석을 놓고 기초를 다진 후 그 위에 길이 25~30㎝, 너비 10㎝의 특수기와를 사용하여 축조한 반구형 시설이 확인된다. 평면형태는 지름 1.2m의 원형으로 가운데에는 지름 40㎝의 구멍이 뚫려있는데, 현재 높이는 20㎝이다.

이상과 같은 내용으로 볼 때, 이 시설은 기와와 할석을 이용하여 주형틀대를 만든 주종유구이다. 따라서 감은사지에서 발견된 공방시설은 주종작업을 위한 용해로와 주종시설이 함께 만들어진 공방으로 최소한 1m 이상의 단차를 둔 상태에서 사찰에 필요한 종을 지

사진 13. 감은사지 주종유구

하식 주종시설을 이용하여 만들었다.

5. 경기도 안성시 봉업사지 - 고려

봉업사는 고려 태종의 초상화를 봉안했던 진전사원으로 창건되어 고려말까지 번성했던 사찰이다. 1966년 경지정리작업중 다량의 청동유물이 발견되어 '奉業寺'의 사명이 밝혀졌다. 경기도박물관에서 발굴조사를 실시한 결과 당시 건물지와 주종유구 등이 확인되었다.[30] 특히 '太和 6년(832)'명 기와가 출토되어, 통일신라시대에 華次寺가 위치했음이 밝혀졌다.

주종유구는 삼층석탑에서 남쪽으로 10m 떨어진 지점에서 주종유구와 용해로로 추정되는 적석유구가 확인되었는데, 용해로로 추정된 시설은 조사내용으로 볼 때, 삼가마로 추정된다. 주종유구는 삼층석탑의 보호난간 남동쪽 모서리에서 2m 떨어진 지점에서 확인되었다. 지표하 60cm 깊이에서 윤곽이 들어났는데, 틀을 놓았던 원형의

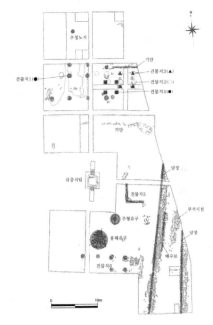

그림 6. 안성 봉업사 주종유구 위치도

띠를 반원형의 네 귀가 달린 단단한 소토 덩어리로 감싼 모습이다. 틀 바깥쪽에 돌출된 귀 모양은 용해된 청동 주액을 주입하던 주입공과 관련된 것으로 추정된다. 주조된 종의 크기를 추정할 수 있는 내부 지름은 76cm이며, 너비 5cm로 1단이 돌아가고 다시 2cm 아래에서 5cm의 폭으로 원형 띠가 돌아가면서 단을 형성하고 있다. 이 부분에는 주물사가 얇게 여러 차례 발려진 모습이 확인된다. 주형틀대는 수혈 바닥에 20cm 정도의 석재를 돌려 하부 기초를 마련하고 주변으로 황갈색 사질점토와 기와를 이용하여 지름 2m 정도의 크기로 다져서 만들었다.

주종유구에서 남서쪽으로 4m 떨어져 있는 추정 용해로는 동서 3.2m, 남북 2.6m의 규모로 12×13cm, 13×15cm 정도의 크기의 돌을 이용하여 만들었다. 내부에서 목탄층이 확인되었고 돌틈에서는 기와가 발견되었다. 내부 깊이는 20cm 정도로 돌이 채워진 모습이고 하부에서는 숯과 소토화된 바닥이 확인되었는데 삼가마로 추정된다.

---

30) 경기도박물관, 『봉업사』, 2002.
　　경기도박물관, 『고려 왕실사찰 봉업사』, 2005.

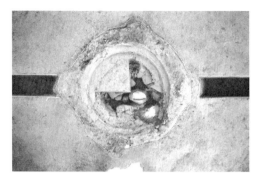

사진 14. 봉업사 주종유구   사진 15. 주종유구 세부

6. 대구광역시 북구 국우동 건물지 - 고려

국우동 건물지는 팔공산자락 아래인 국우동에 위치한 고려시대 건물지로 영남문화재연구원
의 발굴조사결과 다 수의 건물지와 고상건물, 주조관련 노지 18기, 숯가마 2기 등이 조사되었
다.[31] 조사당시 출토된 청동도가니와 노지의 존재를 근거로 청동주조공방이 존재했다고 추정
되었으며, '군생△[君生△(寺?)[32]]'명 명문와[33]의 존재를 통해서 사찰부속 공방의 가능성이 지적
된 바 있다.[34]

5호 고상건물지에 대한 조사 중 고려시대 청동범종 편이 출토되어 당시 주종작업이 이루어
졌을 가능성이 제기되었다. 5호 건물지는 굴입주건물로 장축방향은 N-20°-E로 남향이다. 규
모는 장축 10.35m, 단축 3.68m로 내부에는 타원형의 수혈이 있고, 건물 내부와 주변에서 다량
의 소토와 목탄 등과 불명철기, 청동편 등이 출토된 점에서 볼 때, 일반건물이나 주거용도보다
는 작업 공방으로 추정된다.

---

31) 영남문화재연구원, 『칠곡3택지개발사업지구 내 대구 국우동 건물지유적』, 2013.
32) 군생사는 海印寺에 소장된 〈貞祐2年(1214)銘群生寺刊金剛般若波羅密經板〉에 나타난 "群生寺"로 추정되는데,
　符仁寺와 관계있는 사찰로 추정된다.
　경판의 발문은 다음과 같다.
　"上祝 皇齡萬壽 國泰民安 兵載年豊 法輪常轉 先亡父母妹子女子 兼及法界生亡同生淨 士之願」特彫金剛般若 印
　行廣布者 貞祐二年甲戌一月日道人迅機誌 無求居士周通富書 群生寺主持重大師深古 施財刊板 符仁寺大師淸
　水」孝如刻"
　藤田亮策, 「海印寺雜板巧」, 『朝鮮學報』第138輯, 朝鮮學會, 1991.
33) 칠곡읍 읍내동 419번지 유적에서도 "君生△"명 기와가 출토되었는데, 유적의 성격은 고려시대 공공기관 건물
　로 추정되었다.
　(재)대동문화재연구원, 『大邱邑內洞491遺蹟Ⅰ, Ⅱ, Ⅲ, Ⅳ』, 2009.
34) 車順喆・許正和・朴達錫, 「大邱漆谷3地區建物址遺蹟發掘調査槪報」, 『제9회 조사연구회발표회』, 영남매장문
　화재연구원, 1998, pp.67~107.

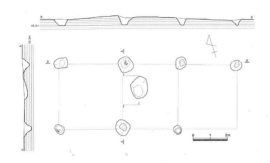

그림 7. 대구 국우동 건물지 5호 고상건물지

그림 8. 대구 국우동건물지 출토 청동 범종편

출토유물은 따비로 추정되는 철기편과 청동 범종편이다. 범종편은 종의 상대부분으로 톱니 모양의 연화문이 테를 둘러 돌아가는 모습으로 천판의 일부도 잔존한다. 상대 아래쪽에는 당초 문이 양각되어 있다. 파손품으로 주조 당시 실패품인지 파손된 것을 공방에서 재이용하기 위한 素地인지 불분명하지만, 무문의 종신편도 발견된 점으로 볼 때, 주조작업 당시 실패한 제품을 재이용한 것으로 추정된다.

종 상부편(1274-3) - 잔존높이 3.9cm, 잔존너비 9.5cm, 두께 0.25~0.5cm, 무게 97g.

종 신부편(1274-2) - 잔존높이 9.1cm, 잔존너비 4.0cm, 두께 0.3cm, 무게 56g.

한편 대구지역에서 만든 종이 다른 지역으로 나간 사례로는 포항 오어사 동종을 들 수 있다. 이 종의 명문을 살펴보면 "이 종은 동화사의 순성대사를 도감으로 하여 사부대중이 힘을 모아 300근의 종을 대장 순광이 만들어 오어사에 달았으며 그때가 貞祐 4년 병자(고려 고종 3년) 5월 19일이다."[35]라고 기록되어 있는데, 오어사 동종을 대구 동화사 주종도감에서 만들어 포항으로 내려보냈음이 확인된다. 따라서 국우동 건물지에서 확인된 청동주조공방의 성격을 사찰에 부속된 공방으로 본다면, 동화사나 부인사와 관련된 주종공방(도감)의 존재를 추정해 볼 수 있다.

7. 울산광역시 약사동유적 - 고려

약사동 유적은 울산광역시 중구 약사동 351번지 일원으로 한국토지주택공사 부산울산지역 본부에서 시행하는 '울산 우정 혁신도시 개발사업 구간'에 해당된다. 우리문화재연구원에서 발굴조사한 결과 청동기~조선시대의 각종 유적이 확인되었는데, 이 중 고려시대 폐사지로 추정되는 건물에 부속된 수혈 유구들 중에서 주종유구가 2기 확인되었다.[36]

---

35) "棟華寺都藍重大師淳誠與同寺 重大師睛蓮道人僧英▨▨與同發 誠願共▨▨私貯兼集聚錫鑄成 金鍾一口三百斤懸 掛于吾魚 寺以此成善普願法界生亡共 導善從者貞祐四年丙子五月十九日 大匠 順光 造"

36) 우리문화재연구원,『울산 우정혁신도시부지 2구역 1차 C2-B구간 울산 약사동 유적』, 2012.

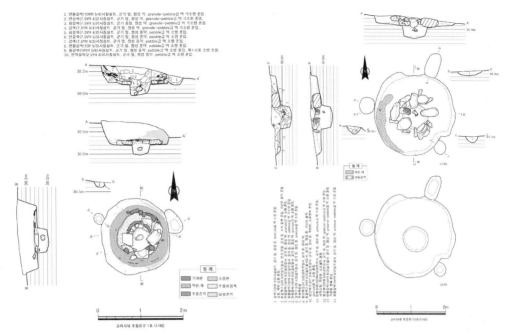

그림 9. 울산 약사동 1호 주조유구　　　　　　그림 10. 울산 약사동 2호 주종유구

고려시대 폐사지는 구릉의 말단부 사면에 위치하는데 상부구조는 대부분 유실되었고 축대와 외곽시설이 확인되었다.

주종유구는 2지구 남동쪽 사면말단부에서 얕은 곡부가 형성되는 곳에 2기가 위치하며, 풍화 암반층을 파고 만들었다. 주종 유구 주변에서는 다수의 주혈이 확인되지만 연관성은 분명하게 확인되지 않았다.

1호 주종유구는 평면형태 원형의 수혈로 벽면은 비스듬하게 경사진 모습으로 바닥에는 원형 수혈이 마련되어 있다. 주종유구의 규모는 지름 1.7m, 잔존깊이 55㎝이다. 바닥시설은 중앙에 지름 45㎝, 깊이 30㎝의 수혈을 중심으로 할석과 기와를 이용하여 둥글게 주형틀대를 만들었다. 주형틀대는 지름 1.2m, 높이 10㎝ 정도로 편평하게 만든 후 상부에 점토를 발라서 주형을 안치시켰는데, 종구가 닿는 부분은 피열로 인하여 지름 60㎝, 종구 두께 5.5㎝ 정도가 회색으로 굳어진 모습이다.

2호 주종유구는 평면형태 원형의 수혈로 벽면은 비스듬하게 경사진 모습이지만 많이 유

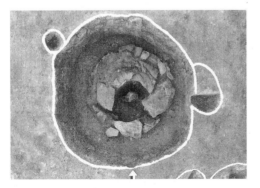

사진 16. 울산 약사동 1호 주종유구

실되었으며, 바닥에는 원형 수혈이 마련되어 있다. 주종유구 주변으로 대칭된 모습으로 3개의 주혈이 확인되는데, 주종시설이 반지하식인 점으로 볼 때, 거푸집을 고정하기 위한 기둥시설일 가능성이 많다. 주종유구의 규모는 지름 2.2m, 잔존깊이 30㎝이나. 바닥시설은 중앙에 지름 70㎝, 깊이 30㎝의 수혈을 중심으로 할석과 기와를 이용하여 둥글게 주형틀대를 만들었다. 주형틀대는 지름 1.3m, 높이 30㎝ 정도로 편평하게 만든 후 상부에 점토를 발라서 주형을 안치시켰는데, 종구가 닿는 부분은 피열로 인하여 회색으로 굳어진 모습이다. 주조작업 완료 후 종을 꺼내면서 주형틀대는 훼손되어서 돌들이 흐트러진 모습이다.

일본에서는 다 수의 주종유구가 조사되었으며, 주로 사찰 주변에서 확인되고 있다. 전체 모습은 하부시설의 형태에 따라서 구분이 가능하다.

Ⅳ. 마치며

우리나라에서 동종이 제작된 시기는 삼국시대로 6세기를 전후한다고 추정된다. 이 시기에 들어온 동종은 북방계통으로 추정되며, 용통과 유곽의 배치 등을 통해서 한국종의 시원이 마련되었다. 현존하는 동종은 통일신라시대에 제작되었지만, 명문 등의 사례를 통해서 현재 전하지 않는 옛 종들의 모습을 찾아볼 수 있다.

국내에서 발견된 주종유구는 삼국~고려시대 유적으로 대부분 사찰 안에서 확인되고 있다. 이는 당시 주종작업에 참여한 인원들이 사찰에 부속된 승려의 가능성도 있지만, 대형 종의 경우 주조 후 먼 거리를 운반하기 어려운 점을 고려한다면, 주조 후 봉안처인 사찰 안에서 제작하였다고 생각된다.

주종유구의 구조는 지상식, 지하식, 반지하식으로 구분할 수 있다.

지상식 구조는 거푸집을 지상에 설치한 후 주조작업 중 거푸집이 터지는 것을 방지하기 위해 외부에 기둥을 설치하여 고정을 시킨 구조이다. 서천 종천지구 개복사지 주종유구는 웅진백제시기의 유적으로 현재까지 확인된 유일한 사례이다. 용해로를 통해서 주종작업이 이루어졌다.

지하식 구조는 거푸집을 지하에 설치하여, 주조작업 중 거푸집이 터지는 것을 방지하는 구조로 지름 1m 이상의 중형 동종제작에 사용되었다. 통일신라시대의 공주 수원사지 주종유구와 고려시대의 경주 감은사지 주종유구에서 확인된다. 용해로를 통해서 주종작업이 이루어졌다.

반지하식 구조는 지면을 얕게 파고 거푸집을 지상식으로 올라오게 만든 것으로 지름 1m 이하의 소형 동종제작에 사용되었다. 하남시 천왕사지, 안성 봉업사지, 울산 약사동 유적의 주종유구에서 확인된다. 모두 고려시대의 유적으로 소형 동종을 만들면서 용해로를 구비하지 않아도 도가니를 이용한 주종작업이 가능하다.

이상과 같은 특징은 주종작업에서 제작된 동종의 크기, 용해로의 구비여부와 관련된다고 생각되며, 울산 약사동 유적처럼 한 곳에서 여러 점의 동종을 주종하는 사례도 확인되는 점은 전문적으로 주종작업에 종사한 장인의 존재를 알려준다. 그러므로 대부분의 주종유구는 사찰의 건물 외곽이나 주변의 공터에 위치하고 있음을 알 수 있으며, 주종유구의 규모는 제작되는 범종의 크기, 즉 종구의 지름에 따라 결정되었다

표 1. 주종유구 현황표

번호	유적	소재지	조사연도	시설종류	형태와 규모	바닥 시설	수혈	그 외 유물	시대	관련 사찰	참고문헌
A	하남 전 천왕사지	경기도 하남시 하사창동 64-2, 344번지	2012	주종유구	원형 지름 3.4m, 깊이 0.33m	바닥에 숯을 1cm 두께로 깔은 후, 그 위에 다시 소토와 숯을 섞어서 15~30cm 두께로 깔음, 안쪽이 얇고 바깥쪽이 두 비음,	원형 지름 94cm 잔존높이 14cm 범종크기 52cm 종구너비 5cm 외형 일부 확인	평기와 청동슬래그	나말 려초	전 천왕사	한국문화재보호재단, 2012, 「하남 하사창동 64-2, 344번지 근생시설 신축부지 내 유적 국비지원 발굴조사 전문가 검토회의 자료」
2	경주 감은사지	경상북도 경주시 양북면 대본리	1982	주종유구	정면 7칸, 측면 3칸 건물지 원형 지름 3.0m, 깊이 1.0m	중앙에 지름 40cm의 수혈바닥에 지름 30cm 내외의 함석습 돌은 후 그 위에 길이 25~30cm, 너비 10cm의 특수기와를 사용하여 원형으로 축조함	원형 범종크기 1.2m		고려 이전	감은사	국립경주문화재연구소, 1997, 「감은사지 발굴조사보고서」
3	공주 수원사지	충청남도 공주시 옥룡동	1991	주종유구	원형 지름 3.6m, 깊이 1.5m	소토면	원형 범종지름 48cm	—	고려	수원사	공주대학교박물관, 1999, 「수원사지」
4	안성 봉업사지	경기도 안성시 죽산면 칠장리	2004	주종유구	타원형 길이 5.0m, 너비 4.0m 사우돌출타원형 주형 주형의 외곽 사방에 돌기가 있음	원형 지름 2m의 배두리를 지름 20cm의 돌로 두른 후 내부에 사질토와 기와편을 다짐	원형 범종지름 76cm 종구너비 5cm	—	고려	봉업사	경기도박물관, 2005, 「고려 왕실사찰 봉업사」
				용해로?	장방형 동서 3.2m, 남북 2.6m 바닥에 잔자갈을 깔음	장타원형 동서 3.0m, 남북 2.4m 목탄층	—				
5	울산 약사동유적 주종유구1	울산광역시 중구 약사동	2010	주종유구	지름 170cm, 잔존깊이 55cm (총 85cm) 바닥에 지름 1.2m 내외로 거칠게 함석을 놓고 그 위에 지름 30cm 내외의 거부깃을 섬 치함 수혈 주변에 주열 2개	중앙에 지름 45cm×깊이 30 cm의 타원형 수혈 소토와 점토를 섞음 천석과 기와편	원형 전체지름 80cm 범종지름 30cm	평기와	고려		
6	울산 약사동유적 주종유구2	울산광역시 중구 약사동	2010	주종유구	원형 220cm×잔존길이 30cm (총 60cm) 수혈 주변에 주열 3개	중앙에 지름 70cm×깊이 30 cm의 수혈 바닥에 소토와 점토를 섞음 천석과 기와편	—	평기와	고려		

【참고문헌】

『三國遺事』
『永嘉誌』

경기도박물관, 『봉업사』, 2002.
_____, 『고려 왕실사찰 봉업사』, 2005.
공주대학교박물관, 『수원사지』, 1999.
국강문화재연구소, 「서천 종천지구 제1차 학술자문회의 자료」, 2014.
_____, 「서천 종천지구 제2차 학술자문회의 자료」, 2014.
_____, 「서천 종천지구 제3차 학술자문회의 자료」, 2014.
_____, 「서천 종천지구 제4차 학술자문회의 자료」, 2014.
_____, 「서천 종천지구 농업용저수지 둑높이기 사업부지 내 유적」, 2015.
국립경주문화재연구소, 『감은사지 발굴조사보고서』, 1997.
국립부여박물관, 『부여 군수리사지』 일제강점기 자료조사 보고6집, 2012.
_____, 『부여 동남리사지』 일제강점기 자료조사 보고11집, 2014.
김재원·윤무병, 『감은사』국립박물관 특별조사보고 제2책, 을유문화사, 1961.
(재)대동문화재연구원, 『大邱邑內洞491遺蹟 Ⅰ, Ⅱ, Ⅲ, Ⅳ』, 2009.
영남문화재연구원, 『칠곡3택지 개발사업지구 내 대구 국우동 건물지유적』, 2013.
우리문화재연구원, 『울산 우정혁신도시부지 2구역 1차 C2-B구간 울산 약사동 유적』, 2012.
車順喆·許正和·朴達錫, 「大邱漆谷3地區建物址遺蹟發掘調査概報」, 『제9회 조사연구회발표회』,
　　　영남매장문화재연구원, 1998.
한국문화재보호재단, 『하남 천왕사지 시굴조사 보고서』, 2001.
_____, 『하남 천왕사지 2차 시굴조사 보고서』, 2002.
_____, 「3. 하남 하사창동 64-3번지 유적」, 『2011년도 소규모 발굴조사 보고서 Ⅰ-경
　　　기1-』, 2013.
_____, 「4. 하남 하사창동 68-2번지 유적」, 『2011년도 소규모 발굴조사 보고서 Ⅰ-경
　　　기1-』, 2013.
_____, 「하남 하사창동 352번지 창고시설 신축부지 내 문화유적 국비지원 발굴조사
　　　약보고서」, 2014.
한국문화재재단, 「2. 하남 하사창동 64-2, 344번지 유적」, 『2012년도 소규모 발굴조사 보고서 Ⅰ-경
　　　기·강원 1-』, 2015.
朝鮮古蹟調査研究會, 「扶餘に於ける百濟寺址の調査(概報)」, 『昭和十三年度古蹟調査報告』, 1938.

坪井良平, 『朝鮮鐘』, 角川書店, 1975.
飛鳥資料館, 『古代の梵鐘』, 2003.

길기태, 「수원사 미륵신앙의 성격」, 『백제문화』36, 공주대학교 백제문화연구소, 1978.
김재홍, 「銘文을 통해 본 上院寺 銅鐘의 역사적 의의」, 『상원사 동종의 종합적 검토』, 월정사 성보박물관, 2005.
김수태, 「웅진시대 백제 사원과 도성의 관계 −수원사를 중심으로−」, 『백제문화』50, 공주대학교 백제문화연구소, 2014..
김영배, 「수원사 탑지조사」, 『백제문화』11, 공주사범대학 부설 백제문화연구소, 1978.
나형용, 「성덕대왕신종의 주조법에 대한 고찰」, 『성덕대왕신종 종합논고집』, 국립경주박물관, 1999.
전금운, 「중국범종」, 『상원사 동종의 종합적 검토』, 월정사 성보박물관, 2005.
崔應天, 「禪林院址 梵鐘의 復原과 意義」, 『講座 美術史』, 제18호, 한국미술사연구소, 2002.
한조회 증효민, 「하남 정주에서 발견된 주종(鑄鐘) 유적 연구」, 『고대 제철기술! 실험고고학으로 말하다』, 국립중원문화재연구소, 2015.
京都府埋藏文化財調査研究センター, 「梵鐘鑄造遺構の現狀とその諸問題」, 1982.
神崎勝, 「梵鐘の鑄造遺跡とその變遷」, 『考古學研究』157, 考古學研究會, 1993.
藤田亮策, 「海印寺雜板巧」, 『朝鮮學報』第138輯, 朝鮮學會, 1991.

江原地域의 新羅 石造美術 擴散과 傳播經路
-麟蹄 寒溪寺址 石造美術을 중심으로-

李順英*

目 次

Ⅰ. 머리말

新羅는 일찍부터 국가체제 정비와 동시에 영역을 확대해 나가는데, 북쪽으로의 영역 확대는 대체로 동해안을 따라 진행되었다. 江原地域에 신라문화가 유입된 것은 대략 4세기 중반으로 문헌 및 다양한 고고학적 자료를 통해서도 확인된다.[1] 불교문화 전파 역시 비교적 일찍부터 확인되는데 최초의 기록은 慈藏律師에 의한 水多寺와 月精寺 창건[2]을 시작으로 義湘의 洛山寺 창건, 表訓이 금강산 表訓寺를 창건하는 등의 내용으로 보아 7세기 중반이후부터 신라 불교문화의 영향을 받은 것을 알 수 있지만, 이 당시의 불교미술은 거의 전하지 않는다.

강원지역에 불교미술이 등장하는 것은 신라 말기 禪宗의 도입과 함께 유력한 고승들이 오대산, 설악산, 금강산, 태백산 등 名山에 머물면서 비약적으로 발전[3]하면서 부터인데 이들을 중심으로 다양한 석조미술이 발전하게 된다. 대표적으로 陳田寺址, 禪林院址, 崛山寺址 등에 석탑, 석조부도, 탑비 등 다수의 석조미술이 남아 있어 이 지역 불교문화의 양상을 잘 보여주고 있으며[4] 이 밖에도 香城寺址, 五色石寺址, 興田里寺址, 本寂寺址, 物傑理寺址, 寒溪寺址, 中金里寺

---

* 용인시청 학예연구사
1) 지현병, 「강원의 신라문화」, 『강원의 신라 문화와 역사』, 국립춘천박물관, 2013, pp.7~21.
2) 남무희, 「강원 영동지역 불교문화와 자장율사」, 『평창 수다사지의 재조명 학술심포지엄』, 강원고고문화연구원, 2013, pp.18~19.
3) 嚴基杓, 「高麗時代 江原地域의 佛敎文化-石造美術을 中心으로-」, 『文化史學』 36, 한국문화사학회, 2011, p.90.
4) 이순영, 「新羅 香城寺址 三層石塔의 樣式 特徵과 建立時期」, 『新羅史學報』 35, 신라사학회, 2015.12, p.3.

址, 居頓寺址 등 많은 절터에 수준 높은 석조미술이 남아 있어 강원지역이 당시 신라 불교에서 차지하고 있던 위상이 높았음을 알 수 있다.

이 가운데 설악산에 위치한 인제 한계사지는 기록은 거의 남아 있지 않아 寺歷을 정확히 알 수 없지만 남아 있는 석주미술과 발굴조사 결과로 볼 때, 통일신라~17세기 말까지는 사찰이 존속되다가 그 이후에 폐사된 것으로 보인다.[5] 특히 사지에 남아 있는 석조불상, 광배, 연화대좌, 석등, 사자상, 석탑 등의 유물은 통일신라시대의 제작수법과 양식을 잘 보여주고 있어 당시 불교미술의 한 단면을 보여주는 귀중한 자료이다. 그러나 이러한 중요성에 비해 한계사지는 1979년 당시 석조미술에 대한 현황조사[6]와 1984년 금당지와 석탑지 주변으로 한 차례 발굴조사[7]만 있었을 뿐, 이후 미술사적인 측면에서의 연구는 거의 이뤄지지 않았다. 또한 한계사지의 지리적 위치는 강원도의 영동과 영서지방을 가로지르는 태백산맥의 서쪽 산기슭에 해당하는데, 한계령을 넘기 전 길목에 위치하고 있어 지정학적으로도 중요한 교통로 상에 자리잡았던 것으로 생각된다. 앞서 열거한 강원지역 신라 사지들의 분포현황으로 봤을 때, 한계사지는 영동과 영서를 잇는 교통로 상에 위치하고 있어 강원지역의 신라 석조미술의 전파경로와 확산이라는 측면에서 중요한 단서를 제공해 줄 것이라고 생각된다.

따라서, 본 논문에서는 강원지역의 신라 석조미술의 확산과 전파경로를 한계사지 석조미술을 중심으로 살펴보고자 한다. 이를 위해 먼저 강원지역 내 신라 불교유적의 현황을 살펴보고, 이 가운데 한계사지 석조미술의 양식 특징을 구체적으로 검토해보고자 한다. 또한 이를 바탕으로 강원지역에 수준 높은 석조미술이 다수 남아 있는 이유를 신라 석조미술이 강원지역에서 확산되는 전파경로 속에서 찾아보고자 하며, 이와 함께 신라 석조미술의 확산과 전파경로 간의 상관관계를 밝혀보고자 한다.

II. 江原地域 新羅 石造美術 現況

강원지역으로의 불교 전파는 비교적 일찍부터 전해진 것으로 알려졌으나 당시의 불교미술은 거의 전해지지 않는다. 따라서 강원지역도 다른 지역들과 마찬가지로 신라 말기 불교가 점차 지방으로 확산되는 과정에서 사찰의 창건과 함께 불교미술의 조성이 이루어졌던 것으로 보인다. 특히 전국적으로 선종이 확산되면서 중요 사찰들이 강원지역에 다수 창건되었으며, 이러한

---

5) 강원대학교박물관, 『寒溪寺』, 강원대학교박물관, 1985, p.60.
6) 文明大, 「寒溪寺址 調査略報」, 『考古美術』142호, 한국미술사학회, 1979.6, pp.8~12.
7) 강원대학교박물관, 『寒溪寺』, 강원대학교박물관, 1985.

과정 속에서 수준 높은 석조미술이 건립되는 양상을 보인다.[8]

현재 강원지역의 불교유적 중 신라 불교미술이 잘 남아 있는 곳을 선별하면 대략 16곳 정도로 대부분은 폐사되어 사지로 전해오고 있다. 이들 현황을 정리하면 다음의【표 1】과 같다.

【표 1】강원지역 신라 불교유적 및 석조미술 현황

연번	불교유적명	위치	불교미술 현황	비고
1	향성사지	속초시 설악동	삼층석탑(보물 443호)	
2	진전사지	양양군 강현면 둔전리	삼층석탑(국보 122호), 도의선사부도(보물 439호) 등	
3	선림원지	양양군 서면 황이리	삼층석탑(보물 444호), 석등(보물 445호), 홍각선사탑비(보물 446호), 홍각선사부도(보물 447호) 등	
4	오색석사지	양양군 서면 오색리	삼층석탑(보물 497호), 석사자상, 석탑재 등	
5	서림사지	양양군 서면 서림리	석조비로자나불좌상 및 대좌(도문화재자료 119호), 삼층석탑(도문화재자료 120호)	삼층석탑 : 고려시대
6	굴산사지	강릉시 구정면 학산리	굴산사지 석조부도(보물 85호), 당간지주(보물 86호) 등	당간지주 : 고려시대
7	옥천동사지	강릉시 옥천동	대창리 당간지주(보물 82호), 석탑재 등	석탑재 : 오죽헌박물관 및 국립춘천박물관 소장
8	삼화사	동해시 삼화동	삼층석탑(보물 1277호), 철조노사나불좌상(보물 1292호)	
9	본적사지	태백시 황지동	삼층석탑(도문화재자료 126호)	
10	홍전리사지	삼척시 도계읍 홍전리	삼층석탑(도유형문화재 127호), 귀부, 석등, 배례석 등	
11	한계사지	인제군 북면 한계3리	남삼층석탑(보물 1275호), 북삼층석탑(보물 1276호), 석등, 석사자상 등	
12	물걸리사지	홍천군 내촌면 물걸리	삼층석탑(보물 545호), 석조여래좌상(보물 541호), 석조비로자나불좌상(보물 542호), 석조대좌(보물 543호), 석조대좌 및 광배(보물 544호) 등	
13	중금리사지	횡성군 갑천면 중금리	삼층석탑 2기(도유형문화재 19호)	사지 수몰
14	상동리사지	횡성군 공근면 상동리	석불좌상(도유형문화재 20호), 삼층석탑(도유형문화재 21호)	
15	거돈사지	원주시 부론면 정산리	삼층석탑(보물 750호), 석불대좌, 원공국사승묘탑(보물 190호) 및 탑비(보물 78호)	원공국사승묘탑 : 국립중앙박물관
16	도피안사	철원군 동송읍 관우리	철조비로자나불좌상(국보 63호), 삼층석탑(보물 223호)	

【표 1】에서 살펴본 바와 같이, 강원지역에서 확인되는 불교미술은 삼화사 철조노사나불좌상, 도피안사 철조비로자나불좌상을 제외하고는 대부분 석조로 조성되어 있음을 알 수 있다. 현재 남아 있는 석조미술은 石塔, 石佛, 石造浮屠, 石燈, 幢竿支柱 등 다양하게 확인되는데 석탑이 가장 많이 남아 있으며 석불, 석조부도, 석등, 탑비, 당간지주 순으로 이들은 대부분 신라 말에 조성된 것으로 보인다.

---

8) 강원지역 사지 현황 등에 대해서는 아래의 논문 참조.
  洪永鎬,「江原道 嶺東地域의 廢寺址 現況」,『博物館誌』20, 강원대학교 박물관, 2013, pp.119~158.
  홍성익,「강원 영서지역 寺址조사의 현황과 과제」,『인문과학연구』40집, 강원대학교 인문과학연구소, 2014.3, pp.419~448.

향성사지 삼층석탑은 상하층 기단 탱주의 수가 2:1이고 기단부 결구방식에서 귀틀식 방식이
확인되고 있는 점, 향성사의 曇無竭菩薩信仰의 영향 등을 종합해 볼 때, 8세기 후반에 건립되었
을 것으로 추정된다. 특히 그동안 9세기가 되어서야 신라석탑이 전국적으로 확산되었다는 문
화 현상이 일어나기 이전부터 이미 문화 전파의 움직임이 있었다는 것을 향성시지 삼층석탑을
통해서 알 수 있으며,[9] 또한 강원지역에서 동해안에서 가장 북쪽에 위치한 신라석탑이라는 점
에서 의의를 갖는다.[10]

사진 1. 속초 향성사지 삼층석탑

사진 2. 양양 진전사지 삼층석탑

사진 3. 양양 진전사지 도의선사부도

사진 4. 양양 선림원지 삼층석탑

사진 5. 양양 선림원지 석등

도면 1. 흥전리사지 삼층석탑 복원도[11]

---

9) 이순영, 앞의 논문, 2015.12, pp.99~136.

10) 정영호, 「香城寺址 三層石塔」, 『史學研究』21, 한국사학회, 1969.9, p.11.

11) 江原文化財研究所 三陟市, 『三陟 興田里寺址 地表調査 및 三層石塔材 實測 報告書』, 2003, p.103의 석탑 복원
도를 수정함.

진전사지는 九山禪門의 효시가 된 迦智山門의 초조 道義禪師가 수도하였던 진전사임이 밝혀져 주목받은 곳으로 삼층석탑과 도의선사부도가 남아 있다.[12) 삼층석탑은 하층기단부의 천인상, 상층기단부의 팔부중상, 1층 탑신부의 사방불 등의 부조상이 조각되어 있어 석탑 자체의 양식적 특징 외에도 석탑 표면장엄으로서의 형식 및 도상, 조각수법 등을 확인할 수 있다. 또한 도의선사 부도는 방형의 기단부와 팔각형의 탑신부로 구성된 부도 형태로 신라 석조부도의 전개 과정에서 매우 중요한 위치를 차지하고 있다.

선림원지는 도의선사의 제자인 염거화상이 입적한 '億聖寺'로 추정되며[13) 1984년에 貞元 20년(804년)명 통일신라 범종이 발견되기도 하였다. 현재 선림원지에는 삼층석탑, 석등, 홍각선사 탑비와 귀부, 부도 등 다수의 석조미술이 남아 있어 미술사적인 중요성뿐만 아니라, 진전사지와 함께 도의선사 초기 법계의 형성과 발전에 중심적인 역할을 담당한 道場이라 할 수 있는 매우 중요한 곳[14)으로 생각된다.

다음으로는 삼척, 강릉, 동해, 태백 순으로 석조미술이 남아 있는데 삼척에 가장 많은 수량이 전하며 이는 삼척 홍전리사지에 석탑, 석등, 탑비 등 수준 높은 석조미술이 집중되어 있기 때문이다.[15) 특히 홍전리사지는 봉화-태백-삼척을 연결하는 중간지점에 위치하고 있어 신라의 불교문화 전파 경로로 매우 주목받았던 곳으로 생각된다.[16) 동해 삼화사에는 삼층석탑과 함께 철

사진 6. 홍천 물걸리사지 삼층석탑   사진 7. 홍천 물걸리사지 석조여래좌상   사진 8. 홍천 물걸리사지 불대좌

12) 정영호, 『道義國師와 陳田寺』, 학연문화사, 2005, pp.131~162.
13) 權惪永, 「新羅 道義禪師의 初期 法系와 億聖寺」, 『新羅史學報』16, 신라사학회, 2009.8, pp.209~214.
14) 權惪永, 위의 논문, p.218.
15) 이순영, 「三陟地域 新羅石塔의 樣式과 特徵」, 『이사부와 동해』10, 한국이사부학회, 2015.8, pp.118~122.
16) 위의 논문, pp.133~135.

사진 9. 홍천 물걸리사지 불대좌 및 광배 　사진 10. 횡성 중금리사지 삼층석탑 　사진 11. 철원 도피안사 삼층석탑

조노사나불좌상이 남아 있는데, 명문이 남아 있어 이 불상이 '노사나불'임을 알 수 있음과 동시에 동해안 지역에 남아 있는 유일한 철불이라는 점에서 주목된다.[17]

　영서지방에서는 홍천의 물걸리사지에 석조미술이 집중되어 있는데, 삼층석탑을 비롯하여 석조여래좌상, 불대좌, 불대좌 및 광배 등이 다수가 전하고 있어 주목된다. 지난 2003년 실시한 발굴조사를 통해 정면 3칸(13.35m), 측면 3칸(9.25m) 규모의 정남향 금당지를 확인하였고, 이 금당지 내부에서는 불상을 놓았던 적심 3개소가 확인됨으로써 본존인 비로자나불을 중심으로 좌우 협시불인 석가여래 및 노사나불이 있었던 위치를 찾게 되었다고 한다.[18]

　인제의 한계사지에도 석탑 2기 및 석등, 석사자 등 다수의 석조미술이 남아 있는데 이에 대해서는 다음 장에서 구체적으로 살펴보겠다. 이밖에 횡성의 중금리사지에는 석탑 2기가 남아 있는데 상층기단부에 팔부중상이 부조되어 있어 진전사지 삼층석탑, 선림원지 삼층석탑과 함께 주목되는 석탑이다. 마지막으로 원주, 철원 등에도 석조미술이 남아 있는데 철원 도피안사 삼층석탑은 기단부가 팔각형인 이형석탑으로 주목된다.

　한편, 【표 2】를 통해 강원지역 전체에서 신라 불교유적의 위치를 살펴보면 영동지방이 좀 더 석조미술이 집중되어 있는데, 특히 양양에 집중되어 있는 것을 알 수 있다. 이는 진전사지, 선림원지, 오색석사지, 서림사지 등 불교유적이 가장 많이 남아 있는 데에서 비롯된 것으로 양양을 중심으로 한 설악산지역이 강원 영동지방 불교미술의 중심이었던 것으로 생각된다. 그리고 영동지방의 경우 태백 ↔ 삼척 ↔ 동해 ↔ 강릉 ↔ 양양 ↔ 속초로 이어지는 경로에 석조

---

17) 鄭永鎬,「三和寺 鐵佛과 三層石塔의 佛敎美術史的 照明」,『文化史學』8號, 한국문화사학회, 1997, pp.27~29.
18) 국립춘천박물관,『홍천 물걸리사지 학술조사보고서』, 2007, p.72.

미술이 집중되고 있어 신라의 동해안 교통로를 통한 불교문화 전파 및 확산이 이루어진 것으로 추정해 볼 수 있다. 영서지방은 홍천과 인제가 주목되는데 각각 물걸리사지와 한계사지에 석탑, 석불, 석등 등 다양한 석조미술이 집중되어 있기 때문으로 생각된다. 영서지방의 경우는 인제 ↔ 홍천 ↔ 횡성 ↔ 원주로 이어지는 경로가 유추되는데, 영동지방과 영서지방을 잇는 중간 위치로서 태백산맥의 서쪽 산기슭에 해당하는 한계령을 넘기 전 길목에 위치하고 있는 한계사지가 매우 주목된다. 이에 다음 장에서 한계사지의 석조미술에 대해 좀 더 자세히 살펴보고자 한다.

【표 2】 강원지역 신라 불교미술 수량 현황

| | 영동지방 | | | | | | 영서지방 | | | | | 계 |
	속초	양양	강릉	동해	태백	삼척	인제	홍천	횡성	원주	철원	
소계	1	9	3	2	1	4	4	5	2	1	2	34
석탑	1	3	1	1	1	1	2	1	2	1	1	15
석불		1						4				5
석등		1				1	1					3
석조부도		2	1									3
탑비		1				1						2
당간지주			1									1
기타		1		1		1	1				1	5

Ⅲ. 寒溪寺址 石造美術의 樣式과 特徵

寒溪寺址는 인제군 북면 한계리 일원에 위치한 폐사지로 창건과 폐사시기에 대해 정확히 알려져 있지 않다. 그러나 '한계사' 寺名은 『乾鳳寺及乾鳳寺末寺史蹟』(1928년)의 「百潭寺史蹟」, 『雪嶽山尋源寺事蹟記』(1783년), 『百潭寺重建記』(1928년), 『百潭寺建築上樑文』 등의 기록을 통해 일찍부터 알려져 왔다. 「百潭寺史蹟」, 『雪嶽山尋源寺事蹟記』를 종합하면 한계사는 백담사의 前身 사찰로 신라 진덕왕 원년(647년) 慈藏律師가 한계사를 창건하였고, 그 뒤 여러 차례 소실되어 중건되었다가 원성왕 6년(790년) 한계사 아래 30리 지점으로 절을 옮겨 雲興寺로 이름을 고쳤다고 한다. 이후에도 불에 타서 여러 차례 移建하면서 寺名을 深院寺, 旋龜寺, 靈鷲寺, 百潭寺, 尋源寺로 변경했다고 전한다. 즉, 한계사가 없어진 후 7차례나 계속 절을 이건했으며 그 연원이 바로 한계사라는 것으로 한계사의 寺歷이 일대에서는 가장 오래되고 그 지위가 가장

수승하다는 것을 분명히 해주는 자료라고 할 수 있다.[19] 그러나 한계사, 운홍사, 심원사, 선구사, 영취사가 모두 한계령 서쪽에 위치하고 있었으므로 명확한 위치가 확인되지 않았고 이 폐사지들에 대한 성격이 규명되지 않았기 때문에 폐사와 중창이 어떠한 과정을 거쳤는지는 알 수 없다.[20] 다만 현재 남아 있는 석탑, 석등 등 석조미술을 통해 신라 말에 창건·중건되어 번창하던 시기를 이 즈음인 것으로 추정할 수 있다. 또한 발굴조사를 통해 銘文瓦가 다수 출토되었는데, 명문와는「寒溪寺」,「寒溪寺瓦匠□□」,「寒溪寺禪」,「庚申三月 日造由 寒溪寺瓦匠□□」,「至正十八年三月三日」,「崇禎十三年 己卯三月…」,「順治…五月初…江原道 麟蹄 雪岳山 寒溪寺 僧常…」,「…康熙三年 甲辰四月日…」,「寒溪寺 康熙二十二癸亥秋日…」 등이 출토되어[21] 이곳의 사명이 한계사임은 확실한 것으로 보인다. 또한 명문와를 통해 1358년·1639년·1655년·1664년·1683년에도 지속적으로 사찰의 중수가 이뤄졌던 것으로 보아 17세기 말까지도 법등이 이어지고 있었던 것을 알 수 있다.

1984년에는 금당지를 중심으로 발굴조사를 실시하여 대략적인 사지의 현황을 알게 되었다. 산장이 있는 곳의 축대를 포함하면 3단의 석축으로 평탄대지를 조성하였으며, 1축대 상단에 금당지를 포함 건물지 4동이 확인되었고 금당지와 떨어진 곳에서 건물지 1동이 더 확인되었다.

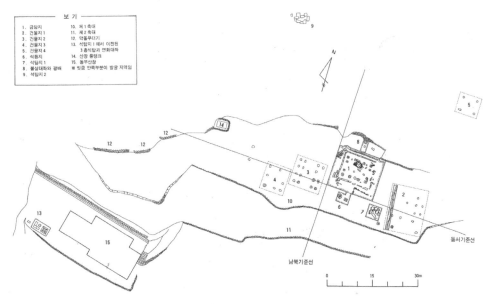

도면 2. 한계사지 발굴조사 당시 현황실측도

19) 文明大,「寒溪寺址 調査略報」,『考古美術』142호, 한국미술사학회, 1979.6, p.8.
20) 洪性益,「羅末麗初 廢寺址 寺名 比定에 관한 연구-강원지역 출토 銘文瓦를 중심으로-」,『新羅史學報』19, 신라사학회, 2010.8, p.175 및 p.208.
21) 강원대학교박물관,『寒溪寺』, 강원대학교박물관, 1985, pp.45~48.

기타 유구로는 석탑지 2기 및 석등지 등이 확인되었다. 금당지는 거의 정남향으로 규모는 동서 8.4m, 남북 5.6m의 크기로 전면 3칸, 측면 3칸의 건물이다. 금당지 내의 주춧돌은 모양이 각각 달라 여러 시대에 걸쳐 만들어진 것을 모아서 사용한 것으로 추정된다.[22] 현재 한계사지에 남아 있는 석조유물은 복원되어 있는 남삼층석탑, 북삼층석탑을 비롯하여 석조대좌 및 광배, 석조불상, 석등, 배례석, 석사자상 등 다양하게 확인되고 있다.

남삼층석탑은 금당지의 동남쪽으로 6m 떨어져 있는 건물지1 사이에 위치하고 있는데, 발굴조사 당시 탑재는 이미 동부산장으로 옮겨져 있었고[23] 원위치에서 변형된 상태의 지대석만 석탑지에서 확인되었다.[24] 현재는 없어진 부재를 보충하여 원래의 위치에 복원해 놓았다. 지대석 밑에는 큰 자갈돌과 모난돌들이 차곡차곡 쌓여 있었던 것으로 보아[25] 탑지 기초를 마련했던 것으로 보인다. 지대석은 모두 5매의 부재로 구성되어 있으며, 엇물림 결구방식을 보이고 있다. 하층기단은 하대저석과 면석을 1석으로 함께 조성한 4매의 부재를 사다리물림 방식으로 결구하였으며, 각 면에 우주와 탱주를 생략하고 안상을 3구씩 조식하였다.[26] 이같이 하층기단의 탱주를 생략하고 각 면에 안상을 배치하는 예는 범어사 삼층석탑, 법수사지 삼층석탑, 취서사 삼층석탑, 중심사 삼층석탑, 불굴사 삼층석탑 등에서도 확인되고 있어 신라 하대 성행했던 기법

사진 12. 한계사지 남삼층석탑

사진 13. 한계사지 남삼층석탑 하층기단 안상

---

22) 강원대학교박물관, 위의 책, p.30.

23) 文明大, 앞의 논문, p.10.

24) 탑을 옮겨갈 때의 상황을 아는 주민들의 말로는 이미 그 때에도 도괴되어 있었다고 한다. 지대석 밑의 고임돌들을 조사하려고 주위를 발굴하였을 때 1945년 이전에 일본의 아사히 양조주식회사가 만들었던 맥주병과 함께 사리함조각이 출토된 점으로 보아 일본인들이 사리함을 꺼내기 위해 도괴시킨 것으로 추측된다(강원대학교박물관, 앞의 책, p.39) 그러나 현 위치가 금당지에서 동남쪽으로 떨어진 곳에 위치하고 있어, 최초 건립 당시부터 현 위치에 탑이 건립되어 있었던 것인지는 알 수 없다. 만약 현재의 위치가 최초의 자리라고 한다면, 산지가람의 지형상 불리한 여건으로 인해 금당 앞쪽이 아닌 측면에 석탑을 조영한 것으로 추정해 볼 수 있다(오세덕, 「부석사 가람배치 변화에 관한 고찰」, 『新羅史學報』 28, 신라사학회, 2013.8, p.239).

25) 강원대학교박물관, 앞의 책, p. 56.

26) 調査略報(1979) 및 발굴조사 보고서(1984)에서는 양우주와 탱주가 2주라고 서술하였으나, 현장에서 확인 결과 우주와 탱주는 별도로 새기지 않고 안상으로만 면을 구분하였다.

이 강원지역에도 파급된 것으로 보인다.[27]

하층기단 갑석은 2매의 부재로 조성되었는데, 상면에는 호각형 2단의 상층기단 받침이 조출되어 있다. 상면은 경사졌으며, 모서리는 합각선이 뚜렷하게 보인다. 상층기단은 1매를 新材로 보충하여 하층기단과 마찬가지로 4매의 면석을 사다리물림 방식으로 결구하였으며, 양우주와 중앙에는 탱주 1주를 새겼다. 하층기단과 면석의 물림 방향은 동일하지만, 상층기단부는 면석 이음부에 홈을 마련하여 결구하는 방식을 보이고 있어 차이를 보인다. 상층기단 갑석은 조사 당시에도 확인되지 않았던 것으로 보이는데,[28] 2매의 新材를 사용하여 복원하였다.

전체 탑신부는 3층으로, 탑신석과 옥개석이 각각 1석으로 조성되었다. 3층 옥개석과 탑신석은 新材를 사용하였는데, 3층 옥개석은 깨진 채로 현장에 남아 있어[29] 복원 시 새로 조성했던 것으로 보인다. 탑신석에는 양우주만 모각되어 있을 뿐, 별다른 조식은 없다. 1층 탑신석이 3층 탑신석보다 3~4배 높은 편이어서 급격한 체감율을 보여주고 있다. 옥개받침은 1~2층은 5단, 3층은 4단[30]을 보이고 있는데, 옥개받침이 동일한 높이로 조성한 것이 아니라 위에서부터 2.5cm-2.2cm-2.2cm-1.5cm-1.0cm로 점차 줄어들도록 조성하였다. 이러한 옥개받침의 체감은 탑신석 우주에 민흘림 기법을 표현하지 않았음에도 불구하고 탑신석의 윗부분이 좁고 아래 부분이 넓게 보이도록 하는 착시효과를 주어 자연스럽게 민흘림 효과를 주고 있다. 옥개석의 전각 모서리 좌우에는 풍경공이 1개씩 남아 있는데, 상면의 우동마루에도 1개가 남아 있다. 3층 옥개석 상면에는 찰주공이 남아 있으며, 상륜부는 모두 확인되지 않는다.

사진 14. 한계사지 남삼층석탑 1층 옥개석

사진 15. 한계사지 북삼층석탑

---

27) 박경식, 「9世紀 新羅 地域美術의 硏究(Ⅰ)-雪嶽山의 石造 造形物을 中心으로-」, 『史學志』 28, 檀國大史學會, 1995, p.590.

28) 문명대, 앞의 논문, p.10.

29) 강원대학교박물관, 앞의 책, p.28.

30) 문명대, 앞의 논문, p.11. 그러나 새로 복원된 현재의 옥개석은 1~2층과 마찬가지로 5단의 옥개받침을 보이고 있다.

북삼층석탑은 사지에서 북서방향으로 약 45m 떨어진 능선 상에 위치하고 있다.[31] 남삼층석탑과 마찬가지로 석탑부재가 흩어져 있었던 것을 복원한 것으로 보인다. 전체적인 양식은 남삼층석탑과 같이 이층기단에 삼층탑신을 갖춘 일반형 석탑이나, 세부적인 결구방식에서는 남삼층석탑과 차이를 보인다. 북삼층석탑의 지대석은 모두 8매로 남쪽면만 제외하고 세 면은 가운데 부재를 감입한 귀틀식 결구방식을 보이고 있다. 하층기단은 하대저석과 면석, 갑석을 모두 부재를 별도로 조성하여 결구하는 방식을 사용하고 있다. 하대 저석은 4매의 장대석을 엇물림방식으로 결구하였고, 면석은 양 우주와 가운데 탱주 1주를 마련하고 있다. 북쪽면의 부재가 2매로 분리되어 총 5매이나 기본 결구 방식은 사다리물림식을 사용하고 있다. 하층기단 갑석은 남쪽면에 일부 신재로 보충하였는데, 한면은 부재 1매를 그대로 사용하고 다른 면은 엇물림식과 귀틀물림식이 혼재되어 있는 모습을 보인다. 상면에는 호각형 2단의 상층기단 받침이 조출되어 있고, 갑석 상면은 살짝 경사지게 처리하였다. 상층기단은 기본적으로 엇물림 결구방식을 보이고 있는데, 양우주와 가운데 탱주 1주를 두는 형식으로, 동쪽면은 우주+면석, 탱주+면석+우주로 구성된 부재로 결구하였고, 서쪽면은 우주+면석+탱주, 면석으로 구성된 부재를 사용하는 등 모두 6매의 부재를 사용하여 결구하였다. 상층기단 갑석은 2매로 결구하였는데, 아래부분에 부연을 두었으며, 상면은 비교적 평평하게 조성하였고 호각형 2단의 초층탑신받침을 마련하였다.

전체 탑신부는 3층으로 탑신석과 옥개석 각각 1석으로 조성하였다. 탑신석은 남삼층석탑과 마찬가지로 양우주만 모각되어 있을 뿐, 별다른 조식은 없으며 역시 1층 탑신석이 3층 탑신석보다 3~4배 높은 편이어서 급격한 체감율을 보여주고 있다. 발견 당시 무너져 있던 사진으로 보아 2층 옥개석 상면에 방형의 사리공이 남아 있었던 것으로 보인다.[32] 옥개받침은 모두 4단

사진 16. 발굴조사 당시 석등 현황

사진 17. 한계사지 석등 옥개석

31) 사역 중심에서 벗어나 있는 지리적 여건으로 보아 9세기에 이르러 건립되기 시작한 풍수사상 또는 鎭山裨補思想에 의한 석탑으로 보는 견해가 있다(문명대, 앞의 논문, p.11; 박경식, 앞의 논문, p.592).
32) 강원대학교박물관, 앞의 책, p.110 사진. 10-② 참조.

으로 조성되었으며, 절수홈이 뚜렷하게 남아 있다. 옥개받침은 남삼층석탑과 달리 동일한 높이로 마련되어 있어 차이를 보인다. 2~3층 옥개석은 전각 모서리가 대부분 훼손되었으나, 1층과 2층 옥개석 일부에서 풍경공이 뚫려 있는 것이 확인된다. 옥개석 상면에는 각형 2단의 탑신받침이 조출되어 있다. 상륜부는 노반석만 1석으로 조성되어 남아 있다.

석등은 금당지 앞 남쪽으로 5.2m 떨어진 곳에서 확인되었다. 발굴조사 당시 잡석들이 혼재되어 있었는데 잡석을 제거하자 석등 옥개석, 연화문 대좌, 배례석이 함께 노출되었다. 석등 옥개석은 옥개받침 쪽이 위를 보고 엎어져 있었는데, 현재는 발굴조사 후 석조물을 모아 놓은 곳으로 옮겨져 있다. 옥개석은 8각형으로 상단에 중엽의 복판8엽 연화문을 장식하였고, 연화문 끝부분과 옥개석 우동마루가 만나는 지점에 장엄공이 1개씩 뚫려 있다. 중앙에는 각형 2단의 상륜부 받침을 마련하고 그 안으로 상륜부를 끼우기 위한 구멍을 지름 9cm가 되게 뚫었는데 양쪽에 홈을 판 것이 특징이다. 이처럼 상륜부 받침에 길게 홈을 판 형태는 부석사 무량수전 앞 석등에서도 확인할 수 있다. 옥개석의 아랫면에는 2단의 옥개받침이 있고 처마단에 1단의 절수홈을 마련하였다. 옥개받침 안에는 火舍石을 끼우기 위한 홈이 7개 있으며 그 중앙에는 상륜부의 아래와 통하는 구멍이 뚫려 있다.

석등 옥개석으로부터 동쪽으로 40cm 떨어진 곳에서 발견된 크기 120cm×77cm×25cm 방형의 배례석[33](혹은 奉爐石)은 측면에 안상이 2구, 1구씩 새겨져 있고 윗면에는 지름 약 33cm의 원형으로 8엽의 연화문 4개가 고부조로 조각되어 있다. 특이한 것은 서쪽 부분 2개의 연화문은 일직선으로 배치되어 있으나, 동쪽 부분의 2개는 북쪽의 것이 안쪽으로 약 10cm 가량 들어와 있어 대칭되지 않게 배치되어 있다는 점이다. 무슨 연유로 불균형한 배치를 하였는지 알 수는

사진 18. 한계사지 석등 옥개석 상륜부 홈

사진 19. 부석사 무량수전 앞 석등 상륜부 홈
(사진제공 : 부석사성보박물관 김태형)

---

33) 배례석으로 생각되는 것이 2점이나 꼭 배례석이 아닐 가능성도 있다고 생각한다는 보고서의 내용(강원대학교 박물관, 앞의 책, p.57)으로 볼 때, 석등 옥개석과 함께 놓여 있던 1점과 현재 석조물을 모아 놓은 곳에 1점이 더 있어 이 2점을 말하는 것으로 보인다. 정확한 용도를 알 수 없어 이 글에서도 배례석의 용어를 사용하겠으나, 정확한 명칭은 좀 더 고민이 필요할 것으로 보인다.

사진 20. 한계사지 배례석

사진 21. 한계사지 석사자상 (2점)

사진 22. 발굴조사 당시 석사자상

없지만, 연화문 윗면에 무엇인가 올리기 위한 홈이 남아 있는 점이 주목된다. 또한 발굴조사 보고서에서 배례석으로 지칭하였으나, 이러한 조형 특징으로 보아 배례석이 아닐 가능성이 매우 높다. 그러나 윗면의 비대칭한 연화문 배치라든가, 연화문 윗면에 홈이 남아 있는 점 등은 다른 유사 사례를 확인할 수가 없어 이 석조물의 정확한 용도는 알기 어렵다. 다만 발굴조사 당시 이 석등지 주변에서 다섯모기둥과 같은 석재가 4개 출토되었다[34]는 내용으로 보아 4개의 석재가 이 배례석과 관련이 있을 수도 있다는 추정도 가능하나, 이 또한 명확하지 않다. 발굴조사 당시 사진으로 보아 하부에 별다른 시설이 없는 것으로 볼 때, 현재 위치 또한 원래 위치가 아닐 가능성도 있다.

　석사자상도 2점 확인되었는데, 석탑지 위에 쌓인 잡석더미를 정리하던 중 발견된 1점과 금당지 서남쪽 기단석 앞 발굴구덩이에서 1점이 출토되었다.[35] 현재는 석조물을 모아 놓은 곳에 함께 놓여 있는데, 석탑 옆에서 나온 것은 얼굴이 거의 파손되었으며 네 다리는 모두 훼손되었지만 위 아래로 뻗고 있는 형태이다. 목덜미에 갈기가 표현되었으며 꼬리는 S자 형태로 위로 말아 올렸다. 금당지 기단 앞에서 출토된 다른 1점은 가슴 앞쪽은 완전히 없어지고 꼬리부분과 뒷다리 일부만 남아 있는데, 마찬가지로 꼬리를 S자 형태로 위로 말아 올렸다. 2점 모두 훼손 상태가 심해 정확한 모습을 확인할 수는 없다. 발굴조사 보고서에서는 석탑 옆에 설치하던 것으로 추정하였으나[36], 사자상의 자세나 형태로 보아 석탑 주변에 설치하던 것은 아닌 것으로 생각되는데, 사자상이 출토된 위치가 석탑지와 금당지 기단 앞이라는 점에서 정확한 원위치와 용도는 알 수 없다.[37]

---

34) 강원대학교박물관, 앞의 책, p.28.
35) 강원대학교박물관, 앞의 책, p.56.
36) 강원대학교박물관, 앞의 책, p.56.
37) 한편, 석등은 옥개석만 확인되고, 간주석이나 상대석, 하대석 등이 확인되지 않았다. 이와 관련하여 석등 주변에서 발견된 배례석 위의 연화문에 홈이 파져 있는 것으로 가설을 세워본다면, 연화대좌 위에 사자상 2구가 올라가는 형태의 異型石燈일 가능성도 생각해 볼 수 있다. 그러나 사자상의 다리 및 얼굴에 훼손이 많아 이 역시 추정에 불과하다.

사진 23. 한계사지 하대저석 사자상

사진 24. 한계사지 연화문 하대석1

사진 25. 한계사지 연화문 상대석

사진 26. 한계사지 연화문 하대석2

사진 27. 한계사지 하대저석 가릉빈가상

사진 28. 한계사지 석조광배 탑본

이밖에도 연화문 대좌 및 사자상이 새겨진 하대석, 보살상이 부조된 중대석, 석조 광배, 석조 불상 등 현재까지 형태를 확인할 수 있는 것은 총 9점 정도이다. 대좌는 모두 팔각형으로 하대 저석 2점, 하대석 2점, 상대석 1점이 확인되고, 광배도 2점 출토된 것[38]으로 미루어 볼 때 한계

---

38) 강원대학교박물관, 앞의 책, pp.58~59.

사진 29. 한계사지 하대저석
가릉빈가상 탑본

사진 30. 홍천 물걸리사지
석조여래좌상 대좌 가릉빈가상

사진 31. 홍천 물걸리사지 불대좌
가릉빈가상

사에는 최소 2기의 불상이 있었던 것으로 추정된다. 하대석 2점과 판내에 화문으로 장식한 복엽16판 앙련의 연화문 상대석은 모두 각호각형 3단 받침을 마련한 것으로 보아 동일한 치석수법과 시기성을 보이고 있음을 알 수 있다. 이 가운데 측면에 안상을 새기고 그 안에 가릉빈가를 부조한 팔각 하대저석과 사자상과 향로를 고부조로 새긴 하대저석은 한계사 내 석조물 중 가장 장식적인 요소를 보여주고 있다.

가릉빈가상은 석조부도의 하대석이나 중대석, 탑신받침 등에 조각된 경우가 많은데 쌍봉사 철감선사탑, 봉암사 지증대사적조탑, 연곡사 동부도 및 북부도 등에서 확인된다. 불상대좌의 경우는 홍천 물걸리사지 석조여래좌상(보물 541호)의 대좌와 물걸리사지 불대좌(보물 543호)의 대좌에서 확인되는데, 한계사지의 것과 양식적으로 매우 유사하여 두 사지에서 공통된 양식이 공유되었던 것으로 생각된다. 마찬가지로 보살상이 조각된 중대석 역시 물걸리사지 석조여래좌상 중대석과 유사한 도상을 보이고 있어 두 석조물 간에 높은 친연성을 보인다. 또한 물걸리사지의 석조여래좌상, 불대좌, 불대좌 및 광배(보물 544호)의 하대석 모두 각호각형 3단받침의 동일한 양식을 공유하고 있다는 점 역시 두 사지에 조성된 석조물들은 유사성이 매우 높은 것으로 생각된다.

특히 사자상이 조각된 하대저석과 연화문 하대석 1점은 팔각형의 각 면이 안쪽으로 둥글게 곡선을 이루며 표현된 것으로 보아 이 2점이 한 세트로 사용된 것으로 추정되며, 이러한 형식은 부석사 자인당 석조여래좌상(보물 1636호)의 대좌와 동일한 것으로 매우 주목된다. 앞에서 언급한 석등도 부석사 무량수전 앞 석등과 유사한 형식이라는 점과 가릉빈가상 하대저석이 홍천 물걸리사지의 대좌와 유사하다는 점은 한계사 석조미술에서 보여지는 중요한 특징으로 생각된다.

지금까지 한계사지 석조미술의 현황과 양식 특징에 대해 살펴보았다. 한계사지에는 석탑, 석등, 불상, 석사자상, 대좌 및 광배 등 다양한 석조미술이 남아 있는데, 대부분 신라 하대의 제작 수법과 양식을 보여주고 있어 시대성 및 동일한 양식 공유가 있었음을 알 수 있다. 석탑의 경우 남삼층석탑과 북삼층석탑은 동일한 양식으로 건립된 것으로 알려져 왔으나, 세부적인 결구

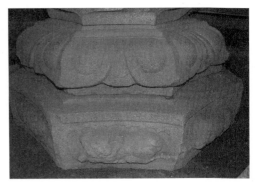

사진 32. 한계사지 하대저석 사자상   사진 33. 부석사 자인당 석조여래좌상 대좌 하대석

방식 및 형식은 차이가 있음을 알 수 있다. 그 중에서도 남삼층석탑의 옥개받침 형식은 다른 석탑에서 잘 확인되지 않는 수법으로 이는 한계사지 남삼층석탑만의 특징으로 보인다. 또한 대좌 하대석에서 공통적으로 각호각형 3단받침을 조출한 것으로 보아 이 역시 9세기 신라 석조미술의 양식 변화의 범주에서 벗어나지 않고 있음을 알 수 있다. 그리고 가릉빈가상을 조각한 하대저석 및 사자상을 조각한 하대저석이 홍천 물걸리사지와 영주 부석사의 석조미술과 공통된 양식과 수법을 보이고 있다는 점은 한계사지 석조미술이 신라 석조미술의 양식 공유와 전파라는 측면에서 매우 중요한 점을 시사해준다고 생각된다. 특히 물걸리사지의 석조대좌와 한계사지 석조대좌는 조각수법과 양식, 도상 등에서 매우 높은 유사성을 보이고 있어 두 사지의 석조물이 동일한 장인집단에 의해 조성되었을 가능성도 없지 않다고 생각된다. 따라서 다음 장에서는 이러한 한계사지 석조미술의 특징을 바탕으로 강원지역에 신라 석조미술이 확산되는 전파 경로와 과정에 대해 살펴보고자 한다.

Ⅳ. 江原地域의 新羅 石造美術 傳播經路

신라는 일찍부터 영역 확대를 위한 교통로를 사방으로 개설하였고 이는 통일의 기반이 되었으며, 통일 후에는 이러한 교통로를 통해 경주 중심이었던 신라의 문화가 전국으로 확산되었는데, 불교미술 역시 예외는 아니었다. 9세기 신라 석조물은 전국에 걸쳐 분포되어 있으면서 각기 특정한 지역에 밀집되어 있는 현상을 볼 수 있는데, 각 지역 내 주요 사찰이 건립된 名山을 중심으로 석조미술이 활발히 조성되었다. 이 가운데 강원지역은 크게 강릉을 중심으로 하는 설악산 문화권과 경북 북부를 걸치는 태백산을 중심으로 하는 문화권, 그리고 영서지방에 원주를 중심으로 하는 남한강 문화권[39]을 중심으로 석조미술이 집중되는 모습을 보인다. 그리고 강원지역의 석조미술 역시 신라 하대에 건립된 석조물에서 보이는 공통된 양식이 공유되고 있었던 것으로 볼 때, 일찍부터 개설된 교통로를 통해 경주지역을 중심으로 발달된 석조미술의 활발한 교류 및 전파가 있었음을 알 수 있다.

강원지역의 신라 석조미술이 전파되는 경로에 대해서는 경주부터 설악산지역에 이르기까지 토함산 ↔ 팔공산 ↔ 상주 ↔ 충주 ↔ 원주 ↔ 홍천 ↔ 설악산의 경로를 통해 석조미술이 전파된 것으로 보는 견해가 일찍부터 있어 왔다. 즉, 9세기에 이르러 앞 시대에 형성된 정치 군사적 요충지가 불교문화의 전국적 확산에 중요한 위치를 차지하고 있음을 알 수 있다.[40] 이러한 전파 경로는 Ⅱ장에서 살펴본 강원지역에 남아 있는 석조미술의 현황과도 대략적으로 일치하고 있어 경주에서 확립된 석조미술이 지방으로 확산된 경로로 추정하는 것에 별다른 무리가 없다고 생각되나, 이에 대해 좀 더 구체적으로 살펴보고자 한다.

신라는 통일 이후 지방 통치의 거점으로 9주의 주치와 5소경이 중심되면서 신라의 군현제 편성 역시 왕경으로부터 이들 거점 대읍으로 향하는 교통로를 중심으로 재편되었을 것이다. 왕경으로부터 주치와 소경, 그리고 북방의 국경지대로 향하는 교통로는 신라의 간선교통로로 설정되었을 것이며, 해당교통로가 지나는 요충지에는 '군'과 '현' 중 상대적으로 읍격이 높은 '군'이 주로 설치되어 주변의 영현들을 관할하였던 것[41]으로 보인다. 한편, 신라는 일찍부터 동해안을 따라 올라가는 경주 ↔ 울진 ↔ 삼척 ↔ 강릉 ↔ 고성 ↔ 안변으로 이어지는 북방진출로를 개척하였던 것[42]으로 알려져 있지만, 현재 강원지역의 신라 석조미술 현황으로 볼 때, 신라 하대 석조미술의 전파 경로로 동해안 교통로가 활발히 이용되지 않았던 것으로 보인다. 강원지역에서 가장 이른 시기의 신라 석조미술로는 8세기 말에 건립된 속초 향성사지 삼층석탑으로 생각되는데, 지역 호족세력의 후원으로 인해 가능했던 것으로 추정된다.[43] 이후 9세기에 신라 석조미술이 확산되는 경로는 동해안 경로보다 오히려 경북 북부 내륙지역을 통하는 경로를 활용했던 것으로 보이는데, 이에 대해서는 우선 삼척 홍전리사지의 석조미술을 통해서 추정해 볼 수 있다. 즉, 홍전리사지가 경주에서 태백과 도계를 경유하는 문화전파 경로에 위치한다는 것으로 安東 ↔ 禮安·奉化 ↔ 太白 ↔ 三陟 ↔ 江陵으로 이어지는 역로에서 봉화 서동리 동·서삼층석탑-태백 본적사지 삼층석탑-삼척 홍전리사지 삼층석탑-삼척 대평리사지 삼층석탑-동해 삼화사 삼층석탑-강릉 옥천동·방내리 삼층석탑으로 이어지는 태백산의 중간 연결지점에 위

---

39) 李順英, 앞의 논문, 2015.8, p.138.
40) 박경식, 『통일신라 석조미술 연구』, 학연문화사, 2002, p.45.
41) 정요근, 「통일신라시기의 간선 교통로-王京과 州治 小京 간 연결을 중심으로」, 『한국고대사연구』 63, 한국고대사학회, 2011.9, p.161.
42) 金昌謙, 「新羅 中祀의 '四海'와 海洋信仰」, 『한국고대사연구』 47, 한국고대사학회, 2007, p.178.
43) 박경식, 앞의 논문, 1995, pp.607~608; 이순영, 앞의 논문, 2015.12, p.129.

지도 1. 강원지역 신라교통로 현황
(정요근 논문 〈지도10〉 인용)

치하고 있다[44]는 점은 삼척 홍전리사지의 지정학적 위치가 매우 주목되는 부분이다. 특히 홍전리사지 석탑이 봉화 취서사 삼층석탑과 양식적으로 강한 친연성을 보이고, 무구정탑이라는 같은 조탑 배경으로 건립되었을 가능성이 높다는 점은 이러한 경로를 통해 신라석탑 양식이 공유·확산되었음을 매우 직접적으로 시사해 준다고 할 수 있다.[45] 그리고 이를 뒷받침할 수 있는 또 하나의 근거로 한계사지의 연화문 대좌가 영주 부석사의 것과 동일한 양식을 보인다는 점이다. 일반적으로 평면 팔각형의 구조를 보이는 불대좌는 정팔각형 형태를 보이는 것과 달리 팔각형의 면이 안쪽으로 호형을 이루고 있어 별모양을 보이는 것은 영주 부석사 자인당 석조여래좌상과 한계사지 대좌에서만 확인되고 있어 이 두 사찰의 석조미술의 조성에 동일한 장인집단이 참여

했을 가능성이 높다. 그렇다면 강원지역 중 영동지방으로의 석조미술 전파 경로는 경주 ↔ 대구(팔공산) ↔ 안동 ↔ 영주 ↔ 봉화 ↔ 삼척 ↔ 강릉 ↔ 속초를 거쳐 인제 한계사지로 연결되었을 것으로 추정해 볼 수 있다.

한 가지 더 주목되는 점은 한계사지 석조물과 홍천 물걸리사지 석조물에서도 동일한 양식과 도상 등이 확인된다는 점이다. 앞에서 살펴본 것처럼 각호각형 3단 받침 양식의 공유, 유사한 양식의 가릉빈가 하대저석, 입상으로 부조된 유사한 도상의 보살상 중대석 및 사자상이 조각된 하대저석 등이 공통적으로 확인되고 있어 두 사지에 남아 있는 석조미술 사이에서도 매우 높은 유사성이 확인되고 있다. 즉, 이는 앞에서 언급한 팔공산 ↔ 상주 ↔ 충주 ↔ 원주 ↔ 홍천 ↔ 설악산으로 연결되는 경로에 해당하는 지역으로 신라 석조미술의 전파 및 전개과정의 일면을 보여준다고 할 수 있다. 또한 이와 함께 두 석조물 조성에 있어 동일한 장인집단 내지는 이와 유사한 조성세력이 관여했을 것으로 추정해 볼 수 있다. 이는 신라의 간선교통로와도 밀접하게 연관되어 있는데, '朔州路'의 경로와 대체로 일치하고 있다는 점이 주목된다. '삭주로'는 경주에

---

44) 江原文化財硏究所·三陟市, 『三陟 興田里寺址 地表調査 및 三層石塔材 實測 報告書』, 2003, p.40.
45) 李順英, 앞의 논문, 2015. 8, p.133.

서 서북쪽으로 죽령과 철령을 넘는 교통로로서, 주요 경유지는 죽령과 북원경, 伐力川停, 삭주 주치 등인데[46] 북원경은 현재의 원주, 벌력천정은 10정 중 하나로 현재의 홍천, 삭주는 현재의 춘천에 해당된다.

한편 신라 간선로 중에 상주는 한주로, 서원경로, 웅주로 등 왕경과 국토의 서쪽 및 북쪽을 이어주는 간선 교통로들이 분기하는 주요 교통 중심지였는데,[47] 이는 상주가 왕경으로부터 계립령을 통해 한강유역으로 나아가거나, 삼년군을 거쳐 서원경 방면으로 향하는 중간 지점에 해당[48]했기 때문으로 보인다. 특히 상주를 통해 충주로 이어지는 통로는 阿達羅尼師今때 계립로가 개척되었고 이어 죽령이 개통되는 등 북방으로 진출할 수 있는 통로가 일찍부터 개척된 것으로 보아 상주는 9세기에 이르러서도 경주를 정점으로 발달한 불교문화를 북과 서로 연결시켜주는 통로 역할을 수행한 것으로 보인다.[49] 이를 바탕으로 신라 석조미술이 강원 영서지방으로 확산되는 경로를 추정해 보면, 충주 탑평리사지-원주 거돈사지-횡성 중금리사지-홍천 물걸리사지-인제 한계사지로 연결되고 있어 삭주로 경로를 이용해 강원 영서지방까지 신라 석조미술이 확산될 수 있었던 것으로 생각된다.

앞에서 살펴본 강원지역의 신라 석조미술이 확산되는 전파 경로를 정리해보면 영동지방은 경북 북부 내륙을 경유하는 경주 ↔ 대구(팔공산) ↔ 안동 ↔ 영주 ↔ 봉화 ↔ 삼척 ↔ 강릉 ↔ 속초 ↔ 인제의 경로가, 영서지방은 삭주로를 이용하는 경주 ↔ 대구(팔공산) ↔ 상주 ↔ 충주 ↔ 원주 ↔ 횡성 ↔ 홍천 ↔ 인제의 경로가 이용된 것으로 추정해 볼 수 있다. 그리고 현재 강원지역에 남아 있는 신라 석조미술이 위치한 곳과 이러한 경로가 대략적으로 일치하고 있는 것으로 볼 때, 강원지역에 신라 석조미술이 전파되는 경로가 하나의 경로가 아닌 다양한 경로를 이용하여 전파되었다는 것을 보여준다는 점에서 의의가 있다고 생각된다. 특히 주목되는 점은 앞에서 살펴본 인제 한계사지가 강릉 ↔ 속초를 통해 설악산을 넘어 오는 경로와 삭주로를 통해 원주 ↔ 횡성 ↔ 홍천을 연결하는 경로가 만나는 접점에 해당한다는 점이다. 즉, 한계사지는 강원지역에서 영동과 영서를 잇는 두 교통로 상에 위치하고 있어 강원지역 내에서 신라 불교미술이 전파되는 중요 경로로서 매우 중요시 되었을 것으로 생각된다. 이는 한계사지의 위치가 영서지방의 내설악에서 한계령을 넘어 영동지방으로 넘어가는 길목이라는 점을 통해서도 당시에도 이 경로가 영동과 영서를 잇는 주요 교통로로 이용되었던 것으로 생각되며, 이러한 배경 속에 한계사의 위치가 선정된 것이 아닌가 한다. 따라서 이러한 입지 조건으로 인해 한계사지는 신라 불교문화가 확산되는 과정 속에서 강원지역 내에서 중요한 거점 역할을 했을 것으로 추정된다.

---

46) 정요근, 앞의 논문, 2011.9, p.175.
47) 정요근, 위의 논문, p.171.
48) 정요근, 위의 논문, p.182.
49) 박경식, 앞의 책, 2002, p.46.

마지막으로 이와 같은 강원지역 신라 석조미술의 전파 경로는 신라 동북방면 뿐만 아니라 서북방면, 즉 경기지역으로의 신라 불교문화 전파 양상도 함께 살펴볼 수 있다는 점에서도 의의가 있다. 그동안 신라 불교문화가 전파된 현황에 대해 신라 일반형 삼층석탑의 북방한계는 금강산-속초 향성사지 삼층석탑-인제 한계사지 삼층석탑-홍천 물걸리사지 삼층석탑-횡성 중금리 삼층석탑-원주 거돈사지 삼층석탑-안성 (봉업사지) 죽산리 삼층석탑으로 이어지는 것으로 알려져 왔다. 이는 교통의 요지에 해당하는 곳에 사찰이 입지하여 석탑과 석불 등이 조성된 것으로 죽산리 석불입상이 위치해 있던 안성 봉업사지 역시 서해안 및 한강유역과 충주ㆍ청주를 거쳐 남부지방으로 향하는 교통로의 결절점에 해당하는 교통의 요지라는 것이다.[50] 신라 석조미술이 강원지역에는 비교적 다수 집중되어 있는 것과 비교해 경기지역에는 소수만 남아 있다는 점에서 이 역시 문화 전파 경로가 그 배경이 된다고 생각된다.[51] 경주에서 경기지역으로 연결되는 교통로는 상주에서 갈라져 보은 ↔ 청주 ↔ 진천 ↔ 안성 ↔ 한주 ↔ 패강진으로 연결되는 경로가 일찍부터 활용되었는데, 안성지역은 이 경로에서 서해안 방면과 한강 이북지역으로 진출할 수 있는 교통의 길목에 해당되므로 통일 이후 신라가 중점적으로 관리했던 거점지역이었을 것으로 생각된다. 즉, 경기도 내에 통일신라 석조미술이 거의 남아 있지 않고 안성을 중심으로 한 일부지역에만 남아 있는 것 또한 신라의 석조미술이 전파되는 경로가 당시 교통로와 밀접한 관련이 있음을 보여주는 것으로 이 역시 신라 석조미술의 확산과 전파경로 간의 상관관계를 보여준다는 점에서 의의가 있다고 생각된다.

V. 맺음말

강원지역은 일찍부터 불교가 전래되었고 이로 인해 다양한 불교문화가 형성되어 왔는데, 진전사지, 선림원지, 굴산사지, 향성사지, 물걸리사지, 한계사지 등 많은 절터에 수준 높은 석조미술이 남아 있어 강원지역이 당시 신라 불교에서 높은 위상을 차지하고 있었음을 보여준다. 한편 신라는 북방경략을 위해 일찍부터 강원지역으로 진출하였는데, 석조미술의 전파경로에 대해서는 통일 이후 확산되는 일반적인 문화현상 속에서 검토하는 정도에 머물렀다. 그리고 이

---

50) 정성권, 「경기도 내 통일신라 석불의 존재 가능성에 대한 고찰-죽산리 석불입상을 중심으로-」, 『역사와 경계』 86, 부산경남사학회, 2013.3, pp.28~29.

51) 충청지역 역시 성주산문이 개창된 성주사지를 제외하고는 신라 석조미술이 거의 남아 있지 않은데, 성주사의 경우 앞서 백제 1차 가람, 오합사 중건 가람인 2차 가람이 이미 폐사된 상태로 있던 곳을 기진 받아 신라 중앙귀족들이 단월로 참여하여 중건한 것으로 성주산문의 開山祖가 입지를 선택한 것이 아니라는 것(양정석, 「九山 禪門 伽藍 認識에 대한 考察」, 『新羅文化』 40, 동국대학교 신라문화연구소, 2012.8, p.213)으로 볼 때, 교통로를 통해 석조미술이 확산되는 양상과는 달리 직접적으로 중앙의 영향을 받았을 것으로 생각된다.

가운데에서도 다른 불교유적과는 달리 인제 한계사지는 다양한 석조미술이 남아 있음에도 불구하고 그동안 미술사적으로 그다지 주목받지 못하였다.

이에 본 논문에서는 강원지역의 신라 석조미술이 확산되는 전파경로에 주목하여, 한계사지 석조미술을 중심으로 살펴보았다. 그 결과 우선 강원지역의 불교유적 현황에 대해 살펴보았는데, 영동지방은 양양의 설악산 문화권에 집중되어 있고, 영서지방은 홍천 물걸리사지와 인제 한계사지에 집중되어 있음을 알 수 있다. 그리고 강원지역의 석조미술이 전파되는 경로를 살펴보기 위해 한계사지 석조미술의 양식 특징을 면밀히 검토하였다. 우선 한계사지의 위치가 영동과 영서를 가로지르는 태백산맥의 서쪽 산기슭에 해당하는 한계령을 넘기 전 길목에 위치하고 있어 중요 교통로 상에 위치하고 있음을 알 수 있다. 발굴조사 이후 복원된 석조유물인 남삼층석탑, 북삼층석탑 및 석조대좌 및 광배, 석등, 석사자상 등이 확인되어 다양한 석조미술이 조성되었는데, 이들을 살펴본 결과 대부분 신라 하대의 제작수법과 양식을 보여주고 있어 시대성 및 동일한 양식 공유가 있었음을 알 수 있다. 주목되는 것은 홍천 물걸리사지와 영주 부석사의 석조미술과 공통된 양식과 수법을 보이고 있어 한계사지 석조미술이 신라 석조미술의 양식 공유와 전파라는 측면에서 매우 중요한 단서를 제공해주고 있음을 알 수 있다.

마지막으로 강원지역 내 신라 석조미술이 확산되는 전파 경로를 영동지방은 경북 북부 내륙을 경유하는 경주 ↔ 대구(팔공산) ↔ 안동 ↔ 영주 ↔ 봉화 ↔ 삼척 ↔ 강릉 ↔ 속초 ↔ 인제의 경로가, 영서지방은 삭주로를 이용하는 경주 ↔ 대구(팔공산) ↔ 상주 ↔ 충주 ↔ 원주 ↔ 횡성 ↔ 홍천 ↔ 인제의 경로가 이용된 것으로 추정해 보았다. 이는 강원지역에 신라 석조미술이 전파되는 경로가 하나의 경로가 아닌 다양한 경로를 이용하여 전파되었다는 것을 보여준다는 점에서 의의가 있다. 특히 한계사지의 위치가 영서지방의 내설악에서 한계령을 넘어 영동지방으로 넘어가는 길목이라는 점을 통해서 두 경로의 접점으로서 한계사지는 신라 불교문화가 확산되는 과정 속에서 강원지역 내에서 중요한 거점 역할을 했을 것으로 추정된다. 이와 마찬가지로 경기지역 내 신라 석조미술이 안성을 중심으로 남아 있는 것 역시 당시 교통로와 밀접한 관련이 있다고 생각되며 이는 신라 석조미술의 확산과 전파경로 간의 상관관계를 보여준다는 점에서 의의가 있다.

【참고문헌】

강원대학교박물관,『寒溪寺』, 강원대학교박물관, 1985.

江原文化財研究所·三陟市,『三陟 興田里寺址 地表調査 및 三層石塔材 實測 報告書』, 2003.

국립춘천박물관,『홍천 물걸리사지 학술조사보고서』, 2007.

박경식,『통일신라 석조미술 연구』, 학연문화사, 2002.

정영호,『道義國師와 陳田寺』, 학연문화사, 2005.

權悳永,「新羅 道義禪師의 初期 法系와 億聖寺」,『新羅史學報』16, 신라사학회, 2009.8.

金昌謙,「新羅 中祀의 '四海'와 海洋信仰」,『한국고대사연구』47, 한국고대사학회, 2007.

남무희,「강원 영동지역 불교문화와 자장율사」,『평창 수다사지의 재조명 학술심포지엄』, 강원고고
　　　문화연구원, 2013.

文明大,「寒溪寺址 調査略報」,『考古美術』142호, 한국미술사학회, 1979.

박경식,「9世紀 新羅 地域美術의 研究(Ⅰ)-雪嶽山의 石造 造形物을 中心으로-」,『史學志』28, 檀國
　　　大史學會, 1995.

양정석,「九山禪門 伽藍 認識에 대한 考察」,『新羅文化』40, 동국대학교 신라문화연구소, 2012.8.

嚴基杓,「高麗時代 江原地域의 佛敎文化-石造美術을 中心으로-」,『文化史學』36, 한국문화사학회,
　　　2011.

오세덕,「부석사 가람배치 변화에 관한 고찰」,『新羅史學報』28, 신라사학회, 2013.8.

이순영,「三陟地域 新羅石塔의 樣式과 特徵」,『이사부와 동해』10, 한국이사부학회, 2015.8.

＿＿＿,「新羅 香城寺址 三層石塔의 樣式 特徵과 建立時期」,『新羅史學報』35, 신라사학회, 2015.12.

정요근,「통일신라시기의 간선 교통로-王京과 州治 小京 간 연결을 중심으로」,『한국고대사연구』
　　　63, 한국고대사학회, 2011.9.

정성권,「경기도 내 통일신라 석불의 존재 가능성에 대한 고찰-죽산리 석불입상을 중심으로-」,『역
　　　사와 경계』86, 부산경남사학회, 2013. 3.

鄭永鎬,「三和寺 鐵佛과 三層石塔의 佛敎美術史的 照明」,『文化史學』8號, 한국문화사학회, 1997.

＿＿＿,「香城寺址 三層石塔」,『史學研究』21, 한국사학회, 1969.9.

지현병,「강원의 신라문화」,『강원의 신라 문화와 역사』, 국립춘천박물관, 2013.

洪永鎬,「江原道 嶺東地域의 廢寺址 現況」,『博物館誌』20, 강원대학교 박물관, 2013.

洪性益,「羅末麗初 廢寺址 寺名 比定에 관한 연구-강원지역 출토 銘文瓦를 중심으로-」,『新羅史學
　　　報』19, 신라사학회, 2010.8.

＿＿＿,「강원 영서지역 寺址조사의 현황과 과제」,『인문과학연구』40집, 강원대학교 인문과학연구
　　　소, 2014.3.

龍仁 東度寺(魚肥里) 三層石塔에 대한 考察

嚴基杓[*]

目 次

Ⅰ. 序論

東度寺는 경기도 용인시 이동면 어비리에 소재하고 있는데, 현재 위치로 옮기기 전에는 이동 저수지 북서쪽으로 솟아있는 일명 높은재로 불린 산중턱에 자리 잡은 사찰이었다. 원래의 寺名 은 金丹寺로 전해지고 있다. 寺址와 寺名 등은 추후에 구체적인 조사가 이루어져야만 어느 정 도 알 수 있을 것으로 사료된다. 그리고 삼층석탑과 석불이 있었던 원래의 사지는 이동저수지 가 생기기 전에는 금당골 어비울절로 불렸으며, 壬辰倭亂을 전후한 시기에 廢寺되었다고 전해 지고 있다. 현재 사지에는 석축이 남아있고, 사지 일대에서 기와편과 토기편 등이 발견되고 있 다. 그리고 사지에서 옮겨진 유물로 삼층석탑, 석등, 석불좌상과 대좌 등이 東度寺에 유존되고 있다. 東度寺 경내로 옮겨져 있는 三層石塔과 石佛은 병을 고쳐주는 등 오래전부터 영험한 것 으로 알려져 있었는데, 이를 알고 임진왜란 때 왜적이 넘어뜨려 굴러 떨어진 것을 마을 사람들 이 어비리 막골마을로 옮겼다고 한다. 石佛은 藥師佛로 어비리 마을 사람들에게는 영험한 부처 로 수호신처럼 여겨졌다고 한다. 이후 1963년 이동저수지가 만들어지면서 석탑과 석불을 보호 하기 위하여 차장업 거사에 의하여 다시 東度寺로 옮겨 세워졌다.[1]

龍仁 東度寺 三層石塔은 寺名은 알 수 없지만 어비리 사지의 신앙과 종교 활동의 중심적인

---

* 단국대학교 교수 / 문화재청 문화재전문위원
1) 李殷昌, 「龍仁 漁肥里의 三層石塔」, 『考古美術』 통권 제67호, 고고미술동인회, 1966.
   문화재관리국, 『文化遺蹟總攬』, 1977.
   東度寺, 『龍仁 東度寺(魚肥里寺址)』, 학연문화사, 2005.

대상이었을 것이다. 그리고 이 석탑은 어비리 사지의 기록이 입전되지 않고 있는 상태에서 어비리 사지의 창건이나 연혁과 관련하여 가장 중요한 사실을 전해주는 조형물이라 할 수 있다. 또한 東度寺 三層石塔은 경기도 지역에서는 보기 드물게 상당히 이른 시기에 건립되었으며, 전형적인 新羅式 석탑 양식을 보이고 있다. 이에 東度寺 三層石塔의 치석 수법과 양식 등을 살펴 건립 시기와 미술사적 의의 등을 살펴보고자 한다.

Ⅱ. 東度寺 三層石塔의 樣式과 建立 時期

현재 동도사 경내에 건립되어 있는 龍仁 魚肥里 三層石塔은 『文化遺蹟總攬』과 마을 사람들의 傳言에 의하면 임진왜란 당시 사찰이 전소되자 원래의 사지에서 석불과 함께 막골마을로 移建되었다고 한다. 이후 1963년 다시 이동저수지가 조성되면서 마을이 수몰되자 石佛과 함께 東度寺 경내로 移建되었으며, 1983년 9월 19일 석탑의 중요성으로 경기도 문화재자료 43호로 지정되었다. 그리고 2004년 어비리 석탑의 양식과 경기도 지역에서 차지하는 비중이 높아 경기도 유형문

사진 1. 용인 동도사 삼층석탑[2]

사진 2. 용인 동도사 삼층석탑 전경(2015년)

2) 李殷昌, 앞의 논문, p.168.

사진 3. 용인 동도사 삼층석탑 기단부

사진 4. 용인 동도사 삼층석탑 1층 탑신

화재 194호로 상향 지정되었다. 그리고 기단부의 붕괴 위험으로 해체 복원되기도 했으며, 동도사의 가람이 어느 정도 형성된 후 대웅전 앞으로 파손이 심한 석등과 함께 나란히 移建되었다. 동도사 삼층석탑은 원위치에서 移建되기는 하였지만 원위치가 알려져 있으며, 相輪部를 제외하고 基壇部와 塔身部 부재 일부가 파손되기는 했지만 전체적으로 보존 상태가 양호하여 귀중한 자료라 할 수 있다. 또한 경기 지역 석탑에서는 보기 드물게 1층 탑신석 하부에 別石괴임을 삽입하였다.

동도사 삼층석탑은 전형적인 이층기단 위에 탑신부를 3층으로 건립하여 우리나라에서는 가장 일반적인 양식의 석탑이라 할 수 있다. 삼층석탑은 전체 높이가 325cm, 기단부 높이가 123cm로 그렇게 크기도 작지도 않은 석탑이다. 地臺石은 4매의 장대석을 결구하여 마련하였다. 기단부는 전형적인 2층 기단으로 하층기단은 면석부 하부에 1단의 받침이 있고, 면석부에 隅柱 2柱와 가운데에 撑柱 1柱를 세웠다. 하대갑석 하부에는 낮은 부연이 있고, 상면은 수평으로 면을 고르게 치석하였다. 그리고 그 안쪽으로 호각형 2단의 상층기단 괴임을 마련하였다. 상층기단은 우주 2주와 탱주 1주를 세웠는데, 하층기단과 같이 낮게 모각하였다. 상대갑석은 낮은 부연이 있고 상부에 弧角形 2단의 탑신괴임을 마련하였다.

塔身部는 3층을 유지하고 있는데, 석탑의 전체적인 규모나 3층 옥개석 상부에 남아있는 圓孔으로 보아 원래부터 3층이었음을 알 수 있다. 탑신부에서 석탑의 양식과 관련하여 가장 주목되는 부분은 1층 탑신석 하부에 別石괴임을 삽입하였다는 점이다. 별석은 1석으로 마련되었는데 하부를 內曲되게 치석하였으며, 상부에는 호각형 2단의 괴임을 두었다. 그리고 탑신석들은 기단부와 같이 우주를 낮게 모각하였으며, 1층 탑신석과 2층 탑신석의 비례가 2:1 정도를 보이고 있어 둔화된 양상을 보이고 있다.

屋蓋石은 하부에 각 층 4단의 옥개받침을 두었는데, 다소 약화된 모습을 보이기는 하지만 치석 수법이 고르고 정연한 이미지를 보이고 있다. 처마부에는 일정한 너비로 낙수홈대를 마련하였으며, 처마선은 수평을 유지하고 있다. 낙수면은 급경사를 이루며 내려오다가 유려한 곡선형을 이루며 처마 쪽으로 내려오고 있어 懸水曲線을 그리도록 치석되었다. 옥개석 정상부에는 弧角形 2단의 탑신괴임을 두었다. 옥개석은 상층으로 올라가면서 규모만 작아질 뿐 동일한 수법으로 마련되었으며, 3층 옥개석 상면에 원공이 있어 찰주가 고정되었음을 알 수 있다. 현재 상륜부는 모두 결실되었다.

이와 같이 東度寺 三層石塔은 전체적으로 규모가 작고, 기단부에서 隅柱와 撑柱 마련 수법, 상·하대 갑석의 치석, 1층 탑신석 하부의 별석, 각층 탑신석의 전체적인 비례, 옥개석의 치석 수법 등에서 통일신라 말기에서도 비교적 늦은 시기의 석탑의 양식적 특징을 보이고 있다. 특히 석탑과 함께 옮겨진 석불이 전형적인 통일신라시대의 대좌로 마련된 점 등은 석탑의 건립 시기와 관련하여 주목된다.

동도사 삼층석탑이 원위치에서 移建되기는 하였지만 경기도 용인 지역에서 이러한 양식의 석탑이 건립되었다는 것은 造營史的, 樣式史的으로도 중요한 역사적 의의가 있다 할 수 있다. 특히 석탑의 1층 탑신석 하부에 별석을 삽입한 석탑은 경기도 지역에서 보기 드문 수법이다. 나아가 상륜부가 결실되기는 하였지만 나머지 부재들이 잘 남아 있으며, 전체적으로 정연한 치석과 결구 수법을 보이고 있다.

사진 5. 용인 동도사 삼층석탑 1층 옥개석

사진 6. 용인 동도사 삼층석탑 1층 옥개석 합각부

사진 7. 용인 동도사 삼층석탑 낙수면

사진 8. 용인 동도사 삼층석탑 3층 옥개석

이 석탑에서 주목되는 부분은 1층 탑신석을 받치고 있는 別石괴임이다. 현재까지 확인된 서울 경기 지역에 건립된 석탑에서는 보기 드물게 1층 탑신석 하부에 別石괴임이 삽입되었다. 別石은 하부를 곡선형으로 부드럽게 깎았으며(內曲形), 상부는 2단으로 마련하였다. 別石괴임은 통일신라 말기에서 고려 전기에 건립된 석탑에서 부분적으로 성행하였으며, 주로 중부 이남과 남부지방에 소재한 석탑에서 많이 채용된 결구 수법이었다. 특히 석탑에서 별석을 끼워 탑신석을 받치도록 하는 것은 신라 말기 중부 이남지역의 석탑에서 많이 나타난다. 또한 석탑의 규모가 전체적으로 작은 점도 통일신라 말기의 늦은 시기에 건립되었음을 알 수 있게 한다. 어쨌든 이 석탑은 경기도 지역에서 보기 드물게 전형적인 신라 석탑의 양식을 계승하였다는 점에서 귀중한 자료이다.

이와같이 석탑의 전체적인 치석 수법과 양식은 통일신라시대의 전형적인 모습을 보이고 있으며, 각 부의 치석 수법 등이 정연하다. 그런데 석탑의 규모가 다소 작고, 일부 양식에서 간략화 내지는 형식화의 경향을 보이고 있어 통일신라 말기에서도 시기가 떨어질 것으로 보여, 9세기 말경이나 10세기 초반경에 건립되었을 것으로 추정된다. 따라서 신라말 고려초에 걸치는 시기에 건립된 것으로 보이는데, 고려보다는 신라말에 가까운 시기로 추정된다. 그래서 통일신라 말기의 늦은 시기에서 후삼국 시기에 걸치는 어느 시기에 동도사 삼층석탑이 건립된 것으로 보인다.

Ⅲ. 東度寺 三層石塔의 특징과 美術史的 意義

사찰 가람에서 塔婆는 신앙의 주요 대상으로 가람 상에서 중심공간에 배치되었다. 사찰은 탑파를 중심으로 가람이 구성되었으며, 탑파의 위치에 따라 금당이나 강당과 같은 건물들의 위치를 대략적으로 추정할 수 있을 만큼 사찰 가람에서 중심적인 위치를 차지하고 있는 것이 탑파이다. 우리나라에서 탑파는 목탑으로 출발하여 석탑으로 변화되었으며, 석탑이 출현한 이후 주류를 형성하게 된다. 따라서 석탑이 우리나라 불교미술품들 중에서 가장 중요한 신앙의 대상이 되었음과 아울러 가장 많이 만들어진 불교적인 조형물이었다. 또한 석탑은 석조미술에 속하는데 재료의 특성상 가장 많이 남아 있다. 대부분의 사찰들이 사원 창건과 함께 석탑을 건립하는 것이 일반적인 경향이었기 때문에 시기가 경과한다하여도 크게 수량적 변동을 보이지 않는 것이 석탑이라 할 수 있다. 석탑은 사찰의 창건이나 중수 시 한 사찰의 위상뿐만 아니라 종교적인 활동을 위해서 가장 필수적인 조형물이었으며 신앙의 중심에 있었다. 석조미술로는 이외에도 석등, 부도, 당간지주, 노주, 석조 등 다양한 조형물들이 있지만 가람 상에서 필수적인 조형물은 아니었다. 석탑은 사찰의 창건과 동시에 건립되기 때문에 사찰의 연혁과 가람 배치뿐만 아니라 불교문화를 이해하는데 필수적인 대상이라 할 수 있다.

현재 동도사에는 삼층석탑과 함께 인근 어비리 사지에서 옮겨온 파손된 石燈 1基, 石佛 1軀 등이 현존하고 있다. 이중에서 석등은 파손이 심하여 하대석과 상대석, 파손된 간주석 등 일부만 전하고 있다. 그러나 연화문 표현 기법과 전체적인 양식으로 보아 석탑과 동시기에 한 쌍으로 건립된 것으로 보인다. 그리고 석불도 화재로 인하여 파손이 심한 상태지만 전형적인 대좌를 마련하여 조성하였으며, 불상의 옷주름 등이 통일신라 말기의 作風을 보이고 있다. 또한 어비리 사지의 지표상에서 기와와 토기를 중심으로 유물들이 수습되고 있으며, 건물지도 일부 확인되고 있다. 현재 동도사에 남아있는 석탑과 석불, 사지에서 출토되고 있는 기와편과 토기편 등으로 보아 원래의 사찰은 늦어도 신라말기에 창건된 것으로 추정된다.

용인 동도사 삼층석탑은 경기도 지역에서는 보기 드문 석탑으로 樣式史的으로 중요한 자료이다. 이러한 석탑이 경기도 용인 지역에 건립되었다는 것은 중앙에서 지방으로 어떠한 경로를 따라 불교문화가 전파되었는지를 추정하는데 하나의 단서를 제공해 줄 수 있다는 측면에서도 귀중한 유물이다. 석탑은 원위치에서 移建되기는 하였지만 가까운 사찰로 옮겨졌으며, 원위치가 확실하고, 비교적 구체적으로 건립 시기를 추정할 수 있고, 양식적으로도 독특한 결구 수법

사진 9. 용인 동도사 석불좌상

사진 10. 용인 동도사 석등

을 보이고 있다. 따라서 용인 동도사 삼층석탑이 건립된 시기를 전후하여 경기도의 다른 지역의 석탑들과 양식을 비교해 보아도 상당히 빠른 시기에 건립되었음을 알 수 있다.

먼저 地臺石은 4매의 장대석을 각 면마다 엇갈리게 놓고 모서리 부분에서 서로 결구되도록 하였다. 전체적으로 석탑의 규모가 작음에도 불구하고 1매나 2매의 大型 板石形 石材를 놓지 않고 외곽에 여러 매의 길다란 판석형 석재를 결구한 것은 통일신라시대의 석탑을 비롯하여 건축물의 기단부 지대석 결구 수법을 충실히 계승하고 있음을 알 수 있다.

基壇部는 면석과 갑석이 결구되어 하나의 층을 이룬 전형적인 2층 기단이다. 통일신라시대에는 문경 내화리 삼층석탑과 같이 단층기단이 있기도 하지만 2층기단이 대세를 이루고 있었으며 전부라 해도 과언이 아닐 정도였다. 하층기단은 각 면 1매씩 총 4매의 길다란 석재를 결구하여 마련하였다. 각 면의 한쪽 편 우주는 모서리 결구부를 돌출시켜 표현하였다. 그래서 우주는 각 면이 지그재그를 이루고 있다. 이러한 수법은 소형의 석탑에서 보이는 일반적인 하층기단의 결구 수법임과 동시에 우주 표현 기법이었다. 면석부 하부에는 1단의 하대괴임이 마련되었는데, 別石으로 치석하지 않고 면석과 同一石으로 치석하였다. 그래서인지 하대괴임은 낮게 돌출되어 있으며, 돌출 높이가 낮아 간략화내지는 형식화의 경향을 다소 보이고 있다. 석탑의 규모가 대형으로 건립될 때에는 부재의 규모와 기술적인 측면을 고려하여 별석으로 하지만 전체적인 석탑의 규모가 작아지기 시작하는 9세기경에 건립된 석탑들은 하대괴임을 별석으로 결구하지 않고 면석부와 동일석으로 치석하는 경향이 일반적이었다. 이러한 경향은 석탑의 본격적인 시발지로서 대형의 석탑이 많이 건립되었던 경주보다는 서서히 시간이 흐르면서 불교가 지방으로 확산되면서 지방에 소재한 사찰들을 중심으로 건립된 석탑에서 찾을 수 있다.

하층기단 면석부에는 隅柱 2柱와 가운데에 撑柱 1柱를 세웠다. 그런데 隅柱와 撑柱를 낮게 模刻하여 간략화의 경향을 보이고 있어 높게 돋을새김하는 통일신라 성대의 수법보다는 약화된 모습이다. 그리고 下臺甲石은 판석형 석재로 여러 매를 결구하여 마련하였는데, 하부에는 낮은 附椽이 있고, 상면은 거의 수평으로 면을 고르게 治石하였다. 부연은 갑석 하부에 1단으로 표현되는 일종의 받침이다. 그런데 통일신라 성대에 건립된 석탑들은 돌출된 갑석의 높이와 부연의 높이가 거의 동일하거나 돌출된 갑석의 높이가 다소 높은 경향을 보인다. 이러한 경향이 시대가 흐르면서 부연의 높이를 낮추어 형식화시키는 모습으로 변화된다. 그리고 고려시대가 되면서 부연이 간략화되거나 생략되는 경향이 나타난다. 그런데 용인 동도사 삼층석탑은 부연이 다소 간략화되는 모습을 취하고는 있지만 전형적인 석탑에서 표현되는 부연의 치석 수법을 충실히 따르고 있다. 또한 석탑에서 갑석 상면은 일반적으로 落水를 고려하여 약하게 경사를 주어 치석하는데, 용인 동도사 삼층석탑은 육안으로는 거의 확인되지 않을 정도로 水平으로 치석하였다. 또한 하대갑석 상면 모서리 합각부에도 角지게 하거나 약한 돋을새김으로 마루를 표현하는 것이 일반적인데 좌우측면처럼 고르게 다듬어 깔끔한 인상을 주도록 하였다. 하대갑석 상면 안쪽으로는 弧角形 2단의 상층기단 괴임을 마련하였다. 각형과 호형의 상층기단 괴임을 의식적으로 돌출시켜 높게 하기보다는 상층기단이 놓일 자리를 마련하기 위한 것처럼 간략하게 마련하였다. 상층기단 괴임이 각형과 호형을 혼합하여 높게 마련하던 경향에서 다소 간략화되는 모습을 취하고 있다는 점은 용인 동도사 삼층석탑의 건립 시기가 하강하고 있음을 간접적으로 보여준다.

상층기단은 隅柱 2柱와 撑柱 1柱를 세웠는데, 하층기단과 같이 낮게 모각하였다. 통일신라시대에 들어 석탑이 본격적으로 건립되면서 기단부 면석부와 탑신석에 우주나 탱주가 표현되는데 이는 목조건축의 기둥을 번안한 것이다. 그런데 통일신라 초중기에는 우주나 탱주를 표현함에 있어서 面石의 面보다 상당히 높게 돋을새김한다. 그러다가 통일신라 말기인 9세기에 건립된 석탑들은 기단부에 莊嚴 彫刻像들이 새겨지면서 우주나 탱주의 돋을새김이 약화되어 면석의 면보다 낮게 새기는 경향을 보인다. 이러한 경향은 고려시대에 들어서면서 지속되거나 더욱 약화되는 모습을 보여 우주나 탱주의 형식화가 진전된다. 또한 단층기단이 출현하면서 탱주는 생략되는 경향을 보이며, 우주의 표현도 모서리 결구 부위를 약간 돌출시켜 우주의 의미만 줄뿐 아예 별도의 새김을 하지 않는 경우도 있었다. 그런데 용인 동도사 삼층석탑은 통일신라 성대의 석탑처럼 우주나 탱주를 높게 돋을새김하지는 않았지만 완전하게 간략화나 형식화가 진전된 모습도 아니다. 다만 면석의 가장자리 결구 부위를 돌출시켜 의식적으로 우주가 되도록 한 점은 건립 시기가 하강하고 있음을 엿보게 하는 측면이다.

上臺甲石은 낮은 附椽이 있고 상부에 弧角形 2단의 탑신괴임을 마련하였다. 이와 같이 기단부에서 면석부에 隅柱와 撑柱를 낮게 模刻하고, 상・하대갑석의 하부에 甲石의 높이에 비하여 낮고 형식적인 附椽을 治石하는 수법은 통일신라 말기 이후에 일반적으로 보이고 있다. 그리고 갑석 하부에 표현되는 부연은 통일신라시대 건립된 석탑에서 갑석의 돌출 면에서 약간 들어가 표현되다가 서서히 깊이 들어가거나 높이가 낮아지는 양상을 보인다. 고려시대에는 부연을 아

사진 11. 용인 동도사 삼층석탑 기단부   사진 12. 용인 동도사 삼층석탑 1층 탑신 별석괴임

사진 13. 보령 성주사지 동 삼층석탑 기단부

사진 14. 보령 성주사지 동 삼층석탑 별석괴임

사진 15. 보령 성주사지 서 삼층석탑 기단부

사진 16. 보령 성주사지 서 삼층석탑 별석괴임

예 생략하거나 형식화시켜 표현하는 경향을 보인다. 특히 고려시대 석탑들 중 단층기단의 경우 부연을 생략하는 경우가 많다. 용인 동도사 삼층석탑의 상대갑석 부연은 갑석의 돌출 면보다 비교적 깊이 들어가 있으며 높이가 낮지만 아직은 완전한 형식화라고 보기는 어려운 단계이다. 또한 통일신라 말기인 9세기에 건립된 석탑들 중에 용인 동도사 삼층석탑과 같이 부연이 낮고 깊이 들어가도록 표현된 경우도 많다.

塔身部는 3층을 유지하고 있는데, 석탑의 전체적인 규모나 3층 屋蓋石 上部에 남아있는 圓孔으로 보아 원래부터 3층이었음을 알 수 있다. 탑신부에서 석탑의 양식과 관련하여 가장 주목되는 부분은 1층 탑신석 하부에 別石괴임을 삽입하였다는 점이다. 別石은 1石으로 마련되었는데 下部를 內曲되게 치석하였으며, 상부에는 弧角形 2단의 괴임을 두었다. 별석형 괴임은 석탑의 외관을 더욱 장식적인 경향으로 보이게 함과 동시에 舍利가 봉안되는 탑신부에 대한 의미와 상징성을 강화시키고자 하는 의도에서 출현한 것으로 추정된다. 처음에는 2단의 괴임단을 다소 높게 하거나 欄干처럼 기교를 부려 표현하던 경향에서 발전하여 아예 別石으로 괴임단을 마련하는 경향으로 변화되는 양상을 보인다. 별석형 괴임과 난간과의 연관성을 보여주는 예는 실상사 백장암 삼층석탑에서 볼 수 있다. 물론 모든 석탑이 별석의 괴임단으로 발전하는 것은 아니며, 통일신라 말기 건립된 일부 석탑에서 보이기 시작하여 점차 많은 석탑이 채용하는 양상을 보이지만 전면적인 것은 아니었다.

　이러한 양상은 동화사 비로암 삼층석탑, 도피안사 삼층석탑 등에서 낮고 약하게 마련하는 초기적인 모습을 보이다가 聖住寺址에 건립된 4基의 석탑에서 발전된 모습으로 나타나 완연한 別石으로 치석되어 삽입되게 된다. 동화사 비로암 삼층석탑이나 도피안사 삼층석탑이 별석형의 탑신괴임을 마련하였지만 아직은 낮기도 하며, 상대갑석과 동일석으로 마련하였다. 그러다가 고려시대에 들어서면서 별석형 괴임은 더욱 발전하여 화려하게 연화문이 새겨지거나 탁자와 같이 장식적인 기교가 더해지기도 한다. 그리고 상대갑석에서 분리되어 별도의 석재로 치석되어 독립된 부재로 결구되게 된다. 석탑에서 별석괴임이 완전한 하나의 결구 부재로 등장하게 된다. 그래서 전면적인 현상은 아니지만 고려전기에 건립된 많은 석탑들이 1층 탑신석 하부에 별석괴임을 삽입하여 탑신석을 받치도록 한다. 1층 탑신석 하부에 별석괴임이 삽입된 석탑은 북한의 장연사 삼층석탑과 정양사 삼층석탑을 비롯하여 보원사지 오층석탑, 지보사 삼층석탑, 거창 천덕사지 삼층석탑, 개심사지 오층석탑, 춘천 칠층석탑, 원주 용운사지 삼층석탑 등에서 볼 수 있다. 또한 홍천 괘석리 사사자 삼층석탑도 상대갑석과 동일석으로 하여 별석형괴임을 삽입하였다. 이러한 별석괴임은 치석 수법에 따라 탁자형, 계단형, 연화형, 갑석형, 받침형 등으로 세분된다.

사진 17. 예천 향석리 삼층석탑

사진 18. 아산 관음사 3층석탑

사진 19. 장성 내계리 5층석탑

사진 20. 원주 주포리(황산사지) 3층석탑

사진 21. 화순 한산사지 3층석탑

사진 22. 논산 관촉사 석탑

사진 23. 서산 보원사지 오층석탑

사진 24. 충주 창동 5층석탑

사진 25. 보은 원정리 3층석탑

사진 26. 동해 삼화사 삼층석탑

사진 27. 원주 용운사지 삼층석탑

사진 28. 춘천 칠층석탑

사진 29. 원주 서곡사지 석탑   사진 30. 안동 임하동 동 삼층석탑

사진 31/32. 영전사 보제존자 사리탑

이와 같이 별석괴임이 삽입된 석탑들은 기본적으로 통일신라시대의 석탑 기단부 양식을 계승하고 있는 경우가 많으며, 일부 석탑의 경우 고층으로 건립되었다. 또한 별석괴임이 삽입된 석탑들 중에서 성주사지 석탑들을 비롯하여 비교적 빠른 시기에 건립된 석탑들은 경기도와 강원도 이남 지역에서 많이 나타나고 있는 특징을 보이고 있다. 이러한 지리적 분포는 별석괴임이 양식적인 측면에서 남쪽으로부터 서서히 북쪽으로 영향을 미쳤음을 알 수 있게 한다. 그리고 고려의 수도가 개경으로 옮겨지면서 개경 주변에 건립된 석탑들에서 별석괴임이 삽입된 석탑이 세워지면서 서서히 전국화되는 양상을 보였던 것으로 추정된다. 이러한 경향은 더욱 발전하여 만복사지 오층석탑, 서울 홍제동 오층석탑, 신복사지 삼층석탑, 담양 읍내리 오층석탑, 낙산사 칠층석탑 등과 같이 각 층으로 확대된다. 이들은 고려후기와 조선전기에 지방적인 특색을 보이고 있는 석탑들로 석탑의 전체적인 외관을 더욱 장식적으로 보이게 하기 위한 기법으로 보인다. 동시에 탑신부에 숨利가 봉안될 경우 이에 대한 의미와 상징성을 강화하기 위한 방편도 있었을 것이다.

그리고 塔身石들은 기단부와 같이 隅柱를 비교적 낮게 模刻하였으며, 1층 탑신석과 2층 탑신석의 비례가 2:1 정도를 보이고 있어 고준하거나 경쾌한 인상보다는 다소 둔화된 양상을 보이고 있다. 屋蓋石은 하부에 각 층 4단의 옥개받침을 두었는데, 다소 약화된 모습을 보이기는 하지만 치석 수법이 고르고 정연한 이미지를 보이고 있다. 처마부에는 일정한 너비로 낙수홈대를 마련하였으며, 처마선은 수평을 유지하고 있다. 이러한 屋蓋石은 규모는 작지만 그 治石 手法이 以前에 건립된 典型的인 石塔 屋蓋石들과 강한 친연성을 보이면서 계승되었음을 알 수 있게 한다. 그리고 落水面은 급경사를 이루며 내려오다가 유려한 曲線形을 이루며 처마 쪽으로 내려오고 있어 懸水曲線을 그리도록 治石되었다. 옥개석 정상부에는 弧角形 2단의 탑신괴임을 두었다. 屋蓋石은 上層으로 올라가면서 규모만 작아질 뿐 동일한 수법으로 마련되었으며, 3층 옥개석 上面에 圓孔이 있어 擦柱가 마련되었음을 알 수 있다. 옥개석 처마부의 곧은 직선적 표현과 낙수면의 부드러운 곡선적 치석 수법의 대비는 석탑의 외관을 전체적으로 경쾌하게 해주고 있다. 그리고 옥개석의 높이가 너비에 비하여 다소 낮은 점은 평박한 이미지를 주면서 석탑의 전체적인 외관을 다소 왜소하고 불안정하게 보이도록 하고 있다. 그러나 옥개석의 규모가 지나치게 크거나 작지도 않으며, 높이와 너비의 비율이 부조화된 석탑들처럼 지나치게 크지는 않아 조화로운 외관을 형성하고 있다. 또한 옥개석은 상층으로 올라갈수록 적당한 체감율로 작아지고 있어 안정감을 주고 있다. 이와 같이 옥개석의 치석 수법은 聖住寺址 石塔 등 통일신라 말기 건립된 석탑들과 친연성을 강하게 보이고 있다. 그런데 落水面의 완만한 懸水曲線과 합각부에서 보이는 정연한 치석보다는 이완된 듯 마루부를 처리하였으며, 마루 끝 상부에서 보이는 反轉 手法은 다소 시대의 하강을 보여주는 측면이라 할 수 있다.

현재 相輪部는 모두 결실되었다. 그렇지만 석탑의 기단부와 탑신부 치석과 결구 수법 등으로 보아 간략화시켜 상륜부를 마무리하기 보다는 원래는 노반부터 보주까지 상륜부에 결구되는 모든 부재가 완연하게 갖추어진 화려한 상륜부가 마련되었을 것으로 보인다.

이와 같이 三層石塔은 전체적으로 규모가 작고, 기단부에서 隅柱와 撐柱의 간략한 표현 기법, 上·下臺 甲石의 부연 治石, 1층 塔身石 하부의 別石, 각층 塔身石의 전체적인 비례, 屋蓋石의 治石 手法 등에서 통일신라 말기 석탑들과 강한 친연성을 보이고 있다. 특히 용인 동도사 삼층석탑은 기단부와 탑신부의 옥개석 치석 수법 등을 비롯하여 1층 탑신석의 별석괴임은 성주사지 석탑들과 양식적으로 밀접한 관계가 있었음을 알 수 있다. 그러나 용인 동도사 삼층석탑은 성주사지 석탑들에 비하면 각 면의 치석 수법이 다소 거칠고, 결구 수법이 불완전하며, 전체적인 외관에서 정연함이 덜하다. 따라서 성주사지 석탑들 보다는 이후에 건립되었을 가능성이 높다. 고려시대에 들어와 석탑의 규모가 다소 커지고 층수가 높아지면서 기단부가 약화되는 경향을 보이는데 용인 동도사 삼층석탑은 규모는 작지만 基壇部와 塔身部의 造營이 前代의 典型的인 石塔의 樣式과 手法을 그대로 계승하고 있다. 또한 서울 경기 지역에 건립된 석탑에서는 보기 드물게 1층 탑신석 하부에 別石괴임이 삽입되었다는 점은 주목되는 자료라 할 수 있다.

IV. 結論

龍仁 東度寺 경내에 세워져 있는 삼층석탑은 경기도 지역에서는 상당히 보기 드문 양식을 보이고 있어 주목된다. 특히 통일신라중기의 석탑 양식을 그대로 계승하고 있으며, 신라말기에서 고려 초기에 걸쳐 건립된 석탑에서 유행한 別石괴임을 갖추고 있어 경기도 지역에서는 더욱 주목되는 자료이다. 그래서 당시 불교의 전파 과정과 경로, 석탑 양식의 전국적인 확대 시기 등을 살필 수 있는 간접적인 근거 자료라 할 수 있다. 또한 서울과 경기도 지역은 고려시대에 접어들어 개경으로 수도가 옮겨지면서부터 본격적으로 불교가 성행하였으며, 이에 따라 많은 佛事가 이루어졌다.

현재 서울과 경기도 지역의 통일신라시대 사찰은 서울 세검정의 莊義寺址, 안성의 長命寺址, 안양 中初寺址 정도가 알려져 있다. 그런데 용인 지역에 통일신라 말기의 늦은 시기에 건립된 것으로 추정되는 석탑이 있다는 것은 수도에서 먼 지역까지 불교신앙이 전파되었음을 보여주는 단서를 제공해준다고 할 수 있다. 또한 동도사 경내로 옮겨진 석불도 전형적인 대좌를 갖추고 있다. 이와 같이 경기도 지역에서 전형적인 대좌를 갖추고 있는 석불이 이천 영월암 석불 대좌에서도 확인되고는 있지만 이천 어비리 사지에서 옮겨온 석불이 우수한 형식과 양식을 보이고 있다. 이러한 측면에서 동도사에 있는 석탑과 석불은 불교 문화사적으로도 중요하며, 한국 미술사적으로도 귀중한 자료라 할 수 있다. 특히 서울과 경기도 지역에서 보기 드문 형식과 양식을 갖추고 있다는 점에서 그 역사적 의의는 높다고 할 수 있다.

동도사 석탑이 있었던 사찰은 관련된 기록이 전혀 남아있지 않고, 入傳되는 자료도 없어 정확한 내력은 알 수 없다. 다만 통일신라 말기에 조성된 것으로 보이는 석탑과 석불 등의 양식으로 보아 석탑이나 석불 조성과 동시기에 창건된 사찰이었던 것으로 추정된다. 현재 석탑과 석불이 있었던 원래의 사지는 수몰되지 않았다. 아직도 사지에는 건물지의 석축 일부와 기와편, 토기편들이 산재되어 있다. 사지에서 수습되는 기와편과 토기편들은 통일신라시대에서 조선시대까지 제작된 것들로 추정된다. 앞으로 사지에 대한 구체적인 조사가 이루어진다면 寺名이나 사찰의 정확한 창건 시기, 나아가 사찰의 연혁을 구체적으로 밝혀줄 수 있는 자료가 확보될 것으로 보인다.

新羅 北進과 溫達山城

申泳文*

目 次

Ⅰ. 머리말

온달산성은 단양군 영춘면에 위치한 테뫼식 산성이다. 이 산성의 명칭은 알려져 있지 않지만 오래 전부터 온달의 전사지로 비정되며 온달산성이란 이칭으로 불려왔다. 최근 들어 온달산성이 속해 있는 중부내륙 산성군에 대한 유네스코 세계유산 등재가 추진되면서 온달산성 등 남한강 상류 유역의 산성에 대한 학술연구가 활발해졌다. 이러한 분위기 속에서 온달산성에 대한 발굴조사가 활발히 이루어짐에 따라 온달산성의 성격에 대한 관심도 부쩍 높아졌다. 여러 차례의 조사를 통해 신라에 의해 활용된 산성임이 밝혀졌고 신라~고려시대에 이르는 다양한 문화층과 유물이 확인되고 있다.[1] 하

---

* 서울시청 학예연구사

1) 그동안 온달산성에서 실행된 고고학적 조사는 다음과 같다(한국교통대학교 박물관, 『단양 온달산성 - 서문지일원 발굴조사보고서』, 2013, p.47 참고).

연도	조사명	조사기관	내용
1989	온달산성 지표조사	충북대학교 호서문화연구소	- 전체현황조사 -성벽기저부 확인 -일부 건물지 대한 조사
2002	온달산성 북문지, 북치성 수구 시굴조사	충북대학교 박물관	- 북문지의 초축 후 개축사실 확인 -수구 주변 성벽조사 -기단보축성벽조사
2010	단양 온달산성 서벽부 정비구간 수습조사	충주대학교 박물관	-서벽부 복원구간조사 -내벽조사
2011	온달산성 서문지일원 발굴조사	한국교통대학교 박물관	- 남치성 현황조사 -남서회절부 주변 성벽조사 -정상부 및 성내평탄지 시굴조사
2012	단양 온달산성 북벽 수구지 부근 학술발굴조사	충청북도문화재연구원	- 삼국~고려시대 등 문화층 조사 -집수시설확인

지만 정작 이 산성의 원래 이름이나 축성 연대 등은 아직까지 밝혀져 있지 않은 실정이다. 온달산성 일대에 전해지는 전설에 따르면 온달산성은 고구려왕의 사위 온달이 신라를 공격하다 전사한 곳이다. 온달산성일대의 전설과 삼국사기 온달열전의 전승이 유사한 점에 주목하여 학계에서도 이곳을 고구려 온달의 전사지로 비정하고자 하는 의견이 많았다. 온달의 전사지에 대해서는 그동안 서울 광진구 아차산성 설과 영춘 온달산성 설이 모두 설득력을 가지며 이어져 왔다. 최근에는 온달의 전사지를 영춘 온달산성에 무게를 두어 설명되고 있다.[2] 이글에서도 영춘 온달산성을 온달의 전사지로 보고 그동안 축적된 온달산성의 고고학적 성과와 문헌적 검토, 그리고 주변지역의 발굴조사 성과를 종합하여 온달산성의 축성배경과 운영, 그리고 변화과정을 살피고자 한다.

삼국사기 온달열전에 나타난 전승에 따르면 고구려가 온달산성을 쌓고 신라에 대적한 상황이 아니라 신라가 점령하고 있던 阿旦城을 공격한 것이다. 온달열전에 따르면 이 산성은 이미 축성되어 있었고 다른 이름으로 불리고 있었다. 온달산성의 초축국이 백제인지, 고구려인지 신라인지를 살피기 위해서 문헌에 대한 검토뿐만 아니라 고고학적 조사도 병행되어야 한다. 그러나 현재까지의 조사 결과 백제에 의해 처음 축조됐을 가능성보다는 고구려나 신라에 의한 축성이었을 가능성이 높게 점쳐지고 있다.

온달산성의 초축과 온달산성을 둘러싼 전쟁, 그리고 변화의 추이를 살피기 위해 신라와 고구려 양국사이에 오고 간 힘의 흐름을 짚어볼 필요가 있다. 본고에서는 삼국사기의 기록을 토대로 온달산성의 축성까지의 역사적 맥락과 온달산성 일대의 지리적 맥락, 그리고 고구려와 신라의 지방제도 비교를 통해서 온달산성의 축성과 온달산성 전투의 배경을 검토하고자 한다. 아울러 온달산성 전투 이후 고구려세력의 추이와 신라의 북진에 따른 온달산성의 일시적 쇠퇴, 그리고 신라 통일 후의 온달산성의 위상과 성격에 대해 짚어보고자 한다. 이 글을 통해 그동안 피

---

2) 고구려 영양왕대 온달의 신라공격을 직·간접적으로 다룬 논문들은 다음과 같다.

일제강점기의 연구에서는 아단성의 위치에 대해서는 서울 광진구 아차산성(松島惇, 「阿旦城址考」, 『朝鮮』136, 1926 ; 池内宏, 「眞興王の戊子巡境碑と新羅の東北境」, 『滿鮮史研究』上世第2冊, 吉川弘文館, 1960, p.26)으로 보려는 설이 지배적이었다.

최근의 연구 경향은 온달의 전사지를 영춘 온달산성으로 파악하고 있다.

李道學, 「永樂6年 廣開土王의 南征과 國原城」, 『孫寶基博士停年紀念韓國學論叢』, 1988.

金榮官, 「三國爭覇期阿旦城의 위치와 영유권」, 『高句麗研究』5, 고구려연구회, 1998.

서영일, 「6~7세기 高句麗南境考察」, 『高句麗研究』11, 고구려연구회, 2001.

김진한, 「嬰陽王代 高句麗의 政局動向과 對隋關係」, 『高句麗渤海研究』33輯, 고구려발해학회, 2009.

崔豪元, 「高句麗 嬰陽王代의 新羅攻擊과 國內政治」, 『韓國史研究』157, 한국사연구회, 2012.

李道學, 「溫達의 南下經路와 戰死處 阿旦城 檢證」, 『東아시아古代學』第32輯, 2013.

다음의 논문은 아단성의 위치를 적시하지 않고 다만 공격 사실만을 인정하고 있다.

여호규, 「6세기 말~7세기 초 동아시아의 국제질서와 고구려 대외 정책의 변화 대수관계를 중심으로-」, 『역사와 현실』46, 한국역사연구회, 2002.

이영재, 「6세기 말 고구려의 정국과 대왜교섭 재개(再開)의 배경」, 『역사와 현실』83, 한국역사연구회, 2012.

상적인 수준에 머물렀던 온달산성에 대한 연구가 심화되는 계기가 되었으면 한다.

Ⅱ. 고구려의 영서지방 지배와 남진로

온달산성이 위치한 영춘면 일대의 본래 명칭은 고구려 乙阿旦城으로 신라에 의해 영춘일대
가 편입되면서 고구려의 지방명인 을아단에서 아단이라는 명칭을 계승하여 사용했던 것으로
여겨진다. 『三國史記』 기록과 같이 고구려가 영춘지역을 최초로 군현에 편입시켰다면 온달산
성을 처음 쌓은 초축국을 고구려로 볼 수 있는 개연성도 있다. 고구려가 이 지역에 군현을 설치
하기 위해서는 특정한 거점이 있어야 했을 것이며 신라의 북진을 통제할 수 있는 지점에 방어
시설을 설치했을 가능성도 없지 않다. 하지만 발굴조사결과 고구려에 의해 처음 축성된 정황은
아직까지 발견되지 않았다. 온달산성이 고구려의 을아단성이고 고구려의 남하를 위한 거점으
로서 활용되었다면 교두보적인 성격을 지닌다고 볼 수 있겠다. 고구려의 교두보로 활용되기 위
해서는 도로, 나루 등을 장악할 수 있어야 한다. 온달산성이 감제하는 교통로는 영월에서 영춘
을 거쳐 단양으로 이어지는 남한강수로이다. 온달산성 앞을 흐르는 남한강은 단양을 거쳐 영월
방면으로 북상하거나 영월을 거쳐 단양-충주-제천 방면으로 남하하려는 세력이라면 반드시
거쳐야 하는 길목에 해당한다.

광개토왕의 남정과 장수왕의 남진 이후 고구려는 우세한 군사력을 바탕으로 소백산맥 이남
까지 세력을 뻗쳐 신라를 압박하고 있었다. 신라가 고구려의 군사적 압력으로부터 벗어나게 되
는 시기는 중고기에 들면서 부터이다. 진흥왕대에 이르면 백제와 연합하여 죽령 이북의 10군을
고구려로부터 빼앗고 한강 하류를 재탈환한 백제세력을 축출하여 한강상류~서해에 이르는 지
역을 장악하게 된다. 온달은 이때 빼앗긴 죽령과 계립령 서쪽의 땅을 회복하기 위해 원정길에
오른다. 한강유역이 이미 신라에 의해 장악되어 있는 상황에서 온달의 원정사유는 다소 허황되
게 여겨졌다. 온달의 원정이 한강 이북에 국한된 작전이었을 것이라는 견해와 실제 영춘 온달
산성에서 고구려군과 신라군의 전투가 벌어졌을 것이라는 견해가 오랜 동안 공존해왔다. 이 글
에서는 최근의 연구경향과 같이 온달산성을 실제 고구려군과 신라군의 교전이 있었던 장소로
파악하고자 한다.[3] 고구려가 온달산성으로 진격하게 된 이유를 밝히기 위해서는 온달산성의
중요성을 고구려 입장에서 검토할 필요가 있다.

영춘지역은 원래 백제의 영향권에 놓여있던 곳으로 신라와 백제가 이 일대에서 교전을 벌인

---

3) 아단성의 위치는 한강하류의 아단성과 상류의 아단성이 있는 것으로 파악되고 있다(金榮官, 앞의 논문, 1998).
   한편 광개토왕릉비에 나오는 백제의 아단성이 온달산성이며 아차산성도 개로왕이 끌려간 아단성으로 볼 수 있
   다는 연구도 존재한다(李道學, 앞의 논문, 2013).

사실이 삼국사기에 전한다. 고구려의 남정이후 영춘지방은 고구려의 지방지배권역에 편입되었을 것이다. 고구려가 진출할 당시의 지방제도에 대해서는 명확히 밝혀진 바가 없다. 고구려의 남진정책 이후 고구려 지방지배의 뚜렷한 실체가 드러나고 있지 않기 때문에 고구려의 한반도 중부지방 지배의 방식을 영역지배가 아닌 거점지배방식으로 이해하려는 경향이 적지 않다.[4] 하지만 영역지배인가 거점지배인가를 떠나 신라를 부용국으로 두고 이를 통제하기 위해서는 고구려와 소백산맥 이남간의 연락과 교역이 유지되어야 했다. 결국 이러한 필요성 때문에 도로 관리를 위한 행정기구는 존재했을 것으로 보인다.

영춘은 사료의 기록에 따르면 고구려의 우수주에 편입되어 있었다. 우수주는 춘천을 거점으로 영서~중원 일대를 넓게 관할하고 있었다.[5] 영서지방과 평양사이의 연결도 춘천을 중심으로 이루어 졌을 것이다. 우수주의 설치가 역사적 사실에 기반한 것인지 후대의 윤색에 의한 것인지 확실치 않으나 당시 고구려의 영서 편재방식에 대한 단서를 준다. 삼국사기에 기록된 우수주의 군현을 살펴보면 다음과 같다.

우수주(牛首州)[수(首)를 두(頭)로 쓰기도 하며 수차약(首次若) 또는 오근내(烏根乃)라고도 한다.]: 벌력천현(伐力川縣) 횡천현(橫川縣)[어사매(於斯買)라고도 한다.] 지현현(砥峴縣) 평원군(平原郡)[북원(北原)] 나토군(奈吐郡)[대제(大堤)라고도 한다.] 사열이현(沙熱伊縣) 적산현(赤山縣) 근평군(斤平郡)[병평(並平)이라고도 한다.] 심천현(深川縣)[복사매(伏斯買)라고도 한다.] 양구군(楊口郡)[요은홀차(要隱忽次)라고도 한다.] 저족현(猪足縣)[오사회(烏斯廻)라고도 한다.] 옥기현(玉岐縣)[개차정(皆次丁)이라고도 한다.] 삼현현(三峴縣)[밀파혜(密波兮)라고도 한다.] 성천군(狌川郡)[야시매(也尸買)라고도 한다.] 대양관군(大楊管郡)[마근압(馬斤押)이라고도 한다.] 매곡현(買谷縣) 고사마현(古斯馬縣) 급벌산군(及伐山郡) 이벌지현(伊伐支縣)[자벌지(自伐支)라고도 한다.]

---

4) 고구려의 지배방식에 대해서는 전략적 거점만 장악한 것으로 보는 견해(심광주, 「남한지역의 고구려유적」, 『고구려연구』12, 고구려연구회, 2001, pp.483~490)와 경기 남부지역을 직접 지배하지 못했다고 보는 견해(김락이, 「경기남부지역 소재 고구려 군현의 의미」, 『고구려연구』20, 고구려연구회, 2005), 한강 유역을 안정적으로 지배하여 영역화를 추구했다기보다는 군사적인 거점 지배방식을 취하였다고 보는 견해가 있다(임기환, 「고구려 신라의 한강유역 경영과 서울」, 『서울학연구』제8호, 서울학연구소, 2002, pp.25~30) 거점지배를 가능하게 하는 것은 물자 보급과 병력보충이 원활하게 이루어져야 한다는 전제조건하에 가능한 일이며 이것은 교통로에 대한 철저한 장악 없이는 불가능한 일이다. 또한 각지에서 발견되고 있는 고구려계 고분을 통해 볼 때 거점지배설은 점차 힘을 잃고 있다.

5) 영서지역에서 고구려의 군현제가 실시되었는지는 확실치 않다. 다만, 춘천 방동리 고분과 신매리고분, 천천리 유적 내 고분, 홍천 철정리, 역내리 고분 등의 존재로 보아 이른 시기에 고구려의 진출이 이루어졌음을 알 수 있다. 그 시기는 4세기 말에서 5세기 전반으로 추정되고 있으며 고구려 석실고분의 존재는 고구려의 영역화가 확실하게 이루어진 증거로 받아들여지고 있다(심재연, 「6~7세기 신라의 북한강 중상류 지역 진출 양상」, 『新羅文化』第31輯, 동국대학교 신라문화연구소, 2008, pp.59~61). 고구려 지배층의 이주와 고분축조는 고구려에 의한 우수주의 설치가 어느 정도 가능했던 정황으로 보아 무리 없을 듯하다.

수성천현(藪狌川縣)[수천(藪川)이라고도 한다.] 문현현(文峴縣)[근시파혜(斤尸波兮)라고도 한다.] 모성군(母城郡)[야차홀(也次忽)이라고도 한다.] 동사홀(冬斯忽) 수입현(水入縣)[매이현(買伊縣)이라고도 한다.] 객련군(客連郡)[객(客)을 각(各)이라고도 쓰며 가혜아(加兮牙)라고도 한다.] 적목현(赤木縣)[사비근을(沙非斤乙)이라고도 한다.] 관술현(管述縣) 저란현현(猪闌峴縣)[오생파의(烏生波衣) 또는 저수(猪守)라고도 한다.] 천성군(淺城郡)[비열홀(比烈忽)이라고도 한다.] 경곡현(谷縣)[수을탄(首乙呑)이라고도 한다.] 청달현(菁達縣)[석달(昔達)이라고도 한다.] 살한현(薩寒縣) 가지달현(加支達縣) 어지탄(於支呑)[익곡(翼谷)이라고도 한다.] 매시달(買尸達) 천정군(泉井郡)[어을매(於乙買)라고도 한다.] 부사달현(夫斯達縣) 동허현(東墟縣)[가지근(加知斤)이라고도 한다.] 나생군(奈生郡) 을아단현(乙阿旦縣) 우오현(于烏縣)[욱오(郁烏)라고도 한다.] 주연현(酒淵縣)[6]

사료는 우수주의 영현을 열거한 『三國史記』 지리지 고구려조의 기록이다. 우수주의 중심은 오늘날의 춘천이며 함께 열거된 군현은 벌력천, 횡천, 지현, 등이다. 모두 춘천을 중심으로 한 북한강 수계에 있는 군현이다. 지금 지명으로는 홍천, 횡성, 양평에 해당하는 곳이다. 다음으로 언급된 평원, 나토, 사열이, 적산은 오늘날 원주, 제천, 청풍, 단양에 비정된다. 이처럼 우수주에 속한 군현은 주요 간선도로를 따라 지명이 배치되는 양상을 띤다. 다른 고구려의 지방명을 분석해 볼 때도 교통로를 따라 기술되고 있다. 예를 들어 한주에 속한 仍忽, 皆次山郡, 奴音竹縣, 奈兮忽[7]등도 인근의 간선로를 따라 연결되는 군현들이다. 이는 당시 고구려 통치세력의 사고의 일단을 반영한 것으로 지리적인 원근에 따라 지역을 설명하려는 경향을 반영한다. 이는 결국 고구려 군현제 안에 편제되었을 당시 사용된 교통로를 시사해 준다. 이것이 편입된 순서에 의한 것인지, 단순 도로와 방위개념에 따른 것인지 확실치는 않으나 도로를 따라 자연적으로 형성된 관념임은 분명해 보인다. 또한 이는 지방통치의 실상이나 지역 방어의 개념을 설정하는 기준으로 활용되었을 가능성이 매우 높다.

영춘지방은 우수주의 맨 마지막에 기술되어 있다. 한강수계를 중심으로 놓고 본다면 평원-나토-사열이-적산의 뒤에 나타나야 맞을 듯하다. 하지만 을아단현은 奈生郡의 영현으로 기록

---

6)『三國史記』卷第37 雜志 第6, 牛首州.

"牛首州[首一作頭 一云首次若 一云烏根乃] 伐力川縣 橫川縣[一云於斯買] 砥峴縣 平原郡[北原] 奈吐郡[一云大堤] 沙熱伊縣 赤山縣 斤平郡[一云並平] 深川縣[一云伏斯買] 楊口郡[一云要隱忽次] 猪足縣[一云烏斯廻] 玉岐縣[一云皆次丁] 三峴縣[一云密波兮] 狌川郡[一云也尸買] 大楊管郡[一云馬斤押] 買谷縣 古斯馬縣 及伐山郡 伊伐支縣[一云自伐支] 藪狌川縣[一云藪川] 文峴縣[一云斤尸波兮] 母城郡[一云也次忽] 冬斯忽 水入縣[一云買伊縣] 客連郡[客一作各 一云加兮牙] 赤木縣[一云沙非斤乙] 管述縣 猪闌峴縣[一云烏生波衣 一云猪守] 淺城郡[一云比烈忽] 谷縣[一云首乙呑] 菁達縣[一云昔達] 薩寒縣 加支達縣 於支呑[一云翼谷] 買尸達 泉井郡[一云於乙買] 夫斯達縣 東墟縣[一云加知斤] 奈生郡 乙阿旦縣 于烏縣[一云郁烏] 酒淵縣"

7)『三國史記』卷第37, 雜志 第6, 漢州.

되어 있다. 나생군은 오늘의 영월로 乙阿旦縣, 于鳥縣, 酒淵縣을 속현으로 하고 있다. 이들은 오늘날 영춘-평창-주천에 해당한다. 나생군의 영현인 이들은 모두 남한강 상류인 평창강, 주천강, 서강, 동강으로 연결되어 있다. 지리적 연계성을 볼 때 고구려는 내륙산간 루트로 춘천-홍천-횡성-원주-제천-단양을 일곽으로 하는 행정권역과 평창-영월-주천-영춘을 잇는 행정권역을 설정하고 운영했을 것으로 추측해 볼 수 있다.

영서지역의 고구려 남하 루트에서 가장 중요한 간선도로는 춘천-원주-단양 축선이 될 것으로 여겨진다. 지금도 중부내륙과 남부를 잇는 중요한 교통로로 사용되는 이 축선은 소백산의 서측인 죽령과 연결된다. 죽령 이남지역인 순흥에 고구려식 벽화고분이 존재하는 것도 이러한 이유에서라고 판단된다. 하지만 나생군의 관할구역에서는 이렇다 할 남방루트가 확보되어 있지 못하다. 영월과 영춘방면에서 남향하는 길은 영월-대야(맏밭나루)-석현 각화사-춘양으로

지도 1. 온달산성 주변지역 옛 지도(동여도)[10]

이어지는 태백산로가 있다. 영월-봉화간의 도로이다. 영춘에서는 동향하여 베틀고개를 넘어 의풍에 이르며, 이곳에서 부석사로 통하는 길과 서남향하여 단산-소수서원-순흥으로 이어지는 도로가 있다.[8] 이들은 모두 지선로에 해당하며 국지적으로 이용되는 소로들이다.[9] 고구려의 남진이나 신라의 북진처럼 대규모의 군사활동에는 적합지 않다. 따라서 영춘에 설치한 을아단현의 설치 사유는 단양방면으로 이어지는 남한강 교통로의 통제와 영월-평창 방면으로의 연락기능에 있었을 것으로 추정할 수 있다.

남진을 하는 고구려의 입장에서는 한강 유역을 따라 남하하여 신라의 각 거점을 점령해 나가면서 중원을 거쳐 조령-계립령로를 이용하는 편이 유리하다. 이러한 상황은 평양, 대방지역인 서부지역 중심

---

8) 한국교통대학교 박물관, 앞의 책, 2013, p.17.
9) 영춘에서 순흥으로 넘어가는 串赤嶺길은 신라 북진기에 활용되었을 것으로 추정되고 있다(서영일, 『신라 육상 교통로 연구』, 학연문화사, 2009, pp.168~173). 이 길을 통해 순흥에 고구려계 문화가 전파되었을 가능성도 점쳐지고 있다. 하지만 이 길은 험준하고 협소하여 대규모 군사활동에는 제약이 따른다.
10) 한국교통대학교 박물관, 앞의 책, 2013.

의 군사이동일 경우에 해당한다. 그런데 고구려의 원정군은 반드시 평양에서 출발하지는 않았을 것이다. 신라와의 교전기록을 보면 고구려는 영서지역이나 영동지역의 말갈을 부용세력으로 삼아 신라의 북변을 자주 침공하였다.[11] 고구려 동북부의 옥저, 함흥지방이나 영서 예지역의 부용세력의 군사력을 동원할 경우에는 상황이 달라질 수 있다. 함흥지방이나 영서지방의 군사력이 동원될 경우 강원 영서지역을 통과하여 죽령방면으로 진격하는 것이 이동경로와 물자조달에 용이한 전략이다. 이 경우 고구려군의 남진로는 함흥, 원산 방면으로부터 추가령 구조곡을 따라 남하한 뒤 철원-춘천을 거쳐 홍천-횡성방면으로 전개하게 된다. 이럴 경우 영서지역은 물론 죽령 이남지역도 쉽게 손아귀에 넣을 수 있는 작전이 가능해 진다. 따라서 영서지역을 남북으로 가로지르는 춘천-원주-단양로는 죽령 이남의 신라세력에게 큰 위협이 되었을 것으로 추정된다. 아울러 횡성-평창-영월로 역시 영동지역에서 세력을 확장하던 신라를 견제하고 죽령로에 이르는 보조 간선으로 활용할 수 있다는 점에서 고구려에 의해 중요하게 여겨졌을 것이다.

온달산성의 축성배경은 고구려의 남하와 신라의 북진이라는 양자사이에서 모두 검토되어야 한다. 삼국사기의 기록을 그대로 취신한다면 온달산성의 1차적인 축성은 고구려에 의한 것일 가능성이 있다. 이때 온달산성의 이름이 을아단성이었을 것이다.[12] 고구려 점령초기에는 영춘의 전략적인 중요성이 그다지 높지 않았을 것이다.

6세기 전반이 되면서 신라의 영서지역 진출이 시작된다. 그런데 그 진출은 소백산맥 이남에서 시작된 것이 아니라 태백산맥을 넘어 영동에서부터 비롯되었다. 영동일대에 비교적 일찍 북상하고 있던 신라는 태백산맥을 넘어 정선에 송계리산성과 고성리산성 등 전초기지를 확보하기 시작했다.[13] 고구려의 입장에서는 남한강 상류에서 신라의 군사적 위협이 증가하게 되자 남한강 일대를 감제하고 도로를 통제할 수 있는 방어시설이 요구되었다. 고구려가 온달산성을 축성했다면 정선을 거쳐 영월-영춘일대로 우회 공격해 오는 신라군에 대비하여 단양 적성에 이르는 길목을 장악하기 위한 것으로 볼 수 있다. 이 산성에서 고구려와 신라의 공방전이 펼쳐졌

---

11) 이와 같은 기사는 삼국사기 소지왕대부터 지증왕대의 사료에 전하고 있다. 동해지역과 영서지역을 장악한 고구려가 신라를 압박하기 위해 토착세력인 말갈병을 동원했다는 연구성과(문안식,『한국 고대사와 말갈』, 혜안, 2003)를 보더라도 고구려의 남진로를 단순하게 한강하류를 경유하는 루트로 국한하여 볼 수는 없다.

12) 온달산성에 대한 지표조사 결과 온달산성은 백제나 고구려에 의한 초축으로 추정되었다(차용걸·박태우,『온달산성-지표조사보고서』, 1989, p.105). 아단성이라는 명칭은 이미 광개토대왕비문에 대왕이 공취한 58성 가운데 하나로 기록되어 있다. 이때의 백제 아단성을 온달산성과 같은 것으로 보고 온달산성의 초축국을 백제로 보기도 한다(이도학, 앞의 논문, 2013).

13) 정선 송계리 산성의 발굴조사 결과 6세기 전반에 해당하는 신라토기가 출토되었다(강원문화재연구원,『정선 송계리산성 발굴조사보고서』, 2006). 이는 송계리산성이 이미 6세기 전반에는 군사적 기능을 수행하고 있었음을 암시해준다. 인접한 아우라지 유적에서도 5세기로 편년할 수 있는 신라토기가 출토되어 이러한 가설을 뒷받침 하고 있다.

는지는 알 수 없다. 그러나 적성전투가 벌어졌을 540년대 무렵이 되면 영춘 온달산성은 고구려나 신라에 의해 이미 축성되어 있었다고 해도 무리가 없을 것이다. 고구려의 을아단성은 그 규모나 성격면에서 신라의 아단성과 다를 수 있겠으나 고구려의 을아단성이라는 군현이름을 신라가 아단성이라고 부른 점에서 고구려의 을아단성을 신라가 점령 한 뒤 그 이름을 계승하고 있었을 개연성을 전혀 배제할 수는 없다.

Ⅲ. 신라의 온달산성 확보와 고구려 격퇴

신라가 본격적으로 남한강 유역의 고구려 영토를 잠식하기 시작하는 것은 [丹陽新羅赤城碑]가 세워지는 540년대 후반으로 생각된다. 竹嶺路를 통하여 단양에 북진 교두보를 확보한 후 551년에 백제와 동맹하여 고구려로부터 죽령이북의 10군을 공취하게 된다.[14] 죽령로를 수비하는 신라의 입장에서 볼 때 주도로인 단양-원주방면에 수비력을 집중할 수밖에 없다. 이때 고구려 측이 활용할 수 있는 우회 공격로가 바로 평창-영월-영춘방면의 남한강로이다. 고구려의 나생군과 그 영현을 잇던 교통로는 이러한 연유로 중요하게 여겨졌을 것이다. 나생군-을아단현 사이 교통로는 죽령로의 우회루트라는 점에서 공수 양자 모두 반드시 확보해야 하는 지역이었다.

온달산성을 비롯한 남한강 상류의 산성들은 신라북진기에 적극적으로 활용되었을 가능성이 높다. 온달산성은 신라 북진기 영춘지방의 거점성으로서 영월에 주치를 준 나생군의 속현으로서 영춘의 치소성 역할을 했을 것이다. 온달산성 내부에서 발굴된 신라시대 단각고배편 등은 온달산성이 6세기 중반 이후 신라에 의해 점유되었음을 알려준다.[15]

신라의 아단성은 진흥왕 이후 신라의 북진이 시작되면서 언제 있을지 모르는 고구려의 위협을 방지하고 단양-죽령방면으로 진출하는 고구려 세력을 견제하기 위해 다시 정비된 것으로 볼 수 있다. 이 같은 정황은 문헌을 통해서도 확인할 수 있다. 북한산주의 재설치 기사가 참고된다.

29년(서기 568), 연호를 太昌으로 바꾸었다. 여름 6월, 진나라에 사신을 보내 토산물을 바쳤다. 겨울 10월, 북한산주를 없애고 南川州를 설치하였다. 또 비열홀주를 없애고 達忽州를 설치하였다.[16]

---

14) 서영일, 앞의 책, 1999, pp.151~158.
15) 한국교통대학교박물관, 앞의 책, 2013, p.251.
16) 『三國史記』卷第4, 新羅本紀 第4, 眞興王 29年.
　　"改元大昌 夏六月 遣使於陳 貢方物 冬十月 廢北漢山州 置南川州 又廢比列忽州 置達忽州"

25년(서기 603) 가을 8월, 고구려가 북한산성에 침입하였다. 임금이 몸소 병사 1만을 이끌고 그들을 물리쳤다.[17]

26년(서기 604) 가을 7월, 사신으로 대나마 萬世와 惠文 등을 보내 수나라에 조공하였다. 南川州를 없애고 北漢山州를 다시 설치하였다.[18]

위의 기사들은 북한산주 치폐와 관련된 일년의 기사이다. 신라는 553년(진흥왕 14) 7월에 백제로부터 한강유역을 빼앗아 新州를 설치하였다. 4년 후인 557년에 北漢山州로 치소를 옮겼다. 그런데 한강일대를 완전히 장악하지 못한 신라는 한강유역의 중심지를 북한산주에서 남천주로 옮긴다. 북한산주를 남천주로 옮긴 데에는 여러 가지 원인이 있겠으나 그 이유 중 하나는 고구려의 반격에 의한 퇴각을 꼽을 수 있다. 진흥왕에 의한 기적과 같은 영토확장은 지방지배 체제와 도로의 정비가 뒷받침 되지 않는 한 오랫동안 유지되기 어려웠을 것이다. 북한산주로 신주의 중심지를 옮긴지 십여 년만인 568년에 남천주로 주치를 옮기는 상황은 고구려의 압박으로부터 중부지방을 방어하고 팽창 위주의 불안정한 정책을 정리하고 중부지방 장악의 내실을 기하고자 하는 의미로 보아도 좋을 것이다. 이와 함께 함흥 원산일대까지 진출했던 동북방의 군현도 비열홀주를 달홀주로 옮기면서 중심권역이 후퇴되고 있다. 이는 진흥왕의 영토팽창이 최종적으로 정리되는 모습을 보여주는 것이며 고구려의 세력이 다시 강해지고 있던 양상을 반영하는 것이다.

북한산주를 대신하여 남천주가 설치되고 경기-영서지역을 관할하고 있을 무렵, 고구려는 장안성으로 천도하고 본격적인 평양시대를 열었다.[19] 고구려의 장안성 건립과 천도는 귀족연립 정권 하에서도 왕권이 안정을 유지하고 있다는 점과 한강유역으로부터 신라의 위협이 줄어들고 있다는 점을 의미한다. 같은 해 비열홀(안변)을 달홀(고성)로 옮긴 배경도 한강 상류의 상실과 중원지역과 비열홀 사이 교통로의 차단 등이 배경이 될 것으로 추정해 볼 수 있다.

남천주의 설치와 그에 따른 북진정책의 정비에 따라 한강 중상류 유역의 방어체계도 정비되었을 것으로 여겨진다. 남한강 유역의 방어성곽들도 이 무렵 재편을 보게 된 것으로 추정해 볼 수 있다. 진흥왕 후반 정비된 산성들은 영양왕이 감행한 온달의 아단성 공격이나 高勝의 북한산성 공격을 효과적으로 방어할 수 있는 기반이 되었을 것이다.

---

17) 『三國史記』卷第4, 新羅本紀 第4, 眞平王 25年.
　"秋八月 高句麗侵北漢山城 王親率兵一萬以拒之"
18) 『三國史記』卷第4, 新羅本紀 第4, 眞平王 26年.
　"秋七月 遣使大奈麻萬世惠文等朝隋 廢南川州 還置北漢山州"
19) 『三國史記』卷第19, 高句麗本紀 第7, 平原王 28年.
　"移都長安城"

남천주의 이설은 한강일대의 신라 관방체계를 체계적으로 강화시키는 계기가 되었을 것이며 이때 온달산성은 그 주현인 나생군과 유기적인 관계를 맺으며 지역의 통치거점으로 활용되었을 것이다.[20] 영월의 정양산성이 영월지역의 거점성이라면 영춘의 온달산성은 단양으로 통하는 인후부를 장악하여 죽령으로 남하하려는 세력에 대항할 수 있는 전략적 위치에 자리 잡았다. 한때 죽령로 개척의 배후기지였던 온달산성은 죽령을 거쳐 북상하는 신라군에 가해질 수 있는 우회공격을 막아내기 위한 요새로서 재정비되었을 가능성이 있다.

이러한 배경 위에서 삼국사기 온달열전의 기사를 살펴보도록 하겠다.

陽岡王[嬰陽王의 잘못]이 즉위하자 온달이 아뢰었다. "지금 신라가 우리의 한수 이북의 땅을 차지하여 자기들의 군현으로 삼으니, 그곳의 백성들이 애통하고 한스럽게 여겨 한시도 부모의 나라를 잊은 적이 없사옵니다. 바라옵건대 대왕께서 저를 어리석고 불초하다 여기지 마시고 병사를 주신다면 한번 쳐들어가 반드시 우리 땅을 도로 찾아오겠나이다." 왕이 이를 허락하였다. 온달이 길을 떠날 때 맹세하며 말했다. "鷄立峴과 竹嶺 서쪽의 땅을 우리에게 되돌리지 못한다면 돌아오지 않으리라!" 마침내 떠나가 <u>阿旦城 밑에서 신라군과 싸우다가</u> 날아오는 화살에 맞아서 죽고 말았다. 장사를 지내려 하는데 관이 움직이지 않았다. 공주가 와서 관을 어루만지면서 말했다. "죽고 사는 것이 이미 결정되었으니, 아아! 돌아가십시다." 드디어 관을 들어 묻을 수 있었다. 대왕이 이를 듣고 비통해하였다.[21]

'陽岡王[嬰陽王의 오기]이 즉위하자' 라는 문맥으로 보아 이 기록은 영양왕 초기의 기록으로 추정된다. 이 기사에 등장하는 온달이 온달산성에서 실제 전투를 벌였는지는 알 수 없으나 영양왕 즉위 초 고구려군과 신라군이 온달산성을 둘러싸고 공방을 벌인 사실을 시사하고 있다. 특히 고구려의 남진에 따른 공격이라는 점에서 고구려 남진로 연구에 분명한 실마리를 제공한다.

평강공주와 남매지간인 영양왕이 즉위하자 온달은 국왕에게 군사를 요청하여 남진 작전을 벌인다.[22] 열전의 기사대로라면 계립령과 죽령 땅을 고구려의 영토에 복귀시키고자 하는 의지

---

20) 『三國史記』 지리지 고구려 우수주 조나 신라 명주조에도 영춘은 영월의 속현으로 기록되어 있다. 영춘과 영월은 남한강 수계로 인해 지리적인 친연성을 가졌다. 영춘이 영월에서 분리된 것은 조선시대에 들어와서의 일이며 이후 단양에 속하게 되는 것도 대한제국기에 이르러서의 일이다.

21) 『三國史記』 卷第45, 列傳 第5, 溫達.
"及陽岡王[陽岡王 當作嬰陽王]卽位 溫達奏曰 惟新羅 割我漢北之地 爲郡縣 百姓痛恨 未嘗忘父母之國 願大王不以愚不肖 授之以兵 一往必還吾地 王許焉 臨行誓曰 鷄立峴竹嶺已西 不歸於我 則不返也 遂行 與羅軍戰於阿旦城之下 爲流矢所中 路而死 欲葬 柩不肯動 公主來撫棺曰 死生決矣 於乎 歸矣 遂擧而窆 大王聞之悲慟"

22) 아단성 전투시점에 대해서는 590년대 초로 보거나(노태돈, 『고구려사 연구』, 사계절, 1999, p.431) 603년 북한산성 전투와 연계해서 보기도(민덕식, 「百濟阿旦城研究」, 『韓國上古史學報』17, 한국상고사학회, 1994, p.178) 한다.

가 분명해 보인다. 그러나 삼국사기 본기에 기록된 고구려군의 대규모 공격은 영양왕 14년에야 이루어지므로 온달이 남진을 건의한 영양왕 초기와는 시기적으로 거리가 있다.[23] 그렇다면 온달의 신라공격은 사료에 기록될만한 큰 작전이 아니었을 개연성이 높다.

신라와 고구려의 전선이 이미 북한산주에 걸쳐 형성되어 있었기 때문에 온달이 영춘지방까지 진출하는 대규모 작전을 벌였다면 양측의 물적피해는 물론 관련 사실이 기록되었을 것이기 때문이다. 온달이 벌인 작전은 소규모의 기동전으로 치러졌을 가능성이 높다. 적을 공격 할 때에는 속도가 생명이기 때문이다. 특히 한강 유역에 축성된 신라계 성곽들을 하나하나씩 돌파해 가면서 영춘지역까지 진출하기에는 시간적 물적 한계도 분명해 보이기 때문이다.[24]

당시는 신라가 한강유역의 지배권을 공고히 하기 위해 북한산주의 치폐와 남천주의 설치 등 부단한 노력을 기울이던 시기였기 때문이다. 특히 한강 중-하류지역에 대한 지배력은 이시기 등장하기 시작한 신라계 산성의 존재를 통해 볼 때 고구려의 남하가 쉽지 않았을 것임을 알 수 있다.[25]

그런데 북한강 상류유역의 경우는 한강 중-하류 유역과 상황이 달랐던듯하다. 북한강 일대에서 발굴된 신라주거지들을 볼 때 그 시기가 빨라야 6세기 후반이전으로 소급되지 않고 대개가 7세기 무렵으로 논의되고 있기 때문이다. 이러한 정황으로 보아 진흥왕의 북진 이후 어느 시기에 신라는 북한강

지도 2. 온달군의 예상 진격로와 신라군의 예상 방어선 추정도[26]

---

23) 『三國史記』卷第20, 高句麗本紀 第8, 嬰陽王 14年.
　　"王遺將軍高勝 攻新羅北漢山城 羅王率兵 過漢水 城中鼓噪相應 勝以彼衆我寡 恐不克而退"
24) 온달이 영춘지역까지 진출 했다면 신라군이 방어체제를 정비하기 전에 기습을 통해 후방을 교란해야 했을 것이다. 568년 정비된 지방제도로 말미암아 신라의 주력군이 남천주와 달홀주에 집중되어 있는 상황이라 본다면 온달의 공격은 영서지역을 통해 진행되어야 했을 것이다.
25) 6세기 중엽 이후 신라의 활용이 확인된 경기지역의 산성으로는 하남 이성산성, 이천 설봉산성, 설성산성, 여주 파사산성, 용인 할미산성, 평택 자미산성, 안성 죽주산성, 비봉산성, 망이산성, 무한산성 등이다(서영일, 「신라의 국가형성과 발전단계에 따른 방어체계연구」, 『新羅文化』第34輯, 동국대학교 신라문화연구소, 2009, p.20). 이 성곽들은 주변에 고분을 동반하는데 그 중심 시기는 6세기 중반부터 7세기로 편년된다(황보 경, 「한강유역 신라고분의 특징과 성격」, 『2009년도 서울경기고고학회 추계학술대회』, 2009, pp.111~113 및 [중부지방 신라유적의 연구 및 조사현황과 성격고찰」, 『文化史學』36, 한국문화사학회, 2011, pp.67~73). 이를 통해 볼 때 신라의 경기지역 장악은 551년 한강 하류 유역을 장악한 이후 지역지배를 확고히 유지했던 것을 알 수 있다. 이러한 상황에서 온달이 한강수계를 따라 진격하는 것은 사실상 불가능한 상황으로 판단된다.
26) 지도출처:네이버

상류 일대를 일시적으로 상실했을 가능성도 점쳐지고 있다.[27] 북한강 유역에서도 핵심적인 지역이라 할 수 있는 춘천지방의 완전한 장악은 7세기에야 이루어지는 것으로 볼 수 있다. 춘천일대에서 가장 빠른 고분인 홍천 역내리 12호분의 경우에도 출토유물이 560~610년대로 편년되고 있다.[28] 요컨대 경기지역은 신라가 진출한 초기부터 관방유적과 고분이 축조되고 있는 것에 비해 북한강 상류 유역에서 관방과 고분의 축조는 저조한 실정이었다. 이러한 점에 미루어 볼 때 신라는 6세기 중엽 북한강 유역에 진출했지만 그 지역에 대한 지배력을 확고히 하지 못한 상태였거나 고구려에 의해 일시적으로 탈환된 상황이었다고 볼 수 있다. 568년 북한산주를 폐하고 남천주를 설치한 것은 일시적으로 후퇴했던 정황을 반영하는 것이 아닐까 한다. 이러한 상황에서 온달의 공격로는 영월－영춘 축선으로 추정할 수 있다. 당시의 상황을 재구성 한다면 다음과 같다.

온달은 왕에게서 받은 정예병으로 신라를 공격했다. 이미 신라가 차지하고 있던 한강유역에서 영춘지방까지 파죽지세로 여러 성을 꺾으면서 진격하는 것은 불가능 했을 것이다. 신라는 한강 유역을 따라 산성을 축조하였고 견고한 방어체계가 구축되기 시작했다. 제한된 병력으로 신라의 배후를 노려야 했고 상대적으로 방비가 약한 영서지방을 이용해 공격을 개시한다. 춘천－횡성－평창－영월－영춘으로 이어지는 강원 내륙의 루트를 이용하여 영춘지방까지 다다른다.[29] 온달은 크고 작은 교전 끝에 영춘에 이르게 되고[30] 이곳에서 신라군의 방어를 꺾지 못하

---

27) 서영일, 「강원지역 삼국·통일신라시대 마을과 요지」, 『고고학 12-2』, 중부고고학회, 2013, pp.59~62.
　심재연, 앞의 논문, 2008, p.70.

28) 심재연, 앞의 논문, 2008, pp.69~70.

29) 본고에서 제시된 교통로에 대해서는 학계의 추가적인 동의가 필요하다. 삼국시대의 사실은 아니나 당시 이 일대의 교통망을 추정 할 수 있는 사료가 있어 소개하고자 한다. 이 일대는 궁예 초기세력이 활동하던 주무대이다. 궁예는 양길에게 투탁한 뒤, 이 일대의 군현을 점령해 나간다. 『삼국사기』의 기록은 다음과 같다.
　『三國史記』卷第50, 列傳 第10, 弓裔.
　"景福 원년 임자(서기 892)에 北原(강원 원주)의 도적 梁吉에게 투신하였다. 양길은 그를 우대하고 일을 맡겼으며, 드디어 병사를 나누어 주어 동쪽의 땅을 공략하게 하였다. 이에 雉岳山 石南寺에 머물면서 酒泉, 奈城, 鬱烏, 御珍 등의 고을을 습격하여 모두 항복시켰다(景福元年壬子 投北原賊梁吉 吉善遇之委任以事 遂分兵使東略地 於是出宿雉岳山石南寺 行襲酒泉奈城鬱烏御珍等縣皆降之)"
　이 사료를 통해 볼 때 원주방면인 치악산 석남사에서 주천, 영월, 평창 등지로 군사작전이 가능했음을 짐작할 수 있다. 온달의 작전범위도 이에서 크게 벗어나지 못했을 가능성이 높아 보인다. 서영일은 원주일대 산성을 고찰하면서 이들 지역의 공략에는 원주－제천간의 교통로가 활용된 것으로 보았다(서영일, 앞의 책, 1999, pp.108~181). 석남사는 지금의 원주시 신림면 성남리에 소재했던 것으로 추정되고 있다(辛鍾遠,「雉岳山石南寺址의 推定과 現存民俗」, 『정신문화연구』 54, 한국정신문화연구원, 1994, p.9). 이 지역은 영월·평창으로 가는 길목이었다.

30) 이 루트를 통할 경우 영월 정양산성과 대야산성에 대한 봉쇄조치 또는 점령이 선행되어야 했을 것이다. 정양산성의 경우 지역 거점 또는 치소성으로 반드시 봉쇄되어야 하고 대야산성은 영월에서 영춘으로 가는 길목에 위치하고 있어 직접적인 위협이 된다. 다만 대야산성은 둘레 400m의 소규모 산성으로 주둔군의 규모도 적었고 작전 능력도 제한적이었을 것으로 추정할 수 있다. 온달군은 또한 정선 송계리산성 방면이나 소백산맥 이남에서 이동할 수 있는 신라의 지원군도 의식하여야 했다.

고 전사하게 된다.[31]

온달의 신라공격이 본기에 등장하지 않고 열전에만 등장하는 것을 보더라도 전면적인 공격이 아니라 단기간에 걸친 국지전이었을 가능성이 크다. 그러나 온달산성의 존재가치는 분명해 보인다. 비극의 주인공인 온달의 공격은 실패했지만 온달산성의 중요성을 입증시켜주었다. 온달산성은 4면이 험준한 산과 강으로 둘러싸여있어 난공불락의 요새로서 성격이 강하다. 온달산성을 공격하기 위해서는 도하작전과 공성작전이 필요했고 남한강 유역의 비좁은 전장은 고구려군의 활동에 제약을 가져다주었을 것이다. 온달과 같은 고구려의 영웅도 온달산성의 지형조건을 극복하지 못하고 유시에 맞아 전사하게 된다. 그의 죽음을 통해 본 온달산성은 신라의 북진로이자 배후에서 침투해오는 적에 대한 효과적인 대비책이었음을 확인할 수 있다.

온달의 최종 목적지는 어디었을지 확실치 않지만 애초의 출병 목적이 "鷄立峴과 竹嶺 서쪽의 땅"을 회복하는 것이 목적이었다면 죽령로의 확보와 신라 구원군의 차단을 위해 반드시 점령해야 하는 단양 적성이 그 공격목표 중에 하나였음은 분명하다. 온달산성이 자리한 영춘 지방은 영월과 제천으로 드나드는 길목이었다. 영월로 들어서면 북으로는 횡성을 거쳐 춘천 방면으로 나갈 수 있고 정선을 거쳐 오늘날 강릉지방인 하슬라로 진출할 수 있다. 제천으로 나아가면 원주와 충주방면으로 길이 열려 중부지방 장악을 위한 루트가 확보된다. 온달산성은 한강유역 교통권과 영서지역 교통권이 모두 교차되는 중요한 지점이다. 온달의 공격이 온달산성을 향해야 했던 데에는 이러한 배경이 있었을 것으로 풀이된다. 죽령로의 중요지점인 단양 적성을 위협할 수 있는 중요지점이다. 온달산성은 단양 적성과 수로로 연결되어 있었다. 죽령로 공격에 집중했던 온달은 단양 적성에 대한 우회공격을 선택했고 아단성, 즉 온달산성에서 최후를 맞는다.

Ⅳ. 신라의 북한강 유역 진출과 온달산성의 변화

진평왕 25년 고구려의 공격을 물리친 신라는 이듬해인 604년에 북한산주를 다시 세웠다. 한강유역이 북한산주의 설치로 안정을 찾아가고 있던 시기에 영서 내륙지방은 신라에 의해 완전히 장악되지 못한 것으로 보인다. 북한산주의 설치는 한강 하류유역을 신라가 다시 완벽하게

---

31) 온달의 경유루트에 대해 김진한은 평양에서 출발할 경우, 신계·연천·춘천·원주·제천·단양으로 이어지는 길이 예상된다고 밝혔다(김진한, 앞의 논문, 2009, p.84). '한수 유역이 신라에 의해 점령된 것은 사실일지라도 한수 유역과 동해안 일대 전부를 수중에 넣고 지배하지는 못했고 단양 진출로는 안변에서 출발할 경우, 철령을 넘어 회양·춘천·원주·충주·제천·단양으로 이어지는 길, 동해안을 따라 이동하여 강릉으로 넘어오는 길이 있어 평양에서 출발할 경우, 신계·연천·춘천·원주·제천·단양으로 이어지는 길이 예상된다.' 라고 하였다. 당시 한수 하류지역과 강릉일대는 신라가 州를 설치하여 통제하였다. 따라서 강원도를 가로지르는 길이 온달이 진군한 노선이라고 보았다.

장악하였다는 것을 의미한다. 그런데 영서지방과 동해안지방은 사정이 약간 달라 보인다. 568년 비열홀주의 폐지때 설치된 달홀주가 여전히 영동을 관할하고 있었고 동해안 지역의 북상은 지연되고 있었다.

북한산주 설치 이후 고구려의 방어력은 임진강유역에 집중되었을 것이며 북한산주 팽창에 장애 요소가 되었을 것이다. 또한 고구려는 신라의 중부내륙지역 장악을 계속 견제하였을 것이다. 신라가 춘천일대를 장악하면 화천-사내-김화-평강에 이르는 내륙로가 열리게 된다. 이 루트는 고구려의 평양성을 직접 위협할 수 있는 루트이다. 영서지역 장악으로 평양으로 직접 길이 열리게 되어 이천 신계 지역 장악시 고구려 수도인 평양성을 직접 압박이 가능하다. 백제 온조왕때의 기사를 보면 낙랑지로를 막았다는 기록[32]을 통해 볼 때 이미 낙랑의 중심지역인 평양과 영서 예의 중심지역인 춘천지역 사이에 교역로가 개설되어 있었음을 의미한다. 고구려를 압박하고 전쟁의 승기를 잡기 위해서는 춘천일대의 장악이 신라에게는 급선무였던 셈이다.

수나라와의 일전을 앞두고 있는 고구려로서도 영서지역을 점차 잠식해 들어오는 신라의 위협으로부터 평양을 보호해야 했다. 고구려는 신라에 대한 견제공격을 지속적으로 감행했다.[33]

19년(서기 608) 봄 2월, 장수에게 신라의 북쪽 국경을 습격하도록 명령하여, <u>8천 명을 포로로 잡아왔다.</u> 여름 4월, 신라의 牛鳴山城을 빼앗았다.[34]

신라의 북한산주 설치 이후로도 신라 북경에 대한 고구려의 공격은 계속되었다. 우명산성의 위치는 여러 곳으로 볼 수 있으나 춘천 봉의산성이라는 설이 가장 설득력이 있다. 이 일대에서 출토되는 토기의 편년이 6세기 후반에서 7세기 전반으로 편년되고 있다.[35] 신라 북경의 습격과 우명산성에 대한 공취는 춘천일대의 방어력이 상대적으로 취약했으며 달홀주와 남천주의 군사적 활동에 한계가 있었다는 점을 알 수 있다. 신라 북변에 대한 고구려의 위협은 중부 내륙지방 산성의 방어력 강화로 이어졌을 것으로 추정된다. 6세기 말부터 7세기 초에 이르는 고구려의 공세와 신라의 위축은 중부내륙 산성가운데 하나인 온달산성의 개축으로 이어졌을 개연성이 있다. 이 같이 위축된 상황은 우수주가 새로이 설치되는 638년에야 타개되었다. 고구려가 비열홀지방을 장악하고 신라에 대한 압박을 가해오자 남천주와 하서주의 停軍단 만으로는 영서지

---

32) 『三國史記』卷第23, 百濟本紀 第1, 始祖溫祚王 11年.
  "夏四月 樂浪使靺鞨襲破瓶山柵 殺掠一百餘人 秋七月 設禿山狗川兩柵 以塞樂浪之路"

33) 고구려의 대남방정책은 한수 유역과 가야를 둘러싼 백제·신라 양국의 적대관계를 이용하여 국경을 맞대고 있는 신라를 견제하는데 초점을 맞추었다. 이를 위해 백제 및 왜와 통교하였다. 고구려는 북방에 위치한 돌궐에도 사신을 파견하는 등 수에 대한 대비책에 만전을 기하였다(김진한, 앞의 논문, 2009).

34) 『三國史記』卷第20, 高句麗本紀 第8 嬰陽王 19年.
  "春二月 命將襲新羅北境 虜獲八千人 夏四月 拔新羅牛鳴山城"

35) 江原文化財研究所, 『春川 鳳儀山城 發掘調査報告書』, 2005.

역을 방어하는데 한계가 있었기 때문에 우수주에 정군단을 설치하여 고구려의 군사적 압력에 대비하였다.[36]

온달의 침입을 전후한 6세기 후반에 온달산성에 대한 재정비가 요구되었으며 고구려로부터의 위협요인이 사라지는 7세기 전반까지 온달산성의 운영은 계속 되었을 것이다.[37]

중부지역에서 신라의 군사적 점유권이 높아지면서 군사적 용도로서의 온달산성의 중요성은 점차 감소하였을 것이다. 삼국전쟁기의 가장 획기적인 사건으로 꼽히는 낭비성 전투에서 신라 측이 승리하면서 중부지방의 군사적 주도권을 신라가 쥐게 되었다.

51년(서기 629) 가을 8월, 임금이 대장군 龍春과 舒玄, 부장군 分信을 보내 고구려 娘臂城을 침공하였다. 고구려인이 성에서 나와 진을 쳤는데, 군세가 매우 강성하여 우리 병사가 그것을 바라보고 두려워하며 싸울 생각을 못했다. 유신이 말하였다. "나는 '옷깃을 잡고 흔들면 가죽옷이 바로 펴지고 벼리를 당기면 그물이 펼쳐진다.'고 들었다, 내가 벼리와 옷깃이 되겠노라!" 그리고는 즉시 말에 올라 칼을 빼들고 적진으로 향하여 곧바로 나아갔다. 적진에 세 번 들어갔다 나왔는데 매번 들어갈 때마다 장수의 목을 베거나 군기를 뽑았다. 여러 군사들이 승세를 타고 북을 치고 소리를 지르며 돌격하여 5천여 명을 목 베어 죽이니, 낭비성이 마침내 항복하였다.[38]

629년 벌어진 娘臂城 전투에서 신라는 김유신의 활약에 힘입어 대승을 거두었다. 낭비성이 오늘날의 청주가 아님은 이미 여러 차례의 논문으로 밝혀졌다. 낭비성의 위치는 학자마다 이견이 있어 현재 포천의 반월산성, 파주 칠중성, 안변 인근설 등이 있다.[39] 5,000명의 고구려군이

---

36) 전덕재, 「牛首州 설치와 변천에 관한 고찰」, 『江原文化研究』제28집, 강원대학교 강원문화연구소, 2009, pp.94~96.

37) 온달산성 서문지 일원의 발굴조사 결과 성벽의 기단열에 맞추어 약 1m 정도 길이에 높이 1m의 기단보축성벽이 확인되었다. 온달산성에서는 단면 삼각형 기단보축과 부채꼴형 기단보축이 모두 나타나고 있다(한국교통대학교 박물관, 앞의 책, p.150 및 pp.241~242). 기단보축성벽은 신라산성의 특징이다. 신라산성의 기단보축성벽은 낙동강 유역에서는 5~6세기(白永鐘, 「小白山脈 北部 일원의 新羅山城 關防體系 研究」, 『白山學報』第80號, 백산학회, 2008, p.161) 한강 이북에서는 7세기에 들어서야 나타난다고 보고 있다(서영일, 앞의 논문, 2009, pp.18~19). 낙동강 유역에서 확인되는 기단보축은 '단면 삼각형'이 우세하며 한강 이북은 '단면 부채꼴형' 보축성벽이 다수를 점한다. 이를 통해 볼 때 신라 기단보축방식이 한강 이북을 확고하게 점령하는 7세기 무렵이면 부채꼴 형식으로 변화하는 것이 아닌가 한다.

38) 『三國史記』卷第4, 新羅本紀 第4, 眞平王 51年.
"秋八月 王遣大將軍龍春舒玄 副將軍分信 侵高句麗娘臂城 麗人出城列陣 軍勢甚盛 我軍望之懼 殊無鬪心 分信日 吾聞 振領而裘正 提綱而網張 吾其爲綱領乎 乃跨馬拔劒 向敵陣直前 三入三出 每入或斬將 或搴旗 諸軍乘勝 鼓噪進擊 斬殺五千餘級 其城乃降"

39) 李元根, 「百濟娘臂城考」, 『史學志』제10집, 檀國大學校 史學會, 1976.
方東仁, 「歷史地理」, 『韓國史論』1, 國史編纂委員會, 1978.
정영호, 「淸原飛中里 三尊石佛」, 『국립박물관신문』, 1980. 8. 1일자.
李元根, 「三國時代의 城郭研究」, 檀國大學校 博士學位論文, 1981.

지키던 낭비성은 중요한 거점으로 이곳을 점령하여야 일대의 패권을 장악할 수 있는 중요한 지점임을 짐작할 수 있다. 낭비성의 정확한 위치는 앞으로 밝혀져야 할 일이지만 위치여하에 관계없이 신라가 낭비성 전투를 계기로 고구려와의 오랜 전투에서 주도권을 획득했다는 사실에는 이견이 없는 듯하다.

낭비성 전투가 치러진 뒤 8년 뒤인 637년(선덕왕 6)에는 달홀주가 폐지되고 우수주가 설치되었다. 우수주의 설치는 신라가 중부 내륙지역에서의 주도권을 확실히 장악해 나가고 있다는 증거가 될 수 있다.[40] 낭비성 전투 이후 영서일대의 고구려 잔존세력이 격파되고, 영서방면에서 북진도 활발했을 것으로 추정된다. 결국 신라의 북한강과 남한강 유역은 신라영토로 완전히 편입되어 안정권에 접어들게 된다.

북한강유역에서 신라계 고분이 본격적으로 등장하는 시기도 이 무렵부터이며 춘천분지, 홍천강 일대의 고고유적을 볼 때 7세기 전반경에는 이 지역에 대한 지배권을 확보하였다고 보아 무리가 없어 보인다.[41]

하지만 중부내륙에서 군사적 안정상태는 온달산성의 군사적 중요성을 감소시키는 원인이 되었을 것이다. 온달산성의 중요성이 감소하는 시기는 바로 우수주 설치시기와 연결시켜 볼 수 있다. 영서지역에 우수주가 설치된다는 것은 영서지역에서의 고구려세력 축출과 안정적인 지배를 반영하며, 영서지역의 중요성이 그 이전시기보다 높아 졌다는 것을 의미 한다고 볼 수 있다. 온달산성이 위치한 영춘은 신라 군현이 개편되면서 명주의 영현에 속하게 된다 신라의 통일이 완수되고 경주를 중심으로 한 지방행정체계가 마무리 되면서 영춘이 속한 나생군은 군사적인 중요도가 크게 하락했을 것으로 추정된다. 하지만 영동과 영서의 교통중심으로 중요한 역할을 담당했을 것으로 추정해 볼 수 있다.

奈城郡은 원래 고구려의 奈生郡이었던 것을 경덕왕이 개칭한 것이다. 지금의 寧越郡이다. 이 군에 속한 현은 셋이다. <u>子春縣은 원래 고구려의 乙阿旦縣이었던 것을 경덕왕이 개칭한 것이다.</u> 지금의 永春縣이다. 白鳥縣은 원래 고구려의 郁鳥縣이었던 것을 경덕왕이 개칭한 것이다. 지금의 平昌縣이다. 酒泉縣은 원래 고구려의 酒淵縣이었던 것을 경덕왕이 개칭한

閔德植,「高句麗의 道西縣城考」,『史學研究』36, 한국사학회, 1983.
金崙禹,「娘臂城과 娘子谷城考」,『史學志』제1집, 檀國大學校 史學會, 1988.
沈光注,「新羅의 城과 生活遺跡」,『경기도사』2, 경기도사편찬위원회, 2003.
박광성 윤용구,『坡州郡誌』(上), 坡州郡, 1995.
徐榮一,「高句麗 娘臂城考」,『史學志』제8집 檀國大學校 史學會, 1995.
40) 우수주에 해당하는 영서지역은 6세기에 신라의 영역에 편입되어 신주의 영역에 편재되었고 선덕여왕6년(637)에 신주를 분할하여 한산주와 우수주로 나누었다. 이때 우수주의 영역은 강원과 충북일부지역만을 포함했다가 7세기 후반에 이르러 강원, 함경, 동해안 일부지역을 포함하게 된다(전덕재, 앞의 논문, 2009, pp.93~97).
41) 심재연, 앞의 논문, 2008, pp.69~72.

것이다. 지금도 그대로 부른다.[42)]

『三國史記』 지리지에 따르면 을아단현은 경덕왕에 의해 子春縣으로 개명되고 명주에 편입되었다. 삼국이 통일되고 신라의 국내정세가 안정화 되면서 전국은 소경을 중심으로 하는 지배체제로 편제되었다. 명주의 영현은 주로 동해안 일대에 걸쳐져 있었다. 그런데 명주의 영현으로 특이한 것이 태백산맥 이서의 정선, 영월을 들 수 있다. 앞서 검토한 것처럼 이 두 지역은 신라 통일 이전 영동과 영서를 긴밀하게 잇던 교통로로서 중요성이 높았다.[43)] 따라서 이 두 지역에 대한 통치는 동해안 지역인 명주와 내륙지방인 삭주가 안정적인 교류를 지속하기 위한 필수조건이었다. 통일 이후 영월과 영춘지방은 강릉-정선-영월로 이어지는 동-서 교통로의 통과지점으로 명주의 관할에 속하게 되었다. 온달산성은 외적의 공격으로부터 죽령로를 방어하는 요새로서의 기능을 상실하는 대신 통일신라 동서교통을 원활하게 연결해주는 거점이자 치소로서의 성격이 강했을 것이다.

영춘 온달산성의 폐쇄시기는 확실치 않으나 고려시대까지는 그 기능이 유지되었을 것으로 추정된다. 성내에서 발굴된 기와를 통해 지역 통치거점으로서의 역할이 유지되고 있었음을 알 수 있다.[44)] 하지만 고려시대 이후로는 폐성된 것으로 판단된다. 조선시대 지리지류에도 이미 폐성으로 기록되었다.

성산고성은 돌로 쌓았고 둘레 1,523척, 높이 11척이며, 안에 우물 하나가 있다. 지금은 반이 무너졌다."고 처음 등장하고 있다.[45)]

성산은 현 남쪽 3리에 있는 진산이다. 아래에 석굴이 있어 높이가 11척 남짓이고, 넓이가 10여 척쯤 되며, 끝이 없이 깊숙히 들어가고 물이 철철 나와 깊이가 무릎에 닿는데, 맑고 차갑기가 얼음과 같다. 고을 사람이 횃불 10자루를 가지고 들어갔다가 구멍은 오히려 끝나지 않았는데 횃불이 다되어 돌아왔다.[46)]

42)『三國史記』卷第35, 雜志 第4, 新羅 溟州.
　　"奈城郡 本高句麗奈生郡 景德王改名 今寧越郡 領縣三 子春縣 本高句麗乙阿旦縣 景德王改名 今永春縣 白烏縣 本高句麗郁烏縣 景德王改名 今平昌縣 酒泉縣 本高句麗酒淵縣 景德王改名 今因之"
43) 정선의 송계리산성과 고성리산성의 존재가 이를 입증해 준다. 신라의 영서지역 진출이 강릉-정선-영월로 이어지는 지역에서 시작되었다고 보고 6세기 전반에는 이지역의 광역 방어체계가 형성되었다고 보는 견해도 있다(서영일, 앞의 논문, 2009, pp.13~16).
44) 한국교통대학교 박물관, 앞의 책, 2013, pp.250~251.
45)『新增東國輿地勝覽』忠淸道 永春縣 古跡.
　　"城山古城 石築 周一千五百二十三尺 高十一尺 內有一井 今半頹圮"
46)『新增東國輿地勝覽』忠淸道 永春縣 山川.
　　"城山 在縣南三里 鎭山下有石窟 高丈餘廣可十餘尺許 深入無際厓有 水混混而出 深苛沒膝 淸冷如永 邑人持炬 十柄而入穴猶未竟炬 盡而返"

석축으로 둘레 1,523척 높이 11척이다. 안에는 우물이 있으며 지금은 반쯤 무너졌다. 노인들이 서로 이르기를 '바보 온달이 고구려의 사위가 되어 乙阿朝城(朝=旦의 避諱, 필자)을 지키고자 청하니 쌓도록 하였다.' 한다. 궁문에서 남으로 7리에 있다.[47]

앞에서 살펴 섰저럼 온달산성은 신라 북진기 고구려군의 우회공격을 방어하기 위한 특수목적을 지니고 축조되었다. 축조목적에 따라 온달의 남침을 적시에 막아내어 신라의 북진과 중부지방 석권의 계기가 된 의미 있는 유적이다. 그러나 신라 통일이 완성되고 북방으로부터 어떠한 위협도 존재하지 않는 시기가 도래하면서 지역의 말단 치소성으로 전환되었다. 온달산성의 행정적 기능은 고려시대까지 유지되었다. 조선시대에 들어서면서 감무와 현감이 파견되고 현의 치소가 평지로 이동하면서 자연스럽게 폐성된 것으로 여겨진다.

온달산성 전투가 벌어진지 1,300년 뒤 이 일대는 한 번 더 전화에 휩싸이게 된다. 한국전쟁 당시 남하한 중공군에 대한 반격작전이 영월 평창일대에서 펼쳐져 주목된다. 1951년 2월말 국제 연합군은 원주에서 양평일대에 넓게 펼쳐져 있는 북-중 연합군을 격퇴하는 반격작전을 펼쳤다. 당시 중공군은 평창 북방과 횡성북방에 걸쳐 포진하고 있었다.[48] 반격작전을 보도한 『동아일보』 기사를 보면 국제 연합군은 영월을 거쳐 평창을 완전히 탈환하고 횡성으로 작전을 전개해 나가고 있으며 제천을 점령한 다른 제대는 원주로 북상중임을 밝히고 있다.[49] 한국전쟁 당시의 남-북 양측의 작전 전개양상은 고구려와 신라가 강원 중부지역의 주도권을 가지고 경쟁하던 삼국시대 당시의 상황을 연상하게 한다. 삼국시대에도 현대전에서도 영월-평창-횡성에 걸친 남북 간선도로는 군사적으로 요긴하게 활용되었다. 중부 내륙의 우회로를 두고 전투를 벌인 고구려와 신라의 접전이 역사의 우연만은 아님이 확인되고 있다.

V. 맺음말

지금까지 남한강 수계를 중심으로 한 중원일대의 교통로를 중심으로 온달산성의 지정학적인 입지를 살펴보고 온달산성을 둘러싼 전투의 역사적 성격에 대해 살펴보았다. 이 과정에서 온달산성의 초축국이 신라일 개연성을 확인하였다. 온달의 전사가 온달산성 아래에서 이루어 진 사실에서 고구려의 대신라 교통로를 재구성 하였다. 한편 온달산성 전투로 대표되는 고구려의 남

---

47) 『輿地圖書』 永春縣 古跡條, 永春縣 古跡.
   "古城 石築 周一千五百二十三尺 高十一尺 內有一井 今半頹圮 古老相傳 愚溫達爲高句麗女婿請守乙阿朝 築之 云在自宮門南距七里"
48) 『東亞日報』 1951년 2월 13일 1면, 「中部戰線活潑化, 敗適退路遮斷憂慮唐慌」.
49) 『東亞日報』 1951년 2월 25일 1면, 「橫城一角突入, 平昌完全奪還코四喇北進」.

방 정책이 일단락되고 신라의 군현 정비와 더불어 삼국 전쟁의 전기를 맞이하게 된 상황도 아울러 살펴보았다.

온달산성은 그 명칭 그대로 고구려의 초축으로 이해하려는 견해도 있었다. 그러나 고구려가 온달산성을 쌓았을 개연성은 매우 낮았다. 온달산성의 입지는 소백산맥 일대로 진출하려는 고구려에 유리한 입지라기보다는 그러한 세력을 방어하고 한강 하류 유역으로 진출하려는 신라에 유리한 입지이기 때문이다. 고구려에 의한 군현 설치가 신라에 의한 군현 설치보다 이른시기였음은 『三國史記』의 기록을 통해서도 알 수 있으며 고구려의 남진에서도 을아단의 군현설치는 매우 중요했다. 고구려의 남진은 철령 이북에서 출발하여 철원-횡성을 거쳐 원주-단양으로 이어졌을 것으로 추정하였다. 이러한 남하과정에서 을아단현은 소백산맥을 마주보던 고구려군의 남방전선의 주요 지점이었다. 죽령이남의 신라세력에 큰 위협이 되던 을아단현은 신라 북진이후 신라의 영역에 편입되었다. 신라는 추풍령 조령 죽령일대에 전력을 집중하였기에 아단성이 위치한 영춘지방에는 전력을 집중할 수 없었다. 이러한 점 때문에 영춘지방을 가로지르는 남한강 수로 상에 관방시설을 설치할 필요가 있었다. 왕으로부터 하사받은 군사를 동원하여 파죽지세로 남하한 온달이 조령이나 죽령일대를 공격하지 않고 아단성을 공격한 것도 이 때문이다. 신라는 우회로에 해당하는 영춘에 아단성을 축성하였기에 온달의 공격으로 대표되는 고구려의 반격을 큰 희생 없이 막아낼 수 있었다. 온달의 전사이후로도 고구려와 신라 사이에는 크고 작은 전투가 끊이지 않았을 것이지만 전세는 대체로 신라에 유리하게 진전되었다. 이러한 과정에서 북한산주와 신주의 치폐가 거듭되고 전선의 축조와 군현의 정비에 따라 온달산성의 방어적 목적에도 변화가 생겼을 것으로 추정된다. 그렇지만 신라가 북한산주를 재설치 하고 한강유역에 대한 지배력을 공고히 하면서 온달산성의 입지에는 변화가 찾아온다. 이전시기까지는 영토 깊숙이 침투해 온 고구려군을 물리치는 전략적 요충이었지만 629년 낭비성 전투 이후 전세가 신라의 우세로 기울자 후방에 치우쳐 있는 온달산성의 중요성은 급감하였을 것으로 추정했다. 온달산성이 입지한 영춘일대는 고구려와 신라가 중원을 놓고 공방을 펼칠 당시에는 남한강 수계를 방어하는 주요 요충이었다. 신라의 명주에 편입되면서 남북 교통의 요충지로서의 입지는 점차 퇴색되어 영서와 영동을 잇는 역할로 전환되었다. 온달산성은 신라 지방 군현의 거점성으로 통일신라 무렵까지는 유지되었을 것이지만 고려시대 이후로는 역사 속에서 그 이름을 감추게 되었다.

온달산성을 둘러싼 역사는 이제 막 장막을 벗고 있다. 온달산성의 위치에 대해서 아차산일대에 비정하는 견해와 영춘일대로 비정하는 견해가 오랫동안 이견을 보여 왔다. 최근 들어 이루어진 아차산일대에 대한 고고학적 조사와 온달산성의 발굴조사 등에 힘입어 온달산성의 성격은 점차 명확해 질 것으로 전망된다. 이 글 역시 수많은 온달산성 연구 속에서 하나의 가능성을 제시하는 글로 작성되었다. 온달산성을 둘러싼 고구려나 신라 내부의 정치적 입장이나 고고학적 연구성과에 대한 검토가 부족한 부분에 대해서는 너그러운 이해를 당부드리며, 이글에서 부족한 부분은 기존 연구의 참고를 부탁드릴 뿐이다.

【참고문헌】

『三國史記』
『新增東國輿地勝覽』
『輿地圖書』

江原文化財研究所,『春川 鳳儀山城 發掘調査報告書』, 2005.
강원문화재연구원,『정선 송계리산성 발굴조사보고서』, 2006.
차용걸·박태우,『온달산성-지표조사보고서』, 1989.
한국교통대학교 박물관,『단양 온달산성 – 서문지일원 발굴조사보고서』, 2013.

노태돈,『고구려사 연구』, 사계절, 1999.
문안식,『한국 고대사와 말갈』, 혜안, 2003.
박광성·윤용구,『坡州郡誌』(上), 坡州郡, 1995.
서영일,『신라 육상 교통로 연구』, 학연문화사 2009.

李元根,『三國時代의 城郭研究』, 檀國大學校 博士學位論文, 1981.

김락이,「경기남부지역 소재 고구려 군현의 의미」,『고구려연구』20, 고구려연구회, 2005.
金榮官,「三國爭覇期阿旦城의 위치와 영유권」,『高句麗研究』5, 고구려연구회, 1998.
金崙禹,「娘臂城과 娘子谷城考」,『史學志』제1집, 檀國大學校 史學會, 1988.
김진한,「嬰陽王代高句麗의 政局動向과 對隋關係」,『高句麗渤海研究』33輯, 고구려발해학회, 2009.
閔德植,「高句麗의 道西縣城考」,『史學研究』36, 한국사학회, 1983.
_____,「百濟阿旦城研究」,『韓國上古史學報』17, 한국상고사학회, 1994.

方東仁,「歷史地理」,『韓國史論』1, 國史編纂委員會, 1978.
白永鐘,「小白山脈 北部 일원의 新羅山城 關防體系 研究」,『白山學報』第80號, 백산학회, 2008.
서영일,「6~7세기 高句麗南境考察」,『高句麗研究』11, 고구려연구회, 2001.
_____,「강원지역 삼국·통일신라시대 마을과 요지」,『고고학 12-2』, 중부고고학회, 2013.
_____,「高句麗 娘臂城考」,『史學志』제8집 檀國大學校 史學會, 1995.
_____,「신라의 국가형성과 발전단계에 따른 방어체계연구」,『新羅文化』第34輯, 동국대학교 신라문화연구소, 2009.
辛鍾遠,「雉岳山石南寺址의 推定과 現存民俗」,『정신문화연구』54, 한국정신문화연구원, 1994.

심광주, 「남한지역의 고구려유적」, 『고구려연구』12, 고구려연구회, 2001.

_____, 「新羅의 城과 生活遺跡」, 『경기도사』2, 경기도사편찬위원회, 2003.

심재연, 「6~7세기 신라의 북한강 중상류 지역 진출 양상」, 『新羅文化』第31輯, 동국대학교 신라문화
　　　연구소, 2008.

여호규, 「6세기 말~7세기 초 동아시아의 국제질서와 고구려 대외 정책의 변화　대수관계를 중심으
　　　로-」, 『역사와 현실』46, 한국역사연구회, 2002.

李道學, 「永樂6年 廣開土王의 南征과 國原城」, 『孫寶基博士停年紀念韓國學論叢』, 1988.

_____, 「溫達의 南下經路와 戰死處 阿旦城 檢證」, 『東아시아古代學』第32輯, 2013.

이영재, 「6세기 말 고구려의 정국과 대왜교섭 재개(再開)의 배경」, 『역사와 현실』83, 한국역사연구
　　　회, 2012.

李元根, 「百濟娘臂城考」, 『史學志』제10집, 檀國大學校 史學會, 1976.

임기환, 「고구려·신라의 한강유역 경영과 서울」, 『서울학연구』제8호, 서울학연구소, 2002.

전덕재, 「牛首州 설치와 변천에 관한 고찰」, 『江原文化硏究』제28집, 강원대학교 강원문화연구소,
　　　2009.

정영호, 「淸原飛中里 三尊石佛」, 『국립박물관신문』, 1980. 8. 1일자.

崔豪元, 「高句麗 嬰陽王代의 新羅攻擊과 國內政治」, 『韓國史硏究』157, 한국사연구회, 2012.

황보경, 「중부지방 신라유적의 연구 및 조사현황과 성격고찰」, 『文化史學』36, 한국문화사학회,
　　　2011.

_____, 「한강유역 신라고분의 특징과 성격」, 『2009년도 서울경기고고학회 추계학술대회』, 2009.

金庾信의 戰爭 指導

許重權*

目 次

Ⅰ. 서론

신라는 고대 국가로서의 체제 확립 면에서 고구려나 백제에 비하여 약 2세기 늦었다. 이것은 군사력을 포함해 여러 분야에서 신라가 백제 및 고구려에 비하여 열세에 있었다는 것을 의미한다. 그러나 신라는 법흥왕과 진흥왕의 시대에 이르러 불교 수용, 관등 제도의 정비, 군제의 정비와 화랑도의 신설 등으로 국력을 확충하여 고구려의 혼란과 위기 상황을 이용해 한강유역을 차지하면서 새롭게 삼국의 주도권을 장악하였다.[1] 신라의 이러한 영토 확장은 한반도 중부 지방을 선점해 지배했던 백제 및 고구려로부터 반발을 불러일으키게 되어, 신라는 이들 양국으로부터 국경 지역을 공격받는 위협에 놓이게 되었다.[2]

특히, 의자왕이 즉위한 641년부터 백제가 서부 및 북부 국경에서 군사적 압박을 가해 오자, 신라는 인접한 고구려의 힘을 빌려 백제의 공세로부터 벗어나고자 하였다. 이 외교정책의 선두에 섰던 인물은 훗날 태종무열왕으로 즉위한 김춘추였다. 고구려에 의지해 백제의 군사적 압박으로부터 벗어나고자 고구려로 들어갔으나, 군사적 지원에 앞서 죽령과 계립령 이북 지역을 환

---

* 육군3사관학교 교수
1) 신형식, 「한국고대에 있어서 한강유역의 정치군사적 성격」, 『향토서울』 41, 서울특별시사편찬위원회, 1983.
2) 신라가 고구려의 간섭으로부터 벗어나 외부로 국력을 확장하던 450년부터 대백제 통일전쟁을 한 660년 이전까지 사료를 종합해보면, 신라는 백제로부터 27회, 고구려로부터 17회 등 총 54회의 침략을 받았으며, 신라가 공격을 한 것은 백제 9회, 고구려 9회로 총 18회에 지나지 않았다.

원할 것을 요구한 고구려의 태도로 김춘추의 642년 고구려 방문 외교는 실패하였다.[3] 그 후 김춘추는 648년 입당해 당의 지원을 받기로 하였다.[4] 그러나 나당연합군이 형성되어 대백제 통일 전쟁에 나선 660년까지 약 13년간 김춘추의 청병외교는 가시적인 성과를 내지 못했고, 이 기간 중에도 신라는 백제 및 고구려로부터 군사적 압박을 계속 받고 있었다.

이와 같은 상황에서 김유신(595~673)은 진평왕, 선덕왕, 진덕왕, 태종무열왕 및 문무왕 등 5대에 걸쳐 신라가 수행한 여러 전쟁들을 직접 참전하여 지도하기도 하고, 현장에 가지 못한 경우에는 자문을 통해 지도하는 등 군사적 분야에서 많은 활약을 해 신라가 삼국 통일을 달성하는 데에 크게 기여하였다.

본 연구는 629년 낭비성 전투 이후부터 668년 대고구려 정복 전쟁까지 신라가 수행한 여러 전쟁들에서 나타난 김유신의 전쟁 지도 활동을 구체화함으로써 신라군에서 차지했던 김유신의 비중을 조명하는데 두고 진행하였다.

김유신은 532년 신라에 항복한 금관가야 구해왕의 증손으로 595년에 출생하였다. 조부 김무력은 한강유역에 개척된 새로운 지방인 新州의 군주로 임명되고, 554년 관산성 전투에서 백제의 성왕을 맞아 대승을 거두었다. 부친 김서현이 자신보다 신분이 더 높았던 가문 출신의 만명부인과 우여곡절 끝에 혼인관계를 인정받을 정도로 김유신 가문은 여전히 경주를 지배하던 최고 지배계층에는 들지 못했다.[5]

여동생 문희가 626년 경 김춘추와 혼인함으로써 김유신은 김춘추 가문과 혈연으로 결합하였고,[6] 655년 김춘추가 국왕으로 즉위함으로써 신라 조정에서 더 중요한 역할을 수행할 수 있는 위치에 서게 되었다. 김유신의 지위는 662년 태종무열왕이 사망하고, 문무왕으로 즉위한 후에도 계속되었고 673년 사망할 때까지 지속되었다.

김유신은 신라가 실시한 전쟁에서 어느 정도의 역할을 수행했을까? 어떻게 전쟁을 지도했는

---

3) 『三國史記』卷41, 列傳1 金庾信傳上에는 고구려의 청병을 이루지 못하고 당에 들어가 군사를 청했다고 하였다.

4) 답설인귀서 서두에 "선왕이 정관 22년(648)에 입조하여 황제를 뵙고 칙명을 받았는데 그 내용인즉 '……산천과 토지는 내가 탐내는 바가 아니고……내가 두 나라를 평정하면 평양 이남의 백제 땅은 모두 너희 신라에게 주어 길이 편안하게 하겠다'하였고, 계책을 내려주고 군사행동의 기일을 정해주었다……"라 하였다.

한편, 입당하기 전에 김춘추는 왜를 방문하였다. 『日本書紀』卷25, 孝德天皇 大和3년(647)조에 "신라가 上臣 大阿飡 金春秋 등을 파견하여 박사 소덕 고향흑마려, 소산중 중신련압웅을 보내 공작새 한 쌍과 앵무새 한 쌍을 바쳤다"고 하였다. 그런데, 연민수 등 공역, 『역주 일본서기』3, 동북아역사재단, 2013, pp.225~226에서는 '친백제정권을 표방하던 蘇我氏를 타도하고 들어선 改新政權의 친신라 노선을 확약받기 위해 김춘추가 입왜한 것'이라 하였다.

5) 신형식, 『한국고대사의 신연구』, 일조각, 1984, p.249를 비롯해 김영하, 『한국 고대사회의 군사와 정치』 고대 민족문화연구원, 2002, p.257.

6) 『譯註 三國史記』 3 주석편 상 p.196에서 '김법민의 출생시기가 627년이므로 이들의 혼인은 626년(진평왕 48)에 있었던 것으로 보고 있다. 『三國遺事』에서 선덕여왕대에 이들이 혼인하였다는 것은 사실이 아닐 것이다'라 한 것을 따른다.

가? 라는 의문을 풀어가면서, 그가 신라 군대에서 차지했던 위상을 밝혀보고자 한다. 김유신의 출생(595년), 최초 참전(629년[7]), 질병[8]으로 인한 더 이상의 참전 불가(669년), 사망(673년)을 마디로 삼아 7세기에 신라가 실시한 전쟁들을 『三國史記』를 중심으로 정리해보면, 다음의【표 1】김유신 중심의 7세기 신라의 전쟁과 같다.

【표 1】 김유신 중심의 7세기 신라의 전쟁　　　　　　　( )는 김유신 참전

구분	1기 (600년~628년)	2기 (629년~668년)	3기 (669년~673년)	4기 (673년~676년)	계
신라→백제	2	7(4)	2	0	11(4)
신라←백제	8	15(5)	0	0	23(5)
신라→고구려	0	7(6)	0	0	7(6)
신라←고구려	3	4	0	0	7
신→당	0	0	4	3	7
신←당	0	0	1	4	5
계	13	33(15)	7	79)	60(15)

　【표 1】에 의하면, 신라는 7세기에 백제, 고구려 및 당 등 외국과 총 60회의 전쟁을 치렀는데, 이 중 34회가 대백제 전쟁으로 가장 잦았고, 대고구려 전쟁은 14회, 대당 전쟁은 12회였다. 대고구려 전쟁과 대당전쟁은 공격과 방어의 비율이 1 : 1 정도로 비슷하여 신라가 일방적으로 공격을 하거나 공격을 받는 관계는 아니었다. 그러나 대백제 전쟁은 1 : 2 정도로 공격 보다 방어가 많아, 신라는 백제에 수세적 입장이었다.

　【표 1】에 의하면, 신라는 1기[10]에 13회, 2기에 33회, 3기 및 4기[11]에 각각 7회의 전쟁을 치러,

---

7) 『三國史記』新羅本紀, 金庾信列傳과『三國遺事』에는 김유신의 출생과 화랑 등 18세까지의 초기 기록은 풍부하나, 그 이후부터 35세 때에 참전한 629년 낭비성 전투 이전까지의 기록은 전혀 없다. 이에 대해 정구복 주편, 『譯註 三國史記』에서는 김장청이 편찬한『김유신행록』중 18~35세까지의 서술이 황당한 내용이어서 김부식이 김유신열전에서 누락시켰을 것이라 하였다.

8) 이현숙,「김유신의 풍병과 신라 통일전쟁기의 질병」,『흥무대왕 김유신 연구』, 경인문화사, 2011 참조.

9) 『三國史記』에 의하면, 매초성 전투 이후 675년과 676년에 신라는 당과 각각 크고 작은 전투를 22회 및 23회 실시하여, 675년에 19회, 676년에 21회 승리하였다고 종합적으로 기술해 놓고 있다. 나당관계에서 큰 의미를 가지는 전투였다면『三國史記』에 별도로 기술하였을 것이라는 추론 하에, 이 데이터를 종합하여 하나의 횟수로 제시하였다.

10) 595년부터 600년 기간에 신라는 인접국과 전쟁을 하지 않았다. 그러나, 고구려 영양왕은 598년 2월말갈 군사 1만 명을 지휘해 수의 요서 지방을 선제공격하였다. 이에 대한 보복으로 수 문제는 같은 해 6월 한왕량과 왕세적을 보내 수륙군 30만 명으로 고구려를 침공했으나 실패하였다. 이 때 백제가 수의 고구려 공격에 길잡이 역할을 하는 향도가 되자 고구려가 그 사실을 알고 백제를 공격하기도 하였다.

11) 신형식은 김유신의 생애를 제1기(10~20대), 제2기(30~40대), 제3기(50~70대)의 3기로 구분하였고(신형식,『三國史記研究』, 일조각, 1981), 정구복도 성장기, 장년기 및 노년기의 3시기로 파악하였다(정구복,「김유신(595~673)론」,『강인구교수정년기념 동북아고문화논총』, 민창문화사, 2002).

김유신이 전쟁에 참전했던 시기인 2기에 60회 중 33회를 치러 7세기 전쟁의 50% 이상의 전쟁을 했던 것으로 확인된다. 이것은 삼국간의 상호 항쟁이 가장 치열했던 기간에 김유신이 신라군에서 활동했음을 의미한다. 김유신은 이 33회 중 15회 참전했는데, 15회 중 14회는 최고지휘관으로서 전쟁을 지도하였다. 2기의 전쟁 33회를 신라왕대별로 구분하여 정리하면 아래의【표 2】김유신 활동 시기 신라왕대별 전쟁과 같다.

【표 2】김유신 활동 시기 신라왕대별 전쟁　　　　　( )는 김유신 참전

구분	진평왕	선덕왕	진덕왕	태종 무열왕	문무왕	계
신라→백제		1(1)	1(1)	1(1)	3(1)	6(4)
신라←백제		9(3)	3(2)	2	1	15(5)
신라→고구려	1(1)	2(1)		3	5(4)	11(6)
신라←고구려		1				1
계	1(1)	13(5)	4(3)	6(1)	9(5)	33(15)

Ⅱ. 진평왕, 선덕왕대 김유신의 전쟁 지도

1. 낭비성 전투

김유신이 참전한 것은 35세 때인 629년(진평왕 51)의 낭비성 전투가 처음이다.[12] 먼저, 전쟁이 치러진 낭비성의 위치에 대해서는 다양한 이견이 있으나, 6세기 중반 이후 신라가 한강 유역을 점령하고 있었던 점, 603년과 608년에 고구려가 신라를 공격했던 지역이 북한산성(서울 종로 평창동)과 우명산성(함남 안변)이었던 점, 낭비성 전투 이후 638년에 있었던 고구려의 칠중성(경기 파주 적성) 공격, 그리고 642년 평양에 억류된 김춘추를 구하기 위해 출병한 김유신의

---

12) 『三國史記』 卷4, 新羅本紀4 眞平王 51년.
　　"秋八月 王遣大將軍龍春舒玄 副將軍庚信 侵高句麗娘臂城 麗人出城列陣 軍勢甚盛 我軍望之 懼殊無闘心 庚信曰'吾聞 振領而裘正 提綱而綱張 吾其爲綱領乎' 乃跨馬拔劍 向敵陣直前 三入三出 每入或斬將或搴旗 諸軍乘勝鼓噪進擊 斬殺五千餘級 其城乃降"
　　『三國史記』 卷41, 列傳1 金庾信.
　　"王遣伊湌任永里 波珍湌龍春白龍 蘇判大因舒玄等 率兵攻高句麗娘臂城 麗人出兵逆擊之 吾人失利 死者衆多 衆心折衄 無復闘心 庚信 時爲中幢幢主 進於父前 脫冑而告曰 我兵敗北 吾平生忠孝自期 臨戰不可不勇 盖聞 振領而裘正 提綱而綱張 吾其爲綱領乎' 迺跨馬拔劍 跳坑出入賊陣 斬將軍 提其首而來 我軍見之 乘勝奮擊 斬殺五千餘級 生擒一千人 城中兇懼無敢抗 皆出降"
　　『三國史記』 卷20, 高句麗本紀8 榮留王 12년.
　　"秋八月 新羅將軍金庾信 來侵東邊 波娘臂城"

군대가 한강을 건너 고구려의 경내로 진입하였다는 점 등을 고려하여 필자는 낭비성을 한강 이북 지역에서 찾는 것이 논리적이라고 본다.

공격한 신라군의 지휘서열은 임영리 - 용춘·백룡 - 대인·서현 - 유신 등 이었다.[13] 이찬 임영리가 최고 지휘관이었고, 7년 전인 622년에 대궁, 양궁 및 사량궁 등 3궁의 궁중 업무를 총괄하는 책임자인 내성사인으로 임명된 용춘이 그 아래 지휘관이었던 점, 그리고 이 전쟁에서 전사하거나 포로가 된 고구려군이 6천여 명에 이르렀던 점 등으로 보아 신라군도 고구려군의 규모에 상응하는 정도의 중앙군부대가 포함된 정예 군대를 동원한 것으로 보인다. 이 전투에서 김유신은 中幢[14]부대의 지휘관인 幢主의 신분 혹은 부장군의 지위로 참전했다.

이 전투의 전개는 다음과 같았다. ① 신라군의 접근을 알게 된 고구려군이 성을 나와 밖에서 전투대형을 갖춤 ② 고구려군의 선제공격으로 양측이 접전함 ③ 신라군의 전사자가 많이 발생하는 피해를 입은 상태에서 소강상태가 됨 ④ 승리한 고구려군은 사기가 고양되었으나, 패배한 신라군은 사기가 저하되어 더 이상 싸울 수 없는 상태에 이름 ⑤ 김유신이 양군이 맞붙는 전투보다 장수 사이의 결투를 결심하고, 지휘부의 승인을 받음 ⑥ 김유신은 말을 타고 칼을 뽑아 든 채 장애물을 건너 적진에 들어가 적장을 베어 그 머리를 끌고 오기도 하고 적의 부대기를 빼앗아 오는 단독 행동을 수차례 함 ⑦ 김유신의 이러한 활동에 신라군이 승세를 타 고구려군을 공격, 5천명을 참살하고 1천명을 포로로 획득함 ⑧ 낭비성에 남아 있던 고구려군민이 항복함

⑤에서 부친 김서현 장군에게 김유신은 "옷깃을 잡으면 갖옷이 가지런하게 됩니다. 또한 그물의 위쪽 벼릿줄을 당기면 그물이 조여들고, 놓으면 그물이 펼쳐집니다. 제가 지금 홀로 나서 옷깃과 벼릿줄의 역할을 하겠습니다."라 하였다. 이것은 신라군의 전투의지를 불러일으킴으로써 실의에 빠져 있는 신라군의 사기를 진작하기 위해 목숨을 잃을지도 모를 위험한 행동에 직접 나선 것이다.

낭비성 전투는 626년 무렵 결합된 김춘추 가문과 김유신 가문에 중요한 의미를 가지는 전투였다.[15] 낭비성 전투가 있은 지 약 2년 후 631년에 이찬 칠숙과 아찬 석품의 반란 사건이 발생하였다. 이 반란의 진압에 용춘을 포함한 김춘추 가문과 김유신 가문이 기여했다는 기록은 없으나, 이 반란 3년 후인 635년에 용춘이 이찬의 관위로 수품과 함께 신라의 지방 주현을 두루 돌

---

13) 신라본기에는 대장군 용춘과 서현 부장군 유신으로 지휘부를 서술하고 있다. 전투 상황 묘사를 비롯하여 열전의 기록이 더 자세하므로, 본기의 해당 기록이 간략하게 서술된 것으로 보아야 할 것이다.

14) 中幢은 『三國史記』 김유신열전에 단 1회 기록되어 있는데, 정구복 주편, 『譯註 三國史記』 4 주석편 (하) p.653에서는 『三國史記』 직관지 무관조의 凡軍號二十三에 포함된 문무왕 11년(671년)에 창설된 부대인 14번째 부대 仲幢과는 다른 부대일 것이고, 김유신열전의 대본이었던 김유신행록에서 잘못 기록한 것을 김부식이 그대로 옮겼을 것일 수 있다고 하였다.

15) 김덕원, 「신라 진평왕대 김유신의 활동」, 『홍무대왕 김유신 연구』, 경인문화사, 2011, p.62에서는 낭비성 전투는 舍輪系와 加耶系의 정치적인 결합을 상징적으로 보여주는 것이라 하였다.

며 위문하였고,[16] 642년에는 김춘추의 사위 김품석이 신라의 서부 방면 전략 요충지인 대야성의 성주로 있었고, 용춘은 645년 황룡사구층탑 건축시 기술자를 총지휘한 책임자[17]였던 점 등으로 보아 김춘추 가문은 낭비성 전투의 결과 그 지위를 상승해 나갔다고 볼 수 있다. 김유신의 경우는 낭비성 전투 이후 13년간 그 활동이 나타나 있지는 않으나, 642년에 대장군의 신분에 있을 때 선덕왕이 평양에 억류된 김춘추를 구하라고 그에게 1만여 명의 군대를 주어 보냈다는 점으로 미루어 볼 때 역시 그 신분을 점차 상승해 갔다고 볼 수 있다.

2. 김춘추 구출

641년 즉위한 의자왕은 이듬해인 642년 7월에 직접 군대를 지휘하여 신라의 서쪽 변경 지방에 있던 미후성 등 40개에 달하는 성들을 공격하여 취하고, 곧이어 8월에 장군 윤충에게 명해 1만 명의 부대를 지휘해 신라 서부 국경의 전략 요충지에 위치한 대야성을 함락하게 하였다.[18] 대야성을 포함한 서부 방면의 40여 성을 백제에게 빼앗긴 신라[19]는 고구려의 힘을 빌려 백제에게 보복하려고 하였다. 그러나 고구려는 오히려 김춘추가 수용할 수 없는 조건을 제시하여 그를 평양에 억류하는 조치를 취했다. 이에 김유신이 신라군을 지휘하여 기동하였다.[20]

약속으로 정했던 60일이 지나도 김춘추가 돌아오지 않고, 김춘추가 자신이 평양에 억류되어 있음을 선덕왕에게 알려오자, 선덕왕은 대장군의 직책을 김유신에게 부여해 1만 명의 군사를 지휘하여 가게 하였다. 고구려의 수도 평양성에 억류되어 있는 김춘추를 구하는 이 작전은 死

---

16) 『三國史記』卷5, 新羅本紀5 善德王4년.

17) 『三國遺事』卷3, 塔像4 皇龍寺九層塔.

18) 이 무렵 대야성을 책임지고 있던 성주 김품석은 김춘추의 여식 고타소의 남편이었다. 백제군은 항복한 김품석과 그 부인을 죽이고 그 머리를 사비성으로 가져갔다.

19) 『三國史記』卷28, 百濟本紀6 義慈王 11년(651)조에는 백제가 신라를 침공하여 "큰 성과 중요한 진들이 모두 백제에게 병합되어 영토가 날로 줄어들고 나라의 위력도 아울러 쇠약해져 가고 있다"는 내용의 신라 사신 김법민의 상주문이 당 고종이 백제 의자왕에게 내린 조서에 포함되어 있다.

20) 『三國史記』卷5, 新羅本紀5 善德王11년.

"冬 王將伐百濟 以報大耶之役 乃遣伊飡金春秋於高句麗....竹嶺本是我地分 汝若還竹嶺西北之地 兵可出焉....藏怒其言之不遜 囚之別館 春秋潛使人告本國王 王命大將軍金庾信 領死士一萬人赴之 庾信行軍過漢江 入高句麗南境 麗王聞之 放春秋以還 拜分信爲押梁州軍主"

『三國史記』卷41, 列傳1 金庾信.

"善德大王十一年壬寅 百濟敗大梁州 春秋公女子古陀炤娘 從夫品釋死焉 春秋恨之 欲請高句麗兵 以報百濟之怨 王許之 將行 謂庾信曰 吾與公同體 爲國股肱 ......與公互噬手指 歃血以盟曰......春秋入高句麗 過六旬未還 庾信揀得國內勇士三千人 相語曰 吾聞 見危致命 臨難忘身者 烈士之志也 夫一人致死當百人 百人致死當千人 千人致死當萬人 則可以橫行天下 今國之賢相 被他國之拘執 其可畏不犯難乎 於是 衆人曰 雖出萬死一生之中 敢不從將軍之令乎...時高句麗諜者浮屠德昌 使告於王 王前聞春秋盟辭 又聞諜者之言 不敢復留 厚禮而歸之..."

『三國史記』卷21, 高句麗本紀9 寶藏王 원년.

"新羅謀伐百濟 遣金春秋乞師 不從"

地에 들어가는 것과 같이 위험하였다. 이 때 그와 동행한 군사를 일러 사사(死士)라 표현한 것[21]은 그러한 분위기를 반영한다. 김유신은 부하들에게 "위태로움을 보면 목숨을 바치고, 어려움을 당하면 자신의 몸을 잊는 것이 열사의 뜻이다. 한 사람이 목숨을 바치면 백 사람을 당해 낼 수 있고, 백 사람이 목숨을 바치면 천 사람을 당해 내며, 천 사람이 목숨을 바치면 만 사람을 당해 낼 수 있으니, 천하를 마음대로 주름잡을 수 있다. 지금 나라의 어진 재상이 타국에 억류되어 있다. 두렵다고 이 어려운 일을 하지 않을 것인가?"라는 언변으로 사사들의 마음을 격동시켰다. 이에 부하들은 "비록 만 번 죽고 한번 사는 곳에 나아가더라도 장군의 명령을 어길 수 없습니다."라 반응하였다고 한다.

이 작전을 통해 우리나라 고대의 전쟁에서 활발한 정보전이 이루어지고 있었음을 알 수 있다.[22] 평양의 별관에 억류된 김춘추가 몰래 사람을 시켜 신라 조정에 그 사실을 알린 점과 고구려 승려 간첩 德昌의 활동상을 통하여 확인된다. 덕창은 고구려 조정에서 신라로 파견해 경주에서 암약하고 있던 간첩이었는데, 그는 신라에서 김유신을 지휘관으로 삼아 김춘추를 구출하기 위한 부대를 편성해 출발시켰다는 정보를 고구려에 전했다. 덕창이 보낸 정보를 받은 고구려에서는 실제 김유신의 부대가 한강을 넘어 고구려 영토 안으로 들어오자, 김춘추의 영토 할양 맹세를 믿고 그를 석방했다고 한다.[23]

신라 조정에서 그 위치를 확장해 가던 김춘추와 김유신에게 대야성 전투의 패배와 서부 요충지의 상실은 적지 않은 타격이 되었을 것이다. 그리하여 김춘추는 선덕왕의 허락을 받아 고구려에 군사를 청하러 갔다. 그런데, 644년 당 사신 상리현장을 만난 장소에서 연개소문은 "고구려와 신라가 원한으로 사이가 벌어진 지 이미 오래이다. 이전에 수나라가 잇달아 고구려를 침범했을 때에, 신라가 그 틈을 타서 고구려의 5백리 땅을 빼앗고 성읍을 모두 차지하였다. 그 땅을 돌려주지 않으면 우리 고구려의 신라에 대한 전쟁은 그치지 않을 것"이라 하였다. 그러므로 고구려인들이 가지고 있던 신라에 대한 인식은 김춘추의 고구려 청병 외교가 험난한 것이었음을 대변한다 하겠다.

이러한 사실은 김춘추와 김유신도 인식하고 있었던 것 같다. 김춘추는 "우리 둘은 한 몸이며 신라의 팔과 다리이다. 내가 만약 저곳에 들어가 해를 당하면, 공은 무심할 수 있겠습니까?"라고 김유신에게 물었다. 이에 김유신은 "공이 돌아오지 않으면, 내가 군대를 움직일 것이며, 그렇지 않으면 나라 사람을 대할 면목이 없을 것"이라고 하였다. 이후 두 사람은 피의 맹세를 하

21) '죽음을 같이 하는 용사'라는 의미의 死士라는 기록은 이 경우와 황산전투에서 계백이 지휘한 부하를 지칭한 경우 등 2곳에서 발견된다.
22) 김영수, 「김유신의 첩자활용과 첩보술에 관한 일연구」, 『군사』 62, 국방부, 2007.
23) 『三國遺事』 卷1, 紀異1 金庾信條에 언급된 白石이야기는 고구려에 위협 인물이라고 인식된 김유신을 화랑일 때 유인, 제거해 고구려의 우환을 애초부터 없애겠다는 고구려인의 염원이 녹아있는 설화라 이해된다. 이와 관련하여 김유신 장군의 출동 정보가 김춘추의 석방 조치에 기여했을 가능성도 있다.

였다. 두 사람의 대화와 맹세는 혈연으로 연결된 두 사람의 강한 유대감을 나타낼 뿐 아니라, 신라 조정에서 차지하고 있던 두 사람의 높은 위치를 간접적으로 표현하고 있으며, 김춘추의 임무가 실패할 가능성이 높았음을 암시하고 있다.

김유신의 김춘추 구출작전은 고구려군과의 별다른 충돌 없이 김춘추가 석방되어 본국으로 돌아옴으로써 성공한 것으로 보아도 무방할 것이다. 김유신은 이 작전 후 642년 연말 즈음에 압량주 군주가 되었다.

3. 백제 7개 성 공격

다음은 644년 김유신이 지휘한 백제 7개 성에 대한 공격 전쟁이다. 백제본기에는 '신라 장군 김유신이 군대를 지휘해 침략해 와서 7개 성을 취했다'라고 하였으나, 신라본기와 김유신열전에서는 '선덕왕이 명하여 김유신이 대장군(상장군)의 직책을 부여받아 군대를 지휘해 백제를 공격하여 크게 승리하고 가혜성, 성렬성 및 동화성 등 7개 성을 탈취하고 가혜진의 길을 개통했다'라고 조금 더 상세히 기록하고 있다.[24]

9월에 백제에 대한 공격 명령을 받은 김유신은 자신의 휘하에 있던 압독주의 군대를 중심으로 부대를 편성했을 것이다. 그는 가혜성(경북 고령), 성렬성(경남 의령), 동화성(경북 구미) 등 백제 동부 지역에 있던 7개 성들을 공격해 함락하였다. 이 전쟁은 대야성 함락 이후 신라의 서부 지역을 잠식해 들어오고 있던 백제의 진출을 저지하고, 낙동강 이서 지역에 대한 신라의 교통로를 다시 열었다는 의미를 가진다. 이 전쟁에서 승리한 김유신이 수도 경주에 돌아온 것이 이듬해 정월이었던 것으로 보아, 두 나라는 이 지역에서 장기간에 걸쳐 치열하게 싸웠다. 이와 같은 의미를 지닌 중요한 전쟁이었기에 신라본기와 김유신 열전은 신라군이 "大克之"했다고 표현하고 있다.

4. 매리포성 방어

이 전투에 대한 기록에서는 몇 가지 특이한 점들이 발견된다.[25] 김유신열전에는 '왕을 미처

---

24)『三國史記』卷5, 新羅本紀5 善德王 13년.
"秋九月 王命庾信爲大將軍 領兵伐百濟 大克之 取城七"
『三國史記』卷28, 百濟本紀6 義慈王 4년.
"秋九月 新羅將軍庾信領兵來侵 取七城"
『三國史記』卷41, 列傳1 金庾信上.
"秋九月 王命爲上將軍 使領兵伐百濟加兮城省熱城同火城等七城 大克之 因開加兮之津"
25)『三國史記』卷41, 列傳1 金庾信上.
"乙巳正月 歸未見王 封人急報 百濟大軍來攻我買利浦城 王又拜庾信爲上州將軍 令拒之 庾信聞命卽駕 不見妻

뵙기도 전에, 백제 대군이 와서 매리포성을 공격하고 있다는 封人의 급보가 있었다. 이에 선덕왕은 김유신을 상주장군으로 임명하여 매리포성으로 가서 백제군을 막아내게 하였다. 김유신은 명령을 받은 즉시 출발해 처자를 만나보지도 못하고 전장으로 갔다'고 하였다.

첫째, "歸未見王"에서 당시 출전한 최고 지휘관은 전쟁이 마무리되면 수도 경주로 돌아와 왕을 포함한 조정에 그 전쟁의 결과를 보고하고 평가하는 체제가 마련되어 있었다는 추론을 가능하게 한다. 둘째, "封人急報"에서 적의 침략과 같은 변경 지방에서의 비상사태 발생 때에는 수도로 즉각 보고하는 체제가 마련되어 실행되고 있었다는 점이다. 셋째, 백제 대군의 공격 소식에 김유신 장군이 없는 상태에서 조정에서 대책회의가 이루어졌으며, 김유신이 백제군의 매리포성 공격을 저지할 적임자로 선정되어 그에게 다시 출전 명령이 내려진 점 등이라 하겠다.

5개월 전의 전쟁에서 가혜성, 성열성 및 동화성 등 7개 성을 빼앗긴 백제는 신라군의 예봉을 피해 대규모의 부대(大軍이라 표현됨)를 동원하여 직전 전쟁 지역 보다 남쪽에 위치한 매리포성(함안 칠서)을 공격하였다. 김유신은 이 때 상주장군으로 임명되었다고 한다. 앞의 전쟁에서 압독주 군주의 신분으로 대장군(혹은 상장군)으로 임명받아 출전한 그에게 다시금 상주장군의 직책을 부여한 것은 기존 지휘하고 있던 압독주 부대에 추가하여 상주의 부대를 지휘하게 한 것으로 이해할 수 있겠다.

이렇게 출전한 김유신 장군은 백제군을 맞아 접전해 2천여 명을 참수하는 전과를 올려 승리하였는데, 패배한 백제군의 나머지 부대들은 전장을 이탈해 도주하였다.

5. 서부 국경 방어

이 전투는 위의 매리포성 방어 전투와 그 과정이 거의 유사하다.[26] 김유신은 매리포성 방어를 성공하고 수도로 돌아와 선덕왕을 만나 그 결과를 보고하였다. 보고를 마치고 이제 집으로 돌아갈 예정이었으나, 그 때 마침 국경 지방에 백제의 대군이 나타나 언제 국경을 넘어 공격해 올지 모른다는 급한 보고가 도달하였다. 이에 선덕왕은 다시금 김유신에게 급히 가서 이 사태에 대비하도록 당부하였다고 한다.

子 逆擊百濟軍走之 斬首二千級"

26) 『三國史記』 卷5, 新羅本紀5 善德王 14년.

"還命於王 未得歸家 又急告百濟復來侵 王以事急 乃曰 國之存亡 繫公一身 庶不憚勞 往其圖之 庾信又不歸家 晝夜鍊兵 西行道 過宅門 一家男女 瞻望涕泣 公不顧而歸"

『三國史記』 卷41, 列傳1 金庾信上.

"三月 還命王宮 未歸家 又急告 百濟兵出屯于其國界 將大擧兵侵我 王復告庾信曰 請公不憚勞遄行 及其未至備之 庾信又不入家 練軍繕兵 向西行 于時 其家人皆出門外待來 庾信過門不顧而行 至五十步許駐馬 令取漿水於宅 啜之曰 吾家之水 尙有舊味 於是 軍衆皆云 大將軍猶如此 我輩豈離別骨肉爲恨乎 及至疆場 百濟人望我兵衛 不敢迫乃退 大王聞之甚喜 加爵賞"

선덕왕의 명령에 김유신은 집에 들러 가족을 만나지도 못한 채, 군사들을 훈련하고[27] 무기와 장비를 정비하여 출발했다. 이 때 전선으로 향하던 신라군이 김유신 장군의 자택을 지나는 순간의 모습은 김유신열전에 인상적으로 기록되어 있다. 소문을 들은 김유신 가문의 가인들이 모두 문 밖으로 나와 장군의 부대가 오기를 기다리고 있었다. 김유신은 자택의 문을 지날 때 집안사람들을 애써 외면하고 지나쳤다. 대문을 50보 지난 상태에서 말을 세우게 하고, 집안의 물을 가지고 오게 해 마신 후, "물맛이 이전과 같다"고 하였다. 이에 부하들이 "대장군께서 이와 같으니, 우리들이 어찌 골육을 이별하는 것을 한스럽게 여길 것인가?"라 하며 전선으로 이동하였다고 묘사하고 있다. 높은 지위에 있는 자들은 일신의 사사로움과 이익을 챙기고, 낮은 자리에 있는 자들은 그만큼 누리지 못해, 상하간의 간격이 발생하며, 그 간격은 전쟁을 망칠 수 있다. 그러나 김유신이 취한 이 행동은 최고 지휘관이 개인의 사사로움 보다 국가의 일을 우선시하는 것을 단적으로 부하들에게 보인 것이라 할 것이다. 先公後私와 同苦同樂의 기풍이 면면히 흐르고 있음을 짐작하게 하는 내용이다.

선덕왕은 3차례 연이어 전쟁으로 나가는 임무를 김유신에게 부여하며 "나라의 존망이 공의 일신에 달렸다."라고 하였다. 이 기록은 열전에 있는 것이 아니라, 신라본기에 기록된 것임을 주목할 때, 이때의 상황을 신라 조정에서 심각하게 파악하고 있었던 점과 이 임무를 김유신에게 부여한 점으로 보아 그의 군사적 위상이 이 무렵 어떠했던 것인가를 짐작하게 한다.

이 전쟁에서 김유신 장군이 지휘한 부대들과 규모는 기록에 드러나지 않으나, 직전 전쟁의 경우와 같이 압독주 부대와 상주 부대를 포함한 여러 부대들이 포함되었을 것이며, 그 규모는 선덕왕의 "國之存亡..."이라 한 언급과 백제군이 신라군의 모습을 멀리서 바라보고 감히 진격해 공격하지 못하고 철수하였다는 것으로 보아, 대규모였을 것으로 추정된다.

6. 서부 7개 성 함락과 대응

백제의 신라에 대한 이 공격은 당의 고구려 공격과 관련이 있다. 644년 12월 당 태종은 고구려에 대한 원정에 앞서 당이 고구려를 칠 때 신라, 백제, 해 및 거란에게 길을 나누어 고구려를 공격하도록 하였다.[28] 백제가 신라를 공격한 645년 5월에 당 군대는 遼河를 도하하여 신성, 건안성, 개모성 및 비사성 등을 공격해 함락하고, 요동성에 대한 총공세를 하고 있던 시기였다. 신라는 당의 요구에 부응해 3만의 군대를 동원해 고구려의 수구성을 공격하여 함락하였다.

고구려 전선으로 군대를 동원하라는 당의 요구를 같이 받았던 백제는 신라가 3만의 군대를

---

27) 『三國史記』 신라본기에는 사태가 대단히 급박하였으므로 출전하기 전에 "晝夜鍊兵"이라 하여 낮과 밤을 가리지 않고 훈련하였다고 하였다.
28) 『資治通鑑』 卷197, 貞觀18년 12월.

동원해 고구려 방면의 전선으로 이동시켰다는 정보를 입수하고, 신라의 서부 지방을 공격해 7성을 획득하였다.[29] 이에 대해 신채호는 『조선상고사』에서 의자왕이 계백 장군에게 명해 1년 전인 644년 9월 신라에게 빼앗겼던 성렬성 7개 성을 공격해 회복하였다고 하였다.[30]

신라본기에는 김유신 장군의 활동이 언급되어 있지 않으나, 백제본기에는 '7개 성을 탈취당한 신라에서 김유신을 보내 공격해 왔다'라 하였다. 앞서 644년 9월에 김유신은 가혜성(경북 고령), 성렬성(경남 의령), 동화성(경북 구미) 등 백제 동부 지역에 있던 7개 성들을 공격해 승리하였는데, 그것은 대야성 함락 이후 신라의 서부 지역을 잠식해 들어오고 있던 백제의 진출을 저지하고, 낙동강 이서 지역에 대한 신라의 교통로를 다시 열었다는 의미를 가진다고 보았다. 따라서 645년 5월에 신라가 군사력을 대고구려 전선으로 이동해, 백제 방면에서 틈이 있다는 사실을 간파한 백제에게 이 지역을 다시 빼앗긴 것은 신라에게 큰 위협이 되었을 것이다. 1년 전 이 지역을 공격한 최고 지휘관인 김유신 장군이 다시 이곳으로 간 것이라 보이는데, 이 전쟁의 경과와 결과에 대해서는 기록이 없어 알 수 없다. 그러나, 김유신의 출동 사실이 신라본기와 김유신열전에 누락되어 있는 것으로 보아 신라군이 전쟁에서 실익을 얻지는 못한 것으로 보인다.

선덕왕 재위 말년인 647년 1월 상대등 비담의 반란이 발생하였다. 반란이 정확히 어느 날에 발생한 것인지는 명확하지 않으나, 선덕왕은 1월 8일에 사망하였고, 월성과 명활성에 각각 주둔한 국왕 지지층과 반란군은 10일 동안 대치한 후 국왕 지지층이 승리하였고, 1월 17일 비담을 포함한 30명이 처형되었다. 이 때 김유신은 반란군을 진압하는 국왕 지지층 편에서 이 난에 깊숙이 개입하여 평정하였다. 양측이 대치 중, 때마침 유성이 월성에 떨어져 반란군의 사기는 올라가고 국왕을 포함해 지지층이 두려워하였다. 이 상황에서 김유신은 허수아비를 만들어 불을 붙인 후 하늘로 올라가게 하는 심리전을 구사하여, 양측의 사기를 역전시켰다. 한편, 김유신은 "임금은 높고 신하는 낮은 것이 질서입니다. 그 질서가 바뀌면 큰 혼란이 오게 됩니다. 비담 등이 신하로서 군주를 해치려고 하니 이것은 난신적자로서 사람과 신이 함께 미워하고 천지가 용납할 수 없는 것입니다"라 기도하고, 국왕 지지층을 격려해 반란군을 제압하였다.

---

29) 『三國史記』 卷5, 新羅本紀5 善德王 14년.
　"夏五月 太宗親征高句麗 王發兵三萬以助之 百濟乘虛 襲取國西七城"
　『三國史記』 卷28, 百濟本紀6 義慈王 5년.
　"夏五月 王聞太宗親征高句麗 徵兵新羅 乘其間 襲取新羅七城 新羅遣將軍庾信來侵"
　한편, 『三國史記』 신라본기, 백제본기와 『新唐書』 권220 열전 백제전 등에서는 모두 7개 성이라 하였으나, 『舊唐書』 권199 열전 백제전에는 10성을 공취한 것으로 되어 있다.
30) 『譯註 三國史記』 3 주석편상 p.153에서도 이 견해에 따르고 있다. 필자 또한 그와 같은 의견이다.

Ⅲ. 진덕왕, 태종무열왕대 김유신의 전쟁 지도

1. 백제의 신라 3성 공격

진덕왕은 재위 7년간(647~653) 4회의 전쟁을 치렀는데, 백제에 대한 공격이 1회, 백제로부터 공격을 받은 경우가 3회 등 모두 백제와의 전쟁이었다.

비담의 난 제압 후, 646년 2월에 이찬 알천이 상대등이 되었다. 알천은 화백회의에서 수석에 앉아 회의를 주재하고,[31] 진덕왕 사망에 즈음하여 여러 신하들이 섭정을 권유할 정도로[32] 진덕왕대에 권력의 최상층부에 있었다. 그런데, 알천은 선덕왕 7년(638)에 고구려가 칠중성을 공격하자 이 칠중성의 방어를 위한 신라군의 최고 지휘관으로 출전한[33] 이후 단 한 차례도 전쟁에 나간 기록이 보이지 않는다. 화백회의 기록에 '참석한 여러 대신들은 상대등 알천을 대표자로 예우하였으나, 유신공의 위엄에 심복하였다'라 한 것처럼, 진덕왕대에 치러진 전쟁과 같은 중요한 정책들은 김유신의 의중이 반영된 듯하다. 진덕왕대 있었던 4회 중 3회의 전쟁에서 김유신은 최고 지휘관으로 직접 참전하였다. 한편, 김춘추는 이찬의 관위로 648년 입당하여 당 태종에게 "백제의 침략으로 피해를 당하고 있는 신라를 위해 당군을 빌려줄 것"을 요청해 승낙 받고 귀국하였다.[34]

645년 5월 신라의 서부 국경 7개 성에 대한 공격 이후 약 2년간 잠잠하던 양국의 관계는 백제의 이 공격으로 다시 전쟁 국면으로 들어갔다.[35] 백제는 신라가 차지하고 있던 서쪽 변경에 위

---

31) 『三國遺事』 卷1, 紀異1 眞德王.
　　"王之代 有閼川公 林宗公 述宗公 虎林公 廉長公 庾信公 會于南山無知巖 議國事 時有大虎 走入座間 諸公驚起
　　而閼川公略不移動 談笑自若 捉虎尾撲於地而殺之 閼川公膂力如此 處於席首 然諸公皆服庾信之威(후략)"
32) 『三國史記』 卷5, 新羅本紀5 太宗武烈王 원년.
33) 『三國史記』 卷20, 高句麗本紀8 榮留王 21년.
　　"冬十月 侵新羅北邊七重城 新羅將軍閼川逆之 戰於七重城外 我兵敗衄"
　　『三國史記』 卷5, 新羅本紀5 善德王 7년.
　　"冬十月 高句麗侵北邊七重城 百姓驚擾入山谷 王命大將軍閼川 安集之 十一月 閼川與高句麗兵 戰於七重城外
　　克之 殺虜甚衆"
34) 『三國史記』 卷5, 新羅本紀5 眞德王 2년.
35) 『三國史記』 卷5, 新羅本紀5 眞德王 원년.
　　"冬十月 百濟兵圍茂山甘物桐岑三城 王遣庾信 率步騎一萬以拒之 苦戰氣竭 庾信麾下丕寧子及其子擧眞 入敵陣
　　急格死之 衆皆奮擊 斬首三千餘級"
　　『三國史記』 卷28, 百濟本紀6 義慈王 7년.
　　"冬十月 將軍義直帥步騎三千 進屯新羅茂山城下 分兵攻甘物桐岑二城 新羅將軍庾信親勵士卒 決死而戰 大破之
　　義直匹馬而還"
　　『三國史記』 卷41, 列傳1 金庾信.
　　"冬十月 百濟兵圍茂山甘物桐岑等三城 王遣庾信 率步騎一萬以拒之 苦戰氣竭 庾信謂丕寧子曰 今日之事急矣
　　非子 誰能激衆心乎 丕寧子拜曰 敢不惟命之從 遂赴敵 子擧眞及家奴合節隨之 突劍戟 力戰死之 軍士望之 感勵
　　爭進 大敗賊兵 斬首三千餘級"

치한 무산성(전북 무주), 감물성(경북 김천), 동잠성(경북 구미)의 3성을 포위공격하였다. 백제 본기에는 백제군이 처음에 무산성 아래에 진을 치고 있으면서 일부 병력을 나누어 이동하여 감물성과 동잠성을 공격하였다고 한다.

양측의 전투력 요소를 보면, 공격한 백제는 의직 장군이 지휘한 보병과 기병 3천 명이 나섰고, 신라는 3개 성의 규모 미상의 성을 지키고 있던 병력들과 진덕왕이 김유신 장군에게 지휘하게 한 보병과 기병 1만 명이었다.[36] 김유신 장군이 지휘한 신라 지원군이 도착한 상태에서 시작된 양측의 전투 경과는 신라군이 "고전하여 전투력이 모두 소진되었다(苦戰氣竭)"라 표현된 바와 같이 초반부에는 신라군에 매우 불리하게 전개된 듯하다. 이 때 김유신은 629년 낭비성 전투에서 '위험한 상황에서 고군분투하여 아군의 전투의지를 고양하는 지휘술을 구사했던 것'처럼 부하 비령자[37]를 불러 적진으로 들어가 용감히 전투하는 모습을 보임으로써 신라군 부대에 싸우고자 하는 의지를 불러일으키도록 하였다. 이에 비령자는 물론 그의 아들 거진과 하인 합절도 주인을 따라 백제군 진영으로 들어가 용전분투하다가 모두 전사하였다. 이 모습을 바라본 신라군 장병들이 감격하여 죽기를 결심하고 서로 앞을 다투어 전진해 대승을 거두었다고 하였다. 이 전쟁에서 김유신의 신라군은 백제군 3천여 명을 참수하는 대승을 거두었다.

2. 대야성[38] 패배 복수

648년 3월 백제의 의직 장군이 신라 요거성 등 10성을 공격해 함락하였다.[39] 이 때 의직이 공격하여 함락하고 빼앗은 요거성 등의 십여 성은 경남 합천 지역에 있었던 것으로 추정되고 있다.[40] 양측의 전투력 요소는 기록에 거의 나타나지 않으나, 신라의 경우 이 성들을 지키던 성병들이 방어에 나섰으나 모두 함락되었던 것으로 보인다.[41] 서부 변경의 10여 성들을 탈취당한 신라는 같은 해 4월 압독주 도독 김유신으로 하여금 대응하도록 하였다. 김유신은 이에 군사를 지휘하여 6년 전 대야성에서 당한 패배를 복수하였다.[42]

---

36) 신라와 백제 양측의 지휘관, 전투력 규모 및 병종을 구체적으로 기록한 사례는 이 경우가 7세기 들어 처음이다.
37) 비령자는 김유신이 화랑이었을 때 3천 명에 달한 낭도 중 한 명이었고, 그는 642년 김유신과 함께 고구려로 향했던 "死士" 중의 한 명이었을 가능성이 높다.
38) 『三國史記』 본기에는 大耶城으로, 열전에서는 大梁城으로 표현되어 있다.
39) 『三國史記』 卷28, 百濟本紀6 義慈王 8년.
　"春三月 義直襲取新羅西鄙腰車等一十餘城"
　『三國史記』 卷5, 新羅本紀5 眞德王 2년.
　"三月 百濟將軍義直 侵西邊 陷腰車等一十餘城"
40) 『譯註 三國史記』 3 주석편상, p.157
41) 『資治通鑑』 卷199, 唐紀15 太宗 貞觀 22년(648년)에 신라에서 상주문을 올려 "백제가 공격하여 그들의 성 13개를 격파하였다"고 하였다.
42) 『三國史記』 卷28, 百濟本紀6 義慈王 8년.

진덕왕이 압독주에 있던 김유신에게 백제군을 저지하도록 명령할 무렵, 그는 진덕왕에게 "민심을 보니 전쟁을 할 만합니다. 백제를 정벌하여 대량주의 패배를 복수합시다."라 한 것에서 그는 이미 대야성 전투의 패배를 복수할 기회를 찾고 있었던 것 같다. 그러나 진덕왕이 "작은 나라가 큰 나라를 공격해, 일이 잘못되어 위험한 지경에 이르면 어떻게 하겠습니까?"라 김유신에게 반문한 것에서 당시까지는 신라의 군사력에 비해 백제의 그것이 월등하다는 인식을 신라 조정에서 하고 있었다고 보인다.

다음은 이 전쟁의 경과를 살펴보자. ① 백제군의 장군 의직은 요거성을 비롯한 합천 지방의 10여 성들을 함락한 후 대량성으로 들어감 ② 압독주를 출발한 김유신의 신라군이 대량성 외곽에 도착함 ③ 대량성을 나온 백제군과 신라군이 접전해, 신라군이 옥문곡까지 의도적으로 물러남 ④ 신라군의 후퇴를 패배로 인식한 백제는 신라군의 전투력을 과소평가하고 대군을 옥문곡으로 이동시킴 ⑤ 매복해 있던 신라군이 백제군의 앞뒤에서 공격해 승리함 ⑥ 포로로 잡은 백제 장군 8명을 김품석과 부인의 유골과 교환함 ⑦ 공격의 기세를 탄 신라군이 백제로 들어가 악성 등 12개 성을 공격해 함락함 ⑧ 신라군이 다시 백제 영토로 들어가 진례성 등 9개 성을 공격해 함락함

이 전쟁이 치러진 지역을 보면, 대량성(경남 합천), 옥문곡(경남 합천 가야면 구원리), 진례성(충남 금산)인데, 악성 등 12개 성들은 거창, 함양, 성주, 영동 방면에 위치한 백제 지역으로 추정된다.

이 전쟁에 투입된 양군의 전투력 요소를 살펴보면, 신라는 압독주 군주로 도독 김유신 이 압독주의 군사를 선발하고 훈련하여 출전한 것으로 되어 있다. 백제군의 경우는 최초 옥문곡 전투에서 포로로 잡힌 8장군의 경우를 볼 때, 8명 이상의 장군들이 지휘한 대규모의 군대가 투입

"夏四月 進軍於玉門谷 新羅將軍庾信逆之 再戰大敗之"
『三國史記』卷5, 新羅本紀5 眞德王 2년.
"王患之 命押督州都督庾信以謀之 庾信於是 訓勵士卒 將以發行 義直拒之 庾信分軍爲三道 夾擊之 百濟兵敗走 庾信追北 殺之幾盡 王悅賞賜士卒有差"
『三國史記』卷42, 列傳2 金庾信中.
"告大王曰 今觀民心 可以有事 請伐百濟 以報大梁州之役 王曰 以小觸大 危將奈何 對曰 兵之勝否 不在大小 顧 其人心何如耳 故紂有億兆人 離心離德 不如周家十亂同心同德 今吾人一意 可與同死生 彼百濟者不足畏也 王乃 許之 遂簡練州兵赴敵 至大梁城外 百濟逆拒之 佯北不勝 至玉門谷 百濟輕之 大率衆來 伏發擊其前後 大敗之 獲 百濟將軍八人 斬獲一千級 於是 使告百濟將軍曰 我軍主品釋及其妻金氏之骨 埋於爾國獄中 今爾許秮將八人 見 捉於我匍匐請命 我以狐豹首丘山之意 未忍殺之 今爾送死二人之骨 易生八人 可乎 百濟仲常佐平 言於王曰 羅人 骸骨 留之無益 可以送之 若羅人失言 不還我八人 則曲在彼 直在我 何患之有 乃掘品釋夫妻之骨 櫝而送之 庾信 曰 一葉落 茂林無所損 一塵集 大山無所增 許八人生還 遂乘勝入百濟之境 攻拔嶽城等十二城 斬首二萬餘級 生 獲九千人 論功增秩伊湌 爲上州行軍大摠管 又入賊境 屠進禮等九城 斬首九千餘級 虜得六百人 春秋入唐 請得兵 二十萬來 見庾信曰 死生有命 故得生還 復與公相見 何幸如焉 庾信對曰 下臣仗國威靈 再與百濟大戰 拔城二十 斬獲三萬餘人 又使品釋公及其夫人之骨 得反鄕里 此皆天幸所致也 吾何力焉"

되었다고 볼 수 있다.[43] 이어진 악성 및 진례성 공방전에서는 다수의 백제 성병들이 전투에 임했을 것으로 보인다.

이 전쟁의 결과를 살펴보자. 백제본기에서는 장군 의직의 백제군이 옥문곡에서 김유신이 지휘한 신라군을 만나 2차례 접전해 "大敗"하였다고 하였다. 신라본기에는 패배해 도주하는 백제군을 신라군이 추격해 거의 다 죽였다고 하였다. 그런데, 김유신 열전에서는 옥문곡 전투에서 백제군을 "大敗"시키고 8명의 장군을 포로로 잡고 1천명을 참획하였다고 하였다. 또한 이어진 악성 등 12개 성 공략에서는 2만여 급을 참수하고 9천 명을 포로로 잡았고, 또 이어진 진례성 등 9성 공격에서는 9천여 급을 참수하고 6백명을 포로로 잡았다고 하였다.

이 전쟁은 신라와 김춘추와 김유신에게 중요한 의미를 지니는 전쟁이었던 것 같다. 이 전쟁에서의 승리는 642년 7월 백제 의자왕이 공격해 차지한 미후성 등 40개 성들 중 다수의 성들이 신라로 회복된 것으로 볼 수 있다. 이후 659년까지 백제는 신라의 서부 방면에 대한 공세를 취하지 못한 점으로 보아 이 전쟁은 신라에 대단한 의미를 주는 전쟁이었다고 보인다. 한편, 김유신은 옥문곡 전투에서 포로로 잡은 8명의 백제 장군을 돌려보내는 대신 품석과 그의 부인의 유골을 교환하였는데, 이것은 혈연으로 연결된 김춘추의 한을 풀어주는 것이었다.[44] 김유신은 이 전쟁의 악성 전투 이후에는 그 공로로 인하여 이찬으로 승진하고 상주행군대총관에 임명되어 신라 조정에서의 입지를 더욱 굳혔다.

이 전쟁이 진행되는 도중에 당에 들어가 있던 김춘추는 백제의 위협에 처한 신라의 입장을 설명하고 당의 군사를 지원받는 약속을 태종으로부터 받았다. 귀국한 김춘추와 전장에서 돌아온 김유신이 만나 나눈 대화에서 김유신이 자신을 下臣이라 자칭하여 김춘추를 우대하는 점이 특이하고, 또 자신이 이룩한 이번 전쟁에서의 공로가 "국가의 위엄과 영령의 힘에 의지하여 백제와 크게 싸워 20개의 성을 함락시키고, 3만여 명을 참획하였다"고 한 것에서 개인의 이익보다 국가를 강조하는 인식의 한 단면을 확인할 수 있다.

3. 백제의 석토성 등 7성 공격

백제는 위 전쟁에서의 패배를 만회하고자, 신라의 서북 변경지역에 대한 공격을 하였다.[45]

---

43) 포로가 된 장군이 8명이었으므로 기록되지 않은 전사한 장군들도 있었을 것으로 보아야 할 것이다. 이 전쟁에 참전한 백제 장군들이 모두 포로가 되었다고 가정하더라도, 8명의 백제 장군이 출전했다고 기록된 경우는 7세기 전쟁에서 처음이다.

44) 660년 7월 13일 사비성에서 항복한 의자와의 아들 융을 꿇어앉히고 얼굴에 침을 뱉으며 법민이 "예전에 너의 아비가 나의 누이를 억울하게 죽여 옥중에 묻은 적이 있다. 그 일은 나로 하여금 20년 동안 마음이 아프고 골치를 앓게 하였다. 오늘 너의 목숨이 나의 손 안에 있구나"라 하였다. 법민의 아버지 태종무열왕도 법민과 같은 생각이었을 것이다.

45)『三國史記』卷28, 百濟本紀6 義慈王 9년.

전쟁 발생 지역부터 살펴보자. 백제군은 석토성(충북 진천) 등 7개 성을 공격하여 함락하였고, 신라는 이에 대해 김유신 등으로 지휘부를 구성해 이를 저지하게 하여 양측이 도살성(충북 괴산)에서 접전하였다. 따라서, 신라와 백제의 충돌 지역이 이전에 비해 중부 지역으로 옮겨지는 현상이 보인다.

다음은 이 전쟁의 전투력 요소를 보자. 의자왕은 장군 은상을 최고 지휘관, 그 아래에 달솔 정중과 달솔 자견 및 좌평 정복 등 11명의 장군으로 백제군의 지휘부를 구성하였다. 백제군의 규모는 백제본기에는 정병 7천 명이라 하였으나, 신라본기와 김유신열전에 기록된 포로와 사망자 등을 고려하면 최소 1만 명에서 2~3만 명의 규모에 이른다고 생각된다. 진덕왕은 신라군의 지휘부를 대장군 김유신을 최고지휘관으로 하고, 그 아래에 장군 진춘, 죽지 및 천존 등으로 구성했다.

이 전쟁은 ① 장군 은상이 지휘한 백제의 대군이 석토성 등 7성을 공격해 함락함 ② 김유신이 지휘한 신라군이 석토성으로 이동해 10여일간 백제군과 싸웠으나 이기지 못함 ③ 신라군이 도살성 근처로 이동해 진지를 구축함 ④ 신라군 진지로 접근한 백제의 첩자에게 역정보(신라 증원군의 도착 후 백제군과 결전을 할 것임)를 흘림 ⑤ 역정보를 보고받은 백제군이 동요함 ⑥ 신라군이 심리적으로 흔들리는 백제군에 대한 총공세를 펼쳐 승리함 등의 과정으로 전개되었다.

한편, 이 전쟁에서는 우리나라 고대 전쟁에서 편성, 운용, 경계 및 정보전 등 여러 가지 면들을 시사한다. ②에서 신라군이 백제군과 싸울 때 "分三軍爲五道 擊之"라 표현한 것은 전체 부대를 좌군, 중군, 우군 등으로 편성한 것을 의미하며, 결전의 순간에는 지형에 따라 접근로를 분산시키는 전술을 구사했다는 것[46]을 의미한다 하겠다. ③에서 신라군은 야간경계를 위한 근무를 편성해 운용했고 아군과 적을 구분하기 위해 誰何했다고 했다. ④ 김유신은 야간에 백제의 첩자가 신라군의 진영에 잠입해 올 것이라고 예측하고 있었는데, 이는 당시 전투 현장에서 정보

"秋八月 王遣左將殷相 帥精兵七千 攻取新羅石吐等七城 新羅將庚信陳春天尊竹旨等逆擊之 不利收散卒 屯於道薩城下 再戰 我軍敗北"
『三國史記』卷5, 新羅本紀5 眞德王 3년.
"秋八月 百濟將軍殷相率衆來 攻陷石吐等七城 王命大將軍庚信 將軍陳春竹旨天尊等出拒之 轉鬪經旬不解 進屯於道薩城下 庚信謂衆曰 "今日必有百濟人來諜 汝等佯不知 勿敢誰何" 乃使徇于軍中曰 "堅壁不動 明日待救援軍 然後決戰" 諜者聞之 歸報殷相 相等謂有加兵 不能不疑懼 於是 庚信等進擊大敗之 殺虜將士一百人 斬軍卒八千九百八十級 獲戰馬一萬匹 至若兵仗 不可勝數"
『三國史記』卷42, 列傳2 金庚信中.
"秋八月 百濟將軍殷相 來攻石吐等七城 王命庚信及竹旨陳春天尊等將軍 出禦之 庚三軍爲五道 擊之 互相勝負 經旬不解 至於僵屍滿野 流血浮杵 於是屯於道薩城下 歇馬餉士 以圖再擧 時有水鳥東飛 過庚信之幕 將士見之 以爲不祥 庚信曰 此不足怪也 謂衆曰 '今日必有百濟人來諜 汝等佯不知 勿敢誰何' 乃使徇于軍中曰 '堅壁不動 待明日援軍至 然後決戰' 諜者聞之 歸報殷相 殷相等謂有加兵 不能不疑懼 於是庚信等一時奮擊 大克之 生劃將軍達率正仲士卒一百人 斬佐平殷相達率自堅等十人及卒八千九百八十人 獲馬一萬匹鎧一千八百領 其他器械稱是 及歸還路見百濟佐平正福與卒一千人來降 皆放之 任其所往 至京城 大王迎門 慰勞優厚"
46) 660년 황산전투에서도 "分信等 分軍爲三道 四戰不利"라 하여 이와 비슷하게 부대를 운용하였다.

전이 활발하게 이루어지고 있던 것을 말해준다 하겠다. 김유신은 백제군에 역정보를 흘려 동요하도록 하는 전술을 구사했던 것이다.

　이 전쟁의 결과를 보자. 양측은 석토성 등에서 치러진 10여일 이상 지속된 전투에서 승부를 가르지 못해 "至於僵屍滿野 流血浮杵(죽은 시체가 들녘에 가득하고, 흐르는 피가 시내를 이루어 나뭇가지를 띄울 상태에 이름)"라 표현될 정도로 많은 피해를 입었다. 그러나 김유신의 역정보전술 구사 이후 치러진 결전에서 신라군이 "大克"으로 기록된 큰 승리를 거두었다. 백제군에서 최고지휘관 장군 은상을 포함한 장군 10인과 병사 8,980인이 전사하였고, 장군 정중을 포함한 100인에 이른 장사들이 포로가 되었다. 또한 전마 1만 필, 갑옷 1,800령을 포함해 다수의 병장기를 신라군이 노획하였다.

4. 대백제 통일전쟁

　진덕왕이 사망하자 조정의 실력자들은 상대등 알천에게 섭정을 청했으나, 알천은 김유신과 논의하여 '자신의 高齡과 춘추의 덕망'을 이유로 사양하고 춘추로 하여금 즉위하게 하였다.[47] 진골왕의 시대를 연 태종무열왕은 고구려, 왜 및 당의 사정에 밝았는데 율령을 정비하고, 이찬 금강을 상대등, 파진찬 문충을 중시 그리고 김유신에게 대각간의 관위를 부여하여 새로운 시대를 개척하고자 하였다.

　태종무열왕 재위시에는 654년 고구려 · 백제 · 말갈 연합군의 33개 성 공격을 비롯하여 659년 백제의 공격, 660년의 대백제 통일전쟁, 660년 11월 고구려의 공격,[48] 661년 백제부흥군의 나당군 공격 및 661년 5월 고구려의 공격 등 총 6회의 전쟁이 있었다.

　654년[49] 고구려가 백제 및 말갈과 힘을 합하여 신라의 북쪽 변경 지방에 위치한 33개 성들을 공격해 함락한 것[50]은 10여년 전 642년에 백제 의자왕이 미후성 등 40개 성들을 함락한 것에 버

---

47) 정구복 주편,『譯註 三國史記』3 주석편 상, p.170에서는 중신회의에서 알천으로 하여금 섭정을 하게 한 결정을 김유신이 어느 정도의 실력을 행사하여 알천과 의논해 춘추를 즉위하게 하였다고 하였다.

48)『三國史記』卷5, 新羅本紀5 太宗武烈王 7년.
　"高句麗侵攻七重城 軍主匹夫死之"
　『三國史記』卷47, 列傳7 匹夫.
　"以匹夫爲七重城下縣令 其明年庚申秋七月 王與唐師滅百濟 於是 高句麗疾我 以冬十月 發兵來圍七重城 匹夫守且戰二十餘日…"

49) 백제본기에는 655년 8월에 백제가 공격했다고 기록하고 있으나, 고구려본기 및 신라본기에 의하면 655년 정월조 기사에 '이전에 공격이 있었고, 정월에 신라에서 당에 사신을 보내 이 사실을 알려 도움을 청하자, 당이 3월에 군부대를 출동시켰다'고 하였다. 따라서 이 전쟁의 발생 시기는 655년이 아니며 654년 태종무열왕이 즉위한 이후일 것이다.

50)『三國史記』卷5, 新羅本紀5 太宗武烈王 2년.
　"高句麗與百濟靺鞨連兵 侵軼我北境 取三十三城 王遣使入唐求援 三月 唐遣營州都督程名振 左右衛中郎將蘇定方 發兵擊高句麗"

금갈 정도로 신라에 큰 위협이 되었다. 신라의 "北境 혹은 北界"라 표기하였으므로, 신라가 상실한 지역은 이전까지 충돌이 잦았던 서부 변경은 아니었다. 그런데, 백제 멸망 후 660년 11월에 고구려가 신라의 칠중성을 공격한 것으로 보아, 이때 신라가 빼앗긴 33개 성들은 칠중성 보다 북쪽에 위치한 지역에 있었던 것으로 보아야 할 것이다.

659년 백제는 신라의 독산성과 동잠성을 공격하였다.[51] 이 독산성은 636년 백제가 공격한 곳으로 경북 성주에 있었고, 동잠성은 경북 구미에 있었다. 따라서 659년에 백제가 장수를 보내 신라 내륙에 위치한 이 2성을 공격한 것은 의아하다. 그러나 나제통문으로 알려진 방향으로 백제군 부대가 이동해 공격했을 가능성은 있으며, 전쟁 결과 2성이 함락되지도 않았는데, 사신을 당에 보내 장차 정벌할 것으로 도모했다는 신라본기의 기록은 1년 후인 660년 대규모 통일 전쟁에 대한 보다 직접적인 이유를 백제의 침공에서 찾으려 한 것이라 이해할 수 있겠다.

김유신은 660년 정월 상대등 금강이 사망하자 상대등에 올랐다. 상대등의 신분으로 최고지휘관의 위치에서 그는 대백제 통일전쟁에 나섰던 것이다. 나당연합군의 대백제 통일전쟁은 아래와 같이 약 6개월간 지속되었던 대전이었는데, 일자별 구체적인 경과를 신라군 중심으로 정리하면 다음과 같다.

① 660년 5월 26일 태종무열왕이 유신, 진주, 천존 등과 군사를 지휘해 경주 출발함
② 6월 18일 남천정(경기 이천) 도착함
③ 6월 21일 태자 법민, 장군 유신, 진주, 천존 등 신라군 지휘부가 배를 타고 가 덕물도에서 당군과 회의함(양군이 사비성 남쪽에서 7월 10일 합류해 사비성을 같이 공격할 것 약속)
④ ~ 7월 9일까지 신라군은 이동함(태종무열왕은 금돌성 위치함, 대장군 김유신, 장군 품일, 흠춘 등은 정예군 5만 명 지휘해 이동)
⑤ 7월 9일 신라군의 황산지원 도착해 황산전투에서 고전했으나 마침내 신라군이 승리함
⑥ 7월 11일 신라군이 사비성 인근 도착했으나 약속 미준수로 당군과 마찰이 있음
⑦ 7월 12~13일 나당군이 사비성을 공격하자 의자왕은 피신했으나 왕자 부여융은 항복함
⑧ 7월 18일 의자왕이 항복함
⑨ 7월 29일 태종무열왕이 금돌성에서 소부리성에 도착함
⑩ 8월 2일 태종무열왕이 나당군에 주연 베품

『三國史記』卷22, 高句麗本紀10 寶藏王 14년.
"春正月 先是 我與百濟靺鞨 侵新羅北境 取三十三城 新羅王金春秋 遣使於唐求援"
『三國史記』卷28, 百濟本紀6 義慈王 15년.
"八月 王與高句麗靺鞨攻破新羅三十餘城 新羅王金春秋遣使朝貢 表稱 百濟與高句麗靺鞨侵我北界 沒三十餘城"
51)『三國史記』卷28, 百濟本紀6 義慈王 19년.
"夏四月遣將侵新羅獨山桐岑二城"
『三國史記』卷5, 新羅本紀5 太宗武烈王 6년.
"夏四月 百濟頻犯境 王將伐之 遣使入唐乞師"

⑪ 8월 2~25일 남은 백제군(남잠성, 정현성, 두시원악)이 저항하고 노략을 함

⑫ 8월 26일 신라군이 임존의 대책을 공격했으나 실패함

⑬ 9월 3일 소정방 휘하 당군의 본진은 철수하고 유인원이 1만 명을 지휘해 사비성에 주둔함

⑭ 9월 23일 나당군이 주둔해 있던 사비성을 백제부흥군이 공격하자, 20여 성이 이에 호응함

⑮ 9월 28일 당의 웅진도독 왕문도가 삼년산성에 있던 태종무열왕을 찾아 조서를 전함

⑯ 10월 9~18일 태종무열왕이 지휘해 백제군이 장악한 이례성을 공격하여 함락하자 백제의 20여 성이 항복함

⑰ 10월 30일 사비남령의 목책에 의지해 저항하던 백제군 1,500명을 죽임

⑱ 11월 1~7일 태종무열왕이 계탄을 건너 왕흥사잠성 공격해 함락하고, 700명 죽임

⑲ 11월 22일 경주로 돌아와 전공을 포상함, 김유신을 대각간에 봉함

이 전쟁에서 신라군과 백제군이 접전한 지역은 황산지원(충남 논산), 사비성(충남 부여), 남잠성과 정현성(대전 유성구 남단), 두시원악(전북 무주 부남), 임존(충남 예산 대흥), 이례성(충남 논산 연산) 및 왕흥사잠성(대전 유성구 남단) 등이다. 대백제 통일전쟁이 실시되던 기간 중 태종무열왕은 경주 → 남천정 → 금돌성 → 사비성 → 삼년산성 → 이례성 → 왕흥사잠성 → 경주였는데, 처음에 나당군이 사비성을 공격할 때에는 후방지휘소인 금돌성에 있다가, 의자왕이 항복한 후 사비성으로 이동하였다. 이후 삼년산성으로 이동해 정세를 관망하던 중 백제군의 남은 세력이 다시 일어나자 이례성 및 왕흥사잠성으로 이동해 직접 공격을 지휘하였다.

대장군으로서 신라군을 현장에서 직접 지휘한 김유신은 ①에서 까지의 전 과정을 신라군과 함께 했을 것이다. ②에서 남천정에 도착해 있던 5만의 신라군을 지휘해 ③의 약속대로 ④의 황산지원까지 장거리 행군한 신라군에게 ⑤의 황산지원 전투는 쉽지 않았다. 死士[52]를 지휘해 유리한 지형에 먼저 진지를 구축한[53] 백제군이 1:10의 병력의 열세에도 불구하고 4회 싸워 모두 승리했다. 이 난관을 타개한 자가 화랑 반굴과 관창이었다. 장군 흠순의 아들인 반굴과 좌장군 품일의 아들 관창의 목숨을 버린 용감한 전투 결과, 신라군은 "분에 복받쳐 모두 죽을 마음을 먹고 진격"해 계백의 백제군을 격파하였다. 이들의 희생이 아니었더라도 시간이 지나면 절대적인 전투력의 우세를 가지고 있던 신라군이 승리하였겠지만, 7월 10일로 정한 작전계획의 기일을 맞출 수 없었을 것이다. 따라서 두 화랑의 희생은 과거 629년 낭비성 전쟁에서 본인이 직접 수행했던 사례와 647년 무산성 전쟁에서 비령자의 용감한 희생의 사례 등으로 보아, 최고지휘관 김유신 장군의 승인 하에 이루어졌을 가능성이 높다.[54]

그러나 신라군은 황산지원에서의 고전으로 인해 ⑥에서처럼 사비성 외곽에서 당군과 합류하

---

52) 신라본기에는 兵이라고만 하였으나, 백제본기에는 帥死士五千이라 하였다.

53) 신라본기에 擁兵而至先據嶮 設三營以待라 하였다.

54) 황산전투에 대해서는 윤일영, 「신라군의 행군과 군수」, 『군사학연구』 6, 대전대학교 군사연구원, 2008 참조.

였으나, 나당연합군을 총지휘하는 위치에 있던 소정방은 신라군의 하루 지연 도착을 구실로 신라군 연락 책임자 김문영을 현장에서 처단하려고 하였다. 소정방은 형식상으로 군사작전에서 매우 중요한 요소인 시간 준수를 강조하여 나당연합군의 차후 작전에서 빈틈이 없어야 한다는 논리로 신라 장군을 처형하려고 했던 것이다. 그러나 내실은 신라군을 당의 최고지휘관인 소정방 자신이 지휘(혹은 장악)하고 있다는 것을 당군은 물론 신라군에게 보이기 위한 조치였다. 이 상황은 신라의 자주성과 신라군의 독립적인 지휘체계가 유지되느냐? 아니면 당에 종속되느냐? 하는 기로에 선 순간이었다. 이 순간 김유신은 "대장군께서 황산전투의 실상을 보지 않고 약속 기일 늦은 것만을 지목해 죄를 묻고자 한다. 나는 죄 없이 모욕을 당할 수 없다. 먼저 당군과 결전을 한 후에 백제에 대한 공격을 하겠다"라고 말했다.[55] 김유신의 결연한 태도에 놀란 소정방은 우장 동보량의 "신라 군사들이 장차 변란을 일으킬 것"이라는 귀엣말을 따라 김문영을 풀어 주었다.

총사령관 김유신 장군이 보인 당당한 태도는 이 장소에 동석한 신라군 장군들의 뇌리에 깊이 각인되었을 것이며, 원정에 참여하고 있던 전체 5만 신라군 병사들에게도 전해 졌을 것이다. 그리하여 신라군 내부에는 '당군의 무리한 요구 혹은 당군의 부당한 처사에는 소극적으로 순응하지 말고, 적극적으로 신라군의 입장과 처지를 말하고 대응해야 한다'는 분위기가 조성되었을 것으로 여겨진다.

⑦에서 당군이 공격에 소극적인 태도를 보이자 김유신이 소정방을 달래어[56] 나당연합군이 진격해 승리하였다. ⑩에서 ⑬사이의 기간에 당 황제는 이 전쟁에서 김유신의 공이 가장 많다는 보고를 받고 사신을 보내 김유신을 포상하고 칭찬하였다고 한다. 또한 소정방은 김유신, 김인문, 김양도 등 3인의 신라 장군에게 황제로부터 부여받은 현지 사무 처리에 관한 위임권한을 활용해 정복한 백제 지역을 식읍으로 주겠다고 하였다. 그러나, 김유신은 "우리 임금의 희망에 따라 우리나라의 원수를 대장군이 갚아 주니, 우리 임금과 온 나라의 백성이 기뻐하고 있다. 우리들 3인만 상을 받아 이익을 챙기는 것은 의리상 있을 수 없는 일이다"고 거절하였다.

한편, 사비성 함락 이후, 당의 '신라 공격과 병합'이라는 욕심으로 인해 나당연합군 사이에는 균열이 발생하고 있었다. 당의 계획을 알아차린 사비성에 있던 신라 수뇌부에서 대책회의가 비밀리에 열렸을 때, 다미공은 "우리 신라 병사들에게 백제군의 복장을 입혀 위장해 당군을 치게 하면 당군이 이에 반응해 움직일 것이다. 그 때 우리가 허점을 노려 당군을 치자"라고 제안하였

---

55) 이 때의 모습을 『三國史記』 신라본기에서는 이렇게 묘사하고 있다. "김유신 장군이 큰 도끼를 잡고 우뚝 일어서니, 그의 성난 머리털이 곧추 서고, 허리에 차고 있던 보검이 저절로 칼집에서 튀어 나왔다."

56) 『三國遺事』 卷1, 紀異 太宗春秋公條에 의하면, 소장방의 진영 위로 홀연히 새가 날아다녀 점을 쳐보니 원수가 다칠 것이라 하여 소정방이 두려워하여 싸우려 하지 않았다고 한다. 김유신이 이를 보고 "인심에 순응하여 어질지 못한 자를 공격하는데 무엇이 상서롭지 못하겠는가?"라 하고 칼을 빼어 새를 쳐 떨어뜨렸다고 한다.

다. 태종무열왕이 주저하자, 김유신은 "개는 주인을 두려워하나, 주인이 다리를 밟으면 문다. (당의 신라 공격이라는) 어려움을 당해 스스로를 구해야 하지 않겠습니까?"라 하는 의견을 내었다. 결국 태종무열왕은 시간을 두고 조금 더 지켜보는 방향으로 결심해 사비성에서 나당군 사이에 전투는 발생하지 않았다. 그런데, 당군 또한 신라 수뇌부의 이와 같은 사실을 염탐해 알고 있었으며, 소정방이 본국으로 철수하면서 유인원에게 1만 명의 병력을 주어 지키도록 조치하였다. 이는 백제 멸망이라는 전쟁의 목표를 달성한 당에서 볼 때 과다한 규모의 주둔군이라 할 수 있는데, 이것은 신라가 보인 위와 같은 반응과 무관하지 않다.

소정방이 귀국해 전쟁의 결과를 보고하자, 당 고종은 "어찌하여 내친 김에 신라를 공격하지 않았는가? 라 물었다고 한다. 원정군 최고지휘관에게 당 고종이 던진 이 비난성 질문은 무엇을 의미하는가? 13만에 이른 대군을 동원해 신라의 백제 공격을 지원한 당의 목적은 어디에 있었던 것일까? 주지하다시피, 당의 국가전략 목표는 수나라가 실패한 대고구려 전쟁에서의 승리에 있었다.[57] 645년 당 태종이 친정한 고구려 공격 전쟁에서 요동성은 함락했으나 안시성에서의 지구전으로 인해 철수한 경험이 있는 당이었다. 지구전, 소모전으로 전략을 수정한 당은 이전에 비해 소규모의 부대를 파견해 지속적으로 고구려를 공격했다. 의도된 공격을 하는 당으로서는 고구려의 국력을 소진시키는 데에 목적이 있으므로, 수대의 요동성 전투나 태종대의 안시성 전투와 같은 결전을 할 필요가 없었을 것이다. 그러나, 수와 당으로부터 대규모 공격을 수차례 당한 바 있는 고구려는 공격을 받을 때마다 전력을 기울여 방어에 나설 수밖에 없을 것임은 자명하다. 이러한 상황에서 당은 신라의 백제 공격에 연합군을 형성해 공격에 나섰다. 당으로서는 백제를 멸망시키는 것은 부수적인 목표에 지나지 않았다. 당의 백제 공격의 궁극적인 목표는 차후에 있을 당의 고구려 공격 전쟁에 신라가 가진 전투력을 활용하는 데에 있었던 것이다.

애초부터 당은 백제 공격에서 전투력을 낭비하지 않고 백제를 병합한 후, 신라를 공격해 병합은 아니더라도 당이 지휘 및 통제할 수 있는 범위 안에 신라를 두고자 하였다. 신라를 공격하자면 신라군의 전투력을 약화시켜야 한다. 신라군의 힘을 빼는 첫 번째는 ③ 덕물도에서 나당군 수뇌부가 회의를 하면서, 소정방이 언급한 공격로 지정이었다. 당은 수로를 이용해 금강을 통해 사비성으로 접근하고, 신라군은 육로를 통해 탄현을 넘어 사비성으로 이동하도록 결정하였다. 덕물도에 도착한 당군은 남양만 부근에서 상륙하고, 신라군은 남천정에서 이동해 양군이 평택 부근에서 합류해 천안 → 공주 → 부여 방향으로 공격하는 것이 정상적인 이동로와 전략 계획이라 여겨진다. 신라군의 남천정으로의 이동은 이러한 정상적인 판단에 기초한 것이었다.

---

57) 『三國史記』卷21, 高句麗本紀9 寶藏王上 4년條에 645년 고구려 원정에서 정주에 도착한 당 태종이 신하들에게 "요동은 본래 중국의 땅이다. 수나라가 4회 출병했으나 얻지 못했다. 내가 지금 동쪽으로 가는 것은 우리 자제들의 원수를 갚으러 가는 것이다…사방이 평정되었는데 오직 이곳만 평정되지 않았기 때문에 내가 빼앗으러 가는 것이다'라 하였다.

따라서 연합군의 공격로를 상정한다면 5만 신라군이 경주에서 남천정으로 행군했다가, 다시 역행군하여 소백산맥을 넘어 상주를 지나 탄현으로 이동할 수는 없다. 그러므로 여기에는 신라군의 전투력을 약화시키려는 당의 의도가 작용했다고 볼 수 있다. 두 번째는 사비성 공격시 당군이 전투력 소모가 많을 것으로 예측되는 선봉에 나서지 않으려 했다는 점이다.

소정방은 당 고종의 "왜 신라를 공격하지 않았는가?"라는 질문에 "신라는 임금이 어질어 백성을 사랑하고, 신하들은 충성으로 섬기고 아래 사람들이 윗사람을 부형처럼 섬기니 작은 나라이지만 도모할 수가 없었다."라 대답하였다. 설인귀서에서는 당시 신라의 상황을 "집집마다 군사를 징발하고 해마다 무기를 들어 과부들이 군량의 수레를 끌고 어린아이가 둔전을 경작하기에 이르렀으니"라 표현하고 있다. 전쟁의 와중에 일반 백성들의 생활이 얼마나 힘들고 어려웠음을 말해주는 자료이다. 그런데 소정방의 눈에는 신라인이 상하일치 단결해 있는 것으로 보여, 비록 작은 나라이지만 도모할 수 없다고 한 것이다. 이것은 당시 어려운 여건 하에서도 신라인들에게 국가를 먼저 생각하는 기풍이 있었음을 증명한다 하겠다.

⑬에서 신라군 또한 7천 명을 당군과 함께 사비성에 남겨 주둔하게 하였으므로, ⑮에서 웅진도독으로 부임한 왕문도가 삼년산성에 있던 태종무열왕을 찾아와 조서를 전하는 자리에 신라군의 본대를 지휘했던 김유신도 같이 있었을 것이다.[58]

백제가 멸망하자, 660년 11월에 고구려는 이를 미워하여 신라의 북변에 위치한 칠중성(경기 파주 적성)을 공격해 함락하였다.[59] 이 전투는 20여 일간 오래 지속되어 성을 함락하지 못한 고구려 장수가 철수하려고 하였다. 이 때 칠중성 내부에서 비삽이라는 자가 반역의 마음을 품고 성 내부의 방어 상태를 고구려군에게 몰래 알려 결국 성이 함락되었다.

661년 봄에 백제의 남은 세력을 멸하기 위해 이찬 품일 등으로 원정군을 편성해 보냈는데, 이 틈을 이용해 고구려는 661년 5월에 장군 뇌음신으로 하여금 말갈 장군 생해와 함께 술천성(경기 여주)을 공격하도록 했다. 술천성 공격이 여의치 않자 고구려군은 북한산성으로 공격 목표를 옮겨 10여 일간 공격하였다.[60] 이 때 고구려군은 포차를 설치해 돌을 날려 성벽을 무너뜨리

---

58) 왕문도는 조서를 전하고 당 황제가 보낸 선물을 전하려고 하다가 현장에서 갑자기 발병하여 사망하였다고 한다. 당 사신이 신라왕을 만나는 현장에서 사망한 것은 자칫 외교적인 문제로 비화될 소지가 다분하다.

59) 『三國史記』 卷5, 新羅本紀5 太宗武烈王 7년.
　　 "高句麗侵攻七重城 軍主匹夫死之"
　　 『三國史記』 卷47, 列傳7 匹夫.
　　 "以匹夫爲七重城下縣令 其明年庚申秋七月 王與唐師滅百濟 於是 高句麗疾我 以冬十月 發兵來圍七重城 匹夫守
　　 且戰二十餘日…"

60) 『三國史記』 卷5, 新羅本紀5 太宗武烈王 8년.
　　 "五月九日(一云十一日) 高句麗將軍惱音信與靺鞨將軍生偕合軍 來攻述川城 不克 移攻北漢山城 列抛車 飛石所
　　 當 陣屋輒壞 城主大舍冬陁川 使人擲鐵蒺藜於城外 人馬不能行 又破安養寺廩廥 輸其材 隨城壞處 卽構爲樓櫓
　　 結絙綱 懸牛馬皮綿衣 內設弩砲以守 時城內只有男女二千八百人 城主冬陁川 能激勵小弱 以敵强大之賊 凡二十
　　 餘日"

고자 하였고, 신라군은 성주 동타천이 마름쇠를 성 밖으로 던져 고구려 병사와 말이 접근하는 것을 방해하였다. 그리고 성 위에 노와 포를 설치해 발사하여 방어하였다. 결국 20여일 간 지속된 공격에서 성과를 보지 못한 고구려군은 철수하였다. 한편, 고구려본기에서는 이 때 갑자기 큰 별이 고구려 진영에 떨어지고 비가 오고 천둥이 쳐서 뇌음신 등은 의심하고 놀라서 후퇴하였다고 하였다.

이에 관하여 『三國遺事』에서는 "고구려와 말갈 군사가 와서 포위하여 서로 싸웠으나 끝이 나지 않아 5월11에 시작하여 6월 22일에 이르니 우리 군사가 몹시 위태로웠다. 대책회의에서 유신이 神術을 건의했다. 성부산에 단을 쌓고 신술을 쓰니 갑자기 큰 독만한 광채가 단 위에서 나오더니 별이 북쪽으로 날아갔다. 한산성 안의 군사들은 구원병이 오지 않아 원망하여 서로 보고 울 뿐이었는데, 적병이 급히 치고자 하자 갑자기 광채가 남쪽 하늘로부터 오더니 벼락이 되어서 적의 砲石 30여 곳을 쳐부수었다. 이리하여 적군의 화살과 창이 부서지고 군사들은 모두 땅에 자빠졌다가 후에 깨어나 흩어져 달아났다."고 하였다.[61] 이 북한산성 전투에서 비록 김유신은 참전하지 않았으나, 기도로 하늘을 감응하여 하늘의 도움으로 벼락과 천둥을 적진 가운데 내리게 함으로서 신라군이 위기에서 벗어날 수 있었다.

태종무열왕대에 치렀던 마지막 전쟁은 661년 2~4월에 실시된 백제 부흥군에 대한 공격이었으나 실패하였다. 이 전쟁에도 김유신은 참전하지 않았다. 그런데 이 전쟁에서는 신라군의 지휘부와 출전부대가 비교적 상세하게 언급되어 있어,[62] 이전의 660년 대백제 통일전쟁에서의 지휘부 구성을 추정해 볼 수 있다. 이찬 품일을 대당장군, 잡찬 문왕, 대아찬 양도, 아찬 충상 등으로 보좌하게 하고, 잡찬 문충을 상주장군으로 삼고 아찬 진왕으로 보좌하게 하며, 아찬 의복을 하주장군으로, 무훌과 욱천을 남천 대감으로, 문품을 서당장군으로, 의광을 낭당장군으로 삼아 가서 사비성을 공격하던 백제군을 격멸하도록 하였다. 그러나 신라군이 백제군을 맞아 패배하고 있다는 보고를 접한 태종무열왕은 추가로 장군 금순, 진흠, 천존, 죽지를 보내 구원하게 하였다.[63]

『三國史記』卷21, 高句麗本紀10 寶藏王 20년.

"夏五月 王遣將軍惱音信 領靺鞨衆 圍新羅北漢山城 浹旬不解 新羅餉道絶 城中危懼 忽有大星落於我營 又雷雨震擊 惱音信等 疑駭引退"

61) 『三國遺事』卷1, 紀異1 太宗春秋公.

62) 『三國史記』卷5, 新羅本紀5 太宗武烈王 8년.

"百濟殘賊 來攻泗泌城 王命伊飡品日爲大幢將軍 迊飡文王 大阿飡良圖 阿飡忠常等副之 迊飡文忠爲上州將軍 阿飡眞王副之 阿飡義服爲下州將軍 武欻旭川等爲南川大監 文品爲誓幢將軍 義光爲郎幢將軍 往救之"

63) 김유신열전 중에는 "이찬 흠순, 진흠, 천존, 소판 죽지 등을 보내 군사를 지휘하게 했다."고 하였다.

Ⅳ. 문무왕대 김유신의 전쟁 지도

1. 백제부흥군 공격

【표 2】에서 볼 수 있듯이, 김유신이 병으로 참전을 못하게 되기 이전 문무왕대 7년간 (661~668) 8회의 전쟁을 신라가 치렀는데, 대백제 전쟁과 대고구려 전쟁이 각각 5회와 3회였다. 대백제 전쟁은 5회 중 4회가 백제부흥군을 공격한 것이고 1회는 부흥군이 신라를 공격한 것이다. 대고구려 전쟁은 3회 모두 신라가 고구려를 공격한 것이었다. 이 8회의 전쟁 중 4회에 걸쳐 김유신은 최고 책임자로써 전쟁에 참전하였는데, 백제부흥군을 공격한 것이 2회, 그리고 고구려를 공격한 것이 2회였다. 따라서 이 시기 김유신 장군의 주요 활동은 백제부흥군을 진압하고, 고구려 공격하는 데에 집중되었다.

661년 9월에 있었던 백제부흥군에 대한 이 공격은 6월에 당에서 숙위하던 인문과 양도가 경주로 돌아와 이제 막 즉위한 문무왕에게 "당 황제가 소정방을 보내 수륙군 35도의 군사를 보내 고구려를 공격하고 있습니다. 왕에게 전해 이에 응원하라고 합니다."라 한 것에서 비롯되었다. 이에 신라는 7월 17일 김유신을 대장군, 인문, 진주, 흠돌을 대당장군, 천존, 죽지, 천품을 귀당총관, 진흠, 중신, 자간을 하주총관, 군관, 수세, 고순을 남천주총관, 술실, 달관, 문영을 수약주총관, 문훈, 진순을 하서주총관, 진복을 서당총관, 의광을 낭당총관, 위지를 계금대감으로 하는 고구려 원정군을 편성하였다.

661년 8월에 문무왕이 여러 장수들과 시이곡정(이천 혹은 구미)에 도착했는데, 백제군이 옹산성(대전 대덕구 계족산성)을 차지하고 길을 막아 더 이상의 진군이 불가능하다는 보고를 받았다. 이에 문무왕이 사람을 보내 백제부흥군을 설득했으나 듣지 않았다. 한편, 이 무렵 당의 소정방은 고구려 군대를 패강에서 격파하고 마읍산을 탈취하고 평양성을 포위하고 있었다. 661년 9월 19일에 문무왕이 웅현정(대전시 대덕구)으로 나가서 여러 총관, 대감들을 모아놓고 대책회의를 해 고구려 방향으로 이동하기 전에 백제부흥군을 공격하기로 결정하였다. 661년 9월 25일 신라군이 옹산성을 포위 공격하여, 27일에 수천 명을 참수하고 항복시켰다. 이 공격에서 김유신은 직접 군사를 지휘해 성을 포위 공격하였는데, 문무왕은 높은 곳에 올라 싸우는 신라 군사를 보고 격려하였다고 한다. 이 승전의 결과, 각간과 이찬으로 총관인 자는 검을 하사하고, 잡찬, 파진찬, 대아찬으로 총관인 자는 창을 하사하며, 그 이하 직위에 있는 자들은 각각 관등을 일등씩 올려주었다. 한편, 이 원정군에 최초 편성되지 않았던 상주총관 품일이 일모산군의 태수 대당과 사시산군의 태수 철천과 함께 우술성(대전시 대덕구 읍내동)을 공격해 1천명 참수하고 나머지 백제군(달솔 조복, 은솔 파가 등의 무리)은 항복하였는데, 조복은 급찬의 관등에 고타야군 태수로 임명하고 파가는 급찬에 토지, 집, 옷 등 하사하였다.

661년 10월 29일 당의 사신이 수도 경주에 도착했다는 보고를 받은 문무왕은 옹산성에서 경주로 복귀하였다. 대장군 김유신 등은 군사를 쉬게 하고 차후 명령을 대기하고 있던 중이었는데, 당의 유덕민이 경주에 와서 평양으로 군량 보내라는 황제의 명을 전했다.[64]

2. 662년 1~2월 군량 수송 작전[65]

문무왕은 고구려 수도 평양성 외곽에 주둔하고 있는 당군에 군량을 보내는 문제를 논의하기 위한 대책회의를 소집하였다. 여러 대신들은 적의 경내에 깊이 들어가 식량을 수송하는 것은 형편상 불가하다는 중론이었으나, 상대등 김유신은 "제가 지나치게 은혜로운 대우를 받았으며, 무거운 책임을 맡고 있으니, 국가의 일은 죽는 한이 있어도 피하지 않겠습니다."라 하며 임무를 자청하였다. 이후 그는 현고잠의 영실에 들어가 며칠을 기도하였다. 기도 후에 "이번 일에는 죽지 않을 것"이라 하자, 문무왕은 그에게 직접 쓴 "국경 벗어난 후 상벌 마음대로 할 것"라는 글을 주었다. 이후의 과정은 매우 힘든 작전이었는데, 그 경과는 다음과 같다.

① 662년 정월[66], 문무왕이 유신에게 명해, 인문, 양도 등 9장군과 함께 수레 2천여 대에 쌀 4천섬과 조 2만 2천여 섬을 가지고 평양으로 가게 함
② 1월 18일 풍수촌 도착함. 도로가 결빙되어 있고 험해 수레 진출이 불가능하여 모든 짐을 소와 말의 등에 옮겨 실음
③ 23일에 칠중하를 도하하여 산양(황해도 어느 지역)에 도착함[67]. 귀당제감 성천과 군사 술천 등이 이현에서 고구려군을 만나 공격하여 죽임
④ 2월 1일 유신 등은 장새(황해 수안, 평양으로부터 3만6천보 거리 지점)에 도착함, 보기감 열기 등 15인을 당 군영으로 보내어 연락을 취함. 혹한으로 사람과 말이 많이 동사함
⑤ 2월 6일 양오(평양시 강동면)에 도착함. 아찬 양도, 대감 인선 등을 보내 군량을 당군에 전함
⑥ 소정방은 군량을 얻자마자 회군함[68]

---

64) 김유신열전 중에 문무왕이 옹산성 전투로 인해 신라군이 지체되고 있다는 내용의 서신을 대감 문천을 시켜 소정방에게 보냈는데, 이 무렵 그가 돌아와 '소정방이 군량을 보내 달라' 한다고 전했다.
65) 이상훈, 「662년 김유신의 군량 수송작전」, 『국방연구』 55-3, 국방대학교 국방연구소, 2012 참조.
66) 김유신열전 중에는 12월 10일 부장군 인문, 진복, 양도 등 9장군과 함께 병사를 데리고 식량을 싣고 고구려 경계로 들어감이라 기술하여 약간의 차이가 있다.
67) 김유신열전 중에 1월 23일 칠중하 도착 후 배를 타고 도하함. 고구려인들이 큰길을 방어할 것을 예상하여 험하고 좁은 길을 택해 행군하여 산양에 도착했다고 하였다.
68) 『三國遺事』 卷1, 紀異1 太宗春秋公條에는 군량을 전달한 이후, 연기와 병천을 보내 소정방에게 신라군과 당군의 합세할 기일 문의하였는데, 소정방이 송아지와 난새를 그린 암호문을 보내왔다고 한다. 이에 아무도 그 의미를 몰라 원효에게 그것을 문의하자, 원효는 송아지와 난새는 성질상 같지 않으니 떨어지라(철군하자)는 의미로 풀어주었다. 그에 따라 고구려 경내에 있던 신라군도 철군하기 시작하였다.

⑦ 유신 등은 당군의 철군 소식을 듣고 철수 시작함

⑧ 신라군이 과천을 도하함. 고구려 군대가 추격하자, 군사를 돌려 접전함. 1만여 명을 참수, 소형 소달혜 등을 포로로 잡고 병기 1만여 개를 획득함[69]

⑨ 전공을 논해, 유신과 인문에게 재화, 토지 노비를 동일하게 하사함

　이때 김유신의 나이는 68세였다. ③에서 김유신은 건너면 바로 고구려 지역이라는 인식을 하고 있던 칠중하에서 부하들이 두려워 먼저 배에 오르는 것을 꺼리자 위험을 무릅쓰고 가장 먼저 배에 올라타는 모범을 보였다. 부하 장수들에게 산양에서 "고구려와 백제가 우리 강역 침범해 우리 인민을 죽이고 젊은이를 잡아가 죽이고 어린이를 잡아가 종으로 부린 지 오래되었다. 내가 죽음을 두려워하지 않고 어려움에 나가는 것은 대국의 힘을 의지해, 고구려, 백제의 두 나라의 수도를 함락하여 나라의 원수를 갚고자 함이다. 신령의 도움을 기도하고 있으나, 여러분의 마음을 몰라 말하는 것이다. 적을 무서워하지 않고 가볍게 보는 자는 반드시 성공해 돌아갈 것이나, 적을 두려워하면 포로가 될 것이다. 한 마음으로 협력하면 한 사람이 백 명을 당해낼 것이므로 이것을 나는 여러 장수들에게 바란다."고 하여 격려하였다. 이에 부하들은 "장군의 명을 받들겠으며 감히 살겠다는 마음을 가지지 않고, 죽을 각오로 임무를 완수하겠습니다." 라 반응하였다.

　④에서 매우 춥고 사람과 말이 지쳐 피곤해 많이 쓰러지자, 68세의 노장군 김유신은 윗옷을 벗어 어깨를 드러내고 채찍을 잡아 말을 몰아 앞으로 나가니 부하들이 이 모습을 보고 힘을 다해 달려 땀이 나 춥다고 하는 자가 아무도 없었다고 한다. ⑧에서 김유신은 추격하는 고구려군이 접근하는 것을 막고 신라군의 위용을 과시하기 위해 북과 북채를 모든 소의 허리와 꼬리에 매어달아 소가 뛸 때마다 소리가 나게 하고, 나무를 쌓아 태워 연기와 불을 계속 나게 하여 이동하였다.

　신라군의 피해가 없지는 않았겠으나, 적지 안으로의 군량 전달이라는 목적을 달성했을 뿐 아니라, 철수하면서 고구려 추격군과 접전해 장군 1명의 포로로 잡고, 1만여 명을 참수하고 병기 1만여 개를 획득하는 전과를 거둔 신라군은 대단한 성과를 거두었다고 보인다. 더욱이 처음 문무왕이 주재한 대책회의에서 어찌할 바를 몰라 안절부절했던 신라 수뇌부의 기류에 자신감을 부여한 이 작전은 차후에 실시되는 대고구려 전쟁에 커다란 자산이 되었을 것이다.

　662년 7월에는 신라군이 진현성(대전 유성 진잠)의 백제부흥군을 공략함으로서 마침내 신라

---

69) 김유신열전 중에 고구려가 매복하여 신라군의 철군 행군로에서 공격하고자 함. 유신이 북과 북채를 소의 허리와 꼬리에 달라 뛸 때마다 소리를 내게 하고, 나무에 불을 붙혀 연기와 불꽃을 내게 함. 표하에서 도하함. 고구려 군대가 추격함. 유신이 만노를 발사해 고구려군이 주춤함. 여러 부대(당)의 장병을 독려해 역습하여 승리함. 장군 1인, 포로, 1만여명 참수이라 기록하고 있다.

가 웅진으로 보내는 군량 수송로를 확보하였다. 662년 8월에는 흠순 등의 19장군을 보내 내사
지성(대전 유성)에 있던 백제부흥군을 토벌하였다. 한편, 이 무렵 신라는 대당총관 진주와 남
천주총관 진흠이 병을 핑계로 한가롭게 지내며 나라 일을 돌보지 않아 그들을 참수하고 일족을
멸하는 사건이 있기도 하였다. 특히, 대당총관과 남천주총관은 신라군의 핵심 전력부대라는 점
을 감안할 때 반란의 움직임을 포착한 태종무열왕과 상대등 김유신이 벌인 숙청이었다고 해석
할 수 있겠다.

663년 2월에는 흠순과 천존이 백제부흥군이 점거하고 있던 거열성(경남 거창), 거물성(전북
장수), 사평성(전북 임실) 및 덕안성(충남 논산) 등을 공략하였다.

3. 백제부흥군 토벌

백제의 옛 장수 복신과 승려 도침이 옛 왕자 부여풍을 맞아 왕으로 세우고 낭장 유인원이 주
둔하고 있던 웅진성을 포위 공격하였다. 이에 나당 연합군은 웅진성을 포위한 백제군을 수차례
공격하여 승리하였다. 백제군은 임존성(충남 예산 대흥)으로 물러나 그곳을 지켰는데, 복신의
무리가 매우 커졌다.

우위위장군 손인사가 40만 군대를 이끌고 덕물도에 도착하여 웅진부성으로 진출하였고, 문
무왕은 김유신 등 28장군을 거느리고 당군과 합하여 두릉윤성, 주류성 등 여러 성을 공격하여
모두 항복시켰다. 부여풍은 달아나고, 왕자 충승과 충지 등은 무리를 데리고 항복하였으나, 지
수신은 임존성을 고수방어하였다. 이곳을 나당연합군이 공격하여 수차례 승리했으며, 김유신
장군 등의 공격으로 두릉윤성과 주유성 등 제성이 모두 항복하였으므로 백제군은 대규모의 전
사상자 및 포로가 있었을 것으로 추정된다. 백제본기에는 이에 손인사와 유인원 및 신라왕 김
법민 등은 육군을 거느리고 나아갔으며, 유인궤 및 별장 두상과 부여륭은 수군과 군량선을 이
끌고 웅진강에서 백강으로 가서 육군과 만나 함께 주류성으로 갔다고 했다. (도중에) 백강 어귀
에서 왜인을 만나 네 번 싸워 모두 이기고 그 배 400척을 불태우니 연기와 불꽃이 하늘을 붉게
하고 바다 물도 빨개졌다. 왕 부여풍이 몸을 빼서 달아났는데 있는 곳을 알지 못하는데 혹은 고
구려로 달아났다고 하며, 왕자 부여충승과 충지 등이 그의 무리를 거느리고 왜인과 함께 모두
항복했으나, 홀로 지수신 만은 임존성에 웅거하여 항복하지 않았다.[70]

---

70) 김유신열전 중에는 '백제의 여러 성이 몰래 부흥을 도모함. 그 장수들이 두솔성에 근거하고, 왜의 군사를 청해
후원 삼음. 문무왕이 친히 유신, 인문, 천존, 죽지 등 장군을 인솔해 7월 17일 정벌에 나서 웅진주에 도착함. 그
곳의 유인원과 합세해 8월 13일 두솔성에 도착함. 백제군과 왜군이 성을 나와 전투해 신라군이 크게 승리함. 백
제군과 왜군이 모두 항복함. 왜군은 모두 석방하여 돌아가게 함. 군대를 나누어 공격하자 모든 성은 항복했으
나 임존성만은 30일 공격해도 함락 못함. 11월 20일 경주로 돌아옴. 유신에게 토지 500결 하사, 다른 장병에게
도 차등있게 상을 내림'이라 하였다.

한편, 답설인귀서에는 용삭 3년(663)에 총관 손인사가 군사를 거느리고 부성을 구원하러 오자, 신라군도 나아가 주류성 아래에 도착하였다. 이때 왜의 수군이 백제를 도우러 와, 왜의 1천 척의 배가 백강에 정박해 있고 백제의 정예기병이 언덕 위에서 배를 지키고 있었다. 신라의 용맹한 기병이 중국군의 선봉이 되어 먼저 언덕의 진지를 깨뜨리니 주류성에서는 간담이 서늘해져 곧바로 항복하였다. 남쪽이 평정되자 임존성 하나만이 고집을 부리고 항복하지 않아, 나당군이 같이 임존성을 공격했으나 깨뜨리지 못했다고 하였다.[71]

한편, 김유신은 이 전쟁 후 고령을 이유로 664년 정월 문무왕에게 퇴직을 청했으나 허락하지 않았다. 664년 3월에는 백제부흥군이 사비성에 모여 반란을 일으키자, 웅주도독이 휘하 군대를 동원해 공격했으나 여러 날 동안 안개로 싸울 수 없게 되었다. 이에 백산(伯山)을 시켜 사연을 보고하니 유신이 은밀한 모책을 주어 승리하게 하였다.[72] 664년 7월에는 문무왕이 장군 인문 등에게 명하여 일선주, 한산주의 군사를 이끌고 웅진부성의 군사와 함께 고구려 돌사성을 치게 하여 함락하였다. 666년 4월에 문무왕은 이미 백제를 평정했으므로 고구려를 멸망시키기 위해 당군을 요청했다. 이해 12월에 고구려 대신 연정토가 12성 763호 3543명을 이끌고 와서 항복하였다.

4. 고구려 원정

667년 7월에 당이 신라 장군들(지경, 개원, 일원 등 3인)을 임명해 요동의 전쟁에 나가게 하였으며, 유인원과 김인태에게 명해 신라군을 징발해 다곡 및 해곡의 길을 따라 이동해 평양으로 모이게 하였다. 이에 따라 8월에 대각간 김유신 등 30명 장군 대동하여 문무왕이 경주를 출발해 9월에 한성정에 도착했다. 11월 11일에 신라군이 고구려의 경내로 들어가 장새에 도착했으나, 당군의 철군 소식을 듣고 신라군이 복귀하였다.[73]

---

71) 『資治通鑑』 卷201, 唐紀17 高宗 龍朔 3년(663년)에는 9월 8일. 웅진도행군총관 우위위장군 孫仁師 등이 백제의 남은 무리와 왜병을 白江에서 깨뜨리고 그들의 周留城을 뽑았다. 애초에 유인원과 유인궤가 이미 진현성에서 이기고 떠났는데, 손인사에게 조서를 내려 군사를 거느리고 바다로 가서 그를 도우라고 함. 손인사가 유인원, 유인궤와 더불어 군사를 합치니 그 형세가 크게 떨침. 諸將들이 加林城이 수륙의 요충지이므로 먼저 그곳을 치려고 하였으나, 유인궤가 周留城을 공격하자고 함. 그리하여 손인사, 유인원, 김법민은 육군을 지휘하여 나아가고, 유인궤와 별장 杜爽, 扶餘隆은 수군과 양곡 실은 배를 지휘하여 웅진에서 백강으로 들어가서 육군과 만나 주유성으로 향함. 왜병을 백강 입구에서 만나 4회 싸워 모두 이김. 그들의 배 400척을 불사르니 연기와 불꽃이 하늘을 빛냈고 바닷물은 모두 붉게 됨. 백제왕 扶餘豊은 고려로 달아나고, 왕자 扶餘忠勝과 扶餘忠志 등은 무리를 데리고 항복함. 백제가 모두 평정되었으나, 오직 別帥인 遲受信만이 任存城을 점거하고 저항함.

72) 『三國史記』 卷43, 列傳3 金分信 下.

73) 답설인귀서에서는 "건봉 2년(667) 대총관 영국공이 요동 정벌한다는 말을 듣고, 저는 한성주에 가서 군사를 국경으로 보내 모이게 함. 신라군 단독으로 쳐들어가서는 안되겠기에 먼저 정탐을 3회 보내고 계속하여 배를 띄워 대군의 동정을 살피게 하였는데, 정탐이 돌아와 대군이 아직 평양에 도착하지 않았다고 함. 그리하여 우선 고구려 칠중성을 쳐서 길을 뚫고 대군이 도착하기를 기다리고 하여, 성을 깨뜨리려고 할 때에 영공의 사인 강

5. 대고구려 통일전쟁

668년에 있었던 고구려 통일전쟁은 아래의 경과로 진행되었다.

① 668년 6월 12일 유인궤가 김삼광과 함께 당항진에 도착하여 (군사동원기일) 약속을 마치고 천강으로 향하여 감
② 6월 21일 고구려 원정군을 편성함
③ 6월 22일 웅진부성의 유인원이 귀간 미힐을 보내어 고구려의 대곡성과 한성 등 2군 12성이 항복해 왔음을 알림.
④ 6월 22일에 인문천존도유 등은 일선주 등 7개 군 및 한성주의 병마를 이끌고 당영으로 감
⑤ 6월 27일에 왕이 경주를 출발하여 당나라 군영으로 나아감
⑥ 6월 29일에 여러 도의 총관들이 출발함
⑦ 유신은 풍질을 앓으므로 왕이 경주에 머무르게 함
⑧ 인문 등은 영공을 만나 영류산 아래까지 진군함
⑨ 7월 16일에 왕이 한성에 도착하여 여러 총관들에게 명하여 가서 당나라 군대와 회합하라고 함. 문영 등은 사천 벌판에서 고구려군을 만나 크게 승리함
⑩ 9월 21일 당군과 합하여 평양을 포위공격함
⑪ 10월 22일 (한성에서) 고구려 원정군에 대한 포상 조치를 시행함
⑫ 11월 5일 왕이 포로로 잡은 고구려 사람 7천명을 데리고 경주로 돌아옴
⑬ 11월 6일 문무관료를 데리고 선조의 사당에 "조상의 뜻을 이어 당나라와 함께 의로운 군사를 일으켜 백제와 고구려에게 죄를 묻고 원흉들을 처단하여 국운이 태평하게 되었음"을 고함
⑭ 11월 18일 전쟁에서 죽은 자에게 물건을 포상함. 소감 이상에게는 10△△필, 종자에게는 20필을 하사함

②의 원정군 편성은 다음과 같다. 대각간김유신은 대당대총관, 각간김인문흠순천존문충잡찬진복 파진찬지경 대아찬양도개원흠돌은 대당총관, 이찬진순(일작춘)죽지는 경정총관, 이찬품일 잡찬문훈 대아찬천품은 귀당총관, 이찬인태는 비열도총관, 잡찬군관 대아찬도유 아찬용장은 한성주행군총관, 잡찬숭신 대아찬문영 아찬복세는 비열성주행군총관, 파진찬선광 아찬장순순장은 하서주행군총관, 파진찬의복 아찬천광은 서당총관, 아찬일원흥원은 계금당총관이다.

⑦에서 김유신은 풍병으로 인해 참전하지 못하게 했다고 하였으나, 흠순이 "유신과 함께 가지 않으면 후회가 있을까 합니다."라 한 것은 김유신이 출전할 수 있는 상황임을 암시한다. 이

심이 도착하여 신라군사는 성을 공격할 필요없이 빨리 평양으로 와 군량을 공급하고 와서 모이라고 함. 신라군이 수곡성에 이르렀을 때에 대군이 이미 회군했다는 말을 듣고 신라군도 회군함"이라 하였다.

에 대해 문무왕은 "공들 세 신하는 나라의 보배이다. 만약 적지로 가서 혹 뜻하지 않는 변고가 생기면 나라가 어찌될 것인가?"라 하였다. 이는 고구려 원정 도중 풍병으로 대장군이 사망할 경우 신라군 전체의 사기와 관련되는 문제이기에 경주에 머물도록 조치한 것이었다.[74]

⑨에서 문무왕이 군대를 내어 호응하려고 흠순, 인문에게 명해 장군으로 삼음. 흠순 "유신과 함께 가지 않으면 후회가 있을까 합니다."하니 왕이 "공들 세 신하는 나라의 보배임. 만약 적지로 가서 혹 뜻하지 않는 변고가 생기면 나라가 어찌될 것인가? 그러므로 유신을 머물러 나라를 지키게 하면 長城과 같아 끝내 근심이 없을 것", 흠순은 유신의 아우, 인문은 유신의 생질이므로 유신을 높이 섬기고 감히 거역하지 못함. 두 장군이 유신에게 지혜를 구함. 유신이 "장수는 나라의 간성임, 임금의 조아가 되어서 승부를 전쟁터에서 결판내야 함. 반드시 천도하늘, 지리 땅, 인심 사람을 얻은 후에 성공할 수 있다. 우리나라는 충성과 신의임에 비하여, 백제는 오만으로 멸망했고, 고구려는 교만하여 위태로움, 우리의 곧음으로 저편 고구려의 잘못을 치면 뜻을 이룰 수 있다."고 함.

⑩에서 답설인귀서에서는 "이때 번방의 군사와 중국의 여러 군대가 사수에 모두 모여 있었다. 남건이 군사를 내어 한 번의 싸움으로 승부를 결판내려고 하였다. 신라 군사가 홀로 선봉이 되어 먼저 큰 진영을 깨뜨리니 평양성 안은 강한 기세가 꺾이고 사기가 위축되었다. 이후 다시 영공이 신라의 용맹한 기병 500명을 뽑아 먼저 성안으로 들어가게 하여 마침내 평양을 평정하고 큰 공을 이루었다."라 하였다.

신라본기에는 고구려왕이 먼저 연남산을 보내 영공을 찾아보고 항복을 요청한 것이라 하였고, 영공은 보장왕, 왕자 복남, 덕남, 대신 등 20여만 명을 데리고 당으로 귀국했는데, 각간 김인문, 대아찬 조주, 인태, 의복, 수세, 천광, 홍원 등도 영공과 함께 당에 갔다고 하였다.

⑪에서 고구려 멸망 후 문무왕이 한산주로 돌아와 "유신의 조부 무력 각간이 장수가 되어 백제 명농왕을 맞아 공격해 승세를 타서 왕과 재상 4인, 사졸들을 사로잡아 백제의 침입을 좌절시킨 공로가 있다. 아버지 서현은 양주총관(양산)이 되어 여러 번 백제와 싸워 그 예봉을 꺾어 변경을 침범하지 못하게 했으므로 변방의 백성들이 편안히 농사, 누에 가능, 군신은 국가의 일에 골몰하는 근심을 없게 하였다. 유신은 조부와 부를 계승해 사직을 지키는 신하가 되어 나가서는 장수, 들어와서는 재상이 되어 그 공적이 많았다. 만일 공의 집안에 의지하지 않았더라면 나라의 흥망이 어찌되었을지 알 수 없다. 유신의 직과 상을 어떻게 할까?"라 하였는데, 여러 신라들이 문무왕의 의견에 동의하였다고 한다. 이에 유신에게 태대서발한의 직위와 식읍 500호, 수레 지팡이를 하사하고, 대궐 출입시 몸을 굽히지 않도록 하였으며, 그의 모든 보좌들에게 각각 위계를 1등씩 올렸다고 하였다.

---

74) 이현숙, 앞의 논문, 2011. p.131.

김유신은 668년 고구려 통일전쟁 이후 더 이상 참전하지 않았다. 다만 아래의 석문 전투에 자문하는 정도로 관여하였다. 672년 7월에는 석문 전투에서 문무왕이 장군 의복, 춘장 등을 보내 방어하게 하였다. 이에 신라군은 대방의 들에 주둔하였는데, 장창당 부대만이 별도로 진영을 설치해 당군 3천명 포로 잡아 대장군 진영으로 보냈다. 신라군의 다른 당 부대들은 모두 흩어진 상태였는데, 이 틈을 당군이 노려 공격해 승리하였다. 신라 장군 효천과 의문이 전사하였고, 유신의 아들 원술은 비장으로 참전 중이었는데, 살아서 돌아왔다. 패전의 결과를 놓고 문무왕이 유신에게 자문하자, 유신은 "당군의 모책을 알 수 없으니, 장졸들로 하여금 각기 요소를 지키게 해야 합니다. 원술은 왕명을 어기고, 가문을 더럽힌 죄가 있으니 처형해야 합니다."라 하였으나, 문무왕은 원술이 비장인데 그만 처벌할 수 없다고 하여 살려주었다. 675년 9월에 당의 이근행이 군사 20만 명을 거느리고 매초성에 주둔하자, 신라군이 공격하여 물리치고 말 30,380필을 획득하고 병기도 많이 획득하는 결정적인 승리를 거두었다.

V. 결론

김유신은 진평왕 51년(629)부터 문무왕 8년(668)까지 39년 동안 신라가 수행한 전쟁을 지도하였다. 나이로는 35세부터 74세까지 활동하였다. 기간 중 신라는 33회에 달하는 전쟁을 하였는데, 김유신은 이중에서 15회를 참전하였으며, 모두 승리하였다. 33회의 전쟁 중 전쟁 발생 지역의 城主 외에 중앙에서 전쟁 지도부를 구성한 경우는 김유신의 15회를 제외하면 단 5회(636년과 638년의 장군 알천, 661년 4월의 품일, 662년 8월의 흠순 및 664년의 인문)가 보일 뿐이었다. 이것은 김유신 장군이 기간 중 특히 선덕왕 이후 신라군의 최고 책임자의 위치에서 신라가 수행했던 거의 모든 중요한 전쟁을 지도한 것을 의미한다.

본문에서 김유신 장군이 지도한 15개 전쟁에 대하여 발생지역, 지휘관과 전투력 규모, 전쟁의 경과, 결과 및 전쟁지도 등에 대해 자세히 살펴보았는데, 이중 전쟁 지도면에서 나타나는 주요 특징들을 정리하면 다음과 같다.

첫째, 전쟁의 승패를 가름할 수 있는 결정적인 순간을 포착하여, 위험하지만 반드시 해야 하는 핵심 역할을 본인이 직접 하거나 신임하는 부하에게 부여해 전승을 달성하였다. 전쟁이 실시되는 동안 전쟁의 추이를 주도면밀하게 관찰해 적시적절한 결심을 하고 행동으로 이행하는 전쟁 지도를 하였다. 이는 그가 전투가 일어나고 있는 현장에 위치해 아군에게 임무를 부여하기도 하고, 필요시 역정보전을 구사해 그것을 통해 적을 심리적으로 마비시키는 것으로 나타났다.

둘째, 전쟁 수행에 있어서 士氣가 중요함을 인식해 높은 사기를 유지하기 위해 수단과 방법을 가리지 않았다. 특히 심리전의 중요성을 인식해 적시적절하게 활용하였다.

셋째, 전쟁을 실시하는 목적을 국왕, 휘하 지휘관 및 병사에 이르기까지 공유하고자 하였다. 이것은 死士로 표현된 부하와 함께 생사를 같이 할 수 있는 수준까지 올라갔음을 의미한다.

네째, 개인의 이익과 안일 보다는 부대와 국가를 먼저 생각하고 행동하는 滅私奉公 및 先公後私의 전쟁 지도 및 러더십을 발휘하였다. 이것은 김유신의 개인 희생과 솔선수범의 자세를 통해 표현되었고, 부하들과 동고동락하는 상태를 유지한 것으로 보인다. 특히, 국가가 어려운 상황에 처했을 때 임무를 자청하여 어려운 상황을 솔선하여 해결하고자 하였다.

다섯째, 660년부터 형성된 나당연합군 체제에서 당에 대한 자주성을 표출하고, 유지하였다.

【참고문헌】

『三國史記』
『三國遺事』
『日本書紀』
『資治通鑑』

강경구,『신라의 북방 영토와 김유신』, 학연문화사, 2007.
신형식,『三國史記硏究』, 일조각, 1981.
_____,『한국고대사의 신연구』, 일조각, 1984.
연민수 등 공역,『역주 일본서기』3, 동북아역사재단, 2013.
정구복 주편,『譯註 三國史記』3・4 주석편, 한국학중앙연구원, 2012.

허중권,『신라 통일전쟁사의 군사학적 연구』, 한국교원대학교 박사학위논문, 1995.

김덕원,「신라 진평왕대 김유신의 활동」,『흥무대왕 김유신 연구』, 경인문화사, 2011
김영수,「김유신의 첩자활용과 첩보술에 관한 일연구」,『군사』62, 국방부, 2007.
김태식,「방사로서의 김유신」,『신라사학보』11, 신라사학회, 2007.
문경현,「김유신의 혼인과 가족」,『문화사학』27, 한국문화사학회, 2007.
_____,「삼국통일과 신김씨 가문 – 김유신 조손사대의 공헌」,『군사』2, 국방부, 1981.
신형식,「한국고대에 있어서 한강유역의 정치군사적 성격」,『향토서울』41, 서울특별시사편찬위원
　　　회, 1983.
윤일영,「신라군의 행군과 군수」,『군사학연구』6, 대전대학교 군사연구원, 2008.
이상훈,「662년 김유신의 군량 수송작전」,『국방연구』55-3, 국방대학교 국방연구소, 2012.
이현숙,「김유신의 풍병과 신라 통일전쟁기의 질병」,『흥무대왕 김유신 연구』, 경인문화사, 2011.
조범환,「김유신의 가계와 후손들의 활동」,『신라사학보』11, 신라사학회, 2007.
정구복,「김유신(595~673)론」,『강인구교수정년기념 동북아고문화논총』, 민창문화사, 2002
정영호,「김유신의 백제공격로 연구」,『사학지』6, 단국사학회, 1972.
정중환,「김유신(595~673)론」,『역사와 인간의 대응』, 한울, 1985.
주보돈,「김유신의 정치지향」,『흥무대왕 김유신 연구』, 경인문화사, 2011.

百濟復興運動의 軌跡

金榮官*

目 次

Ⅰ. 머리말

백제가 역사 속으로 사라진 것은 660년의 일이 아니었다. 660년 7월 나당연합군의 공격으로 수도 사비성이 함락당하고 의자왕이 항복을 했다고 하지만, 백제유민들에 의해 백제부흥운동이 일어났기 때문이다.

백제부흥운동의 시점과 종점을 백제 멸망 직후인 660년부터 주류성과 임존성이 함락되는 663년까지로 보는 것이 학계의 통설이었다. 그런데 『삼국사기』 신라본기에는 664년 3월에 백제유민들이 사비성에 모여 반란을 일으킨 것으로 기록되어 있다. 이는 백제부흥운동이 664년에도 계속되었다는 증거가 되므로 663년을 부흥운동이 끝난 해로 판단하는 기존의 통설은 그릇된 것이다.

"백제부흥운동"이라는 용어에 대해 적절치 못하다는 비판도 있다. 대신 "백제부흥전쟁"이라든지, "백제조국회복전쟁"이라는 용어를 사용하는 경우도 있다. 그러나 '부흥운동'이라는 용어 대신 '전쟁'이라는 용어를 사용하는 것은 단순히 백제유민들에 의한 "무장투쟁"만을 강조하는 것이다. 그러므로 "무장투쟁"의 배후에 있는 백제유민의 "결집된 국가부흥활동"이라는 의미에서 "백제부흥운동"이 더 적절한 용어이다.

백제부흥운동에 대한 연구는 초기에 지명비정과 백강구와 주류성 전투 등에 치우쳐 있었다. 그렇지만 이제는 많은 연구 성과가 축적되어 부흥운동의 전모를 대개 밝혀낼 수 있을 만큼에

* 충북대학교 사학과 교수

이르렀다.

이에 본고에서는 백제부흥운동의 발생과 전개, 소멸에 이르는 과정을 재구성해 정리해보고자 한다. 이를 통해 백제부흥운동의 발생 배경과 원인 및 전개과정에 대해 살펴볼 것이다. 또한 부흥운동이 실패로 돌아가게 원인에 대해서도 내부의 자체적인 문제와 외적인 문제로 나누어 살펴보고, 부흥운동이 갖는 역사적인 의의에 대해서도 언급하려 한다.

Ⅱ. 백제부흥운동의 발생 배경

백제는 660년 7월 나당연합군의 협공을 받아 고군분투했으나 예식 등 신하의 배반과 방어전략의 실패로 말미암아 나라를 지켜내지 못하였다. 나당연합군은 백제 수도 사비성과 북방성인 웅진성 등 중요 거점을 점령하고 의자왕과 대소신료들을 사로잡는 등 전과를 올리고 항복을 받았다. 백제 영토의 일부분만을 장악한 상태였고, 대부분의 백제 영토는 여전히 무너지지 않은 상태였다. 이에 백제의 여러 지역에서는 힘을 모아 백제를 다시 일으키고자하는 움직임이 일어났다.

멸망 직후 百濟 遺民들의 동향은 크게 두 부류로 나누어 살펴볼 수 있다. 첫째는 백제에서 당, 신라, 고구려, 왜 등으로 간 부류들이고, 둘째는 백제 고지에 잔존한 부류이다. 먼저 외국으로 나간 부류들은 다시 당에 포로로 끌려가거나 투항한 세력, 신라에 투항한 세력, 고구려나 왜로 망명한 세력 등 3개 부류로 구분된다. 이들 중 당과 신라로 간 세력들은 백제부흥운동과는 무관한 경우가 대부분이다. 그러나 일부는 당과 신라의 편에 서서 백제 유민의 안무와 부흥군 진압 등에 이용당하기도 하였다. 한편 고구려와 왜로 망명한 세력은 백제의 멸망을 알리고 구원을 청하는 등 백제부흥운동을 외부에서 후원하는 세력이 되었다.

둘째, 백제 고지에 남은 세력들은 대다수의 왕족을 비롯한 대신귀족들이 당과 신라로 끌려가고 남은 일부 중앙귀족과 지방에 자리잡고 있던 지방군장, 그리고 대부분의 백제 유민들이었다. 이들은 처음에는 흑치상지의 예에서 보듯이 당과 신라에 투항하는 등 점령군의 휘하에 들어갔으나, 곧 나당군이 백제 유민들을 무차별 살육하고 약탈하자 백제부흥운동에 가담하여 결사적으로 항전하게 되었고 백제부흥운동의 중심세력으로 편입되었다. 또한 나당군의 공격로 상에서 벗어나 있던 대부분의 지방군장들과 유민들은 처음에는 곳곳에서 산발적으로 나당군에 저항하는 가운데 부흥운동을 전개하게 되었으나, 점차로 복신과 도침을 중심으로 하나의 세력으로 편제되었다. 초기에 부흥군을 일으킨 주요 세력을 보면 달솔 흑치상지, 은솔 귀실복신, 달솔 여자진 등과 같은 솔계 관등을 가지고 있던 지방 군장세력이었다.

멸망 당시 백제군의 전력은 중앙군과 5개 방성의 병력을 합하면 최소 5만 명 이상이었다. 거기에다 지방의 군성에 주둔하고 있던 병력을 더하면 훨씬 많은 수의 병력을 유지하고 있었다.

그런데 백제가 나당연합군과의 전쟁으로 입은 전력의 손실은 황산벌 싸움에서 전사한 계백의 5천 결사대와 당군의 기벌포 상륙 방어전에서 죽은 수 천 명, 사비성 밖 싸움에서 죽거나 포로가 된 1만 명 등에다 사비성 싸움에서 손실된 전력을 보태어도 대략 1만 5천 명에서 2만 명으로 추정할 수 있다. 백제군이 입은 전력의 손실은 매우 큰 것이었지만 잔존 전력 또한 만만치 않게 남아있었다. 나당군과 직접 전투를 치르지 않은 지방 군성들은 큰 피해를 입지 않았다. 이러한 지방군성들이 보유한 전력은 부흥군의 근간이 되어 장기간의 전쟁을 수행할 수 있는 인적 물적 토대가 되었다.

부흥운동이 일어난 원인은 몇 가지로 정리할 수 있다. 첫째는 나당점령군의 약탈과 살육에 따른 백제유민의 반발이다. 백제유민들은 약탈과 인명의 살상에 대한 두려움 때문에 산곡으로 달아나게 되었고, 생명의 위협에 대한 자구책으로 군비를 갖추어 나당군에 대항하였던 것이다. 약탈과 살육에 대한 두려움과 공포감은 부흥운동 발생의 직접적인 계기가 되었다.

둘째는 당군이 의자왕과 군신들을 사로잡아 가두고 핍박하며, 결국에는 백제를 신라에 넘겨줄 것이라는 말을 듣고 발분하였던 것이다. 그리고 의자왕이 항복하였을 때의 비참한 모습을 전해들은 것도 부흥운동의 촉발제가 되었다. 더욱이 백제에 대한 원망과 복수심으로 가득 차 있던 신라의 수중에 백제를 넘겨준다는 말에 백제유민들은 더욱 분노하지 않을 수 없었다. 만약 당군이 백제를 신라에 넘긴다면 백제인들에 대한 신라군들의 핍박은 당군에 의한 살육과 약탈과는 비교할 수 없을 정도로 심해질 것이고, 모든 백제인들을 다 잡아 죽일 것이라는 소문도 크게 일어났다. 이러한 핍박에 대한 두려움은 의자왕과 왕족에 대한 나당군의 처우를 본 후에 더욱 두려운 현실로 백제유민들에게 다가왔을 것이다.

셋째로, 직접 전쟁의 피해를 입지 않은 지방의 군장들이 기득권을 지키려고 부흥운동에 가담하였다. 이들은 의자왕의 항복과 더불어 당군에 항복의 예를 갖추었으나, 이후 흑치상지의 예에서 볼 수 있는 것처럼 부흥운동에 가담하게 되었다. 당군에 투항한 후 보장되리라 믿었던 지방군장들의 기대는 무너졌다. 더욱이 왕족을 비롯한 대다수의 중앙귀족들이 당의 포로가 되어 끌려가는 등 재지적 세력기반으로부터 강제로 축출당하는 상황을 목도한 지방 군장들과 백성들은 자신들의 기득권을 유지하기가 어렵다는 것을 알았던 것이다.

Ⅲ. 백제부흥운동의 전개 과정

백제의 유민들이 처음 봉기한 시기가 언제인지는 정확하지 않다. 부흥군이 거병한 시기는 대개 백제 멸망 직후인 660년 8월이라는 설이 지배적이다. 부흥운동에 대한 최초의 기록은 다음과 같다.

8월 2일, (중략) 백제의 나머지 적병이 남잠성과 정현성 · ???성을 차지하고 버텼다. 또 좌평 정무가 무리를 모아서 두시원악에 진을 치고 당나라와 신라 사람들을 노략질하였다. (『삼국사기』 신라본기 태종무열왕 7년 8월).

위 기록으로 보아 660년 8월 2일에 백제유민들은 이미 사비 남잠과 정현성, ??城 등 사비 주변에서 활동을 시작했고, 두시원악에서는 좌평 정무가 나당군을 초략하고 있다. 8월 2일은 부흥군과 나당군이 충돌한 시점에 대한 이해의 단서가 된다. 7월 18일 의자왕이 항복한 뒤 불과 보름이 안 되어 나당군과 군사적인 충돌이 일어난 것은 부흥운동의 발생 시점을 7월 18일에서 8월 2일 사이로 볼 수 있게 해 준다. 두시원악의 백제유민들과 마찬가지로 사비 남잠과 정현성 등에서도 유민들이 결집하여 군사적인 활동을 준비하고 있었다는 점도 이 당시 이미 부흥운동 이 시작되었다는 것을 알려준다. 그러나 부흥운동이 과연 언제 시작되었느냐 하는 것은 지금으로서는 더 이상 정확히 알 수가 없다. 다만 660년 8월 2일 이전에 유민들이 결집되어 활동하고 있었으며, 그 시기는 백제 멸망과 거의 때를 같이 했다고 볼 수 있는 것이다. 그렇다면 백제부흥 운동은 의자왕이 나당군에게 항복한 7월 18일 당일부터 시작되었다고 보아도 좋을 것이다.

백제유민들이 초기부터 서로 조직화되어 연계된 상황에서 부흥운동을 펼쳤는지에 대해서는 다음의 사료를 통해 살펴 볼 수 있다.

23일 百濟 餘敵이 사비성에 들어와서 항복하여 살아남은 사람들을 붙잡아 가려고 하였으므로 남아서 지키던 인원이 당나라와 신라 사람들을 내어 이를 쳐서 쫓았다. 적병이 물러가서 사비의 남쪽 산마루에 올라 네댓 군데에 목책을 세우고 진을 치고 모여서 틈을 엿보아가며 성읍을 노략질하였는데, 백제 사람들 중에서 배반하여 부응한 것이 20여 성이나 되었다.(『삼국사기』 신라본기 태종무열왕 7년 9월).

위 사료에 보이는 백제 여적으로 표현된 부흥군은 사비의 남령에 4, 5개의 목책을 세우고 기회를 보아 사비성을 초략하고 있다. 이 때 사비 남령의 부흥군에 호응한 성이 20여 개나 되었다는 것은 부흥군이 발생 초기부터 서로 연계되어 활동을 하였다는 것을 알려주는 것이다.

초기 부흥군이 일어난 지역은 대부분 흑치상지나 복신의 경우처럼 자신의 출신지이거나, 또는 정무의 경우처럼 은거하고 있던 자신의 세력근거지였다. 특히 백제는 의자왕이 항복할 당시 5방 37군 200성의 지방통치조직이 완전히 무너지지 않은 상태였으므로, 지방군장과 성주들은 그들의 임지인 지방의 방성과 군성 등을 중심으로 거병하여 부흥운동에 합류하였다.

부흥운동이 시작과 함께 맹렬한 기세를 떨칠 수 있었던 요인을 살펴보면 첫째로, 멸망 당시 백제의 군사력이 완전히 해체되지 않았고 둘째로, 지방의 군장들도 나당군에게 무장해제를 당하지 않아 지역적인 세력기반을 상실하지 않고 거의 그대로 유지할 수 있었기 때문이다. 셋째로, 여기에 백제유민들의 역량을 결집시킬 수 있는 지도자가 출현했다는 점이다.

부흥운동을 지도한 대표적인 인물로는 복신을 필두로 흑치상지와 사타상여, 여자진, 정무 등이 있었다. 그리고 여기에 또한 빼놓을 수 없는 인물이 있는데 바로 승려인 도침이다. 그러나 도침에 대해서는 초기 부흥운동과 관련된 기록에서는 직접적으로 확인을 할 수가 없다. 도침이 처음 거병한 곳에 대해서는 唐劉仁願紀功碑에 "僞扞率福信 僞僧道琛 據任存城"이라 하여 복신과 함께 임존성을 기반으로 부흥운동을 시작했다고 기록되어 있다.

도침이 군사를 일으킨 시기에 대해서는 문무왕의 답설인귀서에 "大軍廻後 賊臣福信 起於江西 取集餘盡 圍逼府城 先破外柵 攬奪軍資"라고 한 기사를 근거로 소정방이 당나라로 돌아간 이후라고 보는 견해가 있다. 즉 『삼국사기』에 의하면 소정방이 백제를 평정한 후 당으로 돌아간 시기는 660년 9월 3일이고 이후 부흥군이 사비성에 주둔한 당군을 포위 공격한 것이 9월 23일로 되어 있으므로, 복신과 도침이 거병한 시기는 660년 9월 3일에서 9월 23일 이전의 어느 시기라는 주장이다. 그런데 이와 같은 주장은 사료에 대한 분석의 오류에서 비롯된 것이다. 답설인귀서의 내용은 복신 등이 소정방이 당으로 돌아간 이후에 거병한 것이 아니라, 소정방이 당으로 돌아간 이후에 사비성을 포위하고 공격했다는 것으로 해석하는 것이 옳다. 이는 660년 8월 26일에 임존성의 흑치상지가 이끄는 부흥군을 소정방이 공격했으나 실패했다는 사실로 보아서도 알 수 있다. 흑치상지가 먼저 임존성을 근거로 부흥운동을 일으켰는데, 나중에 복신과 도침이 다시 임존성에서 부흥운동을 일으키자 흑치상지가 여기에 합류했다는 주장도 옳지 못하다. 만약 흑치상지가 임존성을 근거로 먼저 거병한 뒤라면, 복신과 도침이 다시 임존성을 근거로 거병한다는 것은 논리에 맞지 않는다. 오히려 임존성에서 복신과 도침이 거병한 뒤에 당군에 투항했던 흑치상지가 주변의 무리들을 이끌고 임존성으로 도망와 복신과 도침의 부흥군에 합류했다고 보는 것이 자연스러운 해석이 될 것이다.

도침은 승려였으므로 시찰을 기반으로 부흥군을 조직하였을 가능성이 매우 높다. 멸망 당시 백제에는 미륵사와 함께 왕흥사가 국왕의 원찰로서 널리 알려진 대찰임을 상기할 때, 도침이 왕흥사와 같은 사찰을 기반으로 백제유민을 모아 부흥운동을 전개했을 가능성이 매우 크다. 더구나 왕흥사는 사비성의 맞은 편 금강 대안에 있는 사찰이었고, 실제로 왕흥사잠성에서 부흥군이 활동했던 것으로 보아 그 가능성은 더욱 높다. 그렇다면 도침은 처음에 왕흥사를 거점으로 부흥운동을 시작하였다가 복신과 함께 부흥운동을 주도하게 되었다고 할 수 있다. 도침이 초기 사비성 공격에 핵심이었던 왕흥사를 중심으로 부흥군을 이끌었다면 도침의 활동은 사비남령에 설책한 후 사비성을 공격했던 부흥군 세력과도 관계가 있을 것이다. 이러한 도침의 활동은 복신과 함께 부흥운동의 양대 중심인물로 자리매김 하는 계기가 되었을 것이며, 특히 사비성의 당군에게는 복신보다도 더 이름을 떨쳤던 것이다.

복신 역시 부흥군을 주도하였다.『삼국사기』백제본기를 살펴보면 확연히 알 수 있다.『삼국사기』백제본기에는『구당서』와『신당서』등이 열전의 기록과 동일한 내용을 전하면서도 부흥군의 대표로 도침을 복신으로 바꿔 기록하고 있다. 즉『삼국사기』에서는 웅진강구 전투를 지휘한 부흥군의 대표 역시 복신으로 파악하였다. 이러한『삼국사기』의 기록은 단지『구당서』나『신당서』의 동이 열전의 기록에 보이는 도침을 복신으로 단순하게 바꿔치기해서 기록한 것 같지만은 않다.『신당서』유인궤 열전을 보면 웅진강구 전투에 대한 기록은 보이지 않지만, 사비성의 포위를 풀고 임존성으로 물러간 부흥군의 대표자를 복신으로 보고 있기 때문이다.

『신당서』유인궤 열전과『삼국사기』백제본기에 사비성 포위를 복신이 주도한 것처럼 기록한 것은 당시 부흥군을 대표하는 인물을 복신이라고 보았기 때문일 것이다. 복신과 도침에 대한 기록이 서로 엇갈리는 것은 초기에 도침과 복신이 거의 호각지세를 보이며 부흥운동을 이끌었기 때문일 것이다. 즉 누가 위라고 할 수 없을 정도로 부흥운동은 두 사람의 지휘 아래 영도되었던 것이었다. 그러기에 복신과 도침에 대해서는 늘 같이 기록되어 있다.

신라 측의 입장에서 부흥운동을 기록한 답설인귀서를 보면 당 측의 기록인『구당서』와 유인원기공비의 기록과는 판이하다. 아예 도침에 대해서는 언급조차 없다. 오직 복신만이 기록되어 있는 것이다. 답설인귀서에는 도침에 대해서는 전혀 언급하지 않고 복신만 기록하였다. 이는 신라 측에서 볼 때 도침은 복신에 비해 그다지 중요한 인물로 인식되지 않았기 때문일 것이다.

『일본서기』의 기록에도 보면 도침에 대한 언급이 없이 복신에 대해서만 나온다. 특히 660년 9월 5일 달솔과 사미 각종이 왜에 가서 백제의 멸망과 부흥군이 일어났음을 알리면서 도침에 대해서는 전혀 언급하지 않았다.

백제에서는 국왕의 유고시에 왕자나 왕제가 왕위를 계승했었다. 그런데 의자왕과 태자 융, 효, 태, 연 등의 왕자와 대신 장사들이 대부분 당군에 포로로 잡혀 끌려간 뒤였으므로 왕위계승권을 갖는 왕실자제들을 백제고지에서는 찾을 수가 없었다. 오직 왜에 가 있던 왕자들만이 백제멸망의 화를 면하였다. 그러므로 백제유민들은 자연스럽게 왜에 가 있던 백제의 왕자 풍을 맞이하여 국왕으로 세우고자 하였다.

왜에 있던 풍은 무왕의 왕자이며, 의자왕의 왕제로서 비록 의자왕에 밀려 왕위에 오르지 못하였지만, 백제의 멸망으로 의자왕과 태자 및 왕자들이 모두 당으로 잡혀간 상황에서는 제일의 왕위계승권자였다. 더구나 왜에서 오랫동안 활동하면서 백제와 왜의 외교활동을 이끌었던 경력을 이용하여 왜의 지원을 이끌어 내기에도 풍은 가장 적합한 인물이었다. 이러한 풍의 위상으로 인해 부흥군을 이끌고 있던 복신은 왜에 사신을 보내 풍의 귀국을 요청하였다. 풍을 귀국시키려고 한 복신의 의도는 또한 풍의 귀국과 함께 왜에 구권병을 요청한 것으로 나타났다. 즉 왜에 인질로 가 있던 풍을 백제왕으로 옹립함으로써 왜로부터 군사적인 협력을 이끌어 내고자 한 것이었다. 왜는 풍의 귀국과 지원군의 파견을 약속하고 백제로의 파병준비를 시작했다. 그러나 왜로부터 풍이 바로 귀국한 것은 아니었다.

복신은 660년 10월에 이어 661년 4월에도 왜에 사신을 보내 풍의 귀국을 요청하였다. 거듭되는 복신의 요청에 왜는 풍을 귀국시킬 것을 결심을 하고 마침내 풍을 귀국시키고 있다. 이 때 왜는 풍만이 아니라 부여충승과 새성 등도 함께 귀국시키고 있다. 풍이 귀국한 시기는 661년 9월이었다. 풍은 왜에서 귀국하면서 5천여 명의 호송군을 거느리고 들어왔고, 이어 왜군의 출병이 이어지고 있다. 이것은 애초 부흥군이 풍의 귀환과 함께 왜군에게 걸사를 요청한 것이 모두 받아들여진 결과였다.

백제부흥운동 발생 초기에 부흥군과 당군과의 싸움은 부흥군이 공세를 펴고 사비성의 당군이 농성고수하는 양상을 보인다. 사비성을 포위한 부흥군의 공세는 나당군을 핍박하여 고립무원의 상태에 이르게 하였다. 이에 경주로 돌아가던 신라의 태종무열왕이 결국 삼년산성에서 다시 군사를 돌려 사비 남령과, 이례성, 왕흥사잠성 등에 둔거하면서 사비성을 초략하던 부흥군을 직접 토벌하러 나서게 하였고, 이로 인해 겨우 사비성의 포위를 풀 수 있었다.

661년 2월에 부흥군은 다시 사비성을 포위하고 공세를 취하였다. 이 당시의 사세는 답설인귀서를 보면 적나라하게 보인다. 661년에 들어와 복신의 무리가 점차 많아져서 강동의 땅을 차지하니, 웅진도독부의 당병 1천 명이 나가서 치다가 오히려 전멸을 당하였다는 것이다. 복신의 무리가 강동의 땅을 차지하였다는 것은 부흥군의 세력이 웅진도독부의 서쪽에서 동쪽으로까지 크게 영향력이 확장되었다는 것을 의미한다. 이것은 처음 백제의 서부와 북부지역 즉 복신과 도침, 흑치상지가 임존성을 거점으로, 여자진이 구마노리성 등을 거점으로 부흥운동을 일으켜 활동하였는데, 이제는 금강의 동쪽인 백제의 동부지역마저 부흥운동의 세력권으로 편입되었음을 의미하는 것이다. 그리하여 661년 초에는 이미 백제 고토의 남방을 제외한 전지역이 부흥군의 직접적인 영향권 내에 들어왔다.

만일 사비성이 함락당한다면 백제정벌이 결과적으로는 실패로 돌아가게 되는 터라 당 본국에서도 웅진도독부의 유인원을 구원하기 위해 유인궤를 파견하기에 이르렀다. 유인궤가 사비성의 유인원을 구원하러 온 것은 늦어도 661년 2월 경 이었다.

유인궤와 부흥군과의 웅진강구 전투가 있었던 것이 661년 3월의 일이었고, 역시 사비성에 포위된 유인원의 당군을 구원하기 위해 신라가 발병한 것도 같은 시기였다. 그런데 유인궤가 웅진강구에서 부흥군을 대파했다는 기사와는 상반되게 신라군은 부흥군과의 전투에서 패배하였다. 이 때 부흥군은 북쪽은 임존성, 남쪽은 주류성을 근거지로 하여 활동하고 있었다. 사비성에 있던 당군을 구원하러 가던 신라군이 오히려 두량윤성(주류성)과 빈골양에서 부흥군에게 대패한 것이다. 신라군이 두량윤성 전투에서 패하자 웅진강구 전투에 참여했던 신라군도 회군하였다. 두량윤성 전투에서 승리하자 이제까지 관망하던 백제 남방의 여러 성들이 일제히 부흥운동에 참여하게 되었다. 이로써 초기에 백제서부와 북부지역에서 시작된 부흥운동이 661년에 들어서서는 동부와 남부지역으로 확대되었고, 백제고토 전역이 부흥군의 활동으로 편입되었다. 또한 흑치상지 열전에 "遂復二百餘城"이라고 할 정도로 부흥군의 활동역역이 확대되어 부흥운동은 최전성기를 맞이하게 되었다. 이 당시 부흥군은 도침이 영군장군, 복신이 상잠장군 등의 장군호를 칭할 정도로 전열을 정비하고 있었던 것이다. 그리고 도침이 당군에게 "언제쯤 귀국할 것인가"라는 조롱 섞인 말과 함께 당군이 귀국할 것을 종용하기 까지 하였다. 이러한 당시의 정황은 유인원기공비의 표현을 빌리면 "부흥군의 강성함에 눌린 당군은 부흥군이 힘이 다하고 기운이 쇠해지기만을" 기다릴 수밖에 없었다.

사비성에는 낭장 유인원이 거느린 당군 1만 명과, 신라군 7천 명이 남아 있었다. 모두 18만의 나당연합군 중에서 1만 7천 명만이 사비성에 남아 백제 고지에 대한 군정을 실시하고자 준비하였다. 그러나 1만 7천의 병력만으로는 멸망 직후부터 일어나기 시작한 부흥군을 대적하기는 어려웠다. 적은 병력을 가지고 점령지를 지배한다는 것은 쉽지 않은 문제였다.

661년 2월에 부흥군에게 포위된 사비성의 유인원을 구원하러온 유인궤조차도 소수의 당군만을 거느리고 왔다. 유인궤는 삼년산성에서 급사한 왕문도가 거느렸던 당병만을 직접 거느리고 있었을 뿐이었다. 유인궤가 거느린 당병은 애초부터 그 수가 매우 적었다. 그러므로 사비성에 있는 유인원의 당군과 합세하여야만 했다. 하지만, 유인궤가 거느리고 온 당병만으로는 사비성에 포위된 채 고립된 당군을 구원하기는 어려웠다. 유인궤는 신라군을 징발하여 부흥군과의 전투를 치를 수밖에 없었다. 결국 신라군의 원조 없이 사비성에 있는 당군만으로는 부성을 방어하기에도 어려웠던 것이다. 그 때문에 웅진도독부에서는 부흥군의 공격을 받아 농성고수하면서 신라에 조석으로 청병하지 않을 수 없었던 것이다. 당시 당군이 살 길은 농성고수 이외에는 방법이 없었다.

당 조정에서는 웅진도독부의 존립에 큰 관심을 보이지 않았다. 웅진도독 왕문도가 660년 9월 28일 부임도 하지 못한 채 삼년산성에서 급서했음에도 불구하고 새로운 웅진도독을 파견하지도 않았다. 661년에 가서야 백의종군하게 된 유인궤를 검교대방주자사라는 임시직함을 주어 원군도 없이 백제에 파견한 것이 전부였다. 사비성의 유진낭장인 유인원이 웅진도독의 역할을 수행하였을 수도 있지만, 결코 유인원이 웅진도독으로 임명된 것은 아니었다. 유인원이 웅진도독으로 임명된 것은 662년 7월이었다. 당시 당은 백제고토를 지배할 여력이 없었고, 의지도 부족했던 것이다. 오로지 당의 관심은 고구려원정에 있었다. 당의 국력을 기울인 고구려 원정은 백제 고지의 당군을 돌볼 여력이 없게 만들었다.

웅진도독부의 당군에게는 병력을 증원받는 것보다 더 급한 문제가 있었다. 부흥군의 공격으로 사방이 포위된 당군에게 가장 중요한 것은 보급로의 확보였다. 즉 신라로부터 군량과 군수물자를 조달받는 것이 급선무였던 것이다. 웅진도독부와 신라와의 보급로인 웅진도가 부흥군에게 차단된 상태에서 당군은 군량과 군수물자의 보충 없이는 단 하루도 견디기 어려운 상황이었다. 661년 3월 유인궤가 거느린 당군과 신라군이 도침의 부흥군을 웅진강구 전투에서 격파한 후 일시적으로 부성의 포위가 풀렸었다. 그러나 신라군이 부흥군의 거점인 두량윤성을 공격하다가 대패하고 돌아가자 복신이 거느린 부흥군은 다시 부성을 포위하게 되었고 당군은 고립될 수밖에 없었다.

부흥군이 웅진도를 차단하자 신라군이 겨우 샛길로 당군에게 군량과 군수를 보냈다는 것은 부흥군의 성세와 더불어 고립된 당군의 처지가 얼마나 절박했었는지를 엿볼 수 있게 해준다. 당군의 곤핍은 여기에서 그치지 않았다. 당군은 신라에 전적으로 군량과 군수를 의지하여 보급받을 수밖에 없었다. 당이 비록 백제를 멸망시켰다고는 하지만 부흥군의 활발한 활동으로 당군이 백제고지에 대한 지배권을 전혀 행사할 수 없었던 때문이었다. 부흥군에게 매번 포위당하여 신라군의 구원만을 기다리던 당군이 식량과 군수물자를 자체 조달한다는 것은 불가능했고, 당으로부터의 보급도 전혀 받을 수 없었다.

당의 고종은 662년 2월 고구려 원정에 나섰던 당군이 철수하자 백제고지에 있던 당군도 철군할 것을 명령하였다. 백제고지에 남아있던 당군의 무기력한 상황을 당 조정 내부에서도 간파하고 있었던 것이다. 당 고종은 백제고지를 포기할 의사도 있었다. 보급품을 대느라 악전고투하던 신라와 부흥군에 포위된 채 농성고수하던 웅진성의 당군사이의 보급로인 웅진도가 다시 개통된 것은 662년 7월이었다.

당은 백제고지에 웅진, 마한, 동명, 금련, 덕안 등 5도독부를 두고 그 밑에 주현을 두어 통치하려고 하였다. 그리고 도성인 사비성에는 낭장 유인원이 지키게 하고, 웅진도독에는 왕문도를 임명하였다. 웅진도독부를 제외한 나머지 도독부의 도독과 주현의 자사와 현령은 백제의 추거장을 발탁해 임명하였다.

그러나 당이 설치하려한 5도독부가 실제로는 설치되지 못했다. 이는 부흥군의 활동지역과 5도독부를 설치하려 한 5방성과의 관계 기록을 통해서 확인할 수 있다. 661년 3월 신라군의 두량윤성 공격시 백제의 5방성 중 하나였던 중방의 고사비성 밖에 신라군이 진을 쳤다는 기록과, 663년 2월에 신라군이 백제 남방의 거열성과 거물성, 사평성 등을 함락시키고, 다시 백제 5방성 중 하나였던 동방의 덕안성을 공격하여 700급을 참수하였다는 내용이다. 이것은 백제의 5방성 중 중방의 고사성과 동방의 덕안성에 도독부가 설치되지 않았으며, 오히려 부흥군의 주요 거점 역할을 하고 있었다는 것을 알 수 있게 해준다. 특히 덕안성은 당이 백제고지에 두려고 한 5도독부 가운데 하나인 덕안도독부였다는 것을 보아도 당의 백제고지에 대한 지배정책은 허구에 그쳤다는 것을 분명히 알려준다. 즉 당의 백제고지 지배체제 구상과는 달리 5방성을 비롯한 백제의 주요 지방의 군성은 오히려 부흥군의 거점 역할을 한 것이었다. 그렇다면 최소한 당이 설치하려한 5도독부 중에서 중방과 동방에 설치하려한 도독부는 탁상의 계획으로 그쳤다고 볼 수 있다.

당이 백제의 5방중에 도독부를 설치할 수 있었던 곳은 북방의 웅진성에 웅진도독부를 설치한 것만이 확인되고 나머지 지역에는 도독부를 설치할 수 없었다면, 그 아래에 편제되었던 주와 현에 대한 당의 통제도 사실상 불가능한 것으로 당이 백제고지에 5도독부와 37주 250현을 실제로 설치하였다고는 볼 수 없다.

Ⅳ. 백제부흥운동의 소멸

1. 백제부흥운동의 소멸 과정

나당군이 부흥군에 군사적인 공세를 취하기 시작한 것은 662년 7월을 기점으로 삼을 수 있다. 이 무렵 부흥군 내부에서는 왜에서 왕자 풍이 귀국한 후 도침이 복신에 의해 살해당한 뒤였다. 복신과 도침의 알력으로 인한 부흥군의 내분은 나당군에게 매우 유리하게 작용하였다. 또한 662년 3월을 끝으로 당의 고구려 원정이 잠시 중단되자 신라로서는 더 이상 고구려원정에 동원되지 않게 되어 부흥군의 진압에 전력을 기울일 수 있게 되었다.

662년 7월에 유인원과 유인궤가 거느린 당군은 부흥군을 웅진의 동쪽에서 대파하고 지라성과 윤성, 대산책과 사정책 등을 점령하였다. 또한 진현성도 함락시켰다. 662년 8월에는 부흥군의 또 다른 거점인 내사지성도 함락시켰다. 부흥군의 거점성들을 차례로 점령하여 웅진도를 확보한 당군은 고립을 면하게 되었고, 신라군과 쉽게 합세하여 부흥군에 대한 공세를 본격화할 수 있게 되었다. 그리고 나당군의 공세는 이제 백제부흥운동의 남방거점으로까지 확대되기에 이르렀다.

663년 2월에 이르러서 신라군은 거열성(거창), 거물성(남원 부근), 사평성(순천) 등 부흥군의 남방 거점성들을 차례로 공격하여 함락시켰다. 이 때 항복시킨 백제의 남쪽 성들은 661년 3월 두량윤성 전투의 패배 이후 부흥운동에 일제히 가담했던 성들이었다. 또한 백제의 5방성 중의 하나였던 동방의 덕안성(은진)도 1,070명을 참수하는 전과를 올리며 함락시켰다. 이처럼 부흥군의 주요 거점지역인 웅진의 동쪽과 남방의 제성, 그리고 동방의 덕안성을 함락시킨 나당군은 부흥군을 더욱 압박하면서 공세를 펴게 되었다.

신라군에 의해 백제 부흥군의 주요 세력근거지인 웅진의 동쪽 지역과 옛 백제의 동방과 남방 지역이 점령당함으로써 부흥군의 활동은 위축될 수밖에 없었다. 그리고 662년 12월에 단행한 주류성에서 피성(避城)으로의 천도도 돌이키지 않으면 안 될 정도로 부흥군은 나당군의 공세에 휘말리게 되었다.

신라군의 공세와 더불어 당군의 공세도 강화되었다. 당은 662년 고구려 원정이 실패로 돌아가자 우선 고구려에 대한 공격을 잠정적으로 중지하고 백제고토지배에 대하여 관심을 가지기 시작하였다. 여기에는 웅진도독부에 파견되었던 대방주자사 유인궤의 당 조정에 대한 설득이 주효했다. 고구려 정벌이라는 당의 최후 목표를 달성하기 위해서는 당군의 부흥군에 대한 토벌이 선결되어야 된다고 하였고, 증원군의 파견을 계속 요청하였다.

진현성 전투의 승리 이후 당 조정에서는 유인궤의 청을 받아들여 웅진도독부에 지원군을 파견하도록 하였다. 662년 7월 21일 당 고종은 우위위장군 손인사를 웅진도행군총관으로 임명하였다. 그리고 지금의 치주·청주·내주·해주의 병사 7천 명을 징발하여 웅진도독부로 보내었다.

손인사가 거느린 7천 명의 당군이 웅진도독부에 실제로 도착한 것은 663년 5월이었다. 손인사가 거느린 당군은 웅진도독부의 유인원과 유인궤에게는 큰 힘이 되었다. 660년 9월 소정방이 거느린 당의 백제원정군 주력이 회군한 이후 처음으로 당군이 증원되던 것이다. 손인사의 당군은 웅진도독부에 도착하기도 전에 군사적인 위력을 보여줬다.

손인사가 거느린 당군은 부흥군이 청병하여 백제로 오고 있던 고구려와 왜국의 구원군을 중로에서 격파하였던 것이다. 고구려와 왜의 수군을 중로에서 물리친 손인사의 군대는 웅진도독부로 들어가 유인원이 거느린 당군과 합세하여 병세를 크게 떨치게 되었다. 이로써 웅진도독부의 당군은 병력을 증원할 수 있게 되어 그동안 공격할 엄두를 내지 못하던 부흥군의 최대 거점이자 천혐의 요새지인 주류성 공격에 나설 태세를 갖추게 되었고, 신라군과 공동작전에 돌입하게 되었다.

손인사의 응원으로 웅진도독부의 당군은 1만 6천 명으로 증원되었다. 그리고 당군은 신라군과 연합하여 부흥군을 진압하기로 하였다. 신라군은 문무왕이 직접 김유신, 김인문, 천존, 죽지 등 28장군과 함께 출정하여 당군과 합세하였다. 신라군의 병력에 대해서는 구체적인 기록이 없지만 아마 660년 백제 정벌 당시의 전력인 5만 명 정도의 대군을 동원했다고 추측된다. 왜냐하면 663년 주류성의 부흥군 진압 작전 역시 신라로서는 국왕과 김유신 등 28장군이 출전하는 등 국력을 기울였던 것이 분명하고, 또한 661년 3월 두량윤성(주류성) 전투에서의 패배를 거울삼아 신라군은 총력을 기울였을 것이 분명하기 때문이다. 그렇다면 나당군은 모두 6만 6천 명 이상의 대군을 동원하였던 것으로 추측할 수 있다.

나당군은 수륙의 요충에 자리 잡고 있던 부흥군의 주요 거점의 하나였던 가림성을 우회하여 주류성으로 직공하는 전략을 세웠다. 군단 편성을 보면 나당군은 연합군으로 편성되었고, 병종별로 보면 육군과 수군으로 구성되었음을 알 수 있다. 즉 육군은 문무왕이 거느린 신라군과 유인원, 손인사가 거느린 당군으로 편성되었다. 그리고 수군은 유인궤와 별장 두상, 백제의 태자였던 부여융이 거느린 당군으로 편성되었다.

주류성의 부흥군도 나당군의 공격에 대비해 방어전략을 펼쳤다. 우선 부흥군의 주요 거점성들이 신라군과 당군에 의해 속속 함락당하자 부흥군은 군수물자의 부족을 해결하려고 일시로 옮겼던 평야지대에 위치한 피성에서 산이 험하고 계곡이 깊어 방어하기 유리한 천험의 요새지인 주류성으로 돌아와 방비를 단단히 하였다. 그리고 고구려와 왜에 구원군을 파견해 줄 것을 요청하였다. 부흥군의 요청에 대해 고구려는 당의 측면공격 때문에 구원군을 직접 파견하지는 못했다. 그러나 왜에서는 직접 구원군을 파견하여 백강구 전투와 주류성 전투에 참여하게 된다. 백제·왜의 연합군이 나당연합군과 대결전을 치르게 된 것이다.

8월 17일에 왜의 수군은 백강구에 도착하여 나당군의 수군과 싸웠으나, 불리하여 퇴각했다. 그러다가 8월 28일에 왜의 수군과 백제의 풍왕은 나당군 수군에 대하여 기습을 감행하였다. 그러나 왜군은 나당군의 당파전술과 협공전략에 밀려 많은 사상자를 내고 대패하였다. 왜의 수군이 나당군에게 참패한 이유는 다음과 같다. 첫째는 대오가 난삽한 군대로 수비를 굳건히 한 나당군의 수군을 공격하는 모험을 감행했다는 점이다. 둘째는 전투에 앞서 조수나 해풍 등 바다의 기상을 고려하면서 전투에 나서야 하는데도 불구하고, 무작정 공격하다가 나당군의 역공에 밀려 진퇴양난의 위기를 자초했다는 점이다. 셋째로 나당군의 전력에 대한 철저한 분석도 없이, 왜군의 군세만을 믿고 전쟁의 결과를 지나치게 낙관하였다는 점이다.

백강구 전투의 패배로 전의를 상실한 부흥군은 9월 7일에 이르러서는 주류성도 나당군에게 내주고 말았다. 나당군이 웅진에서 합세하여 출병한지 불과 50여 일만의 일이었다. 나당군에 항복하지 않은 백제의 유민들은 왜로 망명의 길을 떠나게 되었다.

임존성은 부흥운동의 발생 단계부터 남방의 주류성과 함께 북방의 거점이었던 지역이다. 임존성은 지세가 험하고 성벽이 견고한 곳으로 백제의 서방지역으로 비정되는 지역이기도 하다. 복신과 도침이 거느린 부흥군이 661년 3월 사비성에 포위되어 있던 당군을 구원하러 온 유인궤를 웅진강구에서 막다가 1만 명의 사상자를 내고 철수한 곳도 임존성이었다. 그리고 흑치상지가 처음 거병한 곳도 임존성이었다. 백제의 서북부 지역에 위치한 임존성은 시종일관 부흥운동의 중심지 역할을 했던 곳이었다.

661년 9월 7일에 주류성을 함락시킨 나당군은 다시 북쪽으로 군대를 돌려 부흥군의 북방거점인 임존성을 공격하였다. 나당군은 양군이 합세하여 임존성을 공격하였으나 쉽사리 함락시키지 못했다. 지세가 험한 곳에 자리 잡고 있어 공격하기 어렵고, 또한 양식이 풍부한 임존성의 부흥군은 지수신의 지휘 하에 성을 굳게 지키고 있었다. 신라군은 무려 30일간이나 임존성을 공격했으나 실패했다.

그런데 임존성을 지키고 있던 부흥군 내부에 문제가 생겼다. 부흥군의 지도자였던 사타상여와 흑치상지가 당군에게 투항한 것이다. 이들은 주류성 함락 직후에 유인궤가 거느린 당군의 회유에 넘어갔다. 사타상여와 흑치상지가 유인궤의 회유에 넘어간 것은 당군이 모종의 보장을 약속하기도 하였겠지만, 이들이 복신을 추종한 세력이라는 것도 고려해 보아야 한다. 즉 주류성 함락 직전인 663년 6월에 복신이 참수된 것도 이들이 당군의 회유에 넘어가게 된 계기가 되었을 것이다.

이러한 상황은 지수신이 임존성을 방어하기가 어렵게 하였다. 사타상여와 흑치상지는 당군에 회유되어 투항하자 곧바로 임존성 공격에 투입되었다. 당군이 부여융을 이용해 주류성을 공격한 것과 같이 사타상여와 흑치상지로 하여금 임존성을 직접 공격하도록 하였던 것이다. 사타상여와 흑치상지는 당군의 의도대로 직접 임존성을 공격하여 함락시켰다. 마지막까지 임존성을 지키던 지수신도 처자를 버리고 고구려로 달아났다. 당군은 부여융과 사타상여, 흑치상지 등 백제유민들을 이용한 이이제이책으로 임존성마저도 함락시켰던 것이다.

그렇지만 임존성의 함락으로 부흥군의 활동이 완전히 끝난 것은 아니었다. 『삼국사기』에 보면 664년 3월에도 사비산성에서 부흥군들이 활동한 기록이 보인다. 사비(산)성에서 '百濟殘衆'으로 표현된 백제유민들이 반란을 일으켰다는 것은 백제의 도성인 사비성이 부흥군의 수중에 있었다는 것을 의미한다. 멸망 직후 일어난 부흥군의 활동이 대개 사비도성 주변에서 일어났고, 끈질긴 투쟁의 결과 사비성을 부흥군이 차지하였던 것이다. 부흥군이 사비성을 수복한 시기는 구체적으로 알 수는 없다. 그렇지만 661년 6월에 유인원이 거느린 당군이 소정방의 고구려 원정군에 호응하기 위해 사비성을 나와 출병한 이후의 일로 추정된다. 사비성의 당군은 당시 부흥군의 기세에 눌려 그 본영을 이미 웅진도독부가 있던 웅진으로 옮긴 뒤였기 때문에 사비성을 비우지 않고서는 출병할 수 없었기 때문이다. 661년 6월에 수복한 사비성은 664년 3월까지 부흥군이 차지하고 있었던 것이다.

웅진도독부의 당군은 부흥군이 차지하고 있던 사비성을 되찾기 위해 도독부 소관 병사들을 보냈었다. 그러나 쉽사리 웅진도독부에서 부흥군을 진압하지 못한 것 같다. 그러나 결국 664년 3월에 신라군이 합세한 나당군의 공격으로 사비산성이 함락됨으로써 백제부흥운동은 완전히 소멸되었다.

그러나 지금까지 많은 연구자들이 부흥군의 최후 거점을 임존성이라고 보아왔다. 이는 664년 3월 사비산성에서의 부흥군과 당군과의 전투기록을 무시하였기 때문이다. 앞으로는 664년 3월 사비산성에서 당군과 결전한 것을 마지막 활동으로 보는 것이 타당할 것이다.

2. 백제부흥운동의 실패 원인

백제유민들의 부흥활동이 더 이상 지속되지 못하게 되자 백제는 역사 속으로 사라져 버렸다. 백제유민들이 일으킨 부흥운동이 성공을 거두는 듯하다가 결과적으로 실패로 끝나게 된 까닭은 나당군의 진압이 주효했다고 볼 수 있다. 그런데 나당군을 압도할 만큼 활발한 활동을 보이던 부흥군이 나당군에 의해 진압되게 된 까닭은 부흥군 내부의 자체적인 문제에 있었다. 부흥군 내부의 문제점이 결국 나당군에 대한 대항능력의 약화와 상실로 이어졌기 때문이다. 부흥군 내부의 문제는 나당군에게는 부흥운동진압에 매우 유리한 국면을 조성했던 것이다. 이러한 문제 중에 가장 큰 것은 부흥군의 분열이었다. 부흥군의 분열은 지도층의 내분으로 말미암은 것이었다.

661년 5월에 왜국에 가 있던 부여풍이 귀국하자 백제유민들은 풍을 국왕으로 맞이하였다. 풍의 귀국으로 백제유민들은 국왕인 풍을 중심으로 활발하게 부흥운동을 전개하였고, 왜군의 지원도 얻을 수 있었다. 그러나 풍이 귀국한지 얼마 되지 않아서 부흥군은 지도층에 내분이 일어나기 시작했다. 복신과 도침이 중심이 된 부흥군의 지도체계가 풍왕의 영립으로 더욱 공고히 되어야함에도 불구하고 내분이 일어난 것이다. 풍왕을 중심으로 한 복신과 도침의 유기적인 활동은 기대를 저버린 채 반목과 대립이 시작되었던 것이다.

도침이 살해된 시기는 661년 9월에 왜에 가 있던 풍이 귀국하여 백제국의 왕으로 옹립된 후의 일이다. 즉 풍왕이 귀국한 661년 9월 이후에 도침이 살해된 것이다. 도침을 추종하던 탐라국주 도동음률이 신라에 항복을 하였던 시기를 고려하면, 도침이 살해당한 시기는 662년 2월경이었다. 당시 탐라는 도침을 지원하고 있었는데, 갑자기 복신이 도침을 살해하자 복신이 전권을 장악한 백제를 버리고 신라에게 항복을 하였던 것이다.

복신이 도침을 살해한 이유에 대해서는 구체적으로 알 길이 없다. 그러나 이들이 백제부흥운동의 양대 축으로서 초기 부흥군을 이끌었다는 점에서 부흥군에 대한 총지휘권을 둘러싼 불화가 있었다고 짐작할 수 있다. 복신과의 불화는 서로 상잠장군과 영군장군이라 자호하는 가운데 부흥군에 대한 지휘권을 다투는 가운데 생겨났을 것이다. 661년 웅진강구 전투에서 도침이 당군에게 대패한 일은 복신이 도침을 좋은 빌미가 되었다. 복신은 웅진강구 전투에서의 패배를 물어 도침을 제거하였던 것이다.

도침의 죽음은 왜국에서 맞아다가 옹립한 풍왕의 처지를 더욱 초라하게 만들었다. 풍왕은 복신이 도침을 살해하는 것에 찬성을 하지 않았다. 그러나 풍왕은 부흥군의 도침이 복신에게 살해를 당하는 것을 그저 바라보기만 했다. 도침을 살해하고 그 휘하의 군사들을 아울러 장악한 복신의 세력은 더욱 커져, 모든 병권을 장악하게 되었다. 풍왕은 아무런 실권도 없는 존재였다. 풍왕은 단지 제사나 주관하는 상징적인 존재였을 뿐이었다.

복신은 부흥운동 초기부터 국내에 기반을 두고 있었고, 왜에서 풍을 귀국시켜 국왕으로 옹립하고 왜군의 출병을 이끌어 내는 등 눈부신 활동을 전개하여 백제유민들로부터 명망을 얻고 있었다. 국내에 세력기반을 갖지 못한 풍왕은 자기세력을 확충하기 위하여 왜에 원군을 요청하였고, 왜군에게 복신과의 갈등을 직접 말하기도 하였다.

왜군이 백제로 출병하고 손인사가 이끈 당의 증원군이 도착한 663년 5월경에 풍왕과 복신의 대립은 격화되었다. 풍왕과 복신은 부흥군 내부의 주도권을 둘러싸고 대립하였고, 결국 풍왕이 복신을 살해한 것이다. 복신의 처형으로 풍왕이 부흥군을 지휘하는 최고지도자가 되었지만 부흥군 지도자 중에서는 풍왕에게 합류하기를 거부하고 당군에게 투항하는 일도 생겨났다.

주류성 함락 후에 당군에 항복한 사타상여와 흑치상지가 그 대표적인 인물이다. 사타상여와 흑치상지가 당군에게 항복한 것이 유인궤의 회유에 의한 것이라고 하지만, 백제 멸망 직후부터 부흥군을 이끌었던 이들이 단순히 유인궤의 회유에 넘어갔던 것이라고 볼 수 없다. 백강구 전투에서 패한 풍왕이 임존성으로 들어가지 않고 고구려로 달아난 사실은 시사하는 바가 크다. 백강구 전투 이전에 이미 나당군에게 포위당한 주류성으로 풍왕이 돌아가는 것은 불가능한 일이었지만, 백강구 전투의 패배와 주류성 함락 후에도 건재했던 임존성을 두고 고구려로 달아난 것은 분명 이유가 있다. 그것은 임존성에 있던 사타상여와 흑치상지가 복신을 추종하던 세력이었기 때문에 풍왕이 임존성으로 감히 피신하지 못하고 고구려로 달아났던 것이다. 흑치상지와 사타상여는 초기부터 임존성에서 복신과 더불어 부흥군을 이끌었던 지도자로 복신세력이었다.

풍왕에 의한 복신의 피살은 부흥군을 하나로 통합시키는데 실패하고 오히려 부흥군을 분열시켰던 것이다. 그리고 임존성 내에서도 부흥운동군 내부의 분열로 사타상여와 흑치상지가 당군에게 투항하고 지수신만이 임존성을 지키게 되었다. 지수신이 지키던 임존성은 다시 당군에게 투항한 사타상여와 흑치상지에 의해 함락되는 비운을 맞이했다.

고구려는 660년 11월에 신라의 칠중성을 공격하여 군주인 필부를 전사시키는 등 백제부흥운동을 지원하기 위하여 신라군을 직접 공격하였다. 그리고 그 다음 해인 661년 5월에도 말갈군과 연합하여 신라의 요충지인 술천성과 북한산성을 공격하는 등 적극적인 공세로 백제부흥운동을 측면적으로나마 지원하기 위한 일련의 조치를 계속 취했다. 고구려의 신라공격은 모두 당군으로부터 대규모의 침략을 받고 있던 중에 행해진 것이었다. 이것은 고구려가 배후의 신라를 제압하고 나서 당군의 공격을 막아내는데 전념하겠다는 의지가 가미된 것이었다. 또한 신라를 침으로 해서 백제부흥운동을 간접적으로나마 지원하여 남계의 화를 덜어보자는 의도도 분명했다고 볼 수 있다. 그러나 고구려의 백제부흥운동에 대한 지원은 더 이상 확대되지 못하였다.

고구려는 당군의 공격을 막아내는 도중에는 백제부흥운동에 대한 직접적인 군사력을 지원하기가 어려운 형편이었고, 간접적인 지원마저도 성공적으로 이끌만한 여력이 없었다. 오직 당군의 침입을 막기에 급급하여 백제부흥군을 돕기에는 역부족이었다. 백제부흥운동에 대한 고구려의 직접적인 군사지원은 당군의 고구려 원정이 잠시 소강상태에 접어든 663년에 가서야 한 차례 있었다. 그러나 고구려 지원군은 증파된 손인사의 당군에게 중로에서 격파되고 말았다.

왜군이 백제에 파병된 동기는 두 가지로 집약할 수 있다. 우선 왜국 내부의 모순과 위기를 대외적 상황 즉 백제멸망과 백제에 대한 구원군의 파병이라는 대외적 문제를 이용하여 타개하려고 하였던 것이다. 여기에는 백제 측의 외교적 노력도 중요한 역할을 했다. 그리고 백제의 멸망으로 인하여 왜가 당의 공격목표가 될 것이라는 불안감에서 당의 침입을 사전에 저지하고자 출병을 결행하였던 것이다.

그러나 국력을 기울인 백제구원군의 파병에도 불구하고 왜군은 663년 8월에 벌어진 백강구 전투에서 참패를 당하고 말았다. 백강구 전투에서 왜군이 패배한 원인은 왜군의 전투능력의 한계에 있었다. 백강구 전투에 참전한 왜군의 구성을 보면 각각의 지방호족이 동원한 국조군의 집합체였다. 더구나 이들은 중앙관군이 아니고 사적인 연계를 바탕으로 이루어진 오합지졸의 군사였다. 일본열도의 구주를 비롯하여 동북지방에 이르기까지 넓은 범위에서 동원한 왜군은 대오가 난잡하였을 뿐만 아니라 작전도 "우리가 먼저 공격하면 저들이 스스로 물러나날 것"이라는 치졸한 것이었다. 그리고 전투에 앞서 기상을 살피지도 않았고, 나당군에 비해 전투진영도 엉성하였다. 이렇듯 왜군이 보유한 전투력은 애초부터 정예병으로 구성된 손인사 등이 거느린 나당군과는 비교할 수 없이 열세였던 것이었다. 백제구원을 목적으로 국력을 기울여 파견한 왜군은 상대적으로 뛰어난 나당군의 전투력에 밀려 일시에 무너졌고, 백제구원의 꿈은 여지없이 무너졌다.

부흥운동이 시작된 초기에 부흥군은 "몽둥이를 들고 싸웠고, 신라군을 격파한 뒤 병장기를 노획하여 무장을 갖추었다"고 할 정도로 군수품의 보급과 확충이 매우 곤란하였다. 그러나 661년 3월 두량윤성 전투의 승리와 4월 19일의 빈골양 전투에서 신라군의 병장기를 노획한 결과 어느 정도 무장을 갖추게 되었다. 그리고 남방의 여러 성들이 부흥군의 세력권으로 들어오자 백제의 남부 평야지대의 농업생산력을 바탕으로 부흥군은 군량미의 조달과 군수물자의 공급을 비교적 원활하게 받을 수 있었다. 그리고 왜에서 보내온 병장기와 군량미 등 군수물자도 부흥군이 활발하게 활동할 수 있는 조건이 되었다. 이러한 풍부한 물자의 공급은 당군의 보급로인 웅진도를 차단하고 웅진도독부의 당군을 고립시키는 등 우세한 전력을 보유할 수 있는 힘의 원천이 되었다.

그러나 662년 7월 이후 진현성과 내사지성 등의 요충이 나당군에게 함락당하면서 전황이 부흥군에게 불리해지기 시작했다. 이러한 불리한 전황은 왜로부터 지원군이 도착하였음에도 불구하고 전혀 개선되지 않았다. 오히려 왜군의 참전으로 왜군 소용의 군량과 병장기마저 부흥군이 조달해야 하는 등 어려움만 가중됐다. 이러한 난국을 타개하기 위해 풍왕은 반대를 무릅쓰고 피성으로 천도를 감행할 수밖에 없었다. 662년 12월에 풍왕은 농한기를 이용하여 주류성을 나와 피성으로 옮겨갔다. 피성은 삼한에서 으뜸가는 비옥한 토지가 있는 곳으로 농사에 유리한 곳이었다. 그러나 적을 방어하기에는 너무 위험하다는 단점을 가지고 있었다. 그럼에도 불구하고 풍왕이 피성으로 옮긴 것은 군량미 등을 넉넉히 확보할 수 있는 곳이 필요했기 때문이다. 주류성은 방어에 유리한 천험의 요새이기는 하나, 농사에 적합하지 않아 장기간의 항전에 필요한 물자를 얻는데 매우 어려웠다. 주류성을 떠나지 않을 수 없었던 사정은 이러한 문제가 있었기 때문이었다.

그런데 주류성으로 돌아온 663년 2월에 백제 남방의 거열성과 거물성, 사평성 등 신라와의 국경에 있던 부흥군의 주요 거점들이 함락당하였다. 이들 거점성들은 백제남부지역의 곡창지대를 방어하는 중요한 성들이었다. 이들 거점성들의 함락으로 현재의 전남북지역 곡창지대를 방어하기가 어려워졌다. 그리고 백제의 동방성으로서 지금의 논산평야를 공제할 수 있는 중요한 요충인 덕안성마저도 함락당하자 군량미와 군수물자 수급에 막대한 지장을 초래하게 되었다. 부흥운동 초기의 당군이 고립된 상태에서 군량과 군수물자를 지원받지 못하던 상황이 역전되어 이제 부흥군에게 군수물자의 조달이 지난한 문제로 떠올랐다. 그러나 부흥군은 군수물자의 부족문제를 극복하지 못하고 나당군의 공세에 밀려 백강구 전투의 패배와 주류성 함락이라는 최악의 사태로 치달았다.

V. 맺음말

백제의 멸망은 동아시아사상 매우 중대한 사건이었다. 동아시아의 국제질서를 개편하게 만든 백제의 멸망은 당시의 체제를 유지하고 복구하려는 움직임과 맞물려 전개되었다. 그 복구 움직임의 중심에는 백제를 다시 일으키려는 백제부흥운동이 있었다. 백제의 멸망과 백제의 부흥운동은 7세기 중엽 동아시아 제국가의 운명을 결정한 역사적인 사건이었다. 백제의 멸망으로 흐트러진 동아시아의 국제질서를 복구하려는 움직임은 백제부흥운동의 전개와 함께 당과 신라, 고구려와 왜를 백제부흥운동에 끌어들이게 되었다. 동아시아의 4개국이 모두 백제부흥운동에 참여하게 된 것은 이런 국제적인 문제를 배경으로 하고 있었다.

백제의 멸망과 백제부흥운동에 동북아시아의 모든 국가가 참여한 것은 고대사상 최초이자 최대의 패권다툼을 기반으로 하였고, 백제부흥운동의 성패가 이후 동북아시아 국가들의 운명을 바꿔 놓았다. 패권다툼에서 승리한 당과 신라는 건국 이후 최대의 전성기를 맞이하게 되었고, 패배한 백제는 역사 속으로 영원히 자취를 감추게 되었다. 그리고 고구려 역시 당과 신라의 연합군에게 패망하는 운명을 받아들여야만 했다. 왜는 섬에 자리 잡고 있다는 지리적인 이점 때문에 멸망을 당하지는 않았지만, 백제와 고구려와의 관계를 우선시하던 외교정책에서 탈피하여 당과 신라와의 적극적인 외교관계를 통하여 국맥을 유지할 수 있었다. 그리고 기존의 백제 중심의 외교관계에 따른 정치문화적인 폐쇄성을 극복하여 동아시아의 역사에 데뷔하는 계기가 되었다. 하지만 왜국은 임신의 난을 통하여 정권의 교체를 겪어야만 했다.

동아시아 역사상 이런 중요한 역사적 사건이었던 백제의 멸망과 백제부흥운동은 당시 백제를 둘러싼 국제정세를 이해하는데 매우 중요한 단서를 제공할 수 있다. 그리고 한국역사상 고대국가의 통합이라는 단초를 열었다는 점에서 매우 중요한 의미를 지닌다. 특히 백제부흥운동 과정에서 신라는 백제고지와 백제유민에 대한 지배정책을 어떻게 수행해야할지 분명히 인식하는 계기가 되었고 대당관계를 재정립하는 데에도 중요한 역사적 경험이 되었다.

【참고문헌】

공주대학교 백제문화연구소 편,『백제부흥운동사연구』, 서경, 2004.

金榮官,『百濟復興運動研究』, 서경, 2005.

노중국,『백제부흥운동사』, 일조각, 2003.

충청남도 역사문화연구원,『백제의 멸망과 부흥운동』, 2007.

中國 江蘇省과 浙江省의 新羅人 遺蹟

權悳永*

目 次

Ⅰ. 머리말

외교부 통계에 의하면, 2015년 현재 7,184,872명의 在外同胞가 세계 각지에 흩어져 생활하고 있다고 한다. 그 중에서 전체의 약 36%에 해당하는 2,585,993명이 중국에 거주한다. 이는 단일 국가에 거주하는 재외동포의 비율로서는 가장 높은 수치로, 현재 중국에 한국의 재외동포가 가장 많이 산다는 사실을 말해준다.

한국인의 중국 이주는 천수백년의 역사를 가지고 있다. 물론 여기서 말하는 '韓國'과 '中國'은 민족이나 국가의 개념이 아닌 역사공동체의 개념이거니와, 上古時代부터 한국인이 대거 중국으로 이주한 데는 여러 가지 이유가 있었을 것이다. 그 중에서 지리적 인접성과 한자와 유교를 매개로 한 同一文化圈에 의한 思考의 유사성이 주요한 이유가 아닐까 한다. 오늘날 한국인들이 중국 전역에 자리잡고 살고 있듯이, 천수백년 전의 新羅人 역시 長安(지금의 산시성 시안시(西安市))와 洛陽(지금의 허난성 뤄양시(洛陽市))을 비롯한 당나라 각지에 이주해 생활하였다. 다수의 신라인들이 지금의 장쑤성(江蘇省)과 저장성(浙江省) 지역에 이주해 생활했음은 말할 것도 없다.[1]

신라인들이 장쑤성과 저장성 지역에 건너가 생활한 사실은 한국과 중국 그리고 일본의 각종

---

* 부산외국어대학교 교수

1) 외교부의 「재외동포현황」에 의하면, 2015년 현재 江蘇省에 35,210명 浙江省에 12,626명의 在外同胞가 거주하고 있다고 한다.

문헌과 현지의 유적·유물을 통해 알 수 있다. 이에 본고에서는 신라인이 당나라에 이주하게 된 정치, 사회적 배경을 살펴보고, 이어서 장쑤성과 저장성의 신라인 거주지 유적과 그 지역에서 활동한 신라인들의 행적을 정리하고자 한다.

Ⅱ. 신라인의 당나라 이주

唐은 중국의 역대 왕조 가운데 가장 개방적이고 국제적인 나라였다. 군사적, 문화적 자긍심에 기초한 당의 개방정책으로 사방의 여러 민족들이 당에 모여들었고, 또 당 왕조는 그들을 적극적으로 포용하였다. 그 결과 당나라가 존속하던 290년 동안 약 170여 나라가 당에 사절단을 보냈고,[2] 수많은 求法僧과 留學生을 파견하였다. 그리고 각종 상인과 이민족 출신의 武將들이 당 왕조에서 활약하였다. 그 결과 당나라 곳곳에 이민족 집단거류지인 이른바 '蕃坊'이 형성되었다.

당 왕조의 국제화와 개방화의 분위기 속에서 한반도 삼국의 人民들도 활발히 당에 이주하였다. 특히 7세기 중엽 이후 수많은 사람들이 다양한 이유와 방식으로 波狀的으로 당에 건너갔다. 그런데 그들의 이주 형태를 살펴보면, 크게 他意에 의한 강제이주와 自意에 의한 자발적 이주로 나눌 수 있다. 高句麗人과 百濟人들은 7세기 중엽 멸망을 전후한 시기에 주로 강제적으로 당에 이주한 반면, 新羅人들은 대부분 자발적으로 이주하였다.

신라인의 당나라 이주는 몇가지 유형으로 나눌 수 있다. 첫째, 신라의 정치·사회적 모순에 대한 불만과 국내에서의 정치적 알력으로 당에 들어가 정착한 경우이다. 주지하듯이 신라는 骨品에 따라 개인의 사회적 지위와 정치적 출세가 보장되거나 제한되는 엄격한 혈연 중심의 계급사회였다. 이러한 사회에서는 골품 사이의 계층갈등이 필연적으로 일어날 수밖에 없다. 신라인들은 그러한 계층갈등의 해소 수단으로 종종 당나라에 이주하였다.

골품제의 모순으로 당에 이주한 사람으로는 薛罽頭가 있다. 『三國史記』에 의하면, 설계두는 골품을 따져 인재를 등용하는 신라사회에 불만을 품고 眞平王 43년(621)에 당에 들어가 左武衛果毅가 되어 당 태종의 고구려 정벌전에 참여하여 전사했다고 한다.[3] 여기서 설계두의 姓이 薛氏인 점에서 그는 6두품 신분으로 생각된다. 그렇다면 그는 진골 중심의 신라사회에서 자신의 신분적 한계를 극복하기 위해 당에 이주했다고 하겠다.

설계두가 골품제의 桎梏 때문에 당에 이주했다면, 金仁問은 신라 내부의 정치적 알력으로 당

---

2) 권덕영, 『고대한중외교사-견당사연구』, 일조각, 1997, p.292.
3) 『三國史記』 卷47, 列傳, 薛罽頭.

나라에 정착하였다. 김인문은 武烈王의 둘째 아들로 태어나, 급박하게 돌아가던 7세기 중엽 동아시아의 국제정세 속에서 밖으로는 신라의 對唐外交를 주도하였고 안으로는 고구려와 백제 토벌의 선봉으로 활약하였다. 그러나 고구려와 백제의 옛 땅 영유권을 둘러싸고 일어난 나당간의 갈등 와중에 김인문은 고구려와 백제의 故土를 직접 지배하려는 당의 정치노선을 지지하였다.[4] 그 결과 김인문은 文武王과의 관계가 악화되어, 668년에 入唐한 이후 생전에 고국으로 돌아오지 못하고 당에서 생을 마감하였다.

둘째, 나당간을 왕래하며 장사하던 사람이 당에 정착한 경우이다. 전근대 동아시아 율령체제 하에서 중국의 역대 왕조는 공무역만을 허용하고, 사사로이 외국인과 교역하는 私貿易을 엄격히 금하였다.[5] 당도 예외가 아니었다. 그러나 8세기 후반 이후 황해 兩岸의 정치적 혼란과 서방 상인들의 활발한 동방진출 등으로 종래 엄격히 통제되었던 사무역이 점차 활기를 띠기 시작하였다. 그러한 분위기 속에서 신라인들이 대거 사무역에 참여하였다.

登州 文登縣(지금의 산둥성 원덩시(文登市))에 거주하던 張詠이 대표적이다. 장영이 언제 당으로 이주했는지 알 수 없으나, 824년에 이미 등주에 터전을 잡고 대일무역에 종사하였고, 그의 아우 張從彦과 모친이 楚州(지금의 장쑤성 화이안시(淮安市) 추저우구(楚州區))에 거주하고 있었다.[6] 이런 점으로 보아, 장영 일가는 늦어도 9세기 초에 당나라에 이주해 국제무역에 종사했다고 할 수 있다. 장영 외에도 李少貞, 王請, 張公靖, 金子白, 欽良暉, 金珍, 王超, 金文習, 金清 등의 많은 신라 출신 상인들이 당으로 이주해 무역업에 종사하였다.[7]

셋째, 불교나 유교를 공부하기 위하여 당에 들어갔다가 그곳에 정착한 경우이다. 신라는 眞興王 때부터 중국 왕조에 지속적으로 구법승을 파견하였다. 특히 진평왕 때 圓光 이후에 구법 활동이 더욱 활발하게 전개되어, 수많은 승려들이 당에 들어가 공부하였다. 그들 중의 상당수는 고국에 돌아오지 않고 평생을 당에서 보내거나 장기간 당에 체류하였다. 圓測, 神昉, 地藏, 無漏, 無相, 慧覺, 道育, 靈照 등은 평생을 당에서 보냈고, 赤山 法花院의 신라 승려들과 圓安, 勝莊, 智仁, 玄超 등도 끝내 신라로 돌아오지 않았던 것으로 보인다.[8] 그리고 道義, 慧昭, 無染,

---

4) 권덕영, 「金仁問小傳」, 『文化史學』 21, 한국문화사학회, 2004, pp.427~432; 『신라의 바다 황해』, 일조각, 2012, pp.307~320.
5) 『唐律疏議』 卷8, 衛禁篇.
6) 『入唐求法巡禮行記』 卷4, 會昌 5년 9월 22일; 같은 책, 卷4, 大中 원년 6월 10일.
7) 권덕영, 「재당 신라인의 종합적 고찰-9세기를 중심으로」, 『역사와 경계』 48, 경남사학회, 2003, pp.26~31; 『재당 신라인사회 연구』, 일조각, 2005, pp.142~148.
8) 여성구, 「신라 중대의 입당구법승」, 국민대학교 박사학위논문, 1997, p.191; 김상현, 「7·8세기 海東求法僧들의 중국에서의 활동과 의의」, 『불교연구』 23, 한국불교연구원, 2005, p.66; 「신라 法相宗의 성립과 順璟」, 『신라의 사상과 문화』, 일지사, 1999, pp.305~307; 첸징푸(陳景富), 「한국 승려의 長安에서의 활동」, 『불교연구』 23, 한국 불교연구원, 2005, pp.127~128; 권덕영, 「신라 '西化' 구법승과 그 사회」, 『정신문화연구』 30-2(통권 107), 한국학 중앙연구원, 2007, pp.319~347.

道允, 慶甫, 璨育 등은 십여년 이상 당에 장기체류하다가 신라로 돌아왔다.

한편 신라는 善德王 9년(640)에 처음으로 당에 유학생을 파견한 이래 꾸준히 학생들을 보내 國子監을 비롯한 당나라 교육기관에서 공부하게 했다. 특히 下代에 들어와 신라의 渡唐 유학 풍조가 크게 유행하여, 喜康王 2년(837) 3월에 당의 국학에서 공부하던 신라 학생의 수가 216명에 이를 정도였다.[9] 이들 유학생 가운데 金可記는 당의 賓貢科에 급제한 뒤 잠시 신라에 돌아왔다가 다시 당나라에 들어가 終南山에 숨어 일생을 마쳤고, 당나라 시인 顧非熊의 詩에 등장하는 朴處士는 어린 나이에 당에 유학하여 그곳에서 세월을 보내다가 늙어서 귀국하였다. 그리고 崔致遠 같은 사람은 빈공과에 합격한 후 당의 관리가 되어 그곳에 머물다가 돌아왔다. 이 외에도 상당수의 유학생들이 신라에 돌아오지 않고 당에 남았을 것으로 생각된다.

넷째, 신라에서 경제적 어려움을 견디지 못하고 당으로 이주한 경우이다. 근대 韓民族의 해외이주에 관한 연구에 따르면, 한민족의 해외이주는 국내에서의 경제적 어려움이 주요한 원인이었다고 한다.[10] 신라인의 당나라 이주도 예외가 아니어서, 국내에 흉년과 饑饉이 들면 많은 사람들이 살길을 찾아 해외로 이주하였다. 憲德王 8년(816)에 흉년이 들자 170명의 신라인이 중국 浙東地方으로 건너가 먹을 것을 구했고,[11] 비슷한 시기에 흉년과 기근 때문에 수백 명이 일본으로 건너갔다.[12] 경제적 사정으로 인한 신라인의 당나라 이주는 비단 헌덕왕대 뿐만 아니라 그 이전의 여러 차례 기근 때도 마찬가지였을 것이다.

다섯째, 비록 많은 수는 아니나 타의에 의하여 강제로 당에 이주한 경우도 있었다. 해적에게 나포되어 당나라에 끌려간 신라인들이 바로 그들이다. 8세기 중엽에 일어난 安史의 亂 이후 당의 지방통제력은 급격히 약화되었다. 그 결과 황해를 포함한 동아시아 해역에 해적들이 橫行하였는데, 그들은 자주 신라 연해안을 습격하여 신라인을 불법적으로 붙잡아가 당에 노비로 판매하였다.[13] 해적의 신라인 掠賣는 이후에 나당간의 외교문제로 비화되어, 唐帝의 칙령에 의하여 모두 양민으로 풀려났다. 노비로 팔렸던 신라인이 비록 양인 신분이 되었으나 그들의 귀국은 쉽지 않아, 많은 신라인들이 당나라 황해 연안 지역을 떠돌아 다녔다.[14] 따라서 그들 가운데 일부는 신라로 돌아왔겠으나, 많은 사람들은 자의반 타의반으로 그곳에 남았을 것이다.[15]

---

9)『唐會要』卷36, 附學讀書.
10) 최협·이광규,『다민족국가의 민족문제와 한인사회』, 집문당, 1998, pp.71 208.
11)『三國史記』卷10, 憲德王 8년 정월.
12) 佐伯有淸,「9世紀の日本と朝鮮-來日新羅人の動向をめぐって」,『歷史學研究』287, 1965, p.8;「朝鮮系氏族とその後裔たち」,『古代史の謎お探る』, 讀書新聞社, 1973, pp.197~198; 奧村佳紀,「新羅人の來航について」,『駒澤史學』18, 1971, pp.117~123.
13) 玉井是博,「唐時代の外國奴-特に新羅奴に就いて」,『小田先生頌壽記念 朝鮮論集』, 1934, pp.695~722.
14)『唐會要』卷86, 奴婢.
15) 당시 신라인의 노비 매매가 특히 심했던 곳은 登州와 萊州 등의 산동반도 연해안 지역이었다. 귀국하지 못한 신라인은 그곳에 안착하였을 터인데, 그곳에는 자신과 언어 및 풍속이 같은 신라인들이 곳곳에 촌락을 형성하

여섯째, 사절단의 일원으로 당에 들어갔다가 돌아오지 않고 그곳에 정착한 경우이다. 앞에서 소개한 김인문이 대표적이거니와, 백제 멸망 직후에 입당한 것으로 추정되는 薛永沖도 귀국하지 않았다.[16] 館陶縣公 郭震에게 시집간 설영충의 딸 설씨부인의 묘지명에 의하면, 설영충은 당 고종 때 김인문을 따라 당에 들어가 당으로부터 左武衛將軍의 관직을 받고 그곳에 머무르다 설씨부인의 나이가 15세였을 때 죽었다고 한다.[17] 그리고 確言할 수는 없으나, 성덕왕 34년(735)에 浿江 지역에 신라군 주둔을 요청하는 표문을 가지고 생애 두 번째로 입당한 金思蘭 역시 귀국하지 않고 당에 정착해 살았던 것으로 추정된다.[18]

Ⅲ. 江蘇省의 신라인 거주지

앞 절에서 살펴보았듯이, 고대 한반도 사람들은 타의에 의해 강제 이주당하거나 자발적으로 당에 들어가 정착하였다. 당에 이주한 신라인이 얼마였는지 구체적으로 알 수 없으나, 그들의 2, 3세대 후손들까지 합하면 그 수효는 수천 명에 달했을 것이다. 그들은 당나라 곳곳에 흩어져 생활했을 터인데, 지금의 장쑤성과 저장성 일대에도 많은 신라인들이 거주하였다.

장쑤성의 신라인 거주지로는 우선 淮水 유역을 주목할 필요가 있다. 唐代의 회수는 江淮 平原을 동서로 가로지르는 수운 교통의 중요한 통로였다. 동쪽으로 황해를 통하여 신라와 일본을 왕래할 수 있고, 남쪽으로 山陽瀆을 통하면 揚州(지금의 장쑤성 양저우시(揚州市)) 및 長江과 연결되며, 서북쪽으로 회수와 汴河를 이용하면 낙양과 장안을 쉽게 왕래할 수 있다.

당나라 때 회수 유역의 큰 도시로는 楚州, 泗州(지금의 장쑤성 쉬이현(盱眙縣)), 濠州(지금의 안후이성 펑양현(鳳陽縣)) 등이 있었다. 그 가운데 정치·경제적으로 가장 중요한 도시는 초주였다. 잘 알려져 있는 바와 같이, 일본승 엔닌(圓仁)의 『入唐求法巡禮行記』에 의하면 초주성 안에 新羅坊이 있다고 하였다.[19] 당대의 초주성은 지금의 장쑤성 淮安市 楚州區에 해당하는 곳으로, 현재 그곳에는 현대식 건물들이 들어서 있기 때문에 당대 초주성의 모습을 찾아보기 힘들다. 게다가 회수는 이미 없어지고 그 자리에 도로와 주택이 들어서 있어, 唐代 초주성의 윤곽을 파악하기는 더욱 어렵다.

그런데 1990년에 '장보고대사 해양경영사연구회' 일행이 淮安市 楚州區 新安醫院 옆쪽의 梁

여 살고 있었으므로 자연스럽게 그들과 합류했을 것으로 생각된다.

16) 노중국, 「신라시대 성씨의 分枝化와 食邑制의 실시-薛瑤墓誌銘을 중심으로」, 『한국고대사연구』 15, 한국고대사학회, 1999, pp.194~197.
17) 陳子昂, 「館陶郭公姬薛氏墓誌銘」, 『陳拾遺集』 卷6; 『文苑英華』 卷964; 『全唐文』 卷216.
18) 이영호, 「재당 신라인 金氏墓誌銘 검토」, 『신라사학보』 17, 신라사학회, 2009, pp.337~349.
19) 圓仁, 『入唐求法巡禮行記』 卷4, 會昌 5년 7월 3일 9일.

그림 1) 古末口 標識石

紅玉祠를 방문했을 때, 그곳에 古末口 標識石이 두 기둥 사이에 높다랗게 걸려 있었다고 한다.[20] 그리고 2004년 필자가 그곳을 방문했을 때도 梁紅玉祠 안에 古末口라는 標識石이 마당 한쪽 구석에 놓여 있었으며, 최근에 화이안시 정부에서 고말구 표지석을 다시 만들어 옛 자리에 세워두었다. 고말구는 山陽瀆과 회수가 만나는 지점이다. 그렇다면 新安醫院 앞에 조성된 대형 도로는 옛 회수가 흐르던 자리였을 것으로 추정할 수 있다.

한편 당 武宗의 廢佛政策으로 쫓기듯이 귀국하던 엔닌은 양주에서 高郵縣(지금의 장쑤성 가오유시(高郵市))과 寶應縣(지금의 장쑤성 바오잉현(寶應縣))을 거쳐 845년 7월 3일 초주에 도착하였다.[21] 그런데 그 코스는 초주와 양주를 잇는 운하인 山陽瀆으로 연결되는 길이었으므로 그는 아마 산양독을 따라 배를 타고 양주에서 초주로 갔을 것이다.[22] 그렇다면 엔닌은 산양독과 회수가 만나는 古末口 근처에서 下船하여 초주성으로 들어갔을 법하다. 그리고 그의 일기에서 圓仁은 초주성에 도착하여 곧바로 신라방으로 들어 간 것으로 묘사되어 있다. 이러한 점으로 보아, 신라방의 위치는 엔닌이 하선한 고말구에서 멀지 않은 곳에 위치했을 것으로 추정할

20) 김문경 · 김성훈 · 김정호, 『장보고 해양경영사연구』, 이진, 1993, p.201.
21) 圓仁, 『入唐求法巡禮行記』 卷4, 會昌 5년 7월 3일.
22) 小野勝年, 『入唐求法巡禮行記の硏究(4)』, 鈴木學術財團, 1969, p.197.

수 있다. 따라서 신라방은 고말구 근처 곧 현재의 화이안시 추저우구 新安醫院 일대에 자리잡고 있지 않았을까 한다.

초주에서 회수를 따라 동쪽으로 내려오면 회수 북쪽 江岸에 漣水縣(지금의 장쑤성 롄수이현(漣水縣))이 있다. 연수현은 漣水라는 강의 이름에서 유래하는 명칭으로, 지금은 장쑤성 화이안시에 속해 있다. 연수현 역시 초주와 마찬가지로 市街地에는 온통 현대식 건물이 들어서 있어 옛 모습을 찾아볼 수 없다. 뿐만 아니라 唐代의 유적은 거의 남아있지 않은 상태이다. 그러나 圓仁의 『入唐求法巡禮行記』에 의하면, 당나라 때 연수현 성안에는 신라인들이 모여 살던 신라방이 있다고 하였다. 그렇지만 신라방의 정확한 위치는 현재 알 수 없다.

한편 지금의 장쑤성 連雲港市 朝陽區의 雲台山 줄기인 宿城山 아래쪽에 宿城村이라는 신라인 집단 거주지 곧 新羅村이 있었다. 숙성촌에 신라인들이 집단적으로 거주했음은 圓仁의 일기와 그에 기초한 金文經 교수의 연구를 통하여 알 수 있는데,[23] 남쪽과 북쪽 그리고 서쪽이 산으로 둘러싸였고 동쪽으로는 바다로 트인 숙성산 기슭에 지금도 백 수십 가구의 중국인이 모여 살고 있다. 당나라 초기에 고구려 淵蓋蘇文이 운태산을 점령하여 당 태종과 맞서다가 패하여 쫓겨 돌

그림 2) 숙성촌 신라인주거유지 기념비

---

23) 圓仁, 『入唐求法巡禮行記』 卷1, 開成 4년 4월 5일; 金文經, 「在唐 新羅人의 集落과 그 構造-入唐求法巡禮行記를 중심으로」, 『李弘稙博士回甲紀念 韓國史學論叢』, 신구문화사, 1969, pp.105~125.

아갔다든지[24] 당 태종 때 고구려를 정벌하기 위하여 이곳에 성을 쌓고 군량을 비축했다는 등의 현지 전설이 암시하듯이,[25] 이곳은 일찍부터 한반도와 왕래가 빈번하였던 것으로 보인다.

揚州 지역에도 신라인 관련 유적이 있다. 長江 하류에 자리잡고 있는 양주는 唐代의 대표적인 국제무역항이고 교통의 요지였다. 특히 양주는 安史의 난 이후 중국에서 가장 부유한 도시 가운데 하나로 성장함에 따라 페르시아와 아라비아 상인을 비롯한 많은 외국인들이 양주에 모여들었다.[26] 신라인들도 예외가 아니어서, 양주 곳곳에 신라에서 이주해 온 사람들이 살고 있었다.

지난 1970년대부터 南京博物館, 揚州博物館, 揚州師範學院 등에서 당대의 양주 古城址 일대를 대대적으로 발굴하였는데, 거기서 唐三彩 陶器와 각종 陶瓷器 파편이 다량 收拾되었다. 그런데 그 중 일부는 신라에서 만든 이른바 '신라청자' 파편이라고 한다.[27] 이들 지역에서 발굴된 여러 유물을 통해 볼 때, 이 일대는 당대 상업과 수공업이 번성한 지구로 많은 사람들이 모여 살고 있었을 것으로 추정된다.[28] 따라서 신라청자 파편을 남긴 신라 사람들 역시 이 지역에 집단적으로 모여 살았을 것으로 생각된다.

한편 송나라 때 양주에는 高麗館이 있었다.[29] 江都縣(지금의 장쑤성 양저우시 장두진(江都鎭)) 남문 밖에 있었다는 고려관은 고려의 사절단과 商團을 맞이하여 숙박을 제공하는 시설물로, 이는 양주가 고려 使臣과 商人이 중국을 드나드는 출입관문이었음을 말해준다. 그런데 한반도 사람들이 양주를 그들의 對中國 출입 관문으로 삼은 것은 이미 당나라 때부터였다. 예를 들어 신라 憲康王 8년(816)의 견당사 金直諒은 초주 下岸에 기착하였다가 양주를 거쳐 黃巢의 난을 피하여 蜀에 피신해 있던 僖宗을 배알하였고,[30] 眞聖王代의 견당사 金仁圭는 그의 직함이 入淮南使였던 점으로 보아 그 역시 양주를 통하여 나당간을 왕래하였을 것이다. 그리고 재당 신라인 王請과 李少貞은 양주를 거점으로 하여 일본을 왕래하며 대일무역에 종사하였다.[31] 그렇다면 당대 양주에는 新羅館이 있었을 가능성도 없지 않다.

---

24) 張樹庄, 『宿城』, 連雲港市東方中學印刷廳, 1994, pp.58~60.
25) 숙성촌에 성을 쌓고 군량을 비축했다는 전설은 連雲港市 博物館 관계자의 말이다.
26) 李廷先, 『唐代揚州史考』, 江蘇古籍出版社, 2002, pp.398~400.
27) 朱江, 「略論唐代揚州城址與新羅文化遺蹟」, 『金文經敎授停年紀念 東아시아史硏究論叢』, 혜안, 1996, p.452; [통일신라시대 해외교통 述要」, 『장보고와 청해진』, 혜안, 1996, p.138.
28) 李廷先, 앞의 책, 2002, pp.364~367.
29) 『江南通志』 卷33.
   "高麗館 在江都縣南門外 宋元豊七年 詔京東淮南築高麗館 以待朝貢之使 紹興三十一年 向子固重建 榜其門曰南浦亭 曰瞻雲"
30) 『三國史記』 卷46, 列傳 崔致遠.
31) 권덕영, 「재당 신라인의 對日本 무역활동」, 『한국고대사연구』 31, 한국고대사학회, 2003, pp.276~277.

Ⅳ. 浙江城의 신라인 거주지

절강지방의 신라인 거주지로는 우선 杭州灣 일대를 들 수 있다. 항주만은 錢塘江이 바다와 만나는 지역으로, 그 일대에는 杭州市를 비롯하여 寧波市, 昭興市, 舟山市 등 많은 역사도시들이 산재해 있다. 특히 절강 하구의 항저우(杭州)와 닝보(寧波)는 당나라 때 운하와 바다 및 육로인 河南路가 교차하는 곳으로, 수륙교통의 요지이고 국제적인 무역항이었다. 唐代의 明州였던 닝보는 일본과 당 사이의 최단거리 지점이었으므로 일본 견당사들이 자주 이용하던 곳이었는데, 닝보 앞 바다에 있는 舟山島 동쪽의 梅岑山은 고려, 일본, 신라, 발해와 통하는 해로의 要衝이었다.

신라인들이 항주만을 통해 唐을 자주 드나들었다는 사실은 헌덕왕 8년(816)에 굶주린 신라인 170명이 浙東地方 곧 항주만 일대에 와서 먹을 것을 구했다는 기록이[32] 잘 말해준다. 그리고 眞聖王 10년(896)의 견당사 崔藝熙가 浙江口 즉 항주만을 통하여 입당하였고,[33] 본래의 의도와는 달랐지만 헌덕왕 9년(817)에 왕자 金張廉은 명주 곧 닝보 해안에 표착했다가 장안으로 들어갔다.[34] 이러한 점으로 보아, 항주만 일대에 신라인들이 집단적으로 거주했을 것으로 생각된다.

항주만의 신라인 거주지로서 추정되는 곳으로는 우선 舟山群島 일대를 들 수 있다. 그 가운데 普陀島의 보타산 일대에는 신라인 관련 설화와 유적이 발견된다. 보타도의 不肯去觀音殿에 얽힌 신라 상인 이야기와 新羅礁에 관한 설화 등이 대표적이다. 그러한 설화로 보아 보타산 일대에는 신라인들의 왕래가 빈번하였고, 그에 따라 그 일대에는 신라인들이 집단적으로 거주하던 마을이 존재했을 가능성이 많다. 더욱이 보타도에는 고려의 배들이 황해로부터 입항하여 짐을 내렸다는 高麗渡頭 유적이 있다. 이러한 사실 역시 신라인들이 보타도 일대에 살았을 가능성을 암시해준다.

한편 닝보에는 고려 사신들이 숙박하던 高麗使館이 있었다. 현재 닝보시 鎭明路의 寶奎港口에 있는 고려사관 터에는 고려사관 遺趾와 고려사관 史蹟 진열실이 만들어져 있는데, 거기에는 송대 고려사관 상상도와 발굴 상황을 모형으로 만들어 전시해 두었다. 그리고 고려사관이 있던 진명로 일대에는 고려 張氏들이 집단적으로 모여 살았다고 한다. 이런 점은 송대 고려 사신들이 닝보를 매개로 하여 한·중간을 왕래했음을 보여준다. 송나라 때 닝보에 고려사관이 있었다면, 당나라 때는 이곳에 新羅使館이 있었을 것으로 추정할 수 있다.

台州灣 일대에도 신라들이 거주한 흔적들이 곳곳에 남아 있다. 우선 들 수 있는 곳은 黃巖縣 신라방이다. 황암현은 현재 저장성 台州市 黃巖區로서 감귤이 많이 생산되는 곳으로 유명하다.

---

32) 『三國史記』 卷10. 憲德王 8년; 『舊唐書』 卷119, 新羅; 『唐會要』 卷95, 新羅.
33) 「廣照寺眞澈大師塔碑銘」.
34) 『三國史記』 卷10, 憲德王 9년 10월; 같은 책, 卷46, 列傳 崔致遠.

〈그림 3〉 普陀島 新羅礁

그런데 송나라 嘉定(1208~1224) 연간에 편찬된『赤城志』(권2)에 의하면 황암현 동쪽 1里 지점에 신라인들이 모여 살던 신라방이 있다 하였고, 같은 책(권3)에는 동북쪽으로 1리 떨어진 곳에 新羅坊橋가 있는데 宋나라 때 淸水閘橋가 바로 그것이라 하였다.

황암현 신라방의 위치에 관해서는 이미 몇몇 학자들이 城東街에 있는 柏樹巷을 지목한 적 있다.[35] 특히 1984년 黃巖縣地名委員會辦公室에서 편찬한『浙江省黃巖縣地名志』에서 "전하는 말에 의하면, 백수항은 五代 때 신라국 즉 조선 사람들이 여기에 거주한 것과 관련하여 이름을 신라방이라 하였다. 그 후에 이 마을 서북쪽에 그 일대를 뒤덮을 수 있을 정도로 크고 푸른 잎이 무성한 늙은 잣나무가 있었으므로 마침내 이름을 백수항으로 명명하였다[傳說五代時 有新羅國(朝鮮)人居住于此 聯名爲新羅坊 後來由于該巷西北隅有大可合抱 倉翠茂盛的古柏 遂命名爲柏樹巷]"고 하여[36] 그러한 사실을 분명히 하였다. 따라서 지금의 백수항은 옛 신라방 자리였음을

---

35) 林士民,「唐, 吳越時期浙東与朝鮮半島通商貿易和文化交流之研究」,『海交史研究』1993-1, 中國海外交通史研究會, 1993, p.16; 丁伋,「台州海外交通史鉤沉」,『台州歷史文化』, 浙江文史資料選輯 제53집, 1993, p.264; 金文經,「9-11세기 신라 사람들과 강남」,『장보고와 청해진』, 혜안, 1996, p.66; [張保皐시대의 해상활동과 교역」,『한중문화교류와 남방항로』, 國學資料院, 1997.

36) 黃巖縣地名委員會辦公室 編,『浙江省黃巖縣地名志』, 1984, p.74.

알 수 있다.

황암현에서 북서쪽으로 약 40km 떨어진 곳에 臨海市가 있다. 『赤城志』(권19)와 『浙江通志』(권16) 등에 의하면 '臨海縣 서쪽 30리 지점에 八疊嶺과 마주보며 위치한 新羅山이 있고, 동남 30리 지점에 옛날 신라 상인들이 배를 정박하던 新羅嶼가 있다'고 한다. 그런데 『赤城志』 부록 편에 붙어 있는 지도를 보면, 팔첩령 남쪽인 지금의 后山을 신라산으로 표시해놓았다. 그래서 많은 사람들은 『嘉靖赤城志』의 30리를 3리의 착오로 생각하고, 지금의 후산을 바로 신라산으로 비정하고 있다.[37]

오늘날 린하이시(臨海市) 중심부에는 崇和門 광장이 있고 광장의 북쪽에 東湖가 있다. 후산 곧 신라산은 동호의 북쪽 뒷산인 北固山 뒤쪽에 있다. 숭화문 근처에 있는 동호 가에서 정북쪽으로 바라보면 북고산의 古山城이 보이는데, 고산성 뒤쪽에 보이는 산이 바로 신라산 곧 후산이다. 臨海縣博物館 자료관리 책임자인 丁伋 선생에 의하면, 후산에는 오래된 무덤이 산재해 있는데 그들 가운데 일부는 신라인들의 무덤일 가능성이 높다고 한다.[38] 그렇다면 당대 임해현에 신라인 집단거주지인 신라방 혹은 신라촌이 존재했을 가능성이 높다.

임해현의 신라방 遺趾로 유력하게 거론되는 곳은 通遠坊이다.[39] 통원방은 송대 이전에 외국 상인들이 모여 살던 곳으로, 지금의 赤城路와 紫陽街 남쪽 끝의 稅務街와 弓巷 및 十傘巷 일대이다.[40] 그리고 통원방 맞은 편에는 龍興寺와 웅장하게 솟은 천불탑이 있다. 특히 통원방은 남쪽으로 靈江과 인접해 있고, 바로 앞에 있는 임해현 고성의 성문을 나가면 곧바로 배를 탈 수 있는 위치에 자리잡고 있다. 그리고 영강을 따라 내려가면 태주만에 이르고 거기서 다시 나아가면 황해를 통하여 중국의 북쪽과 남쪽지방 그리고 신라와 일본과도 통할 수 있다.

한편 『赤城志』(권19)와 『浙江通志』(권16) 臨海縣條에 의하면, 임해현 동남쪽 30리 지점에 新羅嶼가 있다고 한다. 당·송대 임해현 廳舍가 있던 지금의 린하이시 瓔珞街의 台州醫院 부근에서 동남쪽으로 약 30리 떨어진 곳은 지금의 迅橋鎭에 해당한다. 신교진은 영강과 인접해 있는 조그만 邑으로, 그곳 주민의 증언에 의하면 금세기 이전까지 신교진 교외인 曬鯗岩 옆은 영강을 건너는 배들의 나루터로서 활용되었다고 한다. 지금은 나루터로서의 기능이 없어졌으나, 그곳이 나루터로서 역사를 가지고 있었다는 사실은 영강 가 옛 나루터에 세워진 "臨海市迅橋鎭迅橋渡口" 라는 푯말이 말해준다.

---

37) 丁伋, 앞의 논문, 1993, pp.264 265; 林士民, 앞의 논문, 1993, p.16; 金文經, 앞의 논문, 1996, p.66.

38) 이러한 사실은 丁伋 선생의 앞의 논문(1993, p.265)에서 이미 언급하였거니와, 林士民과 金文經 교수도 앞의 논문에서 그러한 사실을 각각 언급한 적이 있다.

39) 丁伋, 앞의 논문, 1993, pp.264~265; 林士民, 앞의 논문, 1993, p.16; 金文經, 앞의 논문, 1996, p.66; 『入唐求法巡禮行記를 통해 본 新羅人들의 活動』, 해양수산부, 2000, p.20.

40) 通遠坊의 현재 위치에 관해서는 臨海縣博物館 丁伋 선생의 교시에 따라 확인한 것이다. 이 점에 대하여 지면을 통해 감사를 표한다.

태주만 북쪽에는 황해로 돌출한 반도에 상산현(象山縣)이 있다. 상산현은 현재 저장성 닝보시에 속한 현으로, 그곳에서도 신라인들이 집단적으로 모여 살았던 흔적을 발견할 수 있다. 『浙江通志』에 의하면, 현의 동북쪽 20리 지점에 옛날 신라인들이 배를 정박하던 新羅嶴山이 있다 하였고, 『寶慶四明志』에서는 현의 북쪽 7리 지점에 신라오산이 있다고 하였다. 그리고 『象山縣誌』에는 신라오와 신라오산, 신라오 부근에 있는 延壽寺, 瑞雲橋, 寺前橋 등에 관한 다양한 내용들이 소개되어 있다. 상산현 북쪽 7리 지점에 있다는 신라오는 오늘날 상산현 大徐鎭 신라오촌이다.

V. 江蘇 · 浙江地方의 신라인

江蘇 · 浙江地方에서 활동한 신라인으로 우선 들 수 있는 사람은 崔致遠이다. 857년에 경주 沙梁部의 6두품 집안에서 출생한 최치원은 12세에 입당하여 18세가 되던 874년에 당의 賓貢科에 합격하고, 876년에 20세 弱冠의 나이에 宣州(지금의 안후이성 쉔청시(宣城市)) 溧水縣尉에 임명되었다. 최치원이 율수현위로 재직하던 당시 율수현의 廳舍는 지금의 율수현 중심가인 通濟街의 實驗小學校 맞은편에 자리잡고 있었다.[41]

율수현에서 비교적 여유롭게 생활하던 최치원은 887년에 율수현위의 관직을 그만두고 博學宏詞科 시험을 준비하였다. 그러나 경제적인 곤란 등 여러 가지 어려움으로 박학굉사과 응시를 포기하고 회남절도사 高騈의 幕下로 들어가 종사관이 되었다. 당시 회남절도사의 치소는 揚州城 곧 지금의 揚州古城이었으므로 최치원은 거처를 양주로 옮겼을 것이다. 고병 아래에서 비교적 풍족한 생활을 하며 수많은 시문을 지었고, 그의 관직도 館驛巡官에서부터 承務郞 殿中侍御史 內供奉 都統巡官으로 승진하였다.

그가 고병의 종사관으로 있던 4년 동안 公的 혹은 私的으로 지은 글은 表, 狀, 檄, 書, 祭文 등 1만여 首에 이르렀는데, 귀국 후 그때 지은 글을 精選하여 『桂苑筆耕』 20권을 완성하였다. 이 가운데 [檄黃巢書]는 특히 유명하여, 최치원이 중국에서 文名을 날리는 계기가 되었다. 그후 884년에 당나라 관직을 사임하고 이듬해 신라로 돌아왔다. 이처럼 최치원은 그의 재당기간 17년 가운데 후반부 8, 9년 동안을 당의 관리로서 율수현과 양주 등 오늘날 장쑤성 일대에서 생활하였다.

다음으로 鄭年과 崔暈은 회수 하류의 漣水縣에서 살았다. 장보고와 함께 徐州(지금의 장쑤성 쉬저우시(徐州市)) 武寧軍에 입대하여 軍中小將까지 승진한 정년은 장보고와 呼兄呼弟할 정도

---

41) 율수현 廳舍 유적은 현재 남아있지 않고, 지금은 그 자리에 상가 건물이 들어서 있다. 그런데 2000년 10월에 韓中崔致遠記念事業會와 장쑤성 溧水縣 인민정부가 힘을 합쳐 溧水縣 옛 청사 자리에 최치원 동상을 건립하였다. 그러나 지금은 永壽塔院 내에 있는 溧水縣博物館 뒤뜰로 이전되었다.

〈그림 4〉 揚州古城

로 절친한 친구이자 경쟁자였다. 그러나 820년대 초 당 조정이 각지에 자리잡고 있던 절도사의
병력을 줄여나가는 과정에서 정년은 軍職에서 물러나 연수현에서 貧寒한 생활을 하였다. 그러
던 중 장보고가 신라에서 淸海鎭 大使가 되었다는 소식을 듣고 귀국하여 그 휘하에 들어가 장
군이 되었다.[42)]

최훈은 청해진 병마사로서 장보고 선단을 이끌고 당나라 황해연안을 누비고 다니던 장보고
의 부하였다. 그런데 841년 11월에 장보고가 암살되고 청해진이 閻長에 의하여 장악되자, 최훈
은 당으로 망명하여 연수현에 머물렀다. 최훈이 연수현으로 망명한 데는 나름대로 여러 가지
이유가 있었겠으나, 청해진이 건재할 당시 장보고 선단의 무역기지가 그곳에 있었던 인연 때문
이 아니었을까 한다.[43)] 어쨌든 845년 당나라 武宗의 외국승 추방령에 의하여 쫓기듯이 귀국하
던 圓仁이 연수현을 찾아갔을 때 그곳에서 다시 최훈을 만났는데, 그는 圓仁의 귀국을 위하여
여러 가지 노력을 아끼지 않았다.[44)]

---

42)『三國史記』卷44, 列傳 張保皐 鄭年.
43) 권덕영,「장보고의 상업제국과 국제무역」,『STRATEGY21』vol 4-2(통권 8), 2002, pp.41~45.
44) 圓仁,『入唐求法巡禮行記』卷4, 會昌 5년 7월 9일~7월 13일.

한편 최치원이 회남절도사 고병의 종사관으로 발탁되어 양주로 이주하기 이전부터 양주에는 이미 많은 신라인들이 거주하고 있었다. 그 가운데 한 사람이 王請이다. 839년 정월에 신라 상인 왕청이 양주 開元寺에 머물고 있던 圓仁을 방문하였다. 그가 엔닌에게 한 말에 따르면, 그는 819년 3월에 張覺濟 형제 등과 함께 장사를 하기 위하여 양주를 떠나 항해하던 중 도중에 惡風을 만나 일본 出州國에 표착했다가 되돌아왔다고 한다.[45] 그로부터 20년이 지난 839년에도 그는 역시 양주에서 상업에 종사하고 있었다. 이 점으로 보아 왕청은 최소한 20년 이상 양주를 거점으로 하여 상업에 종사하고 있었던 셈이다.

李少貞 역시 양주에 거주하며 해상활동에 종사하던 신라인이었다. 『日本紀略』에 의하면, 820년 11월에 唐人 이소정 등 20여 명이 出羽(州)國에 표착했다고 한다.[46] 그런데 앞에서 소개한 왕청의 행적과 대비해 보면, 비록 연대상으로 서로 1년의 차이가 있으나 그들은 비슷한 시기에 같은 지점에 '漂着'했다는 점에서 동일한 사건일 가능성이 크다.[47] 그렇다면 이소정은 왕청과 張覺濟 형제 등 20여 명과 함께 물품을 교역하기 위하여 양주를 떠나 항해하던 중, 일본의 出羽(州)國에 표착했다가 당으로 되돌아갔던 셈이므로 그 역시 양주에 거점을 두고 활동하던 재당 신라인이었음을 알 수 있다. 그후 이소정은 장보고가 황해 해상무역을 장악하자 장보고의 휘하에 들어갔고,[48] 장보고 피살 후에는 閻長의 부하가 되었다.

楚州에도 신라인들이 살았는데, 薛詮·劉愼言·張從彦이 그들이다. 『入唐求法巡禮行記』에 의하면, 엔닌은 845년 7월 3일에 설전을 처음 만났는데, 그때 설전은 초주 新羅坊을 총괄하는 총관으로서 楚州同十將을 겸하고 있었다.[49]

圓仁은 설전의 후임으로 초주 신라방 총관이 된 유신언도 자주 만났다. 유신언은 초주에 거주하며 당을 왕래하던 일본인들에게 여러 가지 편의와 정보를 제공하고, 당 관청과의 교섭을 주선해주던 이른바 신라 譯語였다. 엔닌을 비롯한 다수의 일본 구법승들은 그로부터 많은 도움을 받았다. 그는 초주에서 登州(지금의 산둥성 펑라이시(蓬萊市))로 가는 길목에 있는 신라인들에게 圓仁의 여행 편의를 부탁할 정도로[50] 江淮지역과 산동지방의 재당 신라인들 사이에서

---

45) 圓仁, 『入唐求法巡禮行記』 卷1, 開成 4년 정월 8일.
46) 『日本紀略』 前篇14, 弘仁 11년 4월 戊戌.
47) 李炳魯, 「고대 일본열도의 '신라상인'에 대한 고찰-장보고 사후를 중심으로」, 『일본학』 15, 동국대학교 일본학연구소, 1996, p.15; 김문경 역주, 『엔닌의 입당구법순례행기』, 중심, 2001, p.96.
   한편 1291년에 兼胤이 필사한 京都 東寺觀知院本을 1918년에 여타의 사본과 대조, 수정, 보완한 『大日本佛教全書』의 遊方傳叢書에 수록된 『入唐求法巡禮行記』의 해당 부분에 "出州之州 恐羽字 日本紀略弘仁十一年四月戊戌 唐人李少貞等二十人 漂着出羽國 是或同時漂流客也"라 하여, 왕청과 이소정 일행이 동일한 商團이었을 가능성을 암시하고 있다.
48) 堀敏一, 「在唐新羅人の活動と日唐交通」, 『東アジアのなかの古代日本』, 研文出版, 1998, 288쪽.
49) 圓仁, 『入唐求法巡禮行記』 卷4, 會昌 5년 7월 3일.
50) 圓仁, 『入唐求法巡禮行記』 卷4, 會昌 5년 7월 8일.

〈그림 5〉 天台山 萬年寺

지명도가 있었다.

한편 초주에는 登州押衙 張詠의 아우 張從彦이 그의 어머니와 함께 살고 있었다. 『입당구법순례행기』에 의하면, 엔닌은 847년 6월에 일본으로 가는 선박을 찾아 楚州에 갔다가 마침 일본으로 향하는 金珍의 배가 嶗山에 머물고 있다는 소식을 듣고 초주를 떠났는데, 이때 유신언과 설전, 장영의 아우 장종언과 그 어머니가 나와서 배웅해주었다.[51] 장종언이 언제부터 초주에 거주했는지 알 수 없으나, 그 역시 초주 城內의 신라방에 살았을 것으로 생각된다.

지금의 저장성에도 신라인들이 다수 거주하였다. 道育은 892년부터 938년까지 46년 동안 천태산 平田寺에 거주하다가 그곳 僧堂에서 입적하였다. 평전사는 현재 萬年寺로 이름이 바뀌었는데, 저장성 天台縣에서 서북쪽으로 약 30km 떨어진 만년산 깊숙한 곳에 자리잡고 있다. 만년사에는 지금도 많은 學僧들이 모여 구도에 전념하고 있다.

靈照 역시 저장성에서 주로 활동한 승려이다. 870년 경 신라에서 태어난 영조는 언제인가 남중국으로 건너가 불법을 구하다가 雪峰 義存을 찾아 선법의 대의를 묻고 수도하였으며, 의존

---

51) 圓仁, 『入唐求法巡禮行記』 卷4, 會昌 7년 6월 10일.

아래에서 도를 깨우쳐 법을 전해 받음으로써 淸原 行思의 7세손이 되었다. 당시 그는 언제나 누더기 한 벌을 걸치고 대중을 위한 여러 가지 일을 사양하지 않았기 때문에 사람들은 그를 照布衲 곧 누더기 스님이라 불렀다.[52]

의존의 법맥을 이은 영조는 처음에 齊雲山에 머물렀으므로 제운화상이라고도 했다.[53] 후에 그는 鏡淸院에 주석하였는데, 湖州(지금의 저장성 후저우시(湖州市)) 太守 錢公이 報慈院을 창건하여 그를 모셨으므로 그곳으로 거처를 옮겼다. 그후 錢公은 다시 龍華寺를 창건해 영조에게 주지직을 맡겼다. 이때 吳越王은 그를 內道場으로 초빙해 공양을 올리고 설법을 청하였고, 사방에서 그의 설법을 듣기 위해 문도들이 몰렸다. 그는 용화사에서 선법을 전하다가 947년에 78세의 나이로 입적하였다.[54]

그리고 신라인 金淸은 浙江地方에서 상업에 종사하였다. 중국 산둥성 烟台市 车平區의 崑嵛山 無染院에 세워져있던 唐無染院碑에 의하면, 김청은 본래 신라 사람이었는데 언제인가 고국을 떠나 산동지방으로 건너와 鄞水 곧 절강지역을 돌아다니며 장사를 하여 많은 재산을 모아 무염원 건립에 거금을 내어 그곳에 불탑을 조성했다고 한다. 이런 점에서 김청의 주요 활동 무대는 절강지방이었다고 하겠다.

이 외에도 江蘇·浙江地方에는 많은 신라인들이 장기적으로 체류하거나 일시적으로 거주 혹은 경유하였다. 839년에 귀국하던 일본의 承和 견당사절단의 귀국선 9척에 분승하여 그들을 일본까지 안내한 초주와 연수현 사람 60여인은 초주와 연수현의 신라방 사람들이었음이 틀림없다. 그리고 같은 해 密州(지금의 산둥성 주청시(諸城市))에서 숯을 싣고 초주로 가던 중 東海縣(지금의 장쑤성 둥하이현(東海縣)) 해안에서 엔닌 일행을 만나 그들을 宿城村까지 안내해 주었던 10명의 신라인, 846년 2월에 엔닌의 제자 丁雄萬을 초주까지 태워다 주었던 閻方金, 설전의 편지를 엔닌에게 전해준 李國遇, 蘇州(지금의 장쑤성 쑤저우시(蘇州市)) 松江口에서 출발하여 도중에 엔닌 일행을 태우고 일본으로 간 金珍·欽良暉·金子白, 嶗山에서 赤山浦까지 엔닌 일행을 태워준 초주 신라방 사람 王可昌, 양주와 등주를 오가며 서신을 전달하고 양주와 초주 상황을 알려준 王宗 등도 그들의 활동 영역으로 보아 대부분 지금의 장쑤성과 저장성에 산재해 있던 신라방과 新羅村 사람들이었을 것으로 생각된다.

---

52)『景德傳燈錄』卷18, 杭州龍華寺眞覺大師靈照傳.
53)『祖堂集』卷11, 齊雲和尚.
54)『景德傳燈錄』卷18, 杭州龍華寺眞覺大師靈照傳.

VI. 맺음말

한국은 역사적으로 중국과의 관계가 각별하였다. 한국과 중국은 지리적으로 경계를 맞대고 있기 때문에 양국간 교섭은 자연스러운 일이겠거니와, 그 과정에서 한국과 중국 사이에 인적 · 물적 왕래가 꾸준히 이루어졌다. 뿐만 아니라 상호 전쟁과 평화가 교차하는 가운데 양 지역은 각기 한 차원 높은 단계로 발전할 수 있었다.

오늘날도 그렇지만, 전근대 시기에 수많은 한국인들이 중국에 이주하였다. 특히 해외진출이 활발했던 唐代 신라인들은 중국 전역에 이주해 살았는데, 지금의 장쑤성과 저장성에도 많은 신라인들이 거주했다. 장쑤성 淮水 유역의 초주, 양주, 연수현과 저장성의 항주만과 태주만 일대가 대표적이다. 비록 대부분의 관련 유적이 온전하게 남아 있지 않으나, 각종 문헌자료와 단편적인 유물을 통해 그러한 사실을 알 수 있다. 신라인들은 江蘇 · 浙江地方에 정착하여 다양한 생업에 종사했는데, 농업과 어업은 물론 당의 관리와 무역상인 그리고 승려로서 각자의 삶을 영위하였다.

올해는 한국과 중국이 수교한지 25년째 되는 해이다. 비록 짧은 기간이지만 그 동안 한국과 중국은 종래 단절되었던 외교관계를 복구하고, 정치 · 경제 · 문화적으로 상호간의 우호와 협력관계를 확고히 하였다. 오늘날 한 · 중간의 우호와 협력관계를 구축하는데 在中 韓人들의 역할이 컸음은 부인할 수 없다. 마찬가지로 신라와 당이 내내 우호관계를 유지하며 상호 국가발전을 이룩할 수 있었던 데는 在唐 新羅人의 역할이 컸을 것이다. 각종 문헌과 유적 및 유물로 확인되는 江蘇 · 浙江地域의 신라인 역시 그러한 역할의 일부를 수행했을 것으로 생각된다.

【참고문헌】

『三國史記』

『江南通志』

『景德傳燈錄』

『桂苑筆耕』

『唐律疏議』

『唐會要』

『文苑英華』

『寶慶四明志』

『象山縣誌』

『日本紀略』

『入唐求法巡禮行記』

『赤城志』

『祖堂集』

『全唐文』

『陳拾遺集』

권덕영,『고대한중외교사-견당사연구』, 일조각, 1997.

_____,『신라의 바다 황해』, 일조각, 2012.

_____,『재당 신라인사회 연구』, 일조각, 2005.

김문경 역주,『엔닌의 입당구법순례행기』, 중심, 2001.

김문경 · 김성훈 · 김정호,『장보고 해양경영사연구』, 이진, 1993.

최협 · 이광규,『다민족국가의 민족문제와 한인사회』, 집문당, 1998.

李廷先,『唐代揚州史考』, 江蘇古籍出版社, 2002

張樹庄,『宿城』, 連雲港市東方中學印刷廳, 1994.

黃巖縣地名委員會辦公室 編,『浙江省黃巖縣地名志』, 1984.

권덕영,「金仁問小傳」,『文化史學』21, 한국문화사학회, 2004.

_____,「신라 '西化' 구법승과 그 사회」,『정신문화연구』30-2(통권 107), 한국학중앙연구원, 2007.

_____,「장보고의 상업제국과 국제무역」,『STRATEGY21』vol 4-2(통권 8), 2002.

_____,「재당 신라인의 對日本 무역활동」,『한국고대사연구』31, 한국고대사학회, 2003.

_____,「재당 신라인의 종합적 고찰-9세기를 중심으로」,『역사와 경계』48, 경남사학회, 2003.

金文經,「9-11세기 신라 사람들과 강남」,『장보고와 청해진』, 혜안, 1996.

_____,『入唐求法巡禮行記를 통해 본 新羅人들의 活動』, 해양수산부, 2000.

_____,「張保皐시대의 해상활동과 교역」,『한중문화교류와 남방항로』, 國學資料院, 1997.

_____,「在唐 新羅人의 集落과 그 構造-入唐求法巡禮行記를 중심으로」,『李弘稙博士回甲紀念 韓國史學論叢』 신구문화사, 1969.

김상현,「7·8세기 海東求法僧들의 중국에서의 활동과 의의」,『불교연구』 23, 한국불교연구원, 2005.

_____,「신라 法相宗의 성립과 順璟」,『신라의 사상과 문화』 일지사, 1999.

노중국,「신라시대 성씨의 分枝化와 食邑制의 실시-薛瑤墓誌銘을 중심으로」,『한국고대사연구』 15, 한국고대사학회, 1999.

여성구,「신라 중대의 입당구법승」, 국민대학교 박사학위논문, 1997.

李炳魯,「고대 일본열도의 '신라상인'에 대한 고찰-장보고 사후를 중심으로」,『일본학』 15, 동국대학교 일본학연구소, 1996.

이영호,「재당 신라인 金氏墓誌銘 검토」,『신라사학보』 17, 신라사학회, 2009.

朱江,「略論唐代揚州城址與新羅文化遺蹟」,『金文經教授停年紀念 東아시아史研究論叢』, 혜안, 1996.

____,「통일신라시대 해외교통 述要」,『장보고와 청해진』, 혜안, 1996.

첸징푸(陳景富),「한국 승려의 長安에서의 활동」,『불교연구』 23, 한국불교연구원, 2005.

堀敏一,「在唐新羅人の活動と日唐交通」,『東アジアのなかの古代日本』, 研文出版, 1998.

小野勝年,『入唐求法巡禮行記の研究(4)』, 鈴木學術財團, 1969.

奧村佳紀,「新羅人の來航について」,『駒澤史學』 18, 1971.

玉井是博,「唐時代の外國奴-特に新羅奴に就いて」,『小田先生頌壽記念 朝鮮論集』, 1934.

林士民,「唐, 吳越時期浙東与朝鮮半島通商貿易和文化交流之研究」,『海交史研究』 1993-1, 中國海外交通史研究會, 1993.

丁伋,「台州海外交通史鉤沉」,『台州歷史文化』, 浙江文史資料選輯 제53집, 1993.

佐伯有淸,「9世紀の日本と朝鮮-來日新羅人の動向をめぐって」,『歷史學研究』 287, 1965.

_____,「朝鮮系氏族とその後裔たち」,『古代史の謎お探る』, 讀書新聞社, 1973.

羅末麗初 竹州의 佛事活動과 造成勢力

吳虎錫*

目 次

Ⅰ. 머리말

경기도 안성시 죽산면을 중심으로 한 죽주지역은 나말여초기로 특징지어지는 많은 불교유적과 유물이 남아있는 곳으로서 불교미술사 연구에 있어서 매우 일찍부터 주목되어 왔다.[1] 죽산면은 고구려시대 皆次山郡, 통일신라시대 介山, 그리고 고려시대의 죽주의 중심지역으로 교통의 요지라는 지리적 이점과 통일신라 이래로 정착된 신라의 문화적 요소, 후삼국시기의 혼란과 고려 왕실의 지속적인 관심과 지원, 호족세력의 친 고려적 성향 등으로 인해 많은 불사가 이루어지게 되었다.[2]

이 지역은 1990년대 후반부터 망이산성[3] 발굴조사를 시작으로 죽주산성,[4] 봉업사

※ 이 글은 2015년 11월 13일 한국고대학회에서 주최한 '안성 죽주산성의 역사적 가치 재조명' 학술대회에서 필자가 발표한「나말여초 죽주산성의 운용세력」의 내용을 일부 수정 보완한 것이다.

* 단국대학교 석주선기념박물관 학예연구원

1) 신영훈,「安城郡의 石塔(一)」,『考古美術』12, 고고미술동인회, 1961.
　　　　,「安城郡의 石塔(一)」,『考古美術』14, 고고미술동인회, 1961.
　정명호,「安城의 石佛」,『考古美術』12, 고고미술동인회, 1961.
　최성봉,「竹山 南山의 石塔·石佛」,『考古美術』60, 고고미술동인회, 1965.

2) 오호석,「高麗前期 竹州地域의 石佛에 대한 一考察」,『博物館誌』14, 충청대학박물관, 2005, p.82.

3) 단국대학교 중앙박물관,『망이산성 발굴 보고서(1)』, 1996.
　　　　　　　　　　,『안성 망이산성 2차 발굴조사 보고서』, 1999.
　中原文化財硏究院,『陰城 望夷山城Ⅰ 충북구간 발굴조사보고서』, 2009.
　　　　　　　　　,『陰城 望夷山城Ⅱ』, 2013.
　충북대학교 중원문화연구소,『망이산성』, 2002.

4) 단국대학교 매장문화재연구소,『안성 죽주산성 지표 및 발굴조사 보고서』, 2002.
　　　　　　　　　　　　　　,『안성 죽주산성 남벽 정비구간 발굴조사 보고서』, 2006.

지,[5] 매산리고분군[6] 등에 대한 발굴조사를 통해 나말여초기 역사적 중요성이 더욱 주목받게 되었다. 이러한 고고학적 조사를 바탕으로 한 출토유물에 대한 연구는 절대연대를 가늠할 수 있게 해주었으며,[7] 이후 봉업사지를 중심으로 집중 분포하는 불교유적과 유물의 조성시기와 세력에 대한 접근과 연구가 상당히 진척되었다.[8] 즉, 왕건과 광종으로 대표되는 고려 왕실세력, 그리고 궁예, 기훤, 죽산 박씨와 죽산 안씨 등으로 대표되는 호족세력 등 당시 지역지배를 직간 접적으로 담당했던 주요 지배세력과 각 유물의 양식적 특징을 비교 검토하여 조성시기를 보다 구체적으로 밝힐 수 있게 되었다. 그러나 죽주지역 불교 유적의 조성을 담당했던 세력의 사상 적 측면에 대해서는 간과한 측면이 없지 않다.

따라서 이 글에서는 먼저 나말여초기 죽주지역의 불교유적과 유물에 대한 불사활동을 명문 기와를 비롯한 유물들에서 확인되는 절대연대를 근거로 정리하여 시기적 양상을 살펴보고자 한다. 이미 많은 선행 연구가 진행되었으므로 연구성과를 바탕으로 새롭게 확인되었거나 최근 에 보고된 유적과 유물로 확대해 볼 것이다. 그리고 불사를 담당한 세력의 종교적 성향 혹은 사 상적 기반을 시간의 순서에 따라 정리해보고자 한다.

Ⅱ. 나말여초 죽주의 불교유적과 불사활동

현재 남아있거나 과거 죽주지역에 존재했던 통일신라~고려시대의 불교 사찰 가운데 사찰이 름을 알 수 있는 것으로는 奉業寺, 七長寺, 長命寺, 長光寺, 大惠院, 野光寺, 凝石寺 등이 있다. 이밖에 지표 및 발굴조사를 통해 확인된 사찰터로는 장릉리사지, 죽산리 묘골사지 등과 永泰2

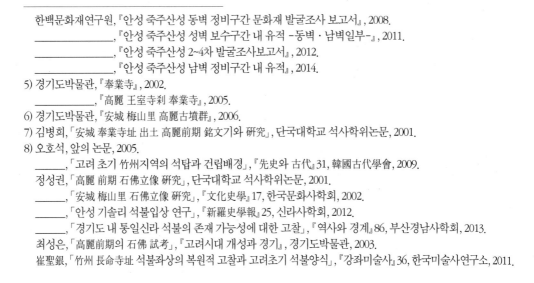

한백문화재연구원,『안성 죽주산성 동벽 정비구간 문화재 발굴조사 보고서』, 2008.
_____,『안성 죽주산성 성벽 보수구간 내 유적 -동벽 · 남벽일부-』, 2011.
_____,『안성 죽주산성 2~4차 발굴조사보고서』, 2012.
_____,『안성 죽주산성 남벽 정비구간 내 유적』, 2014.
5) 경기도박물관,『奉業寺』, 2002.
_____,『高麗 王室寺刹 奉業寺』, 2005.
6) 경기도박물관,『安城 梅山里 高麗古墳群』, 2006.
7) 김병희,「安城 奉業寺址 出土 高麗前期 銘文기와 硏究」, 단국대학교 석사학위논문, 2001.
8) 오호석, 앞의 논문, 2005.
_____,「고려 초기 竹州지역의 석탑과 건립배경」,『先史와 古代』31, 韓國古代學會, 2009.
정성권,「高麗 前期 石佛立像 硏究」, 단국대학교 석사학위논문, 2001.
_____,「安城 梅山里 石佛立像 硏究」,『文化史學』17, 한국문화사학회, 2002.
_____,「안성 기솔리 석불입상 연구」,『新羅史學報』25, 신라사학회, 2012.
_____,「경기도 내 통일신라 석불의 존재 가능성에 대한 고찰」,『역사와 경계』86, 부산경남사학회, 2013.
최성은,「高麗前期의 石佛 試考」,『고려시대 개성과 경기』, 경기도박물관, 2003.
崔聖銀,「竹州 長命寺址 석불좌상의 복원적 고찰과 고려초기 석불양식」,『강좌미술사』36, 한국미술사연구소, 2011.

年銘 탑지석이 출토된 것으로 전하며, 매산리 석조보살입상이 있는 매산리사지 등이 있다.[9] 이들 불교유적과 유물은 당시의 치소성[10]으로 주목되는 죽주산성에서 시작하여 봉업사지를 중심축선으로 하여 좌우에 배치되는 특징을 보이고 있다. 따라서 죽주산성과 봉업사지를 잇는 선은 나말여초 죽주지역 도시구조의 중심축이 되었던 것으로 판단된다.[11]

봉업사는 그동안 발굴조사와 연구를 통해 죽주지역에서 가장 번성했던 사찰로 인정되고 있다. 봉업사는 통일신라시대 목탑과 금당을 갖춘 사찰로서 발굴조사를 통해 보상화문 및 당초

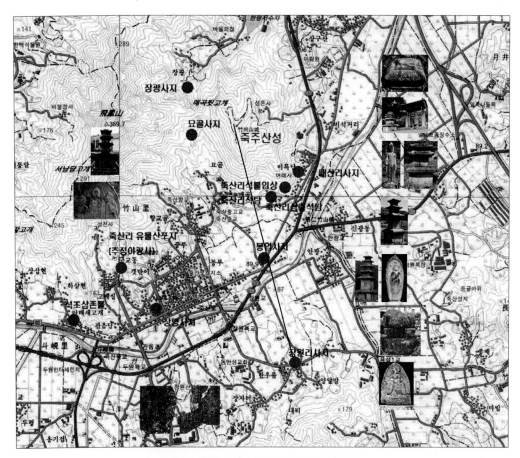

지도 1. 죽주지역의 불교유적과 유물의 분포

---

9) 현재의 행정구역상 죽산면을 중심으로 일죽면, 삼죽면 등 고려시대 죽주지역에 해당하는 범위에서 확인된 사지는 죽산면 11개소(매산리사지, 봉업사지, 장광사지, 장능리사지, 장명사지, 장원리사지, 장원리 매곡사지, 죽산리 묘골사지, 죽산리사지1~2, 칠장사 동암지), 일죽면 4개소(당촌리사지, 대덕사지, 응석사지, 지통사지 4), 삼죽면 3개소(기솔리사지1~3) 등 모두 18개 유적이다(불교문화재연구소,『韓國의 寺址 사지(폐사지)현황조사 보고서 下-경기남부』, 2010, pp.194~276).

10) 출토유물과 입지로 보아 남쪽에 위치한 망이산성은 상호 보완적인 측면도 있었을 것으로 추정되고 있다(서영일,『신라육상교통로연구』, 학연문화사, 1999, p.109).

11) 경기도박물관, 앞의 보고서, 2005, p.206.

문 막새기와, 인화문토기 등을 비롯하여 大中 8年銘 기와가 출토되어 늦어도 신라 文聖王 16년 (854) 무렵에는 존재하였음을 알 수 있다. 9세기 후반의 불사는 통일신라 말기에 죽주에 정착한 박씨 세력에 의해 주도되었을 것으로 이해되는데, 신라 중앙 정부에 의해 溟州의 지방관(都尉)으로 있다가 죽주로 옮겨 察山侯가 되어 독자적인 세력으로 성장한 赤烏[12] 가문과 깊은 관련이 있을 것으로 생각된다.

왕건이 고려를 건국하고 925년에 能達이 주도한 대규모 불사가 봉업사에서 이루어졌다. 능달은 청주 호족 출신으로 왕건의 개국에 기여한 인물로 그가 죽주에 파견되어 불사활동을 주도하였다는 것은 왕건이 궁예의 지지기반이었던 청주세력을 비롯하여 죽주에 남아있던 친 궁예적인 호족 세력들을 견제하고 민심을 안정시키기 위한 정치적 의도에서 비롯된 것으로 볼 수 있다.[13] 광종 연간에 이루어진 대대적인 역사를 통해 오층석탑-금당-강당을 배치한 중심사역과 진전구역 등 사찰의 면모를 갖추었던 것으로 밝혀졌다.[14] 봉업사지에서 출토된 명문기와 가운데 광종 연간의 것으로는 丙辰上年(광종 7년, 956), 戊午年(광종 9년, 958), 辛酉年(광종 12년, 961), 峻豊4년(광종 14년, 963), 乾德5년(광종 18년, 967), 己巳年(광종 20년, 969), 甲戌年(광종 25년, 974) 등이 있다. 기와의 명문에는 攸(?)宣(?)佰士, 佰士必攸(?)毛(?), 佰士必山毛, 大○山白(?)土 등의 불사에 참여한 유력 계층의 인물이 확인되고 있다. 백사에 대해서는 지역 세력의 우두머리[15]이거나 중앙정부로부터 파견된 유력 계층으로도 볼 수 있으므로, 이들이 중앙 정부에 예속되었거나 광종과 긴밀한 관계에 있었다고 판단된다.

봉업사지 오층석탑은 발굴조사 결과 원위치에서 이동된 것으로 밝혀졌으며, 1968년 복원공사 중 4층 탑신에서 사리장치와 유물이 출토되기도 하였다. 이 탑의 조형적 특징 가운데 주목되는 것은 기단 갑석 상면에 마련된 홈과 안쪽 부분의 모서리를 ⌐ 모양으로 치석한 점이다. 이 부분은 석탑을 장엄했던 것으로 추정되는데, 이와 관련하여 개성 불일사지 오층석탑에서 출토된 소탑 중 금동오층탑이 주목된다. 금동오층탑은 단층기단에 오층의 탑신을 올린 형태로 각부 양식에는 다소 차이가 있으나 탑의 비례나 전체적인 모습은 봉업사지 오층석탑의 비례와 매우 닮아있다. 특히 기단 갑석 위에는 난간 장식을 돌렸는데, 봉업사지 오층석탑 기단 상면에 남아있는 홈의 흔적은 이와 같은 난간 장식의 흔적과 연결 지을 수 있다고 생각된다. 佛日寺는 951년 광종이 태조의 원찰로 奉恩寺를 창건하고, 어머니 유씨의 원당으로 창건한 사찰이다. 현재 봉업사지에서 출토된 광종 연간의 명문기와 중 丙辰銘 기와는 956년으로 편년되므로 석탑의 건

---

12) 김성환, 「竹州의 豪族과 봉업사」, 『文化史學』 11·12·13, 韓國文化史學會, 1999, p.508.
13) 경기도박물관, 앞의 보고서, 2002, p.526.
14) 경기도박물관, 앞의 보고서, 2002.
   경기도박물관, 앞의 보고서, 2005.
15) 김병희, 앞의 논문, 2001, p.94. 한편, 고려 문종 이전에 존재했던 公, 侯, 伯, 子, 男의 5등의 작위 가운데 백의 작위를 받은 계층으로도 볼 수 있다(畿甸文化財研究院, 『河南 校山洞 建物址 發掘調査報告書』, 2004, pp.183~184).

립연대는 불일사가 창건된 951년을 상한으로 추정해 볼 수 있으며, 956년경에는 건립되었을 것으로 판단된다. 정서적으로 봉업사에 대한 불사가 완료된 이후에 자신을 위한 매산리 석조보살입상을 조성했을 가능성이 크기 때문이다. 한편, 丙辰銘(956) 기와는 죽주산성에서도 출토되어 당시 산성과 사찰에 대한 역사가 동시에 이루어졌음을 알 수 있다.

봉업사지 오층석탑

불일사 오층석탑 출토 금동오층탑
(개성 고려역사박물관 소장)

봉업사지 오층석탑으로부터 북쪽으로 500여m 떨어진 죽산리 삼층석탑 주변에서는 "太和六年壬子/…善 瓦草"銘 기와가 다수 출토되었다. 태화 6년은 신라 흥덕왕 7년으로 832년에 해당하는데, 같은 기와가 죽주산성에서 출토되기도 하였다.[16] 이곳은 오층석탑 주변에서 출토된 것과 동일한 乾德5년(967), (太平)興國8년(983) 등 연호명 기와와 (丙辰)上年(956), 戊午(958), 丁丑(977)년의 명문기와 등이 출토되어 고려 초기 봉업사지와 동일한 사역으로 받아들여지고 있다. 또 죽산리 삼층석탑 하부에서는 양식이 다른 석탑의 하층기단이 노출되었는데, 이는 太和銘 기와와 함께 신라시대 석탑의 존재 가능성을 확인시켜주는 유물로서 통일신라시대 목탑 중심의 사찰 영역과 함께 석탑 중심의 사찰이 존재하였음을 알려 준다.

죽산리 삼층석탑 북쪽에 위치하고 있는 죽산리 석불입상은 원위치가 아닌 것으로 추정되고 있다. 죽산리 석불입상은 주변지역의 10세기 불상과 양식적으로 많은 차이점을 보이지만 통일신라시기에 유행한 우전왕식 옷주름을 착용하고 있는 점, 불상의 입체감을 보이고 있는 점, 통일신라시대 불상의 상호와 유사한 점 등 9세기에 조성된 것으로 추정되는 통일신라시대 석불입상과 옷 주름, 신체 볼륨감과 비례 등에서 많은 유사점이 확인되고 있어 9세기 후반에 조성된 것으로 이해되기도 한다.[17] 그러나 이 불상은 통일신라시대의 양식을 충실히 계승한 고려 전기

---

16) 죽주산성에서 출토된 명문기와는 비록 지표에서 수습되었으나(단국대학교 매장문화재연구소, 앞의 보고서, 2006, p.162) "六年○"으로 타날판의 형태, 서체 등이 죽산리 삼층석탑 주변에서 출토된 태화6년명 기와와 동일한 것으로 판단된다.

17) 정성권, 앞의 논문, 2013, p.31.

의 작품으로 보는 것이 타당할 것으로 생각된다.[18]

매산리사지는 매산리 석조보살입상과 오층석탑이 남아있다. 이곳은 太平院이 있었던 곳으로 오층석탑에서 출토된 것으로 전하는 永泰 2年銘 탑지석이 출토되어 8세기 후반인 766년 박씨 등에 의해 처음 불사가 있은 후 200여년이 지난 993년에 다시 불사가 이루어졌음을 알 수 있다. 탑지석 명문에 따르면 탑이 조성된 영태 2년 丙午年으로부터 고친 淳化 4년(고려 성종 13, 993) 정월 8일까지 헤아려 보면 228년이 되며 전에 처음 만든 이가 朴씨이고, 또 다시 고친 이도 朴씨니 연대가 비록 다르나 지금과 옛날이 자못 동일하여 참된 정성을 더욱 힘써 寶塔을 중수하였다. 탑을 만든 장인은 玄霍長老이고 조성주는 朴廉이라고 기록하였다.[19] 따라서 현재 매산리 오층석탑은 10세기 후반에 건립되었으며, 인근 죽산리 석불입상과 함께 있는 죽산리 석탑과 동일한 양식을 보이고 있어 쌍탑으로 건립되었을 가능성도 제기되었다.[20] 석조미륵보살입상은 광종연간에 칭제를 하면서 도입된 새로운 불상양식이 반영된 것으로 주목되었으며,[21] 국가의 권력이 호족이 아닌 황제, 즉 광종 자신에게 있음을 대내외에 드러내기 위한 상징물로 조성되었던 것으로 추정되고 있다.[22]

현재 관음당이라는 마을 이름이 남아있는 곳에 위치한 장명사는 統和 15년(977)銘 탑지석이 출토되어 늦어도 10세기 후반에 존재하였음을 알 수 있다. 탑지석에 의하면 校尉戶長 安帝京을 중심으로 棟梁大行明徒라는 조직을 결성하여 나라의 태평과 백성의 안위를 위해 장명사오층석탑을 건립하였다고 한다.[23] 사지에는 현재 석불좌상이 남아있는데 고려시대 들어와 유행하게 된 불상형식과 제작기법의 일면을 보여주는 것으로 특히 10세기 후반의 중부지역 석불조각을 이해할 수 있는 귀중한 자료로 평가되고 있다.[24]

野光寺는 죽산에 있었던 사찰로『朝鮮王朝實錄』의 기록에 따르면, 조선 태조 2년 3월 1일에 竹州監務 朴敷가 按廉使에게 결정을 얻어 그 고을에 있는 野光寺를 무너뜨리고 官舍를 修緝하였으므로, 僧錄司에서 啓聞하니, 임금이 죄를 가하려고 하였으나 그만두고, 베 5백 필을 징수하고 본래의 직책으로 다시 임명하였다고 한다. 권상로는 野光을 藥王의 오기로 고찰하였는데,[25]

---

18) 최성은, 앞의 논문, 2003.

19) 경기도박물관,『京畿佛蹟資料集』, 1999, pp.391~392.
  "自鷹塔始成永泰二年丙午 到更治今年淳化四年癸巳正月八日 竿得二百二十八年前始成者朴氏又更治者朴氏 年代雖異今古頗同益勵丹成重修寶塔也 造匠玄霍長老造成主朴廉"

20) 오호석,「高麗時代 竹州地域 石造美術 研究」, 단국대학교 석사학위논문, 2005, p.26.

21) 정성권, 앞의 논문, 2002, pp.287~312.

22) 진정환,「高麗前期 新樣式 石佛의 展開와 造成背景」,『美術史學研究』287, 한국미술사학회, 2015, p.17.

23) 채웅석,「고려시대 향도의 사회적 성격과 변화」,『國史館論叢』2, 국사편찬위원회, 1989, p.127.
  "統和十五年閏四月二十七日 國泰人安願以長命寺五增石塔造立 香徒姓名 如飛 棟梁大行明徒校尉戶長安帝京 倉正 崔(廉) 伯士禮靈 ○○○ 金位等 ○色光○ 師玄肯 鑪匠兄未知"

24) 崔聖銀, 앞의 논문, 2011, p.533.

25) 權相老,『韓國寺刹事典(上)』, 이화문화출판사, 1994, p.1228.

약왕은 『묘법연화경』 「법사품」에 등장하는 보살로 세존이 약왕보살로 인하여 8만의 대사들에게 설교하는 장면이 나온다. 야광사의 위치와 관련하여 봉업사지 인근 죽산향교 부근에서 확인된 죽산리 유물산포지2가 주목된다.[26] 죽산리 유물산포지2는 죽산리 구교동 원 죽산향교터와 인접한 곳으로 다소 협소한 계곡부의 완만한 경사지에 해당한다. 이곳에서는 "勅斯功德妙君致…"銘 기와와 "峻豊四年壬戌○ 大介山/竹州凡草"銘 기와가 수습되었다. 공덕묘군은 『묘법연화경』과 관련을 지을 수 있다. 이러한 가정 하에서 약왕사는 준풍4년(963)에 불사가 이루어졌음을 알 수 있다. 특히 이 기와는 망이산성에서도 출토되었는데[27] 峻豊4年(963)의 명문 이외에 乾德3年(965)銘의 박자가 동시에 사용되고 있다.[28]

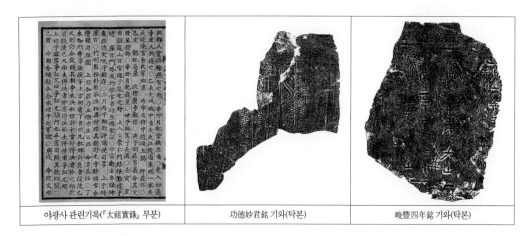

| 야광사 관련기록(『太祖實錄』 부분) | 功德妙君銘 기와(탁본) | 峻豊四年銘 기와(탁본) |

大惠院은 죽주지역에 있었던 사찰로서 院의 역할을 함께 하였음을 알 수 있는데, 용인대학교(우학문화재단) 소장의 범종(보물 1781호) 명문[29]에서 확인된다. 명문은 죽주 대혜원에 왕의 만수무강과 국토의 태평, 법계의 모든 이들이 보리를 이루기를 기원하여 163근을 들여 금종을 만들었

"在京畿道竹山 朝鮮太祖二年癸酉三月丙午(初一日) 竹州監務朴敷取決按廉使壞其縣野光寺 修葺官舍 僧錄司啓聞 上欲加罪乃止 徵布五百匹 命還其任(太祖實錄 一卷四頁) 野光似是藥王之誤"
　이와 같이 사찰의 이름이 잘못 기록된 예는 매우 흔한데, 『大東野乘』을 보면 안성의 석남사를 성남사로 기록하기도 하였다.

26) 백종오·오호석, 「안성지역 문화유적의 입지와 특성 -죽산의 새로 찾은 유적을 중심으로」, 『연보』9, 경기도박물관, 2005, pp.41~43.

27) 단국대학교 중앙박물관, 『안성 망이산성 2차 발굴조사 보고서』, 1999, pp.147~148.

28) 오호석, 앞의 논문, 2009, p.277.
　이처럼 다른 시기의 와도구가 사용된 것은 광종연간에 이루어진 대규모 불사의 상황에서 지속적인 기와 제작이 요구됨에 따라 이전에 사용되었던 瓦도구를 새로운 와도구와 함께 사용했던 상황을 암시해주는 것으로 당시 수년에 걸친 불사가 계속해서 이루어진 상황에 부합하는 유물로 판단된다.

29) 국립중앙박물관, 『發願, 간절한 바람을 담다』, 2015, p.295.
　"奉佛弟子南贍部洲高麗國竹州大惠院金鍾造成 特爲 聖躬萬歲國土太平法界生亡共增菩提之愿以 前上戶長同心爲金鍾入重壹百陸十三斤印 時癸 未八月二十八日 安逸戶長 崔 棟梁道人賢堪 院主大師智成 南日月寺依芙○希素"

으며, 전 상호장이 한마음으로 만들었고, 때는 계미년 8월 28일로 동참자는 안일호장 최, 동량은 도인 현감, 원주 대사 지성, 南日月寺 의부○ 회소이다. 명문에 보이는 계미년은 종의 양식으로 보아 1223년으로 추정하고 있다.[30] 과거 죽산지역에서 원과 관련된 지명은 미륵불이 있는 太平院과 남산 북쪽의 列院이 보이는데 현재로서 대혜원의 정확한 위치는 알 수 없다. 다만 열원이라는 지명과 관련하여 장원리와 동서로 마주한 장릉리사지가 출토 유물로 볼 때 대혜원으로 고려해 볼 수도 있으나 발굴조사 결과 규모로 보아 산지가람이나 암자였을 가능성이 높으므로 원으로서의 역할은 어려웠을 것으로 판단된다. 그러므로 장릉리사지와 대혜원을 직접 연결시킬 수는 없으나 장릉지사지에서 출토된 '觀音○○庚申崇造'銘 기와와 '太平興國七年壬午三月 日 竹州瓦草匠' 銘기와, 戊午年銘 기와편[31]이 각각 광종 11년(960), 성종 1년(982), 광종 9년(958)인 점은 주목된다. 장릉리사지가 현재의 관음당 남서쪽에 해당하고 칠장사를 넘어 죽주로 이어지는 교통로와 인접한 위치에 있으며 또한 범종의 명문에 등장하는 安逸戶長 崔는 관음당의 장명사지 오층석탑에서 출토된 탑지석에도 등장하는 최씨 성을 가진 같은 성씨인 점으로 보아 대혜원 종에 참여한 안일호장 최는 나말여초기 죽산지역을 기반으로 성장한 호족 세력의 가문을 이어온 인물로 볼 수 있다.

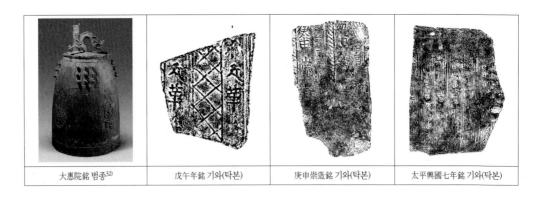

| 大惠院銘 범종[32] | 戊午年銘 기와(탁본) | 庚申崇造銘 기와(탁본) | 太平興國七年 기와(탁본) |

이밖에 고려 초기~전기에 죽산지역에 존재하였을 것으로 추정되는 사찰로는 만선사와 장광사가 있다. 萬善寺는 李奎報가 猬島(전북 부안 소재)로 유배되었다가 1231년(고종 18) 정월에 고향인 黃驪縣으로 돌아 온 후에 쓴 시[33]에 나오는 죽주의 사찰이다. 봉업사지 3차 발굴조사에서 동일한 사찰명인 "萬善寺"를 새긴 암키와 2점과 수키와 3점이 출토되었다. 현재 정확한 위치는 알

---

30) 국립중앙박물관, 위의 책, 2015, p.124.
31) 中央文化財研究院, 『안성 장릉리 골프장예정부지내 安城 長陵里寺址』, 2008, p.76.
　　불교문화재연구소, 앞의 보고서, 2010, p.241.
32) 국립중앙박물관, 앞의 책, 2015, p.125쪽에서 재인용.
33) 『東國李相國集』卷17, 古律詩 十五日蒙恩量移桑梓黃驪縣 二十一日行次竹州寓宿萬善寺 次板上諸公韻二首 및 『新增東國輿地勝覽』卷8, 竹山 古蹟 萬善寺.
　　"野望際天斷 村耕入壞深 地卑微潤泫 山近薄寒侵 古壁塵霾面 枯楠蠹剝心 我詩先有讖 落職果重尋"

수 없으나 절이 푸른 풀에 쌓여 침침하고 길은 푸른 덩굴 속에 들어가 깊숙하고 골이 좁다고 한 점, 새벽바람에 목탁 소리 잦고 저녁달은 못 가운데 잠겼다고 한 것으로 보아 죽주산성 남쪽에 형성된 평야 어딘가에 있었던 사찰은 아닌 듯하다. 다만 이규보가 찾은 1231년경에 이미 사세가 많이 기운 전경을 묘사하고 있으나 이규보가 직접 찾을 만큼 유서가 있었던 사찰일 가능성이 있다. 봉업사지에서 출토된 명문기와류로 볼 때, 만선사는 고려 전기에 창건되었을 가능성이 높다.

長光寺는『東國輿地勝覽』과『梵宇攷』에 기록된 사찰이다.[34] 봉업사지 3차 발굴조사에서 1점의 명문기와가 출토되었다. 기록과 유물로 보아 적어도 조선 초기까지는 존재하였음을 알 수 있다. 현재 비봉산과 죽주산성 사이에 형성된 북측 계곡 지대에 지명이 장광인 것으로 보아 이 일대가 사찰터로 추정된다.

표 1. 나말여초 죽주산성 일대의 불사활동

년도		관련 유물	관련인물	출토지
766	혜공왕 2	永泰2年銘 탑지석	竹山 朴氏	
832	흥덕왕 7	太和6年銘 기와		죽주산성, 죽산리삼층석탑
854	문성왕 16	大中8年銘 기와		봉업사지
925	태조 8	乙酉/能達銘 기와	能達	봉업사지
944	혜종 1	영월 흥령사징효대사탑비	奇悟元尹 등 참여	영월 흥령사
944	혜종 1	충주 정토사법경대사탑비	聰乂村主 참여	충주 정토사
956	광종 7	丙辰上年銘 기와	攸?宣?佰士	죽주산성, 봉업사지
958	광종 9	戊午年銘 기와(2종류)	佰士必攸?毛?, 佰士必山毛	봉업사지, 망이산성, 장릉리사지
960	광종 11	觀音○○庚申崇造銘 기와		장릉리사지
961	광종 12	辛酉年銘 기와		봉업사지
963	광종 14	峻豊4年銘 기와		봉업사지, 망이산성
965	광종 16	乾德3年銘 기와		추정 야광사지
967	광종 18	乾德5年銘 기와	大○山白?士	봉업사지
969	광종 20	天己巳年銘 기와, 己巳年千年主人光大銘 기와(2종류)		봉업사지, 망이산성
974	광종 25	甲戌銘 기와		봉업사지
977	경종 2	丁丑銘 기와		봉업사지, 망이산성
982	성종 1	太平興國7年銘 기와		봉업사지, 망이산성, 장릉리사지
983	성종 2	興國8年銘 기와		봉업사지, 망이산성
984~987	성종 3-6	雍熙銘 기와		봉업사지
993	성종 12	淳化4年銘 탑지석	죽산 박씨	매산리오층석탑(죽산리석탑)
997	성종 16	統和15年銘 탑지석	죽산 안씨, 죽산 최씨	장명사지오층석탑

---

34) 權相老, 앞의 책, 1994, p.248.
　　『東國輿地勝覽』卷8, 竹山. "在京畿道竹山(今入安城郡)飛鳳山"
　　『梵宇攷』. "今廢"

표 2. 나말여초 죽주지역 출토 명문기와

년대		기와명	죽주산성	망이산성	봉업사1·2차	봉업사3차	장릉리사지	야광사지
832	흥덕왕 7	太和6年銘						
854	문성왕 16	大中8年銘						
925	태조 8	乙酉年, 能達銘						
956	광종 7	丙辰上年銘						
958	광종 9	戊午年銘 기와						
960	광종 11	觀音 庚申崇造銘						
961	광종 12	辛酉年銘						
963	광종 14	峻豊4年銘						
965	광종 16	乾德3年銘						
967	광종 18	乾德5年銘						
969	광종 20	天 己巳年銘 己巳年千年主人光大銘						
974	광종 25	甲戌銘						
977	경종 2	丁丑銘						
982	성종 1	太平興國7年銘						
983	성종 2	興國8年銘						
984-987	성종 3-6	雍熙銘						

위 표1~2는 앞서 살펴본 8세기 후반부터 10세기 말까지 죽주지역 또는 죽주와 관계된 불사활동을 정리한 것이다.

영태2년명 탑지석은 766년 죽주의 양상을 보여준다. 8세기 중반은 지방으로 불사가 확장되던 시기이다. 지방에서 새롭게 세력을 확장하였던 중앙 세력의 재지화나 지방 세력의 지배력 확보가 도모되던 시기로 758년 갈항사 석탑의 조성에서 보이는 것처럼 죽산지역도 경주로부터 먼 곳에 이루어졌다. 죽주는 경주로부터 먼 곳이지만 교통로상의 이점이 기반이 된 전략적 요충지로서 인식되었고, 배후에 죽주산성을 두고 있는 봉업사는 그 근거지로서 매우 매력이 컸을 것으로 이해된다. 즉 영태2년銘 탑지에 보이는 박씨 세력은 경주-죽산-서해안으로 이어지는 루트의 교두보를 죽산으로 인식하고 향후 서해안으로의 진출을 모색했을 가능성이 있다.

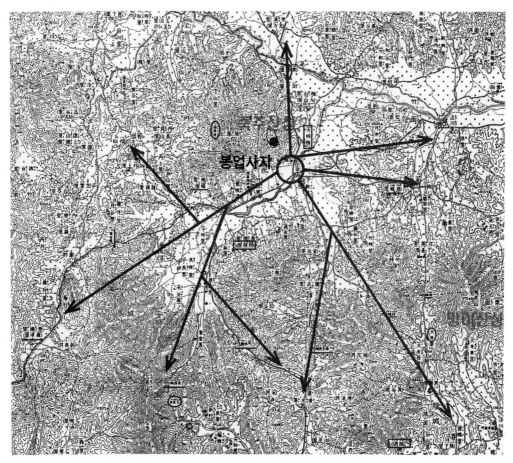

지도 2. 죽주 봉업사의 지리적 중요성
(『近世韓國五萬分之一地形圖』 竹山부분, ○ 사찰관련 지명, □ 院관련 지명, - 교통로 관련 지명, → 교통로 방향)

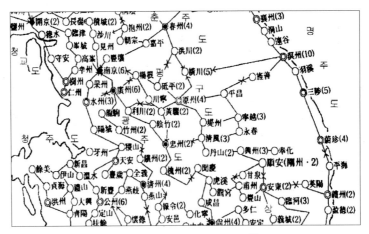

지도 3. 고려시대 22역도(부분)[35]

　　죽주지역은 지리적으로 광주, 여주, 원주, 충주, 영월, 청주, 진천 등과 인접한 지역으로 훗날 고려의 주요 간선도로망인 22역도 가운데 평주도와 광주도와 밀접한 관련을 지닌다. 특히 죽주는 광주도에 속하였으므로 광주, 양평, 용인, 이천, 음성, 괴산, 충주, 원주, 제천, 영월 등의 지역과 교류가 많았을 것으로 추정된다. 이들 지역은 한강 유역권으로 죽주는 청미천을 통해 한강 수계의 이들 지역과 연결된다. 한편 진천, 청주, 양성(안성), 직산 지역은 육로를 통해 연결되어 안성천 하류의 牙州(아산)에 이르러 해로에 접근하게 된다. 즉, 양성-죽주-음죽-황려로 이어지는 선은 안성천과 청미천을 잇는 선과 일치한다. 고려는 육로와 수로로 접근하기 용이하고 결절지점에 해당하는 죽주를 매우 중요히 인식하였다고 볼 수 있는데, 봉업사는 교통로상의 중요한 지점에 세워져 여행자에게 편리를 제공하며 위험을 막아줄 수 있는 기능을 수행하였다고 보인다.[36] 봉업사 주변에 지명과 유물의 명문에 남아있는 태평원, 열원, 대혜원 등은 봉업사의 기능이 진전사원의 역할 뿐만 아니라 원의 역할에도 있었음을 추정하게 해준다.

　　태화6년(832)銘 기와와 광종 7년(956)의 명문 기와는 성곽과 사찰에서 동시에 이루어진 대역사의 단면을 보여주는 것으로서 나말여초기에 죽주산성과 봉업사지를 중심으로 한 죽주지역의 중요성을 엿볼 수 있다.

　　궁예는 891년 죽주를 떠난 이후, 899년 北原의 梁吉을 격퇴하고 900년 王建으로 하여금 광주, 청주, 충주, 당성, 괴산 등지를 정벌하게 하였다. 당시의 경략로는 송악-양주-원주-충주-괴양(괴산)-청주-降州(진천)-죽주-당성-수주-廣州-송악으로 추정되는데 이를 통해 궁예는 맹

35) 정요근,「高麗前期 驛制의 整備와 22驛道」,『한국사론』45, 국사편찬위원회, 2001, p.71(그림14, 고려시대 22역도의 분포).
36) 이병희,『高麗時期 寺院經濟 研究』, 경인문화사, 2009, p.517.

주세력으로 거듭나게 되었다. 901년 궁예는 왕을 칭하고 국호를 고려라 하였는데 이때를 전후하여 군현에 대한 읍호개정을 행한 것으로 보이며, 죽주 또한 이때 개명된 것으로 판단된다.[37) 왕건이 궁예의 휘하에서 경기남부, 충청도 일대에 대한 정벌을 진행하는 과정에서 투항한 지역 (국원, 청주, 괴양)은 친 궁예적인 성향이 강했다고 여겨진다. 이에 왕건은 이들 지역에 대한 적극적인 포섭 정책을 실시하는 동시에 견제 가능한 새로운 세력을 육성할 필요성도 인식했을 것으로 판단된다. 따라서 주변지역에서 고려 개경으로 통하는 집결지에 해당하는 죽주에 대해서는 지배관계 혹은 종속관계를 확고히 다지는 정책을 펼쳤다고 생각된다.

왕건은 청주 호족 능달로 하여금 봉업사의 불사를 진행하도록 하였으며, 朴遲胤(竹州人), 朴奇悟(延昌郡人) 등 죽주지역 출신들을 삼한공신으로 삼기도 했다. 삼한공신은 태조에 귀부 또는 협조한 사람들로 당시의 지배신분층이었으며, 시대의 진전에 따라 재지세력과 재경세력으로 분리되어 가면서 지배세력으로 등장하게 되었는데, 그중에서도 핵심세력은 주 출신으로 협조한 공이 큰 지역이 주로 승격되었기 때문이라고 할 수 있고, 이들은 광종대 대재적인 숙청을 당하였으나 이후에도 여전히 잔존하여 지배세력의 일부를 구성하였기 때문이다.[38)

표 3. 나말여초 주요 불사활동

연대 구분	825	850	875	900	925	950	975
경주	836(흥덕왕10, 태화9) 윤을곡마애불	855(문성왕17) 창림사석탑기 868(경문왕8)6월 皇龍寺塔 震 871(경문왕11)정월 황룡사탑 震 873(경문왕13)9월 황룡사탑 중성	879(헌강왕5, 乾符6) 5월 선방사탑지석	919(경명왕3) 사천왕사 불상	927(경애왕4)3월 황룡사탑搖動北傾	947(정종2) 10월 황룡사탑 災 949(정종2) 10월 황룡사탑 災 953(광종4) 10월 황룡사구층탑 災 954(정종5) 10월 황룡사탑 제3霹靂	
개경				919(태조2)3월 법왕사, 왕륜사 등 10사 創	936(태조19) 광흥사, 현성사, 미륵사,내천왕사創 946(정종1) 불사리를 開國寺에 안치	951(광종2) 대봉은사 (태조원당), 불일사(유씨원당)創 963(광종14) 귀법사 創	
진천	830(흥덕왕5,태화4) 마애불(미륵불)						
청주	849(문성왕11,대중3) 흥덕사지						
충주		872(咸通13) 김생사지				954(광종5) 숭선사 創	
원주	844(문성왕6) 흥법사지 염거화상부도탑지				928(태조11) 8월 산윤사 철불이 땀을 흘림 930(태조13) 원공국사지공 출생(~1018) 940(태조23) 7월 흥법사 충담부도		

37) 김갑동, 「고려초의 주에 대한 고찰」, 『高麗史의 諸問題』, 三英社, 1986, pp.266~267.
38) 김갑동, 위의 논문, p.294.

지역								
철원			865(경문왕5,함통6) 도피안사철불					
영월						944(혜종원년) 흥령사 징효대사탑비		
평택						942(태조23) 만기사창건	965(광종7,건덕3) 비파산성	
이천			865(함통6) 설봉산성 벼루					981(경종6,태평흥국6) 마애불
여주			888 원향사 존재				975(광종26) 원종대사탑비	977(경종2,태평흥국2) 고달사지 원종대사 혜진탑비추각
하남					924(태조9) 哀宣,城達伯士 銘기와 (교산동건물지)			977(경종2,태평흥국2) 마애불
기타	758(경덕왕17,천보17) 갈항사석탑 813(헌강왕5) 단속사 신행선사비	826(흥덕왕원년) 안양 중초사창건 846(문성왕8) 포항 법광사 태화2년탑지석	867(경문왕7, 함통8) 취서사탑 858(헌안왕2) 보림사 철불 870(경문왕10,함통11) 장흥 보림사탑 872(경문왕12) 태안사적인선사탑	890(진성왕4) 보령 성주사 낭혜화상탑비 895(진성왕9) 해인사길상탑	924(태조7) 동진대사 부도 건립 924(경명왕8) 봉암사 철불	936(태조19) 연산 개태사 創 940(태조23) 12월 개태사 成, 지장선원낭원대사 오진탑비 950(광종1,광덕2) 태안사광자대사비	954(광종5) 태자사낭공대사비 965(광종16) 봉암사정진대사비 968(광종19) 관촉사	

Ⅲ. 조성세력과 사상적 기반

나말여초기 죽주 지역을 기반으로 활약한 호족 세력은 죽주의 치소인 죽주산성의 실제 운용세력으로 봉업사를 비롯한 죽주지역 사찰 불사에 직간접적으로 참여하였을 가능성이 매우 높다. 나말여초 죽주의 호족 세력은 신라 경덕왕대의 지방군현 재편 이래 파견된 지방 관료로서 지역 기반을 다져 성장한 박씨 세력과 신라의 지방통치제제가 붕괴한 이후 등장하는 죽주적괴 기훤과 궁예, 그리고 죽산을 토성으로 성장한 안씨, 최씨 등으로 대표되는 호족과 촌주집단 등이 있다. 이들은 초적의 무리 또는 지방 토착세력으로서 독자적인 호족세력으로 성장하였고, 궁예에 의해 기훤이 타도된 이후 기오로 대표되는 호족이 되어 주변 촌주 세력과의 결합을 통해 지역을 장악하고 지방 지배를 담당했을 것으로 추정된다. 이들은 죽주산성을 거점으로 주변 대호족과의 완충지대를 형성하고 내륙과 서해로 진출하는 교통로를 장악함으로써 대호족과 대등한 위치에 오르게 되었다고 판단된다.[39]

이들의 사상적 배경과 관련하여 살펴보면, 나말여초의 정치적 상황과 밀접한 관련을 갖는다. 9세기 신라 왕실은 소경 등의 주요 지역에 간헐적인 불사를 지원하였다. 또한 9세기 후반의 불사활동은 대부분 선종과 관계된 것으로 당시 정치사회상을 반영하고 있다고 할 수 있다. 선종은 9세기 지방사원을 중심으로 祖師의 이론과 實踐的이고 神異性을 내세운 종단으로 성장하

---

39) 경기도박물관, 앞의 보고서, 2005, pp.31~32.

였는데 이들은 토호세력의 등장과 경주 지배세력의 통제력 약화와 맞물려 진행되었다. 9세기 중반(애장왕)부터 10세기 중반(고려 광종)까지의 國師는 모두 禪僧이었던 점[40]으로 볼 때 당시 선종의 유행과 세력이 얼마나 광대하였는지 짐작할 수 있다.

신라하대 선종은 친신라적인 세력과 친호족적인 세력으로 양분되어 있었다. 친신라적인 선종세력으로는 경덕왕의 전제왕권을 지지하는 정치적 입장에서 단속사를 창건한 신행이 대표적이다.[41] 그러나 당시 선종은 교단의 확립과 전파에 필요한 막대한 자금을 신라 왕실에 기대할 수 있는 상황이 아니었으므로 대부분의 선종 세력은 지방의 유력 호족의 지원에 의존하며 그들에게 사상적 기반을 제공하는 등 밀접한 관련을 맺게 되었다.

궁예는 유력한 진골귀족 출신으로서 왕실의 혼란을 피해 世達寺에 은거하였으며, 죽주 적괴 기훤에게 투탁하여 초기 세력을 포섭, 이를 기반으로 북원의 양길을 거쳐 894년 무리 3,500을 거느리고 溟州에 들어가 장군으로 추대되는 등 군사적 세력기반을 확립하였다. 궁예가 명주까지 이르게 된 데에는 그가 출가한 세달사(영월 흥교사)와 관련이 깊다. 세달사는 화엄종 사원으로 莊舍가 명주에 있었는데, 『三國遺事』에 따르면 세달사의 명주 장사에 知莊으로 간 調信이 石彌勒을 파내었다고 한다. 한편, 명주지역은 眞表에 의해 미륵신앙이 전교되었던 곳이며 梵日(通曉大師, 810~889)에 의해 굴산산문이 개창되어 있었다. 범일은 김씨 일족으로 조부가 명주도독을 역임하는 등 명주와 깊은 관련이 있는 인물이었으며, 846년 중국에서 귀국하여 명주도독 金公의 청에 따라 굴산사에 주석하였다. 궁예가 명주로 들어가 장군이 된 시기는 범일 사후에 해당하지만 開淸(朗圓大師, 834~930)에 의해 법인이 계승되었는데, 많은 문도가 운집하였던 것으로 보아 굴산문의 敎勢 역시 확장되고 있었음을 알 수 있다. 이와 같은 상황을 고려하면 궁예는 화엄종 계통의 세달사, 진표의 미륵신앙과 선종 굴산문과의 연고를 확인할 수 있으므로[42] 궁예는 세달사의 전장이 있는 명주에서 군사적·경제적·사상적 기반을 확보하였던 것으로 볼 수 있다.

궁예가 세력기반을 구축하여 태봉을 세우고 후삼국이 정립하게 되면서 불사활동은 현격히 줄어들었다. 이는 중서부지역이 후삼국의 각축장이 되었기 때문으로 볼 수 있다. 한편 고려를 건국한 왕건은 전국적인 불사활동에 직간접적으로 참여하였는데, 이는 불교 세력을 기반으로 고려 건국과 후삼국 통일 과정에서 악화된 사회통합을 이루기 위해서였다고 추정할 수 있다.

명주에서 자립한 궁예는 900년 왕건을 통해 죽주지역을 포함한 한반도 중서부지역을 장악하였으나 죽주지역에는 크게 관심을 두지 않았던 것으로 이해된다. 904년 국호와 연호를 바꾸고 청주지역의 대규모 인원을 철원으로 사민하는 것에서 죽주지역보다는 청주지역에 관심이 많았

---

40) 許興植, 『韓國中世佛教史研究』, 一朝閣, 1994, pp.10~11 및 p.85.
41) 곽승훈, 「신라시대 지리산권의 불사활동과 신행선사비의 건립」, 『신라문화』 34, 신라문화연구소, 2009, pp.193~218.
42) 조인성, 「弓裔의 세력 형성과 彌勒信仰」, 『한국사론』 36, 국사편찬위원회, 2002, p.46.

던 것으로 볼 수 있기 때문이다. 실제로 궁예가 기훤에게 의탁한 891년을 전후한 시기부터 죽주를 점령하고 태봉을 건국하고 왕건이 고려를 건국하는 918년까지 30여 년간 죽주지역에서 해당시기의 불교유적과 유물을 확정하기 어렵다. 궁예는 자신을 업신여기고 예로 대하지 않은 기훤과 그의 세력 하에 있던 죽주의 호족세력들이 달갑지는 않았을 것이다. 이러한 이유로 자신에게 역사적 의미를 지닌 장소인 기솔리 일대[43]에만 석불입상을 조성하였던 것은 아닐까 한다.

궁예의 사상적 기반이 되었던 진표의 미륵신앙은 崛山門의 梵日 - 開淸등과 관계되어지며, 명주 출신으로 굴산문의 승려였던 許越에게도 영향을 끼쳤다. 허월은 궁예가 명주에서 자립할 수 있도록 적극적으로 협조하였던 측근으로서 內院의 승려가 되어 궁예의 미륵신앙을 사상적으로 뒷받침하였다.[44] 그러나 강씨와 아들의 죽음으로 기록된 궁예의 "非法"은 왕건에 의한 궁예의 몰락으로 볼 때, 더 이상의 지지를 받기는 어려웠을 것으로 여겨진다. 왜냐하면 승려들이 '當來佛'로서 불렀던 당시의 사회에서 왕이 스스로 자신을 부처라고 내세운 치성광여래사상[45]은 교종에서나 선종에서 배척을 당할 수밖에 없었을 것이며, 오히려 선종과 교종의 결합을 촉진하는 작용을 하였을 것이다. 이러한 사정에 밝았던 왕건은 궁예의 '왕즉불' 사상에서 '승려즉불', '王卽菩薩' 사상으로 전환하였는데, 이를 통해 불교계의 지지를 얻었을 것으로 추정된다.[46] 왕건은 더 이상 궁예가 실패한 왕즉불 사상에 연연하지 않았을 가능성이 높다. 궁예의 불교사상은 말법시대에나 어울리는 것이었다. 왕건의 고려는 더 이상 말법시대일 수 없었던 것이다. 한편, 궁예의 측근이었던 허월은 왕권 집권이후에도 내원에 머물렀다. 왕건은 선종뿐만 아니라 종파를 불문하고 불교 세력을 적극 포섭하였으며, 궁예의 불교사상과 정책을 흡수하기도 하였다. 대표적인 예가 팔관회와 허월의 기용이었다.

왕건의 세력에 포함된 죽주지역은 당시 불교의 중심세력이었으며 왕실과도 밀접한 관련이 있었던 선종과의 결합을 결행하였다. 영월에 소재한 興寧寺 澄曉大師塔碑(혜종 원년, 944)의 陰記[47]에 등장하는 죽산 출신의 朴奇悟와 德榮 弟宗 등의 인물과 충주 淨土寺 法鏡大師慈燈塔碑(태조 23년, 943) 음기의 마지막에 보이는 村主 總乂의 참여 또한 같은 맥락에서 이해된다.[48]

---

43) 지역 구비전승에 따르면, 궁예는 진천에서 장항동(현 삼죽면 기솔리)을 거쳐 국사봉에 은거했다고 하는데(경기도박물관, 『경기민속지Ⅶ』, 2004, p.221) 기훤이 업신여기고 예로써 대하지 않았다는 것으로 보아 당시 기훤이 웅거하였던 죽주산성이 있는 죽산리 일대로는 들어가지 못하였던 것 같다. 한편, 기솔리 석불입상은 궁예가 양길과의 전쟁으로 중부지역 패권을 장악하는데 있어 결정적 계기가 된 비뇌성 전투의 대승을 기념하기 위해 조성한 것으로 이해되기도 한다(정성권, 앞의 논문, 2012, pp.392~394).

44) 조인성, 앞의 논문, 2002, pp.48~49.

45) 궁예의 치성광여래사상은 도교적 영양이 강한 밀교의 하나라고 할 수 있으며 현실적 권력과 연결되는 일종의 분노형 부처로서 "미륵관심법"이라는 과정을 통해 사회 심판을 하고자 했던 것으로 이해된다.

46) 이재범, 「궁예의 불교사상에 대한 고찰」, 『新羅史學報』 31, 신라사학회, 2014, p.214.

47) 정영호, 「新羅 獅子山 興寧寺址 硏究」, 『白山學報』 7, 백산학회, 1969, p.52.

48) 目竹縣聰乂村主에서 목죽현은 죽산으로 추정되며, 이외에 충주, 청주, 원주, 괴산 등의 호족들의 이름이 보인다(채상식, 「羅末麗初 忠州 지역의 豪族과 禪宗」, 『蘂城文化』 16・17, 예성문화연구회, 1996, p.86).

折中(澄曉大師, 826~900)은 입적한 후 8년 뒤인 907년 문도들이 효공왕에게 주청하여 시호와 탑호가 내려졌고, 수습한 사리를 桐林寺로 옮겨 사리탑을 건립하였다가 다시 사리를 옮겨 944년 흥령사에 부도를 건립하였다.[49] 절중은 열아홉 살 때 지금의 안성지역인 白城郡 長谷寺에서 구족계를 받은 인물이다. 구족계를 받은 절중은 금강산의 道允(澈鑒禪師, 798~868) 문하에서 16년간 선을 익히고 법인을 받았다. 882년(헌강왕 8)에 경주 인근의 谷山寺에 주지로 천거되었으나 사양하고 사자산 흥령선원에 머물렀다. 그러다가 사회 혼란으로 흥령선원을 떠나 남행하여 銀江禪院에서 입적하였다. 화엄학에 입각하여 선을 터득한 절중은 황해도 鵂嵓(봉산) 출신으로 아버지는 车城에서 벼슬살이를 하다가 郡族이 된 先憧이며 어머니는 백씨이다. 절중의 가계로 보면 아버지가 신라 하대 지방관 출신으로 정착하여 군족이 되었고 명성을 드높인 점에서 지방 호족세력임을 알 수 있다. 따라서 왕건 가문과 지리적으로 가깝고 호족 출신이었다는 점에서 비문에 등장하는 王堯君(정종)과 王昭君(광종)을 비롯한 왕실과 외척세력이 주도적으로 비 건립에 참여하였던 것으로 볼 수 있는데 여기에 죽주지역의 세력이 원윤 박기오, 덕영과 제종 등이 참여한 사실은 죽주지역의 호족세력들이 왕실은 물론 선종과 연결되어 있었음을 확인해 준다.

| 澄曉大師 부도와 비 | 法鏡大師 부도와 비 |

玄暉(法鏡大師, 879~941)는 전북 남원 출신으로 아버지는 李德順이며, 어머니는 傅氏이다. 898년 伽倻山寺(해인사)에서 구족계를 받고 906년 입당하여 大覺禪師 道乾을 만났고, 924년 중국에서 귀국하자마자 태조가 궁궐로 초빙하여 국사로 우대한 인물이다. 태조의 청으로 충주 淨土寺에 주석하며 교화하였는데 수많은 문도들이 운집하였다고 한다. 현휘는 성주산문의 선풍을 계승하였고 선종의 입장에서 교종을 융합시키려 노력하였다. 941년 현휘가 입적하자 태조가 직접 전액을 쓰는 애정을 보인 인물이다. 탑비는 3년 후인 943년에 건립되고 비문은 944년 각자되었다. 태조 왕건으로부터 국사의 예우를 받은 현휘의 탑비 건립에는 홍녕사정효대사탑

---

49) 엄기표, 『신라와 고려시대 석조부도』, 학연문화사, 2003, pp.48~50.

비 건립에 참여하였던 弘休大德과 慶甫(景孚)大統이 함께 참여하고 있다. 죽주 지역의 인물로는 目竹縣 촌주 聰乂가 확인된다.

이처럼 기오로 대표되는 죽산 박씨 세력은 죽주지역은 물론 영월, 충주 등지의 불사에도 참여하는 등 적극적으로 불교를 후원하였다. 이들이 절중이나 현휘와 직접적인 인연을 맺고 있었는지는 확신할 수 없다. 다만, 비문을 통해보면 죽주의 유력 계층은 친왕건 세력들과 사상적인 공감대를 형성하였고, 고려 왕실뿐만 아니라 여러 지역의 호족들과도 우호적인 관계를 맺을 수 있게 되었으며[50] 중앙 관직에 진출하는데 있어서도 유리한 위치를 차지하고 하였다고 볼 수 있다. 즉, 고려 초기 죽주지역 세력들의 불사활동은 왕실, 개경 세력, 또는 개경에 진출한 세력과의 연대를 위한 방법이 되었고 이를 통해 지역사회에서 정치적 입지를 강화할 수 있었을 뿐만 아니라 중앙 정계에 진출할 수 있는 정치적 통로를 확보하였던 것이다.[51] 그 결과 광종대에 이르러서는 왕권을 뒷받침해주는 측근 세력으로서 성장하였다.

태조의 업적을 현창하고 전제왕권화를 추구했던 광종 역시 불교신앙에 대한 이해가 깊었을 것으로 판단된다. 광종이 죽주지역에 대한 재정비를 통해 충주, 청주, 진천 등지의 대호족 세력을 견제하였고, 개성의 봉은사와 불일사 창건 직후 봉업사의 중창과 진전의 설치, 매산리석조보살입상 등을 조성하는 大佛事를 진행한 것은 정통성 확립과 전제왕권화 추구라는 정치적 목적을 불교 세력을 이용해 이룰 수 있는 가장 효과적인 방법이었던 것이다.

이 시기에 불교세력은 선종이 급부상하였으나 화엄종 등 교종의 위상도 여전이 유지되고 있었다. 따라서 여러 종파를 하나로 통합할 수 있는 무엇인가가 필요했을 것이다. 도선의 도참사상과 비보사상이 유행한 것은 당시 시대의 요구를 반영한 것이라 할 수 있다. 고려의 건국이념은 불교였고 그러한 불교적 건국이념에는 밀교사상이나 그 신앙이 깊게 자리 잡고 있었다. 태조는 신라시대 明朗의 법을 이은 광학과 대연을 통해 밀교적 신앙을 신봉하였고, 현성사를 창건하여 신인종을 개종케하기도 하였다.[52] 신라시대 밀교는 明朗과 惠通에 의해 전개되었다. 명랑은 신인비법으로 나라의 위기를 극복하는 것이었고 혜통은 주술(呪誦)로 신병을 치료하는 것이었다. 이후 신라 밀교는 토속신앙을 포섭하고 화엄을 위시한 제교학과의 융합을 바탕으로 굳건한 신앙적 기반을 마련하였다. 9세기 초 새로운 사상으로서 전래된 禪은 왕실의 환대를 받지 못했고, 道義(양양 陳田寺), 洪陟(남원 實相寺), 慧哲(곡성 大安寺) 등은 지방이나 변두리로 밀려났다. 魔說로 매도되었던 선종은 초기 밀교가 그랬던 것처럼 빠른 토착화의 길을 모색하게 되었으며, 道詵(825~898)은 밀교적 비법을 차용하여 토착화 방편으로 삼았다. 즉 寺塔裨補說을

---

50) 채상식,「충주 정토사지 법경대사비의 음기」,『충북의 석조미술』, 충북학연구소, 2000, pp.317~318.
51) 구산우,『高麗前期 鄉村支配體制研究』, 혜안, 2003, p.438.
52) 서윤길,『韓國密教思想史研究』, 불광출판부, 1994, p.32.

전파하여 선사상을 널리 펼치고자 하였다.[53] 고려 왕건은 불교문화에 관한 한 화엄교학과 밀교 (밀교적 요소), 밀교(밀교적 요소)와 선종이 서로 융합된 신라의 전통을 계승하였는데 도선의 寺塔裨補法이었고 寶川에 의해 전개된 오대산신앙이었다.[54] 이들 신앙은 토착화라는 교단적 사명과 호국이라는 국가적 목적을 띠고 있었으며, 왕건은 이러한 신라밀교의 전통을 건국의 이념과 사상통합의 모체로 받아들였던 것으로 이해된다.[55]

한편, 직접적인 관계를 설정하기에는 무리가 따르지만 광종 연간에 불사가 이루어진 野光寺 (추정 藥王寺)는 앞서 언급한데로『妙法蓮華經』과 관련이 있는 것으로 볼 수 있다.『묘법연화 경』에는 무수한 중생을 제도하는 8만의 보살마하살 가운데 약왕보살이 등장한다. 法師品에는 세존이 약왕보살에게 "부처님 앞에 나아가『묘법연화경』의 한 게송이나 한 구절을 듣고, 일념 으로 따라 기뻐하는 이에게는 모두 수기를 주어 아뇩다삼먁삼보리(깨달음, 부처의 지혜)를 얻 도록 하겠다."고 한다. 아울러『묘법연화경』을 설하고, 읽거나 외우고 쓰며, 경전이 있기만 한 어느 곳이라도 7보의 탑을 세우고 장엄하면 사리를 봉안하지 않아도 무방하다고 설하고 있다. 이처럼『묘법연화경』은 말법시대에 절대 존재(미륵)에게 매달려 구원을 요청하는 것이 아니라 모든 중생이 모두 부처라는 깊고 바른 믿음 즉 정법을 護持해간다는 내용을 설하고 있다.[56]

『묘법연화경』서품에 일월등명여래로부터 경전을 전해 받은 묘광보살(문수보살)이 이를 널 리 전파하고 여덟 왕자를 제자로 삼았는데 최후에 성불한 왕자가 석가에게 수기를 주는 燃燈佛 이며, 묘광보살의 8백 제자 가운데 求名菩薩(미륵보살)이 석가의 뒤를 이을 것이라 되어 있다. 또 미륵은 끝없는 중생을 제도할 것이라 하여 절대구원자에 의한 구원을 바라는 모습으로 비쳐 지지만, 이는 미륵이 문수의 제자로 석가불을 계승한다는 의미로서[57] 누구나 정진하면 보살이 될 수 있다는 자력수행의 보살상을 설하고 있는 것이다. 따라서 광종은『묘법연화경』을 사상적 기반으로 하여 매산리석조보살입상이나 藥王寺(≒野光寺)를 창건하였던 것이고, 이를 통해 자 력수행의 보살들이 사는 불국토를 구현하고자 했을 것으로 추측된다. 마치『법화경』서품에 나 오는 미륵이 문수사리에게 한 게송 가운데, "항하의 모래 같은 무수한 탑을 세워 나라마다 장엄 하니 이 국토는 저절로 특수하게 아름다워져서 도리천의 수왕에 꽃이 핀듯하다"고 한 것과 같 이 광종연간에 이루어진 죽주지역의 대규모 불사는 불국토를 형상화하는 과정이었을 것으로 생각된다. 광종연간 죽주지역의 대규모 불사 활동은 청주, 진천, 충주 등 주변 지역과는 차별되

---

53) 서윤길, 위의 책, pp.25~27.
54) 보천은 나라를 補益하게하고 백성을 太平하게 하는 비법으로서 오대산을 중심으로 한 새로운 신앙체계와 수행 법을 제시하였는데,『三國遺事』권3, 臺山 五萬眞身條에 그 내용이 잘 드러나 있다.
55) 서윤길, 앞의 책, p.30.
56) 오지연,「백련사의 보현도량과 법화참법의 재조명」,『원묘국사의 재조명』, 제2회 백련결사 학술세미나, 2012, p.80.
57) 김창현,「고려 서경의 사원과 불교신앙」,『한국사연구』20, 고려사학회, 2005, pp.39~40.

는 특징으로 죽주에 대한 왕실의 인식을 보여준다고 할 수 있는데,『법화경』이 불국토로의 통일을 염원하는 내용이 반영된 것처럼 태조 왕건의 진전과 황제인 광종 자신을 본뜬 석조보살입상이 있는 죽주가 나말여초 혼란기를 거치며 강력해진 청주, 진천, 충주의 諸호족 세력을 견제하고 포섭하는 역할을 할 수 있도록 하는 정치적 목적이 있었다고 생각된다.

Ⅳ. 맺는말

지금까지 나말여초기 죽주의 불교유적과 유물을 중심으로 조성세력과 사상적 기반에 대해 살펴보았다. 나말여초기 죽주의 불사활동은 봉업사를 중심으로 지속적이고 집중적으로 진행되었다. 이는 신라말 성장한 호족세력, 후삼국의 정립과 왕건에 의한 통일, 그리고 고려의 지방지배 강화라는 과정에서 죽주지역이 전략적 요충지로서 주목되었기 때문이다. 또 지역적 기반을 갖고 성장한 호족세력이 고려에 흡수 내지 통합되어가는 과정에서 발생하는 복잡한 권력관계가 반영되어 있었다고 생각된다. 그리고 죽주지역의 불사 활동에 참여한 세력의 사상적 기반은 당시 불교 사상의 특징을 보여준다고 할 수 있다.

나말여초기 정치·사회적 혼란과 이에 따른 사회 전반에 걸친 급속한 변화 속에서 불교 사상은 매우 중요한 역할을 하였다. 나말여초 구산선문의 개창과 확장이라는 선종의 대유행은 호족세력에게 매우 매력적인 것이었다. 그들은 선종 세력을 지원하고 사상적 기반을 제공받는 밀접한 관계를 맺었다. 불교계는 더 이상 불교의 절대적 후원자가 될 수 없었던 신라 왕실을 등지고 교단의 안정적 정착과 교세의 확장에 필요한 막대한 자금과 지원을 호족세력으로부터 이끌어냈다.

궁예는 죽주에서 대의의 첫발을 내딛은 후삼국의 맹주였다. 그는 죽주 적괴 기훤의 세력 일부를 기반으로 성장하였는데, 진표계 미륵신앙과 굴산산문의 선종사상을 기반으로 하였으나 시대착오적인 '王卽佛' 사상과 '非法'에 심취한 나머지 왕건에 의해 막을 내리게 된다. 이후, 태조 왕건은 죽주지역을 주목하여 능달로 하여금 사찰을 창건(중수)하였다. 태조는 말법시대를 끝내고 '王卽菩薩' 사상으로 전환하였으며, 건국의 이념을 확고히 하고 새로운 시대를 이끌어가기위한 사상 통합을 위해 종파를 불문하고 불교 세력을 포섭하였다. 이 시기 죽주지역의 호족세력은 태조의 정책에 적극 협력하는 동시에 선종세력과 결탁하여 왕실과 동질성을 확보해 나갔다. 특히 불사활동을 통해 왕실, 개경 세력 등과의 연대하였고 지역사회에서의 정치적 입지를 강화하였으며 중앙 정계에 진출할 수 있는 입신의 통로를 확보하였던 것으로 판단된다. 죽주는 전략적 요충지로서 광종대에 괄목할 만한 변화를 겪는다. 광종은 봉업사와 죽주산성 일대 지역을 청주, 진천, 충주 등 고려 건국과정에서 절대적 지위를 확보한 호족세력을 견제하는 중요 도시로 탈바꿈시켰다. 이를 위해 먼저 죽주산성을 수리하고 태조의 현창사업을 위한 봉업사를 창건하였다. 그리고 석조미륵보살을 조성하고 藥王寺를 창건하여 『묘법연화경』에 기반한 정법시대를 천명하였던 것이 아닐까 한다.

【참고문헌】

『三國遺事』
『東國李相國集』
『新增東國輿地勝覽』
『梵宇攷』

경기도박물관,『奉業寺』, 2002.
_____,『高麗 王室寺刹 奉業寺』, 2005.
畿甸文化財研究院,『河南 校山洞 建物址 發掘調査報告書』, 2004.
단국대학교 매장문화재연구소,『안성 죽주산성 남벽 정비구간 발굴조사 보고서』, 2006.
단국대학교 중앙박물관,『안성 망이산성 2차 발굴조사 보고서』, 1999.
불교문화재연구소,『韓國의 寺址 사지(폐사지)현황조사보고서 下-경기남부』, 2010,
中央文化財研究院,『안성 장릉리 골프장예정부지내 安城 長陵里寺址』, 2008.

경기도박물관,『경기민속지Ⅶ』, 2004.
_____,『京畿佛蹟資料集』, 1999,
구산우,『高麗前期 鄕村支配體制研究』, 혜안, 2003.
국립중앙박물관,『發願, 간절한 바람을 담다』, 2015.
權相老,『韓國寺刹事典(上)』, 이화문화출판사, 1994.
서영일,『신라육상교통로연구』, 학연문화사, 1999.
서윤길,『韓國密敎思想史研究』, 불광출판부, 1994.
엄기표,『신라와 고려시대 석조부도』, 학연문화사, 2003.
이병희,『高麗時期 寺院經濟 研究』, 경인문화사, 2009
許興植,『韓國中世佛敎史研究』, 一朝閣, 1994..

김병희,「安城 奉業寺址 出土 高麗前期 銘文기와 研究」, 단국대학교 석사학위논문, 2001.
오호석,「高麗時代 竹州地域 石造美術 研究」, 단국대학교 석사학위논문, 2005.

곽승훈,「신라시대 지리산권의 불사활동과 신행선사비의 건립」,『신라문화』34, 신라문화연구소, 2009.
김갑동,「고려초의 주에 대한 고찰」,『高麗史의 諸問題』, 三英社, 1986.
김성환,「竹州의 豪族과 봉업사」,『文化史學』11 · 12 · 13, 韓國文化史學會, 1999,

김창현,「고려 서경의 사원과 불교신앙」,『한국사연구』20, 고려사학회, 2005.

백종오・오호석,「안성지역 문화유적의 입지와 특성 죽산의 새로 찾은 유적을 중심으로」,『연보』9, 경기도박물관, 2005.

신영훈,「安城郡의 石塔(一)」,『考古美術』12, 고고미술동인회, 1961.

_____,「安城郡의 石塔(一)」,『考古美術』14, 고고미술동인회, 1961.

오지연,「백련사의 보현도량과 법화참법의 재조명」,『원묘국사의 재조명』, 제2회 백련결사 학술세미나, 2012

오호석,「高麗前期 竹州地域의 石佛에 대한 一考察」,『博物館誌』14, 충청대학박물관, 2005.

_____,「고려 초기 竹州지역의 석탑과 건립배경」,『先史와 古代』31, 韓國古代學會, 2009.

이재범,「궁예의 불교사상에 대한 고찰」,『新羅史學報』31, 신라사학회, 2014.

정명호,「安城의 石佛」,『考古美術』12, 고고미술동인회, 1961.

정성권,「高麗 前期 石佛立像 硏究」, 단국대학교 석사학위논문, 2001.

_____,「安城 梅山里 石佛立像 硏究」,『文化史學』17, 한국문화사학회, 2002.

_____,「안성 기솔리 석불입상 연구」,『新羅史學報』25, 신라사학회, 2012.

_____,「경기도 내 통일신라 석불의 존재 가능성에 대한 고찰」,『역사와 경계』86, 부산경남사학회, 2013.

정영호,「新羅 獅子山 興寧寺址 硏究」,『白山學報』7, 백산학회, 1969.

정요근,「高麗前期 驛制의 整備와 22驛道」,『한국사론』45, 국사편찬위원회, 2001.

조인성,「弓裔의 세력 형성과 彌勒信仰」,『한국사론』36, 국사편찬위원회, 2002.

진정환,「高麗前期 新樣式 石佛의 展開와 造成背景」,『美術史學硏究』287, 한국미술사학회, 2015.

채상식,「羅末麗初 忠州 지역의 豪族과 禪宗」,『藥城文化』16・17, 예성문화연구회, 1996.

_____,「충주 정토사지 법경대사비의 음기」,『충북의 석조미술』, 충북학연구소, 2000.

채웅석,「고려시대 향도의 사회적 성격과 변화」,『國史館論叢』2, 국사편찬위원회, 1989.

최성봉,「竹山 南山의 石塔・石佛」,『考古美術』60, 고고미술동인회, 1965.

최성은,「高麗前期의 石佛 試考」,『고려시대 개성과 경기』, 경기도박물관, 2003.

崔聖銀,「竹州 長命寺址 석불좌상의 복원적 고찰과 고려초기 석불양식」,『강좌미술사』36, 한국미술사연구소, 2011.

高麗 開京城의 羅閣에 대한 試考

金虎俊*

目 次

Ⅰ. 머리말

고려시대의 開京은 宮城─皇城─羅城의 성곽체제로 이루어진 것으로 알려져 있다. 그러나 개경 성곽에 대한 문헌기록이 소략하고, 성문의 명칭 정도만 소개된 문헌자료의 한계성으로 인해 당시의 현황을 파악하기에는 부족한 부분이 있다. 그럼에도 불구하고 개경과 관련된 古地圖, 일제시기의 개경 관련 지도와 又玄 高裕燮 선생님의 답사기[1] 그리고 1980년대 북한의 연구성과 등이 그나마 개경의 윤곽을 이해하는데 도움을 주고 있다.[2] 현재 남북한 교류의 차원으로 한시적으로 발굴조사가 진행되고 있으나, 서울성곽과 같이 문헌과 고고학자료를 비교하며 현장 답사를 통한 연구를 진행할 수 있는 기회가 매우 부족한 상황이다.

개경의 성곽은 앞에서도 밝혔듯이, 又玄 高裕燮 선생님이『松都古蹟』을 통해 당시의 모습을 일부 고증하였다. 그는 고려왕조의 도읍지였던 개성의 유적과 유물을 직접 답사하였고, 美術史學者로서 관찰과 실측 뿐만 아니라 관련 문헌에 대한 고증한 내용을 양식적 특색과 역사적 의의에 대해서도 폭넓게 다루었다.『松都古蹟』의 내용은 단순한 현장 답사기가 아니라, 책의 서

---

* 충청북도문화재연구원

1) 高裕燮,,『松都古蹟』, 博文出版社 1946.

2) 前間恭作,「開京宮殿簿」,『朝鮮學報』26, 1963.
　전룡철,「고려의 수도 개성성에 대한 연구(1)」,『력사과학』2, 1980.
　＿＿＿,「고려의 수도 개성성에 대한 연구(2)」,『력사과학』3, 1980.
　정찬영,「만월대유적에 대하여(1)」,『조선고고연구』, 1989.

문에 "古蹟은 인간 생활의 전통을 보여주는 證徵體이다. … 고적은 한갓 역사의 糟粕이 아니라 역사의 상징, 전통의 顯現인 것이다."[3] 라고 밝혔듯이 고적 답사의 충실한 본보기를 제시하고 있다. 거기다가 기존의 통념들을 넘어서서 확실한 결론을 이끌어 내거나 아니면 최소한 문제점을 제기하고 있다.[4]

又玄 高裕燮 선생님은『松都古蹟』의「3. 開京의 城郭」부분에서 羅城(外城)를 답사하여, 성벽 상면의 瓦礫이 산란한 점에 대한 관찰과 성벽을 기록한 문헌자료를 찾아 고증 하였다.[5] 그는 개성 나성이 토축성벽이므로 女牆이 존재할 수 없는 점에 주목하였다. 성벽 상면의 방어시설을 찾기 위한 일환으로 '羅閣(혹은 廊屋)'의 기록과『高麗圖經』에서 國城의 성벽 상면의 건물을 표현한 '廊廡'를 통해, 고려시대 개경 나성의 성벽 상면 시설물에 대한 연구방향을 제시하였다. 그러나 그 이후 고려시대 개경에 대한 체제 및 배치 현황에 대한 연구는 진행된 바 있으나[6], '羅閣(혹은 廊屋)'에 대한 연구는 진행된 사례가 거의 없다고 할 수 있다.

이글은 우현 고유섭 선생님이 고증하였던 고려시대 개경 외성의 답사기를 바탕으로 외성 羅閣을 재검토하고자 하였다. 또한 그의 답사기에서 고증하였던 문헌의 원전을 찾아 분석하고, 고고학적 자료에서 그 실례를 찾고자 하였다. 이를 위해서 먼저 고려시대 개경성의 구조 및 羅閣 용어에 대한 문헌 검토와 사례를 재검토하겠다. 다음으로 남한 내 고고학 자료에서 이를 방증할 수 있는 자료를 찾아보고자 한다. 하지만 고려성곽 성벽의 상부 시설물에 대한 기록과 도면, 그림 자료가 부족하기 때문에 건축학적인 구조와 복원까지는 접근할 수 없음을 미리 밝혀둔다.

Ⅱ. 고려시대 개경 성곽의 槪觀

개경의 성곽은 개경을 둘러싸고 있는 북쪽의 송악산(489m)에서부터 남쪽의 용수산(177m)으로 연결되는 구릉들을 그대로 이용하여 쌓았으며, 조선 건국 직후에 완성된 내성과 겹치는 부분을 제외한 나머지 대부분은 토성으로 이루어진 것으로 알려져 있다.

궁성은 본 대궐을 둘러싼 것이었다. 이는 태조 2년(919) 철원에서 개경으로 천도했을 때 궁

---

3) 고유섭, 앞의 책, 序, 1946, p.1.
4) 又玄 高裕燮,『松都의 古蹟』, 悅話堂, 2007, p.13.
5) 고유섭, 앞의 책, 1946, pp.12~41.; 위의 책, 2007, pp.65~76.
6) 이강근,「고려 궁궐」,『한국의 궁궐』(빛깔있는 책들 107), 대원사, 1991.
　　朴龍雲,「開京 定都와 시설」,『고려시대 開京 연구』, 一志社, 1996.
　　細野涉,「高麗時代의 開城 −羅城城門의 比定을 中心으로 하는 復元試案−」,『朝鮮學報』166, 1988.
　　홍영의,「고려 수도 개경의 위상」,『역사비평』45, 1998.
　　張志連,「麗末鮮初 遷都論議와 漢陽 및 開京의 都城計劃」, 서울대 석사학위논문, 1999.
　　金昌賢,「고려 開京의 궁궐」,『史學硏究』57, 1999.

궐을 창건하면서 쌓았던 것으로 이해된다. 그 성문으로는 東華門(麗景門)으로 고침), 西華門(=向成門), 昇平門(=玄武門)이 있었다. 궁성의 규모는 둘레 2,170m, 동서길이 375m, 남북길이 725m, 넓이 250,000㎡로 실측되었다.

궁성을 둘러싸고 있었던 것이 황성이다. 이는 그 쌓은 시기와 유래가 불명확하지만, 勃禦塹城[7]의 동서남쪽 성벽을 이용하여 태조 2년 궁성과 궁궐을 만들 때 쌓았을 것으로 이해되고 있다. 『고려사』 지리지에 의하면, 황성은 2,600간의 규모로서 광화문을 비롯하여 20개의 문 이름을 확인할 수 있다. 반면에 『고려도경』에서는 황성을 내성이라고 했고 13개의 성문이 있었다고는 하지만 동쪽 성문인 광화문 이외의 이름은 밝히지 않았다. 현재 남아 있는 성문의 위치는 동쪽 벽에 3개, 서쪽 벽에 1개, 남쪽 벽에 2개, 북쪽 벽에 5개를 확인할 수 있다고 한다. 황성의 규모는 둘레 4,700m, 동서길이 1,125m, 남북길이 1,150m, 넓이 1,250,000㎡로 실측되었다.

황성을 둘러싼 것이 나성(외성)이었다. 나성은 현종 즉위년(1009)에 축성 논의가 있은 이후 현종 11년(1020) 강감찬의 건의에 따라 축성이 추진되다가 현종 20년(1029)에 완성되었다.[8] 나성에 대해서는 비교적 구체적인 기록이 있지만, 크게 두 가지의 서로 다른 내용이 전하기 때문에 그 실체를 제대로 파악하기는 역시 쉽지 않다. 『고려사』 지리지에서는 나성의 둘레를 29,700보로 기록한 후, 10,660보로 보는 다른 기록도 아울러 소개하고 있다. 반면에 『고려사절요』에서는 나성의 둘레를 10,660보로 기록하고 있다. 실측 결과 나성의 둘레는 약 23km로 확인되었는데, 『고려도경』의 60리는 이와 근접하여 주목된다. 따라서 나성의 둘레에 대한 기록의 차이는 현재의 실측치를 가지고 거꾸로 추산하여 볼 여지는 있다. 성문에 대해서는 『고려사』 지리지에서 25개의 성문 이름을 확인할 수 있으며(대문 4개, 중문 8개, 소문 13개), 『고려도경』에는 12개의 성문 이름이 기록되어 있다. 『신증동국여지승람』에도 22개의 성문 이름이 기록되어 있는데, 4개 성문 이름은 『고려사』와 다르다. 전룡철은 현재 북쪽 벽(송악산 서쪽 벽)에 4개, 동쪽 벽에 7개, 서쪽 벽에 8개, 남쪽 벽에 6개의 성문 자리를 확인할 수 있다고 하였다. 최근에는 이를 토대로 나성의 성문 위치를 비정하여 나성의 복원을 시도하였다.[9] 따라서 나성에 대해서는 개경의 다른 성곽에 비해 연구가 구체적으로 진전되었다고 할 수 있으며, 특히 성문의 위치는 부분적인 의견

---

7) 『高麗史節要』 卷1, 태조 원년 6월.
　　"世祖因說裔曰, 大王, 若欲王朝鮮肅愼卞韓之地, 莫如先城松嶽, 以吾長子, 爲其主, 裔從之, 使太祖, 築勃禦塹城, 仍爲城主"
8) 『高麗史』 卷5, 현종 20년 8월.
9) 박종진은 고려시기 개경에 대한 연구의 바탕이 된 것은 細野涉와 朴龍雲를 들 수 있다고 하였다. 細野涉은 나성 성문의 명칭과 위치 등을 연구하는 가운데 그 윤곽을 복원하려 한 점과 朴龍雲은 개경의 시설·구조·행정·기능 등 종합적인 이해를 시도한 점에서 중요한 성과를 보였다고 한다. 그리고 박종진은 이외에 건축사 분야에서도 개경 성곽에 대한 언급은 있었지만, 위의 성과를 뛰어넘는 것은 아니었다고 한다. 그 간의 연구성과는 개경 성곽에 대한 도식적인 이해를 시도한 것이고, 그 기능적이고 국가 중심의 상징적 측면에 대한 이해는 미진한 점을 지적하였다.(박종진, 「고려시기 개경사 연구동향」, 『역사와 현실』 34호, 1999).

차이가 있기는 하지만 대체로『고려사』지리지의 성문을 인정하는 편이다.[10]

표 1. 고려 개성 규모 및 현황[11]

구분	규 모	근 거
宮城	둘레 2,170m, 동서 375m, 남북 725m, 마름모, 넓이 25만㎡(약 75,000평)	전룡철
皇城	2,600間 (추정 4,700m)	『高麗史』지리지
	둘레 4,700m, 동서 1,125m, 남북 1,150m, 사각형, 넓이 125만㎡(약 378,000평)	전룡철
羅城	城周 29,700步(추정 63,200m), 羅閣 13,000間(추정 23,600m) 城周 10,660步(추정 22,700m), 高 27尺(추정 9.5m), 厚 12尺(추정 4.2m)	『高麗史』지리지
	周 10,660步, 高 27尺, 廊屋 4,910間(추정 8,900m)	『高麗史節要』
	城周圍 60里(*1里 = 1,296尺, 약 27,600m)	『高麗圖經』
	周圍 16,060步(추정 34,200m), 高 27尺	『世宗實錄』 地理志
	둘레 23km, 동서 5,200m, 남북 6,000m, 넓이 2,470만㎡(약 7,471,000평)	전룡철
조선 內城	6도의 백성을 동원하고 옛 터의 반을 줄여 경성을 쌓게 하다	『太祖實錄』 8월1일
	1393년에 벽돌로 내성을 축조, 주위가 20리 40보, 東大門 등 5개소의 문	『新增東國輿地勝覽』

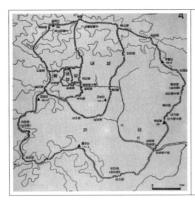

● 궁성
919년, 2.1km, 나성 북서편 황성 내부에 위치, 발어참성 활용, 승평문 등 4개 성문
● 황성
919년, 4.7km, 동문인 광화문이 주 출입문, 광화문 등 20개 성문
● 나성
1019년~1029년, 23km, 궁성과 황성 및 5부 방리를 포괄하는 성, 거란 격퇴 후 강감찬 건의로 축성, 회빈문 등 25개 성문
● 내성
1391~1394년 축성, 11.2km, 나성을 축소, 남대문 등 다수의 성문

도면 1. 고려 개경 성곽 현황도[12]

Ⅲ. 高麗 城郭의 羅閣에 대한 문헌 검토

1. 開京城의 羅閣에 대한 문헌 검토

고유섭 선생님은 고려시대 개경성의 나성에 대한 답사와 유적지에 대한 모습을 바탕으로

---

10) 신안식,「고려전기의 축성(築城)과 개경의 황성」,『역사와 현실』 38, 2000.
11) 신안식, 위의 글, p.17의 주 20)을 필자가 조선시대 내성에 대해서 보완하였다.
12) 사회과학원 고고학연구소,『고려의 성곽』(조선고고학전서 45:중세편 22), 진인진, 2009, pp.13~30.

『高麗史』 및 『高麗圖經』의 기사를 인용하여 고증하였다.[13]

그가 참조하고 인용한, 『高麗史』, 『高麗圖經』의 기사 내용을 정리하면 다음과 같다.

1-a. "王京 開城府 … 二十年京都羅城成.[王初卽位徵丁夫三十萬四千四百人築之至是功畢. 城周二萬九千七百步 ①羅閣一萬三千間, … 一云丁夫二十三萬八千九百三十八人 工匠八千四百五十人 城周一萬六百六十步 高二十七尺厚十二尺 ②廊屋四千九百一十間.]" (『高麗史』卷56 志10 地理1.)

1-b. "…, 其城周圍六十里 山形繚繞 雜以沙礫 隨其地形而築之 外無濠塹 ①不施女墻 列[太上御名]②延屋 如③廊廡狀 頗類④敵樓 雖⑤施兵仗 以備不虞 而⑥因山之勢非盡堅高 至其低處 則不能受敵 萬一有警 信知其不足守也"(『宣和奉使高麗圖經』卷3 國城.)

1-c. "…, 自會賓長霸等門 其制略同 唯當其中爲兩戶 無尊卑 皆得出入 其①城皆爲夾柱護以鐵箔 ②上爲小廊 隨山形高下而築之 自下而望崧山之脊 ③城垣繚繞 若蛇虺蜿蜒之形, …"(『宣和奉使高麗圖經』卷4 外門.)

1-a의 기사는 『高麗史』 地理志의 王京 開城府의 기록을 바탕으로 고려시대 나성에 축성연대와 규모, 축성인원에 대한 정보를 알 수 있다. 그는 나성의 축조기간을 고려 현종 즉위 년간에 강감찬의 건의로 현종이 李可道 등에 명하여 쌓게 한 것을 기준으로 하여, 현종 즉위년으로부터 20년까지 전후 이십일년이 걸린 것으로 보았다. 그리고 전후 이십일 년간을 조축한 부역의 연인원은 삼십사만사천사백명(혹은 이십삼만팔천구백삼십팔이요, 工匠이 팔천사백오십명이라 함.)이요, 성 둘레는 이만구천칠백 보(혹은 만육천육십보라 하고 육십리라 함.)요, 羅閣이 만삼천 칸(혹은 廊屋이 사천구백십칸이라함.)으로, 성벽의 높이가 이십칠척이요, 두께가 십이척이라는 『高麗史』 地理志의 王京 開城府의 기록을 인용하였다.

1-b·c의 기사는 『宣和奉使高麗圖經』[14]의 국성과 외성의 문을 통해 나성 성벽의 모습을 보여주고 있다. 고유섭 선생님은 개성의 외성을 답사하며 "곳곳에 토사로 만든 城脈이 산세를 좇아 蜿蜒屈曲하고, 밖으로 塹壕가 없을뿐더러 성벽이 土壘인 만큼 女墻이 있을 수 없고, 성 줄기 위에는 瓦礫이 많이 산란하여 있음을 볼 수 있으니 이것이 이른바 廊廡가 있던 자리이고, 동남

13) 高裕燮, 『松都古蹟』, 博文出版社, 1946, pp.34~41.
又玄 高裕燮, 『松都의 古蹟』, 悅話堂, 2007, pp.68~77.
14) 『宣和奉使高麗圖經』은 약칭하여, 『高麗圖經』, 『奉使圖經』이라고 한다. 고려도경은 6책 40권으로 북송 徽宗시대(1100년~1125년)인 宣和 5년(1123년, 고려 인종 1년) 고려 사신으로 왔던 북송 사신 徐兢이 고려에서 직접 보고 들은 것을 기록하여 신화 6년(1124년) 와부에 바쳐진 고려견문록으로써 그림과 經文으로 이뤄졌으나, 현재에는 경문만이 전해지고 있다.(정용석·김종윤 譯, 『선화봉사高麗圖經』, 움직이는 책, 1998, p.27.)

부나 서남부 같은 데는 사실 低倭한 혐이 없지 않아 있다."고 하면서, 『宣和奉使高麗圖經』의 기록이 정확하게 기록하고 있음을 감탄한 바 있다.

본 주제에 들어와서 羅閣에 대해서는 1-a의 ①羅閣과 ②廊屋은 같은 의미로 보인다. 또한 1-b의 서긍의 눈에는 ②延屋, ③廊廡, ④敵樓라고 표현하고 있다. 1-c의 기사에서는 ②小廊 으로 표현하고 있다. 위의 기사를 정리해 보면 羅閣은 성벽 상면 위에 작은 집이 연결되어 있으며, 마치 '廊廡'의 모습을 하고 있으며, 기능은 '敵樓'로 보고 있다.

먼저 '廊廡'는 국어사전에서 正殿 아래에 東西로 붙여 지은 건물을 뜻한다. 『디지털 한국역대 제도용어사전』에 의하면, "兩廡는 文廟 正殿의 좌우 쪽에 세워진 東廡와 西廡. 이 동・서무에는 중국의 역대 賢哲과 우리나라 儒賢 14位를 배향하고 있음. 廡는 廊廡로 부속건물이란 뜻."[15]으로 정의하고 있다.

'廊廡'에 대한 기사는 『高麗史』와 『高麗史節要』에서 대부분 궁궐과 중요 건물의 부속건물로 표현하고 있다.[16] 그리고 『宣和奉使高麗圖經』에서도 東神祠의 기록 중에서도 부속건물로 표현하고 있다.[17] 송나라 서긍의 고려 개성의 羅閣을 기록했을 당시의 송나라 '廊廡'에 대한 정확한 고증은 어렵지만, 1-c의 기사에서 ① "城皆爲夾柱護以鐵箭"을 유추해 보면, 성벽 양쪽에 철통 안쪽에 기둥을 세워 축조했을 가능성이 있다. 이를 정리해보면, '廊廡'는 정전의 부속건물과 같이 성벽 상면에 지어진 작은 집이 연결된 것으로 보이며, 유사시를 대비하여 병장기 보관 및 군사들이 숙소로 사용되었던 것으로 볼 수 있다.

1-b의 ④敵樓는 北宋의 兵書인 『武經總要』[18]를 참고하여 살펴보면 다음과 같다.

---

15) http://www.krpia.co.kr

16) 『高麗史節要』권17 고종 39년 5월 "5월에 비로소 승천부(昇天府)의 성곽과 낭무(廊廡)를 건축하였다."라는 기사에서 성곽과 관련하여 廊廡를 건축했을 가능성이 있지만, 기록이 소략하여 논고에서는 배제하겠다.

17) 『宣和奉使高麗圖經』卷27 館舍 順天館에서는 '廊廡' 용어 대신 '廊屋'라는 용어로 표현하고 있다.

18) 『武經總要』는 北宋의 인종이 1040년 西夏와의 전쟁 중에 병법에 뛰어난 인재를 통해 병법 및 군사기술 등의 지식을 정리시키고, 병기류의 그림을 그리도록 하였다. 曾公亮・丁度 등이 찬술하여 1045년(慶曆 5)에 완성되었으며, 주요 판본으로는 南宋 1231년(紹定 4)의 重刻本, 元刊本, 明 弘治, 正德 연간의 소정 重刻本, 四庫全書本, 中華書局 影印 明刊 前集 20卷本 등이 있다. 체제는 前集 20권, 後集 20권으로 구성되어 있다. 前集 20권은 制度에 관한 것이 15권, 邊防에 관한 것이 5권으로 나뉘어 있다. 制度부분에는 주로 將兵의 선발, 교육과 훈련, 부대의 편성, 行軍과 宿營, 古今의 陣法, 통신과 정찰, 군사지형, 보병과 기병의 운영, 城邑의 공격과 방어, 水戰과 火攻, 武器裝備 등 用兵作戰의 기본이론과 제도, 상식을 논술하였고, 邊防 부분 5권에는 변방 각 路, 州의 방위, 지리연혁 山川河流 도로와 요새, 軍事要點 등에 대하여 기록하였다. 卷2의 弓法 弩法, 卷10의 攻城法 卷11의 水攻, 火攻, 卷12의 守城, 卷13 器圖 등에는 병기제조에 관하여 상세하고 구체적인 소개가 되어 있다. 또한 군사자료를 광범위하게 편집하여 비교적 完整하게 北宋 前期의 군사제도를 기록하였다.(서울대학교 규장각한국학연구원 홈페이지, 원문DB, 『武經總要』 해제의 양휘웅이 기술한 부분을 전재.) 본고에서는 中華書局 影印 明刊 前集 20卷本의 내용을 전재하였다.

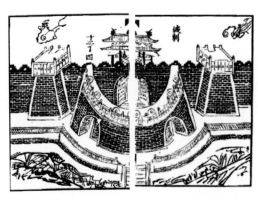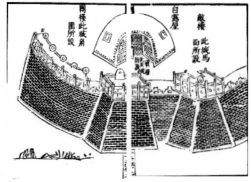

도면 2. 『武經總要』의 敵臺와 敵樓

敵樓는 문지 주변에 돌출된 치성 상면에 세운 敵臺와 같이 성벽의 치성 상면에 세운 건물을 뜻하는 것으로 보인다. 주된 기능은 적이나 주위의 동정을 살피기 위함과 성벽으로 접근하는 적을 공격하면서 수비군을 보호하기 위한 것으로 보인다. 이러한 적루에 대한 기록은 고려시대 문헌에서는 찾아보기가 어렵다.

결국『高麗史』1-a의 ①羅閣과 ②廊屋과『高麗圖經』1-b의 ②延屋, ③廊廡, ④敵樓, 1-c의 ②小廊은 羅閣을 의미한다. 그리고 羅閣의 모습은 廊屋과 延屋, 廊廡, 小廊라는 단어로 표현하였고, 기능은 敵樓로 규정한 것으로 볼 수 있다. 이러한 문헌 내용을 정리해 보면, 羅閣은 정전의 부속건물과 같이 성벽 상면의 작은 집이 연결된 구조물로 볼 수 있다. 기능은 유사시를 대비하여 병장기 보관 및 군사들이 적이나 주위의 동정을 살피기 위함과 성벽으로 접근하는 적을 공격하면서 수비군을 보호하기 위한 것으로 보인다.

또한 고유섭 선생님의 개성 외성의 답사 중에서 확인했던 성벽 상면 위의 기와 무더기를 통해 본 羅閣은 성벽 상면 위에 위치하며, 기와를 올렸던 건물로 보인다. 고려성곽에서 羅閣에 기와를 올린 사례를 다음 절에서 문헌 기록을 통해 살펴보고자 한다.

2. 高麗邑城 羅閣에 대한 문헌 검토

고려시대 성곽의 라각에 대해서는 앞서 인용한 1-a의 왕경 도호부의 기사 내용(『高麗史』卷 56 志10 地理1)에서 확인된 것 외에도『高麗史』의 城堡 조에서도 확인된다.

2-a. "辛禑三年開城府狀曰 "其一外城修葺事則曰定國立都者必先高城深池此古今之通制也. 我國家太祖創業宏遠而城郭不修至於顯廟始築外城置城上羅閣以固守."(『高麗史』卷82 志36 城堡)

2-a의 기사는 고려 말 우왕 3년(1377)에 開城府에서 장계를 올린 내용으로 왜구의 침입으로 국토를 보전하기 위한 방책으로 개경 외성과 내성을 보수하고 신축해야 하는 것과 지방의 산성을 보수 하고, 지방의 州縣城을 신축하는 것을 건의하는 내용이다. 그 내용 중에서 외성을 보수하는 기사 중에서 현종 때 나성을 쌓고 성벽 위에 나각을 축조하여 군건히 지킬 수 있음을 말하고 있다.

고려시대 이후 조선전기의 기록, 특히『新增東國興地勝覽』에서는 開城府를 비롯하여 전국의 성곽에서 라각의 규모에 대한 기사가 확인된다.

『新增東國興地勝覽』의 咸陽郡 邑城 기록과 1470년대 함양군수를 지냈던 金宗直의 시문집인 『佔畢齋集』의 기록을 통해 고려말에 축조된 읍성의 羅閣에 대해서 살펴보고자 한다.

3-a. "읍성 고을 관아가 옛날에는 군 동쪽 2리 지점에 있었다. 홍무 경신년에 廳舍가 왜구에게 소실되었다. 그리하여 관아를 문필봉 밑으로 옮기고 흙을 쌓아서 성을 만들었다. 둘레는 7백 35척이고 羅閣이 2백 43칸이다. 문이 셋인데, 동쪽은 齊雲, 남쪽은 望岳, 서쪽은 淸商이다."(『新增東國興地勝覽』권31 慶尙道 咸陽郡 城郭)

3-b. "함양성 羅閣이 모두 이백 사십 삼 칸인데, 한 칸마다 세 가호가 함께 출력하여 볏짚으로 지붕을 이어오는데, 해마다 비바람에 지붕이 걷힐 때면 비록 한창 바쁜 농사철이라 할지라도 백성들이 반드시 우마차에 볏짚과 재목을 싣고 와서 수리를 하곤 한다. 역대에 계속 이렇게 해오다보니 백성들이 매우 괴롭게 여기었다. 그래서 을미년 이월에 내가 부로들과 상의하여 다시 토지 십 결을 비율로 삼아 한 칸마다 거의 열 가호씩을 배정해서 그 썩은 재목을 바꾸고 또 기와를 이게 하였더니, 한 가호에 겨우 기와 십여 장씩만 내놓아도 충분하고 일도 오일이 채 못가서 마치게 되었다. 백성들이 처음에는 졸속하게 경장시키려는 것을 의아하게 여겼으나, 일이 완성된 뒤에는 모두 기뻐하며 좋다고 일컬으므로, 마침내 이것을 기록하여 보이는 바이다."(『佔畢齋集』권10)[19]

3-a의 기사는 함양의 옛 읍성의 청사가 홍무 경신년(1380년)에 왜구의 침입으로 불에 타서 새로이 함양읍성을 토성으로 쌓았고, 羅閣을 2백 43칸 축조한 사실을 기록하고 있다.

3-b의 기사는 새로이 쌓은 함양읍성의 라각 지붕을 볏짚으로 이어오는 폐해가 있었는데, 함양군수로 부임한 김종직이 을미년(1475년) 이월에 기와로 지붕을 이게 하였다는 내용이다.

2-a의 기사를 통해 보면, 고려 현종 때 개성 외성 성벽 상면에 라각을 축조하였던 것을 알 수 있으며, 3-a의 기사에서는 고려말에 새로이 쌓은 토축 읍성에서도 라각을 축조하였음을 알 수

---

19)『佔畢齋集』권10
　"咸陽城羅閣凡二百四十三間每間三戶共茸覆之以草歲爲風雨所壞小民雖在農月必牛載藁草及材以修之歷世因循民甚困焉乙未二月余謀諸父老更以田十結爲率一間幾配十戶易其腐材且令覆以瓦一戶纔出瓦十許張而足未五日而訖功民初訝更張之猝迫旣成則俱懽然稱美遂書此以示之."

있다. 고려말 함양읍성에 국한된 것이지만, 그 당시 羅閣은 볏짚과 같은 초본류로 지붕을 이어 해마다 비바람에 지붕이 걷히면 이를 보수하는 폐해가 있었음을 3-b의 기사를 통해 알 수 있 다. 그리고 김종직이 함양군수로 부임하여 1475년에 읍성 라각의 지붕을 기와로 교체하여 백성 들이 폐해를 덜었던 것을 짐작 할 수 있다.

3-b의 기사에서 라각 한칸에 열 가호씩, 한 가호에 10여장의 기와를 받았다는 점은 라각 지 붕의 규모를 짐작할 수 있다. 라각 1칸은 100여장의 기와로 지붕을 이을 수 있는 규모라는 점도 인지 할 수 있다.

고려 개경 외성 나성에서는 라각에 기와를 올렸을 가능성에 대해서는 앞서 고유섭 선생님의 개경성 답사기에서 지적하고 있다. 다음 장에서는 고려시대 성곽에서 羅閣에 대한 고고학 사례 를 찾아보고자 한다.

Ⅳ. 高麗 城郭의 羅閣에 대한 고고학 사례 검토

앞장의 라각에 대한 문헌 내용을 정리해 보면, 羅閣은 정전의 부속건물과 같이 성벽 상면의 작은 집이 연결된 모습이다. 그리고 지붕은 볏짚과 같은 초본류를 사용하여 잇거나, 기와를 올 렸던 것을 알 수 있다. 여기에서는 라각의 모습을 짐작할 수 있는 사례와 고려시대 읍성 성벽에 서 출토된 기와류에 대한 해석과 관련하여 검토해 보고자 한다.

1. 고려성곽의 羅閣에 대한 사례

고려시대에 활용된 성곽 내 혹은 성벽 혹은 문지에 인접하여 확인된 고려시대 건물지는 남 한산성 행궁지에서 확인된 건물지와 포천 반월산성 동치성 주변 건물지, 영월 정양산성 남문지 주변 건물지, 원주 영원산성 북문지 일대의 건물지 등이 있다.

  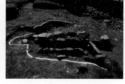 

① 남한산성 행궁터에서 발굴된 고려시대 건물지   ② 포천 반월산성 동치성 주변 건물지   ③ 영월 정양산성 남문지 주변 건물지   ④ 원주 영원산성 고려 건물지

사진 1. 고려시대에 활용되었던 성곽 내부 건물지[20]

---

20) (재)중원문화재연구원, 『증평 추성산성 5차(북성 2차) 발굴조사 완료약보고서』, 2014에서 전재하고 편집함.

사진 1의 광주 남한산성과 포천 반월산성, 영월 정양산성의 고려시대 건물지는 성벽에 인접하지 않고 있으며, 성 내부에 축조된 독립된 건물지이다. 원주 영원산성 고려시대 건물지 등은 성벽과 인접하고 있으나, 여러 개의 주거지가 중복되어 밀집된 상태였다. 원주 영원산성의 경우 문헌에서 보이는 '羅閣'에 근접할 수 있으나, 성벽 상면에 건물이 연결된 구조로 보이지는 않는다.

다음 사례는 한성백제기 지방에 축조된 토성으로 잘 알려진 증평 추성산성(사적 제 527호) 북성의 자성 1에서 확인된 고려시대 건물지 3동이다.[21]

추성산성 고려시대 건물지는 자성 1의 북벽과 인접하여 총 3동이 확인되었다. 각 건물지는 북벽의 내측을 일정부분 굴착하여 조성하였고, 일정한 높이를 유지하고 있었다. 그리고 석재로 구들을 조성하였고, 배연부는 동쪽에 위치하며, 건물지 사이의 동서 간격은 약 1.5m 정도로 일정한 양상을 보인다. 내부와 상면에서는 무문 및 어골문이 시문된 회청색 기와편과 주먹 크기의 석환이 확인되었다.

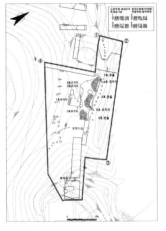

도면 3. 추성산성 북성(2차) 자성 1 발굴조사 현황도

사진 2. 추성산성 북성 자성 1 고려시대 건물지

1호 건물지는 서쪽 부분에 아궁이가 배치되었고, 고래열은 덮개석으로 볼 때, 4~5열 정도로 추정된다. 배연부 부분은 성벽과 접하는 부분의 고래열을 따라 동쪽 끝 부분에 위치했던 것으로 보인다. 고래열과 북벽이 접하는 부분에 무문의 회청색 경질기와가 완형으로 3매가 확인되었다. 건물지의 전체 규모는 동서 길이 5.8m, 남북 폭 2.6m 정도이며, 구들시설의 규모는 동서

21) 건물지의 자세한 내용은 필자가 조사했던 추성산성 5차 발굴조사 약보고서 내용을 수정 전재하였음을 밝혀 둔다.((재)중원문화재연구원, 『증평 추성산성 5차(북성 2차) 발굴조사 완료약보고서』, 2014.)

길이 4m(아궁이와 배연부 제외), 남북 폭 2m 정도이다.

　2호 건물지는 1호 건물지 동쪽 끝 부분에 폭 1m, 깊이 10cm 정도의 아궁이가 위치한다. 아궁이는 2호 건물지 고래열 서쪽 끝단 중간에 있었던 것으로 추정된다. 고래열은 덮개석을 제거하여 볼 때, 4열이었다. 배연부는 성벽과 접하는 부분의 끝 부분에 남에서 북으로 60cm 정도 흔적이 남아 있다. 건물지의 전체 규모는 동서 길이 5.8m, 남북 폭 2.6m 정도이며, 구들시설의 규모는 동서 길이 4m(아궁이와 배연부 제외), 남북 폭 2m 정도이다.

　3호 건물지는 남쪽에 60cm 정도 토축하여 그 위에 온돌을 조성하였다. 동쪽은 통행시설과 접하고 있다. 표토를 제거했을 때 나무가 자생하면서 뿌리 등으로 인해 덮개석과 측벽석이 흩어져 있었고, 통행시설과 접하는 동쪽 부분이 훼손된 상태였다. 그러나 남쪽 부분의 고래 측벽석이 잘 남아 있어, 1호와 2호 건물지와 같은 구조로 추정된다. 또한 석재의 노출된 높낮이를 고려해 봤을 때, 지형이 낮은 서쪽에 아궁이, 동쪽에 배연시설이 존재했을 것으로 추정된다. 노출된 석채의 범위는 동서 3.4m, 남북 2.8m 정도이다.

　1호와 2호 온돌건물지는 북벽의 내측을 일정부분 굴착하여 조성하였고, 건물지간 동서 간격이 약 1.5m 정도로 일정하며, 동쪽에서 불을 지펴서 서쪽으로 배연하는 구들시설을 갖고 있다. 규모도 크게 다르지 않다. 다만 3호 온돌건물지가 통행시설과 인접하고 있고, 주변보다 성토하여 조성하였고, 규모면에서 1호와 2호 보다는 작은 편이다. 그러나 3동의 건물지는 건물지 내부에서 석환이 확인되는 점으로 보아 성벽 및 통행시설을 방어하던 병사들이 거주하던 건물지로 판단된다.

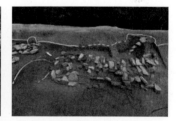

사진 3. 추성산성 북성 자성 1의 1호와 2호 건물지 전경 및 각각의 건물지

　추성산성 북성 자성 1에서 확인된 고려시대 1~3호 건물지 3동은 동서간의 간격이 약 1.5m 정도로 일정한 점은 건물의 지붕이 서로 연결된 구조로 볼 수 있다. 또한 건물지의 구조와 내부 시설이 같다는 점은 특수한 목적으로 축조되었을 가능성을 보여준다. 또한 성벽과 인접하여 조성된 점과 성벽 상면의 기둥 구멍 중 일부가 건물지와 연관된 점, 석환 등의 무기류의 출토 상황으로 볼 경우, 개경 나성의 라각과 같은 기능을 했을 것으로 추정된다. 그러나 지붕을 기와로 올린

것에 대해서는 확인된 바가 없다.

사진 4. 추성산성 북성 자성 1 북쪽 성벽 상면 주공열 및 고려시대 건물지

2. 고려성곽 토축성벽 외부의 기와층 검토

앞서 고려 개경 외성의 라각에 기와를 올렸을 가능성에 대해서는 앞서 고유섭 선생님의개경성 답사기에서 지적하고 있다. 고려말에 축조된 함양읍성의 라각은 조선 전기에 기와를 올렸다는 기록을 확인하였다. 그러나 토성에서 고려시대 라각으로 추정되는 추성산성 북성 자성1의 고려시대 건물지에 기와를 올렸던 흔적은 명확하지 않다. 그리고 고려 개경 외성과 함양읍성의 라각에 대해서는 고고학 조사를 통한 그 실체를 확인된 바가 없다.

고려시대에 축조되거나 활용되었던 토성에서 성벽 안팎으로 기와 무더기가 확인되고 있다. 이 기와 무더기에 대해서 대체적으로 토축성벽 내·외피 토축부 기저층을 보강하기 위한 와적층으로 보는 견해가 지배적이다.[22] 이러한 기와 무더기가 확인된 토성으로는 강화도의 강화 중성[23]과 제주도의 항파두리성[24], 충주 충주성[25], 김해 고읍성[26], 천안 목천토성[27], 평택 비파산성[28] 등을 들 수 있다.

---

22) 심종훈·이나경, 「金海 古邑城 築城과 時期」, 『한국성곽학보』 11, 한국성곽학회, 2007, p.16. 주19).
　　金虎俊, 「京畿道 平澤地域의 土城 築造方式 硏究」, 『文化史學』 27호, 한국문화사학회, 2007.
23) (재)중원문화재연구원, 『강화 옥림리 유적』, 2011.
24) 제주고고학연구소, 『제주 항파두리 토성 단면조사 간략보고서』, 2011.
　　_____, 『사적 396호 제주 항파두리 항몽유적지 문화재 시굴조사(2차) 간략보고서』, 2011.
　　_____, 『제주 항파두리 항몽 유적 토성 발굴조사 간략보고서』, 2012.
25) 충청북도문화재연구원, 『충주 호암동 게이트볼장 및 배드민턴 전용구장 건립부지내 문화유적 발굴조사 약보고서』, 2009.
　　_____, 『충주읍성 학술조사 보고서』, 2011.
　　노병식, 「새로이 찾은 忠州地域의 城郭」, 『韓國城郭學報』 제17집, 2010.
　　신용민·심종훈·구형모, 「충주 호암지구 토성유적의 초보적 연구」, 『심정보교수 정년기념논총』, 한국성곽학회, 2014.
26) 동아세아문화재연구원, 『김해 고읍성』, 2008.
27) 尹武炳, 『木川土城』, 1984.
28) 단국대학교매장문화재연구소, 2004, 『평택 서부 관방산성 시·발굴조사 보고서』.
　　김호준, 앞의 논문, 2007.

강화 중성은 중심토루를 조성한 후에 내·외피토루를 덧붙였다. 그리고 내외피 토루가 끝나는 지점에 와적층이 조성되었다. 이 와적층의 기와는 대부분 작게 깨져 있는 상태였다. 제주 항파두리 외성은 중심토루 내외곽 기저부 석렬에 인접하여 와적층이 확인되며, 와적층 상부에는 점토와 풍화층을 번갈아 쌓아 내외피토루가 축조되었다. 충주 충주성은 2014년도에 조사된 호암동 토성유적의 경우 가지구 A지점 치성 1 측면에 와적층이 형성되어 있다. 와적된 기와는 손바닥보다 작게 깨어진 상태이거나 완형의 기와가 일부 확인된다. 목천토성은 성벽 外皮에 와적을 하고 점토로 다져서 쌓았다. 비파산성과 김해 고읍성은 성벽 기저부 석렬 외부로 와적층을 형성하였기에 목천토성과는 와적층 조성 위치가 다르다.

①강화 중성　　②제주 항파두리성　　③충주 충주성　　④김해 고읍성

사진 5. 고려시대 토축성곽 외부의 와적층

이러한 고려시대 토축성곽에서 와적층은 ① 토성 상부에 토사유실을 방지하기 위해 시설되었던 기와들이 토성이 붕괴되면서 퇴적되었을 가능성과 ② 우천 등에 의한 우수로부터 토성의 기단의 유실을 방지할 목적으로 기단을 비롯한 기저부를 보강하기 위한 시설일 가능성 두 가지로 논의 되어왔다. 대부분의 발굴조사자와 연구자는 ②의 경우에 대해서 무게를 두고 있다. 즉 와적부가 기단 위에 구축된 보강토를 완전히 덮지 못하는 부분이 있지만 마치 보강토를 피복하는 것과 같이 형성되어있고, 후대에 유실되어 하부로 퇴적된 듯 한 토층양상을 보이기 때문에 설득력이 있다고 보고 있다. 그러나 앞서 소개한 성곽의 내벽과 외벽 와적층은 각각 종류가 다른 기와로 시설되었다. 또한 와적층의 기와가 손바닥 보다 작게 깨진 경우(강화 중성, 목천토성, 비파산성)와 완형의 기와가 출토되는 경우(제주 항파두리, 충주 충주성, 김해 고읍성)도 있다. 와적층에 있는 기와는 다양한 종류의 기와들이 사용되었다. 이러한 기와들이 이 시기적인 차이인지 동시대 다른 지역의 기와를 사용한 것인지 판단하기 어려운 점도 있으나, 함양읍성의 경우처럼 라각을 보수하기 위해 고을에서 기와들을 모았을 경우를 고려한다면 쉽게 이해할 수 있을 것으로 보인다.

상기한 두 가지 가설 중 토성 성벽 내외부에 있는 와적층이 ①의 경우로 인해 형성되었다고 보기에는 와적부의 단면퇴적 경사도가 완만하여 가능성이 낮을 것으로 보고 있는데, 추성산성 북성의 건물지처럼 지붕을 갖고 있던 나각의 지붕에서 흘러 내렸을 가능성도 고려해 볼 필요가 있다.

대몽항쟁기 진도 용장성은 왕궁지 외곽 석심토축의 성벽을 담장형태로 보고 명칭을 宮墻으로 소개하였다.[29] 왕궁지의 궁장은 중심부에 높이 1m, 너비 1m 규모의 석축을 하고, 그 위로 성토 다짐한 토루가 덮은 구조이다. 이렇게 담장으로 보는 견해로는 석축의 규모와 구조가 작고, 주변에서 막새를 비롯하여 다량의 완형 기와가 출토되었기 때문이다.[30]

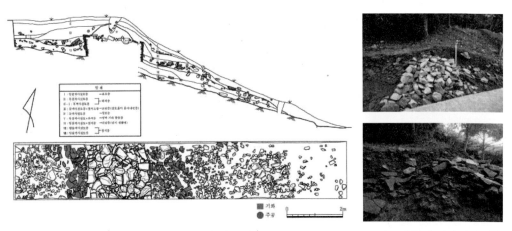

도면 4. 진도 용장성 왕궁지 담장   사진 6. 왕궁지 담장 와적층[31]

지금까지 고려시대 토축성곽 성벽 내외부에서 확인되는 와적층은 토성의 구조적인 문제에 치중하여 우수 등으로 부터 토성벽 상부 혹은 기단의 유실을 방지할 목적으로 조성된 것으로 판단하였다. 물론 기와가 손바닥보다 작게 깨진 상태로 토축성벽 내외부 기저에 배치한 것은 구조적인 문제로 접근하는 것이 바람직하다고 판단된다. 그러나 완형의 기와가 성벽 내외부에 흩어진 채로 출토된다면, 진도 용장성 왕궁지의 담장의 기와처럼 특수한 시설물의 지붕 역할을 했던 것으로 볼 여지가 충분하다.

현재까지 고려시대 토축성곽에서 기와를 올렸던 羅閣 건물지에 대한 사실은 기록과 문헌에 존재하나, 이를 입증할 만한 고고학 발굴조사 사례는 거의 없다고 할 수 있다. 하지만 고려시대 토축성벽 내외부에서 완형의 기와가 출토되는 성곽은 대몽항쟁기 도성에 비정되는 강화 중성과 제주 항파두리성, 지방의 중요 읍성으로 충주 충주성, 김해 고읍성, 평택 비파산성 등을 들

29) 목포대학교박물관, 『진도 용장산성』, 2006.
            , 『진도 용장산성 발굴조사 간략보고서』, 2009.
            , 『진도 용장산성 내 문화재 시·발굴조사 지도위원회 회의자료』, 2010.
    고용규, 「珍島 龍欌山城의 構造와 築造時期」, 『13세기 동아시아 세계와 진도 삼별초』, 목포대학교박물관, 2011.
30) 김세종, 「珍島 龍藏城의 現況과 性格」, 『한국성곽학회 2015년도 추계학술대회 자료집』, 한국성곽학회, 2015.11.
31) 김세종, 위의 글.

수 있다. 따라서 고려시대 토축성곽에 羅閣을 설치하고, 지붕에 기와를 이었다는 것은 그 성곽의 중요성과 기와를 수급할 수 있는 경제적인 지원이 뒷받침될 수 있는 여건이 형성된 중요성곽으로 볼 필요가 있다. 이는 함양읍성 라각의 지붕에 기와를 이는 과정에서도 알 수 있는 사실이다.

한편 증평 추성산성 북성의 고려건물지는 나각의 구조를 이해하는데, 합리적인 판단의 기준을 제시한다고 할 수 있다. 함양읍성의 라각 지붕을 초본류로 이었던 사실을 통해 보면, 추성산성 북성의 고려건물지도 그러했을 것으로 추정할 수 있다. 또한『高麗圖經』의 고려 나성 羅閣에 대해서 敵樓라고 표현 한 점을 상기한다면, 충주 충주성 치성 주변의 기와 무더기는 치성 상면의 방어시설물의 기와일 가능성도 열어 놓고 봐야 할 것으로 보인다.[32]

V. 맺음말

이 글은 又玄 高裕燮 선생님이『松都古蹟』의「3. 開京의 城郭」부분에서 羅城(外城)의 羅閣에 대에 고증하였던 문헌의 원전을 찾아 분석하고, 새로운 문헌자료를 보강하였다. 고고학 자료에서 그 실례를 찾으면서 논지를 전개하였다.

羅閣에 대한 문헌 내용을 정리해 보면, 羅閣은 정전의 부속건물과 같이 성벽 상면의 작은 집이 연결된 모습을 보이고 있다. 기능은 유사시를 대비하여 병장기 보관 및 군사들이 적이나 주위의 동정을 살피기 위함과 성벽으로 접근하는 적을 공격하면서 수비군을 보호하기 위한 것으로 보인다. 그리고 고려말에 축조된 함양읍성 라각의 지붕에 기와를 이었던 기록을 통하여, 토축성벽 상면에 라각이 존재하였고, 초본류 및 기와로 지붕을 이었던 구조였음을 알 수 있었다.

남한의 고고학 자료를 정리해 보면, 개성 외성 羅閣과 같이 성벽 상면 위에 위치하며, 기와를 올렸던 건물을 구체적으로 증빙할 수 있는 자료는 현재까지 충분하지 않다. 그러나 증평 추성산성 북성의 고려 건물지는 羅閣에 대한 始原的인 모습을 보여준다고 할 수 있다.

라각지붕의 기와와 관련하여 필자는 고려 토축성곽 중 강화도의 강화 중성과 제주도의 항파두리성, 충주 충주성, 김해 고읍성, 천안 목천토성, 평택 비파산성 성벽에서 확인된 와적층에 대한 성격 문제를 지적하였다. 기존에는 기와 무더기가 토축성벽 축조과정에서 구조적인 부분에

---

32) 북한의 자료에서는 개경 나성에 46개의 치성이 축조되었다고 한다. 치성이 석축성벽에 8개, 토축성벽에 38개가 있다고 한다. 특히 토축성벽의 치성이 치의 높이와 너비가 성벽과 같으나, 성벽과 치성이 접하는 부분이 높은 것이 각루와 같은 시설물이 존재했을 가능성이 제시하고 있다고 한다. 또한 성벽 위에 기와를 씌운 회랑과 같은 담이 연달아 있고, 일정한 간격으로 각루 같은 것이 설치되었고, 일부 구간에서 많은 기와편이 있기 때문에 토축성벽 상면에 성가퀴 역할을 하는 시설물이 있었다고 보고 있다. (사회과학원 고고학연구소,『고려의 성곽』(조선고고학전서 45:중세편 22), 진인진, 2009, pp.26~29.)

중점을 두었다면, 향후에는 성벽 상면의 羅閣과 같은 시설물에서 떨어진 것으로 볼 가능성도 열어놔야 한다고 판단된다. 한편으로 고려시대 토축성곽에 羅閣을 설치하고, 지붕에 기와를 이었다는 것은 그 성곽의 중요성과 기와를 수급할 수 있는 경제적인 지원이 뒷받침될 수 있는 중요 성곽으로 볼 필요가 있다.

필자는 又玄 高裕燮 선생님이 인용한『高麗史』및『高麗圖經』등의 원전을 검토하며, 단어 하나하나에 주의를 기울일 수밖에 없었다. 왜냐하면 지금까지 필자가 진행한 고려성곽에 대한 발굴조사의 결과와 여러 성곽 조사 성과에 대한 합리적인 해석의 폭을 넓힐 수 있는 계기가 되었기 때문이었다.

하지만 필자의 한계로 고려성곽 성벽의 상부 시설물에 대한 기록과 도면, 그림 자료에 대한 다방면의 수집과 분석이 부족하였다. 향후 송나라와 일본 성곽의 성벽 상면의 방어시설에 대한 연구가 진행된다면, 송나라 서긍이『高麗圖經』에 기록했던 개경 나성 성벽 및 羅閣에 대한 건축학적인 구조와 복원까지 접근할 수 있을 거라 생각된다. 필자는 이글이 앞으로 고려시대 성곽 연구에 대한 한 가닥의 실마리가 되기를 바란다.

마지막으로 필자가 헌책방을 뒤져 1946년에 발간된 又玄 高裕燮 선생님의『松都古蹟』(博文出版社 발간)을 구입하여, 豪佛 鄭永鎬 博士님께 보여 드렸을 때가 생각이 난다. 선생님은 친히 책 뒤편에 '祝 珍本'이라고 써 주셨다. 어쩌면 이글은 정영호 박사님이 주신 따뜻한 격려 덕분이라고 생각된다. 필자는 고마운 배려에 자신감과 영감을 얻었다. 필자는 정영호 박사님의 팔순기념 논총에 又玄 高裕燮 선생님이 답사하고 고증하신 개경 나성의 羅閣에 대한 조악한 글을 올리게 됨을 영광으로 생각한다.

【참고문헌】

『高麗史』,『高麗史節要』,『宣和奉使高麗圖經』,『朝鮮王朝實錄』,『新增東國輿地勝覽』,『武經總要』,『武備志』,『佔畢齋集』

高裕燮,『松都古蹟』, 博文出版社, 1946.

又玄 高裕燮,『松都의 古蹟』, 悅話堂, 2007.

김창현,『고려 개경의 편제와 궁궐』, 경인문화사, 2011.

이강근,「고려 궁궐」,『한국의 궁궐』(빛깔있는 책들 107), 대원사, 1991.

정용석・김종윤 譯,『선화봉사高麗圖經』, 움직이는 책, 1998.

단국대학교매장문화재연구소,『평택 서부 관방산성 시・발굴조사 보고서』, 2004.

동아세아문화재연구원,『김해 고읍성』, 2008.

목포대학교박물관,『진도 용장산성』, 2006.

_____,『진도 용장산성 발굴조사 간략보고서』, 2009.

_____,『진도 용장산성 내 문화재 시・발굴조사 지도위원회 회의자료』, 2010.

사회과학원 고고학연구소,『고려의 성곽』(조선고고학전서 45:중세편 22), 진인진, 2009.

尹武炳,『木川土城』, 1984.

제주고고학연구소,『제주 항파두리 토성 단면조사 간략보고서』, 2011.

_____,『사적 396호 제주 항파두리 항몽유적지 문화재 시굴조사(2차) 간략보고서』, 2011.

_____,『제주 항파두리 항몽 유적 토성 발굴조사 간략보고서』, 2012.

(재)중원문화재연구원,『강화 옥림리 유적』, 2011.

_____,『증평 추성산성 5차(북성 2차) 발굴조사 완료약보고서, 2014.

충청북도문화재연구원,『충주 호암동 게이트볼장 및 배드민턴 전용구장 건립부지내 문화유적 발굴
    조사 약보고서』, 2009.

_____,『충주읍성 학술조사 보고서』, 2011.

고용규,「珍島 龍欌山城의 構造와 築造時期」,『13세기 동아시아 세계와 진도 삼별초』, 목포대학교박
    물관, 2011.

김세종,「珍島 龍藏城의 現況과 性格」,『한국성곽학회 2015년도 추계학술대회 자료집』, 한국성곽학
    회, 2015.11.

金昌賢,「고려 開京의 궁궐」,『史學研究』57, 1999.

金虎俊,「京畿道 平澤地域의 土城 築造方式 硏究」,『文化史學』27호, 한국문화사학회, 2007.

노병식,「새로이 찾은 忠州地域의 城郭」,『韓國城郭學報』제17집, 한국성곽학회, 2010.

박종진,「고려시기 개경사 연구동향」,『역사와 현실』34호, 한국역사연구회, 1999.

朴龍雲,「開京 定都와 시설」,『고려시대 開京 연구』, 一志社, 1996.

細野涉,「高麗時代の開城 −羅城城門の比定を中心とする復元試案−」,『朝鮮學報』166, 1988.

신안식,「고려전기의 축성(築城)과 개경의 황성」,『역사와 현실』38, 한국역사연구회, 2000.

신용민・심종훈・구형모,「충주 호암지구 토성유적의 초보적 연구」,『심정보교수 정년기념논총』,
　　　　한국성곽학회, 2014.

심종훈・이나경,「金海 古邑城 築城과 時期」,『한국성곽학보』11, 2007.

張志連,「麗末鮮初 遷都論議와 漢陽 및 開京의 都城計劃], 서울대 석사학위논문, 1999.

前間恭作,「開京宮殿簿」,『朝鮮學報』26, 1963.

전룡철,「고려의 수도 개성성에 대한 연구(1)」,『력사과학』2, 1980.

＿＿＿,「고려의 수도 개성성에 대한 연구(2)」,『력사과학』3, 1980.

정찬영,「만월대유적에 대하여(1)」,『조선고고연구』, 1989.

홍영의,「고려 수도 개경의 위상」,『역사비평』45, 1998.

『디지털 한국역대제도용어사전』(http://www.krpia.co.kr)

서울대학교 규장각한국학연구원 홈페이지의 원문DB(http://e-kyujanggak.snu.ac.kr)

高麗時代 이후 土壙墓 출토 棺釘에 대한 小考

李相和*

目 次

Ⅰ. 머리말

토광묘[1]는 선사시대 이래로 우리 민족이 지속적으로 애용되어 오는 장법으로 특히 고려시대 이후 일부계층에서 석곽·석실·회곽을 선호하기도 하였지만 전 신분계층에서 매장법을 선호하였던 것으로 보여 진다.

최근에 들어 개발사업으로 인한 발굴조사가 급격히 증가함에 따라 다양한 시대와 성격의 유적들이 조사·보고되고 있다. 이 가운데 그 동안 크게 주목받지 못하였던 고려시대 이후 분묘(특히 토광묘)유적이 전국적으로 조사되면서 관련자료의 증가와 함께 묘제변화 양상에 대한 괄목할 만한 연구성과가 지속적으로 제시되고 있다.

반면 이 가운데 유물이 부장된 토광묘는 소수에 지나지 않으며, 특히 철제 관정은 목관을 결구시키는 부재로 토광묘 내에 목관을 안치한 결정적이 단서를 제공하지만 부장의 의미가 아닌 목관의 결구용으로 사용된 2차적 유물에 지나지 않는다. 뿐만 아니라 오랫동안 지하에 매장되어 있는 동안 수분이나 염분 등의 환경적 요인에 의해 부식이 심하게 진행된 상태로 출토되고 그나마 완형으로 출토되는 예도 흔치 않은 편이다. 관정은 출토 순간부터 환경의 변화로 단기간에 열화가 쉽게 진행되어 시급히 보존처리 과정을 거쳐야 한다. 따라서 토광묘에 대한 발굴조사에서 출토되는 관정은 오히려 조사원에게는 천덕꾸러기 같은 부담을 주기 다반사이다.

---

* (재)성림문화재연구원 조사부장

1) 토광묘는 나무 널(木棺)을 만들어 시신을 안치한 다음 장방형(또는 유사하게)의 묘광을 파고 그 나무 널을 묘광 안에 묻거나, 또는 시신을 관에 넣지 않고 바로 묘광에 안치하는 장법이다. 흔히 민묘라고도 하며, 고려~조선시대를 거쳐 오늘날까지 꾸준하게 사용된 우리나라의 가장 보편적 무덤이라고 할 수 있다.

그러나 관정이 지니고 있는 속성으로 시간의 흐름에 따른 생활상의 변화양상을 추정하는데 이용될 수 있을 것으로 판단된다.

본고에서는 고려시대 이후 토광묘에서 출토된 관정의 속성분석을 통하여 관정과 매장이식의 변화 양상을 알아보는 것에 중점을 두고자 한다.

Ⅱ. 연구동향

토광묘 묘제에 대한 연구는 대단위 개발 사업과 함께 대규모 발굴조사가 본격적으로 이루어 지고 그 결과 조사성과에 대한 연구가 활발하게 진행되고 있다. 또한 고려시대 이후 토광묘에 대한 연구는 고려시대 이전의 유적을 발굴하는 과정에서 부수적으로 조사되어 간략하게 보고 되어 오다가, 최근 들어서는 상주 청리 유적·청주 용암유적·서울 은평뉴타운과 같이 대규모 의 고분군에 대한 발굴 조사가 증가되어 고려시대 이후 유적과 유물에 관한 연구 성과가 다수 발표되고 있다. 또한 영남지방에서도 고려시대 이후의 토광묘 유적이 활발히 조사되어 당시 장 묘문화 및 생활사 연구에 귀중한 연구 자료를 제공하고 있다.

고려시대 토광묘 연구로는 분묘 구조에 대한 연구와 부장유물에 대한 연구로 나눌 수 있으 며, 분묘 구조에 관한 연구로 이희인은 석곽묘와 토광묘를 하층민(지방향리 및 서리층을 포함 하는 일반서민층)의 주묘제이며, 석곽묘층이 토광묘층보다 경제적·신분적으로 상대적 우위에 있다고 보았다. 또한 석곽묘에서 토광묘로의 전환은 주자학의 도입으로 석곽묘의 전통이 소멸 되고 조선시대에 이르러 회곽묘로 대체된 것으로 보았다.[2]

분묘 출토 부장품과 그 매납방식에 대한 연구로는 도기 및 자기를 중심으로 다수의 연구가 진행되고 있다. 주영민은 자기는 지배층 중심의 문화를 대표한다면 도기는 일반서민의 문화를 대표하는 것으로 보았다.[3]

서미성은 고려시대 도기병에 관한 연구에서 도기병은 통일신라시대 회청색경질도기에서 이어지며, 인화문이 소멸되어 가는 과정에서 무문화가 도기병에 영향을 끼쳐 무문도기병이 많다고 보았다.[4]

출토유물의 매납방식에 관한 연구로 고현수는 부장품의 매납방식에서 부장을 위해 따로 제 작하여 매납했다기 보다 피장자가 생전에 사용하던 생활용구를 주로 부장하였으며, 유물의 종 류에 따라 피장자의 성별을 구분하고 있다. 그리고 피장자의 머리맡에는 신변을 꾸미는 소형의

---

2) 이희인, 「중부지방 고려시대 고분 연구-석곽묘와 토광묘를 중심으로」, 성균관대학교 대학원 석사학위논문, 2003.
_____, 「중부지방 고려고분의 유형과 계층」, 『한국상고사학보』 제45집, 한국상고사학회, 2004.
3) 주영민, 「고려시대 분묘 연구-도기편년을 중심으로」, 신라대학교 대학원 석사학위논문, 2004.
4) 서미성, 「고려시대 도기병에 관한 연구」, 단국대학교 대학원 석사학위논문, 1989.

장신구가 부장되고, 발치에는 청동숟가락과 같은 식기류가 주로 부장되며 충청지역과 경상지역에서는 단일 또는 두 가지 재질의 유물을 선별하여 매납한 것으로 보고 있다.[5]

박미욱은 부장유물을 중심으로 토광묘 유적은 '계수관'이 파견된 지역이거나 주현보다 규모가 큰 대읍지역에서 많이 확인되며, 피장자의 계층은 무신란을 전후하여 사회의 변화와 신분질서의 문란으로 계층이 확대된 것으로 보았다.[6]

이처럼 종전에는 고려시대 분묘의 출토유물 가운데 청자를 중심으로 도자연구에 편중되었으나 최근 들어 연구의 대상이 묘제를 비롯하여 유물의 부장 양상 등으로 다양해지고 있다. 개별 유물에 관한 연구는 청자에서 도기, 동전 등으로 출토 수량이 많은 유물을 중심으로 진행되고 있어 다양한 기종에 대한 연구는 미흡한 실정으로 다변화된 연구가 필요할 것으로 판단된다.

조선시대 토광묘에 대한 연구성과로 먼저 박광춘은 김해 덕산리 유적 발굴조사 보고서를 통해 토광묘의 규모, 유물 등에 대해 검토한 바, 관정의 출토여부와 묘광의 길이:너비에 따라 목관사용 목관묘와 미사용 직장묘로 분류하였다. 관의 사용유무는 피장자의 신분적 차이 또는 시기적 차이를 보이며, 시기의 변화에 따라 관정이 목관정으로 대체된다고 판단하였다. 또한 관정이 출토되는 토광묘는 관정이 출토되지 않는 토광묘보다 시기적으로 빠르고 관정이 출토되지 않은 토광묘는 부장되는 유물의 양도 적어진다고 보았다.[7]

최종규는 조선시대 토광묘의 부장품 위치에 대한 분석에서 보강토 내에 유물이 위치하는 경우를 下棺祭, 관 위에 부장되는 경우를 始土祭, 묘광선 주위에서 확인되는 경우를 평시제의 제례와 관련지어 분류하였다.[8]

김재홍은 영남지역 조선시대 목관묘 연구에서 관정과 보강토 유무, 평면형태에 따라 직장묘와 목관묘로 구분하고, 직장묘 계층이 타 묘제 사용계층보다 경제력이 뒤떨어지며, 관정이 출토되지 않은 목관묘는 관정출토 목관묘보다 유물부장 양이 감소하고 시기도 떨어진다고 분석하였다.[9]

이현채는 발굴 및 출토수습되는 관재에 대해 연륜연대를 측정한 후, 관재의 시대별 지역별 치관양식의 차이, 내관 외부에 칠해져 있는 흑색물질의 성분, 나비장의 양식, 대렴할 때 칠성판 아래에 깔아주는 출회의 성분, 횡대의 양식 등을 역사기록 문헌사료 등과 비교 연구하여 목관재의 제작기법(치관과 치장)을 규명하고자 하였다.[10]

이상과 같이 최근 발표된 연구들은 발굴조사 성과를 바탕으로 문헌사의 검토·묘제의 분류를 통해 세부적인 연구가 시도되고 있다.

---

5) 고현수, 「남한지역 고려 고분의 부장품 매장방식 연구」, 부산대학교 대학원 석사학위논문, 2004.
6) 박미욱, 「고려 토광묘 연구-부장양상을 중심으로」, 한양대학교 대학원 석사학위논문, 2006.
7) 동아대학교박물관, 『김해 덕산리 민묘군』, 1995.
8) 경남고고학연구소, 『진주 무촌II』, 2004.
9) 김재홍, 「조선시대 영남지역 묘제 연구」, 동아대학교 대학원 석사학위논문, 2006.
10) 이현채, 「조선시대 목관의 연륜연대와 치장·치관 연구」, 충북대학교 대학원 석사학위논문, 2009.

Ⅲ. 관정의 고고학적 요소

1. 연구대상 검토

본고에서는 고려시대 이후 토광묘에서 출토된 관정의 속성들을 계량화하여 통계적 방법을 이용한 통시적 접근과 유적 간의 차이를 검정하고자 한다. 즉, 연구자의 주관적 관점을 최대한 배제하고 관정이 지닌 속성을 계량화하여 객관적인 데이터 분석을 실시하고자 한다. 분석에 필요한 통계수법으로는 데이터의 흩어진 정도 및 평균, 표준편차를 구하는 히스토그램과 산점(포)도를 비롯하여, 상관분석과 회귀직선을 통하여 관정의 길이와 너비 두 변수간의 관계의 정도를 측정하고자 한다. 그리고 고려시대 이후 토광묘 출토 관정에 대한 표준편차는 알 수 없으므로 t-검정을 이용하여 유적간·시대간의 차이를 검정하고 모평균을 추정하고자 한다.

이와 같은 계량적 분석자료를 바탕으로 시·공간적 변화양상과 고려시대 이후 조선시대에 조성된 토광묘의 주체세력의 지위와 그 의미를 고찰하여 당시의 매장의식의 변화를 살펴볼 수 있을 것으로 기대한다.

본고는 기왕에 조사·보고된 고려시대 이후 토광묘 유적을 대상으로 17개 유적 255개 유구를 선정하고, 완형 또는 단부의 극히 일부만 결실되어 크기를 가늠하는데 큰 무리가 없는 관정 1,089점을 분석 대상으로 하였다.

고려시대 이후 토광묘가 각 시대별로 단독 또는 복합적으로 조성된 유적으로 연구대상은 〈삽도 1〉 및 〈표 1〉과 같다.

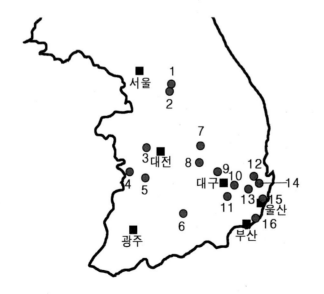

1 여주 교리유적
2 여주 월송리유적
3 공주 금학동유적
4 군산 내흥동유적
5 전주 유상리유적
6 산청 평촌리유적
7 상주 성동리유적
8 김천 대신리유적
9 왜관 낙산리유적
10 경산 신대부적유적
11 청도 대전리유적
12 경주 검단리유적
13 경주 화천리유적
14 경주 물천리유적
15 울산 매곡동유적
16 기장 방곡리유적

〈삽도 1〉 연구 대상 유적 위치

〈표 1〉 연구 대상유적 현황

번호	유 적 명	데이터량(n)	시 대		
			고려	조선	미상
1	경산 신대부적 조선묘군	21	0	21	0
2	경주 검단리 유적	67	67	0	0
3	경주 물천리 고려묘군 유적	51	34	5	12
4	경주 화천리 유적	11	4	7	0
5	공주 금학동 유적	62	53	9	0
6	군산 내흥동 유적	10	0	4	6
7	기장 방곡리 유적	212	0	88	124
8	김천 대신리 유적	21	0	10	11
9	산청 평촌리 유적	53	34	0	19
10	상주 성동리 고분군	61	3	33	25
11	여주 교리 유적	5	0	5	0
12	여주 월송리 유적	37	2	28	7
13	왜관 낙산리2	113	8	59	46
14	울산 매곡동 유적	30	9	2	19
15	전주 유상리 유적	5	0	5	0
16	청도 대전리 고려-조선묘군1	155	60	70	25
17	청도 대전리 고려-조선묘군2	175	139	11	25
	합계	1,089	413	357	319

　　각 유적의 시대별 구분은 동일 유구 내에서 공반 출토되는 유물을 검토하였으며, 발굴조사
보고자의 견해와 대체로 일치한다. 즉 고려시대 토광묘에서 전형적으로 출토되는 청자, 도기
병, '∝'형 철제가위, 연미형 청동숟가락, 고려동경, 북송 동전 등이 참고 되었고, 조선시대 토광
묘에서 주로 출토되는 백자, 분청사기, 병부의 두께가 얇고 완만하게 휘어진 청동숟가락, 조선
통보·상평통보 등의 유물이 참고 되었다. 반면 공반된 유물이 없어 확정적으로 시대를 구분
하기 어려운 유구는 미대미상으로 분류하였다. 따라서 고려시대 토광묘에서 출토된 연구대상
관정은 413점(38%), 조선시대 357점(33%), 시대미상 319점(29%)으로 데이터의 편차는 크지
않다.

2. 용어 圖說

(1) 목관

천판(天板)

두판
(頭板)

측판
(側板)

족판
(足板)

지판(地板)

〈삽도 2〉 목관의 명칭

(2) 관정

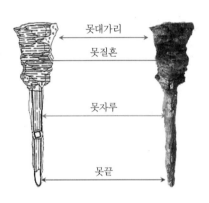

못대가리

못질흔

못자루

못끝

〈삽도 3〉 관정의 명칭

3. 속성분석

단순히 출토된 관정의 속성을 계량화된 수치만으로 해석하기는 무리인 경우가 있다. 유구는 매장 집단의 관념적·정서적 측면은 전혀 고려되지 않고 오직 육안으로 확인·계량화되는 데이터(속성)만으로 전체를 해석하는 과오를 범할 수 있기 때문이다. 반면 데이터의 특성이나 경향 따위를 수량으로 표시하여 계량화함으로서 연구자의 편견이나 선입관을 일정부분 배제하고 공통의 기초자료를 확보할 수 있은 장점이 있다.

따라서 관정에서 관찰할 수 있는 길이·두께·무게·목질의 깊이와 같은 속성은 쉽게 데이터를 확보할 수 있다.

(1) 관정의 출토위치

관정은 토광묘 내에 목관을 안치한 결정적인 단서이지만 오랫동안 지하에 매장되어 있으면서 수분이나 염분 등에 의해 부식이 심하게 진행된 상태로 출토되어 완형이 출토 예는 많지 않다. 오히려 출토시점에 이미 부식되어 녹흔만 관찰되거나 아예 수습 자체가 불가능한 경우가 다반사이고, 비교적 온전한 관정이라 할지라도 환경의 변화로 급속히 열화되는 경향이 있다.

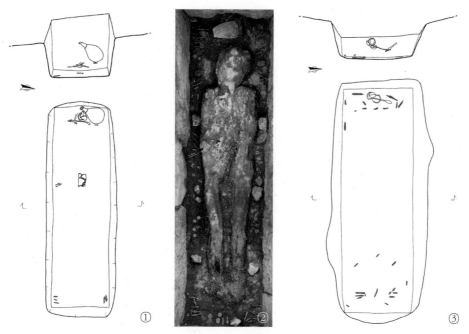

〈도면 1〉 관정의 출토위치(① 물천리2-35호(고려), ② 물천리 2-1석실(고려), ③ 물천리 2-41호(조선))

토광묘는 묘광을 굴광하고 목관을 안치한 다음 목관과 묘광 사이를 三物(灰・黃土・細沙)[11]의 보강토로 채워 축조하는데, 시간이 경과됨에 따라 목관이 부식되면서 상부의 봉토와 함께 목관이 함몰되는 과정을 거친다. 이 때 관정은 주로 목관 측판 라인과 목관 안쪽으로 함몰된 채 출토되며, 일부는 보강토 내에서 확인되기도 한다. 본격적으로 연구한 바는 아니지만 고려시대 토광묘에서는 관정이 목관의 두판과 족판, 그리고 측판의 목관 라인을 따라 출토되는 반면, 조선시대 토광묘에서는 관정이 측판보다 두판이나 족판 부근에서 출토되는 양이 많은 경향을 보인다. 또한 고려시대 분묘에서의 관정이 크기가 소형인 반면 수량은 많이 출토되고, 조선시대 분묘에서는 대형의 관정이 상대적으로 소량 출토되는 양상이다. 이는 시간의 흐름과 함께 천판

---

11)『朝鮮王朝實錄』,「世宗實錄」113卷, 28年 7月 19日(乙酉)
　　삼물(석회・세사・황토)을 3:1:1로 섞어 느릅나무 삶은 물을 탄다

은 점진적으로 나비장에 의한 결구 방법으로 변화되었으나 두판과 족판의 결구는 관정으로 목
관을 결구하던 방식이 지속되다가 주먹장사개맞춤 방식으로 변화되어 갔음을 추론할 수 있다.

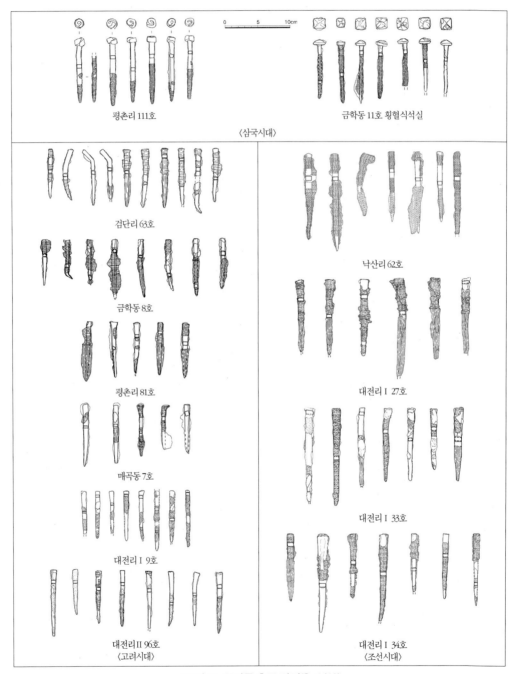

〈도면 2〉 토광묘 출토 관정(S=1/40)

(2) 관정 속성의 모평균 추정

연구에 이용된 관정은 완형으로 출토된 예가 흔치 않아 데이터 수집에 한계가 있어 못대가리 또는 못끝이 극히 일부 결실된 것을 데이터에 포함하였다. 다만 보고서에 따라 무게에 대한 계량치가 제시되지 않았거나 목질흔의 경계가 모호한 것은 각각의 속성에서 제외하고 뚜렷이 구분이 가능한 데이터만 취하였다.

앞의 조건으로 얻어진 데이터는 〈표 2〉와 같다.

〈표 2〉 및 〈삽도 4〉에 대한 검토 결과 고려시대 관정의 평균 길이는 5.83㎝, 조선시대 9.95㎝, 시대미상 9.53㎝로 조선시대 관정이 가장 길고 고려시대 관정이 가장 짧아 4.12㎝의 차이를 보인다. 공반되는 유물이 없어 시대미상으로 분류된 관정의 길이 평균값은 조선시대 관정 길이와 대동소이한 결과값을 나타낸다.

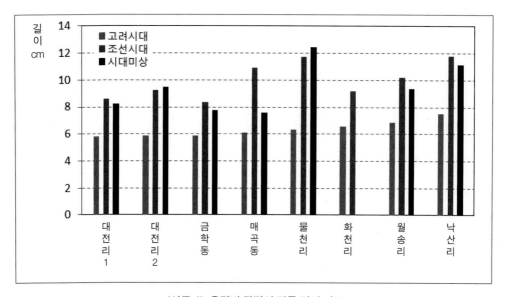

〈삽도 4〉 유적별 관정의 평균 길이 비교

고려시대 유적 중 관정의 평균 길이가 가장 짧은 곳은 상주 성동리 고분 유적으로 평균 4.83㎝ 불과하고 표준편차도 0.5㎝인 반면 왜관 낙산리 유적의 경우 평균 7.50㎝에 달한다.

조선시대 관정이 출토된 15개 유적 가운데 공주 금학동 유적은 8.32㎝이나 왜관 낙산리 유적의 경우 11.74㎝로 가장 길다.

시대미상인 유구 중 가장 길이가 가장 짧은 산청 평촌리 유적의 경우 6.31㎝이고 경주 물천리 유적은 12.4㎝로 큰 차이를 보이는데 이는 평촌리 유적의 일부 시대미상의 토광묘가 고려시대 유구일 가능성이 있다.

〈표 2〉 유적별 관정 속성 집계표(단위:㎝)

시대 / 유적명	고려				조선				미상			
속성	길이	두께	무게	목질	길이	두께	무게	목질	길이	두께	무게	목질
경산 신대부적 조선묘군					8.44	0.79	13.70	4.48				
경주 검단리 유적	5.64	0.54	4.17	2.36								
경주 물천리 고려묘군 유적	6.34	0.65	4.48	1.98	11.72	0.80	14.60	5.30	12.40	1.09	33.57	4.57
경주 화천리 유적	6.58	0.73	6.63		9.13	1.13	17.07	4.20				
공주 금학동 유적	5.82	0.40		2.59	8.31	0.56		4.07				
군산 내흥동 유적					9.63	0.48		5.05	6.80	0.40		1.30
기장 방곡리 유적					9.57	1.01		4.19	9.77	1.04		4.34
김천 대신리 유적					9.86	0.74			9.91	0.74		
산청 평촌리 유적	5.35	0.54	4.05	2.26					6.31	0.65	5.73	2.30
상주 성동리 고분군	4.83	0.43		2.70	10.63	0.83		4.66	9.97	0.79		4.93
여주 교리 유적					10.60	0.80	15.80	4.95				
여주 월송리 유적	6.85	0.75	4.50		10.16	0.81	13.43	5.03	9.33	0.84	14.14	3.45
왜관 낙산리2	7.50	0.73	7.54	3.20	11.74	0.87	23.36	5.48	11.13	0.93	23.8	5.31
울산 매곡동 유적	6.06	0.58		2.90	10.85	1.25			7.58	0.83		
전주 유상리 유적					11.24	0.76						
청도 대전리 고려-조선묘군1	5.81	0.59	4.11	2.46	9.20	0.78	14.83	3.91	9.44	0.74	17.73	3.95
청도 대전리 고려-조선묘군2	5.80	0.47	4.04	2.40	8.58	0.74	11.39	3.98	8.22	0.60	9.78	3.12
평균	5.83	0.53	4.43	2.40	9.95	0.86	16.89	4.44	9.53	0.89	17.86	4.29

관정 평균 길에 대한 표준편차 분석에서 상주 성동리 고분군에서 출토된 관정의 표준편차가 평균값으로부터 가깝게 분포하고(고려:0.50㎝, 조선:0.93, 미상:0.78㎝), 두께 및 목질의 깊이에서도 평균치에 유사한 경향을 보인다. 반면 경주 물천리 유적의 관정은 앞의 속성치 대부분이 다른 유적의 경우보다 표준편차가 심하게 나타난다(고려:1.88㎝, 조선:1.78㎝, 미상:4.71㎝). 따 라서 이 표준편차가 평균치가 가깝게 나타나는 것은 분묘 조성이 일정시기에 집중되었거나 매장문화의 변화가 더디게 진행되었음을 가정할 수 있으며, 시대미상의 토광묘 출토 관정 중 평균치보다 이질적으로 작은 데이터는 고려시대 토광묘일 가능성이 있다.

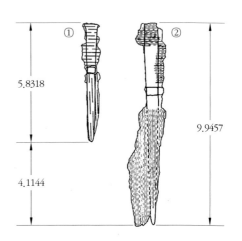

〈삽도 5〉 관정 평균 길이 모식도
① 고려(경주 검단리 63호)
② 조선(왜관 낙산리 62호)

각 유적에서 출토된 관정의 속성에 대한 시대별 모평균의 추정 〈표 3〉과 같다.

〈표 3〉 유적별 관정 속성에 대한 모평균 추정

시대	속성	모평균 추정치
고려시대	길이	5.7255 ~ 5.9372cm
	두께	0.5092 ~ 0.5364cm
	무게	4.0313 ~ 4.8278g
	목질두께	2.2938 ~ 2.5130cm
조선시대	길이	9.7623 ~ 10.129cm
	두께	0.8358 ~ 0.8788cm
	무게	15.7172 ~ 18.0613g
	목질두께	4.2787 ~ 4.6029cm

　관정의 길이와 두께에 관한 상관분석에서 회귀직선의 기울기 즉, 관정의 길이가 길어짐에 따라 두께도 함께 두꺼워지는 정도가 시대미상 〉 조선시대 〉 고려시대 순으로 나타나며 〈삽도 6〉에서 나타나는 것과 같이 각 시대별로 군집을 이루고 있음을 알 수 있다.

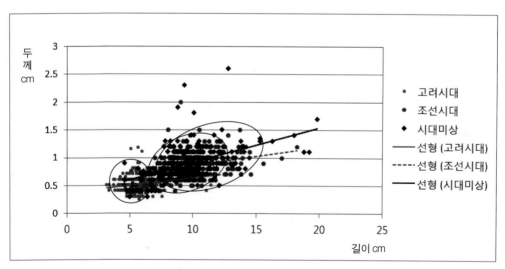

〈삽도 6〉 관정의 길이 : 두께 산점도
상관계수(r) : 고려(0.193), 조선(0.285), 미상(0.514)

(3) 목질흔의 두께

　최근 매장에 사용되는 목관재[12]는 흔히 향나무, 오동나무, 소나무로 제작하며, 토광묘에서 출

---

12) 『朱子家禮』'治棺' 條.
　　"護喪命匠 擇木爲棺 油杉爲上 柏次之 土杉爲下(관을 짤 나무로는 유삼목이 제일 좋고 그 다음 백목이 좋다. 삼

토된 목관재에 대한 수종분석 결과에 의하면 대부분 소나무를 사용한 것으로 나타났다.[13]·[14]

목관재의 자체 함유 수분과 묘광 내의 잔존 수분은 관정의 부식을 촉진시켜 나무결(나이테)의 목질흔이 관정에 고착되어 나타난다. 따라서 목질흔의 교차지점에 대한 계측 결과는 관재의 두께를 추정할 수 있는 자료를 제공한다. 관정에 고착된 목질흔은 주로 못 머리 쪽은 횡방향의 목질흔이 남아 있고 못 뿌리 쪽은 종 방향의 목질흔이 남아 있는 것으로 미루어 관재 결구 시 상부는 관재를 횡방향으로, 하부는 종방향으로 붙여 관정을 박았을 것으로 추정된다.

유적 간, 유구 간의 차이는 있으나 평균치에서 나타나는 관정 상부의 목질흔 두께는 고려시대의 경우 최소 1.98cm(경주 물천리) ~ 최대 3.2cm(왜관 낙산리)로 평균 2.4cm이며, 조선시대는 최소 3.91cm(청도 대전리1) ~ 최대 5.48cm(왜관 낙산리)로 평균 4.44cm이다.

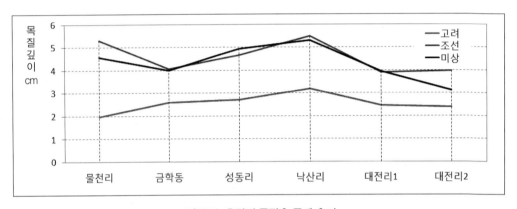

〈삽도 7〉 유적별 목질흔 두께 추이

관정에 고착된 목질흔은 관정의 못대가리를 망치로 타격하여 목관에 박히는 정도가 못대가리 쪽 보다(41~45%) 못끝 쪽(55~59%)이 깊음을 알 수 있다.

이러한 결과 값은 기존에 연구(이현채, 2009)된 결과와는 많은 차이를 보이고 있다. 즉 이현채는 관재의 두께를 최소 6.4cm ~ 최대 10cm로 보통 2치 반 ~ 3치(1치=3.3cm)로 보고 있어 본 연구의 관정에서 확인되는 목질흔 두께 평균 4.4cm보다 2배 정도의 차이를 보인다.

나무는 그 아래다)"

13) 청도 대전리 고려·조선묘군II 유적에서 출토된 관재에 대한 수종분석결과 17기의 분묘에서 채취된 시료 중 소나무 15기와 상수리나무, 잣나무가 각각 1기씩 확인되었다.
강애경, 「청도 아너스 컨트리클럽 조성부지내 유적 조사 I 구역 A지구 출토 목관재의 수종분석」, 『청도 대전리 고려·조선묘군II』, 2008.

14) 경산 신대·부적 조선묘군 유적에서 출토된 관재에 대한 수종분석결과 10기의 분묘에서 채취된 시료 중 소나무 9기와 오리나무 1기가 확인되었다.
강애경, 「경산 신대·부적 조선묘군 유적 목관재의 수종분석」, 『경산 신대·부적 조선묘군 유적』, 2008.

이처럼 관의 두께가 큰 차이를 보이는 것은 피장자의 신분차이가 가장 큰 원인이었을 것으로 추측된다. 즉 이현채의 주 연구 묘제는 회곽묘로 조선 전기부터 상류층의 선호묘제로 이용되어 본 연구에서의 피장자와는 신분차이가 아주 큰 것에 원인이 있을 것으로 생각된다.[15]

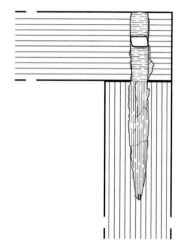

〈삽도 8〉 관정 결구 모식도
(청도 대전리1 34호)

(4) 관정의 단면형태

관정의 단면형태는 고려시대에는 장방형과 방형이 전체의 97%를 차지하나 조선시대에 이르러 방형의 점유율이 줄어드는 경향을 보이며, 세장방형, 사다리꼴 등의 단면형태도 소수 확인된다. 단면형태에 의한 시대간 차이는 특징적이지 않다.

이와 같은 속성분석에서 각 시대별 속성은 광역단위의 차이는 크지 않으나 유적간의 속성은 다소 편차를 보여 관정의 제작이 지역 단위별로 제작되었을 것으로 추측된다. 그러나 동일 유적 내에서 큰 편차를 보이는 것은 장기간에 걸쳐 매장행위가 진행되었음을 짐작할 수 있다.

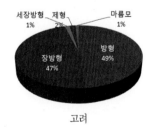

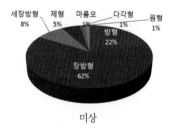

〈삽도 9〉 관정 단면 형태

---

15) 왕실의 종친이나 신하 또는 그 가족이 상을 당하면 부의로 석회를 내려 보내는 기사가 빈번히 등장한다.
　　『朝鮮王朝實錄』「世宗實錄」49卷, 12年 8月 20日(戊子).
　　"前知申事許誠遭母喪 賜紙一百卷 燭十五丁 棺石灰等物"
　　『朝鮮王朝實錄』「成宗實錄」27卷, 4年 月 26日(丁亥).
　　"賜光山府院君金國光母賻米豆並三十碩 紙一百卷 石灰四十碩 棺槨 松脂 油芚"
　　『朝鮮王朝實錄』「中宗實錄」20卷, 9年 2月 28日(壬戌).
　　"史臣曰 時 士大夫遭喪 則力辦難得之物 不得石灰 則不敢埋葬"
　　『朝鮮王朝實錄』「仁祖實錄」47卷, 24年 3月 17日(甲子).
　　"命長生殿 退件槨板一部及石灰二百石 送于內需司 或云欲用於姜氏之喪"
　　『朝鮮王朝實錄』「英祖實錄」30卷, 7年 8月 30日(庚申).
　　"乃覆土築灰陳明器等諸櫃及舊遺衣 銘旌 柩衣 御押 標信 金贊等櫃 皆如舊陵"

Ⅳ. 문헌에 나타나는 치관

고려시대의 이후 중요 묘제로는 석실묘, 석곽묘, 토광묘, 화장묘가 있으며, 이러한 분묘들의 크기는 법으로 엄격히 통제되었던 것으로 史料에서 확인할 수 있다. 高麗史에 의하면 문무양반의 묘지 크기를 일품은 사방 90보, 이품은 80보로 제한하고 그 높이를 1장 6척으로 하였으며, 3품은 사방 70보 높이 1장, 4품은 60보, 5품은 50보, 6품 이하는 30보 높이는 8척을 넘지 못하게 하였다. 남의 땅에 몰래 무덤을 쓰거나 남의 묘전에 몰래 경작하는 경우에는 곤장으로 엄히 다스렸고 타인의 무덤에 있는 나무를 벤 자는 그 경중에 따라 처벌을 달리 했는데 30匹 이상인 자는 2천리 밖으로 유배를 보냈을 만큼 조상에 대한 예를 중시하였다.[16)]

그리고 타인의 전지나 묘전을 불법으로 도장했을 경우, 즉 전주나 묘전주가 도장을 발견하면 이를 이정에게 알리고 이장하여야 하는데, 만일 이를 고하지 않고 이장하면 태 30에 처했다. 이는 불법적으로 행해진 도장이라 하더라도 시구를 함부로 훼손하지 못하게 하였다.[17)]

조선시대에 이르러서도 임진왜란을 전후하여 회곽묘가 사대부를 중심으로 묘제로서 널리 이용되기도 하였지만 여전히 토광묘는 많은 사람들로부터 꾸준히 채택되어 이용되어져 왔다. 조선시대에도 묘지에 대한 규제를 실시하고 있는데 태종 4년에 관원과 서인의 분묘 면적을 제한하는 규정을 상정하였고,[18)] 세종 7년에는 남의 전지를 점령하여 분묘 쓰는 것을 금지하였다.[19)] 조선 태조로부터 세조연간에까지 왕실 및 재력을 바탕으로 하는 사대부 계층에서는 석실묘나

---

16) 『高麗史』 卷85, 志39, 刑法2, 禁令.
　"景宗元年二月 定文武兩班墓地 一品方九十步 二品八十步 墳高並一丈六尺 三品七十步高一丈 四品六十步 五品五十步 六品以下並 三十步高不過八尺"

17) 『高麗史』 卷85, 志39, 刑法2, 禁令.
　"盜葬他人田笞五十 墓田杖六十 告里正移埋 不告而移 笞三十 盜耕人墓 田杖一百 傷墳者徒一年"
　韓容根, 「高麗時代의 禁令에 대하여-〈高麗史〉 刑法志 禁令條 分析-」, 『慶熙大學校 論文集』 第二十三輯 人文社會科學篇, 1994, pp.143~144. 唐 戶婚律盜耕人墓田條와 法意를 같이하고 있다한다.

18) 『朝鮮王朝實錄』 太宗 7卷, 4年 3月 29日 庚午.
　"禮曹에 명하여 各品과 庶人의 墳墓에 대한 禁하는 바 限界의 步數를 상정하였다. '1品의 묘지는 90步 平方에, 四面이 각각 45步이고, 2품은 80보 평방, 3품은 70보 평방, 4품은 60보 평방, 5품은 50보 평방, 6품은 40보 평방이며, 7품에서 9품까지는 30보 평방이고, 庶人은 5보 평방인데, 이상의 步數는 모두 周尺을 사용한다. 四標 안에서 耕作하고 나무하고 불을 놓는 것은 일절 모두 금지한다.'하였으니, 前朝 文王 37년에 정한 제도를 쓴 것이다"

19) 『朝鮮王朝實錄』 「世宗實錄」 28卷, 7年 5月 12日 辛巳.
　"경기 감사가 계하기를, '모든 사람들의 분묘에 쓰이는 땅의 넓이는 이미 그들의 품위를 따라 상세하게 정하였으며, 또 인가 백 보 이내에 장사지내는 것은 금지하였지만, 홀로 전답에는 금하는 법령이 없으므로, 혹은 밭 가운데에도 장사지내고, 혹은 밭 가까운 데에도 장사를 지내고서 詳定步數에 의거하여 푯말을 세워 경작을 금지하니, 땅을 빼앗긴 자가 분노하고 한탄할 뿐 아니라, 전지도 이로부터 날로 줄어들 것이고, 또 더구나 墳塋의 구역 안이라 하여 경작을 금지하여 밭을 묵혀 거칠게 된 뒤에는 도로 자기가 개간하여 그 이익을 거두려는 자도 또한 있사오니, 이후부터는 산이든 들이든 간에 비어 있는 땅 외에는 남의 전지를 억지로 점령하여 분묘를 쓰는 것을 허락하지 말게 하소서.'하니, 그대로 따랐다"

석곽묘 · 회곽묘 등을 이용하였으며, 토광묘는 고려시대의 영향이 지속되었음을 『조선왕조실록』을 통하여 알 수 있다.[20]

　치관에 대한 문헌자료는 고려시대는 찾아보기 어려우나 조선시대 관련 자료들은 다수 전해오고 있다. 대표적인 규범서로 『주자가례』를 들 수 있다. 주자가례는 유교의 예법에 대해 상술한 책으로 고려말 주자학과 함께 우리나라에 전해졌으며, 관 · 혼 · 상 · 제에 관한 예제로 조선시대에 이르러 정치 종교의 기본강령으로 확립되면서 왕실 → 조정 → 사대부 → 일반서민에 이르기까지 보편화되었다.[21]

　朱子家禮 卷4 喪禮 治棺 條에 의하면,

　護喪命匠 擇木爲棺
　호상이 목공에게 명하여 관을 짤 나무를 택하게 한다.
　油杉爲上 柏次之
　관을 짤 나무로는 유삼목이 제일 좋고 그 다음 백목이 좋다.
　土杉爲下 其制方直
　삼나무는 그 아래다. 그 모양은 바르고 곧으며
　頭大足小 僅取容身
　머리쪽은 크게 하고 발쪽은 작게 하여 겨우 몸을 넣을 수 있게 한다.
　勿令高大及爲虛簷高足
　높고 크게 하거나 허첨과 고족을 만들지 않는다.
　內外皆用灰漆 內仍用瀝靑溶瀉
　안팎으로 옻칠을 하고 안에 역청을 녹여 여러 번 질편하게 쏟아 부어
　厚半寸以上

---

20) 『朝鮮王朝實錄』에 언급된 조선 초기의 묘제와 관련된 내용은 다음과 같다.
　「태종실록」 19권, 10년(1410 경인 / 명 영락(永樂) 8년) 4월 8일 갑진 2번째 기사, 무고금지법 · 과전체수법 · 교육진흥 · 매장법 · 왜노 혁과 등 사간원의 8가지 시무책.
　「세종실록」 7권, 2년(1420 경자 / 명 영락(永樂) 18년) 1월 3일 임인 5번째 기사, 순효 대왕의 석실 · 능지 · 지대 · 돌층계 · 담 등의 규모.
　「세종실록」 9권, 2년(1420 경자 / 명 영락(永樂) 18년) 9월 4일 기사 2번째 기사, 상왕이 송계원평에서 박은 · 이원 · 허조 등과 석실의 제도에 대해 의논하다.
　「세종실록」 105권, 26년(1444 갑자 / 명 정통(正統) 9년) 7월 12일 기미 5번째 기사, 대신이 졸하였을 때 장사에 쓰는 석회에 관한 사항을 호조에 전지하다.
　「예종실록」 3권, 1년(1469 기축 / 명 성화(成化) 5년) 1월 3일 무오 2번째 기사, 영릉의 제도는 세조 대왕의 유교에 따라 석실과 사대석을 없애다.
　「성종실록」 165권, 15년(1484 갑진 / 명 성화(成化) 20년) 4월 26일 임오 1번째 기사, 한명회가 국장에 석실을 쓸 것을 청하다.
21) 두산 엔싸이버 백과사전.

두께가 반치 이상 되게 바른다.

以煉熟秋米灰 鋪其底

불에 익힌 조와 찹쌀을 그 바닥에 펴고

厚四寸許 加七星板

두께가 4치쯤 되게 하고 칠성판을 놓는다.

底四隅 各釘大鐵環

바닥 네모서리에 각 큰 쇠고리를 박아

動則以大索 貫而擧之

굵은 새끼줄로 꿰어 이동한다.

國朝五禮儀[22] 治葬 條에는 관은

"송판으로 두께 2치 정도이고 관을 봉할 때 쇠못을 사용하였으며, 곽은 두께 3치로 나머지는 관과 같다."[23]

이 외에도 국조상례보편[24]을 비롯하여 상장의절 등 다수의 치관관련 문헌이 남아 있으나 내용은 대체로 유사하다.

이와 같이 상례의 변화는 고려 후기 성리학이 전래되고, 이후 건국된 조선은 성리학적 질서에 따른 예론의 규범화로 왕권을 강화하고자 함에 따라 성리학이 조선의 정치이념으로 자리 잡게 되었다. 또한 도덕적 원리에 대한 인식과 그 실천을 중요시하는 주리파의 이론은 신분질서를 유지하는 도덕규범의 확립에 크게 영향을 끼쳤다.

주자가례에 의한 가례는 예와 효를 숭상하는 가족제도를 이끄는 근간이 되기도 하였으나 지나친 가례의 적용은 예송문제 등 많은 문제점을 야기하였다.

〈삽도 10〉國朝喪禮補編(及)圖說

---

22) 조선시대 다섯 가지 의례에 대하여 규정한 책이다. 처음에 세종실록과 동시에 편찬이 시작되었으나, 성종 때인 1474년 최종적으로 완성되었다. 吉禮, 嘉禮, 賓禮, 軍禮, 凶禮가 그 다섯 가지의 禮 이고 이 예의 종류와 그에 합당한 의식을 정리해 놓았다.

23) 주 10) p9. 재인용.

24) 『國朝五禮儀』에 실린 상례에 관한 부분을 보충·개편한 책. 6권 6책으로 활자본이다. 1752년(영조 28)에 왕명으로 『국조상례보편』 5권을 편찬하고 다시 5년 후 관아를 설치하여 홍계희 등에게 명하여 이를 증보·개정, 1758년(영조 34)에 완성하였다.

이러한 주자가례에 근거한 여러 규범들은 임진왜란 이후 신분제도의 문란과 상류층 풍습의 보편화 등으로 치관 시 철제관정이 점차 사라지고 나무못이나 나비장, 주먹장사개맞춤 등으로 결구방법이 변화된 것으로 보인다.

V. 결론

지금가지 고려시대 이후 토광묘 출토 관정에 대해 기초통계학을 응용하여 관정의 속성을 분석하고 시대별 관정 크기의 변화에 소멸에 대해 살펴보았다.

토광묘는 선사시대 이래로 지속적으로 이용되고 있는 묘제로 최근 대규모 토광묘 유적이 조사·보고되어 관련 연구들이 활발하게 진행되고 있다. 유구 및 유물의 속성에 대한 통계적 방법 적용은 연구자의 주관적 관점을 배제하고 각각이 지닌 속성을 개량화하여 객관적인 데이터 분석을 실시할 수 있다. 본 연구에서는 고려시대 이후 토광묘에서 출토된 관정의 속성을 분석을 통하여 관정 및 매장의식변화에 대하여 검토해 보았다.

완형 또는 극히 일부만 결실된 관정 1,089에 대해 분산분석과 회귀분석, 산점도, 모평균의 추정을 통하여 시대별 관정의 속성을 분석하였다.

관정은 주로 목관의 측면라인과 머리판, 다리판 부근에서 출토되며, 조선시대 토광묘 가운데는 머리판과 다리판 쪽에서만 출토되는 경향을 보여 천판은 점진적으로 관정 대신 나비장으로 결구방식이 변화됨을 알 수 있다.

관정의 길이에 대한 모평균 추정에서 모평균 추정에 sampling된 관정은 고려시대 목관에 사용된 관정이 5.7255~5.9372cm(평균 5.8313cm)이고, 조선시대 관정이 9.7623~10.129cm(평균 9.9457cm)로 고려시대 관정의 길이가 더 짧게 나타났다(신뢰수준 95%). 분산분석에서는 상주 성동리 고분군에서 출토된 관정의 표준편차가 평균값으로부터 가깝게 분포하고 두께 및 목질의 깊이에서도 평균치에 유사한 경향을 보인다. 반면 경주 물천리 유적의 관정은 앞의 속성치 대부분이 다른 유적의 경우보다 표준편차가 심하게 나타난다. 관정에 고착된 목질흔은 관정의 못대가리를 망치로 타격하여 목관에 박히는 정도가 못대가리 쪽 보다 못끝 쪽이 깊음을 알 수 있다.

조선은 건국초기 성리학적 질서에 따른 예론의 규범화로 왕권을 강화하고자 하였다. 또한 도덕적 원리에 대한 인식과 그 실천을 중요시하는 주리파의 이론은 신분질서를 유지하는 도덕규범의 확립에 크게 영향을 끼쳤다. 또한 주자학이 정치의 기본강령으로 확립되면서 초기에는 왕실·조정 중신에게 파급되고 점차 사대부로, 다시 일반서민에까지 보편화되기에 이르고 이에 근거하여 수많은 예서들이 간행되었다.

조선 중기 즉, 임진왜란 이후에 이르러 관료계층에서는 주자학(주자가례)의 팽배로 부모의 시신을 잘 보존시켜 조상의 이름을 드높이고 立身揚名코자하는 사상으로 회곽묘가 보편화되기도 하였고 백성들의 지대한 영향을 끼쳤다. 또한 관은 유삼(송진이 있는 소나무)나무 또는 백목을 이용하여 쇠못(鐵釘)을 사용하지 않고 나무못으로 고정하였는데 이러한 의례는 현재의 매장방법에 까지 영향을 미치고 있다.

또한 성리학의 엄격한 적용과 임진왜란을 거치면서 신분제도의 문란과 상류층 풍습의 보편화 등으로 서민층의 묘제에서도 철제관정이 점차 사라지고 나무못이나 나비장, 주먹장사개맞춤 등으로 결구방법이 변화된 것으로 보인다.

이상에서 살펴본 바와 같이 관정이 지니는 속성에서 육안으로 편년시기를 설정하기에는 무리가 있으나 통계학을 이용한 검·추정을 통해 시대간의 차이를 보이고 있음을 알 수 있다.

그러나 최근 고려시대 이후 토광묘 유적이 대규모로 조사되면서 방대한 자료를 접할 기회가 있었음에도 객관성 확보에만 편중되게 연구되어 연구의 본질인 당시 사람들의 생활사 복원은 다소 흐려진 듯하다. 또한 계량화된 수치는 유구와 유물의 겉모습을 객관적으로 볼 수 있게는 하겠지만, 토광묘 주체의 감성적 측면에는 접근하기 어렵다는 한계가 있으나 이후 토광묘 연구에 대한 새로운 접근이 이루어지길 기대한다.

【참고문헌】

『宣和奉史高麗圖經』
『高麗史』
『朱子家禮』
『朝鮮王朝實錄』

경기문화재연구원,『여주 교리·월송리 유적』, 2008.
경남고고학연구소,『진주 무촌II』, 2004.
경남발전연구원 역사문화센터,『산청 평촌리II』, 2007.
동아대학교박물관,『김해 덕산리 민묘군』, 1995.
울산대학교박물관,『기장 방곡리 유적』, 2007.
(재)경상북도문화재연구원,『경주 검단리 유적』, 2007.
_____,『경주 화천리 유적』, 2007.
(재)성림문화재연구원,『경주 물천리 고려묘군 유적』, 2008.
_____,『경산 신대·부적 조선묘군』, 2008.
_____,『청도 대전리 고려·조선묘군 I 』, 2008.
_____,『청도 대전리 고려·조선묘군II』, 2008.
(재)울산문화재연구원,『울산매곡동유적』, 2007.
(재)전북문화재연구원,『전주 유상리 유적』, 2007.
(재)충청매장문화재연구원,『공주 금학동 고분군』, 2002.
(재)충청문화재연구원,『군산 내흥동유적III』, 2006.
중앙문화재연구원,『김천 대신리유적』, 2003.
한국문화재보호재단,『상주 성동리고분군』, 1999.
_____,『왜관 낙산리유적II』, 2007.

강인구,『고분연구』, 학연문화사, 2000.
송인섭,『통계학의 기초』, 학지사, 2001.
신태용,『공업통계』, 신흥출판사, 1987.
한국문화상징사전편찬위원회,『한국문화상징사전』1·2, 두산동아, 1995.

고현수,「남한지역 고려 고분의 부장품 매장방법 연구」, 한양대학교 대학원 석사학위논문, 2004.
김경화,「영남지역 고려 묘 출토 청자에 대한 편년 연구」, 경상대학교 대학원 석사학위논문, 2005.

김재홍,「조선시대 영남지역 묘제 연구」, 동아대학교 대학원 석사학위논문, 2006.

박미욱,「고려 토광묘 연구-부장양상을 중심으로」, 부산대학교 대학원 석사학위논문, 2006.

서미성,「고려시대 도기병에 관한 연구」, 단국대학교 대학원 석사학위논문, 1989.

이현채,「조선시대 목관의 연륜연대와 치장 치관 연구」, 충북대학교 대학원 석사학위논문, 2009.

이희인,「중부지방 고려시대 분묘 연구」-석곽묘와 토광묘를 중심으로-, 성균관대학교 대학원 석사 학위논문, 2003.

전석만,「우리나라 묘지제도의 개선에 관한 연구」, 청주대학교 대학원 석사학위논문, 1986.

조경화,「경주지역 고분을 통해 본 제의의 형태와 신라인의 죽음인식」, 안동대학교 대학원 석사학 위논문, 2002.

주영민,「고려시대 분묘 연구」- 도기편년을 중심으로 -, 신라대학교 대학원 석사학위논문, 2004.

안병우,「중세고고학의 발전과 고려사 연구」,『역사비평』64, 역사비평사, 2003.

이희인,「중부지방 고려고분의 유형과 계층」,『한국상고사학보』제45호, 한국상고사학회, 2004.

한용근,「고려시대의 금령에 대하여-〈고려사〉 형법지 금령조 분석-」,『경희대학교 논문집』제23집 인문·사회과학편, 1994.

中國 喇嘛塔의 性格과
麻谷寺 5層石塔의 系統

趙源昌*

目 次

Ⅰ. 머리말

마곡사 5층석탑은 기단부와 탑신부, 상륜부 등 세 부분으로 이루어져 있다. 이 중 기단부와 탑신부는 석재로 조성된 반면, 상륜부는 전체가 금동재로 제작되어 재료에서 뚜렷한 차이를 보이고 있다. 특히 마곡사 5층석탑의 상륜부 형태는 당시 중국 원나라를 포함한 티벳, 네팔 등지에서 널리 유행한 라마탑의 형태를 띠고 있어, 일견 라마탑의 축소형으로도 볼 수 있다. 이렇게 볼 때 마곡사 5층석탑은 5층의 탑신부 위에 별도의 라마탑이 올려져있는 '탑 위의 탑'으로 이해할 수 있다.

그런데 마곡사 5층석탑과 같은 구조의 탑파는 중국 운강석굴 내 벽화나 조각 등을 살펴보면 이미 北魏무렵부터 조성되었던 사실을 알 수 있다. 물론 중국 운강석굴 벽화나 조각에서 확인되는 탑파는 복발형의 탑신이나 산개 등에서 라마탑형보다는 인도의 산치탑(도면1)[1] 형태를 따르고 있어 세부적인 측면에서 차이를 보이기도 한다. 하지만 위와 같은 변화는 북위시대부터 원대를 거치며 내재적 변천을 취하였다는 점에서 시기적인 속성의 차이로 이해할 수 있다. 예

※ 본 논고는 2015년 12월 4일 제107회 한국중세사학회 정기발표회에서 발표한 「마곡사 오층석탑의 계통과 중국 라마탑」을 수정, 정리한 것이다.
 * 한얼문화유산연구원 원장
1) 김희경, 『한국의 미술 2, 탑』, 열화당, 1994, p.17. 산치탑은 기원전 3세기 마우리아 왕조의 아소카왕 때 조성된 것으로 基壇, 반구형의 塔身, 平頭, 傘蓋 등으로 이루어져 있다. 석가탑과 같은 우리나라 석탑 상륜부에서도 이러한 변화형을 엿볼 수 있다. 따라서 본고에서는 산치탑을 라마탑의 상대어로 사용하고자 한다.

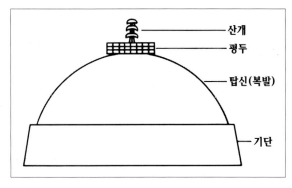

도면1. 인도 산치탑의 각 부 명칭

컨대 元대의 라마탑에서 관찰되는 산 개는 중국의 경우 대략 隋대 무렵부터 본격적으로 등장하고 있다. 이는 북위 에서 원대로 시간이 흐르면서 塔材의 세부 속성이 점차 다양화되고 장식화 되었음을 의미하는 것이라 할 수 있다.

결과적으로 마곡사 5층석탑의 구조[2]는 중국 북위시대부터 존재하였던 탑 파의 한 형식으로 이해되며, 이러한 형 식은 원대에 이르러 공주 마곡사에 유입되었음을 판단케 한다.

그러나 마곡사 5층석탑 상륜부의 문양은 돈황 및 투르판 지역에서 유행하는 문양과 유사하 여 현재 북경에 남아 있는 묘응사 및 호국사의 라마탑과는 세부적으로 차이가 있음을 확인할 수 있다. 이와 관련해 최근에는 마곡사 5층석탑에 대한 새로운 검토가 이루어지면서 5층석탑의 기단부와 탑신부, 그리고 라마탑형의 상륜부가 건립 과정에서 별도로 제작되었을 가능성이 있 는 것으로 해석되었다.

이에 대한 근거는 기단부 및 탑신부의 편년과 상륜부의 제작 시기가 서로 일치하지 않는 점, 그리고 상륜을 받치고 있는 亞자형 노반석의 크기가 5층 옥개석의 크기와 같아 구조적으로 불 안정하며, 노반석의 바닥 면적이 5층 옥개석 상면을 벗어나고 있다는 점 등이 이론으로 제기되 었다. 아울러 마곡사 5층석탑의 상륜부는 초기에 불전 봉안용으로 사용 또는 제작되었을 것이 라는 추론과 함께 나아가 석탑의 훼손상태와 비교해 조선시기에 별도의 금속공예품으로 新鑄 되었을 가능성까지도 제기되었다.[3]

그렇다면 과연 마곡사 5층석탑의 상륜부는 초축기의 유물로 볼 수 없는 것일까?

본고의 작성은 바로 이러한 문제 제기에서 비롯되었다. 따라서 필자는 일차적으로 마곡사 5 층석탑의 탑신부와 라마탑형 상륜부가 하나의 공정에서 조성되었는지를 살펴보고자 한다. 이 를 위해 중국의 석굴사원에 표현된 벽화와 조각을 우선적으로 알아보도록 하겠다. 그리고 원대 의 라마탑형 상륜부가 조성되는 과정에서 이의 조형이 될 수 있는 산치탑형 상륜부에 대해서도 여러 사례를 통해 검토해 보도록 하겠다.

---

2) 이와 같은 구조는 累層의 탑신 위에 별도의 小塔이 올려 진 경우를 말한다. 여기서 소탑은 북위~송대의 경우 산 치탑형을 이루고 있고, 원대에는 라마탑형을 취하고 있다.

3) 이상 홍대한, 「麻谷寺 五層石塔의 樣式과 建立時期 研究-라마양식 석탑구분에 대한 문제제기를 중심으로-」, 『동아시아문화연구』, 한양대학교 동아시아문화연구소, 2013, pp.209~212.

Ⅱ. 마곡사 5층석탑의 현황

마곡사 5층석탑은 이중기단 위에 탑신부와 상륜부를 올려 건립하였다(사진1·2).[4] 지대석의 단면은 호형으로 제작되었고, 각각의 면에는 2구씩의 蟹目形 안상[5]이 조각되어 있다. 기단석의 각 부재는 통돌이 아닌 별석으로 이루어져 있다. 상층기단의 상대중석 끝단에는 반원형으로 양각된 겹 우주[6]가 조각되어 있다. 하대갑석 및 상대중석 일부에서는 석재의 이질성이 검출되는 것으로 보아 후대에 보축되었음을 알 수 있다.

탑신부는 5층으로 이루어 졌으며, 옥개석의 층급받침은 2단으로 조출되어 있다. 옥개석과 옥신은 별석으로 결구되어 있다. 초층 옥신의 남면에는 문비가 조각되어 있고, 2층 옥신의 4면에는 광배와 함께 좌상의 사방불이 양각되어 있다(사진5).[7] 옥개석의 전각에는 垂直透孔方式[8]의 풍탁이 매달려 있었으나 지금은 대부분 없어져 살필 수 없다.

상륜부에는 亞자형의 노반석 위에 라마탑형의 금동보탑(사진6, 도면2)[9]이 올려져있다. 금동보탑의 노반석은 외연이 기단부와 마찬가지로 亞자형으로 조각되어 있는데, 노반석의 평면 형태와 仰蓮의 조각으로 보아 이는 금

사진1. 마곡사 5층석탑 전경

동보탑과 한 세트로 파악된다. 노반석의 아랫면에는 重瓣의 연화문이 위를 향하고, 연화문과 연화문 사이에는 간판이 길게 조각되어 있다.

---

4) 필자 사진.

5) 이러한 안상은 통일신라기의 실상사 백장암 석등을 비롯해 조선시기의 봉정사 극락전 수미단에 이르기까지 다양한 유물에 오랜 기간 조각되었다. 이와 관련된 자료는 아래의 논고를 참조.

秦弘燮,「韓國의 眼象紋樣」,『東洋學』4, 檀國大東洋學硏究所, 1974, p.250.

박경식,「마곡사 5층석탑에 관한 소고」,『마곡사 5층석탑 상륜부의 금동보탑-현황과 활용방안』, 2014, p.7.

6) 겹 우주는 동일하진 않지만 석탑 이외의 기와건물이나 승탑 기단에서도 찾아볼 수 있다. 예컨대 안동 봉정사 극락전(사진3, 필자 사진)을 비롯해, 여주 신륵사 보제존자석종(사진4, 필자 사진), 여주 회암사 보광전지 등에서 관찰된다. 이로 보아 겹 우주의 등장 시기는 12~13세기로 추정해 볼 수 있다.

7) 필자 사진.

8) 이는 기단과 더불어 백제양식으로 파악되고 있다(홍대한, 앞의 논문, 2013, p.182).

9) 필자 사진. 도면은 文化公報部 文化財管理局,『麻谷寺 實測調査報告書』, 1989, p.300 참조.

사진2. 마곡사 5층석탑 기단부 사진3. 안동 봉정사 극락전 기단 우주 사진4. 여주 신륵사 보제존자석종 (나옹화상 사리탑) 기단 우주 사진5. 마곡사 5층석탑 2층 옥신 사방불

금동보탑의 기단은 斗出形[10]으로 탑신은 상광하협의 覆鉢形을 띠고 있다. 기단부에는 금강 저를 비롯한 향로, 화병, 코끼리, 사자 등이 조각되어 있는데, 금강저와 연꽃은 각 층마다 반복 적으로 조각되어 있다. 복발형의 탑신 상단에는 연주문으로 된 영락 장식이 조출되어 있으며, 영락의 끝단에는 화문이 조각되어 있다.

탑신 상면에는 아자형의 平頭가 위치하고 있으며, 그 위로는 13개의 원반으로 이루어진 탑찰 이 원뿔 형태로 조각되어 있다. 원반 위에는 傘蓋가 장식되어 있으며, 정상부에는 표주박 형태 의 작은 보병[11]이 올려져있다.

마곡사 5층석탑은 조선후기 대광보전 화재 때 많은 손상을 입었으며, 2층 옥개석의 경우 後

사진6. 마곡사 상륜부 금동보탑(라마탑형) 도면2. 마곡사 상륜부 금동보탑

---

10) 혹은 亞字形으로 부르기도 한다. 이러한 평면 형태는 북인도 부다가야의 마야보디 사원 불탑 상륜부에서도 살 필 수 있다. 이후 북방 및 남방불교권의 건축물(불탑, 불전 등) 기단에서 찾아볼 수 있다.

11) 이러한 표주박 형태의 병은 고려청자(湖林博物館, 『湖林博物館所藏品選集-靑瓷3-』, 1996, p.113, 사진7) 및 조선시기 백자(장경희, 『고궁의 보물』, 국립고궁박물관, 2009, p.73, 사진8)에서도 찾아볼 수 있다.

사진7. 호림박물관 소장
청자퇴화국화문표형소병

사진8. 국립고궁박물관 소장
백자청화모란당초문병

補된 것으로 추정되었다.[12] 본래 5층석탑의 위치는 대광보전 방향으로 좀 더 앞에 건립되었으나, 1974년 현재의 장소로 이동되었다.

Ⅲ. 중국 라마탑의 성격

본 장에서는 벽화나 건축물, 사리장치, 조각 등의 존재로 남아 있는 중국의 라마탑을 유적 성격별로 살펴보는데 목적이 있다. 라마탑은 대부분 사찰의 불탑으로 조성되는 것이 일반적이나 승탑 및 건축물의 지붕, 출입문의 상부에도 일부 시설되었던 것으로 보인다. 라마탑이 성행한 시기는 원대인 13세기경이며, 이후 명ㆍ청대에까지 이를 계승하였던 것으로 추정된다.

본고의 주제가 된 '탑 위의 탑'은 멀리 인도를 비롯해 중국 북위시기에도 찾아볼 수 있다. 그런데 이 시기의 탑 상륜부는 라마탑이 아닌 산치탑의 형태를 취하고 있어 형태상의 차이를 보인다. 이는 달리 말하면 산치탑형의 상륜부가 원대에 이르러 라마탑형 상륜부로 일부 변환되었음을 의미하는 것이다.[13]

이상의 내용을 중심으로 중국 라마탑을 유적 성격별로 살피면 아래와 같다.

A형식은 불탑으로 조성된 경우이다. 이 형식은 라마탑이 독자적인 하나의 불탑으로 존재하

---

12) 박경식, 앞의 논문, 2014, p.12.
13) 이는 산치탑형의 상륜부가 모두 라마탑형 상륜부로 바뀌는 것이 아님을 의미한다. 산치탑형 상륜부는 원대를 비롯해 명ㆍ청대에도 계속적으로 조성되었다.

는 경우(Aa형식)와 누층 전석탑의 상륜부(Ab형식)로 시설되는 경우로 세분할 수 있다.

먼저 Aa형식은 원대의 북경 妙應寺 白塔(도면3)[14] 및 호국사 동탑(도면4)[15], 산서성 五臺山 塔院寺 大白塔(도면5)[16] 및 代縣城 내 圓果寺 阿育王塔(도면6)[17], 돈황 백마사 불탑, 무위 백

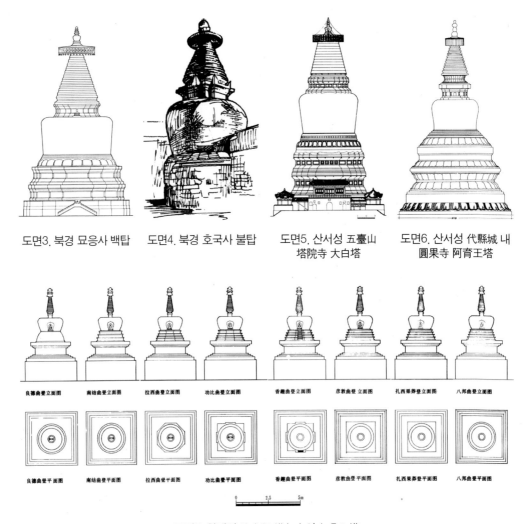

| 도면3. 북경 묘응사 백탑 | 도면4. 북경 호국사 불탑 | 도면5. 산서성 五臺山 塔院寺 大白塔 | 도면6. 산서성 代縣城 내 圓果寺 阿育王塔 |

도면7. 청해성 湟中縣 塔尒寺의 如意八塔

14) T자형의 대좌 위에 아자형의 기단을 조성해 놓고, 그 위에 연판과 탑신을 올려놓았다. 탑신 위에는 탑목 및 13천을 상징하는 원반이 시설되어 있고, 원반의 끝단에는 수식이 화려한 원형의 傘蓋를 배치하였다. 불탑의 정상부에는 원래 寶瓶이 놓였으나 현재는 작은 라마탑 1기가 조성되어 있다. 원대 지원8년(1271) 쿠빌라이의 치세기에 네팔의 젊은 조탑공인 阿尼哥에 의해 50.86m의 높이로 축조되었다.
     도면은 劉敦楨 著・鄭沃根・韓東洙・梁鎬永 共譯, 『중국고대건축사』, 도서출판 세진사, 2004, p.408, 그림 149-2 참조.
15) 蕭默, 『敦煌建築研究』, 文物出版社, 1989, p.166, 圖112-4.
16) 柴澤俊, 『柴澤俊古建築文集』, 文物出版社, 1999, p.241.
17) 위의 책, p.237.

탑사 불탑 등과 같이 一塔(AaⅠ형식)으
로 조성된 것이 있는 반면, 청해 塔尔寺의
如意八塔(도면7)[18] 혹은 영하회족자치구
오충의 108탑(사진9)[19]과 같이 8기 혹은
108기가 군집(AaⅡ형식)을 이루며 배치
된 사례도 찾아볼 수 있다.

　그런데 Aa형식은 원대 이전인 5호16국
중 하나인 北涼[20] 때에 이미 검출된 바 있
어 이를 소개하고자 한다. 北涼때의 소석

사진9. 영하회족자치구 오충의 108탑 세부

탑(도면8)[21]은 정확한 높이를 알 순 없지만 기단과 복발형의 탑신, 원반 등으로 이루어진 단순
구조로 조성되었다. 이때의 소석탑에는 원대 라마탑에서 일반적으로 볼 수 있는 산개가 제작되
지 않았다. 그러나 소석탑의 기단부에는 불상과 명문이 기록되어 있고, 탑신부에는 伏蓮의 연
화문과 감실 내의 불좌상이 조각되어 있다.

　이처럼 北涼때의 소석탑으로 알 수 있듯이 중국 본토에 남아 있는 라마탑의 초기 형태는 당
시 인도나 티벳 등의 영향으로 제작되었음을 추정할 수 있다.[22] 이는 소석탑이 출토된 지역이
감숙성의 酒泉[23]지역으로 옛 실크로드상에 입지해 있는 것으로도 판단할 수 있다.

　한편, Aa형식은 오늘날의 네팔[24] 지역에서도 어렵지 않게 찾아볼 수 있으며, 이들은 현지인
의 예배 대상으로 숭배되고 있다.

　다음으로 Ab형식은 라마탑이 누층의 전석탑 상륜부에 시설된 것으로 '탑 위의 탑'형식을 취
하고 있다. 이 형식은 일탑(AbⅠ형식)으로 조성된 것과 금강보좌탑(AbⅡ형식)의 사례로 다시
세분할 수 있다.

18) 陳耀東, 「靑海塔尔寺」, 『建築歷史硏究』, 中國建築工業出版社, 1992, pp.65~66. 청해성 동부의 湟中縣에 위치
　　하고 있다.
19) 郭學忠, 『中國名塔』, 中國攝影出版社, 2001, p.417; 박경식, 앞의 논문, 2014, p.15.
20) 흉노족이 감숙성 지역에 세운 나라로 397년에 건국되어 439년 북위의 침공으로 멸망되었다.
21) 蕭黙, 앞의 책, 1989, p.166, 圖112-1.
22) 라마탑이 중국에서 본격적으로 조성되던 시기는 원 왕조부터였다. 따라서 북량시기 주천지역에서 이러한 소
　　석탑이 검출되었다는 사실은 이의 영향이 중원지역이 아닌 인도나 티벳을 중심으로 한 서역이었음을 알 수 있
　　다. 이는 필자의 판단으로 중국에서의 라마탑 초기 형태로 이해할 수 있다. 아울러 크기가 작다는 점에서 실제
　　조성되었다기 보다는 공예품으로 제작되었음을 추정할 수 있다.
23) 만리장성의 남쪽에 위치하고 있으며, 난주와 안서·돈황 사이에 자리하고 있어 실크로드상에 위치해 있었음을
　　알 수 있다.
24) 이와 유사한 탑파는 네팔의 쟈마초 유적 및 나모 붓다(사진10, 정각, 『인도와 네팔의 불교성지』, 불광출판부,
　　1992, p.237) 등에서도 찾아볼 수 있다. 나모 붓다는 네팔인들이 가장 중요한 성지 중 한 곳으로 꼽는 곳이라고
　　한다. 따라서 북경 묘응사의 백탑을 제작한 네팔인 阿尼哥는 자기 고국의 탑파를 모방하여 제작하였을 가능성
　　이 높다. 현재 네팔지역에는 묘응사 백탑의 탑신과 같은 탑파가 아직까지도 남아 있다.

도면8. 酒泉 출토
소석탑(北涼)

사진10. 네팔의 나모 붓다 유적

Ab I 형식은 돈황 제 285굴 지굴 내의 元代 벽화(도면9)[25]에서 찾아볼 수 있다. 마곡사 5층석탑과 비교해 탑신 및 상륜부 등이 아주 흡사하여 양자의 직접적인 교류관계를 판단케 한다. 벽화에서 확인된 탑 기단부의 지대석은 3매의 석재로 결구되어 있으며, 그 위로 각형, 호형으로 보이는 몰딩이 표현되어 있다. 그리고 초층 옥신에는 우주가 조각되어 있고, 옥개석의 상하에는 층급받침이 마련되어 있다. 특히 옥개석의 전각에는 직각삼각형태의 반전이 날렵하게 처리되어 있다. 2층도 초층의 옥신과 옥개석과 동일한 모습을 취하고 있다. 상륜부에는 마곡사 5층석탑과 유사한 喇嘛塔形 장엄구가 올려 있다. 보탑의 평면은 석탑과 마찬가지로 방형으로 판단되며, 기단부에는 複瓣의 연화문이 伏蓮으로 시문되어 있다. 연화문 위에는 옆으로 긴 원형의 탑신이 놓여 있고, 여기에는 선문[26]으로 이루어진 수식이 장식되어 있다.[27] 문양은 탑신의 상단에 2조의 선문이 돌아가고, 여기에서 다시 2조의 반원형 장식이 시문되어 있다. 반원형의 장식 좌우에는 3조로 보이는 수식이 아래로 늘어져 있는데, 반원형의 선문과 길이를 비슷하게 하였다. 그리고 아래로 늘어진 2조의 반원형 수식과 3조의 선형 수식 끝단에는 원형의 펜던트가 매달려 있음을 볼 수 있다.[28]

탑신의 위로는 이중으로 된 평면 사각형의 장식품이

도면9. 돈황석굴 제
285굴 지굴 내 벽화(元)

도면10. 투르판지역 발견 벽화(元)

---

25) 蕭黙, 앞의 책, 1989, p.165, 圖111-1.
26) 이러한 선문은 본래 連珠文일 것으로 생각된다.
27) 탑신에서의 연주문 장식은 인도 부다가야의 대보리사 불탑에서도 찾아볼 수 있다. 이는 인도→중국 돈황·투르판→북경 등 중국 전역→고려 마곡사로의 문화 전파를 추정케 한다.
28) 이와 유사한 라마탑형 장엄구는 중국 투르판지역에서 발견된 元代의 벽화편(蕭黙, 앞의 책, 1989, p.166, 圖112-2, 도면10)에서도 살필 수 있다.

놓여 있고, 그 위로 9개의 원반이 조각되어 있다. 원반 위로는 간략화 된 산개가 장식되어 있으며, 이의 끝단에는 호리병 형태의 보병이 올려 있다.

이처럼 돈황석굴 제 285굴에 그려진 벽화에는 마곡사 5층석탑의 것과 아주 흡사한 상륜부가 장식되어 있다. 아울러 돈황석굴에 표현된 여러 벽화들이 설법이나 건축 등 하나의 완성된 이미지를 보여주고 있다는 점에서 285굴에 표현된 탑파는 금강보좌탑이 아닌 단독적인 불탑으로 조성되었음을 판단케 한다.

돈황은 앞에서 살핀 주천과 마찬가지로 감숙성에 위치하고 있으며, 이곳은 예로부터 실크로드상의 주요 거점 도시였다. 아울러 남쪽의 티벳과는 바로 인접해 있다. 바로 이러한 지리적 위치 때문에 중원지역보다 일찍 티벳문화를 받아들였던 것으로 생각되고, 그 결과 라마탑의 조영도 이루어졌던 것으로 파악된다.

AbⅡ형식은 라마탑형의 상륜부가 금강보좌탑에 조성된 것을 말한다. 이 탑은 금강계만다라의 5불과 제천보살들을 탑 형식으로 바꾸어 안치한 것으로서[29] 방형의 높은 기단 위에 다양한 군상들을 조각하고 있다. 5기의 탑 중 중앙의 것이 가장 규모가 크고, 주변의 4기 탑은 상대적으로 작게 조성되어 있다.

이러한 금강보좌탑은 원대 이후 명청대에 이르기까지 중국 전역에서 만들어졌다.[30] 현재 중국에 남아 있는 금강보좌탑은 북경 大正覺寺(도면11, 사진11)[31] 및 碧云寺(사진12·13)[32]·西

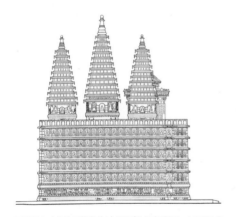

도면11. 북경 대정각사 금강보좌탑(明, 1473년)   사진11. 북경 대정각사 금강보좌탑(明)   사진12. 북경 벽운사 금강보좌탑(淸, 1748년 중건)

29) 정은우, 「마곡사 5층석탑 상륜부의 금동보탑 연구」, 『마곡사 5층석탑 상륜부의 금동보탑-현황과 활용방안』, 2014, p.38.

30) 이러한 구조적 측면에서 정은우는 중국의 金剛寶座塔이 마곡사 5층석탑에 영향을 준 것으로 보고 있다. 아울러 중국에서 가장 오래된 금강보좌탑으로는 1458년에 축조된 곤명의 官渡金剛塔을 들고 있다(위의 논문, pp.38~39).

31) 樓慶西, 『中國古建築博石藝術』, 2005, pp.275~276. 진각사 혹은 오탑사라고도 불리고 있으며, 명대 성화 9년(1473)에 건립되었다.

32) 위의 책, pp.278~279.

도면11. 북경 대정각사 금강보좌탑(明, 1473년)

사진11. 북경 대정각사
금강보좌탑(明)

사진12. 북경 벽운사
금강보좌탑(淸, 1748년 중건)

사진13. 북경 벽운사 금강보좌탑
(淸, 1748년 중건)

사진14. 북경 서황사
靜淨化城塔(淸)

사진15. 내몽고 呼和浩特 금강보좌
사리탑(淸, 雍正期 1722~1735년)

黃寺(사진14)[33] 등의 금강보좌탑, 내몽고 呼和浩特 금강보좌사리탑(사진15)[34]으로 이들 탑은 탑신부가 모두 석재로 조성되어 있고, 라마탑형의 상륜부는 금속재로 만들어져 있다.

그런데, 금강보좌탑은 중국의 경우 이미 위진남북조시기부터 제작되어 주목되고 있다. 이는 돈황석굴 제428굴의 벽화(도면12)[35]에서 찾아볼 수 있는데, 이곳에 그려진 금강보좌탑은 북주시기에 제작된 것으로 알려져 있다. 이때의 금강보좌탑은 원대~청대의 금강보좌탑과 비교하여 기단부의 단순함을 엿볼 수 있다. 예컨대 북경 대정각사 및 내몽고 呼和浩特 금강보좌탑을 보면 기단부가 여러 단으로 구성되어 있고, 각각의 층에는 불보살 및 천, 보륜, 꽃 등이 빽빽하게 장식

---

33) 위의 책, p.290. 서황사 정정화성탑은 石喇嘛塔으로서 네 모서리에 팔각형의 小石塔 8기가 배치되어 있으며, 청대 건륭 47년(1782)에 조성되었다(이상 劉敦楨 著 · 鄭沃根 · 韓東洙 · 梁鎬永 共譯, 앞의 책, 2004, pp.527~532).
34) 樓慶西, 위의 책, 2005, p.283.
35) 蕭黙, 앞의 책, 1989, p.171, 圖117.

되어 있다. 그리고 상륜부도 산개를 금속재로 제작하여 이
것이 만들어지지 않은 북주시기의 금강보좌탑과 큰 차이를
보여주고 있다. 아울러 상륜부 탑신의 형태에서도 외형적으
로 차이가 나는데, 이는 북주시기의 산치탑형 상륜부가 원
대~명·청대 시기의 라마탑형 상륜부로 바뀌어가는 과정
에서 발생한 시기적 차이로 판단할 수 있다.

B형식은 라마탑이 승탑으로 조성된 경우이다. 이러한 형
식은 원대이후 명·청대의 사원유적에서 살필 수 있다. A
형식과 비교해 전체적인 형태는 유사하나 탑신부에 감실과
더불어 불상이 조각되지 않는 특징이 있다.

원대의 라마탑형 승탑은 돈황석굴(사진16)[36]에서 확인할
수 있고, 명·청대의 승탑은 소림사 탑림에서 쉽게 찾아볼
수 있다. 후자는 1572년의 大章書公塔(사진17)[37] 및 1580년
의 坦然和尙(사진18)[38] 승탑으로 밝혀져 원대의 승탑과 좋
은 비교자료가 되고 있다. 특히 탄연화상 승탑의 경우 탑신

도면12. 돈황석굴 제428굴 내의
금강보좌탑 벽화(北周)

사진16. 라마탑의 B형식 1
(돈황석굴의 승탑, 元)

사진17. 라마탑의 B형식 2
(등봉 소림사 탑림의
대장서공탑, 明, 1572년)

사진18. 라마탑의 B형식 3
(등봉 소림사 탑림의
탄연화상탑, 明, 1580년)

---

36) 박경식, 앞의 논문, 2014, p.15, 하단 좌측 사진.
37) 필자 사진.
38) 필자 사진

도면13. 라마탑의 C형식 1
(북경 故宮 角樓 琉璃宝頂)

사진19. 라마탑의 C형식 2(중국 개봉 相國寺 팔각전)

이 세장하고, 산개가 과장되게 큰 점 등에서 형식화되었음을 엿볼 수 있다.

C형식은 목조건축물의 지붕에 라마탑을 올린 경우이다.[39] 북경 故宮 角樓 琉璃宝頂(도면 13)[40] 및 개봉 相國寺의 八角殿(사진19)[41]에서 그 사례를 엿볼 수 있다. 전자의 경우는 기와지붕의 용마루 위에 시설되어 있고, 후자는 팔각전의 지붕이 모아지는 꼭짓점에 라마탑이 시설되어 있다. 복발에서의 문양은 확인할 수 없고, 북경 고궁 각루의 경우에는 산개가 조성되지 않았다. 두 건축물 모두 청대의 것으로 추정된다.

한편, C형식과 같이 불전 상부에 탑형의 조형물이 시설된 사례는 멀리 인도(사진20)[42]에서부터 살필 수 있고, 중국에서는 북위시기(도면14)[43]부터 확인할 수 있다. 아울러 현재의 네팔 킴돌 비하라[44] 등지에서도 불전 상부에 탑형의 조형물이 시설된 사례를 찾아볼 수 있다.

그런데 인도 및 중국 북위시기 불전에서의 탑 모양은 산치탑을 띠고 있어 라마탑과는 다른 형태임을 알 수 있다. 따라서 원대 이후 명·청대에 등장하는 지붕 위의 라마탑 장식은 정치·사회 변화 및 시기적 변천에 따른 산치탑의 변환 형태임을 파악할 수 있다.

D형식은 라마탑형 상륜부가 사찰 출입문의 상부에 시설된 경우이다. 이러한 형식은 중국 청해성 황중현의 塔尔寺에서 살필 수 있다(도면15).[45] 塔尔寺의 門塔은 건축물의 가운데에 홍예문이 갖추어져 있고, 처마 아래에는 5개의 공포가 등간격으로 배치되어 있다. 추녀마루에서의 잡상이나 용문 등은 확인되지 않는다. 라마탑의 기단부는 수미좌의 형식을 취하고 있으며, 상

39) 중국 건축물의 경우 용마루 중앙에는 연꽃을 비롯해, 瑞鳥, 기하학적 문양 등이 조각되어 있다.
40) 劉大可, 『中國古建築瓦石營法』, 中國建築工業出版社, 2005, p.206.
41) 김성경 편, 『중국불교의 여로』 상, 1986, p.331.
42) 최완수, 『불상연구』, 지식산업사, 1984, p.88.
43) 蕭黙, 앞의 책, 1989, p.157, 圖103.
44) 정각, 앞의 책, 1992, p.214.
45) 陳耀東, 앞의 논문, 1992, p.64, 圖3-23.

사진20. 2세기대
인도의 불상 조각

도면14. 돈황석굴 제 257굴 내
벽화(북위)

도면15. 라마탑의 D형식
(청해 塔尔寺 門塔)

대와 하대에는 각형의 단이 조성되어 있다. 기단의 평면은 아자형(두출형)이 아닌 방형의 형태를 띠고 있다. 복발형의 탑신이나 산개에 비해 원반의 크기가 상대적으로 작게 만들어졌다. 복발과 산개 사이의 평두는 형식화 되어 있으며, 복발 표면에는 문양이 시문되지 않았다. 라마탑 상단에는 동그란 보주 1개가 올려 있다.

E형식은 라마탑이 사리장치로 조성된 경우이다. 이러한 형식은 중국 남경박물관 소장품[46] 및 북경 불아사리탑 내부 칠보금탑(사진21)[47], 미국 보스턴미술관 소장품[48] 등에서 살필 수 있다. 칠보금탑의 경우 3단의 수미좌 위에 원형의 기단부가 조성되어 있다. 기단부에는 범자와 伏蓮의 複瓣이 빽빽하게 조각되어 있다. 복발형의 탑신부 내에는 불아사리가 봉안되어 있다. 아울러 탑신의 표면에는 마곡사 5층석탑의 금동보탑과 같은 연주문대의 수식과 영락이 장식되어 있다. 상륜부에는 원반과 산개, 그리고 초승달 형태의 받침대 위에 보주가 올려져있다.

라마탑형의 사리장치는 우리나라에서도 찾아볼 수 있는데, 국립전주박물관 소장 이성계 발원 사리구(사진22)[49] 및 호암미술관 소장품(사진23)[50] 등을 들 수 있다.

이렇게 볼 때 공주 마곡사 5층석탑과 같은 라마탑은 앞의 형식으로 보아 Ab I 형식에 해당됨을 알 수 있다. 이는 하나의 불탑으로서 5기 및 9기의 금강보좌탑과는 다른 별도의 형식이었던

46) 박경식, 앞의 논문, 2014, p.19 사진.
47) 김성경 편, 앞의 책, 1986, p.30.
48) 정은우, 앞의 논문, 2014, p.40.
49) 국립중앙박물관, 『불사리장엄』, 1991, p.93, 상단 사진.
50) 호암갤러리, 『대고려국보전 위대한 문화유산을 찾아서(1)』, 1995, p.174.

사진21. 라마탑의 E형식 1
(북경 불아사리탑 내부
라마탑형 칠보금탑, 사리기)

사진22. 라마탑의 E형식 2
(이성계 발원 사리구의
라마탑형 사리기)

사진23. 라마탑의 E형식 3
(호암미술관 소장 라마탑형
사리기, 14세기)

것으로 판단된다. 그리고 이러한 '탑 위의 탑'은 멀리 인도 및 중국 북위시기부터 등장하였음을
알 수 있다. 다만, 당시의 상륜부가 라마탑이 아닌 산치탑형을 이루고 있다는 점에서 세부적 차
이를 엿볼 수 있다. 이러한 상륜부의 차이는 결국 원 집권 이후 중국 사회에 나타난 정치적 · 종
교적인 사회변화의 한 부분으로 이해된다.

그렇다면 라마탑이 짧은 기간에 중국(元) 전역에서 유행할 수 있었던 원인은 과연 무엇이었
을까? 이는 마곡사 5층석탑 상륜부의 계통을 검토함에 있어 하나의 연결 고리가 된다는 점에서
중요한 의미를 담고 있다. 이와 관련된 역사적 사실을 짧게 나마 살펴보고자 한다.

1239년 오고타이칸(1185~1241)의 둘째 아들 쿠텐의 티벳 침입과 1259년 이후 世祖 쿠빌라
이(1215-1294)의 티벳 정복은 티벳불교가 원대에 유입되는 기폭제가 되었다. 특히 쿠빌라이를
섬겼던 곽파가 國師로 임명되고, 1270년 帝師가 되면서 티벳불교는 원 사회에 깊숙하게 자리
잡게 되었다.

아울러 成宗 테무르에 의해 불교교단 보호를 위한 칙령이 발표되면서 티벳 승려 및 티벳불교
에 대한 우대조치들이 보다 적극적으로 시행되었다.[51] 이러한 원 정권의 티벳불교에 대한 옹호
는 이들 문화가 자연스럽게 원의 영토에 유입되는 요인이 되었다. 아울러 이들의 탑파 형식이
중국 고유의 탑파[52]와 별개로 중국 전역으로 확대되는 결과를 낳게 하였다.

따라서 북경 묘응사 백탑이나 호국사의 불탑 역시 당대 시대적 분위기의 산물로 이해할 수
있다. 그리고 이러한 형식의 탑파가 공주 마곡사 5층석탑의 상륜부에 축소 설치되었다는 점에

---

51) 야마구치 즈이호 · 야자키 쇼켄 지음, 이호근 · 안영길 옮김, 『티베트불교사』, 民族社, 1990, pp.70~72.
52) 단층이 아닌 累層의 석탑이나 전탑, 목탑을 의미한다.

서 티벳불교와 관련된 '라마탑'의 영향이라는 측면도 충분히 인지할 수 있다.

Ⅳ. 마곡사 5층석탑의 계통

이상으로 현재 중국의 여러 지역에 전해오고 있는 라마탑에 대해 살펴보았다. 이는 북경 묘응사 백탑과 같이 하나의 불탑으로 존재하는가 하면, 소림사 탑림에서와 같이 승탑으로 조성되는 경우도 살필 수 있다. 아울러 북경 벽운사 및 진각사에서와 같이 금강보좌탑의 상륜부로 시설되는 경우도 찾아진다.

금강보좌탑은 '탑 위의 탑'이라는 점, 그리고 탑신과 상륜부의 부재가 서로 다르다는 측면에서 마곡사 5층석탑과 일맥 친연성을 보이고 있다. 그러나 탑의 갯수가 기본적으로 5기인 점, 그리고 높은 기단을 갖추고 있으며, 기단 및 탑신에 불보살 및 제천, 연꽃, 법륜 등이 빽빽하게 조각되어 있다는 점에서 마곡사 5층석탑과의 차이점을 발견할 수 있다.

이러한 라마탑의 다양성에도 불구하고 주목해 볼 수 있는 것은 바로 돈황석굴 제285굴 지굴 내 벽화에서 발견된 불탑 그림이다. 이 탑파는 옥개석에서 관찰되는 전각으로 보아 석탑으로 추정되며, 상륜부에는 라마탑이 시설되어 있다. 탑신에 표현된 연주문대의 수식과 영락으로 보아 금속재를 모방하여 그려놓은 것으로 생각된다. 이는 본고에서 Ab I 형식으로 분류된 것으로 마곡사 5층석탑과 가장 유사한 모습을 취하고 있다.

그렇다면 마곡사 5층석탑과 같은 '탑 위의 탑'은 과연 언제, 어느 곳에서부터 제작되었을까? 그리고 중국에서의 경우 라마탑형 상륜부가 등장하기 전의 탑파 상륜부는 어떤 모습이었을까? 아울러 라마탑이 시설된 '탑 위의 탑'은 어떠한 과정을 거쳐 공주 마곡사에까지 전파되었을까?

이러한 여러 의문들은 중국에서의 탑파 상륜부 변화뿐만 아니라 마곡사 5층석탑의 계통을 밝힐 수 있다는 점에서 중요한 과제가 아닐 수 없다. 본 장에서는 바로 이러한 의문점을 중심으로 내용을 전개해 보도록 하겠다.

불탑은 기본적으로 불사리를 봉안하기 위한 건축물로서 이의 축조는 당연히 인도에서부터 비롯되었다. 현재 인도에 남아 있는 불탑은 크게 두 가지 형식으로 구분할 수 있다. 하나는 산치탑 형식이고, 나머지 하나는 마야보디 불탑과 같은 고루형의 석탑이다. 그런데 후자의 경우 누층의 탑신부에 금속재의 상륜부가 올려 있어 '탑 위의 탑' 형식을 취하고 있다.

부다가야의 마야보디 사원(大菩提寺) 불탑(사진24·25)[53]은 중앙의 대탑을 중심으로 사방에 소탑이 배치되어 금강보좌탑의 형식을 취하고 있다. 하지만 주변 탑들이 후대에 조성된 것으로

---

53) 고은, 『신왕오천축국전』, 동아출판사, 1993, p.242.

사진24. 마야보디
사원 불탑

사진25. 마야보디
사원 불탑 상륜부

알려져[54] 축조 당시에는 한 기만 존재하였던 것으로 판단된다.

중앙의 불탑은 누층의 탑신으로 이루어져 있고, 상륜부는 복발형의 탑신을 비롯해 평목, 원반, 산개 등 마곡사 5층석탑과 아주 흡사한 구조를 보이고 있다. 다만, 탑신 아래의 기단부는 원형을 이루고 있어 차이를 보인다.

기단부는 탑신부에 가려져 자세히 살필 수 없으나 옥개석의 층급받침과 같이 층단식으로 조출되어 있다. 이곳에는 단판의 연화돌대문이 앙련으로 조각되어 있고, 이의 상하에도 또 다른 문양들이 장식되어 있다. 층단식의 기단 아래에는 'ᴗ'형 및 'Ⅱ'형식의 수식이 늘어져 있다.

탑신부에는 기단부에서와 같은 'ᴗ'형 및 'Ⅱ'형의 수식이 마디를 이루며 아래로 늘어져 있다. 특히 'ᴗ'형의 수식 내부에는 원주문이 일정한 간격을 두고 배치되어 있다. 마디와 마디 사이에는 만개한 연꽃이 조각되어 있고, 연꽃과 연꽃 사이에는 횡방향으로 1조의 연주문이 장식되어 있다.

복발형의 탑신 위에는 평목이 자리하고 있는데, 평면이 아자형(두출형)을 이루고 있다. 그런데 이러한 평면 형태는 마곡사 5층석탑의 금동보탑 기단부 뿐만 아니라 돈황석굴 내의 승탑 기단부, 그리고 남방불교권에 속해 있는 쁘리아 꼬 등의 크메르유적에서도 확인할 수 있다.[55]

이러한 유적 사례는 결과적으로 라마탑의 기단부에서 살펴지는 아자형(두출형)의 평면 형태가 인도에서 기원하여 남방의 소승불교 및 북방의 대승불교권 모두에 영향을 미쳤음을 파악케 한다.

마야보디 사원의 불탑은 '탑 위의 탑'이라는 점, 그리고 석탑 위에 금속재의 상륜부가 올려 있다는 점에서 마곡사 5층석탑과 친연성을 보이고 있다. 특히 이 사원에 대해서는 637년 이곳을 방문하였던 현장의 기록에 자세히 언급되어 있다.[56]

이와 더불어 현존 석탑은 아니지만 파키스탄 탁실라 박물관에 소장되어 있는 석조 소탑(사진

---

54) 벤자민 로울랜드 지음 · 이주형 옮김, 『인도미술사 굽타시대까지』, 예경, 1996, p.162.
55) 박경식, 앞의 논문, 2014.
56) 정각, 앞의 책, 1992, pp.37~38.

26)[57]을 통해서도 고대 인도에서의 '탑 위의 탑' 존재를 확인할 수 있다. 이 석탑은 높은 기단 위에 4층의 탑신이 있고, 그 위에 산치탑형의 상륜부가 올려 있다. 즉 반구형의 복발[58]을 비롯해 평목, 11개의 원반, 산개, 보주 등이 장식되어 있다.

이처럼 고대 인도의 유적이나 유물에서는 累層의 탑신 위에 별도의 산치탑형 상륜부가 시설된 탑의 존재를 어렵지 않게 찾아볼 수 있다. 이는 산치대탑과 더불어 고대 인도에 조성된 또 다른 탑파의 일 형식으로 파악할 수 있다. 아울러 이러한 인도에서의 '탑 위의 탑'은 실크로드를 통해 중국 북위[59]에도 전파되었음이 여러 석굴사원의 조각과 벽화를 통해 확인할 수 있다.[60]

즉, 운강석굴 제 11굴(사진27)[61]과 2굴(사진28)[62]에 조성된 탑파 조각을 살펴보면 탑 위에 또 다른 탑이 올려 있음을 볼 수 있다. 탑신부에는 항토탑심체의 감실에서와 같이 교각보살 및 이불병좌상 등이 4방에 조각되어 있고, 각 층의 감실은 형태와 크기를 약간씩 달리하고 있다. 탑신은 3층이고, 지붕에서의 기와 골과 처마의 공포로 보아 두 탑 모두 목탑을 모방하여 제작하였

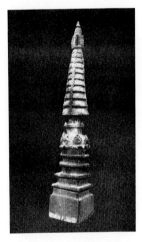

사진26. 탁실라 박물관 소장 석조 소탑

사진27. 운강석굴 제 11굴의 탑파 조각(북위)

사진28. 운강석굴 제 2굴의 탑파 조각(북위)

---

57) 벤자민 로울랜드 지음·이주형 옮김, 앞의 책, 1996, p.137.
58) 탑신의 경우 옥개석과 옥신이 한 층을 이룸을 볼 때 반구형 복발 아래의 부재는 탑신부의 옥신이 아닌 이의 기단으로 봄이 타당할 것이라 생각된다. 따라서 기단을 갖춘 반구형 복발은 석탑의 상륜부이면서 별도의 탑으로 제작되었음을 판단할 수 있다.
59) 이 시기에는 인도의 간다라 불상을 비롯한 많은 사탑이 창건되었다.
60) 물론 이 시기의 탑은 원대의 것에 비해 축조 시기가 최소 700~800여년 이르기 때문에 상륜부의 형태나 문양 등에서 큰 차이를 발견할 수 있다.
61) 云岡石窟文物保管所,『中國石窟 云岡石窟 二』, 文物出版社, 1994, 사진94. 11굴은 운강석굴 개착의 흥성기에 해당되는 효문제 시기(471-494년)에 조성되었다(李裕群,「中國北朝時期的石窟寺綜合考察」,『中國의 石窟 雲岡·龍門·天龍山石窟』, 國立昌原文化財研究所, 2003, p.317).
62) 云岡石窟文物保管所,『中國石窟 云岡石窟 一』, 文物出版社, 1991, 사진14. 2굴은 11굴과 동 시기에 개착되었다(李裕群, 위의 논문, 2003, p.317).

음을 알 수 있다.

　기단부는 단층으로 이루어졌고, 11굴에서의 경우는 가운데의 파란색 향로를 중심으로 좌우에 예배상들이 조각되어 있다. 탑신부와 비교해 기단부가 높게 조성되어 있다.

　상륜부에는 노반석[63] 위로 仰花가 표현되어 있다. 그리고 세장한 연판 사이로는 복발형의 탑신이 고즈넉하게 안치되어 있으며, 그 중앙에 좌상 한 구가 조각되어 있다. 노반석이 3단의 불대좌와 닮아있다는 점에서 복발형의 탑신은 북위시기의 불전을 모방한 것으로 생각된다. 조각 상태가 양호한 11굴의 경우 복발형의 탑신 위로 원반 6개와 번을 매단 찰주가 위치하고 있다.

　이상에서와 같이 제 11굴과 2굴에서 살펴지는 탑파 도상들은 탑신부의 경우 중국의 목탑, 그리고 상륜부는 인도의 산치탑을 연상시키고 있다. 이는 '탑 위의 탑' 형태로서 인도 부다가야의 마야보디 대탑이나 탁실라 박물관 소장의 고대 탑파를 중국식으로 변환시켜 놓은 것으로 이해할 수 있다.

사진29. 운강석굴 제11굴 탑파 조각(북위)

　그런데 중국 북위시기에 이처럼 모든 탑들이 '탑 위의 탑'으로 조성된 것만은 아니었다. 즉, 같은 11굴에서 검출된 쌍탑(사진29)[64] 조각을 보면 기단부와 탑신부는 대동소이하나 상륜부에서 큰 차이가 있음을 발견할 수 있다. 즉, 노반석 위로 별도의 복발형 탑신이 조각되어 있지 않다는 점이다. 탑신이 없기에 자연스럽게 앙화도 표현되지 않았다.

　운강석굴 제11굴은 전술하였듯이 북위의 효문제(471~494년) 시기에 조성되었다. 시기적으로는 5세기 후반~말에 해당되고 있다. 그런데 이 시기의 목탑을 보면 하나는 복발형의 탑신 내부에 불상이 조각되어 있는 반면, 다른 하나는 복발(탑신) 자체가 아예 존재하지 않는 것을 살필 수 있다.

　이러한 상륜부의 차이는 결과적으로 북위시기에 이미 '탑 위의 탑'뿐만 아니라 '탑 위의 無복발 장엄구' 등도 함께 조성되고 있었음을 파악할 수 있다. 특히, 후자의 경우는 인도의 산치탑과 전혀 다른 형태로서 완전 중국화 된 탑파 양식으로 이해할 수 있다. 시기적으로 볼 때 상륜부에 복발이 시설되지 않은 초기 탑파의 형식으로 파악할 수 있다.

---

63) 이는 須彌座로 해석되고 있다(劉致平, 『中國建築類型及結構』, 中國建築工業出版社, 1989, p.342).
64) 云岡石窟文物保管所, 앞의 책, 文物出版社, 1994, 사진97.

이상의 내용을 정리하면 중국에서는 이미 5세기 후반~말경에 마곡사 5층석탑과 같은 '탑 위의 탑'이 별도로 존재한 사실을 알 수 있다. 그리고 이러한 탑파 형식은 동·서위를 거치면서 6세기 후반 무렵 북주시기의 金剛寶座塔으로 나타나고 있다.

그런데 여기서 한 가지 흥미로운 사실은 '탑 위의 탑'이 북위시기만 하더라도 단독적으로 1기만 건립되었다는 점이다. 그리고 이것이 반세기 정도를 거치면서 5기의 금강보좌탑에도 영향을 미쳤다는 사실이다.

이러한 자료 검토는 결과적으로 마곡사 5층석탑과 같은 '탑 위의 탑'이 중국에서의 경우 1탑에서 점차 5기의 금강보좌탑으로 변화하였음을 파악케 한다. 또한 오늘날 중국 각지에 남아 있는 원대 및 명·청대의 금강보좌탑은 적어도 그 시원이 북주까지 소급될 수 있음을 추정케 한다.

마지막으로 원대에 이르러 '탑 위의 탑'은 돈황석굴 제285굴 지굴의 벽화와 같이 상륜부가 산치탑형에서 라마탑형으로 일부 변화되었음을 살필 수 있다. 아울러 이의 출토지가 당시 수도인 북경이 아닌 돈황 및 투르판 등 서역이라는 점에서 발상지로서의 가능성도 유추해 볼 수 있다.

이러한 추정은 한편으로 酒泉지역에서 검출된 소형의 석재 라마탑을 통해서도 확인할 수 있다. 이 라마소탑은 전술하였듯이 北涼시기에 제작된 것으로 원 집권 이전의 유물이다. 그리고 묘응사 백탑이나 호국사 불탑 등과 다른 형태를 취하고 있다는 점에서 정형화된 라마탑으로는 생각되지 않는다.

초기의 라마탑이 북경 묘응사 백탑 조성 이전에 酒泉지역에서 검출되었다는 사실은 이러한 탑파문화가 元 집권 이전에 돈황을 중심으로 한 투르판지역에 이미 유입되어 있었음을 판단케 한다. 이는 국가와 국가간의 공식적인 문화전파 관계보다는 지역과 지역간의 문화전파로 이해할 수 있다. 그리고 돈황 및 주천지역이 인도 및 티벳과 문화전파가 가능할 수 있었던 것은 지리적 인접성 외에 이들 지역이 실크로드상의 거점 도시였던 것과도 무관치 않다고 생각된다.

따라서 마곡사 5층석탑의 시원이 될 수 있는 '탑 위의 탑'은 현재까지의 중국 자료들을 검토해 볼 때 북경을 중심으로 한 중원지역보다는 돈황을 중심으로 한 감숙성 및 청해성 등의 서역에서 찾아보는 것이 좀 더 효과적이라 할 수 있다.

한편, 원대의 경우 북경에서는 '탑 위의 탑'보다 묘응사 백탑과 같은 불탑을 더 쉽게 찾아볼 수 있다. 그런데 이러한 탑파 조성은 당시 중국의 民草나 조탑공의 의지보다는 전적으로 원 황제의 정치적·종교적 색깔로 가능하였던 것이다.

위의 내용을 중심으로 마곡사 5층석탑의 계통이 될 수 있는 '탑 위의 탑'의 변화 과정을 살피면 위의 표1과 같다.

【표 1】 마곡사 5층석탑의 계통

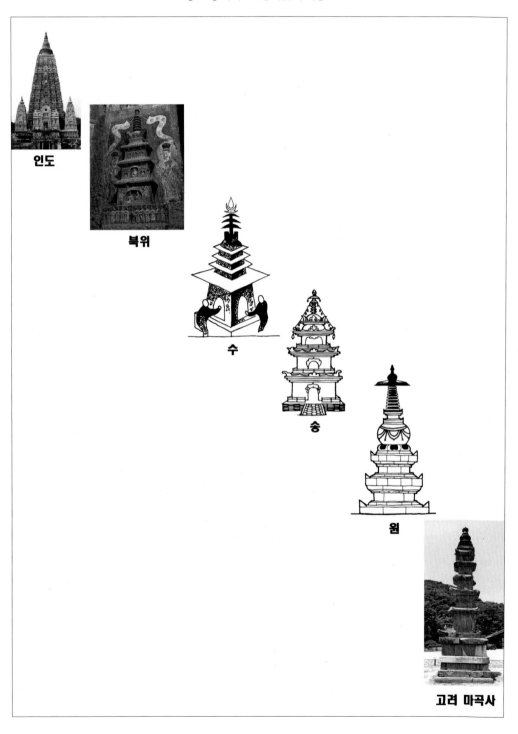

Ⅳ. 맺음말

이상으로 마곡사 5층석탑의 계통에 대해 살펴보았다. 앞서 주지한바와 같이 이 석탑은 우리나라에 한 기밖에 남아 있지 않은 특수한 구조로 건립되어 있다. 즉, 5층의 탑신 위에 금동재의 라마탑형 상륜부가 조성되어 있다.

라마탑형 상륜부는 그 동안 북경 묘응사 백탑이나 호국사 불탑과 친연성이 찾아져 이의 계통이 元에 있었음을 판단케 되었다. 하지만 전술한 원대 탑들은 累層의 탑신부가 존재하지 않는다는 점에서 계통상 마곡사 5층석탑과는 전혀 다른 형식임을 파악할 수 있다.

따라서 두 불탑은 누층의 탑신과 상륜부가 하나의 공정으로 완성된 마곡사 5층석탑과는 구조 자체가 완전 다르다. 또한 마곡사 5층석탑의 경우 기단·탑신부와 상륜부의 재료 자체가 상호 이질적이라는 점에서 이의 조탑 특성을 파악할 수 있다.

마곡사 5층석탑과 같이 누층의 탑신에 라마탑형의 상륜부가 올려진 사례는 돈황석굴 285굴 支窟 내의 원대 벽화에서 찾아볼 수 있다. 아울러 '탑 위의 탑' 형식은 이보다 훨씬 이른 인도에서도 살펴지고 있다. 즉, 부다가야의 마하보디 대탑과 탁실라박물관 소장의 석재 소탑은 누층의 탑신 위에 산치탑형의 상륜부가 올려 있음을 볼 수 있다. 특히, 전자의 경우는 탑신부와 상륜부의 재질이 달라 마곡사 5층석탑과의 친연성을 보여주고 있다.

이러한 인도의 탑파와 돈황석굴 내 탑파 그림을 비교해 보면 중국의 산치탑형 상륜부는 원대에 이르러 라마탑형 상륜부로 일부 변환되고 있음을 살필 수 있다.[65] 그리고 '탑 위의 탑' 형식은 중국의 경우 북위시기부터 명·청시기에 이르기까지 중국 석탑의 한 형식으로 계속해서 변천해 왔음을 볼 수 있다.

아울러 라마탑형의 소형 석탑이 일찍이 북량시기의 주천지역에서 검출되었다는 사실은 원대 이전에 티벳과 인접해 있던 돈황이나 투르판, 주천지역 등 오늘날의 감숙성 및 청해성 등지에서 이른 시기의 라마탑이 확인될 가능성 또한 적지 않음을 암시하고 있다. 그리고 이러한 탑파 형식이 중국의 중원지역 및 고려에도 영향을 미쳤음을 판단할 수 있다.

현재 중국에 전해오는 탑파 중 누층의 탑신부와 라마탑형의 상륜부가 함께 갖추어진 사례는 대략 두 가지 형식으로 분류할 수 있다. 첫 번째는 돈황석굴의 벽화에 그려진 불탑과 같이 단독적인 형태의 불탑으로 조성된 경우이고, 두 번째는 여러 기의 탑들이 함께 축조되는 금강보좌탑의 예를 들 수 있다. 여기서 마곡사 5층석탑은 당연히 전자의 사례에 해당된다고 볼 수 있다.

---

65) 이는 元代에 산치탑형 상륜부가 완전 사라졌음을 표현하는 것이 아니라 새로운 형식인 라마탑형 상륜부가 등장하였음을 의미하는 것이다. 원대 이후 두 형식의 상륜부는 계속해서 조성되고 있다.

　최근까지 마곡사 5층석탑에 관한 학계의 관심은 그리 크지 않았다. 하지만 상륜부가 라마탑 형을 보이는 금동보탑이라는 점에서 이의 중요성은 결코 간과될 수 없다고 생각된다. 향후 고고미술사적 조사를 통한 중국 라마탑의 계통과 전파 과정 등에 대한 연구도 심화되기를 기대해 본다.

【참고문헌】

박경식,「마곡사 5층석탑에 관한 소고」,『마곡사 5층석탑 상륜부의 금동보탑-현황과 활용방안』. 2014.

정은우,「마곡사 5층석탑 상륜부의 금동보탑 연구」,『마곡사 5층석탑 상륜부의 금동보탑-현황과 활용방안』, 2014.

秦弘燮,「韓國의 眼象紋樣」,『東洋學』4, 檀國大東洋學硏究所, 1974.

홍대한,「麻谷寺 五層石塔의 樣式과 建立時期 硏究-라마양식 석탑구분에 대한 문제제기를 중심으로-」,『동아시아문화연구』, 한양대학교 동아시아문화연구소, 2013.

李裕群,「中國北朝時期的石窟寺綜合考察」,『中國의 石窟 雲岡・龍門・天龍山石窟』, 國立昌原文化財硏究所, 2003.

국립중앙박물관,『불사리장엄』, 1991.

文化公報部 文化財管理局,『麻谷寺 實測調査報告書』, 1989.

湖林博物館,『湖林博物館所藏品選集-靑瓷3-』, 1996.

호암갤러리,『대고려국보전 위대한 문화유산을 찾아서(1)』, 1995.

云岡石窟文物保管所,『中國石窟 云岡石窟 一』, 文物出版社, 1991.

_____,『中國石窟 云岡石窟 二』, 文物出版社, 1994.

고은,『신왕오천축국전』, 동아출판사, 1993.

김성경 편,『중국불교의 여로』상, 1986.

김희경,『한국의 미술 2 탑』, 열화당, 1994.

장경희,『고궁의 보물』, 국립고궁박물관, 2009.

정각,『인도와 네팔의 불교성지』, 불광출판부, 1992.

최완수,『불상연구』, 지식산업사, 1984.

郭學忠,『中國名塔』, 中國撮影出版社, 2001.

樓慶西,『中國古建築塼石藝術』, 2005.

벤자민 로울랜드 지음・이주형 옮김,『인도미술사 굽타시대까지』, 예경, 1996.

蕭默,『敦煌建築硏究』, 文物出版社, 1989.

야마구치 즈이호・야자키 쇼켄 지음, 이호근・안영길 옮김,『티베트불교사』, 民族社, 1990.

劉大可,『中國古建築瓦石營法』, 中國建築工業出版社, 2005.

劉敦楨 著·鄭沃根·韓東洙·梁鎬永 共譯,『중국고대건축사』, 도서출판 세진사, 2004.

劉致平,『中國建築類型及結構』, 中國建築工業出版社, 1989.

陳耀東,「青海塔尔寺」,『建築歷史研究』, 中國建築工業出版社, 1992.

柴澤俊,『柴澤俊古建築文集』, 文物出版社, 1999.

平昌 水多寺址 三層石塔 및 石造物에 대한 考察

朴慶植*

目 次

Ⅰ. 머리말

강원도 평창군 진부면 탑동리에 위치한 수다사지(강원도 기념물 제49호)는 오대천이 휘감아 도는 지형에 자리하고 있다. 현재 경작지로 개간된 사역에는 삼층석탑과 간간이 확인되는 기와 편 및 주초석 등이 있어 이곳이 옛 절터임을 확인시켜 주고 있다. 이 사지에 대한 최초의 주목은 일제강점기에 이루어 졌는데, "사역에는 3층석탑과 3구의 석불과 더불어 당간지주가 있음"을 기록하고 있다.[1] 당시의 조사에서는 90평 정도의 면적을 사역으로 추정하였지만, 사찰의 명칭 에 대해서는 언급없이 수항리라는 지명만을 기록하고 있다. 이후 1984년에 이르러 신종원 교수 의 현지답사를 통해 "水多寺"라 각자된 기와편이 수습됨으로써 수항리의 폐 사지는 『삼국유사』 에 기록된 수다사였음이 확인되었다.[2] 이후 1987년에 이르러 강원대학교 박물관에 의해 사지 의 현황이 조사되었고,[3] 주민 김삼수씨에 의해 청동반자와 촛대 각각 1점씩이 발견되어 최응천 교수에 의해 학계에 소개된 바 있다.[4] 2004년에 이르러 강원문화재연구소에 의해 전체적인 현 황이 다시 한번 파악된 바 있다.[5] 이처럼 수다사지에 대해서는 일제강점기에 확인된 이래 80년

※ 이 글은 2013년 11월 23일 강원고고문화연구원 주최로 개최된 "평창 수다사지의 재조명 학술 심포지엄"에서 발 표한 것을 수정 보완한 것임을 밝힌다.
* 단국대학교 사학과 교수

1) 朝鮮總督府,『朝鮮寶物古蹟調査資料』, 昭和17년(1942), p.555,
2) 辛鍾遠,「水多寺址調査」,『博物館新聞』148~149호號, 國立中央博物館, 1983.12 및 1984.1.
3) 江原大學校博物館,『平昌郡의 歷史와 遺蹟』, 1987, pp.68~69.
4) 최응천,「水多寺址 출토 靑銅金鼓와 銘文燭臺片」,『博物館新聞』210號, 國立中央博物館, 1989.2.
5) 江原文化財研究所,『文化遺蹟分布地圖-平昌郡』, 2004, p.363.

수다사지 전경 수다사지 근경

대 이후에 본격적으로 주목되었고, 수다사라는 명칭이 확인되어 『삼국유사』에 기록으로만 존재하던 사찰의 실체가 명확해졌다.[6]

현재 사역에는 추정 3층석탑과 안상석 및 석탑부재를 비롯해 인근 수항초등학교에 사지에서 이전된 것으로 추정되는 석재들이 현존하고 있어 그나마 수다사의 일단을 짐작할 수 있다. 본고에서는 현존하는 추정 3층석탑과 현존하는 석재들을 중심으로 이들이 지닌 양식적인 특성에 대해 살펴보고자 한다.

Ⅱ. 석조유물의 현황

1. 삼층석탑

사역의 남쪽을 휘감아 흐르는 오대천과 인접한 지역에 건립되어 있다. 2층기단 위에 2층옥개석까지 현존하고 있는데, 274cm 규모이다.

자연석으로 조성한 판석형의 석재를 사용해 지반을 구축한 후 석탑을 건립했다. 지대석의 상면과 하층 판석형 석재 하면의 넓이가 일치하지 않은 탓에 본래의 부재인지 의심스럽다. 하지만, 석재의 상면에 각형 1단의 받침이 조출되어 있는 점을 고려해 보면 석탑의 본래의 위치에 건립되어 있는 것으로 생각된다. 지대석은 4매의 석재를 돌려 구획을 설정했는데, 이의 내부에도 석재로 충적했을 것으로 판단된다. 지대석의 상면은 양간의 경사를 두었고, 상면에는 낮은

---

6) 그렇지만, 현재의 수다사지는 완전히 개간되었고, 석축마저 완전히 붕괴되어 석탑을 제외하면 지표에서 채집되는 기와편 마저 극히 소량인 탓에 선학들의 조사기록과는 변화된 양상을 보이고 있다. 필자가 2011년 5월 19일에 현지를 조사했을 당시만 해도 석탑의 후면에는 상당한 분량의 석재가 쌓여있었다. 그러나 2013년 11월에 다시 현지를 답사했을 때는 이 마저도 완전히 유실되었다.

각호각형 3단의 받침을 조출해 하층기단을 받고 있다. 이와 더불어 남쪽면에서는 나비장의 흔적이 보이고 있다. 하층기단의 면석은 4매의 석재로 구성되었는데, 각 면에는 각각 좌우 3괄호형의 안상이 3구씩 조식되어 우주와 탱주는 생략되었다. 상층기단 역시 4매의 석재로 구성되었는데, 각 면에는 양 우주와 1주의 탱주가 모각되었다. 2매의 석재로 구성된 갑석의 하면에는 낮은 각형 1단의 부연이, 상면에는 각호각형 3단의 받침을 조출해 초층탑신을 받고 있다.

갑석의 상면에는 2매의 판석으로 구성된 부재를 두었다. 석재의 하면은 평박하지만, 네 모서리의 하면은 사릉형으로 치석했고, 상면에는 낮은 각형 1단의 받침을 조출했다. 앞서 언급한 강원대학교의 보고서에서는 이 부재의 존재에 대해 본래부터 있었는지에 대해 의문을 제시하고 있는데,[7] 이후 조사에서도 모두 같은 문제를 제기하고 있다.[8] 이 부재는 상층기단 갑석과 이의 상면의 별석으로 조성된 초층탑신 받침석과 묘하게도 비례가 맞아 본래의 부재로 착각하기에 충분한 여건을 지니고 있다. 즉, 실측조사를 진해한 결과 각 면의 길이는 상층기단 154cm, 판석형 부재는 하단부 132cm · 중단부 145cm · 상단부 129cm, 초층탑신 받침부가 97cm인 탓에 비교적 적절한 비례를 지닌 것으로 보이기에 충분한 여건을 지니고 있다. 그러나 판석형 부재의 상면에 조출된 부재의 상면에 조출된 낮은 각형 1단의 받침 길이가 129cm인 반면, 초층탑신 받침부 하단의 길이가 97cm인 점을 고려할 때 이 부재는 다른 석탑의 갑석일 가능성이 높은 것으로 판단된다.[9] 따라서 상층기단 갑석 상면에 조출된 호각형 3단 받침부 중 가장 상면에 조출된 각형 받침의 길이가 102cm인 점을 보면, 초층탑신부의 받침부 길이가 97cm여서 이 부재가 다른 석탑의 것임이 분명한 것으로 생각된다. 갑석의 상면에 놓인 별석받침의 상면에는 複葉7瓣의 伏蓮이 조식되어 화사한 받침부를 구성하고 있다.

탑신부는 1층 탑신석과 1층 및 2층 옥개석만 남아있다. 일석으로 조성된 탑신석의 각 면에는 양 우주가 모각되어 있다. 1층 및 2층 옥개석은 각각 2매의 석재로 구성되었는데, 석재의 이탈을 방지하기 위해 나비장을 부착했던 홈이 남아있다. 옥개석의 하면에는 각형 3단의 받침이 조출되었고, 상면에는 낮은 각형 1단의 받침이 조출되었다. 낙수면의 길이가 짧고, 경사는 급현 편인데, 처마는 수평을 이루가 전각에 이르러 둔중한 반전을 보이고 있다. 더불어 옥개석의 하면에는 낙수홈이 있다. 현재 2층탑신석은 결실되어있다.

석탑의 주변에는 석탑으로부터 이탈된 탑신석과 옥개석이 있다. 이 부재들은 모두 1석으로 조성되었는데, 각각 3층 탑신석과 옥개석으로 판단된다. 옥개석의 상면에는 일변 9cm, 깊이 18cm 규모의 찰주공이 개설되어 있다.

---

7) 주 3)의 책, p.69.

8) 주 5)와 같음.

9) 왜냐하면, 일반적으로 석탑의 구성하는 부재의 수치를 보면, 받침부의 너비에 맞추어서 상면에 놓인 부재를 치석하기 때문이다. 따라서 129cm의 너비를 지닌 받침 상면에 97cm의 너비를 지닌 받침부가 놓일 경우 불균형을 초래할 것으로 판단된다.

수다사지 삼층석탑 전경(정면)

수다사지 삼층석탑 전경(측면)

삼층석탑 기단부

삼층석탑 탑신부

3층 탑신석

3층 옥개석

초층탑신 받침부 연화문

초층탑신 받침부

석탑 인근에 있는 장대석

수항초등학교 내 장대석

수다사지 3층석탑 주변 석재 군(2011.11.5.촬영)

석재군 내 추정 갑석부재

지대석 나비장 이음부　　　　　　　　석탑주변의 주초석

Ⅲ. 석조유물의 특성

1. 삼층석탑

앞서 언급한 삼층석탑에서는 일반적인 고려시대 석탑의 양식을 구현하고 있다. 그럼에도 불구하고 하층기단의 안상, 별석으로 조성된 초층탑신 받침부와 석탑의 立地에서 일반적이라기보다는 특수한 일면을 보이고 있다. 본 장에서는 이처럼 각 부에서 확인되는 양식에 대해 고찰하고자 한다.

(1) 하층기단의 안상

일반적인 석탑의 발전상에서 볼 때 시대를 막론하고 2층기단을 구비하는 경우에 각 면석에는 우주와 탱주가 모각되는 것이 보편적인 현상이다. 그런데 이 석탑에서는 하층기단에는 각면에 3구씩의 안상이 조식되었고, 상층기단에는 양 우주와 1주의 탱주가 모각되고 있다.

불상광배의 焰紋樣에 기원을 둔 眼象은 원래 床脚의 장식에서 출발한 것이지만 용도가 많아지면서 개방할 수 없는 석조물에도 이용되게 되어[10] 석탑을 비롯한 浮屠, 佛座, 石燈 등 모든 유물에 걸쳐 나타나고 있다. 석탑에 있어 안상의 조식은 통일신라시대의 석탑에서 등장하고 있는데, 이를 정리해 보면 다음의 표로 집약된다.

10) 秦弘燮,「韓國의 眼象紋樣」,『東洋學』4, 檀國大學校 東洋學硏究所, 1974, p.250.

표1. 기단부에 안상이 조식된 통일신라시대의 석탑[11]

석탑명	조식위치	건립연대
범어사삼층석탑	하층기단	830년 추정
안동 옥동삼층석탑	하층기단	9세기 전기
무장사지삼층석탑	상층기단	9세기 전기
칠곡 기성동삼층석탑	상층기단	9세기 전기
술정리 서삼층석탑	상층기단	9세기 전기
경주 남산승소곡삼층석탑	기단 및 초층탑신	9세기 전기
철원 도피안사 삼층석탑	하층기단	865년
봉화 취서사삼층석탑	하층기단	867년
한계사지삼층석탑	하층기단	9세기 후기
고운사 삼층석탑	하층기단	9세기 후기
중심사삼층석탑	하층기단	9세기 후기
영국사 삼층석탑	하층기단	9세기 후기

위의 표를 보면 석탑에서 기단부에 안상을 조식하는 것은 통일신라시대인 9세기로부터 시작된 양식임을 알 수 있다. 더욱이 하층기단에 안상을 조식함은 865년에 건립된 철원 도피안사 삼층석탑과 867년에 건립된 봉화 취서사삼층석탑에서 확인되는 점으로 보아 9세기 후기에 건립된 석탑에서 가장 활용된 양식임을 알 수 있다. 이같은 면면은 고려시대의 석탑으로 계승되어 여러 석탑에서 그 예를 볼 수 있는바, 이를 정리해 보면 다음의 표로 집약된다.

표2. 기단부에 안상이 조식된 고려시대의 석탑[12]

석탑명	조식위치	건립연대
월정사 팔각구층석탑	중층기단	10세기
구례 논곡리삼층석탑	하층기단	11세기
관촉사삼층석탑	하층기단	1006년
개심사지오층석탑	하층기단(십이지상)	1010년
천흥사지오층석탑	하층기단	1010년
나주 북문외삼층석탑	하층기단	11세기 초반
사자빈신사지석탑	하층기단	1022년
광조사오층석탑	하층기단	11세기초반
정도사지오층석탑	하층기단	1031년
정산 서정리구층석탑	하층기단	11세기 후반
춘궁리 삼층석탑	하층기단	11세기 후반

---

11) 朴慶植, 『통일신라 석조미술연구』, 학연문화사, 1994, pp.104~105 참조.
12) 석탑의 건립연대는 부분적으로 홍대한의 분류를 따랐음을 밝힌다. 洪大韓, 『고려석탑연구』, 단국대학교 박사학위논문, 2011, pp.266~281에 수록된 표 참조.

홍법사지삼층석탑	하층기단	11세기 후반
광덕사삼층석탑	하층기단	12세기 후반
중심사 삼층석탑	하층기단	12세기 후반

위의 표를 보면 고려시대에 이르러도 하층기단에 안상이 조시된 석탑은 상당 수 건립되고 있고, 대부분이 하층기단에 조식되고 있음을 알 수 있다. 더욱이 11세기에 건립된 석탑에서 집중적으로 확인되는 점으로 보아 수다사지 석탑 역시 이같은 문화동향의 일면을 보여주고 있다. 아울러 통일신라시대로부터 고려시대에 건립된 석탑 중 강원도에 소재한 것들만 추려보면 다음의 표로 집약된다.

표 3. 하층기단에 안상이 조식된 강원도 소재 석탑

석탑명	조식위치	건립연대	소재지
철원 도피안사 삼층석탑	하층기단	865년	철원군
한계사지삼층석탑	하층기단	9세기 후기	인제군
월정사 팔각구층석탑	중층기단	10세기	평창군
홍법사지삼층석탑	하층기단	11세기 후반	원주시

이같은 양상을 보면 수다사지에서 확인되는 하층기단의 안상은 통일신라시대 석탑의 양식을 계승하고 있음과 동시에 같은 지역에 위치한 월정사 석탑과의 연관성을 반영하고 있다고 생각된다. 이처럼 기단에 안상을 조식함은 건축적인 실제의 기단의식을 떠나 오히려 불단에서의 공예적인 것과의 관련을 가지고 조선석탑에 있어서 조형의사의 한 轉變을 보이는 것으로 보고 있다.[13] 따라서 하층기단에 안상이 조식되는 현상은 기단부의 탱주를 생략하고 등장하는 점으로 보아 기단부의 약세를 보완함과 동시에 佛壇이라는 개념이 적용된 결과라 생각된다.

(2) 초층탑신 받침부의 문제

수다사지 삼층석탑에서 가장 무목되는 부분은 초층탑신 받침부에 등장하는 伏蓮帶의 양식이다. 중앙의 연판을 중심으로 좌우로 전개되면서 각면 7판씩, 모두 28판의 연화문이 조식되어 화사한 받침부를 구현하고 있다.

초층탑신의 받침은 감은사지 삼층석탑으로 대표되는 전형양식의 석탑에서 확립된 角形 2단이 정형을 이룬 이래 한국석탑의 보편적인 양식으로 정립되었다. 그러나 이같은 양상은 대체로 9세기 전기까지는 유지되고 있지만, 후기에 이르러는 弧角形 2단, 角弧角形 3단, 별석받침형

---

13) 高裕燮, 『韓國塔婆의 硏究』, 同和出版公社, 1975, p.226.

태, 별석받침 등 다양하게 변화되고 있다.[14] 이중 가장 주목되는 것은 별석받침의 등장으로 이는 欄干의 변형형태로서 난간을 설치하는 것과 같은 의도에서 삽입한 것으로서[15] 탑신이란 것은 기단 위에 실린 장식적인 것의 의미를 갖게된 것으로 보고 있다.[16] 그런데 고려시대에 이르면 이같은 양상은 더욱 발전하면서 다음의 4가지 유형으로 발전하고 있다.[17]

Ⅰ형식: 초층탑신에만 받침석이 있는 것,

Ⅱ형식: 형식은 Ⅰ과 동일하나 받침석에 仰蓮이 조식된 것,

Ⅲ형식: 초층탑신 받침부에 伏蓮을 彫飾하여 별석받침의 효과를 나타낸 것,

Ⅳ형식: 각 탑신석마다 받침석이 있는 경우의 4유형으로 대별된다.

이같은 받침부의 변화는 통일신라시대 석탑에 비해 진일보한 양식으로 수다사지 삼층석탑은 Ⅲ형식에 해단한다. 먼저 고려시대에 건립된 석탑에서 초층탑신 받침에 연화문이 등장하는 예를 정리해 보면 다음의 표로 집약된다.

표4. 연화문이 조식된 별석받침의 초층탑신 받침

석탑명	조식형태	건립연대
관촉사삼층석탑	伏蓮별석받침	1006년
개심사지오층석탑	仰蓮별석받침	1010년
지보사삼층석탑	仰蓮별석받침	11세기 후반
원주 용곡리삼층석탑	伏蓮별석받침	고려중기
홍천 패석리사사자삼층석탑	伏蓮별석받침	고려중기
논곡리삼층석탑	伏蓮蓮瓣	11세기
승안사지삼층석탑	伏蓮蓮瓣	11세기
사자빈신사지석탑	伏蓮蓮瓣	1022년
죽산리삼층석탑	伏蓮蓮瓣	고려 중기
탑동삼층석탑	伏蓮蓮瓣	고려 중기

위의 표를 보면 고려시대에 건립된 석탑에서 초층탑신 받침에 연화문이 등장하는 예를 확인할 수 있는데, 이는 통일신라시대 석탑으로부터 진일보한 양식으로 생각된다. 그렇지만, 갑석 상면에 연화문이 조식된 논곡리삼층석탑, 승안사지삼층석탑, 사자빈신사지석탑, 죽산리삼층석탑, 탑동삼층석탑에서는 기단 갑석 상면에 伏葉연화문이 조식되어 앞 시대에서는 볼 수 없는 완전히 새로운 양식이 탄생하고 있다. 더욱이 이같은 양식은 1022년에 건립된 사자빈신사지석탑에서 확인되는 점으로 보아 11세기에 유행한 양식으로 이해된다. 이처럼 초층탑신 받침부에

---

14) 朴慶植, 앞의 책, 1994, p.95.

15) 杉山信三, 『朝鮮의 石塔』, 彰國社, 1944, p.40.

16) 高裕燮, 「朝鮮塔婆의 樣式變遷」, 『東方學誌』 2, 延世大學校東方學研究所, 1955, p.206.

17) 朴慶植, 앞의 책, 1994, p.96.

서의 변화는 9세기로부터 시작되어 고려시대에 이르러 다양한 발전을 이룩한 것으로 판단되는데, 궁극적으로는 초층탑신에 봉안된 사리에 대한 숭앙의식에서 비롯된 것으로 이해된다.

이상에서 수다사지 3층석탑에 구현된 양식중 하층기단에 조식된 안상과 초층탑신 받침에 부조된 연화문대에 대해 고찰해 보았다. 더불어 하층기단의 안상은 주로 11세기 석탑에서, 기단 갑석 상면에 조식된 복연 연화문대 역시 같은 시기에 주로 조성된 것으로 파악되었다. 이같은 면면을 볼 때 수다사지 삼층석탑 역시 11세기경에 건립된 것으로 추정된다. 뿐만 아니라 법천사지광국사현묘탑에

"太平年中에 重大師의 법계를 進呈하고 아울러 戒正高妙應覺이란 법호를 올리고는 水多寺의 주지로 삼았다. 太平 10년에 이르러 칙명으로 海安寺로 이주하도록 仰請하였다."[18]

라 기록된 점으로 보아 혜린이 수다사에 거주하였음이 확인된다. 그리고 太平은 1021~1030년(고려 현종 12~21)에 해당하고 그가 태평 10년에 해인사로 이주했다고 하는 점으로 보아 혜린은 1020년대에 수다사의 주지역을 수행하고 있음을 알 수 있다. 이처럼 지광국사현묘탑비의 기록과 석탑에서 11세기의 양식이 검출되는 점으로 보아 수다사지삼층석탑은 11세기 혜린의 주석 당시에 건립된 석탑으로 추정된다.

(3) 나비장의 사용

석탑의 건립에서 나비장이 사용됨은 한국 최초의 석탑인 익산 미륵사지석탑에서 확인되는 점으로 보아 일찍부터 사용된 것으로 판단된다. 이후 감은사지 석탑은 물론 불국사삼층석탑에 이르기까지 다양한 석탑에서 확인되고 있다. 그러나 나비장이 사용된 석탑들은 대부분이 대형의 석재로 조성된 특징이 있다. 결국 석재의 대형화에 따라 이들의 이탈을 방지하기 위한 방편에서 목조건축의 수법이 석탑에 구현된 것으로 판단된다. 그렇지만, 수다자시 삼층석탑은 나비장이 사용될 만큼 대형의 석탑은 아니라는 점이다. 불과 2.7m에 불과한 석탑에서 그것도 지재석과 1·2층옥개석에서 확인된다. 나아가 기단석의 조립에서는 그나마 이해할 수 있다손 치더라도 옥개석에서의 사용은 수긍하기 어려운 측면이 있다. 그럼에도 수다사지 삼층석탑에서 목조건축의 기법이 활용되고 있음을 분명히 보여주는 사례라 생각된다. 한편으로 옥개석에서의 사용됨은 이를 조성할 만큼의 규모있는 석재를 구하기 어려웠던 측면이 반영되었을 가능성도 생각해 볼 수 있다.[19]

---

18) 朝鮮總督府, 「법천사지광국사현묘탑비」, 『朝鮮金石總覽』, 1919.
 "(전략) 太平年中加重大師戒正高妙應覺爲號住持水多寺十秊有勅移住海安寺迄于(후략)"
19) 이에 반해 석탑을 조성했던 석공들의 기술 부족이라는 측면도 생각할 수 있지만, 탑신받침에 조성된 연화문의

(4) 위치문제

수다사지의 사역은 동서 방향으로 길게 형성된 대지의 외곽을 오대천이 감싸며 흐르고 있는데, 석탑은 사역의 중심부가 아닌 북쪽으로 완전히 치우친 지점에 건립되어 있다. 더욱이 가람배치에 있어 석탑은 금당 전면에 위치하는 것이 보편적인 양식인데, 삼층석탑은 사역의 외곽을 흐르는 오대천과 인접한 지점에 건립되어 있다. 이를 보면 사역의 중심 축선에서 벗어난 탓에 전형적인 가람배치와는 무관한 지점을 택하고 있는 셈이다. 따라서 석탑에 인접해 바로 석축이 축조되어 있어 석탑에서 전면을 바라보면 바로 오대천의 물굽이를 볼 수 있는 그런 지점이다.[20] 이처럼 강변에 인접해 석탑이 건립된 경우는 충주 중앙탑, 안동 막곡동삼층석탑, 영양 봉감모전석탑, 신륵사 다층전탑에서도 볼 수 있다. 이들 석탑중 중앙탑이 가장 먼저 건립된 것을 볼 때 이같은 건탑 위치의 선정은 통일신라시대에서부터 시작된 것임을 알 수 있다.[21] 이후 고려시대에 이르러 나머지 3기의 탑과 수다사지의 석탑에서 같은 예가 확인되고 있다. 이같은 점을 고려해 보면 강과 인접한 지역에 건탑하는 경향은 고려시대에 이르러 일부지역에서 계승되고 있음을 알 수 있다.

이처럼 가람배치와는 무관한 지역에 건탑이 되는 경우는 고려시대에 이르러 더욱 활성화 되는데, 대체로 사역에서 벗어난 지점에 암반을 기반으로 삼아 건탑하는 경우와 앞서와 같이 강변에서 수계를 바라보는 두가지의 유형이 확인된다. 전자의 경우 역시 경주 남산 용장사곡 삼층석탑을 필두로 경주 남산리동삼층석탑, 경주 서악리삼층석탑, 경주 남산용장사계폐탑[22]의 石塊形基壇으로 이어지는 것으로 생각된다. 이후 고려시대에 이르러는 안동 막곡동삼층석탑, 안동 이천동삼층석탑, 영국사망탑봉삼층석탑, 홍천 양덕원삼층석탑, 영암월출산마애불 앞 용암사지삼층석탑으로 계승되고 있다. 이처럼 고려시대에는 자연 암반을 기단으로 삼아 건립하는 경우이던, 인근을 흐르는 수계와 연관을 지으며 건탑되는 경우가 허다한데, 이같은 경향은 고려시대에 이르러 팽배했던 山川裨補의 사상에 영향을 받은 것으로 보고 있다.[23] 이상과 같은 관점에서 볼 때 수다사지 삼층석탑은 오대천을 오르내리던 소형 선박이나 뗏목의 안전운행을 위한 기원과 연관이 있는 것으로 추정된다.[24]

양상으로 보아 이는 가능성이 부족한 것으로 생각된다.

20) 필자가 처음 답사했던 2011년에는 석탑의 윗면에 석재무더기가 있어 이곳이 금당지가 아닌가도 생각했는데, 2013년의 답사시 이들이 모두 반출되어 석탑과 금당지의 관계를 추론할 수 있는 단서가 소멸되었다.
21) 중앙탑은 그간 여러 기관에서 주변에 대한 발굴조사를 진행했지만, 사찰과 연관된 유적은 확인되지 않았다. 따라서 이 석탑은 남한강의 수계를 오가던 선박의 안전을 기원하는 의미도 지닌 것으로 추정된다.
22) 張忠植, 『新羅石塔研究』, 一志社, 1987, p.84.
23) 秦弘燮, 「異形石塔의 一基壇形式의 考察」, 『考古美術』 138·139 合輯, 韓國美術史學會, 1978, pp. 96~109.및 「異形石塔의 一基壇形式의 考察補」, 『考古美術』 146·147 合輯, 韓國美術史學會, 1980, pp. 25~30.
24) 석탑에 대한 필자의 생각은 현재 사지의 상황을 고려한 추정이다. 향후 발굴조사에서 석탑 뒤편에 있던 석재무더기의 하부에서 금장지가 확인될 경우 석탑의 성격은 변경될 소지가 있음을 밝힌다.

2. 수다사지 연관 석조물

(1) 장대석

수항초등학교 담장 인근에는 '수항공립국민학교'라고 음각된 길이 290cm, 너비 34cm, 높이 29cm 크기의 장대석이 있다. 석재의 측면에는 중앙에 귈수형이 양각된 8구의 안상이 조식되어 있다. 석재의 끝부분이 사각을 이루고 잇는 점으로 보아 구조체의 전면 또는 뒷면에 놓였던 것으로 판단된다. 이와 동일한 안상이 새겨진 부재는 석탑의 측면에도 1구가 있는데, 길이 85cm, 높이 31.5cm의 규모이다. 이와 더불어 무너진 석축에서도 길이 150cm, 높이 30cm 규모의 장대석이 있는바, 동일한 양식의 안상이 새겨져 있다. 이처럼 확인된 3기의 장대석에는 동일한 양식과 규모의 안상이 조식되어 있어 본래 하나의 조형물에서 기단을 이루던 부재로 판단된다.

이 부재의 용도에 대해서는 그간의 조사에서 모두 당간지주의 하부를 구성했던 기단의 면석으로 추정된 바 있다.[25] 필자 역시 이에 동감하지만, 석탑의 하층기단 면석으로 상용되었을 가능성도 배제할 수 없다.[26] 이와 더불어 안상의 양식이 1010년에 조성한 천흥사지 당간지주와 동일한 점으로 보아 이 역시 석탑과 같은 시기에 조성된 것으로 추정된다. 힌편, 이와 인접해 길이 153cm, 높이 30cm 규모의 장대석이 남아있는데, 용도는 알 수 없다.

(2) 초석

사역에서는 원형의 주좌가 마련된 초석들이 간간이 확인된다. 이 중 강변에 인접한 축대 하면으로 굴려진 초석의 경우는 4중의 원형 쇠스리가 조출되어 사찰에 건립되었던 건물의 규모를 집작해 볼 수 있다. 초석은 심방석까지 표현되어 있는데 길이 146cm, 너비 62cm, 높이 44cm의 규모이다. 가장 상단에는 지름 45cm 크기의 원형주좌가 조출되어 있다.

(3) 석탑부재

필자가 2011년 5월 19일 현지 조사기 석탑 뒤편에 있던 석재 무더기 가운데서 확인한 바 있다. 그렇지만, 2013년 11월에 다시 조사를 진행했을 당시에는 석재 무더기가 모두 반출된 상태였다. 앞서 언급했던 3층석탑과 연관이 없을 것으로 추정된 판석형 갑석과 연관이 있었을 것으로 추정된다. 따라서 수다사지에는 본래 2기의 석탑이 건립되었을 가능성이 있는 것으로 생각된다.

---

25) 주) 3 및 주) 5의 책.

26) 안상이 새겨진 기단에 대해 앞서 언급한 바 있지만, 867년에 건립된 봉화 춰서사삼층석탑의 하층 기단에서는 다른 석탑과는 달리 기단 각면에 넓게 조성한 안상 4구씩이 조식이어 있기 때문이다. 뿐만 아니라 기단 면석의 규모 역시 수항초등학교의 부재와 비슷한 규모를 지니고 있기 때문이다.

Ⅳ. 맺는말

현재의 수다사지는 지속된 경작으로 말미암아 지표상에서 기와편마저 간간이 확인될 정도로 훼손이 심하게 진행된 절터이다. 게다가 2011년 5월까지도 존재했던 석탑 뒤편의 석재무더기 마저 훼손된 탓에 사역의 추정은 물론 수습된 유물을 통한 변천마저도 확일 할 수 없다. 하지만, 사역의 한편에 3층석탑이 현존하고 있어 이곳이 수다사의 옛터임을 확인시켜주고 있다. 때문에 현존하는 석탑은 수다사의 일면을 파악할 수 있는 귀중한 유산이라 하겠다. 앞서 언급한 바와같이 이 석탑은 하층 기단 면석의 안상, 상층기단 갑석에 조식된 연화문, 석재를 이은 나비장의 흔적, 건탑의 위치 등에서 특성이 있음이 확인되었다. 이같은 양식의 계보와 특성을 검토한 결과 혜린이 주지로 주석했던 11세기에 건탑된 것으로 추정되었다. 뿐만 아니라 기단 상면의 갑석과 또 다른 부재등으로 볼 때 본래는 2기의 석탑이 있었을 가능성도 제기되었다.

향후 수다사의 전모와 변천과정을 파악하기 위해 다음과 같이 제언한다.

1. 강원도 기념물 제49호로 명명된 명칭을 수다사지로 변경해야 함은 물론 석탑의 명칭 역시 수다사지삼층석탑으로 변경해야 할 것으로 생각된다.

2. 현재 수다사지의 문화재보호구역이 석탑의 인근에만 설정된 관계로 석탑 뒤편이 있던 석재무더기 마저 모두 훼손되었다. 따라서 문화재 보호구역을 좀 더 확대해 사지를 보호할 수 있는 법적 대책을 강구해야 할 것으로 생각한다.

3. 사지 전역에 대해 발굴조사 계획을 수립해 시굴조사로 부터 발굴조사에 이르기까지의 연차적인 조사 계획을 수립해야 할 것으로 된다.

4. 사역을 이루고 있는 토지에 대해 국가적인 차원에서 매입할 수 있는 계획을 수립하고, 발굴조사와 병행해 연차적인 정비계획의 수립이 이루어져야 활 것으로 생각된다.

【참고문헌】

江原大學校博物館,『平昌郡의 歷史와 遺蹟』, 1987.

江原文化財研究所,『文化遺蹟分布地圖-平昌郡』, 2004.

朝鮮總督府,『朝鮮金石總覽』, 1919.

_____,『朝鮮寶物古蹟調查資料』, 昭和17년(1942)

高裕燮,『韓國塔婆의 研究』, 同和出版公社, 1975.

杉山信三,『朝鮮の石塔』, 彰國社, 1944.

朴慶植,『통일신라 석조미술연구』, 학연문화사, 1994.

張忠植,『新羅石塔研究』, 一志社, 1987.

洪大韓,『고려석탑연구』, 단국대학교 박사학위논문, 2011.

高裕燮,「朝鮮塔婆의 樣式變遷」,『東方學誌』2, 延世大學校東方學研究所, 1955.

辛鍾遠,「水多寺址調查」,『博物館新聞』148~149호號, 國立中央博物館, 1983.12 및 1984.1.

秦弘燮,「異形石塔의 一基壇形式의 考察」,『考古美術』138・139 合輯, 韓國美術史學會, 1978.

_____,「異形石塔의 一基壇形式의 考察補」,『考古美術』146・147 合輯, 韓國美術史學會, 1980.

_____,「韓國의 眼象紋樣」,『東洋學』4, 檀國大學校 東洋學研究所, 1974.

최응천,「水多寺址 출토 靑銅金鼓와 銘文燭臺片」,『博物館新聞』210號, 國立中央博物館, 1989.2.

江華女高 遺蹟 出土 金銅三尊佛 考察

陳政煥*

目 次

Ⅰ. 머리말

2010년 仁川 江華郡 官廳里 향교골 江華女高 寄宿舍 增築敷地 內 遺蹟(以下 '강화여고 유적')에서 발견된 金銅三尊佛은 生活遺蹟에서 확인된 최초의 불상이자 高麗時代 문화층에서 출토되어,[1] 학술적으로 매우 가치가 높다고 할 수 있다.

특히 이 금동삼존불이 발굴된 곳이 강화도라는 점을 주목할 필요가 있는데, 강화도는 對蒙抗爭期 고려의 임시 수도였던 곳이다. 몽골군의 침략을 받은 고려 조정은 崔瑀(崔怡)의 주도로 대몽항쟁을 위해, 방어에 유리하고 해로를 통한 지방과의 연결이 용이한 강화를 임시 수도로 정하고 1232년 遷都를 단행하였다.[2] 강화 천도 이후 宮闕과 防禦施設을 造成하는 것은 물론 開京의 중요 사찰, 春秋行香寺院을 옮겨 造營하였다.[3] 기록에 남아 있는 사찰만 10개가 넘는 만큼,[4] 강화도에

※ 이 논문은『강화 관청리 향교골 유적 : 강화군 강화여고 기숙사 증축부지 발굴조사』 보고서(인천광역시 교육청 서경문화재연구원, 2012, pp.152~163.)에 수록된 필자의 고찰 부분을 수정 보완한 것이다.
* 文化體育觀光部 博物館政策課 學藝研究士
1) 서경문화재연구원,『인천 강화군 강화여고 기숙사 증축부지 내 유적 발굴조사 개략보고서』, 서경문화재연구원, 2010; 서경문화재연구원,『강화 관청리 향교골 유적 : 강화군 강화여고 기숙사 증축부지 발굴조사』, 인천광역시 교육청·서경문화재연구원, 2012.
2)『高麗史』卷23 高宗 19年 7月;『高麗史節要』卷16 高宗 19年 7月.
3) 金炯佑,「고려시대 강화의 寺院 연구」,『國史館論叢』106, 國史編纂委員會, 2005.6, pp.257~283; 전영준,「高麗 江都時代 사원의 기능과 역할」,『역사민속학』32, 한국역사민속학회, 2010.3, pp.132~159.
4) 金炯佑, 위의 논문, 2005. 6, pp.266~268, 표 참조.

서 많은 불상이 조성되었을 것으로 여겨지지만 이를 實證할 만한 자료가 거의 없는 형편이다. 만약 이 금동삼존불이 江都時期(1232년~1270년)의 불상이라면, 지금까지 밝혀지지 않았던 강도시기의 불교조각사는 물론 불교신앙을 살펴볼 수 있는 귀중한 자료가 될 것으로 판단된다.

이번 고찰에서는 이 금동삼존불의 본존과 협시가 어떤 圖像이며, 尊名이 무엇인가를 먼저 살펴보았는데, 이는 이 금동삼존불의 조성 당시 佛敎信仰의 面貌를 살펴보기 위한 선결 과제이기 때문이다. 아울러 고려 후기 在銘佛像과의 비교를 통해 이 불상이 어느 때 조성되었는지를 유추해보았으며, 이를 통해 이 불상이 조성될 수 있었던 背景, 즉 강도시기 불교신앙의 성격과 彫刻史的 意義를 밝혀보았다.

Ⅱ. 金銅三尊佛의 特徵과 圖像

三尊佛은 통상 本尊 如來像과 좌우 脇侍菩薩 2軀로 구성되어 있지만, 강화여고 유적 출토 금동삼존불(사진 1)은 여래상을 본존으로 하고, 좌우 협시로 僧像이 있는 특이한 구성을 보인다. 三國時代 一光三尊佛 가운데 보살을 主尊으로 하고 승상이 협시인 金銅菩薩三尊像(사진 2)의 유례가 없진 않으나,[5] 이처럼 여래상과 승상이 결합된 예는 朝鮮時代에 別途로 조성하여 한 전각 안에 奉安한 경우를 제외하고는 찾아볼 수 없다.

여래상의 肉髻는 그리 크지 않고 不分明하며, 圓形의 中央髻珠는 육계에 비해 큰 편이다. 螺髮은 하나하나 조각하거나 별도로 만들어 붙이지 않고 格子로 線刻하는 것으로 대체하였다. 얼굴은 이마가 넓고 턱이 뾰족해서인지 갸름한 인상을 풍긴다. 이와 더불어 눈은 치켜떴고, 코는 두툼하며, 입이 작은 것이 특징이다.

사진 1. 江華女高 遺蹟 出土 金銅三尊佛

---

5) 郭東錫, 「製作技法을 통해본 三國時代 小金銅佛의 類型과 系譜」, 『佛敎美術』11, 東國大學校 博物館, 1993, pp.7~53.

어깨는 둥글고 가슴이 넓어 당당한 느낌을 주는데, 여기에 무릎을 둥글고 완만하게 조각하지 않고 직각으로 세워 당당함을 더하였다. 오른손은 가슴 위까지 들어 엄지와 중지를 맞댄 說法印이며, 왼손은 무릎 위에 올려놓고 손가락을 모두 펴 땅을 가리키는 降魔觸地印이다. 이러한 손 모양은 다른 불상에서는 찾아볼 수 없다.

그리고 여래상은 通肩式의 佛衣를 입었는데 가슴이 노출되어 있다. 왼쪽 어깨는 層段을 이루고 있으며, 오른쪽 어깨에는 반달 형태의 옷자락이 조각되어 있다. 가슴 아래에 조각된 僧脚崎는 곡선을 이루고 있으며, 띠 매듭이나 치레는 조각되어 있지 않다. 복부의 옷 주름, 양 다리 사이의 옷 주름은 번잡스럽지 않고 비교적 단정한 편이다.

협시인 승상은 민머리인데, 머리와 얼굴 사이에 단이 있어 생경한 느낌을 준다. 얼굴의 형태나 耳目口鼻의 표현은 여래상과 유사하다. 승상이 착용한 袈裟의 형태나 着衣法은 여래상과 유사하나, 여래상에 비해 도식적인 느낌을 준다. 앞서 언급했던 삼국시대 금동보살삼존상의 승상은 두 손을 합장하고 있는 것에 비해, 강화여고 유적 출토 금동삼존불의 협시는 대칭으로 施無畏 與願印을 맺고 있다. 그런데 이러한 손 모양을 한 羅漢像(사진 3)이 강화 禪源寺址에서 출토된 사례가 있어 특히 주목된다. 강화도에서만 이러한 도상의 승상이 발견되었다는 것은 강도시기의 독특한 신앙관이 반영되었음을 반증하는 것으로 생각된다.

여래상의 광배는 일부 결실되었지만 신광과 두광을 일체형으로 조각한 것을 알 수 있으며, 좌우 협시는 원형 두광만을 조각하였다. 삼존 모두 仰蓮이 조각된 蓮花臺座 위에 있는데, 여래상의 대좌는 3엽이 중첩되어 있으나, 좌우 협시의 대좌 역시 연판 사이에 간엽이 표현되어 있

사진 2. 春川 出土 金銅菩薩三尊像   사진 3. 禪源寺址 出土 金銅羅漢立像

어, 위계를 나타내었다. 특히 여래상의 연화좌 연판 안에는 格斜線文이 조각되어 있는데, 이는 연판 내 花文을 의도한 것으로 여겨진다.

지금까지 살펴본 강화여고 출토 금동삼존불의 특징을 첫째, 육계가 불분명하다. 둘째, 이마가 넓고 턱이 뾰족해져 갸름한 인상을 풍긴다. 셋째, 넓은 가슴과 직각을 이루는 무릎 때문에 당당한 형태미를 보인다. 넷째, 통견의 불의를 착용하고, 오른쪽 어깨에는 반달 형태의 옷자락이 덮여 있다. 다섯째, 승각기는 곡선을 이루며, 띠 매듭이나 치레가 조각되어 있지 않은 것 등으로 요약해볼 수 있다.

이러한 특징을 보이는 강화여고 출토 금동삼존불의 도상 및 존명과 관련하여 가장 먼저 눈길을 끄는 점은 여래상과 승상이 조합되어 있다는 점이다. 특히 이러한 조합은『妙法蓮華經』變相圖에서 살펴볼 수 있다.『묘법연화경』은 흔히『法華經』이라고도 부르는데, 釋迦牟尼가 靈鷲山에서 설법한 내용을 담은 佛經이므로,[6]『법화경』변상도는 석가모니가 영축산에서 설법하는 모습을 그린 것이라 할 수 있다. 이 변상도에는 하나같이 설법하는 석가모니불과 제자, 보살 등의 권속이 무리지어 있는데, 석가모니불 옆에는 항상 합장한 제자가 배치되어 있다. 다만,『법화경』변상도의 묘사된 제자의 모습과 달리 강화여고 출토 금동삼존불의 승상은 시무외 여원인을 맺고 있는데, 이는 앞서 언급하였듯 강화지역의 지역적 특징으로 여겨진다.

나한상이 협시인 조선시대 석가모니삼존불의 제자상은 대체로 석가모니의 2대제자인 阿難과 迦葉으로 각각 젊은이와 늙은이로 묘사되어 있는데, 강화여고 출토 금동삼존불의 좌우협시는 비록 마멸이 심하여 두 협시상을 아난과 가섭으로 단정하기는 어렵다. 그러나 설법인을 맺은 석가모니불과 제자상이 삼존을 이룬 형식은 법화경을 묘사한『법화경』변상도에서 유래한 것만은 틀림없다.

두 번째 주목할 점은 여래상의 수인이다. 오른손과 왼손을 모두 들고 있는 일본 京都 寶積寺 소장〈『법화경』변상도(1294년)〉(사진 4)이나 일본 金澤 大乘寺 소장〈『법화경』변상도(1315

사진 4. 日本 京都 寶積寺 所藏 法華經 變相圖   사진 5. 日本 金澤 大乘寺 所藏 法華經 變相圖

6) 文明大,「妙法蓮華經 寫經變相圖의 한 考察」,『韓國佛敎學』, 韓國佛敎學會, 1979, pp.125~151; 배영일,「고려시대 사경변상도의 양식적 흐름과 특징」,『사경 변상도의 세계, 부처 그리고 마음』, 국립중앙박물관, 2007, pp.302~307; 문선희,「고려시대『妙法蓮華經』寫經變相圖의 도상 연구」,『美術史學研究』264, 韓國美術史學會, 2009.12, pp.5~34.

사진 6. 日本 鍋島報效館 所藏 法華經 變相圖

사진 7. 湖林博物館 所藏 法華經 變相圖

년)〉(사진 5)처럼 석가모니불이 禪定印을 맺고 있는 경우도 있기는 하지만, 1340년 사경된 日本 鍋島報效會 所藏 〈『법화경』 변상도〉(사진 6)나 1377년에 사경된 湖林博物館 소장 〈『법화경』 변상도〉(사진 7) 등과 같이 대부분의 법화경 변상도의 주존불은 오른손을 가슴까지 들어 설법인을 맺고, 왼손은 엄지와 다른 손가락을 맞대어 무릎 위에 올려놓는 공통점(사진 8)을 보인다. 강화여고 출토 금동삼존불의 본존불 역시 호림박물관 소장 〈『법화경』 변상도〉처럼 중지를 구부린 오른손을 들고 있고 왼손을 무릎 위에 올리고 있다. 다만, 왼손은 손등이 보이는데 이는 앞서 언급한 일본 京都 寶積寺나 일본 金澤 大乘寺 〈『법화경』 변상도〉의 사례에서 유추할 수 있듯 13세기 말~14세기 전반에는 『법화경』 변상도의 도상이 확립되지 않았었기 때문으로 보인다.

사진 8. 『法華經』 變相圖 釋迦牟尼佛 手印

사진 9. 國立中央博物館 所藏 金銅佛龕

　앞서 언급하였듯이, 좌우에 승상을 거느리고 설법인을 맺은 강화여고 유적 출토 금동삼존불은 영축산에서 설법하는 석가모니불과 그 제자를 조각한 '釋迦牟尼三尊佛'이라 할 수 있다. 『법화경』 변상도가 아닌 조각의 사례도 있는데, 바로 國立中央博物館 소장 金銅佛龕(사진 9)과 같은 불감의 부조상이 그러한 예이다. 국립중앙박물관 소장 금동불감 정면 벽에는 본존불과 나한, 보살 등이 浮彫되어 있는데, 이 부조상은 석가모니불의 설법 장면을 묘사한 靈山會上圖를 간략하게 표현한 것이다.[7] 이 금동불감의 부조상은 부조라는 한계 때문인지 사경의 변상도에 묘사되었

---

7) 文賢順, 「高麗時代 末期 金銅佛龕의 硏究」, 『美術史學硏究』179, 韓國美術史學會, 1988.9, pp.44~45; 陳政煥, 「益山 深谷寺 七層石塔 出土品의 特徵과 性格」, 『전북사학』45, 전북사학회, 2014.10, pp.442~443.

던 수많은 권속들을 과감하게 줄여 조각하였다. 환조이면서 소형인 강화여고 유적 출토 금동석가모니삼존불은 그마저도 과감히 생략할 수밖에 없는 제약이 있었던 것으로 보인다.

Ⅲ. 金銅三尊佛의 編年

Ⅱ장에서 살펴본 강화여고 유적 출토 금동삼존불의 특징은 서울 開運寺 소장 鷲峰寺 木造阿彌陀佛坐像(사진 10)과 가장 유사하다. 다만 개운사 목조아미타불좌상은 육계가 크며 나발이 촘촘히 조각되어 있고, 눈, 코, 입이 얼굴 중심에 몰려 있으며 눈과 코가 가늘고 입이 단정하다.[8] 그러나 불분명한 육계, 갸름한 얼굴, 당당한 형태미, 착의법, 세부 장식 등이 강화여고 유적 출토 금동삼존불의 본존과 거의 유사하다. 다만 나발과 얼굴의 표현이 다른 것은 木彫와 鑄造라는 조각 방식에서 오는 차이 때문으로 여겨진다.

개운사 목조아미타불좌상의 복장에서 발원문 3매가 나온 바 있는데, 그 가운데 가장 오래된 것이 至元 11년(1274년) 中幹大師의 發願文(사진 11)이다. 이 발원문은 중간대사가 無量壽佛을 조성하면서 적은 것으로, 중간대사의 出家를 축하하는 내용과 부모와 친척의 極樂往生, 자신의 臨終 時 西方極樂에 바로 이르기를 기원하는 내용이 담겨져 있다. 이 발원문으로 미루어 볼 때, 개운사 목조아미타불좌상은 늦어도 1274년에는 조성되었을 것으로 여겨진다.[9]

사진 10. 鷲峰寺 木造阿彌陀佛坐像

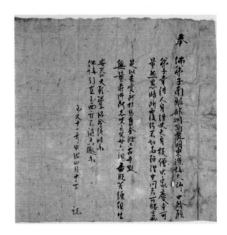

사진 11. 鷲峰寺 中幹大師 發願文

---

8) 文明大,「고려후기 단아양식(신고전적 양식) 불상의 성립과 전개」,『古文化』22, 韓國大學博物館協會, 1983, pp.33~71; 鄭恩雨,「高麗後期의 佛敎彫刻 硏究」,『美術資料』33, 國立中央博物館, 1983, pp.33~57; 문명대,「고려 13세기 조각양식과 개운사장 축봉사목아미타불상의 연구」,『강좌 미술사』8, 韓國佛敎美術史學會, 1996, pp.37~57.

9) 문명대,「고려 13세기 조각 양식과 개운사(開運寺) 소장 축봉사(鷲峰寺) 목아미타불상」,『삼매와 평담미』, 예경, 2003a, pp.247~248.

| 사진 12. 鳳林寺 木造阿彌陀佛坐像 | 사진 13. 長谷寺 金銅藥師佛坐像 | 사진 14. 文殊寺 金銅阿彌陀佛坐像 |

이 불상과 매우 흡사한 불상은 華城 鳳林寺 木造阿彌陀佛坐像(사진 12)이다. 개운사 목조아미타불좌상과 착의법, 수인 등 세부 표현까지 유사한 것으로 보아, 동일한 조각가 또는 유파가 조각한 것으로 추정하기도 한다.[10]

1346년에 조성하였다는 造成記가 腹藏에서 발견된 靑陽 長谷寺 金銅藥師佛坐像(사진 13)은 앞서 언급하였던 봉림사 목조아미타불좌상과 달리 승각기 띠 매듭이나 치레가 조각되어 있고, 날씬한 느낌을 준다.[11] 그 이유는 아래 표에서 살펴볼 수 있듯이 무릎 높이가 낮아져 상체가 길쭉해 보이는 효과를 보이기 때문으로 생각된다. 장곡사 금동약사불좌상과 유사한 불상으로 1346년에 조성된 瑞山 文殊寺 金銅阿彌陀佛坐像(사진 14)이 있는데,[12] 이 상과 장곡사 상은 같은 조각 유파 혹은 조각가가 조성한 것으로 생각될 정도로 모든 면에서 흡사하다.[13]

【표】高麗 佛像의 比例 比較

佛像 名	頭高·總高	顔高·總高	膝高·總高	膝幅·總高
江華女高 遺蹟 出土 如來像	1:2.7	1:3.8	1:5.6	1:1.6
鳳林寺 木造阿彌陀佛坐像	1:2.8	1:4.8	1:5.6	1:1.1
開運寺 木造阿彌陀佛坐像	1:2.9	1:4.7	1:5.7	1:1.2
長谷寺 金銅藥師佛坐像	1:3	1:4.6	1:7.3	1:1.3
文殊寺 金銅阿彌陀佛坐像	1:3	1:4.6	1:7.3	1:1.4

10) 文明大,「高麗·塑木佛像의 研究-元曉寺 塑千佛像과 鳳林寺 木阿彌陀佛像을 중심으로」,『考古美術』166·167, 韓國美術史學會, 1985.9, pp.82~95;「봉림사(鳳林寺) 목아미타불상」,『삼매와 평담미』, 예경, 2003b, pp.198~205;「고려 후기 단아 양식(신고전적 양식) 불상의 성립과 전개」,『삼매와 평담미』, 예경, 2003c, pp.212~216.
11) 閔泳圭,「長谷寺 高麗鐵佛 腹藏遺物」,『人文科學』14·15, 延世大學校 人文科學研究所, 1966, pp.237~247.
12) 姜仁求,「瑞山文殊寺金銅如來坐像腹藏遺物」,『美術資料』18, 國立中央博物館, 1975, pp.1~18.
13) 문명대, 앞의 글, 2003c, pp.219~220.

이제부터는 개운사 목조아미타불좌상, 장곡사 금동약사불좌상 등 13세기 후반~14세기 전반에 조성된 불상과의 비교를 통해 강화여고 유적 출토 금동삼존불의 편년에 대해서 본격적으로 살펴보겠다.[14] 특히 신체 비례를 통해 편년을 추정해보겠다. 그 이유는 신체 비례는 시대나 조각 혹은 지역에 따라 차이를 보이는 요소이기 때문이다. 달리 말하면 특정 신체 비례를 공유하는 상은 같은 시기, 같은 지역, 같은 조각가 혹은 유파에 의해 조각되었다고 이야기할 수 있다. 그런데 어느 한 불상을 만들 때 작가의 창작으로 완전히 새로운 것이 탄생하기 어렵기 때문에, 조각가의 개인 양식에 시대 양식과 지역 혹은 조각가(유파)의 양식이 결합되기 마련이었다. 만약, 비교 대상의 불상에서 시대 양식, 지역 양식, 그리고 개인 양식을 추출해낼 수 있다면 다른 불상과의 비교가 한층 더 용이하다.

개운사 목조아미타불좌상이 원래 봉안되었던 아산 축봉사, 화성 봉림사, 그리고 청양 장곡사와 서산 문수사는 모두 인접한 곳에 있는 사찰이며, 소위 端雅樣式을 띠는 불상이다.[15] 특히 봉림사와 개운사에 봉안된 목조아미타불좌상은 동일 작가 혹은 유파의 작품으로도 추정되며, 장곡사 금동약사불좌상과 문수사 금동아미타불좌상은 또 다른 작가 혹은 유파의 작품으로 여겨진다.

위의 표에서 살펴볼 수 있듯이 1274년에 조성된 개운사 목조아미타불좌상과 봉림사 목조아미타불좌상에 비해 1346년에 조성된 장곡사 금동약사불좌상과 문수사 금동아미타불좌상의 비례에서 확연한 차이를 보이는 膝高:總高를 시대양식의 지표로 볼 수 있다. 즉, 강화여고 유적 출토 금동삼존불이 1270년대에 조성된 불상과 유사한 비례를 보이기 때문에 1270년대에 조성되었을 가능성이 매우 높다.[16]

그런데 강화여고 유적 출토 금동삼존불 여래상의 顔高:總高, 膝幅:總高의 비례가 다른 네 구의 비례와 확연한 차이를 보이는 이유는 무엇일까? 앞서 개운사 목조아미타불좌상을 비롯한 네 구의 불상이 비록 편년은 다르지만 모두 인접한 지역에 있다는 점을 언급하였다. 각각 조성시기가 다른 네 구의 불상이 유사한 비례를 보이는 것은 시대 양식도 조각가의 양식도 아닌 지역

14) 필자 역시 13~14세기 불상의 양식에 따른 편년을 시도한 바 있다. 陳政煥, 「高敞·扶安地域 地藏菩薩像의 編年과 造成背景」, 『東아시아古代學』36, 東아시아古代學會, 2014. 12, pp.9~44.
15) 축봉사 목조아미타불좌상은 현재 서울 개운사에 봉안되어 있으나, 1322년 8월 발원문에는 아산 축봉사라는 지명과 사명이 등장하는 것으로 보아 원래 아산 축봉사에 있던 불상으로 여겨지는데, 그 위치는 1274년 中幹大師의 發願文의 내용에 따르면, '남섬부주 동심접'이라는 지명에 등장하는 동심산이 『新增東國輿地勝覽』에 따르면 현성의 동쪽 5리에 있다고 한 것으로 보아 현재의 아산 시내일 것으로 추정된다. 그리고 봉림사 목조아미타불좌상이 봉안되어 있는 봉림사는 경기도 화성시 북양동에 있는 사찰이다. 장곡사는 충청남도 청양군 대치면에 있는 사찰이며, 문수사는 충청남도 서산시 운산면에 있는 사찰이다.
지역 양식을 공유하고 있는 네 사찰의 불상 조성에 있어, 당시 충청·경기 일대에서 활동하던 一群의 조각장인 집단이 있었을 것으로 여겨진다.
16) 鄭恩雨는 정형화된 장곡사 불상보다 앞선 시기의 상으로 1274년으로 추정되는 개운사 상, 1326년 개금된 봉림사 상, 개심사 상을 대표적인 예로 들고 있다. 鄭恩雨, 『高麗後期 佛敎彫刻 硏究』, 문예출판사, 2007, pp.104~105.

양식이라고 보는 것이 타당하다고 생각된다.

　이와 더불어 頭高:總高의 비례는 건장함의 여부를 파악할 수 있는 척도일 것이다.[17] 전체에서 머리가 크면 클수록 건장해 보인다는 것인데, 강화여고 유적 출토 금동삼존불의 여래상, 봉림사 목조아미타불좌상, 개운사 목조아미타불좌상, 그리고 장곡사 금동약사불좌상과 문수사 금동아미타불좌상의 순인 것을 확인할 수 있다. 이로 미루어 볼 때 점차 시간이 흐르면서 건장함이 축소되는 것을 확인할 수 있다. 달리 말하면 남성적인 면모가 점차 줄어든다고 할 수 있다. 강화여고 유적 출토 금동삼존불, 봉림사 목조아미타불좌상, 개운사 목조아미타불좌상 등은 대몽항쟁기와 가까운 시기에 조성된 불상으로 여겨지는데 비해 장곡사와 문수사에 불상이 조성된 1346년은 元과의 원만한 관계를 맺고 있던 평화로운 시기였다. 고려 후기 불상이 점차 건장함이 축소되는 경향을 띠는 이유는 이러한 국내외 정세가 반영된 결과로 여겨진다.

　그렇다면 강화여고 유적 출토 금동삼존불의 편년을 어떻게 보아야 할까? 앞서 살펴본 슬고:총고의 변화 추이나 두고:총고의 변화 추이로 보았을 때, 1274년에 조성된 개운사 목조아미타불좌상보다 이른 시기에 강화여고 유적 출토 금동삼존불과 봉림사 목조아미타불좌상이 조성되었을 것으로 판단된다. 앞서 이미 고려 중기에서 후기로 갈수록 국내외 정세가 안정화되면서 강인하고 건장한 불상이 점차 늘씬해지고 여성적으로 변모한다고 추정한 바 있다. 1274년에 조성된 개운사 목조아미타불좌상에 비해 봉림사 목조아미타불좌상이, 봉림사 목조아미타불좌상에 비해 강화여고 유적 출토 금동삼존불이 더욱 건장한 신체 비례를 보이는 것으로 미루어 볼 때 강화여고 유적 출토 금동삼존불, 봉림사 목조아미타불좌상, 개운사 목조아미타불좌상 순으로 조성되었을 것으로 판단된다. 이와 더불어 강화여고 출토 금동삼존불은 출토 위치나 1270년 강화에서 개경으로 환도 이후의 강화지역 불교계의 동향을 고려해볼 때,[18] 강도시기(1232년~1270년)에 조성된 불상으로 파악하는 것이 타당하다.

　한편, 강화여고 유적에서 출토된 청자의 편년 역시 앞서의 추론을 뒷받침해준다. 이 유적에서는 접시, 발, 완, 병, 잔 등 식기류와 의자, 기대 등의 생활용구, 연봉형 못가리개 등 다양한 청자가 출토된 바 있다. 이러한 청자들은 절대편년자료라 할 수 있는 明宗 智陵(몰년 1202년, 재수축 1255년), 熙宗 碩陵(몰년 1237년), 陵內里 古墳(成平王后(?~1232) 또는 安惠太后(?~1247)의 능으로 추정), 元德太后 坤陵(?~1239) 출토 청자와 기종 구성과 문양, 시문기법 등이 유사한 것으로 보아 강도시기에 조성된 것으로 여겨지고 있다.[19]

---

17) 문명대는 축봉사 목조아미타불좌상과 장곡사 금동아미타불좌상의 양식을 비교하면서 두고:총고, 안고:총고, 슬폭:총고의 비례 가운데 두고:총고의 비례에 미묘한 차이에도 불구하고 장곡사 상에 비해 축봉사 상이 건장하다는 것을 검토한 바 있다. 문명대, 앞의 글, 2003a, pp.256~258.
18) 金炯佑, 앞의 논문, 2005.6, p.265.
19) 서경문화재연구원, 앞의 보고서, 2012, pp.163~173.

IV. 金銅三尊佛의 造成背景

지금까지 강화여고 유적 출토 금동삼존불의 특징을 통해 도상과 편년을 추론해 보았다. 강화여고 출토 금동삼존불은 석가모니가 제자와 보살에 둘러싸여 영축산에서 설법하는 모습, 즉 영산회상의 장면을 불상으로 형상화한 것이라고 할 수 있다. 더불어 1274년에 조성된 것으로 여겨지는 개운사 소장 축봉사 목조아미타불좌상과 봉림사 목조아미타불좌상, 그리고 1346년에 조성된 장곡사 금동약사불좌상, 문수사 금동아미타불좌상과의 비교해 볼 때, 이 불상은 고려가 수도를 강화로 옮긴 강도시기(1232~1270)에 조성된 것으로 파악된다. 요컨대 강화여고 유적 출토 금동삼존불은 강도시기에 조성된 석가모니삼존불인 것이다.

그렇다면, 이 석가모니삼존불의 조성배경은 무엇일까? 이를 살펴보기에 앞서 강도시기 불교계에 대해서 먼저 살펴볼 필요가 있다. 강화도로 천도가 결정된 이후 1232년에는 궁궐을 조영하였고, 1233년에는 외성과 연안에 제방을 축조하였으며, 성곽은 1237년에 거의 완성하였다.[20] 고려는 이러한 궁성과 방어시설 못지않게 사찰 조영에도 힘썼는데, 개경에 있던 불교사원의 기능을 강도에 이식하려 했기 때문으로 여겨진다.

강화로 천도 이후 최초로 건립된 사원은 1234년에 조성된 奉恩寺이다. 개경의 봉은사는 太祖의 眞影을 모신 願堂으로 창건된 절이다. 靖宗이 1038년 燃燈會 때 行香한 이후에는 국왕이 연등회 때 봉은사에 행향하는 것이 정례화된 것으로 보아 강도에 조성된 봉은사에서도 연등회가 행향되었을 것으로 보인다.[21] 1235년 11월 八關會 때 국왕이 행차한 法王寺를 비롯하여 賢聖寺가 늦어도 1235년에 조성된 것으로 보인다. 대몽항쟁이 소강기에 접어든 1243년 이후에는 국왕이 王輪寺, 妙通寺, 乾聖寺, 福靈寺 등에 여러 차례 정기적으로 행차한 기록을 확인할 수 있다.[22] 앞서 언급한 춘추행향사원 이외에 개경에서 강화로 이전 건립된 사원으로 興國寺, 天壽寺, 安和寺, 彌勒寺, 妙智寺 등이 있다.[23] 이렇게 강도에 다시 세워진 사찰들은 개경에서처럼 대가람을 조영하지는 못하였던 것으로 파악된다. 이와 관련하여 『高麗史』의 '옛 參政 車倜의 집을 봉은사로 삼고 민가를 철거하여 가마가 지나다닐 수 있도록 길을 넓혔다.'라는 기록이 주목된다.[24] 개경의 사찰을 강화에 옮겨오면서 많은 사찰들은 기존의 집을 수리하여 사용하였을 것으로 판단된다. 물론 禪源寺처럼 대가람의 면모를 보이는 사찰이 있기는 하나,[25] 이는 당시 최

20) 김창현, 「고려시대 강화의 궁궐과 권부」, 『國史館論叢』106, 國史編纂委員會, 2005.6, pp.231~254; 윤용혁, 「고려 강화도성의 성곽 연구」, 『國史館論叢』106, 國史編纂委員會, 2005.6, pp.203~227.

21) 『高麗史』 卷6, 靖宗 4年 2月.

22) 金烔佑, 앞의 논문, 2005.6, p.262.

23) 전영준, 앞의 논문, 2010. 3, pp.134~150.

24) 『高麗史』 卷23, 高宗 21年 2月; 『高麗史節要』 卷16, 高宗 21年 2月.

25) 東國大學校 博物館, 『史蹟259號 江華 禪源寺址 發掘調査報告書』 I · II, 東國大學校 博物館 江華郡, 2003.

고 실력자인 최우의 후원이 있었기에 가능했던 것으로 보인다.[26]

　이렇게 조성된 강화지역의 사찰들은 1270년 개경 환도 후에는 모두 개경으로 옮겨갔을 것이며, 元의 요청에 의해 강화지역 내 대부분의 시설이 파괴되었기 때문에 사원으로서의 기능을 유지할 수 없었을 것으로 생각된다.

　지금까지 살펴본 국왕을 중심으로 한 국가의 불교와 달리, 민중들은 修禪社와 白蓮社 등의 信仰 結社를 중심으로 불교신앙을 영위하였다.[27] 武臣執權期에 결성된 曹溪禪宗을 바탕에 둔 수선사와 天台宗에 바탕을 둔 백련사는 당초 불교계의 모순에 대한 자각에서 출발하였다는 공통점을 보이며, 그 주도세력도 지방의 鄕吏層이나 讀書層이었기 때문에 중심지가 왕도가 아닌 지방사회에 확산되어 있다. 이와 더불어 강도시기에는 두 결사 모두 최고 실력자인 최씨정권과 밀착되어 있었다.[28]

　이러한 당시 불교계의 경향을 바탕으로 본격적으로 강화여고 유적 출토 금동삼존불의 조성배경을 밝혀보는데 있어, 우선 설법인을 한 석가모니불이 어떤 불교신앙과 연관이 있는지를 살펴볼 필요가 있다. 앞서 이미 설법인을 맺은 석가모니불은 〈『법화경』 변상도〉에 묘사되어 있음을 밝힌 바 있다. 설법을 하는 석가모니는 『법화경』의 經主이기 때문에 설법인을 맺은 석가모니불의 조성은 법화신앙과 밀접한 관계가 있다고 하겠다.

　대승불교의 가장 보편적인 경전이라 할 수 있는 『법화경』을 바탕으로 한 법화신앙은 '實踐修行'과 함께 '靈驗信仰'의 형태로 발전하였다.[29] 삼국시대에 유입된 법화신앙은 통일신라시대까지는 관음보살의 '영험신앙'이 주를 이루었다.[30] 고려 전기에는 그러한 '영험신앙'이 계속되는 한편 法華結社를 중심으로 '수행을 통한 解脫'과 '淨土'를 같이 추구하는 경향을 보인다.[31] 한편 『법화경』의 '會三歸一思想'은 '一心三觀法'으로 정립되어 天台宗 성립의 밑바탕이 되기도 하였다.[32]

　그렇다면 강도시기의 법화신앙은 어떤 양상이었을까? 이와 관련하여 주목되는 것이 무신정권과 결탁하였던 백련결사이다. 당시 무신세력과 대척점에 있던 華嚴宗 등 교종세력은 무신 집권 이후 차츰 쇠퇴하고 知訥의 수선결사를 바탕으로 한 선종세력이 불교계의 주류를 이루었

26) 金坵, 『東文選』 卷117, 「臥龍山慈雲寺王師贈諡眞明國師碑銘」; 朝鮮總督府, 「佛臺寺慈眞圓悟國師靜照塔碑」, 『朝鮮金石總覽』 上, 1919, p.595; 김형우, 「강화 선원사의 역사와 가람 구성」, 『佛敎美術』 17, 東國大學校 博物館, 2003, pp.3~21.

27) 박용운, 『고려시대사』, 일지사, 2008, pp.579~590.

28) 박용운, 앞의 책, 2008, p.589.

29) 김두진, 「고려전기 法華사상의 변화」, 『韓國思想과 文化』 21, 韓國思想文化學會, 2003, pp.244~252.

30) 金煐泰, 「法華信仰의 傳來와 그 展開-三國 新羅時代」, 『韓國佛敎學』, 韓國佛敎學會, 1977, pp.21~41; 박광연, 「統一新羅의 法華信仰과 불교 문화」, 『韓國史硏究』 150, 韓國史硏究會, 2010.9, pp.85~109.

31) 김두진, 앞의 논문, 2003, pp.252~266.

32) 김두진, 앞의 논문, 2003, pp.266~273.

다.[33] 이 무렵 천태종의 圓妙國師 了世(1163~1245)가 신앙결사로 백련결사를 조직하였다.[34] 요세는 백련사의 사상적 바탕을 법화사상에 두었는데, 1232년 普賢道場 개창 이후에는 '淨土觀'과 함께 '實踐門'으로 '懺法'을 제시하였다.[35] 요세의 뒤를 이은 靜明國師 天因(1205~1248) 역시 법화사상을 중심에 두었는데, 마음을 밝히는 가장 빠른 길은 법화신앙에 의거해야 한다고 밝히기도 하였다.[36]

강도시기 법화신앙의 실례와 관련하여 주목되는 것이 고종이 1259년에 『법화경』을 念誦하는 법회를 베풀어 王業 안정과 자신의 수명 연장을 도모한 것이다.[37] 법화신앙을 바탕으로 수명 연장을 도모하였던 것으로 보아 법화신앙 가운데 '영험신앙'의 일종으로 파악할 수 있다.

이와 더불어 수행을 통해 자신이 사후에 정토에 왕생하고자 하는 법화신앙의 또 다른 면도 살펴볼 수 있다. 이와 관련하여 지식인 중심의 신앙운동인 寶岩社와 蓮華院이 주목된다.[38] 특히 이 두 결사의 신앙 행태가 주목되는데, 모두 특정 장소에 모여 『법화경』을 독송하거나 이를 돌아가며 강의하였다고 한다. 그들은 결국 수행을 통해 정토에 왕생하고자 하였던 것이다.

대몽항쟁을 펼치고 있었던 강도시기 강화도에서는 앞서 살펴보았던 사찰을 중심으로 仁王道場, 消災道場, 神衆道場 등 국토를 수호하기 위한 '鎭護國家行事'와 재앙을 물리치고 복을 기원하는 '消災祈福行事'가 많이 열렸다. 이러한 도량들이 국가차원의 행사였다고 한다면, 개인의 불교신앙은 앞서 살펴본 바와 같이 법화신앙이 주를 이루었던 것으로 생각된다.

그렇다면 법화신앙의 수행 방편이 앞서 언급하였던 『법화경』을 독송하는 것만 있었을까? 이와 관련하여 주목되는 것이 天因이 誓上人에게 보낸 시의 내용이다. 이 시는 서상인이 『법화경』을 서사하면서 주위를 청소한 것을 칭찬하는 것이 골자다.[39] 즉 실천행으로 『법화경』을 서사하는 것과 청소를 들고 있다. 따라서 『법화경』을 독송하는 것뿐만 아니라 다양한 실천 방법이 있었음을 알 수 있다.

『법화경』의 經主인 설법하는 석가모니불을 주존으로 한 강화여고 유적 출토 금동석가모니 삼존불은 법화신앙에 의해 조성되었다고 보는 것이 타당하다. 법화신앙의 예배 대상이자, 수행 시 상징물로 이 금동삼존불을 조성하였을 가능성이 매우 높기는 하지만, 7cm 정도의 소형이라는 점과 『법화경』을 사경하는 것이 최고의 '功德行'으로 여겨졌던 점으로 볼 때 이 삼존불 역시

---

33) 秦星圭, 「眞覺國師 慧諶의 修禪社活動」, 『中央史論』5, 韓國中央史學會, 1987, pp.1~60.

34) 崔滋, 『東文選』 卷117, 「萬德山白蓮社圓妙國師碑銘幷序」; 蔡尙植, 「고려후기 圓妙國師 了世의 백련결사와 그 역사적 의의」, 『天台學硏究』6, 大韓佛教天台宗·圓覺佛教思想硏究院, 2005, pp.179~199.

35) 蔡尙植, 「高麗後期 天台宗의 白蓮社 結社」, 『韓國史論』5, 서울大學校 國史學科, 1979, pp.125~142.

36) 蔡尙植, 위의 논문, 1979, pp.142~152.

37) 『高麗史節要』 卷17 高宗 46年 4月; 『高麗史』 卷123, 「列傳」 鄭世臣·白勝賢; 邊東明, 「高麗 忠烈王의 妙蓮寺 창건과 法華信仰」, 『韓國史硏究』104, 韓國史硏究會, 1999.3, p.84.

38) 『法華靈驗傳』(新纂藏 78) 卷下 「寶岩徒之或講或疑」, 「蓮華院之若讀若說」.

39) 釋天因, 『東文選』 卷4, 「誓上人在龍穴寫經有詩見贈次韻奉答」.

공덕행의 한 방편으로 조성되었을 가능성도 배제할 수 없다.

한편, 고려시대에는 국왕이 참석하는 나한재가 30여 차례나 치러지는 등 나한신앙이 성행하였는데,[40] 이 또한 석가모니불의 협시로 제자상(나한상)을 조성할 수 있는 바탕이 되었을 것으로 판단된다.

V. 맺음말-佛敎彫刻史的 意義

지금까지 2010년 강화여고 기숙사 증축부지 내 유적 발굴조사에서 출토된 금동삼존불에 대해서 살펴보았는데, 강화여고 유적 출토 금동삼존불의 佛敎彫刻史的 의의를 살펴보는 것으로 맺음말을 대신하겠다.

첫째, 그 사례가 드문 13세기 불상이며, 특히 강도시기에 조성된 불상이라는 점에서 매우 중요한 자료라 할 수 있다. 지금까지 고려시대 불상에 대한 연구는 지역별로 각기 다른 양식을 보이는 고려 전기 불상과 고려 후기 소위 단아양식 불상과 외래 양식을 반영한 불상에 대한 연구는 어느 정도 이루어져 왔으나, 고려 중기 특히 무신집권기 불상에 대한 연구는 거의 전무하였다. 이 불상은 향후 무신집권기에 조성된 불상 판명의 기준 자료가 될 것으로 판단된다.

둘째, 강화도에서 이루어진 발굴을 통해 나온 이 금동삼존불은 강도시기의 불상, 소위 '강도 양식 불상' 연구의 좋은 자료가 될 것으로 여겨진다. 강도시기는 몽고의 상시적인 감시 때문에 외부로부터 새로운 양식이 유입되기 어려운 정체된 시기였을 것이므로, 이 시기에 조성된 불상은 강한 지역적 공통성을 공유하였을 것으로 판단되기 때문이다. 강화여고 유적 출토 금동삼존불은 지금까지 조성지역을 알 수 없었던 고려 불상의 제작지 연구에 단초가 될 수 있을 것이다.

셋째, 설법인을 맺은 석가모니불과 승상이 결합된 금동석가모니삼존불의 조성을 통해 조성 당시의 불교신앙, 즉 법화신앙의 일면을 살펴볼 수 있었다. 강도시기는 비록 짧지만 대몽항쟁을 펼친 시기였고, 불교사적으로도 수선사와 백련사 등 신앙 결사가 활발히 활동했던 시기이다. 그러나 실증자료의 부족으로 그 시기의 불교신앙을 周密하게 살펴볼 수 없었던 것 또한 사실이다. 이 불상은 당시 불교사를 복원할 수 있는 좋은 자료가 될 수 있을 것이다.

---

40) 고려시대에는 국가와 왕실의 안위, 護國, 祈雨 등을 목적으로 한 나한신앙이 개경의 菩提寺와 海州의 神光寺를 중심으로 성행하였다. 정병삼, 「고려와 조선시대의 나한신앙」, 『구도와 깨달음의 성자, 나한』, 국립춘천박물관, 2003, pp.154~165; 최성렬, 「한국의 나한신앙」, 『한국불교문화연구』7, 한국불교문화학회, 2006.6, pp.44~45; 김창현, 「고려시대 서해도 지역의 위상과 사원」, 『韓國史學報』33, 고려사학회, 2008.11, pp.190~193; 鄭濟奎, 「淸州 思惱寺址와 高麗後期 羅漢信仰의 展開」, 『溫知論叢』24, 溫知學會, 2010, pp.215~222.

【참고문헌】

『高麗史』.

『高麗史節要』.

『東文選』.

『法華靈驗傳』(新纂藏 78).

『新增東國輿地勝覽』.

朝鮮總督府,『朝鮮金石總覽』上, 1919.

姜仁求,「瑞山文殊寺金銅如來坐像腹藏遺物」,『美術資料』18, 國立中央博物館, 1975.

郭東錫,「製作技法을 통해본 三國時代 小金銅佛의 類型과 系譜」,『佛教美術』11, 東國大學校 博物館, 1993.

김두진,「고려전기 法華사상의 변화」,『韓國思想과 文化』21, 韓國思想文化學會, 2003.

金煐泰,「法華信仰의 傳來와 그 展開-三國 新羅時代」,『韓國佛教學』, 韓國佛教學會, 1977.

김창현,「고려시대 강화의 궁궐과 권부」,『國史館論叢』106, 國史編纂委員會, 2005.6.

_____,「고려시대 서해도 지역의 위상과 사원」,『韓國史學報』33, 고려사학회, 2008.11.

김형우,「강화 선원사의 역사와 가람 구성」,『佛教美術』17, 東國大學校 博物館, 2003.

_____,「고려시대 강화의 寺院 연구」,『國史館論叢』106, 國史編纂委員會, 2005.6.

문명대,「고려 13세기 조각양식과 개운사장 축봉사목아미타불상의 연구」,『강좌 미술사』8, 韓國佛教美術史學會, 1996.

_____,「高麗·塑木佛像의 研究-元曉寺 塑千佛像과 鳳林寺 木阿彌陀佛像을 중심으로」,『考古美術』166·167, 韓國美術史學會, 1985.9.

_____,「고려후기 단아양식(신고전적 양식) 불상의 성립과 전개」,『古文化』22, 韓國大學博物館協會, 1983.

_____,「妙法蓮華經 寫經變相圖의 한 考察」,『韓國佛教學』, 韓國佛教學會, 1979.

문선희,「고려시대『妙法蓮華經』寫經變相圖의 도상 연구」,『美術史學研究』264, 韓國美術史學會, 2009.12.

文賢順,「高麗時代 末期 金銅佛龕의 研究」,『美術史學研究』179, 韓國美術史學會, 1988.9.

閔泳圭,「長谷寺 高麗鐵佛 腹藏遺物」,『人文科學』14·15, 延世大學校 人文科學研究所, 1966.

박광연,「統一新羅의 法華信仰과 불교 문화」,『韓國史研究』150, 韓國史研究會, 2010.9.

배영일,「고려시대 사경변상도의 양식적 흐름과 특징」,『사경 변상도의 세계, 부처 그리고 마음』, 국립중앙박물관, 2007.

邊東明,「高麗 忠烈王의 妙蓮寺 창건과 法華信仰」,『韓國史研究』104, 韓國史研究會, 1999.3.

윤용혁,「고려 강화도성의 성곽 연구」,『國史館論叢』106, 國史編纂委員會, 2005.6.

전영준,「高麗 江都時代 사원의 기능과 역할」,『역사민속학』32, 한국역사민속학회, 2010.3.

정병삼,「고려와 조선시대의 나한신앙」,『구도와 깨달음의 성자, 나한』, 국립춘천박물관, 2003.

鄭恩雨,「高麗後期의 佛敎彫刻 硏究」,『美術資料』33, 國立中央博物館, 1983.

鄭濟奎,「淸州 思惱寺址와 高麗後期 羅漢信仰의 展開」,『溫知論叢』24, 溫知學會, 2010.

秦星圭,「眞覺國師 慧諶의 修禪社活動」,『中央史論』5, 韓國中央史學會, 1987.

陳政煥,「益山 深谷寺 七層石塔 出土品의 特徵과 性格」,『전북사학』45, 전북사학회, 2014.10.

＿＿＿,「高敞·扶安地域 地藏菩薩像의 編年과 造成背景」,『東아시아古代學』36, 東아시아古代學會, 2014. 12.

蔡尙植,「高麗後期 天台宗의 白蓮社 結社」,『韓國史論』5, 서울大學校 國史學科, 1979.

＿＿＿,「고려후기 圓妙國師 了世의 백련결사와 그 역사적 의의」,『天台學硏究』6, 大韓佛敎天台宗 圓覺佛敎思想硏究院, 2005.

최성렬,「한국의 나한신앙」,『한국불교문화연구』7, 한국불교문화학회, 2006.6.

東國大學校 博物館,『史蹟259號 江華 禪源寺址 發掘調査報告書』Ⅰ·Ⅱ, 東國大學校 博物館 江華郡, 2003.

서경문화재연구원,『강화 관청리 향교골 유적 : 강화군 강화여고 기숙사 증축부지 발굴조사』, 2012.

＿＿＿＿＿＿＿,『인천 강화군 강화여고 기숙사 증축부지 내 유적 발굴조사 개략보고서』, 2010.

문명대,『삼매와 평담미』, 예경, 2003.

박용운,『고려시대사』, 일지사, 2008.

鄭恩雨,『高麗後期 佛敎彫刻 硏究』, 문예출판사, 2007.

韓國 佛畵와 大藏經의 日本 流轉

目 次

Ⅰ. 머리말

요즈음은 해외여행이 일반화되어 한 해 출국자가 이천 만 명 정도라 한다. 물론 이 가운데 순수 여행자가 어느 정도인지는 정확하게 알 수는 없지만 여행자들은 단체는 물론 개인 관광일 경우도 박물관과 미술관 등 문화 시설을 둘러보게 된다. 그들 가운데 웬 만큼 관심을 가진 사람이라면 전시품 가운데 우리나라 문화재를 발견하기가 그리 어렵지 않을 것이다. 이는 국력 신장과 더불어 한국미술에 대한 평가가 높아져, 연구와 공개가 적극적으로 이루어지고 있기 때문이다. 그러나 이국에서 우리 문화재와의 만남은 우선은 놀랍고 반갑기는 하지만 한편으로는 이 미술품들이 왜 이곳에 있어야 하는지 의아스럽게 생각해 본 경험들도 있으리라 짐작한다. 이국 땅에서 만나는 한국미술품은 적법 또는 부적법 등 다양한 방법과 루트를 통하여 해외로 유출된 문화재들이다.

오사카 시내의 中之島에 있는 東洋陶磁美術館은 원래 安宅아타카라는 사람의 수집품을 기본으로 하여 1982년 오사카시가 설립하였는데, 소장품이 약 1000여점에 이르는 세계 최고, 최대의 도자전문 미술관이다. 그런데 이 미술관의 소장품은 80%이상이 우리나라의 도자기이어서 그 명칭을 '한국도자미술관'이라 하여도 이상할 것이 없다. 또한 東京國立博物館 동양관(그림 1)에는 한국실(정확하게는 朝鮮美術室)이 마련되어 있는데, 전시품의 중심은 주로 일제 강점기에 수집 한 小倉오구라콜렉션으로, 선사시대부터 조선시대에 이르는 시기의 한국미술품으로

---

* 동국대학교대학원 미술사학과 교수

그림 1. 東京國立博物館 동양관

채워져 있다. 이뿐만 아니라 동양미술과 관련이 있는 곳에는 수량의 차이는 있지만 어김없이 우리나라 미술품을 가지고 있으며, 아직도 정확하게 파악되고 있지는 못하지만 일본의 각 미술관, 박물관은 물론 寺·社에도 상당한 양의 우리 문화재가 소장되어 있다고 믿는다. 불화의 예만 보더라도 현존하는 160여점의 고려불화가운데 국내에는 10수점만이 있으나 일본에는 100여점이전하고 있으며, 조선시대 전기의 불화도 국내에는 10점 정도에 지나지 않으나 일본에는 알려진 것 만 도 70여점에 이르고 있다.

여기에서는 우리나라의 문화재 가운데 불화와 대장경이 어떠한 경위로 타향인 일본 땅에서 맴돌고 있는지에 대하여 관련 기록을 통하여 간략하게 살펴보고자 한다.[1]

II. 불교회화

우리나라의 불화들이 언제부터 어떠한 경위와 목적으로 일본에 건너갔는지는 명확하게 밝혀지지 않았고 근거를 찾아내기 란 결코 쉽지가 않다. 그러나 몇몇 작품에 관련된 기록을 통하여 보면 그 불화들은 근세에 전래 또는 구입하여 간 것이 아니고 빠르게는 고려시대 말기 인 14세기부터 이미 일본에서 수용하고 있음을 알 수 있다.

鏡神社의 1310년 〈수월관음도〉(그림 2)는 우리나라 불화의 일본 전래를 언급 할 때 가장 많이 거론되는 대표적인 그림이다. 이 그림의 화면 아래 중앙에는 비교적 장문의 묵서명이 남아 있는데 일부 판독이 불가능 하지만 다행히 이를 일본 전국을 측량 한 伊能忠敬이노타다다카가 화기와 함께 『測量日記』에 남겨 놓았다.

副書 鏡社御寶前觀音畵像一補
右件本尊者先師良覺廻隨分馳走買留奉安置坊中者也雖然兩所尊廟宮成等正覺次先師以下爲
難苦得未生天得殊良覽二世悉地成就圓滿也但此本尊者社家御燈坊可進退也仍寄進旨趣 如件

---

1) 여기서 살펴보고자 내용은, 정우택, 「일본에 있어 고려불화 수용의 일 단면」, 『미술사논단』 3호, 한국미술연구소, 1996, pp.215~251. 및 「일본에 있는 고려불화와 팔만대장경」, 『한국과 일본, 왜곡과 콤프렉스의 역사』 권2, 자작나무, 1998, pp.319~325.을 대폭 수정 보완하여 작성하였다.

明德二辛未十二月十二日 良賢敬白

이 묵서는 수월관음도가 鏡神社에 들어오게 된
시기와 경위를 비교적 소상히 밝혀 놓았는데 간
략하게 정리하면, 明德二年 즉, 1391년에 승려 良
賢이 힘들여 구입하여 鏡神社에 봉납한 그림이라
한다. 따라서 이 그림은 1310년 제작된 이후 고려
에 있었던 기간은 길어야 80년 정도 뿐으로 기구
한 운명의 불화라고 할 수 밖에 없다. 특히 이 그
림은 王淑妃가 발원한 고려를 대표하는 궁정화풍
불화로, 일본내에서 구입하였다는 기록을 통하여
보았을 때 왜구의 탈취품으로 짐작한다.[2]

鶴林寺 舊藏의 〈아미타삼존도〉는 고려불화
의 일본 수용에 관하여 주목되는 또 다른 사례이
다.[3] 이 그림은 『後素談叢』에 의하면 1477년과
1700년 두 번에 걸쳐 수리를 하였으며, 특히 법회
를 열 때 본존으로 삼았다 한다. 이 불화는 화풍
상 14세기 중반에 제작되었다고 짐작되는데 이미

그림 2. 수월관음도, 1310년, 唐津 鏡神社

1447년 수리를 했다는 내용으로 미루어 보아 鏡神社의 〈수월관음도〉와 마찬가지로 제작 된지
백 년 어쩌면 그보다 훨씬 이전에 이 땅을 떠났는지도 모른다.

이들 이외에도 萬松寺의 14세기 후반 〈약사여래도〉는[4] 그림 뒷면에 붙어 있는 묵서명에 의
하면 1481년 사찰에 기증되었으며, 현재 소재를 알 수 없지만 〈11면관음보살도〉가 1484년 立
政寺에 봉납되었다는 기록도 전한다. 그리고 국내 개인소장의 14세기 중반 〈아미타여래도〉는
[5] 1522년에, 東京國立博物館의 14세기 중반 〈아미타삼존도〉는[6] 1664년에, 法恩寺의 14세기 중
반 〈아미타삼존도〉는[7] 1862년에 수리를 하였다는 기록이 남아 있다. 내용이 구체적이지 못하
고 극히 일부이기는 하지만 이를 통하여 볼 때 고려불화의 일본 수용시기를 어느 정도는 짐작

2) 이 그림의 발원자, 화풍, 일본 전래사정에 관하여는, 정우택, 「唐津 鏡神社 水月觀音圖의 歷程」, 『불교미술사학』
　　8, 불교미술사학회, 2009.10, pp.129~147 참조.
3) 菊竹淳一・鄭于澤, 『高麗時代의 佛畵』, 시공사, 1997, 그림 14.
4) 앞의 책, 그림 60.
5) 앞의 책, 그림 33.
6) 앞의 책, 그림 39.
7) 앞의 책, 그림 9.

그림 3. 線描 석가설법도(부분), 1565년, 동아대학교박물관

할 수 있다.

한편, 조선시대 전기 불화는 현재 70여점이 알려져 있으나 오히려 고려불화보다도 전래 과정을 짐작 할 수 있는 자료가 상대적으로 빈곤하다.

현재 동아대학교에 소장되어 있는 1565년의 〈線描 釋迦說法圖〉(그림 3)는 조선전기 불화 일본 수용의 한 단면을 보여주는 대표적이고 구체적인 사례이다. 이 그림은 함께 전하고 있는 부속 문서(그림 4)에 의하면 萬曆24年 즉, 일본 慶長元年인 1569년에 조선에서 가져 온 그림을 豊臣秀吉도요토미히데요시가 기증한 것이라 한다. 따라서 이 그림은 임진왜란 중에 탈취된 불화이며, 그려지고 불과 30여년 만에 고국을 떠났다는 의미이다. 다행히 이 그림은 수년전에 사찰측이 조건 없이 동아대학교에 기증하여 다시 고국의 품에 안긴 사연을 가지고 있다.

四國에 있는 觀音寺의 16세기 중반 〈지장시왕도〉(그림 5)는 조선시대 불화의 일본 수용시기를 짐작할 수 있는 수리 기록을 가진 가장 빠른 사례이다. 그림의 뒷면에는,

* 「表補繪 寬永七年庚午曆拾月(하략)」
* 「明治參拾貳年 十二月 奉表具十王尊像 壹軸
  功德主讚岐三豊郡觀音寺町上市西原甚五郎」

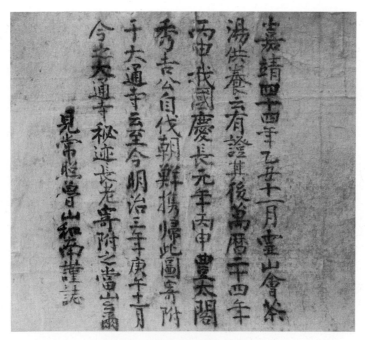

그림 4. 線描 석가설법도 부속 문서

그림 5. 지장시왕도, 16세기 중반, 香川縣 觀音寺

그림 6. 석가설법도, 1553년, 香川縣 長壽院

라는 두 건의 墨書銘이 있는데 이를 통하여 볼 때 이미 첫 번째 수리가 寬永7年, 즉 1630년에, 두 번째는 明治32年인 1899년에 시행되었음을 알 수 있다. 물론 이 내용만으로는 애석하게도 언제 전래되었는지 그 사정을 알 수는 없지만, 1630년에 수리를 하였다면 아마도 그려지고 얼마 되지 않은 시기에 일본에 전해 졌으며 그렇다면 임진왜란 때에 불법적으로 유출되었을 가능성은 충분하다고 생각된다.

역시 四國에 있는 長壽院의 1553년 〈석가설법도〉(그림 6)는 역시 화면 뒤의,

 *「天和元辛酉二月十五日 修覆焉(하략)」
 *「奉寄進釋迦如來十六羅漢尊像 唐繪 施主 當所大地 都築權右衛門
  (중략)文化十二年龍次乙亥仲陽半日(하략)」

와 같은 두 건의 묵서명에 의하면 天和元年 즉 1681년과 文化12年인 1815년의 두 번에 걸쳐 수리하였음을 알 수 있다. 물론 이 역시도 전래 사정은 알 수 없지만 1681년에 수리를 하였다면 이 그림 역시 觀音寺의 〈지장시왕도〉와 마찬가지로 아마도 그려지고 얼마 되지 않은 시기에 이미 일본으로 전해 졌다고 짐작된다.

그림 7. 六佛會圖, 15세기 후반, 三重縣 西來寺

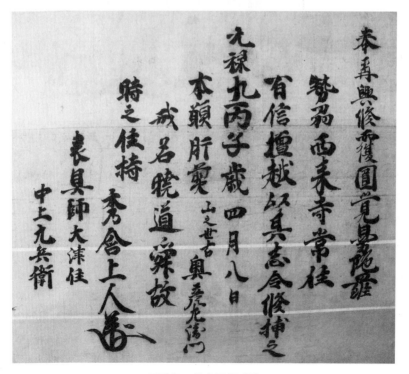

그림 8. 六佛會圖 묵서명

그림 9. 지장시왕도, 1587년, 德島縣 持福寺

또한 西來寺의 15세기 후반 〈六佛會圖〉(그림 7)는 그림 뒷면의 묵서명(그림 8)에 의하면 元綠9年, 즉 1696년에 수리를 하였다 한다. 이 그림은 이미 앞서 언급한 鏡神社의 1310년 〈수월관음도〉와 마찬가지로 왕실관련 인물이 제작에 관여한 소위 전형적인 궁정화풍 불화로, 기증 또는 구매와 같은 정상적인 절차에 의하여 일본에 전래될 수 없는 조건임을 고려 할 때, 이 역시 임진왜란 당시 불법적인 방법으로 유출되었을 가능성이 높다. 그리고 持福寺의 1587년 〈지장시왕도〉(그림 9)는 「○○○補之 寬永二年己巳二月」 즉, 1749년에 수리 하였다는 내용의 묵서명이 軸木에 쓰여 져 있다.

한편, 名古屋 興正寺의 〈석가설법도〉는 16세기 전반에 제작되었다고 짐작하는 대형의 그림으로 화면의 뒷면에 쓰여 있는 묵서명(그림 10)에 의하면, 元綠11年, 즉 1698년에 이 사찰에 기증되었다 한다. 興正寺는 이 지역의 藩主였던 德川光友도쿠가와미츠토모가 건립한 사찰로 이 그림 역시 光友가 기증하였다 한다. 따라서 이 그림은 임진왜란 당시에 불법 반출되었을 가능성이 크며, 조선왕궁에 걸려 있던 그림을 조선침략의 선봉장이었던 加藤清正가토기요마사가 가져 왔다는 설이 전하고 있어 이러한 짐작을 뒷받침하고 있다.

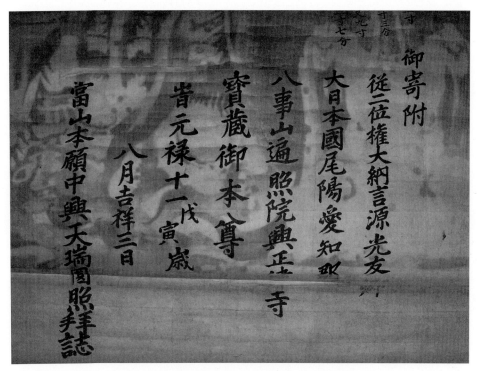

그림 10. 석가설법도 묵서명, 16세기 전반, 名古屋 興正寺

日本 壹岐 華光寺의 〈毘藍降生相圖〉(그림 11)는 전래 과정이 소상이 밝혀진 대표적인 그림이다. 이 그림의 화면은 안료가 많이 떨어져나갔고 변색도 심한데 더욱이 화학물감으로 보채를

그림 11. 毘藍降生相圖, 1692년, 壹岐 華光寺

하여 원상을 많이 잃었다. 이 그림은 뒷면에 붙어 있는 묵서명에 의하면, 1692년에 그려진 석가 팔상도 중의 한 폭인데, 묵서의 내용이 시사하는 바가 적지 않아 전문을 소개 한다.

「爲武明院修禪良道居士菩提 施主 武生水町片原

維時昭和十一歲四月八日佛誕生之日 山田貞吉郎

誕生畵之由來

此ノ誕生畵ハ朝鮮全羅南道麗水郡三日面名利興國寺大雄寶殿東側八相殿內ニ安ナシアリタ

ル聖佛八相ノ一トシテ大正五年八月同寺ニ於テ新ノ八相ヲ畵キ古損シタル古畵ヲ大雄寶殿前

庭ニ於テ道內諸寺院ノ衆僧數百名列席燒却供養ノ祭余佛具一基ヲ奉納シ此ノ誕生畵及涅槃像

ノ燒却ヲ惜ミ當時ノ麗水郡守金氏ヲ介シテ分興ヲ乞ヒ之ヲ入手シテ涅槃像ハ麗水郡麗水港高

野山布教所ニ奉納シ誕生畵ハ如意山二十九世覺法海音方丈代ココニ檀堂華光寺ニ奉納スルモ

ノナリ

此ノ畵ハ

康熙三十一年月日不詳朝鮮全羅道全州ノ人朴氏十一名ノ合筆ニナレルモノ

十一月此聖畵ヲ表裝ノ爲武生水町龜川ニ住表具師森安滿石氏ニ依賴シタルニ同氏表裝ノ切

該銘書ヲ紛失セリ」

이 묵서는 昭和11年인 1936년에 작성하였는데, 이 그림이 1693년에 그려졌다는 중요한 정보를 제공하고 있으며, 1916년에 여수 興國寺 八相殿에 봉안되었던 팔상도를 낡아서 소각하려 하였다는 사실, 그리고 涅槃圖와 함께 이 그림을 얻었다는 흥미로운 내용을 전하고 있다. 또한 이 그림의 畵師는 전주사람 朴氏 등 11명이었으며, 이처럼 구체적 내용을 담은 화기가 재 표구 할 때 잘려나갔다는 안타까운 상황도 전하고 있다. 특히 이 묵서의 내용은 그간 짐작으로만 전해 오던 불화 소각공양의 실체를 입증해 주고 있고, 현재는 없지만 20세기 초 까지만 해도 흥국사에는 팔상전이 존재하였음을 알려주는 매우 중요한 자료이다.

Ⅲ. 대장경

安國寺는 九州와 對馬島 사이의 壹岐라는 자그마한 섬에 있는 사찰로, 이곳에는 최근까지도 高麗版 大藏經이 소장되어 있었다. 불교의 나라임을 자처했던 일본은 당시의 문화선진국이었던 고려, 조선을 통하여 불교교리의 집성인 대장경을 구하고자 무진 애를 썼다. 특히 일본은 足利幕府가 성립된 1338년 이후부터 민심을 다스리고 국가의 안위를 위하여, 또 다른 한편으로는 막부의 권위와 세력을 유지를 위하여 對馬島와 壹岐 섬은 물론 전국에 68개의 '安國寺'라는 절을 두었다. 그리고 점차 사찰이 풍모를 갖추게 됨에 따라 불교를 융성시키고 그 가호를 기원하여 대장경을 간절히 구하게 된다.

일본이 정식으로 대장경을 요구한 것은 기록상으로 보아 고려 신우14년(1388년)이었다. 이후 수차에 걸친 대장경 청구가 있었는데 왜구와 포로 송환 문제를 해결하기 위함인지 朝鮮太祖3年(1394년)에 대장경 2부를 주었다 한다. 이 후에도 일본은 여러 경로를 통하여 대장경을 간절히 원하였는데 그 정도가 지나쳐 일본 사신들의 접대에 고통을 받을 정도였으며, 때로는 요구를 미리 방지하기 위하여 아예 대장경이 없다고까지 하였다 한다.

대장경을 입수하기 위한 일본의 의지는 상상을 초월하였는데 현재 廣島縣의 嚴島 大願寺에 있는 조선시대 소상팔경도 병풍(그림 12) 뒤에 쓰여 있는 「尊海渡海日記」(그림 13)를 통하여 당시의 상황을 짐작하여 볼 수 있다.

大願寺의 승려 尊海손카이는 대장경을 구할 목적으로 1537년 준비를 시작하여 1538년에 현재의 福岡인 博多에 도착, 두 달간 각종 도해 준비를 한 뒤에 對馬島로 향하였다. 그곳에서 해를 넘긴 尊海는 1539년 4월14일 조선을 향하여 출발하였으며, 약25일간의 항해 끝에 5월9일 부산포에 도착하였다. 그들 일행은 6월15일과 18일에 7명은 水路로 8명은 陸路로 나누어 부산을 출발, 육로의 8인은 20일 경주, 22일 영천, 25일 의성, 26일 안동 그리고 영주, 풍기, 단양을 거쳐 7월 2일 충주에 도착하였다. 이후 6일에 여주와 광주를 거쳐 7월8일 드디어 한양에 도착하게 되었다. 이들은 도착 후에 예조 등으로부터 접대를 받기도 하고 진상물을 바치었으며, 왕을 알현하기도 하였다. 그러나 무엇보다도 그들은 조선방문 목적인 대장경을 구하기 위하여 수차에 걸쳐 청원을 하는 등 무진 애를 썼으나 결국은 입수하지 못한 채 9월 13일, 약 3개월의 한양체재를 마치고 빈손으로 돌아가게 된다. 尊海 일행이 일본에 도착한 것은 1540년으로 알려져 있다. 이

그림 12. 소상팔경도병풍(부분), 16세기 초반, 廣島縣 大願寺

그림 13. 「尊海渡海日記」 1539년

처럼 이들은 엄청난 재화를 들여 준비단계에서부터 만 2년이라는 시간을 소비하고 때로는 위험을 무릅쓰고 대장경을 구하기 위하여 필사의 노력을 하였던 것이다.

조선 왕실은 1457년에 대장경 50벌을 인쇄하기 위하여 종이의 제조를 명하였다는 기록이 보이는데 이는 국내용으로 뿐만 아니라 외교적으로도 미리 갖추어 놓을 필요가 있었던 것이 아닌가 생각된다. 1487년 越後 安國寺의 等堅이라는 스님이 조선에서 하사 받아온 대장경도 그 중 하나였을 것으로 짐작된다.

尊海 이후의 대장경 청원 기록은 보이지 않아 대장경의 일본 청구와 기증의 실태는 파악하기 어려우나, 그 중 많은 수의 대장경 또는 그 일부는 임진왜란 등 혼란한 시기에 불법적인 방법으로 전래 된 것이 아닌가 생각된다. 물론 壹岐 섬 安國寺의 대장경은 말미에 쓰여 있는 명문으로 보아 고려 14세기 이전에 반출되었다고 짐작하고 있어 1457년 새로 인쇄된 것과는 관계가 없는 것 같다.

IV. 맺는말

고려와 조선은 고급문화에 대한 일본의 갈증을 해소시켜줄 수 있는 유일한 국가이며 지역이었다. 그러나 불교를 숭상하였던 고려는 귀중한 불교미술품들을 일본의 청원이 있을 때마다 들어 주었을 리 없으며, 조선도 비록 불교가 약화되기는 하였으나 전통의 불교유산을 적어도 국가적으로는 의도적으로 파기하는 정책은 취하지 않았다. 특히 조선은 조정과 왜구집단이라는 이중적 세력구조를 지닌 일본을 그다지 신용하지 않았으며 항시 경계의 대상이었던 만큼 그들의 요구에는 신중하게 대처하였던 것 같다. 그럼에도 불구하고 아직도 전체가 파악되지 않을 만큼의 고려와 조선의 불교미술품이 일본에 유전하고 있다는 것은 그 만큼 왜구들의 약탈 등 비 합법적 행위가 오랫동안 지속되어 왔음을 의미한다. 이는 고급의 선진 문화 수용을 구실로 한 빗나간 행위이며, 근접해 있다는 지리적 환경만으로도 설명될 수 없는 비극적인 역사 사실이다. 그러나 한편 돌이켜보면 그것을 지키지 못 했던 우리의 잘못도 상당부분 인정하지 않을 수 없다.

일본에 유전하고 있는 한국문화재는 수십 만점에 이를 것으로 추산되고 있으며, 근년 들어 이들을 돌려받아야 한다는 목소리 또한 점차 커지고 있다. 물론 적어도 불교문화재는 비합법적인 여러 경로를 통하여 건너갔을 것으로 짐작하며, 반환을 요구하기 위 하여는 그들의 반출 경위와 입수과정의 불법성을 입증하여야 하는데, 그 노력은 순전히 우리의 몫일 수밖에 없다. 이제까지는 소수의 개인들만이 사적인 비용 지출을 감수하면서 끈질기게 일본 현지인과 개인적 친분관계를 유지하며 한국불교미술품의 발굴과 반환에 노력하여 왔다. 그러나 유출문화재의 반환은 이와 병행하여 면밀한 자료 수집과 연구가 필요하며, 이에 대한 국가 차원의 적극적인 지원이 필요하다. 다시는 반복되어서는 안 되는 불행한 불교미술품의 수난이, 지금도 끊임없는 사찰 문화재의 도난과 분실, 해외 유출, 종교적 신념이 다르다는 이유만으로 파괴되고 있다. 이러한 비상식적 행위를 우리는 어떻게 기록할 것이며 우리의 후손들은 이를 어찌 이해할 것인가. 불교는 한민족의 일관된 사상체계였고 우리의 정신과 이념세계에 자리 잡고 있는 그 누구도 부정할 수 없는 고유성이며 현재 진행형이다. 불교문화재는 이러한 신념을 구현하는 조형물임과 동시에 한국의 정체성이기도 하다.

【참고문헌】

菊竹淳一・鄭于澤,『高麗時代의 佛畵』, 시공사, 1997.

정우택,「唐津 鏡神社 水月觀音圖의 歷程」,『불교미술사학』8, 불교미술사학회, 2009.
＿＿＿,「일본에 있어 고려불화 수용의 일 단면」,『미술사논단』3호, 한국미술연구소, 1996.
＿＿＿,「일본에 있는 고려불화와 팔만대장경」,『한국과 일본, 왜곡과 콤프렉스의 역사』권2, 자작나
　　　무, 1998.

高麗時期 食水의 調達

李炳熙*

目 次

Ⅰ. 서언

한 나라의 역사와 문화는 자연 조건의 영향을 크게 받는다. 자연조건에는 기후와 토양, 산천, 그리고 물이 포함된다. 이러한 자연조건에 대응하면서 농업생산을 영위하고 촌락을 형성해 살아왔다. 지구상의 각 지역마다 농경 작물이 다른 것은 자연조건의 차이와 깊은 관련을 갖는다. 전근대 사회에서 먹을 것을 생산하는 농업의 뒷받침이 전제되지 않고서는 국가나 사회를 유지해 가는 것은 거의 불가능하다.

자연조건 모두 중요하지만 역시 가장 핵심적인 것은 물이라 할 수 있다. 물이 공급되지 않으면 모든 생명체는 살아갈 수 없다. 물은 농업생산에서 불가결한 것이어서 일찍부터 동서양 여러 곳에서 그것의 확보에 엄청난 노력을 기울여 왔다. 농업용수는 일시적으로 많은 양이 필요한 것이지만, 생활에 필요한 물은 양이 적을지라도 더욱 절박한 것이다. 안정적으로 식수를 비롯한 생활용수를 확보하지 않으면 인간은 생존해갈 수 없다. 식수는 인간이 활용하는 모든 물 가운데 가장 고급·양질의 것이며, 항상 확보할 수 있는 것이어야 한다. 식수가 항상적으로 확보되지 않는 곳에서는 인간은 장기간 정주해서 살아갈 수 없다.

우리의 경우는 비교적 풍수한 물을 가지고 있다. 농업용수의 문제로 고통을 겪는 경우는 적지 않지만, 적어도 식수의 면에서는 안정적이었다고 할 수 있다. 봄 가뭄이 심하고 강수가 불규칙적이어서 필요한 때에 다량의 농업용수를 확보하는 데 어려움을 겪은 적은 많았다. 그렇지만

---

* 한국교원대학교 역사교육과 교수

식수의 문제로 큰 고통을 겪는 일은 많지 않았다. 산이 많은 지형상의 특징 때문에 강수가 그 산에 흡수되어 지하수를 발달시키기 때문이다.

우리는 일찍부터 양질의 물을 식수로 사용하였다. 노천수·지표수를 식수로 삼는 일은 상당히 이른 시기에 중단되었고, 대체로 지하수를 식수로 확보하였다. 물론 후대에도 상황이 여의치 않으면 표면수를 식수로 활용하는 수가 없지는 않았다. 그러나 일상적인 식수는 지하수를 활용해 왔다. 산이 많아서 지하수가 발달하였기 때문에 이러한 지하수를 일찍부터 사용할 수 있었다. 양질의 풍부한 지하수를 확보할 수 있는 지점에 마을이 자리잡았으며 그 마을은 집촌의 형태로 발달하였다. 양질의 지하수를 확보할 수 없는 공간에는 사람이 살지 않거나 일시적으로 정주할 수밖에 없었다. 지하수를 안정적으로 풍부하게 확보할 수 있는 지점에 촌락이 집중 발달하는 양상을 보인다.

지하수를 활용하는 경우, 처음에는 지하수가 지표에 흘러나오는 샘[泉]을 사용하였을 것이고 점차 땅속으로 우물을 파서 그 물을 사용하였을 것이다. 우물도 초기에는 지하 얕은 지점에서 확보하였을 것이고, 점차 깊은 곳까지 확대되어 갔을 것이다. 인구가 늘어가고 지식과 기술이 발달함에 따라 좀더 불편한 지점까지 정주공간이 확대되고, 이에 따라 식수도 종전보다 어려운 방식으로 확보해 갔을 것이다. 크게 보면 샘을 중심으로 식수를 확보하는 방식에서 우물을 활용하는 방식으로 변환되어 갔다고 생각한다.

우리의 역사에서 식수를 어떠한 방식으로 확보하였는지, 그것이 역사적으로 어떠한 변천을 겪었는지에 대한 체계적인 연구는 거의 이루어지지 않았다. 고고학적 발굴을 통해 고대부터 우물이 사용되었음을 확인하는 작업이 중심이었다.[1] 이 글에서는 고려시기 식수를 어떠한 방식으로 확보하였는지를 문헌 자료를 중심으로 검토하고자 한다. 샘이 많이 활용되다가 조선초 이후 우물이 크게 확대된다는 사실을 입증하고자 한다.

Ⅱ. 식수의 중요성

물이 생명체의 유지에 필수적인 것임은 재언을 요하지 않는다. 모든 동식물은 물이 있어야 생존이 가능하다. 사람도 물론이다. 생명 자체를 유지해 가는 필수요소로서 또 생활에 필요한 자원으로서, 그리고 농업생산의 기반으로서 물은 인간과 밀접하였다.

물은 자연계에서 끊임없이 순환한다. 여름철의 비나 겨울철의 눈으로 내린 물은 일부는 증발

---

1) 이신효, 「백제 우물 연구」, 『호남고고학보』 20, 호남고고학회, 2004; 권오영, 「성스러운 우물의 제사 - 풍납토성 경당 지구 206호 유구의 성격을 중심으로 -」, 『지방사와 지방문화』 11-2, 역사문화학회, 2008.

되어 공기로 돌아가고 일부는 땅속으로 스며들고 또 일부는 하천을 통해 바다로 흘러간다. 땅속에 스며든 물은 풀이나 나무의 뿌리를 통해 흡수되거나, 더 깊은 곳으로 내려가 지하수가 된다. 지표면이 透水層일 경우에는 토양 속에 미소한 空隙이 있으므로 이를 통해 물이 지하로 스며드는 것이다.[2]

지하수가 만들어지려면 모래나 자갈같이 물을 잘 통과하는 지층인 투수층이 있어야 하고 그 밑에는 암반층이나 점토층 같은 물이 잘 통과되지 않는 지층인 불투수층이 기층형태로 받쳐져 있어야 한다. 지하수가 단단한 바위 층과 마주치면 그 위에 고인다. 가득 고이게 되면 천천히 흐르는데, 높은 곳에서 낮은 곳으로, 압력이 센 곳에서 약한 곳으로 이동한다. 지하수는 비좁은 흙이나 돌 틈새를 지나므로 아주 느린 속도로 흘러간다.[3] 지하수면은 능선이 있는 지역에서는 깊은 곳에 있게 되고 계곡에서 가장 얕다. 그러므로 계곡에는 많은 샘이 위치한다. 샘을 통해 흘러 나온 지하수는 지표수에 섞여 표면수가 되어 흐른다.

물을 공급해 줄 수 있는 원천은 표면수와 지하수로 나눌 수 있다. 호수, 하천, 지표면에 흐르는 물, 빗물을 저장한 저수지에 채워진 물은 표면수이고, 반면 우물 또는 샘에서 얻을 수 있는 물은 지하수이다. 지하수의 대부분은 지표에 내린 비와 눈이 녹은 물이 땅속에 스며들어 생긴 것이다. 비가 많은 지방에는 지표부근에 지하수면이 존재하나 건조한 지방에서는 100m 이상 땅 속으로 들어가도 지하수면에 도달하지 못하는 곳이 있다. 이러한 현상은 강수량이 적어서 지하수의 증가가 일어나지 않기 때문이다. 또한 계절에 따라서 강수량이 다르므로 지하수면은 주기적으로 오르내리는 것이 보통이다.

지하로 침투한 빗물은 암석과 토양을 화학적으로 변화시키거나 반응함으로써 지하수는 녹아 있는 여러 이온을 함유하며, 토양과 표층으로부터 공급된 다른 성분들도 포함하게 된다. 지하수의 수질은 물이 통과하는 토양이나 암석의 종류, 물 통로의 온도, 강수의 성분 등 여러 요인으로 결정된다. 지하수는 통상 표면수보다 더 유용성이 있는 물로 보고 있다.[4] 지하 암반으로 화강암이 많은 우리의 경우 지하수는 식수로 적절하며, 반면 지하수가 풍부할지라도 석회암 지대의 지하수는 양질의 식수로 기능하기 어렵다.

물은 사람 체중의 약 65~70%를 차지하며 인체의 모든 반응이 물 속에서 일어난다. 몸이 지닌 물은 배설과 땀 그리고 호흡작용 등으로 매일 손실되므로 하루에 약 2.5리터 정도 공급해야 한다. 몸 속의 물이 1~2%가 부족하면 심한 갈증을 느끼게 되고 5% 정도가 부족하면 혼수상태에

---

2) 윤용남, 『수문학 - 기초와 응용 -』, 청문각, 2007, p.187.
3) 鄭東孝・尹白鉉, 『물의 과학과 문화』, 홍익재, 2008, pp.510~511.
4) 지하수가 갖는 유용성은 다음과 같다(조선형・고종안, 『지하수 어떻게 할 것인가』, (주)북스힐, 1999, p.15; 鄭東孝・尹白鉉, 앞의 책, 2008, p.197). ① 세균이 없어 정수할 필요가 없다, ② 온도는 계절에 관계없이 일정하다, ③ 무색 투명하다, ④ 화학적 물질이 녹아 있는 것이 비교적 일정하다, ⑤ 단기간의 가뭄에는 별다른 영향을 받지 않는다, ⑥ 방사성이나 생물학적 오염 우려가 적다.

빠지게 되며 12% 정도가 부족하면 생명까지도 잃는다.[5] 외딴 섬이나 배 위에서와 같이 비가 스며들 여지가 없는 곳에서는 인간은 빗물을 직접 받아 마셨다. 수증기는 있지만 비가 내리기 어려운 곳에서는 온도차를 이용해 이슬을 맺게 하여 물방울을 마셨다. 비가 수년 동안 내리지 않는 사막에서도 인간은 어떻게든 물을 손에 넣어 강하게 살아 남았다.[6]

샘은 지층 속을 흐르는 지하수가 한 곳에 모여 지표면에 자연적으로 흘러나오는 현상, 또는 땅에서 물이 나오는 자리를 일컫는 말이다.[7] 남부지방에서는 우물을 샘으로 지칭하는 수도 있지만,[8] 이 글에서는 지하수가 새어 나와 앉아서 물을 뜨는 것을 샘[泉]으로 표기한다. 샘은 대개 낮은 지역에서 지표면과 지하수면이 교차하여 생기지만(低地泉), 지대가 높은 경우에도 투수성이 큰 지층이 불투수성의 지층위에 있고, 그 경계가 지표면과 교차할 때 생길 수 있다(接觸泉).[9]

우물은 물을 긷기 위하여 땅을 파서 지하수를 괴게 한 곳, 또는 그런 시설을 뜻한다. 우물도 당초에는 샘을 개수하거나 움푹한 곳 또는 절벽 아래를 파는 정도의 것이었지만, 드디어 지상에서 지하수를 찾아내어 웅덩이를 파게 되었다. 우물을 팔 때에는 지표 부근에서 습기를 약간 포함한 表土를 제거하고 더 깊이 들어가 사방에서 물이 새어 나오는 곳까지 도달한다. 이곳에는 물이 가득 차 있으므로 이를 飽和帶라고 하며, 이 포화대의 상한이 地下水面이다.[10]

식수가 갖는 중요성은 고려시기의 여러 문헌 기록에서도 확인할 수 있다. 이규보는 거주하는데 4가지 필수 요건으로 밭·뽕나무·나무·샘을 들고 있다. 밭은 식량의 생산에 필요하며, 뽕나무는 누에를 키워 옷을 만드는 데 중요하고, 나무는 땔감에 필요하고, 샘은 물 마시는 데 중요하다고 하였다.[11] 사람이 생활하는 데 필수적인 요소를 축약해 표현한 것인데 그 가운데 하나로 마시는 물이 들어 있다.

식수가 중요하기 때문에 마을이 자리하거나 사원을 세울 때 그것의 확보는 절실한 것이었다. 그리고 개인이 집을 지을 때도 역시 식수를 고려하지 않을 수 없었다.

물이 나오지 않아 승려들이 살아갈 수 없었다는 표현에서[12] 사원의 입지에 식수가 매우 중요함을 확인할 수 있다. 水崑寺는 앞에 맑은 시내가 흐르고 뒤로 높은 산을 등지고 있어 수림이

---

5) 鄭東孝·尹白鉉, 앞의 책, 2008, p.64.
6) 유아사 다케오, 임채성 역,『문명 속의 물』, 푸른길, 2011, p.20.
7) 조선형·고종안, 앞의 책, 1999, pp.29~30; 鄭東孝·尹白鉉, 앞의 책, 2008, p.199; 김주환,『구조지형학』, 동국대출판부, 2009, p.484.
8) 민병준,『한국의 샘물』, 대원사, 2000, pp.8~9.
9) 조선형·고종안, 앞의 책, 1999, pp.31~32.
10) 김주환, 앞의 책, 2009, pp.475~476.
11)『東國李相國全集』권23, 四可齋記.
12)『東國李相國全集』권9, 八月二十日 題楞迦山元曉房 幷序.

우거졌으므로 薪水가 풍족하다고 하였다.[13] 어느 고승이 下山을 감사하며 쓴 글에, 오래도록 이름난 절에 머물렀는데 숲과 샘도 깊숙하고 아름다워 휴양하기에 알맞고, 柴草와 양식도 풍부하고 유족하여 궁핍한 지경에 이르지 아니하였다고 언급하였다.[14] 사원에서 승려가 생활할 때 식수는 필수적인 요건이었다.

그밖에도 식수와 사원의 관계를 언급한 예는 흔하다. 乾洞禪寺의 경우 바윗돌을 깎아내 식수를 먹으므로 물 긷는 노고를 덜었다고 하였다.[15] 花藏寺의 경우 환경이 깨끗하고 薪水가 풍족하므로 정각국사가 거기에 가서 편히 지내기를 청하였다.[16] 물이 풍부한 사원이 국사가 거처하고 싶어하는 절이었다. 圓明谷이 白蓮庵의 터를 잡은 곳은 지경이 깊숙하고 골짝은 깊으며 샘물은 맑았다고 하였다.[17]

사원의 경우 양질의 식수를 확보할 수 있는 곳에 자리하였다. 양질의 식수를 확보하고 있어야 승려들이 편하게 생활할 수 있었다. 식수가 뒷받침되지 않는다면 승려가 사원에서 살아가는 것은 불가능한 일이었다. 그만큼 사원의 입지에서 중요한 것이 식수였던 것이다. 식수를 확보할 수 없는 곳에는 사원을 세울 수 없었다.[18]

사원이 식수시설을 확보하고 있는 구체적인 예를 다수 찾을 수 있다. 상주 사불산 백련사 뜰 좌우에는 米麫井이 있었으며,[19] 연복사에는 9개의 井이 있었다.[20] 유점사 능인보전 뒤의 우물은 맨 처음 까마귀가 쪼는 것을 보고 발견했기 때문에 烏啄水라고 하였다.[21] 식수를 확보하고 있지 않은 사원은 존속이 불가능하였다.

그렇기 때문에 사원의 이름 가운데 식수가 중요하다는 의미에서 泉과 井이 들어가는 수가 많았다. 井泉寺라는 사원의 이름은 샘물이 넘실거리고 있는 데서 유래하였다.[22] 조선초의 福泉寺는 동쪽에 샘물이 돌 사이에서 쏟아져 나와 식수로 쓰기 때문에 그러한 사명을 갖게 되었다.[23] 『新增東國輿地勝覽』 佛宇조에 보이는 사원 가운데 井 혹은 泉을 寺名에 포함한 예는 매우 많다.

13) 『東國李相國後集』 권12, 水嵓寺華嚴結社文.

14) 『東文選』 권48, 謝下山狀(李奎報).

15) 『益齋亂藁』 권6, 乾洞禪寺重修記.

16) 『東國李相國全集』 권35, 故華藏寺住持王師定印大禪師追封靜覺國師碑銘 奉宣述.

17) 『東文選』 권81, 白蓮庵記(柳方善).

18) 李炳熙, 「高麗時期 寺院의 新設과 可用空間의 擴大」, 『靑藍史學』 6, 청람사학회, 2002(同, 『高麗時期 寺院經濟 研究』, 景仁文化社, 2009).

19) 『新增東國輿地勝覽』 권28, 尙州牧 山川 四佛山.

20) 『陽村集』 권12, 演福寺塔重創記 奉教撰.

21) 『續東文選』 권21, 遊金剛山記(南孝溫).

22) 『東國李相國全集』 권17, 題黃驪井泉寺誼師野景樓.

23) 『新增東國輿地勝覽』 권16, 報恩縣 佛宇 福泉寺.

【표 1】『新增東國輿地勝覽』佛宇條 사원 가운데 井・泉을 이름에 포함한 것

지역(道)	사원명(소재지)	사원수
경기도	藥井寺(광주), 井泉寺(여주), 松泉寺(과천), 石泉寺(양주), 龍泉寺(가평)	5
충청도	德泉寺(영춘), 松泉寺(청주), 靈泉寺(청주), 福泉寺(보은), 崇井寺(한산), 法泉寺(회덕), 道泉寺(부여), 興泉寺(연기), 高井寺(아산), 石泉寺(신창), 香泉寺(예산)	11
경상도	泉谷寺(흥해), 龍泉寺(풍기), 龍泉寺(영덕), 玉泉寺(영덕), 馬井寺(군위), 龍泉寺(비안), 聖泉寺(예안), 興泉寺(용궁), 靈井寺(밀양), 鳳泉寺(밀양), 湧泉寺(밀양), 深泉寺(경산), 石泉寺(영산), 龍泉寺(상주), 井池菴(선산), 石泉寺(선산), 烏井寺(문경), 楊泉寺(의령), 法泉寺(고성) *龍泉寺(대구), 玉泉寺(창녕)는 고적조에 보임	19
전라도	龍泉寺(임피), 靈泉寺(태인), 龍泉寺(함평), 靈泉寺(장성), 法泉寺(무안), 靈泉寺(정의), 龍泉寺(남원), 龍泉寺(담양), 石泉寺(능성)	9
황해도	觀井寺(황주), 高井寺(황주), 龍井寺(평산), 石泉寺(재령), 松泉寺(신계), 龍泉寺(은율)	6
강원도	夢泉寺(고성), 法泉寺(원주), 石泉寺(횡성), 嚴泉寺(안협)	4
평안도	用泉寺(평양), 湧泉寺(용강), 法泉寺(삼화), 龍泉寺(증산), 石泉寺(안주), 林井寺(영변), 靈泉寺(박천), 龍泉寺(성천), 北泉寺(순천), 溫井寺(영원)	10
함경도	없음	
합계		64/1653 3.87%

『新增東國輿地勝覽』을 통해 확인해 보면 정과 천이 寺名에 들어간 사원은 모두 64개이며, 전체 사원 1,653개의 3.87%를 차지하고 있다. 사원의 이름에 정과 천을 넣은 것은 그만큼 정과 천이 소중하였음을 의미하는 것이다. 대부분의 사원이 정이나 천을 보유하고 있음에도 특별히 그러한 이름을 갖는 사원은 정과 천이 더욱 중요하였음을 의미한다.

비상시 대비하는 성을 쌓는 데에도 식수는 매우 중요한 고려사항이었다. 薪水處에 戶의 수를 헤아려 城堡를 축조하였다는 표현은[24] 그 사실을 나타낸다. 땔나무와 물이 있는 곳에 성보를 축조하도록 하는 것이다.

盈德의 경우, 원래 城 안에 우물이 없었는데 자리를 잡아 파보니 맑고 찬 샘물이 솟아나서 마실 만하니 온 고을 사람들이 서로 경하하였다고 한다.[25] 성안에는 식수를 제공하는 샘이나 우물이 갖추어지지 않으면 성으로 기능할 수 없었다.

식수가 제대로 공급되지 않으면 성은 옮길 수밖에 없었다. 조선초기 읍성을 다수 설치할 때, 식수를 확보할 수 있는가 여부가 위치 선정에서 매우 중요하였다. 경상도 機張縣의 경우 세종 3년(1421) 성 안에 우물이 없어서 縣衙를 朴谷里로 옮겼다.[26] 관아를 식수가 공급되지 않는 곳에

---

24) 『高麗史』권112, 列傳25, 偰遜附 長壽.
25) 『陽村集』권12, 盈德客舍記.
26) 『世宗實錄』권13, 世宗 3년 9월 16일(丙子), 2册, p.452.

서 원활한 곳으로 옮겼음을 뜻한다. 세종 11년 閭延 지방 성황당에 두 개의 우물이 있어 邑城을 그곳으로 옮기는 조치가 있었다.[27] 세종 12년 함길도 龍城 읍성을 이전할 때에도 장소를 샘물이 많은 곳으로 선택하였다.[28] 조선초 읍성을 설치할 때 식수의 확보를 고려한 사례는 다수 보인다.[29] 식수를 확보할 수 있는가 여부는 성의 축조에서 대단히 중요하였다.

피난 시에도 식수는 생존에 필수적인 요소였다. 몽골의 침입이 있던 고종 35년(1248) 많은 사람들이 葦島로 피난하였는데 식수 문제로 고통을 겪었다.

섬에는 井泉이 없어 항상 육지에서 물을 길어오는데 종종 포로가 되기도 하니 김방경이 빗물을 저장해 못을 만드므로 걱정이 드디어 사라졌다.[30]

위도에 우물과 샘이 없어, 식수가 부족하므로 육지에서 물을 길어올 수밖에 없는데, 물을 운반하다가 몽골군에 사로잡히는 일이 종종 있었다는 것이다. 이에 김방경이 하늘에서 내리는 비를 저장해 못을 만들어서 물을 길어 오는 걱정을 해소하였다는 것이다.

고종 45년에는 東北面 兵馬使 愼執平이 주민들을 竹島로 옮겼는데, 죽도 또한 식수가 여의치 않았다.

좁으며 井泉이 없어 사람들이 모두 원치 않았으나 신집평이 강제로 몰아 들어가게 하니 다수의 사람들이 도망가고 흩어져서 옮겨간 자가 열 명 가운데 2,3명이었다.[31]

죽도에 샘과 우물이 없는 것을 알고 있는 주민들이 병마사의 말을 듣지 않고 대부분 도망한 것이다. 피난의 경우에도 식수가 보장되지 않으면 옮겨갈 수 없었다.

민인들이 평상의 삶을 살아가는 데에도 식수가 매우 중요함은 당연하다. 예컨대 문종 8년 (1049)

---

27) 『世宗實錄』권46, 世宗 11년 12월 26일(戊戌), 3冊, p.211.
28) 『世宗實錄』권48, 世宗 12년 4월 9일(戊寅), 3冊, p.228.
29) 『世宗實錄』권49, 世宗 12년 9월 24일(壬戌), 3冊, p.261; 『世宗實錄』권56, 世宗 14년 4월 12일(庚子), 3冊, p.381; 『世宗實錄』권56, 世宗 14년 4월 17일(乙巳), 3冊, p.384; 『世宗實錄』권90, 世宗 22년 7월 29일(己巳), 4冊, p.307; 『世宗實錄』권105, 世宗 26년 윤7월 22일(己亥), 4冊, p.577; 『世宗實錄』권63, 世宗 16년 3월 17일(甲午), 3冊, p.549; 『文宗實錄』권4, 文宗 즉위년 10월 28일(戊戌), 6冊, p.310; 『文宗實錄』권7, 文宗 1년 5월 5일(壬辰), 6冊, p.384; 『文宗實錄』권9, 文宗 1년 8월 21일(丙戌), 6冊, p.423; 『文宗實錄』권9, 文宗 1년 9월 5일(庚子), 6冊, p.429; 『成宗實錄』권10, 成宗 2년 6월 10일(辛亥), 8冊, p.583.
30) 『高麗史』권104, 列傳17, 金方慶; 『新增東國輿地勝覽』권52, 定州牧 山川 葦島.
31) 『高麗史』권130, 列傳43, 叛逆4, 趙暉; 『高麗史節要』권17, 高宗 45년 10월.

東路兵馬使가 아뢰기를, "長州는 지대가 높고 험하며 성 안에는 우물이 없다. 바라건대 남문 밖의 평지에 柵을 설치해 백성을 옮겨 거처하게 하고 급한 일이 있으면 성으로 들어오게 하라."하니 왕이 따랐다.[32]

라는 데서 잘 알 수 있다. 식수 부족으로 성중에서 생활할 수 없기 때문에 남문 밖의 평지에 柵을 설치하고 백성을 옮겨 거처토록 하고 유사시에 입성토록 한 것이다. 성안에 우물이 없어 백성들이 평상시 살아가기 곤란하기 때문에 평시에는 평지에 살다가 유사시에 성안으로 들어가라는 조치인 것이다.

거제의 경우 흩어진 백성이 다시 모이자 城이 작고 샘물도 모자라게 되었다. 샘물이 넉넉한 곳을 찾아 관아를 옛 관아 남쪽 10리 되는 곳으로 옮겼다.[33] 식수의 공급이 부족하면 사람들이 안정적으로 거처할 수 없기 때문에 식수가 풍부한 지점으로 관아를 옮기는 것이다.

개인의 주거지를 택할 경우에도 식수의 문제는 중요하였다. 이규보가 이사간 성남 안신리를 언급하면서 찬샘[冷泉]이 마을 왼쪽에 있는 바위 틈에서 졸졸 흘러나오고 마을이 깊숙하고 지세는 아늑하여 맑고 깨끗한 것이 마음에 든다고 하였다.[34] 안신리의 경우 양질의 식수를 확보하고 있음을 알려주고 있다.

趙冲이 별장을 마련해 샘을 파고 소나무와 대나무를 심어 獨樂園이라는 이름을 붙였다.[35] 독락원이라는 별장을 세울 때 식수를 확보하는 것이 중요하였음을 나타낸다. 윤공이 도성의 동남 모퉁이에 땅을 정하여 草屋을 짓고 거처하는데 산이 울창하여 밖을 둘러싸고 있고 샘물은 차게 흘러 그 가운데로 나간다고 하였다.[36] 초옥을 짓고 거처함에도 식수를 제공하는 샘물이 갖추어져야 했던 것이다.

우리나라 촌락은 扇狀地나 산록완사면에 발달하는데 그것은 식수의 확보와 깊이 관련되어 있다. 평지와 산지의 경사급변점인 곡구를 중심으로 발달한 선상지에는 용수 조건이 좋고 토지가 비교적 비옥한 扇端을 중심으로 촌락이 입지한다. 선상지에서는 배수가 잘되는 지질 조건에 의해 하천수가 복류하다가 선상지 말단부인 선단에서 지표로 용출하여 湧泉帶가 형성된다. 따라서 용수를 구하기 쉬운 선단의 용천대에 가옥이 帶狀으로 밀집되어 촌락이 형성된다.[37]

배후에 험준한 산지를 끼고 있는 산록완사면은 산지와 평지가 접촉하는 곳에 위치한다. 산록완사면은 몇 개의 경사변환점을 갖고 있어서 지하수대가 높거나 지하수가 용출하여 취수에

32)『高麗史』권7, 世家7, 文宗 8년 8월;『高麗史節要』권4, 文宗 8년 8월.
33)『新增東國輿地勝覽』권32, 巨濟縣 城郭 邑城.
34)『東國李相國全集』권24, 天開洞記.
35) 金龍善編著,『高麗墓誌銘集成』, 한림대출판부, 2001, 趙冲墓誌銘.
36)『三峰集』권4, 求仁樓記.
37) 이전,『촌락지리학』, 푸른길, 2011, p.72.

편리하다. 특히 남향의 산록완사면은 일조량이 많고 겨울에 북서계절풍을 막아 주므로 따뜻하다. 산록완사면은 또한 생활무대인 평탄지에 인접하고 하천 범람 등의 자연재해로부터 안전하다.[38] 식수가 중요하기 때문에 촌락이 선상지나 산록완사면에 집중 분포하는 것이다.

궁궐 안에도 식수원을 갖추고 있었다. 조선초 궁궐에서 샘물이 콸콸 대궐 앞에서 솟아나 햇빛을 머금어 넓게 퍼지고 맑디맑은 물이 용안을 비추며 졸졸 흐른다는 언급이 보인다.[39] 행궁 뜰에도 식수원을 마련하고자 하였다. 세조 10년(1464) 행궁 뜰에 우물을 파게 하니 샘물이 솟아 올라 왔는데 물의 근원이 깊고 맑으므로 駐蹕神井이라는 이름을 내려주었다.[40]

도서지방의 경우 식수원을 갖추지 못하면 방목하는 말도 살아 갈 수 없었다. 세조 12년 洪州의 沙邑時島에는 샘물이 여덟 곳이지만 가뭄 때를 당하면 모두 마르며, 겨울 철에는 물과 풀이 부족해 방목하는 말들이 해마다 다수 죽어가자 다른 곳으로 옮겼다.[41] 말을 방목하는 데에도 먹을 물은 역시 중요하였다.

식수는 사람이 살아가는 데 반드시 필요하므로, 언제나 확보할 수 있어야 한다. 주거지에도 필요하고 전쟁시나 피난시에도 매우 중요하였다. 식수는 양질의 것이어야 한다. 농업용수는 수질이 양호하지 않아도 큰 문제가 되지 않지만 식수는 그렇지 않았다. 농업용수는 대량으로 필요하며, 대개 강수에 의지하거나 저수지 물을 활용하는 수도 적지 않다. 또한 그것은 1년 내내 항상 필요한 것은 아니라 봄·여름의 농사철에 집중적으로 필요하다.

반면 식수는 양질임과 동시에 사시사철 제공받을 수 있어야 한다. 당시의 좋은 식수에 대해서는 우물물과 샘물을 언급한 여러 표현에서 알 수 있다. 차기는 눈과 같고, 맑기는 거울 같고, 맛은 달고도 짜릿하고 성질은 부드럽고 고왔다고 하였다.[42] 혹은 맛이 달아 젖과 같았다는 표현도 보인다.[43] 맑고 깨끗하다는 것은 기본이며 사원하고 맛이 단 것이 좋은 식수였다. 샘이나 우물에서 얻는 좋은 식수는 淸甘,[44] 寒甘,[45] 甘凉,[46] 冷且甘으로[47] 그 성질을 표현하였다.

고려시기 사람들이 식수로 사용하는 것은 대체로 지하수로서 매우 양질의 것이었다. 그것은 대체로 샘과 우물에서 확보하는 것이 중심이었다. 하천의 물을 이용하는 경우도 없지 않았지만 특수한 경우에 한정되고 대체로 지하수에 의존하였다. 물론 특수한 사정 하에서는 하천수를 식

---

38) 이전, 위의 책, p.77.
39) 『東文選』권33, 賀靈泉湧出箋(崔恒).
40) 『世祖實錄』권32, 世祖 10년 3월 5일(戊午), 7册, p.612.
41) 『世祖實錄』권38, 世祖 12년 4월 25일(을축), 8册, p.19.
42) 『新增東國輿地勝覽』권19, 溫陽郡 山川 神井.
43) 『東國李相國全集』권23, 南行月日記.
44) 『東國李相國全集』권23, 通齋記.
45) 『東國李相國後集』권5, 十月十九日 遊雙峯寺留題 示主老源上人.
46) 『東文選』권19, 初歸故園(崔惟淸).
47) 『東文選』권14, 抵宿王嚴 愛其境地淸幽 因書拙語(釋圓鑑).

수로 삼기도 하였다. 예컨대 함길도 慶興府의 경우 세조 5년 성안에 오직 우물이 하나인데 가뭄을 만나면 말라 버려 항상 강물을 길어 사용하였다고 한다.[48] 碧團鎭의 성 안에도 우물이 많지 않아 얼음이 얼거나 물이 마를 때면 압록강 물을 길어다 사용하였다고 한다.[49]

전쟁시에 성안에서는 식수의 문제가 심각하였다. 다수의 사람이 피난해 들어왔기에 이들에게 충분한 식수를 공급하는 일은 쉬운 일이 아니었다. 외부에서 성을 포위한다면 외부로부터 식수의 지원을 받는 것은 불가능하였다. 그러한 예를 춘주성에서 볼 수 있다. 고종 40년 몽골병이 춘주를 포위해 시간을 끌자

성 안의 井泉이 모두 마르니, 우마를 찔러 피를 마셨다.[50]

라는 극한 상황에 놓이게 되었다. 식수가 고갈되어 우마의 피를 마시는 극단 지경에 이르렀다는 것이다.

이성계가 남원의 운봉에서 阿只拔都가 이끄는 왜구를 섬멸했을 때, 많은 사상자가 발생하였다. 다수의 병사가 마실 물은 표면수에 의지할 수밖에 없었지만 상황은 매우 열악하였다.

하천물이 모두 붉어져 6,7일 되어도 색이 변하지 않으니 사람들이 마실 수 없었다. 모두 그릇에 담아 맑아지기를 기다려 오랜 시간이 지나야 마실 수 있었다.[51]

죽은 이들의 피로 하천이 물들어 붉었는데 그것이 6,7일 동안 색이 변하지 않고 이어졌다는 것이다. 그래서 사람들이 그 하천물을 마실 수 없어, 모두 그릇에 남아 맑아지기를 기다려 오랜 뒤에 마실 수 있었다는 것이다. 전쟁으로 하천수마저 마시지 못하는 지경에 이르렀음을 보이는 예라고 하겠다. 이처럼 강물을 마시는 일도 있었고, 전쟁 시에는 훨씬 나쁜 물을 식수로 하였다. 이것은 극단적인 사례이며, 평상시에는 지하수를 식수로 활용하였다.

Ⅲ. 식수의 원천인 泉과 井

고려시기 식수는 기본적으로 지하수를 활용하였다. 하천수를 비롯한 표면수를 식수로 활용하는 것은 매우 예외적인 일이었다. 대체로 샘과 우물에서 양질의 식수를 확보할 수 있었다.

---

48) 『世祖實錄』권16, 世祖 5년 4월 26일(丁丑), 7册, p.324.
49) 『成宗實錄』권252, 成宗 22년 4월 24일(己巳), 12册, p.17.
50) 『高麗史節要』권17, 高宗 40년 9월.
51) 『高麗史節要』권31, 辛禑 6년 9월.

샘은 지하수가 지표로 솟아나오는 것을 뜻한다. 끊임없이 솟아나와 흐르는 양상을 보인다. 지하수가 솟아 오르기 위해서는 지하수가 풍부해야 하고 또 지하수를 통과시키지 않고 위에 고이도록 받치는 암반이 있어야 한다.

샘이 솟아나오는 것을 표현한 예는 많다. 평안도 郭山 凌漢山의 石城 안에 있는 샘에 대해서는 다음과 같이 언급하였다.

안에 맑은 샘이 있어 바위 사이에서 나오는데 넓이가 5척이다.[52]

바위와 바위 사이의 틈에서 꽤 넓게 맑은 샘물이 나오고 있음을 보인다. '물이 바위 틈에서 나와 얼음같이 극히 차서'라는 표현이나,[53] '샘이 있는데, 바위 틈 사이로 졸졸 솟아나고'라는 시귀,[54] 그리고 영월의 陰谷泉을 언급하면서 '陰谷의 바위 틈에서 나와 남쪽으로 흘러'라는[55] 것도 모두 샘이 돌틈에서 흘러 나옴을 언급한 것이다. 그리고

· 돌 틈에서 찬 샘이 솟아나와서 얼음 구슬을 쏟는 듯 하여라(石鏬寒泉生 冷冷瀉氷玉)[56]
· 이 물이 바위틈에서 갑자기 솟아났는데(此水從巖鏬忽湧出)[57]

라는 것 또한 샘이 바위 틈에서 나옴을 시귀로 표현한 것이다.

두 바위 틈 사이에서 샘이 나온다고 함은[58] 샘의 속성을 잘 표현한 것이다. 바위가 아래에 받치고 있어 지하수가 밑으로 흐르지 못하고 위에도 바위가 있어 지하수가 막혀 다른 곳으로 흐르지 못해 결국 돌틈 사이로 나와 흐르는 것이다.

지하수가 낮은 지점으로 흐르다가 물이 통과할 수 없는 암반을 만나면 그 위로 흘러, 결국 밖으로 분출하는 것이다. 또 흐르는 지하수의 앞을 암반이 막는 경우 통과할 수 없다면 바위 사이로 흘러나오게 되는 것이다. 샘은 돌 아래로, 혹은 돌 위로 나오거나, 돌 사이에서 나오는 수가 많은 것이다. 그렇기 때문에 샘은 흔히 '石泉'으로 표현되는 것이다.[59] 바위와 관련해 샘이 솟아나와 흐르고 있음을 언급한 표현은 허다하게 찾을 수 있다.[60]

---

52) 『世宗實錄地理志』, 郭山郡.
53) 『新增東國輿地勝覽』권9, 富平都護府 古跡 草亭 ; 『東國李相國全集』권24, 桂陽草亭記. "水出巖鏬 極寒洌如氷"
54) 『新增東國輿地勝覽』권28, 尙州牧 山川 四佛山. "有泉潺潺瀉出于巖縫間"
55) 『新增東國輿地勝覽』권46, 寧越郡 山川 陰谷泉. "源出陰谷巖穴中 南流"
56) 『新增東國輿地勝覽』권44, 三陟都護府 山川 五十川.
57) 『東國李相國全集』권23, 南行月日記.
58) 『東國李相國後集』권5, 十月十九日 遊雙崑寺留題 示主老源上人.
59) 『益齋亂藁』권1, 虎丘寺 十月北上重遊 ; 『牧隱詩稿』권24, 流頭已近 ; 『牧隱詩稿』권27, 風聲.
60) 『新增東國輿地勝覽』권12, 長湍都護府 佛宇 靈通寺 ; 『新增東國輿地勝覽』권38, 大靜縣 山川 山房山 ; 『牧隱詩

산 기슭에 있는 샘이 돌틈으로 나옴을 잘 묘사한 시가 있다.

　　백당 동편 산 기슭에(栢堂東麓)
　　해맑은 샘이(有泉澄淥)
　　돌틈으로 차갑게 흘러나와(冷然流出於石縫)[61]

돌틈으로 나오는 맑은 샘을 표현한 것이다. 嵒腹에서 물이 나온다는 표현[62] 역시 샘의 모습을 잘 묘사한 것이다. 지하수가 흐르다가 밑에 바위를 만나면 그 위를 흐르다가 지표에서 솟아나는 것이다.

샘은 기본적으로 솟아나는 것이기 때문에 쉼이 없이 솟아서 흘러가게 마련이었다. 물론 저수하는 공간을 마련한 경우에는 일정시간 머물겠지만 기본적으로 쉬지 않고 용출하는 것이었다. 때문에 솟아 나오거나, 떨어지는 물소리가 들린다고 하였다. 낮보다는 고요한 밤에 샘물이 흐르거나 떨어지는 소리가 더 잘 들렸다.

샘물의 소리에 대해

　　서늘한 샘물 소리 맑게 들리니(幽泉冷冷入耳淸)[63]

라고 표현하였다. 물 소리가 맑게 들림을 뜻하는 것이다. '샘물 소리에 상쾌함이 간담에 파고드네'라는[64] 표현도 비슷한 분위기를 알려준다.

솟아나온 샘물이 빠르게 흘러감은 '그늘진 골짜기에 샘물 소리가 빠르고'라는[65] 표현에서 확인할 수 있다. 샘물소리에 대해 샘이 운다는 의미로 '泉鳴'이라고 표현한 예도 여럿 보인다.[66]

샘물이 솟아 나오거나 솟아나와 흐르는 소리는 밤이 되면 더욱 잘 들렸다. '고요한 밤 되면 돌 위의 샘물 소리 커지네'라는[67] 것이 그것이다. 또 다른 시에서는 '밤이 고요하자 돌샘의 소리 높

稿』권2, 村家 ; 『牧隱詩稿』권18, 是日 命僮僕入池捲去浮萍 花影倒垂 上下一色 甚可愛也….
61) 『東文選』권2, 紅桃井賦(李仁老).
62) 『續東文選』권5, 迦葉庵(曺偉).
63) 『東國李相國全集』권3, 次韻同年文員外題甘露寺.
64) 『牧隱詩稿』권5, 絶句. "泉聲爽入肝"
65) 『牧隱詩稿』권8, 朗詠. "陰壑泉聲急"
66) 『牧隱詩稿』권26, 廿五日 入聖居山 明日設齋薦先妣 回至山臺巖 …; 『牧隱詩稿』권27, 簷溜吟 ; 『牧隱詩稿』권29, 吾道.
67) 『新增東國輿地勝覽』권4, 開城府 佛宇 安和寺. "靜夜聲高石上泉"

아지고'라는[68] 표현이 찾아진다. 샘물 소리가 밤이기에 더욱 잘 들림을 나타내는 것이다.

샘은 골짜기의 돌 틈에서 나오는 것이며, 또 산록완사면에 돌이 있을 때 나오기 쉬운 것이다. 샘은 산 골짜기에 위치한 것은 매우 흔한 일이었다. 그러나 그것이 거처와 멀리 떨어져 있다면 사람이 항상적으로 활용할 수 있는 것은 아니다. 주거지 근처에 있어야 식수의 안정적 공급이 가능한 것이다.

휴식과 풍류의 공간인 누정 부근에 샘이 있는 수가 많았다. 南山 茅亭에서 읊은 시에,

　샘물 소리는 자리 밑에서 듣누나(泉聲座底聽)[69]

라고 하였는데, 이는 모정 근처에 샘물이 있음을 나타내는 것이다. 모정에서 놀면서 지은 시에서 곧 '자리 밑에 샘물 소리는 배 밑에서 들은 것 같네'라는[70] 표현도 모정 자리 아래에 샘물이 있었음을 의미한다.

사람이 거주하는 마을 근처에 샘이 있어야 식수로서 의미를 지닐 수 있었다. 찬샘이 마을 왼쪽에 있는 바위 틈에서 졸졸 흘러나온다는[71] 표현에서 마을과 가까운 지점에 샘이 위치하였음을 알려준다.

개인 집에도 별도의 샘이 있는 경우도 있었다. 이규보가 자신의 집에 있는 샘을 읊으면서

　샘은 가뭄으로 이에 막 말랐고(泉因天旱今方涸)[72]

라는 것이 그러한 예이다. 이규보의 다른 글에서 '집에 차가운 샘이 있는데 4~5월 경에 반드시 한 차례 큰비를 겪은 후에야 물이 솟아 늪을 채운다.'라는[73] 것이 보인다. 개인 집안에 샘이 있었음을 보인다.

거처하는 집 근처에 샘이 있음을 보이는 예도 있다.

　차가운 샘물은 집 동쪽에서 우네(寒泉鳴屋東)[74]

68) 『新增東國輿地勝覽』권24, 寧海都護府 題詠. "夜靜石泉響"
69) 『東國李相國全集』권15, 題南山茅亭.
70) 『東國李相國全集』권15, 復遊茅亭 次韻皇甫書記.. "座下泉如舸底聽"
71) 『東國李相國全集』권24, 天開洞記.
72) 『東國李相國後集』권3, 家泉久涸 酒亦未繼 因賦之.
73) 『東國李相國後集』권4, 五月二十三日 題家泉. "家有寒泉 若四月五月 必一經大雨 然後湧出盈沼"
74) 『牧隱詩稿』권26, 廿五日 入聖居山 明日設齋薦先妣 回至山臺巖 ….

라는 것은 집 근처에 차가운 샘물이 있다는 것을 의미한다. 마찬가지로 '집 아래에서 서늘한 샘이 솟아라'라는[75] 것도 역시 집 근처에 샘이 있음을 나타낸다. 손군이 어느 마을에 새집을 마련했는데, 큰 바위가 있으며, 그 아래에 차가운 샘이 있어 철철 흘러내렸다고 한다.[76] 여기에 언급한 차가운 샘 역시 집 근처에 있었다고 여겨진다.

물론 산골짜기에 있는 샘도 적지 않았다. '더구나 그윽한 샘물 소리 들으니'라든지,[77] '그윽한 계곡 샘물 소리가 깊은 숲을 울렸는데'라는[78] 것은 민가와 떨어진 산 속에 있는 샘을 묘사한 것이다.

· 수많은 골짜기 옆에는 샘물과 솔바람 소리요(泉水松聲萬壑邊)[79]
· 그늘진 골짜기에 샘물 소리가 빠르고(陰壑泉聲急)[80]

위자료 역시 샘물이 산골에 있음을 알려준다.

샘은 다양한 지점에 발달하였지만, 민인의 거주공간 부근에 있는 것이 안정적인 식수로서 중요하였다. 멀리 떨어진 산곡간에 있는 샘은 일시적인 식수로 기능할 수 있지만, 운반의 문제 때문에 항상적으로 활용할 수는 없었다.

샘물은 솟아 나와서 아래로 흘러가는데 그 모습에 대해서도 다양한 묘사가 보인다. '바위에서 나온 샘 한 줄기 굽이쳐 숲을 뚫었는데'라는[81] 표현은 샘물이 숲을 지나 흐르고 있음을 나타낸 것이다. '샘물은 떨기 사이에서 우네'라는[82] 것은 샘물이 떨기 사이를 울면서 흐르고 있음을 기술한 것이다. '샘물은 돌을 만나 빙 돌아 흐르고'라는[83] 것은 샘물이 흐르면서 돌을 만나 우회해 흘러감을 표현한 것이다.

샘은 인위적으로 조성할 수 있는 것이 아니다. 지형 특성상 자연스럽게 지표 밖으로 흘러나오는 것이다. 때로는 은폐된 샘을 발견하는 수도 있다. 샘은 땅을 파 들어가는 것이 아니라 찾는 것, 발견하는 것이다. 백련산에서 요세가 솟아나는 샘을 얻었다는 것은[84] 그것을 잘 나타낸다. 샘이 있을 만한 지점을 찾았다는 의미이다. 남원 태수 卜章漢이 了世를 불러 관내에 도량을

---

75) 『陽村集』권2, 次韻送騎牛道人. "屋下生冷泉"
76) 『東國李相國全集』권24, 孫祕書冷泉亭記.
77) 『牧隱詩稿』권4, 夏日 與諸公游金鍾寺. "況聞幽澗泉"
78) 『牧隱詩稿』권27, 簷溜音. "幽幽澗泉鳴深林"
79) 『牧隱詩稿』권6, 前兩街聽公號無聞 所居南嶽 玄陵書以賜之 求予題贊 謹書三絶.
80) 『牧隱詩稿』권8, 朗詠.
81) 『東文選』권16, 靈通寺西樓次古人韻(釋月窓). "岩泉一派曲通林"
82) 『牧隱詩稿』권5, 游松林詩. "泉鳴叢薄間"
83) 『新增東國輿地勝覽』권5, 開城府 古跡 大安寺. "池泉遇石徘徊去"
84) 『東文選』권27, 官誥(閔仁鈞).

열어달라고 부탁했는데. 땅이 막히고 또 물이 없어 돌아가려던 차에, 요세가 우연히 돌 하나를 잡아 빼니 맑은 샘물이 용솟음쳐 나왔다고 한다.[85] 이것은 요세가 샘이 있는 곳을 찾을 수 있는 능력을 소지하고 있음을 말하는 것이다.

知奏事 于公이 員外郎 鄭公이 살던 곳을 얻어, 샘 줄기를 찾아 돌을 쌓고 우물을 만들었으며 샘이 넘쳐흐르는 것을 이용하여 저수하고 큰 못을 만들어 연꽃을 가득하게 심었다고 한다.[86] 우공은 샘 줄기를 찾아 물이 나오는 것을 발견하고 그 지점에 물이 고이도록 우물형식의 웅덩이를 만들어 놓았던 것이다.

샘물은 지하수가 나오는 것이기 때문에 통상 차갑다고 표현하였다. 물이 바위틈에서 나와 얼음같이 극히 차서 비록 한 여름이라도 들어가 목욕하면 추워서 머리털이 서서 오래 견딜 수 없다는[87] 것은 바위틈에서 나오는 샘물이 매우 차가웠음을 표현한 것이다. 冷泉・寒泉이라고[88] 지칭하는 예가 많은 것은 그 때문이다.

지하수는 수맥이 다기하고 길기 때문에 지상의 기후 변화에 관계없이 흘러나오는 물의 양에는 큰 변화가 없었다. 웬만한 가뭄에 유출수량이 줄지 않았다. 또 비가 많이 와도 유량이 크게 증가하지 않았다. 예컨대 속리산의 文藏臺 위에 구덩이가 가마솥만한 것이 있어 그 속에서 물이 흘러나와서 가물어도 줄지 않고 비가 와도 더 불어나지 않는다고[89] 함이 그것을 표현한 것이다. 찬 샘물이 바위틈에서 흘러나오는데 가뭄에도 줄지 않았고, 장마철에도 다름이 없었다는 것도[90] 유량의 변화가 크지 않음을 언급한 것이다. 상당히 넓은 지하수맥을 전제로 해서 샘이 형성되기 때문에 웬만한 가뭄이나 홍수에도 수량의 변화가 별로 없는 것이 특징이다.

백당 동편의 산기슭에 있는 샘이 돌 틈으로 나오는데 가물어도 마르지 않는다는 것에서도[91] 샘물이 가물어도 마르지 않았음을 알 수 있다. 함경도 慶興 지역의 산꼭대기 돌 틈에서 나오는 물이 있는데 가물 때에도 마르지 않으며 비가 와도 넘치지 않는다고 하였는데[92] 이 역시 유출량의 변화가 별로 없었음을 표현한 것이다. 遇旱不渴・四時不渴・冬夏不渴이라는 것은 그러한 모습을 집약해 표현한 것이다([부록 2] 참조).

물론 가뭄으로 솟아나오는 물이 중단되는 샘도 없지 않았다. '샘은 가뭄으로 이에 막 말랐고'

85)『東文選』권117, 萬德山白蓮社圓妙國師碑銘幷序(崔滋).
86)『東國李相國全集』권23, 泰齋記.
87)『東國李相國全集』권24, 桂陽草亭記;『新增東國輿地勝覽』권9, 富平都護府 古跡 草亭.
88)『東國李相國全集』권19, 漆壺銘;『東國李相國全集』권24, 天開洞記;『東國李相國全集』권5, 次韻吳東閣世文呈 誥院諸學士三百韻詩 幷序;『益齋亂藁』권1, 冷泉亭;『新增東國輿地勝覽』권44, 三陟都護府 山川 五十川.
89)『新增東國輿地勝覽』권16, 報恩縣 山川 俗離山.
90) 許興植,『眞靜國師와 湖山錄』, 民族社, 1995, pp.259~260.
91)『新增東國輿地勝覽』권4, 開城府 山川 紅桃井.
92)『新增東國輿地勝覽』권50, 慶興都護府 山川 白岳山.

라는[93] 것이 그러한 표현이다. 이규보가 집에 있는 샘은 비가 오는 계절에는 나오다가 강수가 부족해지는 가을에 나오지 않는다고 하였다.[94] 지하수가 크게 발달하지 못한 지점에서는 이러한 샘이 있었을 것이다. 그러나 배후에 큰 산을 두고 있는 지점에는 지하수가 안정적이기 때문에 기후변화에 관계없이 유량이 일정한 수가 많았다. 전체적으로 보면 샘의 유량 변화는 크지 않은 것으로 보인다. 배후에 상당한 수맥을 발달시켜, 포화대가 넓게 분포하는 상황에서는 그러하였다.

우물은 샘과 달리 지표의 아래로 파 들어가 고인 물을 긷는 것이다. 땅속을 판다고 해서 어느 지점이나 지하수가 풍부하게 있는 것이 아니다. 수맥을 찾아 파 들어가 양질의 물을 확보할 수 있을 때 우물로 기능할 수 있었다. 수량이 적거나 수질에 문제가 있으면 우물로서 역할할 수 없었다. 그리고 지하를 파 들어가는 것은 쉬운 일이 아니어서 너무 깊게 파서 우물을 만들 수는 없는 일이었다. 가급적 지표로부터 얕은 지점에 우물을 만드는 것이 희망하는 바였다. 그리하여 샘과 우물의 경계가 모호한 경우도 없지 않았다. 지표를 약간 파들어 갔는데 물이 솟아나오는 경우가 그러한 예라고 할 수 있다.

개성의 大井은 샘과 우물의 경계에 있는 것으로 보인다. 왕건의 祖母인 龍女가 개성의 산록에 이르러 은그릇으로 땅을 팠더니 물이 솟아올라 우물로 삼았다는 것은[95] 그러한 예로 보인다. 은그릇으로 땅을 팠다는 점에서 지표 얕은 곳에 우물이 있었음을 알 수 있다. 또 솟아올랐다는 표현에서 볼 때 샘과 거의 비슷한 모습의 우물로 이해된다. 이 경우 대정에서는 두레박을 사용하지 않고서도 물을 뜰 수 있었을 것으로 판단된다.

秤井은 둘레 10척이며, 5리까지 졸졸 흐르는데 땅 속에서 스며 나온다고 한다.[96] 이것은 거의 샘의 성격을 띤 것으로 이해된다. 그리고 馬井은 둘레 50척으로 샘물이 용솟음쳐 나와 자그마한 川이 된다고 하였다.[97] 이 역시 샘의 성격을 어느 정도 갖고 있는 것으로 보인다. 칭정·마정은 샘이지만 井으로 칭하는 데서 일 수 있듯이, 샘을 井으로 표현하는 예가 있는 듯하다.

우물을 파는 작업도 어려운 일이었으며, 지하수를 찾더라도 음용수로서 적합하지 않으면 역시 기능할 수 없었다. 조선초 仁政殿 앞, 후원 서쪽, 壽康宮 북쪽에서 우물을 판 적이 있는데 맛이 나빠 실패한 일도 있었다.[98] 땅을 판다고 모든 곳에서 양질의 물을 확보할 수 있는 것은 아니었다. 양질의 물을 얕은 지점에서 확보해야 편리한 우물이라고 할 수 있다. 저수지나 하천부근, 논의 부근에 우물을 파는 경우 물의 확보에 유리할지라도 수질이 나쁜 경우가 많았다.

---

93)『東國李相國後集』권3, 家泉久涸 酒亦未繼 因賦之. "泉因天旱今方涸"
94)『東國李相國後集』권4, 五月二十三日 題家泉 二首 幷序.
95)『高麗史』권56, 志10, 地理1, 王京開城府 開城縣;『新增東國輿地勝覽』권4, 開城府 山川 大井.
96)『新增東國輿地勝覽』권52, 中和郡 山川 秤井.
97)『新增東國輿地勝覽』권52, 中和郡 山川 馬井.
98)『新增東國輿地勝覽』권1, 京都上 苑囿 昌德宮後苑.

우물을 파는 모습을 나타내는 기록이 여럿 보인다. 강릉 艷陽禪寺에서 어느날 부처에게 黙禱를 올리고 땅을 파자 한 길도 채 못 되어서 차가운 샘물이 세차게 솟아올랐다고 한다.[99] 조용히 기도를 올리고 판다는 데서 알 수 있듯이 정성을 다해 우물을 조성함을 알 수 있다. '동헌 앞에서는 못을 파서 연을 심었고, 서헌 앞에서는 돌을 빼고 우물을 팠다.'는 것은[100] 지상에 보이는 돌을 제거하고 그 자리에 우물을 팠다는 의미이다. 영덕에서 성에 우물이 없었는데, 땅을 점쳐서 팠더니 먹을 수 있는 맑은 샘이 솟아 올랐다고 한다.[101] 우물이 나올 만한 지점을 택해 땅을 팠음을 읽을 수 있다. 지점을 잘못 선택한다면 우물이 조성될 수 없었을 것이다.

우물을 파는 일이 용이하지 않았음을 보여주는 예가 있다. 靈巖寺에서 새로운 우물을 팔 때 그러하였다. 훌륭한 기술자를 데려와 동쪽 우물터를 살피고 파들어 갔는데 아래에 바위가 있어 팔수록 더욱 단단했으며, 백자 쯤 깊이 파들어 가 2년이라는 세월을 거쳐 성공해서, 맑고 차디찬 샘물이 솟아 나왔다고 한다.[102] 100자 깊이로 파들어 갔으며, 2년의 시간이 걸려 완성할 수 있었다. 영암사의 사례는 특수한 경우이고 대개는 이보다 수월하게 우물을 조성할 수 있었을 것이다.

우물은 흘러가는 것이 아니라 고여 있는 것이다. 이 점에서 샘과 크게 구분되는 것이다. 샘의 경우 끊임없이 솟아나와 구덩이가 있더라도 넘쳐흐르는 수가 많지만 우물은 그렇지 않았다.

막혀서 흐르지 않으니 우물 안의 물이네(塞而不流井中水)[103]

라는 표현은 우물의 특징을 집약해 나타내고 있다. 샘과 달리 우물은 막혀서 흐르지 않는다는 것이다. 우물물도 지하수이기 때문에 차가운 것이 일반적이었다. '우물이 차니 옥의 진액이 어린 듯'이라는[104] 것은 우물물의 차가움을 표현한 것이다.

우물가에는 종종 나무가 서 있었다. '우물가 오동 한 잎 가을 소리에 놀라고'에서[105] 우물가에 오동나무가 서 있었음을 알 수 있다. 또한 '소나무 밑의 우물은 붉은 나무에 이어지고'라는[106] 표현에서는 소나무가 우물 근처에 있음을 알 수 있다.

지하수가 발달한 곳, 포화대가 얕은 지점에 넓게 형성된 경우에는 우물이 깊지 않아도 안정

---

99) 『稼亭集』권2, 高麗國江陵府艷陽禪寺重建記.
100) 『新增東國輿地勝覽』권11, 高陽郡 宮室 客館. "東軒之鑿池種蓮 西軒之拔石浚井"
101) 『陽村集』권12, 盈德客舍記.
102) 『稼亭集』권7, 靈巖寺新井銘.
103) 『牧隱詩稿』권21, 狂吟.
104) 『牧隱詩稿』권9, 卽事. "井冷凝瓊液"
105) 『牧隱詩稿』권3, 立秋. "井梧一葉驚秋聲"
106) 『牧隱詩稿』권6, 送西海崔按廉資. "松井連紅樹"

적으로 물이 나왔다. '우물은 얕아도 근원 있으면 물 나오는데'라는[107] 표현은 그것을 집약해 나타낸 것이다. 또한 개성 故縣 동쪽 소재 큰 우물에 물이 고이는데, 그것에 대해 속으로 구멍이 있어 위로 山腹에 통하여 물이 쏟아져 우물로 들어간다고 보았다.[108] 수맥이 산복과 연결되어 있음을 언급한 것이다.

고려시기에 식수가 매우 중요하였기에 자료에 그 이름을 전하는 우물과 샘이 [부록 1]에 제시한 것처럼 여럿 보인다. 『고려사』 및 『고려사절요』에 언급되는 예도 보이고, 『세종실록지리지』나 『신증동국여지승람』에도 다수 찾아진다. 기우제를 지내는 장소로 기능하는 경우도 적지 않다.

개경에 소재한 유명한 샘과 우물로는 달애정(1 ; [부록 1]의 순번, 이하 같음), 개성대정(2), 광명사 정(3), 매개정(4), 남정(5), 연복사 9정(6), 양릉정(7)과 홍도정(8), 불은사 정(9) 등이 보인다. 신라의 수도였던 경주에도 오래된 우물이 여럿 있었다. 양산나정(15), 알영정(16), 금성정(17), 추라정(18)이 그것이다. 평양에도 대정(45), 우정(46), 문정·무정(47)이 있었다.

가뭄이 들 때 기우제를 지내는 장소도 여럿 찾아진다. 개성대정, 안성의 청룡산 서봉의 단 아래에 있는 3정(10), 영일현 대왕암의 바위틈에서 솟는 샘물(19), 영천군 부석사의 식사룡정(23), 함열의 묵정(27), 광양의 백계산 정상 바위 밑의 샘(32), 신천군 천봉산 위의 용정(36), 강릉의 소우음산 속의 샘(37), 삼척의 두타산 오십정(39), 영흥 국태산 위의 석정(43), 평양의 우정(46), 중화군의 마정(49), 함종 쌍어산 위의 큰 우물(51), 정주 안양사 서쪽 바위 아래의 샘(52) 등이 그것이다.

오랜 연원을 갖는 것으로 언급된 우물도 여럿 보인다. 옛 백제의 어정이었다고 하는 은진현의 대정(11), 경주의 4개 우물(15~18), 소문국 시절 御井으로 보이는 의성의 어정(24), 대가야국의 궁궐터 곁에 있는 돌우물인 고령의 어정(26) 등은 고려 이전시기부터 사용된 유명한 우물을 가리킨다.

약사여래 및 관세음보살과 연관된 설화를 남기고 있는 곳은 佛恩寺의 정(9), 양양의 冷泉이다(40). 샘이나 우물이 상당한 신성성을 가지고 기록에 나타나고 있는 것이다. 이것은 우물과 샘을 조성할 때 큰 어려움이 있었고 이에 신비함을 부여한 데서 오는 것이라 판단된다. 일상적인 것이거나 용이한 일이었다면 굳이 그러한 신비함이나 신성성을 부여할 필요가 없었을 것이다. 식수를 제공하는 우물과 샘이 상당히 신성시되고 신비화되었다는 것은 우물과 샘이 큰 의미를 가졌음을 뜻한다.

---

107) 『東文選』권14, 次李由之賀生女(陳澕). "井淺亦能源吐派"
108) 『續東文選』권21, 遊松都錄(兪好仁).

Ⅳ. 泉과 井의 이용

샘이나 우물에서 얻는 물은 다양한 용도로 사용하였다. 우선 가장 중요한 것은 직접 식수로 활용하는 것이었다. 다음의 표현은 샘물·우물물의 용도를 집약해 표현한 것이다. 즉 知奏事 于公이 샘 줄기를 찾아 돌을 쌓고 우물을 만들어 마시며, 세수하며, 차 끓이며, 약 달이는 데 쓰는 물은 모두 이 우물물로 하였다는[109] 것이 그것이다.

샘과 우물에서 확보한 물은 일차적으로 식수·음용수로 사용하였다. 福泉寺 동쪽에 샘물이 쏟아져 나오는데 이것을 식수로 사용하였다는 데서[110] 잘 알 수 있다. '목말라 산 밑의 샘물 마시니'라는[111] 시구도 샘물이 식수로 중요하였음을 보인다.

차디찬 맑은 샘 마셔도 보고(淸泉飮冷冷)[112]

라는 것도 그것을 지적한 것이다.

고려시기에 차 문화가 크게 발달하였기 때문에 차를 우리는 데 좋은 물을 사용하였다. 샘이나 우물에서 확보한 물은 차를 끓여 마시는 데에도 사용하였다. '바위 가에는 차를 달이던 샘물이 있네'라는[113] 시구는 샘물로 차를 달였음을 보인다. '백설처럼 시원한 샘물을 끌어다가 황금빛의 움차를 끓이면서'라는[114] 구절 역시 좋은 샘물로 차를 끓였음을 보인다.

샘물이나 우물물로 차를 끓이고 있음은 '작은 병에 샘물을 길어다가, 깨진 솥에 노아차를 끓이니'라는[115] 데서도 알 수 있다. 그리고

· 샘물을 길어다가 차 달이고(汲井聊煎茗)[116]
· 산의 샘물은 차 끓이기에 좋다(茶好煮山泉)[117]

라는 데서도 읽을 수 있다. 샘물이나 우물물을 차를 끓이는 데 활발하게 사용되었음을 보이는

109)『東國李相國全集』권23, 泰齋記.
110)『新增東國輿地勝覽』권16, 報恩縣 佛宇 福泉寺.
111)『東國李相國全集』권6, 馬上有作. "渴飮山下泉"
112)『東文選』권4, 紀行一首 贈淸州參軍(李穀).
113)『新增東國輿地勝覽』권51, 平壤府 古跡 九梯宮. "岩阿試茗泉"
114)『益齋亂藁』권6, 妙蓮寺石池竈記;『新增東國輿地勝覽』권5, 開城府 古跡 妙蓮寺. "挹白雪之泉 煮黃金之芽"
115)『牧隱詩稿』권6, 茶後小詠. "小瓶汲泉水 破鐺烹露芽"
116)『陽村集』권8, 次復齋贈安養詩韵.
117)『陽村集』권9, 代人贈送伯瞻使還.

예는 많다.[118]

세면이나 목욕을 하는 경우에 활용하기도 하였으며, 빨래하는 데에도 사용하는 수가 있었다. '어린 계집종이 샘물을 길어 세수하라고 올리니'라는[119] 것과, '손을 씻을 맑은 샘이 차고'라는[120] 구절은 샘물을 손을 씻거나 세수하는 데 사용하였음을 나타낸다. 직접 샘에 가서 세면을 하는 수도 있었다. '세면할 적에는 곁으로 나는 샘에 가고'라는[121] 시구에서 확인할 수 있다. 발을 씻는 데 샘물을 사용하였음을 전하는 기록도 있다.[122] 옷을 빨고 목욕을 하는 데에도 샘물을 사용하였다.[123]

샘물·우물물을 농업용수로 활용하는 경우도 있었다.

· 샘과 못에 도랑내어 마른 이랑에 물대고(畦枯灌幸疏泉沼)[124]
· 시드는 모종에 샘물을 끌어 적시우리(苗乾方欲引泉濡)[125]

밭이랑에 물을 댄다는 것, 모종이 시들자 샘물을 공급했다는 것이다. 샘물로 농작물에 물을 제공하는 것은 용이한 일이 아닐 것이다. 집 부근의 채마밭에 물을 주는 데에 사용하는 것은 큰 어려움이 없었다. '홀로 찬 샘물을 길어 채소밭에 뿌리네'라는[126] 시구는 그것을 잘 나타낸다. 농업용수로 사용하기에는 물의 차갑고 수량이 부족하기 때문에 널리 사용하는 것은 어려운 일이었다. 또한 수량의 문제가 크기 때문이다. 농업용수로는 우물물보다는 샘물이 더 많이 사용되었을 것이다.

샘이나 우물에서 확보한 물은 지하수이기 때문에 지상의 온도보다 현저히 낮아 얼음처럼 차가운 수가 적지 않았다. 무더운 여름철에는 이 차가운 물이 더위를 식히는 데 큰 도움을 주었다.

'찌는 더위엔 찬 물이 필요한데, 샘물이 흘러나는 건 반드시 그때일세'라는[127] 시에서 더위가 심할 때 찬 샘물이 사용되었음을 보인다. 다음의 시구도 역시 더위를 식히는 데 샘물이 사용되었음을 보인다.

---

118) 『牧隱詩稿』권16, 有感; 『牧隱詩稿』권31, 朴判書密陽見訪; 『東文選』권17, 題劉仙巖(釋宏演).
119) 『牧隱詩稿』권28, 卽事. "小婢汲泉供盥洗"
120) 『東文選』권19, 卽事(吉再). "盥手清泉冷"
121) 『東國李相國全集』권5, 次韻吳東閣世文呈詰院諸學士三百韻詩 幷序. "盥漱臨泉沈"
122) 『東文選』권14, 林拾遺來示參社詩 因書以呈(柳珹); 『續東文選』권5, 觀音窟 前溪夜飮(許琛).
123) 『陽村集』권6, 板橋驛欲發程 擔夫有未至者 留待其來 及晚而行 路淖馬跌 衣裝盡濕 夜行二十里至蘆溝鋪 …
124) 『東國李相國後集』권2, 次韻李公需 林公成幹兩學士見和前詩.
125) 『東國李相國後集』권3, 次韻林亞卿(成幹)見和菜種詩及地棠詩.
126) 『牧隱詩稿』권13, 雜詠. "獨抱寒泉灌菜園"
127) 『東國李相國後集』권4, 五月二十三日 題家泉 二首 幷序. "大熱要寒水 泉流必此時"

원컨대 맑은 샘물을 내어 이 더위에 뿌려라(願出清泉灑炎溽)'[128]

특이하게도 차가운 샘물을 부채에 뿌려서 부채질을 하는 수도 있었다.[129]

우물에서 물을 길을 때는 두레박을 사용하여야 했다. 샘의 경우 앉아서 바가지나 다른 그릇으로 물을 뜰 수 있었지만 우물의 경우 지표보다 아래 지점에 있었기 때문에 두레박이 필요하였다. 우물에서 나는 두레박 소리를 언급한 시도 있다.

우물에서 물을 긷는 두레박줄은 '綆'으로 표현되었다.

옛 샘물을 긷느라고 짧은 두레박줄을 한탄하네(汲古嗟短綆)[130]

라는 데서 두레박줄의 존재를 알 수 있다. '두레박 짧은 줄로 어이 깊은 샘을 길으리'라는[131] 표현에서, 또 '찬 우물에서 막 두레박을 드리웠는데'라는[132] 언급에서 우물에서 두레박줄이 사용되었음을 알 수 있다. 당연히 두레박이 연결되어 있는 것이다.

물을 운반하거나 저장하는 데에는 용기가 필요하였다. 그 용기는 甕, 銅盆, 瓦盆, 小甁 등으로 표현되었다. 항아리가 사용되었음은 '수염난 종놈 항아리[甕] 지고 달려가 샘물 긷는다네',[133] '번거롭게 항아리로 길을 것이 뭐랴'에[134] 잘 보인다. 동분이 사용되었음을 보이는 자료는 다음과 같다.

우물물을 긷느라고 문득 문밖에 길이 생겼는데(汲井却成門外路)
계집종은 조석으로 구리 물동이를 이고 다니네(女奴朝夕頂銅盆)[135]

와분이 사용되었음은 '오지동이[瓦盆]로 찬 샘물을 긷노라니'에서[136] 알 수 있다. 작은 병이 사용되었음은 '작은 병에 샘물을 길어다가'라는[137] 시구에서 확인할 수 있다.

물을 긷는 일은 주로 여성이 담당한 것으로 기록에 나타난다. 노비가 물을 긷는 수가 많으며,

---

128) 『東文選』권6, 致遠庵主以詩見示 仍以請予紀山中故事 次韻答之(釋天因).
129) 『牧隱詩稿』권24, 在燕都國子監 於街南賃屋一間 極熱 以瓦盆盛氷 濯手灌面 有詩結句云 ….
130) 『牧隱詩稿』권3, 登科有感.
131) 『東文選』권16, 次襄州官舍詩韻(李達衷). "羞將短綆汲深泉"
132) 『牧隱詩稿』권26, 點茶. "冷井才垂綆"
133) 『東國李相國集』권6, 六月十一日 發黃驪 將向尙州 出宿根谷村(予田所在). "髯奴舁甕走汲泉"
134) 『東國李相國集』권11, 留題惠元寺. "何煩抱甕汲"
135) 『牧隱詩稿』권8, 卽事.
136) 『牧隱詩稿』권29, 金按廉送茶適至. "瓦盆汲冷泉"
137) 『牧隱詩稿』권6, 茶後小詠. "小甁汲泉水"

그것도 어린 노비가 담당하는 수가 많았다. 지배층 가문에서는 노비가 주로 맡았지만 일반 민인의 경우 주부를 비롯한 여성이 주로 그 일을 했을 것으로 보인다.

- 어린 계집종이 새로 물을 길어, 술거르고 밥 많이 들라 권하는데(小婢新汲水 漉酒勸加飱)[138]
- 어린 계집종이 샘물을 길어 세수하라고 올리니(小婢汲泉供盥洗)[139]

위의 2자료는 물을 길어오는 일을 어린 계집종[小婢]이 맡았음을 전한다. 그밖에도 어린 계집 종이 샘물 긷는 일을 맡았음을 알려주는 예는 더 보인다.[140] 그리고 늙은 계집종도 물 긷는 일을 맡았다. '늙은 계집종은 차를 끓이려 돌샘에서 물을 긷네'에서[141] 볼 수 있다. 물 긷는 일은 특별한 재능을 요하지 않는 것이기에 어리거나 늙은 여종이 주로 맡았던 것으로 보인다. 나이는 정확히 알 수 없지만 여종이 물 긷는 일을 맡은 것은 '계집종은 조석으로 물동이를 이고 다닌다'는 데서도[142] 볼 수 있다.

늙은 남자 종도 샘물을 긷는 일을 하기도 하였다. '수염난 종놈 동이 지고 달려가 샘물 길어오고'에[143] 보이는 샘물을 길어오는 수염 난 종은 늙은 종으로 보인다.

신분은 알 수 없지만 어린 아이가 물 긷는 예도 보인다. '어린 아이는 대나무 사이 샘에서 새로 물을 긷네'라는[144] 시구에 보이는 어린 아이는 노비일 가능성이 없지 않지만 단정할 수는 없겠다.

밥 짓는 아낙네가 물을 긷는 것은 일반적이었을 것이다. 노비를 거느리지 못한 민인의 경우 대개 집의 아낙이 물을 길었던 것으로 보인다. '밥 짓는 아낙네는 시냇물을 기르러 나가네'라는[145] 것이 그것이다. 샘이나 우물이 아니고 澗으로 표현되었지만 물 긷는 일은 마찬가지인 것이다. 이처럼 물을 긷는 일은 여성이 주로 담당하였으며 그 가운데서도 여자노비가 주로 맡았다. 일반 백성의 경우에도 여성의 몫으로 보인다.

물을 가까운 거리에서 운반한다면 편리하고 어렵지 않겠지만 종종 먼 곳에서 운반하지 않을 수 없었다. 샘이나 우물이 집 가까이에 있으면 물을 길러 다니는 고역을 덜 수 있었다. 집뒤에

---

138) 『牧隱詩稿』 권2, 在水原八呑村 候東堂日期 雜興.
139) 『牧隱詩稿』 권28, 卽事.
140) 『牧隱詩稿』 권25, 晨興開窓 見屋上霜;『牧隱詩稿』 권24, 在燕都國子監 於街南賃屋一間 極熱 以瓦盆盛氷 濯手灌面 有詩結句云 ….
141) 『牧隱詩稿』 권31, 朴判書密陽見訪. "老婢煎茶汲石泉"
142) 『牧隱詩稿』 권8, 卽事. "女奴朝夕頂銅盆"
143) 『東國李相國全集』 권6, 六月十一日 發黃驪 將向尙州 出宿根谷村(子田所在). "髥奴舁甕走汲泉"
144) 『牧隱詩稿』 권8, 述懷. "小童新汲竹間泉"
145) 『牧隱詩稿』 권6, 晨興. "爨婦出汲澗"

우물이 있어 '물길러 나르는 고역도 덜 수 있네'라는[146] 표현이 그것이다. 우물이나 샘이 가까우면 수시로 물을 길을 수 있었다. '우물이 가까우니 밤에도 물 긷고'라는[147] 것이 그것이다. 우물이 가깝기 때문에 밤에도 길을 수 있었던 것이다.

가까운 지점에 샘이나 우물이 없을 경우 먼 곳에서 물을 운반하지 않으면 안 되었다. 예전부터 艶陽禪寺에 우물이 없었기 때문에 멀리서 물을 길어 오느라 고생하였다고 하는 것이 그것이다.[148] 국청사의 경우 우물이 깊고 크나 냄새가 났다 깨끗해졌다 하여 일정치 않았는데 냄새가 심해지자 멀리서 물 길어 오는 데에 괴로움이 컸다고 하였다.[149] 그 구체적인 모습은 다음에 잘 표현되어 있다.

물을 구하려면 산 아래에 가서(求之山下)
나귀 등에 싣고 사람 어깨에 메고(驢背人肩)
삼십리 길을 왕래하다 보니(往來一舍)
한말 물 값이 무려 일백전(斗水百錢)[150]

산 아래에서 물을 길어 오는 데 나귀의 등에 싣고 또 사람의 어깨에 메고 운반한다는 것이며 그 거리가 삼십 리라고 하였다. 거리에는 과장이 없지 않지만 물 길어오는 고통을 짐작할 수 있다. 성 내에 샘물이 없어서 제주의 정의현은 15리 밖에서 물을 길어오고, 대정현은 5리 밖에서 물을 길어온다고 하였다.[151]

샘이나 우물은 기본적으로 공동이용이 원칙이었다. 그러나 개인의 담장 안에 위치한 것은 특정 개인이 전용하고 다른 이들은 사용하기 쉽지 않았을 것이다. 더구나 그 우물을 파는 데 특정인이 전적으로 힘을 기울였다면 더욱 그러하였을 것이다.

샘·우물은 주변에 거주하는 사람들이 편하게 마시는 것이 보통이었다. 개성의 紅挑井은

주변에 사는 사람들이(遂使傍泉而居者)
모두 시원히 움켜 마시네(皆快意於挹掬)[152]

라고 하였다. 홍도정을 주변 사람들이 공동으로 사용하였음을 나타낸 것이다.

---

146) 『東國李相國全集』권18, 舍後開小池. "亦省汲引役"
147) 『東國李相國全集』권15, 與玄上人遊壽量寺 記所見. "井近宵猶汲"
148) 『稼亭集』권2, 高麗國江陵府艶陽禪寺重建記.
149) 『東文選』권68, 國淸寺金堂主佛釋迦如來舍利靈異記(閔漬).
150) 『稼亭集』권7, 靈巖寺新井銘.
151) 『世宗實錄』권48, 世宗 12년 6월 4일(癸酉), 3冊, p.240.
152) 『新增東國輿地勝覽』권4, 開城府 山川 紅挑井.

그러나 특정인의 집안에 우물이나 샘이 있는 경우 사정은 달랐다. 특히 우물을 조영하는 데 특정가에서 상당한 공력을 기울인 경우 그 집에서 독점적으로 사용하는 것이 보통이었을 것이다. 그러한 경우에도 타인에게 사용을 허한다면 아름다운 일이었다. '단 하나인 샘물을 이웃 불러 마시게 하고'라고[153] 읊으면서 이웃 사람들이 샘물 길어가는 것을 그대로 두었다는 것은 특정가에서 독점적으로 사용해도 무방한 것임에도 불구하고 다른 사람들이 물을 길어감을 허여한 것이다.

물을 길러 오고 감으로써 길이 생겼음을 나타내는 자료가 있다. '우물물을 긷느라고 문득 문밖에 길이 생겼는데'라는[154] 것이 그것이다. 물을 길러오고 가는 일은 빈번하였기 때문에 자연스럽게 우물과 집 사이에는 길이 생기는 것이다.

조선초 한양에서 3家 혹은 5가마다 하나의 우물을 파도록 한 일이 보이는데 우물은 통상 여러 집이 공동으로 사용하였음을 엿보게 하는 것이다. 세 집이 하나의 우물이면 족하다라는 것은[155] 세 집에서 하나의 우물을 공동으로 사용했음을 의미한다. 가뭄으로 물이 부족해서 백성들이 매우 고생을 하자 도성 안의 5家마다 우물 하나씩을 공동으로 파게 하였다.[156] 이 우물은 다섯 집이 공동으로 사용하였음이 분명하다.

그러나 현실에서는 공동으로 사용하여야 하는 것을 특정인이 독점 사용하고 타인의 사용을 금하는 일도 없지 않았다. 조선 성종 때에 큰 가뭄으로 우물과 샘이 모두 마르자 閭閻의 우물을 간혹 차지하여 제 것으로 삼고, 남이 물을 긷는 것을 금하고 있는데, 심한 자는 값을 받고 물을 팔아 장사를 하여 사람들이 심히 괴롭게 여긴다는[157] 기록이 그것을 보여준다.

V. 泉 중심에서 井의 확대로

고려시기에 주된 식수원은 샘과 우물이었다. 이 가운데 어느 것이 중심이고 어느 것이 부차적이었을까 하는 것은 촌락의 발달과 관련되는 중요한 문제이다. 샘이 발달하였다면 촌락은 산록완사면이나 선상지를 중심으로 발달한 것이 되고, 우물이 중심이었다고 하면 배후에 산을 두고 있지 않거나 낮은 구릉을 두고 있는 지점에 촌락이 발달한 것이 된다. 그것을 판단하는 자료로서 『세종실록지리지』의 성곽 내부 식수시설을 검토하고자 한다.

153) 『東國李相國全集』권2, 奇尙書退食齋八詠 幷引. "一泉寒水呼隣吸"
154) 『牧隱詩稿』권8, 卽事. "汲井却成門外路"
155) 『太宗實錄』권27, 太宗 14년 3월 17(庚寅), 2冊, p.9.
156) 『太宗實錄』권29, 太宗 15년 3월 4일(壬寅), 2冊, p.54.
157) 『成宗實錄』권17, 成宗 3년 4월 27일(癸巳), 8冊, p.653.

【표 2】『세종실록지리지』 기재 山城·邑城 및 그 내부의 泉·井

도	산성			읍성			구분이 모호한 城의 수	성곽 총수	城미기재 고을의 수
	산성의 수 (泉井미기재)	천	정	읍성의 수 (泉井미기재)	천	정			
경기도	5(1)	2	8	1	0	2	2	8	25(한양·개경제외)
충청도	26(2)	33	19	16(4)	3	27	1	43	17
경상도	29(5)	73	23	27(4)	15	163	6	62	17
전라도	9(1)	59	0	23(23)	0	0	8	40	24
황해도	4(1)	5.5	9.5	5(1)	1	12	3	12	15
강원도	16(5)	18	4	7(7)	0	0	1	24	8
평안도	8(4)	57.5	44.5	17(15)	28.5	27.5	4	29	20
함길도	11(5)	16	5	13(3)	70	7	12	36	2
계	108(24)	264	113	109(57)	117.5	238.5	37	254	128

『세종실록지리지』에는 성곽이 비교적 풍부하게 기재되어 있다. 많은 고을의 성곽이 기재되어 있지만 성곽을 기록하지 않은 고을도 적지 않은데 128개 고을에서 그러하다. 성곽을 기록한 고을은 대략 전체 고을의 2/3 정도이다. 기재되지 않은 고을은 아마 실제로 성곽이 없을 가능성이 있지만, 반드시 그렇다고 보기는 힘들다. 경기도는 25개 고을, 전라도는 24개 고을, 평안도는 20개 고을에서 성곽을 기재하지 않았다. 반면 함길도는 2개 고을에서, 강원도는 8개 고을에서 기록하지 않아 두 도는 대체로 누락됨이 없이 충실하게 기재된 것으로 이해된다(각 도의 상세한 사항은 [부록 2] 참조).

성곽은 대체로 邑城과 山城으로 구분하고 있는데 단순하게 城으로 표기되거나 木栅으로 표기된 경우는 산성·읍성의 구분이 모호한 것으로 분류하였다. 구분이 모호한 성곽이 많은 도는 함길도와 전라도인데, 두 도는 산성·읍성 이외의 것이 많았음을 의미한다. 고려시기까지는 산성이 중심이다가 고려말 이후 읍성이 대대적으로 조성된 것으로 이해하고 있다.[158]

산성은 모두 108개가 확인되고, 읍성은 109개가 확인된다. 城內에는 식수를 제공하는 샘과 우물이 마련되어 있는데, 샘·우물 이외의 시설도 언급하고 있지만 그에 대한 내용은 이 글의 취지와 다소 거리가 있어 언급하지 않기로 한다. 샘과 우물에 대해 상세한 정보를 전하는 道도 있지만 그렇지 않은 道도 있어 道別로 차이가 매우 크다. 산성 108개 가운데 24개의 경우 井·泉이 미기재이고, 읍성의 경우 전체 109개 가운데 57개에서 井·泉이 기재되어 있지 않다.[159] 식수시설은 특별한 경우를 제외하고 모두 갖추고 있었을 것이므로 기재하지 않은 것은 대체로

---

158) 심정보, 『한국 읍성의 연구』, 학연문화사, 1995, pp.39~98; 손영식, 『한국의 성곽』, 주류성, 2011, pp.117~126; 최종석, 『한국 중세의 읍치와 성』, 신구문화사, 2014, pp.283~360.

159) 『新增東國輿地勝覽』의 井·泉에 관한 기록은 『세종실록지리지』보다 크게 부실해 검토의 대상으로 삼지 않았다.

기록의 누락으로 이해된다. 물론 정·천이 없어서 기록하지 않는 수도 있겠지만, 그 수는 미미하다고 판단된다. 산성의 경우는 井泉이 누락된 예는 각도마다 큰 차이가 없는 것으로 보인다. 경상도, 강원도, 함길도가 모두 5곳으로 가장 많다. 그러나 읍성의 경우 사정이 달라 전라도는 모든 곳에서 井泉을 기재하지 않았으며 평안도는 17곳 가운데 15곳에서 미기재이다. 따라서 전라도와 평안도의 읍성 내 식수기록이 가장 부실하다고 판단된다.

산성의 경우 천이 264개, 정이 113개로 천이 월등히 우세하다. 그것은 입지의 특성상 샘을 기본적인 식수원으로 하고 있었다는 의미이다. 지표의 아래로 파 들어가 조성하는 우물보다 샘을 조성하는 것이 훨씬 용이하였을 것이다. 도별로 보면 샘이 크게 우세한 곳은 경상도, 강원도, 함길도이다. 전라도는 정이 아예 기록되지 않고 천만 기록되어 있다. 전라도를 제외한 경상도, 강원도, 함길도의 경우 산성에서는 대부분 샘에서 식수를 공급받았다는 뜻이다. 반면 경기도와 황해도는 샘보다 우물이 많고 평안도는 샘이 많지만 우물도 상당수에 달한다. 경기도와 황해도에서 천보다 정이 우세한 것은 인상적이다. 그러나 두 도는 전체적으로 기재한 성의 수가 적어서 샘·우물의 전체 상황을 나타내는 것인지 의문이다.

읍성의 경우 총괄해 보면 천이 117.5개이고 정이 238.5개로서 우물이 월등히 우세하다. 읍성이 평지에 자리한 경우가 많기 때문에 우물이 우세한 것은 당연한 일이라 하겠다. 우물이 압도적으로 많은 도는 경상도(163개), 충청도(27개), 황해도(12개)이다. 반면 샘이 비교적 많은 도는 평안도(28.5개), 함길도(70개)이다. 두 도는 산지가 많은 지역이기 때문에 읍성도 산지와 연결되어 조성하는 수가 많았고, 이에 따라 샘의 비율이 높았다고 판단된다. 그런데 전라도와 강원도의 경우 읍성 내의 井泉이 전혀 언급되고 있지 않다. 이는 실제를 반영한다고 보기 힘들고, 기록의 누락으로 보인다.

산성이나 읍성에 井泉이 기록된 경우 그 식수원은 상당히 안정적이었다. 가뭄이나 홍수에도 고른 물 공급을 가능케 하였다. 遇旱不渴, 雖旱不渴, 冬夏不渴, 四時不渴로 표현한 것이 그것이다. 성은 유사시에 방어시설로서 상당기간 버텨야 했기에 식수를 가장 중요한 기반으로서 갖추지 않으면 안 되었던 것이다. 드물지만 無井泉, 無水, 無水泉으로 표기된 산성이나 읍성도 없지 않지만 그러한 경우는 극히 소수여서 예외적인 것으로 보아야 할 것이다. 때로 遇旱則渴, 冬夏或渴, 旱則渴, 旱則或渴, 大旱則或渴, 大旱渴로 표현되는 경우도 있었다(부록 2] 참조). 이것은 가뭄이 심하면 정천이 마른다는 것인데, 이렇게 표현된 정천은 비교적 소수에 불과해 전체적으로 보면 산성이나 읍성의 식수원은 비교적 안정적이었다고 판단된다.

산성과 읍성을 기준으로 井泉의 전체 양상을 보면 산성에서는 천이 훨씬 우세하고, 반면 읍성에서는 정이 훨씬 우세하다. 샘이 골짜기나 산록완사면에 발달하기 때문에 산을 포함하고 있는 산성에 샘이 많을 수밖에 없다. 반면 읍성은 평지에 조성하는 예가 많아 샘이 있기 어렵고 지표를 파 들어가 우물을 만들어야 식수를 확보할 수 있었을 것이다. 평지를 중심으로 조영하는 읍성에도 샘이 꽤 포함되어 있으므로, 배후에 산이 있는 산록완사면을 포함하여 읍성을 축조하였음을 알 수 있다. 산지가 없이 평지에만 읍성을 쌓는 경우 샘은 특수한 경우를 제외하고는 존재하기 어렵다.[160]

산성은 고려시기에 기능하던 곳이고 읍성은 고려말 조선초에 조성한 것이 대부분이다. 산성의 비중보다 읍성의 중요성이 더욱 높아가고 있는 추세이다. 이러한 추세는 고려시기 샘을 많이 활용해 식수를 조달하는 방식이 중심이고, #이 보조적인 것이었으며, 반면 조선에 들어와 식수원으로서 우물이 크게 확대됨을 의미한다. 읍성의 대대적인 조성이 가능한 것은 우물을 만드는 기술의 현저한 진전과 깊이 연관되리라 생각한다.

아마 이러한 식수원의 변화는 촌락의 발달과도 깊은 관련을 갖는다고 생각한다. 고려시기 읍치가 산록완사면이나 선상지에 주로 발달하였기 때문에 중심 촌락은 대체로 샘을 주된 식수원으로 확보하였을 것이다. 그러나 인구가 증가하고 가용공간이 확대되면서 샘으로 식수를 조달하는 것이 여의치 않았을 것이다. 그리고 지하수를 이용할 수 있는 기술 진보도 이를 뒷받침하였을 것이다. 낮은 구릉지를 배후에 둔 곳이나, 평탄지에서는 우물을 통해 식수를 공급받았을 것이다.

우물을 파는 것은 쉬운 일이 아니었다. 또 지하 수맥을 찾는 일 또한 여의치 않았다. 계절의 변화에 관계없이 양질의 물을 안정적으로 확보할 수 있는 우물을 가급적 지표의 얕은 지점에서 확보할 수 있으면 좋았다. 수맥을 찾는 과학의 발달, 우물을 조영하는 기술의 진보가 전제되어 우물이 크게 확대될 수 있었다. 그러나 우물이 이 시기에 처음 보급된 것은 물론 아니다. 신라 경우에도 여러 우물이 있었다. 다수의 주민이 평지에도 다수 살았던 시기의 國都 경주에는 다수의 우물이 조영되었을 것이다. 그러나 그것의 조영은 쉬운 일이 아니기에 신성성이 부여된 것이고, 그에 따라 신비한 신화·설화가 우물과 관련되는 것이다. 국도를 중심으로 하는 곳에 있는 우물은 상당히 중시되고 신성시 되었을 것이다. 소문국의 우물, 대가야의 우물, 백제의 어정 역시 그러하였을 것이다.

우물은 고려시기에도 국도를 비롯한 대도회에서 널리 활용되었을 것이다. 그러나 외방의 邑治에서는[161] 대체로 샘이 중심이고 우물이 보조하는 방식이었을 것으로 보인다. 그러나 조선초부터 우물이 크게 확대 보급되는데 그것은 읍성에서 식수원으로 우물이 크게 부상하는 것과 짝하는 일이라고 생각한다. 우물도 얕은 곳에서 조성하던 것에서 깊은 곳에 조성하는 것으로 변화하였을 것이다.

---

160) 예컨대 순천시 낙안읍성은 평지에 있지만 분지형태여서 샘이 있다. 낙안읍성과 같이 평지만으로 구성된 읍성에 샘이 식수원으로 존재하는 일은 흔한 일은 아니다.

161) 고려시기 군현의 읍치나 향·부곡의 소재지가 대부분 꽤 높은 산을 배후에 둔 산록완사면에 자리하고 있음을 확인할 수 있다.

Ⅵ. 결어

식수는 어느 시기에나 그러하듯이 고려시기에도 매우 중요하였다. 그러나 일상생활은 기록으로 남기 어렵기 때문에 식수에 관한 구체적인 실상을 파악하는 것은 매우 힘들다. 이 글에서는 문헌자료를 통해서 식수원으로서 샘과 우물을 주목하고, 고려시기 어느 것이 중요하였는가를 추론해 보았다.

고려시기 식수가 매우 중요해서 사원을 세울 때, 성을 축조할 때, 전쟁 시 피난처를 선정할 때 그것의 확보는 일차적인 사항이었다. 민간에서도 집을 지을 때, 마을을 건설할 때, 정자를 조성할 때, 그리고 궁궐을 조성할 때도 식수를 확보할 수 있는가 여부는 매우 중요한 사항이었다. 일시적으로 많은 양이 필요한 농업용수와는 달리 식수는 항상 확보할 수 있어야 하며 양질이어야 했는데, 고려시기 식수는 표면수를 거의 사용하지 않고 대부분 지하수를 활용하였다. 전시 등 비상시에는 표면수를 사용하는 일도 없지 않았다. 전체적으로 볼 때 일정한 강수량이 확보되고 또 산이 많아서 지하수가 발달하였기 때문에 식수문제로 고통을 겪는 일은 별로 없었던 것 같다.

고려시기 지하수를 확보하는 방법은 샘과 우물의 두 종류가 있었다. 샘이 자연스럽게 분출하기 위해서는 지하수를 떠받치는 암반이 있어야 하며, 지하수의 흐름을 막아 한 곳으로 흐르도록 하는 바위가 있어야 했다. 바위 위, 바위 밑, 바위의 틈 사이에서 샘이 솟아나왔다. 샘이 石泉으로 불리는 수가 많은 것은 이러한 사정이 있었다. 샘이 솟아나와 소리를 내 흘러 갔으며 그것을 '泉鳴'이라고 표현하였다. 샘은 산간 계곡에 많이 분포하는 것이지만 개인의 집안이나 집 부근, 마을 부근에 위치하였으며, 누정 근처에 위치한 수도 있었다. 샘은 자연스럽게 솟아나는 것으로 넓은 수맥을 전제로 하기 때문에 기상의 변화에 관계없이 유출량의 변화가 크지 않은 것이 보통이었다. 우물은 지하를 파 들어가 인위적으로 조영하고 두레박을 사용해 물을 긷는 것이었다. 지하 얕은 지역에서 확보하는 것은 샘과 구분이 모호한 수도 없지 않았다. 우물을 조영하는 것은 수맥을 찾아야 하고, 가급적 얕은 지점에서 지하수를 확보해야 하고 또 양질의 것이어야 하기 때문에 쉬운 일이 아니었다. 지하수를 확보하더라도 수질이 나빠 포기하는 수도 없지 않았고, 또 지하 너무 깊은 곳까지 파들어가는 수도 있었다. 우물 가에 오동나무나 소나무가 서 있음을 묘사한 싯귀도 보인다. 샘물이나 우물물은 모두 지하수이기 때문에 차가운 특성을 지니고 있다. 식수가 갖는 중요성 때문에 식수원인 우물이나 샘은 매우 신성시되고 기우제를 올리는 장소가 되는 수가 많았다. 때로는 불교설화가 만들어지는 장소이기도 하였다.

샘물이나 우물물은 기본적으로 식수로서 음용으로 사용되는 것이었지만 생활과 관련한 여러 용도로도 쓰였다. 차를 끓이는 데에도 사용되었고 세수나 목욕을 하는 데에도, 또 세탁을 하는 데에도 당연히 사용되었다. 여름철에는 더위를 식히기 위해 사용하기도 하였다. 농업용수로도 사용하는 수도 있었지만, 수온이 낮고 또 많은 양을 확보하기 힘들기 때문에 부분적으로 사용할 수 있을 뿐이었다. 물은 甕·銅盆·瓦盆으로 표현되는 용기를 사용해 운반하였으며, 그 운반의 일은 주로 여성 노비가 담당하였고, 일반 민의 경우에도 여성이 주로 담당한 것으로 보인다. 샘물이나 우물물은 공동으로 이용하는 것이 원칙이나 때로는 특정 세력가가 독점해 문제되는 수도 없지 않았다. 특정 개인이 독점적으로 노력을 기울여 자기 집안에 우물을 조영한 경우에는 독점 사용이 가능하였을 것이다.

고려시기 식수원으로서 샘과 우물 가운데 어느 것이 큰 비중을 차지했는가 하는 것은 촌락의 입지와 관련된 중요한 사항이다. 山城의 경우에는 지형 특성상 샘이 훨씬 우세하였고, 반면 고려말 이후 많이 조영되는 邑城의 경우에는 우물이 훨씬 우세하였다. 전체적으로 보면 우물이 크게 확산되는 양상을 띠었다고 할 수 있다. 고려시기에 읍치를 중심으로 한 중요 촌락은 산록 경사면에 자리하는 수가 많기 때문에 샘이 매우 중요한 식수원으로 기능하였을 것으로 보인다. 물론 우물이 없는 것이 아니지만 샘이 중요한 비중을 차지하고 있었던 것으로 보인다. 고려말 이후 거주공간이 확대되는 가운데 우물은 비약적으로 증대된 것으로 판단된다.

촌락은 주지하듯이 식수만으로 입지가 결정되는 것은 아니다. 농경지가 확보되어야 하고 땔나무의 공급도 충분해야 한다. 식수만을 고려한다면 산간의 계곡에 촌락이 발달해야 하지만 농경지도 중요하기 때문에 두 가지를 겸비한 산록완사면이나 선상지에 촌락이 발달하는 것이다. 그러한 지점은 임야가 배후에 있기 때문에 땔나무의 조달도 비교적 용이하다. 결국 고려시기 읍치를 중심으로 한 중심 촌락은 이러한 조건을 갖춘 공간·지점에 자리했다고 생각한다.

우리는 일찍부터 양질의 지하수를 식수로 삼았다. 다수의 사람이 모여 사는 국도에서는 우물을 사용하는 일도 있었지만 샘이 중시되었다. 그러나 인구가 증가하고, 샘을 확보할 수 없는 지점으로 촌락이 확산됨에 따라, 또 땅 속에 대한 지식과 정보가 증가해 감에 따라 우물의 사용은 더욱 늘어갔다. 적어도 고려시기까지 읍치에서는 대체로 샘이 중요한 식수원으로 기능한 것으로 보인다. 이전시기에도 사용되던 우물은 조선초이래 빠른 속도로 만든 것으로 판단된다.

식수의 문제는 당시인에게 매우 중요한 문제였다. 그럼에도 식수와 관련한 구체적인 문헌기록을 남긴 예가 많지 않다. 그리고 새마을 사업이후 농촌의 상수도 보급이 확대됨에 따라 오랜 기간 유지해 오던 샘과 우물은 거의 사라지고 말았다. 그리하여 그 흔적을 찾아 식수원을 정리하고 나아가 촌락의 입지 및 경관을 이해하는 것은 매우 힘들게 되었다. 이제라도 이에 관심을 기울여 적극 연구한다면 의미있는 성과가 있을 것으로 생각한다.

[부록 1] 유명한 泉과 井

순번	井·泉의 이름	소재지	특징	전거
1	炟艾井	개성	속언에 군왕이 달애정을 마시면 宦者가 일을 멋대로 한다 하여, 최충헌의 건의로 廣明寺 井을 御水로 함	『고려사절요』권13, 명종 27년 9월; 『고려사』권129, 열전42, 반역3, 최충헌; 『신증동국여지승람』권4, 개성부 산천
2	開城大井	개성	作帝建이 결혼한 龍女(元昌王后)가 開州의 東北山麓에 가서 은그릇으로 땅을 파서 取水해 사용한 데서 시작함	『신증동국여지승람』권4, 개성부 산천; 『고려사』, 세계
			大井에서 禱雨함	『고려사』권54, 지8, 오행2, 금; 『고려사』권134, 열전47, 신우7년 5월
			샘이 솟아 나오는데 가득차면 깊이가 2척 정도되며, 봄·가을에 固祭를 지내고, 가물면 기도함	『세종실록지리지』, 개성유후사
3	廣明寺 北井 / 廣明寺 井	개성	龍女(=元昌王后)가 松嶽에 새로 지은 집의 寢室 창밖에 우물을 파고 우물 속을 통해 西海龍宮에 왕래함. 그 우물이 광명사 정	『고려사』, 世系; 『세종실록지리지』, 개성유후사; 『신증동국여지승람』권4, 개성부 산천
4	梅介井	개성	붉어짐, 붉게 끓어오름 태종6년 개구리가 모두 저절로 죽음	『고려사』권53, 지7, 오행1, 화; 『태종실록』권11, 태종6년 2월 乙酉
5	藍井	개성	태종6년 개구리가 모두 저절로 죽음	『태종실록』권11, 태종6년 2월 乙酉
6	演福寺 9井	개성	九龍이 있는 곳. 오랫 동안 막혀 있어 개수하지 않으면 안된다고 해서 고려말 보수하였으며, 조선 태종 원년 이 우물의 물이 끓자 좌승지 李原을 보내어 제사 지냄	『고려사』권132, 열전45, 반역6, 辛旽; 『고려사』권45, 세가45, 공양왕 2년 정월 을유;『양촌집』권12, 연복사탑중창기봉교찬
7	陽陵井	개성		『신증동국여지승람』권4, 개성부 산천
8	紅桃井	개성		『신증동국여지승람』권4, 개성부 산천; 『동문선』권2, 紅桃井賦(李仁老)
9	佛恩寺 井(=留巖井)	개성	광종 때 추한 모습의 승려를 王宮의 齋 말석에 앉힘. 승려들이 그에게 왕궁의 재에 참석했다고 말하지 말라고 하니 그 승려가 너희들도 약사여래를 친견했다고 말하지 말라고 하고서 공중으로 올라가 유암사 우물 속으로 몸을 감춤	『稼亭集』권3, 고려국천태불은사중건기; 『신증동국여지승람』권4, 개성부 불우 불은사
10	靑龍山(瑞雲山) 西峯 壇 아래의 3井	안성	가물면 우물을 보수하고 비를 비는데 자못 응함이 있음	『세종실록지리지』, 안성군; 『신증동국여지승람』권10, 안성군 산천
11	大井	은진	옛 백제의 御井이었다 함	『신증동국여지승람』권18, 은진현 고적
12	竝井	이산	두 우물이 서로 끼고 나옴	『신증동국여지승람』권18, 尼山縣, 산천
13	玉賜井	洪州	홍주목 소재 玉賜金所에 있음	『신증동국여지승람』권19, 홍주목 고적
14	神井	온양		『신증동국여지승람』권19, 온양군 산천
15	楊山蘿井	경주	흰 말이 끓어앉아 절하는 모양, 다가가 보니 말은 보이지 않고 큰 알이 있음, 그것을 쪼개니 어린 아이가 나옴. 그가 박혁거세	『신증동국여지승람』권21, 경주부 고적
16	閼英井	경주	용이 이 우물에 나타나 오른쪽 겨드랑이에서 여자 아이를 낳음. 이 아이가 알영, 뒤에 박혁거세의 비	『신증동국여지승람』권21, 경주부 고적
17	金城井	경주	신라 시조때 용이 이 우물에 나타남	『신증동국여지승람』권21, 경주부 고적
18	雛羅井	경주	소지왕 때 용이 이 우물에 나타남	『신증동국여지승람』권21, 경주부 고적
19	大王巖 巖泐 間에 있는 泉	영일	가물 때 이곳에 비를 빌면 곧 비가 내렸다 함	『신증동국여지승람』권23, 영일현 고적 대왕암
20	金井山石井	동래	산정상에 있음, 둘레 10여 척, 깊이 7촌 정도, 가물에도 물이 마르지 않음	『세종실록지리지』, 동래현
21	龍頭山 山頂의 井	영해	장마에도 가뭄에도 물의 증감이 없음	『신증동국여지승람』권24, 영해도호부 산천 용두산

22	浮石寺의 善妙井	영천(영주)	부석사의 동쪽	『신증동국여지승람』 권25, 영천군 불우
23	浮石寺의 食沙龍井	영천	부석사의 서쪽. 가뭄시 기도하면 감응이 있음	『신증동국여지승람』 권25, 영천군 불우
24	御井	의성	소문국 시절의 어정인 모양	『신증동국여지승람』 권25, 의성군 고적
25	將軍井	밀양	金碩장군의 우물	『신증동국여지승람』 권26, 밀양도호부 고적 장군정
26	御井	고령	대가야국의 궁궐터 곁에 있는 돌 우물	『신증동국여지승람』 권29, 고령현 고적
27	墨井	함열	비를 빌면 효험	『신증동국여지승람』 권34, 함열현 산천
28	浣絲泉	나주	장화왕후 오씨가 왕건에게 마실 물을 건넨 곳	『신증동국여지승람』 권35, 나주목 불우 홍룡사
29	鹽井	무장	바다 2리 들어간 곳에 있음. 여기의 물을 길어다 소금을 만듦	『신증동국여지승람』 권36, 무장현 산천
30	斗泉	제주	가물면 맑아지고 비가 오려면 金 기운이 물 위에 뜸	『신증동국여지승람』 권38, 제주목 산천
31	大母泉	남원	남원의 남쪽 4리 지점에 있음	『신증동국여지승람』 권39, 남원도호부 산천
32	白鷄山 頂上바위 밑의 泉	광양	빌기만 하면 영험이 있음. 齋戒하는 것을 성실히 하지 않으면 샘이 마름	『신증동국여지승람』 권40, 광양현 산천 백계산
33	崇水院	평산	겨울철 얼음 기둥을 보고 다음해 풍흉을 판단함	『신증동국여지승람』 권41, 평산도호부 역원
34	龍泉	서흥	산 기슭에서 물이 솟음	『신증동국여지승람』 권41, 서흥도호부 산천
35	靈泉	봉산	고을 서쪽 25리 지점에 있음	『신증동국여지승람』 권41, 봉산군 산천
36	天奉山 위의 龍井	신천	가물 때 비를 빔	『신증동국여지승람』 권42, 신천군 산천
37	所亐音山 속의 泉	강릉	날씨가 가물어서 비를 빌면 영험이 있음	『신증동국여지승람』 권44, 강릉대도호부 산천
38	于筒水	강릉	한강의 근원. 오대산 西臺 밑에서 솟아나오는 데 빛깔과 맛이 보통 우물물보다 낫고 물의 무게도 무거움	『신증동국여지승람』 권44, 강릉대도호부 산천; 『양촌집』 권14, 오대산서대수정암중창기
39	頭陀山 五十井	삼척	곁에 神祠가 있는데 봄·가을 제사 지냄. 가물면 비를 빔	『신증동국여지승람』 권44, 삼척도호부 산천
40	冷泉	양양	세상 전하는 말에, 관세음보살이 여자로 화해서 벼를 베고 있었는데, 원효대사가 냉천 물을 마시면서 함께 장난을 하였다고 함	『신증동국여지승람』 권44, 양양도호부 고적
41	陰谷泉	영월	군의 북쪽 24리에 있음	『신증동국여지승람』 권46, 영월군 산천
42	平安泉	평창	산 기슭의 절벽 밑에 창문 같은 구멍이 있어 장마철마다 물이 구멍으로부터 솟아 나옴	『신증동국여지승람』 권46, 평창군 산천
43	國泰山 위의 石井	영흥	날이 가물 때 빌면 감응이 있다 함	『신증동국여지승람』 권48, 영흥대도호부 산천 국태산
44	潭泉	종성	광덕산에 있음	『신증동국여지승람』 권50, 종성도호부 산천
45	大井	평양	평양 남쪽 30리 지점에 있음	『신증동국여지승람』 권51, 평양부 산천
46	牛井	평양	날이 가물면 기우제 지냄	『신증동국여지승람』 권51, 평양부 산천
47	文井·武井	평양	東明王때 판 것으로 구제궁 터안에 있음	『신증동국여지승람』 권51, 평양부 산천
48	秤井	중화	군의 남쪽 대거불리에 있음, 둘레가 10척	『신증동국여지승람』 권52, 중화군 산천
49	馬井	중화	둘레가 50척, 가물면 비를 빌었는데 효험이 있음	『신증동국여지승람』 권52, 중화군 산천
50	漆井	삼화	용강현 소속	『신증동국여지승람』 권52, 삼화현 고적

51	雙魚山 위의 大井	함종	보수하면 비가 옴	『신증동국여지승람』권52, 함종현 산천 쌍어산
52	安養寺 서쪽 바위 아래 泉	정주	가물 때 비를 빌면 영험이 있음	『신증동국여지승람』권52, 정주목 불우 안양사
53	藥水	운산	물이 아주 차며 어떤 병이든 고칠 수가 있음	『신증동국여지승람』권54, 운산군 산천
54	貴出泉	순천	군의 동쪽 35리에 있음	『신증동국여지승람』권55, 순천군 산천
55	廣泉	순천	군의 동쪽 120리에 있음	『신증동국여지승람』권55, 순천군 산천
56	大泉	맹산	군의 객관 앞에 있음	『신증동국여지승람권』55, 맹산현 산천
57	元曉房의 泉		차를 달여 원효에게 드리려 하였으나 샘물이 없어 걱정하였는데 물이 바위 틈에서 문득 솟아났으며 물맛이 매우 달아 젖 같아서 이것으로 늘 차를 달였다 함	『동국이상국전집』권23, 남행월일기

[부록 2] 『세종실록지리지』 각 도별 군현 성곽의 식수원

(1) 경기도

* 성의 이름 기재되지 않은 고을 : 양주도호부, 원평도호부, 고양현, 적성현, 포천현, 가평현, 남양도호부, 안산군, 안성군, 진위현, 양성현, 양지현, 철원도호부, 삭녕군, 영평현, 장단현, 안협현, 임강현, 마전현, 연천현, 부평도호부, 강화도호부, 해풍군, 김포현, 통진현(25개)

| 군현명 | 城名(읍성/산성) | 周回(步,尺) | 식수 기록 | | | 비고(渴/不渴) |
			천	정	기타	
광주목	日長山城(산)	3,993보		7		遇旱不渴
교하현	烏島城(?)					
임진현	宮城舊址(?)	727보				
수원도호부	邑土城(읍)	270보		2		
용인현	寶盖山石城(산)	942보		小井		遇旱則渴
인천군	南山石城(산)	160보	小泉			
양천현	縣北主山石城(산)	654보				無井泉
교동현	華盖山石城(산)	1,565보	1		池1	
계	산성 5, 읍성 1, 기타 2		산성 : 천 2, 정 8 읍성 : 천 0, 정 2			* 오도성, 궁성구지는 제외

* 용인현, 인천군의 小井과 小泉은 각각 1개로 계산

(2) 충청도

* 성의 이름이 기재되지 않은 고을 : 청풍군, 괴산군, 음성현, 연풍현, 제천현, 영춘현, 천안군, 죽산현, 청안현, 전의현, 연기현, 직산현, 평택현, 진천현, 석성현, 진잠현, 해미현(17개)

郡縣名	城名(읍성/산성)	周回(步,尺)	식수 기록			비고(渴/不渴)
			泉	井	기타	
충주목	邑石城(읍)	680보		3		
단양군	加隱巖山石城(산)	419보	3			遇旱則渴
청주목	邑石城(읍)	1,084보		13		冬夏不渴
옥천군	城隍堂山石城(산)	396보		1		遇旱則渴
	麻尼山石城(산)	878보	1			旱則小渴
문의현	兒山石城(산)	772보		1		冬夏不渴
목천현	黑山石城(산)	739보	1	1		冬夏或渴
온수현	排方山石城(산)	780보		2		旱則渴(1), 冬夏不渴(1)
신창현	城隍堂山石城(산)	253보				無井泉
아산현	薪城山石城(산)	323보		1		冬夏不渴
영동현	邑石城(읍)	398보	2			遇旱則渴
황간현	邑石城(읍)	358보 2척		1		冬夏不渴
회인현	虎岾山石城(산)	858보	1			冬夏不渴
보은현	烏項山石城(산)	1,220보	6			冬夏不渴
청산현	巳成山石城(산)	337보		1		冬夏不渴
공주목	公山石城(산)	597보	3			冬夏不渴
임천군	聖興山石城(산)	534보	3	1		
한산군	巾之山城(산)	5,377보	5			冬夏不渴
서천군	邑石城(읍)	160보 4척		1		冬夏不渴
남포현	邑石城(읍)	317보		3		冬夏不渴
비인현	邑石城(읍)	1,933尺 8寸				
	古邑石城(읍)	276보				無井泉
정산현	鷄鳳山石城(산)	160보		1		冬夏不渴
홍산현	邑石城(읍)	262보		2		冬夏不渴
은진현	市津山石城(산)	459보	1	3		
연산현	城隍山石城(산)	493보	1			冬夏不渴
회덕현	鷄足山石城(산)	374보 2척	1			冬夏不渴
부여현	青山石城(산)	303보	3			冬夏不渴
이산현	主山石城(산)	350보	3			冬夏不渴
홍주목	邑石城(읍)	533보 2척	1			冬夏不渴
태안군	邑石城(읍)	426보		2		冬夏不渴
	主山石城(산)	573보		1		旱則渴
서산군	主山石城(산)	468보		3		冬夏不渴
면천군	蒙山石城(산)	543보		1		冬夏不渴
당진현	邑石城(읍)	289보		1		旱則渴
덕산현	邑石城(읍)	398보		1		冬夏不渴
예산현	無限山石城(산)	428보		1		冬夏不渴
청양현	騎龍山石城(산)	345보	1	1		冬夏不渴

郡縣名	城名(읍성/산성)	周回(步,尺)	泉	井	기타	비고(渴/不渴)
보령현	石城(?)	2,109尺				
	地乙岾山石城(산)	320보				無井泉
	邑石城(읍)	173보				無井泉
결성현	邑石城(읍)	453보	有井			冬夏不渴
대흥현	邑石城(읍)	244보				無井泉
계	산성 26, 읍성 16, 기타 1		산성 : 천 33, 정 19 읍성 : 천 3, 정 27			

*개수 분명한 것만 계산(결성현은 합계에서 제외)

(3) 경상도

 * 성의 이름 기재되지 않은 고을 : 밀양도호부, 경산현, 영산현, 永川郡, 하양현, 봉화현, 신녕현, 진보현, 비안현, 초계군, 개령현, 함창현, 군위현, 곤남군, 칠원현, 산음현, 의령현(17개)

郡縣名	城名(읍성/산성)	周回(步,尺)	식수 기록			비고(渴/不渴)
			泉	井	기타	
경주부	邑石城(읍)	679보		80		
	夫山石城(산)	2,765보 3척	井泉 9		川4, 池1	
	下西知木柵(?)	730척		2	小池1	
양산군	城隍山石城(산)	569보	井泉 4		小溪2, 小池4	
울산군	古邑石城(읍)	215보		3		
	左道營城(?)	622보		3		
청도군	邑石城(읍)	190보				無水
	鳥惠山石城(산)	1,352보		5	川2, 池3	
흥해군	邑石城(읍)	375보		4		
대구군	邑石城(읍)	451보	2			
동래현	邑石城(읍)	397보		5		
	東平縣石城(?)	264보	1		池4	
창녕현	火王山石城(산)	1,217보	9		池3	
언양현	邑土城(읍)	157보		2		
기장현	邑石城(읍)	350보		1	池1	
장기현	石城(?)	174보		2		
현풍현	邑石城(읍)	304보				無水
영일현	邑石城(읍)	100보		1		
청하현	邑石城(읍)	220보		2		
안동대도호부	邑石城(읍)	528보	井泉 18			
	淸凉山石城(산)	2,279보	井泉 7		小溪2	
영해도호부	邑石城(읍)	114보	3			
	城隍堂石城(?)	288보		1	池1	

순흥도호부	邑石城(읍)	139보		2	
	小白山石城(산)	531보	3		
예천군	邑石城(읍)	453보		1	
영천군(영주)	邑石城(읍)	198보	1		
청송군	周房山石城(산)	183보			小溪1
의성현	金山石城(산)	1,516보	4		
영덕현	邑石城(읍)	141보		1	
	達老山石城(산)	510보	1		渠1
예안현	邑石城(읍)	196보			
기천현	上乙谷石城(산)	980보	10		溪1
안동현	天生山石城(산)	324보		1	小池2
의흥현	公山石城(산)	1,353보	2		小渠3
상주목	邑石城(읍)	576보		21	池1
	白華山石城(산)	1,904보	5		溪1
성주목	邑土城(읍)	474보		7	池1
	伽倻山石城(산)	2,730보	6		溪水常流
선산도호부	邑土城(읍)	456보		8	
	金烏山石城(산)	1,440보	4		小池3, 溪1
합천군	葛山石城(산)	547보	2		
金山郡(김천)	俗門山石城(산)	492보	2		池2
고령현	美崇山石城(산)	397보	6		池1
용궁현	龍飛山石城(산)	324보	3		
문경현	曦陽山石城(산)	464보			溪1
지례현	龜山石城(산)	146보			無水
진주목	邑石城(읍)	26보.(?)		3	池3
	松臺山石城(산)	706보		·2	
김해도호부	北山石城(산)	260보		3	小池4
창원도호부	簾山石城(산)	1,073보			川1, 溪1
함안군	防禦山石城(산)	163보		2	
함양군	邑土城(읍)	433보		3	小池3
고성현	邑石城(읍)	285보		4	
거제현	邑石城(읍)	321보			
사천현	城隍堂石城(산?)	588보	1		池2
거창현	金貴山石城(산)	591보	2		
하동현	邑石城(읍)	379보		5	池1
진성현	江山石城(산)	150보	小泉1		小池2
안음현	黃石山石城(산)	1,087보			溪1
삼가현	岳堅山石城(산)	821보	3		
진해현	邑石城(읍)	166보		1	

| 계 | 산성 29, 읍성 27, 기타 6 | | 산성 : 천 73, 정 23
읍성 : 천 15, 정 163 | |

* 井과 泉이 함께 기록된 것은 각각 반으로 계산

(4) 전라도

* 성의 이름 기재되지 않은 고을 : 진산군, 김제군, 금구현, 함열현, 용안현, 태인현, 고산현, 여산현, 영암군, 남평현, 고창현, 장성현, 용담현, 구례현, 임실현, 운봉현, 장수현, 진안현, 곡성현, 능성현, 창평현, 화순현, 동복현, 정의현(24개)

郡縣名	城名(읍성/산성)	周回(步,尺)	식수 기록			비고(渴/不渴)
			泉	井	기타	
전주부	邑石城(읍)	1,288보				
	高德山石城(산)	1,413보	7		有溪澗	冬夏不渴
금산군	邑土城(읍)	426보				
익산군	彌勒山石城(산)	686보 有奇	14			冬夏不渴
고부군	邑石城(읍)	464보				
만경현	邑土城(읍)	100보				
임피현	邑石城(읍)	582보				
옥구현	邑石城(읍)	389보				
부안현	邑石城(읍)	304보				
정읍현	笠巖山石城(산)	2,920보			有溪水	冬夏不渴
나주목	邑石城(읍)	1,162보 有奇				
	錦城山石城(산)	1,095보	5		有池	冬夏不渴
해진군	邑石城(읍)	336보 有奇				
	仇豆音石城(?)	186보				
영광군	邑石城(읍)	547보				
강진현	修因山石城(산)	1,396보	6			冬夏不渴
	內廂石城(?)	561보 有奇				
무장현	邑石城(읍)	658보				
함평현	邑石城(읍)	432보 3尺				
	海際木柵塗泥城(?)	143보 2척				
무안현	邑石城(읍)	473보				
흥덕현	邑石城(읍)	295보				
남원도호부	蛟龍山石城(산)	1,125보	6		有小溪	冬夏不渴
순창군	大母山石城(산)	290보	有小泉			冬夏不渴
무주현	裳山石城(산)	2,820보	8		大溪2	冬夏不渴
					小溪3	早則或渴
광양현	邑石城(읍)	362보 有奇				

郡縣名	城名(읍성/산성)	周回(步,尺)				비고(渴/不渴)
장흥도호부	邑石城(읍)	336보				
	荳原木柵塗泥城(?)	80보				
담양도호부	金城山石城(산)	1,803보	12		溪2(冬夏不渴)	泉12개 중 5개는 冬夏不渴
순천도호부	邑石城(읍)	581보				
	麗水木柵塗泥城(?)	143보				
무진군	邑石城(읍)	972보				
	古內廂石城(?)	625보				
	武珍都督時古土城(?)	2,560보				
보성군	邑石城(읍)	585보				
	陽江驛木柵塗泥城(?)	83보				
낙안군	邑石城(읍)	592보				
고흥현	邑石城(읍)	565보				
제주목	邑石城(읍)	910보				
대정현	邑石城(읍)	1,179보				
계	산성 9, 읍성 23, 기타 8		산성 : 천 59, 정 0 읍성 : 천 0, 정 0			

(5) 황해도

* 성의 이름 기재되지 않은 고을 : 봉산군, 안악군, 수안군, 곡산군, 신은현, 신천현, 연안도호부, 평산도호부, 백천군, 우봉현, 토산현, 강음현, 문화현, 송화현 · 청송현, 장련현 · 장명진(15개)

郡縣名	城名(읍성/산성)	周回(步,尺)	식수 기록			비고(渴/不渴)
			泉	井	기타	
황주목	餘界山石城(산)	2,393보	井泉 5			
	古棘城(?)					
서흥도호부	大高介山石城(산)	1,853보			東西山谷溪水合流	雖旱不渴
해주목	邑石城(읍)	788보 5척		7		
재령군	長水山石城(산)	1,886보	井泉 6			
옹진현	邑石城(읍)	466보				無井泉
	回山木柵(?)	136보	井泉 1			
장연현	邑石城(읍)	439보	井泉 2			
	熊沈里木柵(?)	122보		2		
강령현	邑石城(읍)	300보		2		
풍천군	邑石城(읍)	420보		2		
은율현	九月山石城(산)	2,397보		4	澗2	
계	산성 4, 읍성 5, 기타 3		산성 : 천 5.5, 정 9.5 읍성 : 천 1, 정 12			

(6) 강원도

* 성의 이름 기재되지 않은 고을 : 정선군, 평창군, 홍천현, 금성현, 김화현, 이천현, 낭천현, 양구현(8개)

郡縣名	城名(읍성/산성)	周回(步,尺)	식수 기록			비고(渴/不渴)
			泉	井	기타	
강릉대호부	邑土城(읍)	784보				
	把巖山石城(산)	768보			小渠5	3개는 旱則渴, 2개는 不渴
	羽溪邑城(읍)	197보				
양양도호부	邑土城(읍)	1,088보				
	擁金山石城(산)	1,980보	泉			兩側岩石間 水湧 流爲泉
원주목	靈原山石城(산)	646보	2			四時不渴
영월군	正陽山石城(산)	798보	1			大旱則或渴
횡성현	德高山石城(산)	568보 5척			溪1	有一溪長流不渴
회양도호부	天佛山石城(산)	671보 1척	1			旱則渴
평강현	靑龍山石城(산)	1,265보	1	3		정1개는 長不渴 정2개, 천1개는 大旱或渴
삼척도호부	邑土城(읍)	540보				
	頭陁山石城(산)	1,518보			溪1	有三洞水 合流爲一溪 四時不渴
	沃原驛土城(?)	181보				無井泉
평해군	邑土城(읍)	294보				
	白巖山石城(산)	591보	3			旱則皆渴
울진현	皇山石城(산)	616보 5척	4		池1	泉則雖大旱 皆不渴, 池則大旱或渴
춘천도호부	龍華山石城(산)	452보 4척	3(小泉)			旱則渴
인제현	寒溪山石城(산)	729보	1			旱則渴
	寒溪山石城(산)	1,872			小溪1	有三洞水 合流爲一小溪 長不渴
간성군	邑城(읍)	石城 295보 土城 86보				
	古城山石城(산)	1,140보	1(小泉)		小池1	大旱渴
고성군	全城山石城(산)	262보 2척				
통천군	邑石城(읍)	205보				
흡곡현	石城山石城(산)	400보		1		旱則渴
계	산성 16, 읍성 7, 기타 1		산성 : 천 18, 정 4 읍성 : 천 0, 정 0			

(7) 평안도

* 성의 이름 기재되지 않은 고을 : 중화군, 상원군, 삼등현, 강동현, 순안현, 증산현, 함종현, 삼화현, 강서현, 숙천도호부, 순천군, 개천군, 영유현, 맹산현, 은산현, 인산군, 수천군, 가산군, 정녕현, 희천군(20개)

郡縣名	城名(읍성/산성)	周回(步,尺)	식수 기록			비고(渴/不渴)
			泉	井	기타	
평양부	邑石城(읍)	4,088보				
용강현	山城(산)	2,068보	10		川1	冬夏不渴
성천도호부	山城(산)	717보			大川	大川回抱
자산군	山石城(산)	4,244보	泉井 99		川1	冬夏不渴
덕천군	金城山石城(산)	525보			溪澗1	冬夏不渴
양덕현	邑城(읍)	540보				
의주목	邑石城(읍)	2,820보	多井泉			
정주목	邑城(읍)	649보				
용천군	邑石城(읍)	2,772보				
철산군	邑石城(읍)	892보				
	古寧朔城(?)	171보				
곽산군	凌漢山石城(산)	1,333보	淸泉			有淸泉出岩間
선천군	邑石城(읍)	302보				
삭주도호부	邑石城(읍)	1,145보				
영변대도호부	邑石城(읍)	5,038보	井泉 55		溪澗3	冬夏不渴
	撫山舊城(?)	708보				
창성군	邑石城(읍)	918보				
벽동군	木柵(?)	571보				
운산군	靑山石城(산)	2,828보	2		溪2	冬夏不渴
태천군	邑石城(읍)	1,018보				
	籠吾里山古城(산)	718보				
강계도호부	邑石城(읍)	1,295보				
이산군	山石城(산)	1,840보				有溪澗泉井 冬夏不渴
여연군	邑城(읍)	179보(?)				
	小甫里口子木柵(?)	132보				
자성군	邑石城(읍)	4,341척				無水泉
무창군	邑城(읍)	2,714척				
우예군	邑城(읍)	5,786척				無水泉
위원군	邑城(읍)	4,653척	1(水泉)			
계	산성 8, 읍성 17, 기타 4		산성 : 천 57.5, 정 44.5 읍성 : 천 28.5, 정 27.5			

* 개수가 기록되지 않은 경우가 많음

(8) 함길도

* 성의 이름 기재되지 않은 고을 : 고원군, 문천군(2개)

郡縣名	城名(읍성/산성)	周回(步,尺)	식수 기록			비고(渴/不渴)
			泉	井	기타	
함흥부	邑石城(읍)	795보		大井2 小井2		四時不渴
정평도호부	邑石城(읍)	1,513보	11	2	小池2	四時不渴
	白雲山石城(산)	3,166보	7			四時不渴
북청도호부	山石城(산)	1,615보			小溪1	旱則渴
	山石城(산)	1,231보			小溪3	四時不渴
영흥대도호부	邑石城(읍)	987보		1	池1	四時不渴
	山城(산)	1,800보		1	池1	四時不渴
	古石城(?)					
예원군	古長城基(?)					
안변도호부	鶴城山石城(산)	1,180보	4	2		四時不渴
의천군	巤溪縣邑城(읍)	332보				
용진현	龍城山石城(산)	546보		1		四時不渴
길주목	邑城(읍)	1,566보				
	多信山石城(산)	1,200보			池13	四時不渴
	石城(?)	751보				
	永平古城(?)				大池1, 中池2, 小池1	四時不渴
경원도호부	邑木柵(읍?)	738보				
	高郞歧木柵(?)	166보				
	靑巖木柵(?)	300보				
	夫里下木柵(?)	201보				
	龍城木柵(?)	275보				
	東林城(?)			大井		有大井 周回二十一步 其深莫測
	阿吾知古城(?)					
	孔州城(?)					
단천군	道德山石城(산)	235보	3			四時不渴
	德應州山石城(산)	412보			大池1	四時不渴
갑산군	長坪山石城(산)	326보				無水泉
경성군	邑石城(읍)	247보				
	山石城(산)	493보	2			천 1개는 四時不渴
경원도호부	邑石城(읍)	5,100尺	4			冬夏不渴
회령도호부	邑石城(읍)	8,138척	9			
종성도호부	邑石城(읍)	8,603척	20			

온성도호부	邑壁城(읍)	10,000척	15			
경흥도호부	邑石城(읍)	7,091척				無水泉
부령도호부	邑壁城(읍)	7,000척	8			
삼수군	邑石城(읍)	1,102척	3			
계	산성 11, 읍성 13, 기타 12		산성: 천 16, 정 5 읍성: 천 70, 정 7			

【참고문헌】

『稼亭集』.

『高麗史』.

『高麗史節要』.

『東國李相國集』.

『東文選』.

『牧隱詩稿』.

『文宗實錄』.

『三峰集』.

『世宗實錄』.

『世祖實錄』.

『成宗實錄』.

『新增東國輿地勝覽』.

『陽村集』.

『益齋亂藁』.

『太宗實錄』.

권오영,「성스러운 우물의 제사 - 풍납토성 경당 지구 206호 유구의 성격을 중심으로 -」,『지방사
       와 지방문화』11-2, 역사문화학회, 2008.
李炳熙,「高麗時期 寺院의 新設과 可用空間의 擴大」,『靑藍史學』6, 청람사학회, 2002.
이신효,「백제 우물 연구」,『호남고고학보』20, 호남고고학회, 2004.

金龍善編著,『高麗墓誌銘集成』, 한림대출판부, 2001.
김주환,『구조지형학』, 동국대출판부, 2009.
민병준,『한국의 샘물』, 대원사, 2000.
손영식,『한국의 성곽』, 주류성, 2011,
심정보,『한국 읍성의 연구』, 학연문화사, 1995.
유아사 다케오(임채성 역),『문명 속의 물』, 푸른길, 2011.
윤용남,『수문학 - 기초와 응용 -』, 청문각, 2007.
이전,『촌락지리학』, 푸른길, 2011.

鄭東孝・尹白鉉,『물의 과학과 문화』, 홍익재, 2008.

조선형・고종안,『지하수 어떻게 할 것인가』, (주)북스힐, 1999.

최종석,『한국 중세의 읍치와 성』, 신구문화사, 2014.

文化 融攝의 傳統, 高麗 八關會의 歷史的 展開

裵象鉉*

目 次

Ⅰ. 여는 말

고려시대는 여러 방면에서 다양한 문화의 꽃을 피웠던 시기였다. 이러한 꽃은 이전에 뿌려놓은 씨앗이 발아되고 또 생장한 결과이지만, 그런 씨앗 가운데 불교가 한몫을 한 것은 부인할 수 없는 사실이다.

그런데 이러한 문화의 꽃을 피울 수 있었던 것은 씨앗에서만 비롯하지는 않았다. 물론 씨앗은 말할 것도 없을 것이지만, 그만한 토양이 뒷받침되지 않는다면 자칫 쉽게 시들어 그 열매를 맺기 어려울 것이기 때문이다.

그렇다면 그러한 토양은 무엇이었을까. 한국인의 삶의 무대가 된 땅, 그 곳에 살면서 다듬어진 종교적 심성, 그리고 그것을 승화시킨 사람들의 열정이 있었기에 가능한 것은 아니었을까?

돌아보면, 한국인은 고래로부터 자연을 신격화 하고 그에 대해 굳건한 믿음을 표해 온 다양한 형태의 증거들을 보여주고 있다. 이것의 배경에는 삶의 무대가 보여주는 기후적인 특성, 혹은 어떤 지정학적인 성격이 작용하기도 한 것인지는 분명하지 않지만, 일정한 지역마다 강한 결속력과 함께 공동의 기원을 담아 지내온 공동체 신앙과 의식들이 곳곳에 남아 있는 것은 사실이다.

삼국 및 가야의 시기 이러한 종교적 전통은 외래의 사상인 불교신앙을 수용하는데 상당한 진통을 요구하기도 하였고, 또 한편에서는 그것을 融涉하고 포용하는 형태로 공존을 모색하기도 하였다. 이 때 형성된 한국 불교 전통의 복합성은 그러한 과정을 지나온 이력의 산물로 이해해

---

* 신라대학교 역사문화학과 겸임교수

도 좋을 것이다.[1]

우리 역사에서 6세기 가야와 신라의 병합, 그리고 7세기 삼국의 통합은 비록 온전한 형태의 통일은 아니었지만 내면적으로는 각각의 문화전통을 적극적으로 포용하려고 애쓴 흔적을 보인다. 물론 각국이 지녔던 문화적 편차를 좁히는 데는 짧지 않은 시간이 소요되기는 하였지만 그 것 또한 공존을 예비하기 위한 시간이었고, 또 그만큼 복합의 문화를 잉태할 수밖에 없었음을 알게 한다. 아래 자장의 경험은 그러한 사례 가운데 하나일 것이다.

慈藏이 묻기를 "본국으로 돌아가 무엇을 해야 이익이 되겠습니까?"라 하니, 神人이 말하기를 "皇龍寺의 불법을 옹호하는 용은 나의 맏아들로 범천왕[梵王]의 命을 받들어 그 절을 보호하고 있으니 본국으로 돌아가거든 그 절에 九層塔을 이룩하시오. 그리하면 이웃 나라들이 항복하고 九韓이 와서 조공하여 王業이 길이 태평할 것이요. 탑을 세운 후에는 八關會를 베풀고 죄인들을 용서하고 석방하여 주면 바깥의 적들이 침해할 수 없을 것이요. 또 나를 위하여 서울 부근[京畿] 남쪽에 절 한 채를 지어 복을 빌면 나 역시 그 은덕에 보답하겠소" 하고 말을 마치자, 玉을 들어 바치고 홀연 사라져 보이지 않았다.[2]

백제와 고구려가 국운을 다하고 뒤이은 발해국마저 명멸해 갔음은 역사적 사실이었다. 그리고 신라의 입장에서는 소위 '一統三韓'의 정신이 강화된 것은 이즈음이었다. 또 다소 불안한 요소에 대해서는 시대적 과제로 인식한 선지자들, 혹은 정치세력에 의해 스스로 해결해야 할 大業으로 표상되어지기도 하였다. 8세기에 와서 신라의 불교문화가 지역을 초월하여 보편화 하는 데 일정한 성과를 보이고 있는 것도 그러한 배경에서 비롯하는 것으로 사료된다.[3] 신라말 分國의 형세 속에서 팔관회를 시작한 궁예 또한 이들을 會通하여 국론을 통일하겠다는 의지를 표명한 것은 아니었을까?

光化 원년 戊午[孝恭王 2년, 898년] 2월에 松岳城을 수축하고 太祖[王建]를 精騎大監으로 삼아 楊州 見州 舊邑內를 쳤다. 11월에 八關會를 시작하였으며, 3년 庚申에는 또 太祖에게 명하여 廣州·忠州·唐城·南陽·靑州·槐壤 등을 쳐서 모두 平定하고, 그 공으로 태조에게 阿湌 벼슬을 내렸다.[4]

---

1) 흔히 '巫佛習合'이라고 하는 한국 불교의 특징이 이러한 배경에서 비롯한 것임은 널리 알려진 사실이다.
2) 『三國遺事』 卷3, 塔像 第4 皇龍寺九層塔.
3) 같은 시기 『三國遺事』에 보여지는 다수의 지역 불교와 관련된 기사들, 경덕왕대를 전후한 시기 토착신앙을 포용한 불교가 전 지역으로 확산되면서 사원의 창건이 활성화 되고 있는 사례 등은 이 시기 불교문화가 얼마나 보편화되고 또 융성하였는지를 보여주는 증거로 간주하여도 좋을 것이다. 배상현, 「신라 경덕왕대 불교 사원과 지방사회」, 『新羅史學報』 8, 新羅史學會, 2006.
4) 『三國史記』 卷50, 列傳10 弓裔.

아래 본론에서는 이러한 문화전통이 고려조에 와서 어떻게 펼쳐지고 있었는지에 대해 팔관회를 중심으로[5] 살펴보기로 하자.

Ⅱ. 고려 八關會의 전개

이미 분국에 치달은 신라의 역사를 극복하고자 새로운 대안의 지도자를 자처한 궁예였지만, 그가 왕건에게 주도권을 내어 놓은 것은 고려 역사 전체를 놓고 보면 또 다른 전환을 가져온 사건이었다. 이는 후일 왕건이 보여준 지도력을 통해 후삼국의 통합이라는 성과를 이룩한데 기인하는 평가이긴 하지만, 왕건은 사회통합을 위한 '法古創新'의 전통을 재확인해 준 인물이라는 점에서는 이론을 달기 어려울 것이다.

① 11월에 팔관회를 베풀었다. 유사가 아뢰기를 "전 임금이 매년 중동에 팔관재를 크게 베풀어서 복을 빌었으니 그 제도를 따르기를 원합니다."라고 하니, 왕이 이르기를 "짐이 덕이 없는 사람으로서 왕업을 지키게 되었으니 어찌 불교에 의지하여 나라를 편안하게 하지 않으리오." 하였다. 그리하여 구정 한 곳에 輪燈을 설치하고 香燈을 벌여 놓으니 밤이 새도록 광명이 가득하였다. 또 채붕을 두 곳에 설치하였는데 각각 높이가 5장 이상이었고 모양은 연화대와 같아서 바라보면 아른아른 하였다. 그 앞에서 백희와 가무가 벌어졌는데, 四仙樂部와 龍·鳳·象·馬·車·船은 모두 옛 신라 때의 행사와 모습이 같았다. 백관들은 도포를 입고 홀을 들고 예식을 거행하였는데, 구경꾼들이 도성으로 몰려나와 밤낮으로 즐겼다. 왕이 위봉루로 행차하여 관람하였으며, 그 명칭을 부처를 공양하고 귀신을 즐겁게 하는

---

5) 그동안 고려시대 팔관회에 대해서는 호국적 성격의 불교 행사로 이해한 선구적 연구가 제출된(安啓賢, 「八關會攷」, 『東國史學』 4집, 동국대학교 사학회, 1956; 二宮啓任, 「高麗朝의 八關會について」, 『朝鮮學報』 9, 朝鮮學會, 1956) 이래, 외국의 사절이나 상인들이 축하와 선물을 바치는 등 고려 중심의 국제적 환경을 조성하는 행사로서 주목되기도 하였으며(奧村周司, 「高麗における八關會的秩序と國際環境」, 『朝鮮史硏究會論文集』, 朝鮮史硏究會, 1979), 최근 들어서는 국가의 태평과 왕실의 안태를 기원하는 행사로서 불교적 성격을 더욱 선명하게 부각시키는 연구가 도출되기도 하고(안지원, 「팔관회의 의례 내용과 사회적 성격」, 『고려의 국가 불교의례와 문화』, 서울대학교출판부, 2005), 고려 관인사회의 축제로서 '君臣同樂'의 성격이 부각되었는가 하면(김인호, 「고려 관인사회의 잔치와 축제」, 『東方學誌』 129, 연세대학교 국학연구원, 2005), 널리 대중들의 관심을 불러내기도 하는 고려시대 생활사에서 주요한 소재로 그 내용이 다루어지기도 한다(한국역사연구회, 『개경의 생활사』, 휴머니스트, 2007; 하일식 편, 『고려시대 사람들의 삶과 생각』, 혜안, 2007; 박종기, 『새로 쓴 5백년 고려사』, 푸른역사, 2008; 김영미 외, 『고려시대의 일상 문화』, 이화여자대학교출판부, 2009). 하지만 일부 연구에서는 그 종교·사상적 근저를 風流道나 禮樂思想에 초점을 맞추거나(都光淳, 「八關會와 風流道」, 『韓國學報』 79, 일지사, 1995; 李敏弘, 「高麗朝 八關會와 禮樂思想」, 『大東文化硏究』 30, 성균관대학교 대동문화연구원, 1995), 그 본질을 '百戲歌舞'에 초점을 맞추고 그 실상을 土俗儀禮로 이해한 논고(한흥섭, 「백희가무를 통해 본 고려시대 팔관회의 실상-팔관회는 불교의례인가」, 『민족문화연구』 47, 고려대학교 민족문화연구원, 2007) 등 새로운 이해를 위한 시도가 이어지고 있다.

모임[供佛樂神之會]이라 하였다. 이후 매년 상례가 되었다.[6]

② 나의 지극한 관심은 燃燈과 八關에 있다. 연등이란 부처를 섬기는 것이요, 팔관은 天靈과 五嶽・名山・大川・龍神을 섬기는 것이다. 함부로 증감하려는 후세 간신들의 건의를 절대 금지할 것이다. 나 또한 당초에 연등과 팔관을 국가 忌日을 범하지 않도록 하여 군신과 함께 즐기기[君臣同樂]로 맹세하였으니 마땅히 삼가 이대로 행할 것이다.[7]

이러한 행사를 사회통합을 위한 전통의 재확인으로 볼 수 있는 것은, 그가 옛 신라의 전통을 따르면서도 여러 신앙을 포용하는 축제로 삼고자 하였으며, 이 행사가 부처를 공양함은 물론 귀신을 즐겁게 하는 축제로 상례화 하고 있기 때문이다. 그리고 왕으로 재임하던 마지막 단계 에서는 이른바 '訓要十條'를 통해 이를 공식화 하여 국왕 주도하의 국가 행사로서 그 위상을 공고히 하였다. 행사를 더하거나 덜하지 말고 國忌를 지키면서 공경하여 행하도록 하는 계시를 남긴 것이다. 이같이 국조인 태조가 내린 지침에 따라 이러한 전통은 대체로 지켜져 나갔다고 볼 수 있지만, 역사 환경의 추이에 따라 盛衰가 없을 수는 없었다. 그런 의미에서 성종조는 하나 의 분수령을 보여주고 있었다.

① (성종이 즉위한 해 11월) 이달에 왕은 八關會의 잡기들이 떳떳하지 못하고 또 번쇄하다고 생각하여 이를 전부 폐지하였다. 法王寺에 가서 분향하고 구정으로 돌아와서 여러 신하들의 축하를 받았다.[8]
② (6년) 10월 兩京[개경과 서경]의 팔관회를 정지하라고 명령하였다.[9]

이러한 조치는 儒臣 최승로의 時務 상소와도 밀접한 관련을 맺고 있었다. 곧 최승로는 연등 회와 팔관회의 설행이 백성들을 징발하여 그 노역이 매우 번거로우니 이를 줄여 民力을 쉬게 해 달라고 건의하고 있는 것이다.[10] 이와 같은 조치는 국초 유교적 지배질서를 진작시키고자 하는 사회적 분위기와 더불어 일정 기간 지속되었다.

하지만 뿌리 깊은 전통에 대한 확인은 간단없이 요청되었고, 국내 정치의 난맥상과 외적의 침입 등으로 인한 위기의식의 극복을 위해 현종 원년(1010) 팔관회가 부활되었다. 정당문학 崔

---

6)『高麗史節要』卷1, 太祖 원년 11월. 이 내용은『高麗史』卷69, 禮11 嘉禮雜儀 仲冬八關會儀條에도 요약되어 실 렸다.
7)『高麗史』卷2, 太祖 26년 4월.
8)『高麗史』卷3, 成宗 즉위년 11월.
9)『高麗史』卷3, 成宗 6년 10월.
10)『高麗史』卷93, 崔承老傳, "廣徵人衆 勞役甚煩 願加減省 以紓民力"

沆의 건의에 따른 것이었지만[11] 그 의미가 적지는 않은 것이었다.

> 팔관회를 부활시키고 왕이 威鳳樓에 거둥하여 풍악을 관람하였다. 예전에 성종이 팔관회 시행에 따르는 잡기가 正道에 어긋나는데다가 번거롭고 요란스럽다 하여 이를 모두 폐지하고 다만 그날 왕이 法王寺에 행차하여 향불을 피우고 毬庭으로 돌아와서 문무관의 朝賀만 받았다. 이것을 폐지한 지가 거의 30년이 되었는데, 이 때에 와서 정당문학 崔沆의 청으로 이를 부활시키게 되었다.[12]

현종은 즉위 후 적극적인 불교정책을 추진하여 성종·목종대에 걸쳐 일시 위축되었던 불교 전통을 복구해 정비하였다. 폐지되었던 팔관회와 연등회를 부활시키고, 불운하게 생을 마감하여야 했던 부모의 명복을 빌기 위해 玄化寺를 창건한 것도 그러한 예로 이해된다. 그 외에도 교방을 혁파해 궁녀 100여 명을 방출하고, 閱苑亭을 허물어 진기한 짐승과 새, 거북 등을 산과 못에 방생하였다. 그 외에도 왕명인 敎와 황명인 詔·勅을 병용해 왕과 황제 사이를 오가면서 왕권의 위상을 제고하기 위해 노력하였다. 이 같은 조치들은 이전 왕과의 차별화를 꾀하면서 자신의 왕권에 정통성을 부여하고자 하는 일이기도 하였다.

한편, 거란은 '강조의 변'을 명분으로 내세워 고려를 침략하려는 명분을 쌓아가고 있었다. 왕은 강조·안소광·최사위 등을 지휘관으로 임명해 30만 대군을 이끌고 통주에서 방비하도록 하였다. 곧이어 거란주는 사자를 보내어 직접 정벌에 나설 것이었음을 알려왔고, 이러한 대외적 위기 속에 최항의 요청을 받아들여 11월 팔관회를 회복한 것이었다. 최항은 최언위의 손자로 皇龍寺 탑을 수리하고 팔관회의 부활에 적극 앞장선 인물이었다.

현종대 부활된 팔관회는 그 대체를 의종 연간 무신난이 발발하기 전까지를 지속하였으므로 한 시기로 살펴 볼 수 있을 것 같다. 동안의 팔관회 풍속도를 엿보게 하는 대목들을 추출하여 보면 대개 다음과 같다.

> ① (덕종 3년) 11월 神鳳樓에 거둥하여 크게 사면령을 내렸다. 팔관회를 베풀고 신봉루에 거둥하여 백관들에게 醋를 내렸다. 法王寺에 행차하여 그 이튿날 크게 팔관회를 열고 또 포를 내렸으며 음악을 관람하니, 안팎에서 표문을 올려 경하하였다. 송나라 상인과 東西蕃과 탐라가 토산물을 바치니, 그들에게 앉아서 예식을 보게 해 주었다. 이후로 이는 일정한 절차가 되었다.[13]

---

11) 『高麗史』 卷93, 崔沆傳.
12) 『高麗史節要』 卷3, 顯宗 원년 11월.
13) 『高麗史節要』 卷4, 德宗 3년 11월.

② (정종 즉위년 11월) 경자일에 왕이 위봉루에 나가서 팔관회를 열고 여러 관리들을 위하여 주연을 베풀고 저녁에는 법왕사로 갔다. 이튿날 대회에서 다시 큰 주연을 배설하고 음악을 감상하였다. 이 때에 동·서 2경[경주와 평양]과 동·북 양도[오늘날 강원도와 평안도] 병마사와 4都護府와 8牧에서 각각 표문을 올려 축하하였다. 송나라 상인들과 동서 여진과 탐라국에서도 토산물을 바쳤다. 그들에게 좌석을 주어 의식에 참가케 하였다. 그 후부터 이것이 상례로 되었다.[14]

③ (정종2년) 11월 기축일에 팔관회를 열었다. 이 날에 송나라 상인들과 동여진 및 耽羅에서 각각 자기 지방의 토산물을 바쳤다.[15]

④ (정종 5년) 11월에 왕이 명령을 내려 이르기를 "八關會를 연다는 것은 이전의 규례대로 한 것에 지나지 않지마는 이미 성대한 의례를 진행하였으니 德音을 전파시키는 것이 좋을 것이다. 그러므로 公的으로 귀양이나 벌 이하와 私的으로 杖刑 이하의 죄를 범한 자 및 공·사로 속죄금[贖金] 징수에 해당한 죄를 범한 자는 모두 이를 면제한다"라 하였다.[16]

⑤ (선종 3) 겨울 10월 갑진일에 안팎 관리들에게 명령하여 왕태후의 생신을 축하하는 글을 바치게 하고 정월과 동지 및 팔관회 때에도 이렇게 하되 이것을 고정한 제도로 삼게 하였다. …(중략)… (11월) 무진일에 팔관회를 열고 왕이 법왕사로 갔다가 그 길로 神衆院에 갔다. 그 다음날인 기사일 대회에는 눈이 내려서 연회에 참가했던 신하들의 의복이 모두 젖었는데 저녁이 되어 돌아오려 할 때에는 하늘이 맑고 달이 밝았다. 왕이 창덕문 밖에서 수레를 멈추고 여러 종친들로 하여금 왕에게 잔을 들어 장수를 축원하게 하였더니 諫議들인 金上琦, 李資仁과 補闕 魏繼廷 등이 이를 간하므로 그만두었다.[17]

⑥ (숙종 7년 10월) 을축일에 팔관회를 열고 왕이 靈鳳門에 나가서 백관의 축하를 받고 그 길로 興國寺에 갔다. 경오일에 왕이 長樂殿에 나가서 양경의 문무 고관과 일반 관료들을 위하여 연회를 배설하고 예물을 차등 있게 주었다.[18]

⑦ (예종 원년 11월) 신축일에 팔관회를 열고 왕이 法王寺와 神衆院에 갔다가 돌아와서 대궐 뜰에서 百神에 배례하였다.[19]

---

14)『高麗史』卷6, 靖宗 즉위년 11월 경자.
15)『高麗史』卷6, 靖宗 2년 11월 기축.
16)『高麗史』卷80, 食貨3 진휼 恩免之制.
17)『高麗史』卷10, 宣宗 3년 10월~11월.
18)『高麗史』卷11, 肅宗 7년 10월 을축.
19)『高麗史』卷12, 睿宗 원년 11월 신축

⑧ (예종 15년 10월) 신사일에 팔관회를 열었다. 왕이 여러 가지 유희를 구경하였는데 거기에는 국초의 공신 金樂, 申崇謙 등의 偶像이 있었다. 왕이 이 우상을 보고 감개한 마음으로 시를 지었다.[20]

⑨ (의종 22년 3월) 무자일에 觀風殿에 나가서 다음과 같은 교서를 내렸다. …중략… 다섯째로 仙敎를 준수하고 숭상해야 한다. 옛날 신라 때에는 선교가 성행하였다. 그래서 하늘이 기뻐하고 백성들이 모두 편안했던 것이다. 그런 까닭에 우리 선조적 부터 그 교를 숭상하여 온 지가 오래였는데 근래에는 兩京의 팔관회가 날이 갈수록 옛 격식이 줄어지고 이전 풍속이 점차 쇠퇴하여진다. 이제부터 거행하는 팔관회는 살림이 유족한 양반의 집을 미리 선택하여 仙家로 정하고 옛날 풍속 그대로 집행함으로써 사람들과 하늘이 모두 기쁘게 할 것이다.[21]

현종대 부활된 팔관회는 그 대체를 의종대까지 유지하였다고 볼 수 있다. 그리고 이 시기 관련 기록에는 그 행사의 성격을 짐작케 하는 기사들이 위와 같이 확인되고 있다.

행사는 태조의 유훈을 따라 매년 10월에는 서경, 11월에는 개경에서 개최되었다. 서경의 행사에서는 靈鳳門에 나가 백관의 하례를 받고 興國寺로 가서 행향하였으며,[22] 長樂宮으로 나가 문무백관들을 위해 연회를 설하고 예물을 하사하였다. 개경에서는 儀鳳樓에서 하례를 받고 神鳳門, 法王寺[23] 일대가 중심무대가 되었는데 각각 이틀씩 소요되었다. 행사는 국왕에 대한 하례와 諸佛 및 百神에 대한 行香의식이 치루어졌다. 이 외에도 국초의 功臣들과 나라를 위기에서 구한 장수들을 기리는 순서가 추가되기도 하였다.

행사를 전후한 10월과 11월 사이에 국왕은 수만의 승려를 대상으로 공양[飯僧]을 베풀기도 하고, 노인·효자·孫順·의부·절부 등에게 친히 음식을 베풀기도 하며, 홀아비·과부·고아·자식이 없는 늙은이·중환자·폐질자 등 사회적 약자들에게 소요되는 물품들을 내리기도 하였다.

11월 개경의 행사에는 지방에서 하례를 위해 동·서 2경과 동·북 양로의 병마사, 그리고 4도호부 8목에서 관원을 통해 표문을 올려 하례하여 중앙의 양경 뿐 아니라, 전국 방방곡곡이 축제에 동참하게 되도록 하였다. 국외에서도 송나라 상인들, 東·西蕃 및 탐라국에서 토산물인 方物을 진상 받아 이웃 나라들 가운데 중심에 서 있음을 널리 선양하려 하였다.

축제 기간 동안에는 주연과 함께 갖가지 음식들이 넘쳐 났고, 그 가운데 일반인들의 눈길을

20)『高麗史』卷14, 睿宗 15년 10월 신사.
21)『高麗史』卷18, 毅宗 22년 3월 무자.
22) 때때로 長慶寺에 참예하기도 하였다.
23) 간혹 神衆院에 참예하기도 하였으나 어디까지나 중심 사원은 법왕사였다.

사로잡은 것은 갖가지 연예와 오락이 곁들여진 공연들이 잇따르는 것이었는데. 이를 '百戲歌舞'라 하였다.

이 같은 행사의 규모나 절차들은 많은 재정적 지출을 필요로 하였고, 행사 자체도 날로 번잡해져 그 전통에 대한 성찰이 요구되기도 하였다. 의종이 재위 후반에 지적한 신라 仙敎에 대한 숭상의 전통을 상기한 것도 그 가운데 하나라 할 것이다.[24] 하지만 의종이 교서를 통해 신라 전통을 확인하면서도 仙敎의 풍조를 강조했던 취지와 달리 무신난을 맞아 또 다른 모습을 연출하지는 못하고 왕위에서 내려와야 하였다. 그리고 약 1백 년간의 무인정권기와 뒤이은 원의 간섭기를 경험하게 되면서 또 다른 변화를 맞이하고 있었다.

① (11월에) 팔관회를 베풀었다. 그때 西征으로 인하여 호위하는 병졸들이 적었으므로, 4백 명을 더 선발하여 衛國抄猛班이라는 이름을 붙여 모두 칼과 창을 갖고 격구장을 에워싸서 수위하게 하였다.[25]

② 겨울 11월에 재상 최충렬이 팔관회 경비의 폐해를 건의하여 아뢰기를, "팔관회 때 백관의 과일상과 궁중 禁軍의 복식이 너무 절제가 없으니 일체 금하기를 청합니다." 하니, 그 의견을 좇았다.[26]

③ 겨울 10월에 참지정사 최충렬에게 명하여 서경에 가서 八關會를 행하게 하였다. 옛 제도에 燃燈會·팔관회를 당하면 재상을 서경에 보내어 齋祭를 대행시켰는데, 갑오년에 서경에 사고가 있은 후부터 詔하여 사신 보내는 것을 정지시켰더니, 근년 이래는 다만 三品官만을 보내었다. 충렬이 거기에서 뇌물 얻는 것을 이롭게 여겨 아뢰기를, "선왕이 모두 재상을 攝行使로 파견한 것은 대체로 翼京[서경]을 소중히 여겼기 때문이니, 옛 제도에 의거하기를 바랍니다." 하므로, 왕이 그의 뜻을 미루어 알고 그대로 좇았다. (그런데) 그는 돌아올 때 많은 선물을 받아서 짐을 실은 수레가 30여 량이었는데 줄을 지어 성안으로 들어왔다.[27]

④ 11월에 팔관회를 열고 왕이 毬庭에서 풍악을 관람하였는데 태후의 小祥 달이므로 하례만은 생략하였다. 처음에 禮官이 아뢰기를, "仲冬은 곧 태후의 忌祭 달이니 孟冬[10월]에 팔관회의 禮를 행하기를 청합니다." 하므로, 왕이 재상에게 물으니 참지정사 文克謙이 아뢰기를, "태조께서 팔관회를 설치한 것은 대개 神祇를 위한 것이오니, 뒷세상에서 다른 일

---

24) 이점에 주목해 고려시기 팔관회를 도교와 풍류도와 연관시켜 '팔관회가 風流道로서의 祭典'이라는 의견도 제시되었다(都光淳, 앞의 논문, 1995, pp.23~24).
25) 『高麗史節要』 卷12, 明宗 5년 11월.
26) 『高麗史節要』 卷12, 明宗 9년 11월.
27) 『高麗史節要』 卷12, 明宗 11년 10월.

때문에 이를 앞당기거나 늦출 수 없는 것입니다. 더구나 태조께서 神明에게 기도하기를, '원컨대 대대로 중동에는 國忌가 없도록 하여 주소서. 만약 불행히 국기가 있으면 국운이 다 되는가 의심하겠습니다.' 하셨습니다. 그러므로 삼국을 통합한 이후로 중동에는 국기가 없었는데 이제 국기가 있으니 이는 나라의 재앙이며, 또 맹동에 팔관회를 연다면 진실로 태조의 본 뜻이 아니므로 예관의 아뢴 말을 허락할 수 없습니다." 하니, 그 말을 따랐다.[28]

⑤ 간의대부 李純祐가 아뢰기를, "근대 이후로 팔관회에서 煎藥에 쓰려고 醫官에게 명해서 해마다 四畿(서경·개도·남경·동경지역) 백성의 젖소를 모아 젖을 짜서 달여 煉乳를 만드니, 암소와 송아지가 모두 상하게 되었습니다. 그 약이 본래 급한 경우를 위한 준비가 아니오며, 더구나 농사짓는 소를 손상시키오니, 이를 폐지하기를 청합니다" 하자, 制하여 그 말을 따르니 백성이 감격하고 기뻐하였다.[29]

⑥ (명종 20년) 10월 갑신일에 사신을 서경에 보내 藝祖廟[태조의 사당]에 都祭를 지냈는데 西都는 예조가 일어난 곳으로 지금까지도 그 때의 의관이 그 사당에 보관되어 있으므로 그 후 왕들이 매번 연등과 팔관회 때에 대신들을 보내 제사 지내게 하였다.[30]

⑦ 겨울 11월에 팔관회를 베풀고, 왕이 北界의 여러 都領에게 명하여 들어와 풍악을 구경하게 하였다. 麟州都領 중랑장 子冲이 判閣門事 王珪를 보고 읍만 하고 절하지 않으니, 有司가 그의 무례함을 탄핵하여 아뢰자 왕이 이르기를, "변방의 백성과 함께 즐기는 것은 은혜를 베푸는 것인데, 죄 주는 것이 옳겠느냐?" 하였다. 유사가 다시 청하니, 이를 윤허하였다.[31]

⑧ 11월 병인일에 팔관회를 열고 왕이 法王寺에 갔다. 이날 내시 소부감 分碩을 시켜 晉陽府에 酒果를 보내 주었고 이튿날도 그렇게 하였다.[32]

⑨ 팔관회를 베풀고 법왕사에 행차하였다. 그때 병란으로 인하여 여러 도에서 표문을 올린 것이 南京(現 서울)·廣州·樹州(인천)뿐이었다.[33]

1170년 무신난은 외면적으로는 정치·군사적 사건으로 비쳐지나 내면적으로는 사회·경제 나아가 종교·문화 전반에 큰 파장을 준 사건이었다. 국왕이 행사의 주체로서 그 정점에 자리

---

28) 『高麗史節要』 卷13, 明宗 14년 11월.
29) 『高麗史節要』 卷13, 明宗 18년.
30) 『高麗史』 卷63, 예5 吉禮 小祀 雜祀.
31) 『高麗史節要』 卷13, 明宗 26년 11월.
32) 『高麗史』 卷23, 高宗 23년 11월 병인.
33) 『高麗史節要』 卷17, 高宗 40년 11월.

하였던 팔관회의 경우는 그 영향이 매우 컸다. 또한 최씨정권기에 직면하였던 여몽전쟁은 그러한 상황을 더욱 중첩시키는 배경으로 작용하였다.

정변을 통한 사회변화는 국가 지배세력 상층부의 변화를 수반하였지만, 새로운 권력자들은 기층 민인들의 기대와 달리 그동안 누적되어 온 시회경제적 모순의 해결에는 적극 나서지 않은 데 기인하여 각지에서 생산대중의 항쟁이 빈발하였다. 본격적인 농민항쟁에 앞서 서북지방에서의 봉기가 있었고, 그곳에 적지 않은 군사가 동원되었는데도 팔관회는 군사가 격구장을 에워싼 가운데 거행되고 있었다.

그리고 행사의 주관자는 집정 무인과 끈이 닿아 있는 특정 인사를 중심으로 진행되고 있다는 인상을 받는다. 서경의 경우 직임자의 격이 낮추어지고 있음은 물론, 일을 맡은 자가 돌아 올 때는 많은 선물을 받아서 그 수레가 30여 량이나 되었다는 崔忠烈의 경우로 보아[34] '君臣同樂'의 축제적 분위기가 크게 퇴색되고 있음을 시사한다.

엎친 데 덮친 격으로 경비의 축소와 왕실의 소상 등에 대해서도 탄력적인 운영이 되지 못하고 경직된 분위기가 연출되고 있다는 인상이다. 뿐만 아니라 이 시기는 몽고의 침략으로 촉발된 전쟁정국이 또 다른 변수로 작용하였다. 지방에서의 참여는 개경과 비교적 가까운 南京·廣州·樹州 등지로 그 범위가 축소되고 있었고, 무엇보다 제전의 취지인 대동화합을 위한 죄수의 방면이나 환·과·고·독 등 약자에 대한 배려도 찾아보기 어렵다.

① (충렬왕 원년 11월) 경신일에 본 전에 행차하여 팔관회를 시작하였는데 金鰲山 額에 쓰인 "聖壽萬年"이란 4자를 "慶曆千秋"로 고치고 그 중 한 사람의 경사가 나면 8방의 표문이 전정에 이르고 천하가 태평하다는 등 문자도 다 고치고 "萬歲"를 부르던 것을 "千歲"로 부르게 하고 행차 길에 황토를 펴는 것을 금하였다.[35]

② 11월 갑진일에 팔관회를 베풀고 왕이 의봉루에 가서 般若 도량을 베풀었다. …중략… (계축일에) 남경 사록 이익방이 팔관회를 축하하는 글(편지)을 가져왔는데 어떤 사람이 私感으로 인하여 환관들을 통하여 그를 참소하였으므로 왕이 螺匠을 파견하여 그의 목을 쇠사슬로 얽어 잡아왔다.[36]

③ 11월 갑자일에 八關會를 정지하라고 명하였다. 전달 기유일부터 왕이 김문연의 집으로 옮겨 거처하였다. 숙비가 밤낮으로 갖은 아양을 부리니 왕이 매혹되어 친히 정사를 처리하지

---

34) 『高麗史節要』卷12, 明宗 5년 11월.
35) 『高麗史』卷69, 禮11 嘉禮雜儀 仲冬八關會儀.
36) 『高麗史』卷28, 忠烈王 2년 11월.

아니하더니 이런 명이 있었다.[37)

④ 병신일에 교주도가 합단적의 약탈을 겪어서 民物이 시달리어 피폐하였으니 교주도 내의 여러 고을들에서 팔관회와 신년 및 동지를 축하하는 進上 물품을 정지하게 하였다.[38)

⑤ (11월) 八關會에 왕이 儀鳳樓로 나아갔다. 상왕은 王師 丁午·混丘와 더불어 누의 서쪽에 있었으며, 공주는 왕과 淑妃와 함께 누의 동쪽에서 풍악을 구경하였는데, 권력있는 귀인들의 종복들이 넓은 뜰에 들어와 서로 싸우다가 던진 돌이 누 위까지 올라와 侍臣의 붉은 가죽띠의 갈고리가 혹 맞아 떨어진 것이 있었다. 상왕이 衛士에게 명하여 몇 명을 잡다가 모두 곤장을 쳤다.[39)

⑥ 11월 기미일에 왕이 원나라 사신을 위하여 연회를 배설한 다음 그에게 은병 1백 개, 모시 2백 필, 비단 1백여 필을 선사하였다. 갑자일에 왕이 八關會를 정지시켰다.[40)

⑦ 경자일에 팔관회를 베풀었으므로 왕이 의봉루로 나갔는데 상왕과 정오와 혼구는 의봉루 서쪽에서, 공주와 왕과 숙비는 의봉루 동쪽에서 음악을 감상하였다. 이튿날에는 고관 대작들을 위하여 큰 모임을 가졌는데 그들을 수행한 종들이 (누각) 광장에 들어왔다가 서로 싸움이 벌어졌으며 서로 돌을 던져서 누각 위에까지 날아들었다. 그래서 왕의 시종들 중에는 紅鞓鉤(띠의 고리)에 명중되어 혹 떨어지기까지 하였으므로 상왕이 호위병들을 시켜 두어 사람을 붙잡아서 모두 곤장을 쳤다.[41)

⑧ (충숙왕 6년) 11월 정해일에 영왕이 사신을 보내 공주의 상사를 조문하였다. 을미일에 八關會를 정지하였다.[42)

⑨ (11월) 八關會에 신돈이 왕을 대리하여 군신의 조하를 의봉루에서 받았다.[43)

⑩ 기축일. 月食으로 인하여 八關會를 중지하였다.[44)

---

37)『高麗史節要』卷23, 忠烈王 5년 11월.
38)『高麗史』卷30, 忠烈王 18년 11월.
39)『高麗史節要』卷23, 忠宣王 5년 11월.
40)『高麗史』卷33, 忠宣王 복위년 11월.
41)『高麗史』卷34, 忠肅王 즉위년 11월.
42)『高麗史』卷34, 忠肅王 6년 11월.
43)『高麗史節要』卷28, 恭愍王 18년 11월.
44)『高麗史』卷133, 辛禑 3년 11월 기축.

⑪ 정묘일. 八關會를 차리고 신우가 기녀들과 궁녀들을 데리고 憲府 북쪽 산에 올라서 구경하였다. 그런데 이번 팔관회에서 巡軍과 近侍가 길을 다투다가 싸움이 되었는데 近侍 편에서 창에 찔리어 부상한 자가 많았다.[45]

원의 간섭기에 접어들면서 팔관회의 설행이 보여주는 가장 큰 특징은 무엇보다도 행사의 격이 낮추어지고, 행사가 수시로 정지되고 있다는 점을 들 수 있다.[46] 행사의 격은 '聖壽萬年'이 '慶曆千秋'가 되고 있는데서 잘 드러난다. 이는 무엇보다 여몽전쟁이 講和로 종식된 이후 고려 국가가 부마국으로 전락된데 기인한 것으로 더 이상 天子國을 자처할 수 없게 되었음을 의미하는 것이다. 한편 오랜 전쟁을 마무리 하면서 '不改土風'의 원칙을 얻어내었다고 하지만, 그것이 실제와 얼마나 괴리되었는지를 잘 보여주는 대목이기도 하다. 이제 고려의 국왕은 원에 충성하는 일개 제왕으로 격하되었고, 저들의 뜻에 따라 乘降하는 위치가 되었기 때문이었다.

공민왕대를 고비로 고려는 원의 간섭에서 벗어날 수 있었다. 하지만 실질적으로 원의 간섭이 종식되어 가는 과정에서도 팔관회는 정상의 모습을 회복하지 못하였다. 공민왕대 신돈이 왕을 대리하여 군신의 조하를 받았다거나, 행사의 주장이 되어야 할 우왕이 기녀들을 데리고 산에 올라 관망자가 되고 있음은 이제 더 이상 팔관회가 그 명맥을 유지하지 못함을 웅변해주고 있다. 이는 고려말의 사회가 노정한 민족적·계급적 모순의 극명함과 함께, 또는 그와 별개로 고려국가가 내면적으로 자주성을 회복하지 못하는 가운데 표류하고 있음을 상징하는 단적인 증표로 볼 수 있을 것이다.

Ⅲ. 祭典의 여러 모습들

고려의 팔관회는 신라와 태봉의 것을 계승한 것이었다. 10월과 11월에 행해지는 정기적 의례인 이 행사의 모습에 대해서는 『高麗史』 예지에 '仲冬八關會儀'라는 제하에 비교적 상술되고 있다.[47] 간혹 일자가 바뀌는 경우도 없지는 않았으나 대개는 철저하게 지켜지는 편이었다.

팔관회 행사는 13일 예행연습을 거쳐 시작되었다. 많은 사람들이 참여하였다. 복잡한 행사였던 만큼 儀鳳樓 앞마당에는 악공에서 문무백관들이 도열하였고, 당일 행사에 참여하는 외국 사신들도 미리 자리를 확인해 둘 필요가 있었다. 그 풍경을 직접 목도한 李穡은 자신의 경험을 살려 그 내용을 詩로 남겼다.

---

45) 『高麗史』 卷136, 辛禑 6년 11월 정묘.
46) 제시된 시기 이외에도 충선왕 복위 3년의 행사에서도 보여진다(『高麗史』 卷34).
47) 『高麗史』 卷69, 嘉禮 仲冬八關會儀.

해마다 음악과 열병을 온종일씩 거행했는데/ 금년엔 격구장에서 예를 익히고 돌아왔네.
술 마시는 자리엔 山海珍味가 가득하고/ 보물 八牧圖는 그림처럼 펼쳐 있는데
각문의 호령 소리엔 千官이 절하고/ 호위병은 일만 기병을 길이 몰아왔도다.
당시에 호가했던 이 그 몇이나 남았는고/ 백발의 내 집 앞엔 푸른 이끼뿐이로세
··· 중략···
兩會 의식은 어찌 그리 번다한고/ 선왕의 뜻은 참으로 깊었도다.
世尊堂에는 두 번 절하고/ 神衆殿에는 세 번 순행을 할 제
촛불은 색깔을 구별하기 어렵고/ 향 내음은 내몸을 물들이려 하였네
지금 생각하니 한바탕 꿈만 같아/ 조용히 앉아 수건에 눈물 적시네.[48]

음악과 사열을 맞추고 연습은 격구장에서 치루어지고 있었다. 마지막 행에서 世尊堂과 神衆殿이 언급되고 있는데 각기 두 번 절하고 세 번 순행하였다고 해, 예행연습에서 불교 의례가 높은 비중을 차지하였음을 보여주고 있다. 이어 14·15 양일에 걸쳐 본 행사가 거행되었다.

구정에 마련된 행사장은 饌房과 茶房의 휘장을 동쪽과 서쪽에 각각 설치하였는데, 큰 황룡깃발이 펄럭이고 있었다. 찬방과 다방은 왕이 신하들로부터 축하의 인사를 받은 뒤 임금과 신하들이 술과 음식을 나누기 위해 차와 음식을 준비하기 위함이었다. 그리고 황룡기는 고려가 또 하나의 세계의 중심임을 내외국에 표시한 것이었다.

14일 아침 해가 들 무렵 의장대는 구정에 정렬하고 각종 일산, 부채, 위장들을 大觀殿 뜰에서부터 위봉루 사이에 펼쳐 놓았다. 3천 여 명에 이르는 의위사들이 가지각색의 화려한 깃발과 무기를 들고 왕이 행차할 길에 도열하여 섰다. 도성안은 화려하면서도 엄숙한 기운이 감돌고 깃발은 천자국의 위엄을 드러내고 있었다. 이 때 왕은 신하들의 축하인사를 받은 후 의봉루에 올라 태조의 영전에 獻禮하고 그의 遺訓을 기렸다. 태조에 대한 진헌 의례가 마쳐지면 곧이어 연회가 시작되었다.

輔臣을 보내 서경에서 팔관회를 베풀고 2일간 연회를 하게 하였다. 서경에서는 10월에 이 회를 개설하는 것이 예였다. 수도에서는 11월에 팔관회를 시작하고 왕은 神鳳樓에 행차하여 백관들에게 큰 연회를 베풀고 이튿날 대회에도 큰 연회를 베풀고 풍악을 관람하였는데 동서 양경과 동북 양로, 병마사, 4도호 8목에서 각각 표를 올려 축하하였고 송나라 상인들과 동서 蕃, 탐라국에서도 방물을 헌납하였고 그들에게 특히 앉아서 음악을 관람하게 하였는데 그

---

48) 『牧隱詩藁』卷12, 十一日 四首.
  "年年閱樂日將頹 今歲毬庭習禮回 嘗酒一筵山海具 獻琛八牧畫圖開 閤門大喝千官拜 兵衛長驅萬騎來 鳳駕當時幾人在 白頭門巷但蒼苔 …(중략)… 兩會儀何縟 先王意甚眞 世尊堂再拜 神衆殿三巡 燭影難分色 爐香欲染身 至今如一夢 兀坐淚霑巾"

후부터는 이것을 전례로 삼았다.[49]

본격적인 연회에 앞서 국왕은 신하들의 朝賀를 받았는데 이는 가장 중요한 행사로 여겨졌다. 14일에는 중앙의 문무백관들이 하고 지방관들은 표문을 올렸다. 다음 날 15일에는 외국인들이 하례하였는데 주로 송나라의 상인, 東·西蕃과 탐라인들이 참여하였다. 왕은 행사에 참여한 이들에게 함께 풍악을 감상할 것을 권하고, 술과 약·과실·꽃·음식 등을 내려주었다. 모든 행사는 주악이 연주되는 가운데 매우 엄숙하게 진행되었다.

행사 동안에는 국왕을 정점으로 철저한 위계가 중시되었다. 군신간에 상하 위계가 분명하였고 그에 따라 예물을 헌상하였는데, 나라의 중심에 국왕이 자리함을 표현함과 동시에 내외적으로 나라의 질서와 위계를 고도로 연출한 것이기도 하였다.

하지만 잔치로 치루어지는 행사인 만큼 기간 내내 엄숙하기만 한 것은 아니었다. 연회가 시작되면 꽃으로 화려하게 장식된 장막 속에서 술과 유밀, 그리고 귤과 유자 등 각종 과일이 제공되었다. 태자를 비롯한 왕실 사람들, 문무백관들과 중앙의 요인들, 그리고 각지에서 올라온 지방의 신하들, 공물을 가지고 온 외국 사신들로 붐볐다.

한편 행사장은 각종 음악이 연주되고 춤과 백희가 공연되어 분위기를 한층 뜨겁게 달구기도 하였다. 백희와 가무가 벌어지는 곳에는 높이 5장 이상이나 되는 커다란 연대 모양의 비단으로 만든 임시 누각[채붕]을 설치하였고, 날이 어둑어둑하면 구정에 달아 두었던 커다란 輪燈과 사방에 달아 둔 香燈으로 밤을 밝혔다. 그리고 그 아래 군신이 어울려 각종 공연을 구경하였다.

구정에 輪燈 하나를 달고 香燈을 그 사방에 달며 또 2개의 채붕을 각 5장 이상의 높이로 매고 각종 잡기와 가무를 그 앞에서 놀렸다. 그 중 4선 악부와 용·봉황·코끼리·말·수레·배 등의 형상은 모두 신라때의 행사와 같았다. 백관들은 도포를 입고 홀을 가지고 예식을 거행하였는데 구경군이 거리에 쏟아져 나왔다. 왕은 위봉루에 좌정하고 이것을 관람하였으며 이로써 매년 상례로 하였다.[50]

행사에서 공연된 백희 가운데는 용·봉황·코끼리·말 등의 형상으로 장식한 배 모양의 수레라든가 원래는 낭도로 조직되었을 四仙樂部라 불리는 4개의 악대처럼 신라의 전통을 그대로 계승한 것도 있었다. 또한 행사 도중에는 새로운 가무가 선보이기도 하였는데, 抛毬樂이나 9개의 기구로 묘기를 부리는 九張機別伎가 연출되기도 하였다.

그렇다면 행사장 바깥의 거리 풍경은 어떠했을까? 거리는 구정일대에서 공연되는 백희와 팔

---

49) 『高麗史』 卷69, 禮11 嘉禮雜儀 仲冬八關會儀(덕종 3년 10월).
50) 『高麗史』 卷69, 禮11 嘉禮雜儀 仲冬八關會儀(태조 원년 11월).

관회 행사를 구경하는 사람들로 그야말로 발 디딜 틈이 없었다. 특히 백희 공연은 일반 백성들에게 큰 관심을 불러 모았고, 또 그들의 참여를 이끌어 내었다. 이리하여 위로는 국왕과 대소신료, 그리고 지방에서 올라온 관인들, 외국 사신과 상인, 아래로는 일반 백성들이 한데 어울려 군신을 넘어 與民同樂의 한바탕 축제가 벌어지게 되었다.

팔관회 행사는 왕이 불교 사원을 찾아 행향하는 것이 관례가 되고 있었다. 이 때 사원은 법왕사, 홍국사, 장경사 등 특정의 사원에 국한되어 있었다. 이들 사원들은 대개 왕실이 후원하는 호국 사원에 해당하였는데, 홍국사와 장경사는 서경에서의 경우이고, 개경에서의 행사는 대부분이 法王寺와 神衆院이 중심이 되고 있었다.

개경에 위치한 주요 사원들은 궁궐과 가까이 자리해 크고 작은 정치·군사적 사건들과 연관이 되고 있었다.[51] 그 가운데 法王寺는 太祖가 개경으로 도읍을 옮긴 후 창건한 10寺 가운데 하나로 정치적 위상이 높았던 사원이었다.[52] 궁궐의 동북방 태자궁인 春宮과 멀지않은 거리에 위치한[53] 이곳에서는 대표적 호국법회인 百座道場이 수시로 개최되었고, 정기적으로는 국가 대사인 팔관회를 개최해 그 위상을 확인시켜주고 있었다.

몽고의 침입으로 수도를 강화로 옮겼을 때에는, 맨 먼저 江都에 법왕사를 세우고 개경에서의 기능을 잇도록 하였다. 법왕사 행향의식의 모습에 대해서는 이규보가 작성한 발원문이 잘 보여주고 있다. 이에 따르면 고승을 초빙하여 법문을 듣고, 불력에 힘입어 나라의 평안과 무궁한 발전을 기원하였다.

세 척의 배에서 본 것이 하나의 달[三舟一月]이라 한 것은 모든 법이 하나로 돌아감을 비유한 것이지마는, 1천 병에 다섯 가지의 물[五水千甁]을 쓰는 것은 八關의 청정한 계율이매, 선조로부터 깊이 믿어서 甲令에 나타난 不文律이었나이다.

상고하건대, 후손이 선대의 제도를 따라서 仲冬의 좋은 달에 넓은 宮庭에 예식을 성대히 차렸사온대, 종과 북 등의 모든 악기를 갖춘 것은 스스로 즐기려는 것이 아니라 사람과 하늘이 모두 기뻐하여서 태평을 누리려는 것이외다. 이에 절[香城]에 나가서 엄숙히 불사[梵事]를 행하여, 영취산[鷲峰]의 스님들을 청하고, 용궁의 신령한 경전을 설하옵니다.

엎드려 원하옵건대, 부처님 신력의 가피를 임어서[加持] 온 백성들의 마음이 편안하여지이다. 나라의 운수가 크게 형통하여서 먼 곳까지 다 감화를 받게 되고, 경사스러운 기초가 만세까지 보전하여 다함 없는 복이 누려지이다.[54]

---

51) 박윤진, 「高麗時代 開京 一帶 寺院의 軍事的·政治的 性格」, 『韓國史學報』 3·4호, 고려사학회, 1998.
52) 韓基汶, 「高麗太祖의 佛敎政策-創建寺院을 중심으로-」, 『大丘史學』 22, 대구사학회, 1983.
53) 『高麗圖經』 卷17, 祠宇.
54) 『東文選』 卷114, 李奎報, 「法王寺八關說經文」.
  "三舟一月 雖諸法之同歸 五水千甁 獨八關之淨戒 自先祖而深信 著甲令之不刊 言念後侗 式遵前典 當仲冬之令 月 張盛禮於廣庭 顧鐘鼓之畢陳 非以自樂 欲人天之同悅 因啓大平 玆卽香城 寔嚴梵事 邀鷲峯之開士 演龍柱之

한편, 법왕사에서는 국왕이 군사를 사열하고 있음으로 보아[55] 상시적으로 군대가 주둔하였을 가능성이 높으며, 개경에서 개최될 때에는 반드시 이곳에서 行香의식이 치루어졌다. 이같이 국왕이 사원을 찾아 행향하는 예식은 태조 이래의 전통이었다.

법왕사와 함께 팔관회에서는 국왕이 신중원에도 행차하는 사례들이 보인다. 선종온 법왕사와 신중원을 차례로 행차하였고,[56] 예종은 법왕사와 신중원을 차례로 행차하였다가 百神에게 배례하였다고 하는 것이다.[57] 신중원은 태조 7년 外帝釋院, 九曜堂과 함께 조성된 사원으로 불법과 중생을 수호하는 신들을 모신 전당이었다.

의식과 더불어 국왕이 행향하는 사원이 개경이나 서경에 있었다고 하여 이것이 兩京의 사원에만 설행된 것은 아니었다. 지방에서는 裨補寺院을 중심으로 참례와 행향이 수반되었다. 이들 사원은 운영의 경비를 국가로부터 지원받고 있었지만, 행사 경비로서 특별 경비를 지출하였을 가능성이 높다. 그런 의미에서 개별사원의 재원을 비축하고 있었던 각종 寶는 요긴하게 활용되었을 것이다. 八關寶는 그 가운데 용도를 구체적으로 명시한 경우에 해당하였다.

한편, 팔관회에서 불교 외 기타 신앙들은 어떠하였을까. '팔관은 天靈과 五嶽·名山·大川·龍神을 섬기는 것이라' 한 태조의 계시에서 같이[58] 개경 사람들의 山神에 대한 믿음 또한 배제될 수는 없었을 것이다. 松岳神祠를 예로 들어보자.

개경에는 불교 사원만 있는 것은 아니었다. 송악신사가 있어 여기에 믿음을 가지고 참배하는 사람들도 넘쳐나고 있었다. 인종대 개경에 머물다 돌아가 고려의 풍속을 기록으로 남긴 徐兢은 그의 그의 견문기 『高麗圖經』에서 궁궐[王府]의 북쪽 봉우리에 자리한 崧山廟에 대해 이렇게 서술하고 있다.

崧山神祠는 왕부의 북쪽에 있다. 순천관에서 나가 병부까지 가서 곧장 북쪽으로 시내를 따라가다가 구산사와 복원관을 지나고, 北昌門을 나가 5리 가량을 가면 산길이 험악하고 높은 소나무가 울창한데 성중을 굽어보면 손바닥을 가리키듯이 훤하다. 그 신은 본래 高山이라고 했었다. 나라 사람들이 전하기로는, 祥符年間에 거란이 침입하여 왕성에 다가오자 그 신이 밤중에 나무 수만 그루로 변화하여 사람소리를 내매, 오랑캐들은 원군이 있는가 의심하고 곧 물러갔으므로, 후에 그 상을 봉해서 崧이라 하고 그 신을 제사드려 받들었다고 한다. 백성들은 재난이나 질병이 생기면 옷을 시주하고 좋은 말을 바치며 기도한다. 근자에 사신이 와서 관원을 보내어 제사를 드렸는데 사당이 멀어서 산중턱까지만 가서 주찬을 진설하고

靈文 伏願承佛力之加持 亘民心而康豫 致庶邦之丕享 無遠不懷 保萬世之慶基 垂裕岡極"
55) 『高麗史』 卷22, 高宗 12년 9월.
56) 『高麗史』 卷10, 宣宗 3년 11월 무진.
57) 『高麗史』 卷12, 睿宗 원년 11월 신축.
58) 『高麗史』 卷2, 太祖 26년 4월.

배례하였다. 이것은 옛 법[舊典]에 따른 것이었다.[59]

조선중기의 문신 李德泂도 개경유수로 와 있을 때 그곳 鄕老들의 구술을 받아 『松都記異』를 편찬한 적이 있었는데, 여기에는 또 이런 내용이 있다.

송악신사는 성종 때 대신들이 건의하여 엄금하게 하였으나 임금의 외척과 귀족들이 옛날 풍습을 답습하였고, 시정의 부상들이 호화롭게 차려서 한번 차리는 비용이 중류 가정 한 집 재산이 다 들어갈 정도였다. 文定王后 때에는 환관과 궁녀들의 왕래가 도로에 이어졌으며, 왕실의 廚房에서 바치는 것만도 적지가 않았다. 여기에 모여든 남녀가 산골짜기를 메우고, 여러 날을 머물고 있어 추문이 적지 않게 있었다. 개성부에 사는 姜生員이라는 자가 있어 앞장서 유생 40여 명을 이끌고 가서 사당을 불사르고 像과 시설을 깡그리 부수었다. 문정왕후는 진노하여 모두 잡아다가 중죄를 가하려고 여러 날을 옥에 가두었으며, 유수 沈守慶도 미리 막지 못하였다고 하여 견책을 당하였다.[60]

왕궁을 굽어보는 송악산신을 모신 사당은 崧山廟 또는 崧山神祠로 불리었으며 일반 민인에 이르기까지 재난이나 질병에 옷가지를 바치며 기도하였다고 한다. 이 내용에 따르면 조선조에 이르러서도 문정왕후때까지는 參禮가 끊이지 않았으며, 결국 조선 중기 한 유생에 의해 파괴되었다는 것이다. 그만큼 신행의 전통이 오랫동안 지속되었음을 알려주는 대목이다.

이전 고려 사람들에게는 말할 것도 없을 것이다. 이런 신앙은 지방으로 갈수록 더욱 성행하였고, 이러한 신앙들을 포용하여 범국가적으로 거행된 것이 팔관회였던 것이다. 결국 팔관회는 이러한 신앙들을 통섭하는 다문화의 축제였다고 할 수 있을 것이다.

Ⅳ. 맺는 말

고려시대 팔관회는 재래의 전통신앙을 수용한 불교적 의례로 진행되었다. 이는 재래의 전통 신앙을 융섭하여 망라한 것이었으므로 고구려의 제천 행사인 동맹과도 연결되고, 신라의 농경 의례나 세시풍속과도 잘 부합하는 고려의 대표적 전통 제전에 해당하였다.

국초에 태조 왕건은 그를 뒤이은 왕들이 매년 이 행사를 개최할 것을 당부하였다. 태조의 이 같은 조치는 왕실의 정통성과 안녕을 담보하면서 국가 지배질서의 유지에 필수적이라는 현실 인식에 기초한 것으로, 기본적으로는 자신의 역사계승의식을 표출한 것이었다.

---

59) 『高麗圖經』 卷17, 崧山廟.
60) 『松都記異』.

성종대를 고비로 단절될 위기를 맞은 팔관 제례는, 현종대 직면한 정치질서의 안정과 외환을 극복하고 국가의 자존의식을 회복하기 위한 노력과 더불어 부활되었다. 이후 정치세력의 부침에도 불구하고 의종조에 이르기까지 융성한 국가의 대표적 祭典으로 자리매김 되었다.

이후 무신난에 이어 무신정권이 지속되면서는 강화도로의 천도 기간을 포함하여 전 기간 호국의 기원제로서 중시되었고, 원의 간섭기 등 시기별로 일부 그 위상에 변화가 수반되기는 하였으나 고려말까지 지속되었다.

팔관 제례는 주로 개경과 서경을 중심으로 설행된 것으로 기록에 나타나지만, 지방과의 긴밀한 연계하에 개최된 행사였다. 각 지방의 대표들이 賀表를 올리고 있었고, 지방의 불교계는 비보사원을 중심으로 이에 적극 동참하였을 것으로 보여진다.

팔관회는 대외적으로 고려국가의 위상을 표출하고 외국인들의 朝賀를 통해 이를 확인하는 장이 되기도 하였다. 이는 중국 중심과는 또 다른 세계의 중심축이 고려국이라는 인식을 전제하여 스스로의 국가적 위상을 높임과 동시에, 주변 국가와의 긴밀한 외교활동과 적극적인 경제통상을 도모하는 행사이기도 하였다.

하지만 고려국가의 대표적 제전인 팔관회는 원의 간섭기를 경험하면서 본래의 모습이 퇴색되고 있었다. 무엇보다 행사의 격이 낮추어지고, 설행 자체가 수시로 정지되는 등 정상적인 개최가 어렵게 되고 있었다. 이는 여몽전쟁이 講和로 종식되었음에도 더 이상 고려국가가 土風을 유지하지 못하고 天子國을 자처할 수 없게 되었음을 의미하는 것이었다. 그리고 마침내 공민왕대를 고비로 하여서는 본래의 면모를 잃고 있었고, 마침내 내면적으로 자주성을 회복하지 못하는 가운데 왕조와 운명을 같이 하였다.

【참고문헌】

『三國遺事』
『高麗圖經』
『高麗史』
『高麗史節要』
『東文選』
『牧隱詩藁』
『松都記異』

김영미 외,『고려시대의 일상 문화』, 이화여자대학교출판부, 2009.
박종기,『새로 쓴 5백년 고려사』, 푸른역사, 2008.
하일식 편,『고려시대 사람들의 삶과 생각』, 혜안, 2007.
한국역사연구회,『개경의 생활사』, 휴머니스트, 2007.

김인호,「고려 관인사회의 잔치와 축제」,『東方學誌』129, 연세대학교 국학연구원, 2005.
都光淳,「八關會와 風流道」,『韓國學報』79, 일지사, 1995.
박윤진,「高麗時代 開京 一帶 寺院의 軍事的·政治的 性格」,『韓國史學報』3·4호, 고려사학회,
        1998.
배상현,「신라 경덕왕대 불교 사원과 지방사회」,『新羅史學報』8, 新羅史學會, 2006.
安啓賢,「八關會攷」,『東國史學』4집, 동국대학교 사학회, 1956.
안지원,「팔관회의 의례 내용과 사회적 성격」,『고려의 국가 불교의례와 문화』, 서울대학교출판부,
        2005.
李敏弘,「高麗朝 八關會와 禮樂思想」,『大東文化研究』30, 성균관대학교 대동문화연구원, 1995.
韓基汶,「高麗太祖의 佛教政策-創建寺院을 중심으로-」,『大丘史學』22, 대구사학회, 1983.
한흥섭,「백희가무를 통해 본 고려시대 팔관회의 실상-팔관회는 불교의례인가」,『민족문화연구』47,
        고려대학교 민족문화연구원, 2007.

奧村周司,「高麗における八關會的秩序と國際環境」,『朝鮮史研究會論文集』, 朝鮮史研究會, 1979.
二宮啓任,「高麗朝の八關會について」,『朝鮮學報』9, 朝鮮學會, 1956.

「大元高麗國廣州神福禪寺重興記」와 ‘神福禪寺’

鄭濟奎*

目 次

Ⅰ. 서론

‘神福禪寺’는 현재 경기도 하남시 항동에 자리한 神福禪寺址를 통하여 그 자취를 엿볼 수 있다. 1999년 세종대 박물관의 지표조사 과정에서 확인되었다. 조사 결과 사찰의 이름을 파악할 수 있는 명문 기와는 확인되지 않았으나, ‘신복골’ 또는 ‘신부골’이라 전해 내려오는 본래의 지명과『新增東國輿地勝覽』「廣州牧」의 ‘佛宇’ 항목에 기록된 "神福禪寺 奉水寺 俱在漢山 藥井寺 在漢山"라는 내용을 통하여 고려시대로부터 그 이름이 전하는 神福禪寺로 추정되었다.

‘神福禪寺’에 대한 기록은 李穀의『稼亭集』제3권에 수록된「大元高麗國廣州神福禪寺重興記」가 처음이다. 이곳에는 延祐 甲寅年(충숙왕1,1314)에 시작하여 至治 末年(충숙왕8〜10,1321〜1323)에 준공된 신복선사의 중흥 사실을 기록하고 있다. 또한 사찰의 대략적인 역사는 물론 사찰과 관련된 인물들을 전하고 있어 신복선사에 대한 이해를 넓혀준다.

본고는 이같은 사실을 토대로 신복선사가 그 이름을 전하였던 고려시대를 중심으로 전개되었던 불교 사상의 경향을 정리하는데 목적을 두었다. 주지하듯이 이 지역은 고구려 시기의 漢山郡, 신라 시기의 漢州, 고려 시기의 廣州에 속한 지역으로 지리적으로 광범위하고, 또한 한강 유역에 속한 지역으로 한성 백제 이후 고구려의 남진 정책에 따른 새로운 문화의 유입 그리고 백제와 신라의 연합에 의한 한강 유역의 회복 이후 신라를 중심으로 이루어진 문화적 특성 등

---

* 문화재청 문화재전문위원

복잡하고 다양한 문화의 수용이 계속되었다. 이같은 지역의 특수성과 문화의 다양성을 올바로 이해할 때 그 실체에 다가갈 수 있을 것이다.[1]

Ⅱ. 한강 유역의 불교 변천

1. 불교의 전래와 그 사상성

한강을 중심으로 하는 불교의 역사와 문화를 이해할 때 그 첫머리에 놓이는 백제 시대의 불교 전래는 왕실을 중심으로 이루어졌다. 곧 374년(침류왕 원년) 東晉에서 胡僧 摩羅難陀가 오니 이듬해 한산에 사찰을 짓고 승려 10인을 제도하였다는 것이다.[2] 사찰을 지었던 곳이 어디인지에 대해서는 자료가 없어 현재로서는 확인되지 않는다. 4세기 경 백제에 전래되었던 불교에 대해서는 종교적인 면 보다는 정치적인 목적에 의해서 이루어졌다고 평가되고 있다.[3] 곧 불교의 교리를 통하여 왕권의 강화를 꾀할 수 있었고, 이같은 인식 때문에 이후 392년(아신왕 원년)에 불교를 믿으라는 下敎를 내릴 수 있었다는 것이다.

그러나 불교 공인 이후에는 526년(성왕4)에 謙益이 인도에서 倍達多三藏과 함께 梵本 阿毘曇과 五部律을 갖고 귀국하여 興輪寺에 머물렀다는 사실 이전의 기록을 전혀 확인할 수가 없다. 곧 백제 불교에 대한 연구에 있어서 한성 백제 시기에 해당하는 초기 불교의 성격과 그 문화를 파악하는데는 일정한 한계를 갖고 있다는 것이다.

본 장에서는 이같은 한계를 수용하면서 불교 수용 초기의 성격을 통하여 하남 지역에 전개되었던 불교 사상성을 살펴보고자 한다.

고구려의 불교는 三論宗을 중심으로 이루어진 것으로 이해되고 있다. 삼론종은 鳩摩羅什이 번역한 『中論』・『十二門論』・『百論』을 근본경전으로 하여 성립된 학파로서, 모든 존재는 緣起할 뿐 독자적인 존재성, 곧 自性은 없다고 보고 특히 空을 강조하였다. 중국에서 삼론종이 성하게 된 것은 6세기 후반부터 7세기 후반까지 1세기 동안이었는데 고구려에서도 삼론종에 대한 연구가 활발하게 이루어져 많은 승려를 배출하였다. 그 가운데 중국에 체류하던 僧朗은 중

---

1) 吳舜濟,「百濟佛教 初傳地에 대한 硏究:河南市 고골을 중심으로」,『明知史論』11・12, 명지사학회, 2000.
_____,「百濟 佛教에 대한 再考察 : 摩羅難陀와 初傳地를 中心으로」,『明知史論』13, 명지사학회, 2002.
조경철,「한성백제시대의 불교문화」,『鄕土서울』제63호, 서울시사편찬위원회, 2003.
이도학,「漢城百濟 佛教史 研究의 問題點」,『위례문화』제15호, 2012.
조경철,「『삼국유사』흥법 난타벽제조와 백제의 불교수용」,『신라문화제학술논문집』제35집, 동국대학교 신라문화연구소, 2014.
2)『三國史記』卷24, 百濟本紀2, 枕流王元年;『三國遺事』卷3, 興法3, 難陀闢濟.
3) 高翊晉,『韓國古代佛教思想史』, 동국대학교 출판부, 1989, pp.25~57.

국 삼론종의 기초를 닦는 데 크게 기여하였다. 고구려의 波若은 중국 천태종 창립자인 智顗의 문하에서 수학한 바 있다.

반면 신라의 불교는 金大問의 『鷄林雜傳』을 통해 확인된다. 곧 눌지왕(417~458) 때 고구려로부터 沙門 墨胡子가 一善郡(지금 경북 선산) 毛禮의 집에 와 있었는데, 梁의 사신이 가져온 香의 용도를 왕실에서 모르자 이를 일러주었으며 왕녀의 병을 고쳐주었다는 내용이다. 521년 (법흥왕 8)에 백제의 사신을 따라가서 양나라에 처음 조공하였던 신라는 백제를 통해 남조의 불교를 받아들였을 것으로 이해되고 있다. 또한 신라에 불교가 처음 전해진 사적에 대한 「阿道碑」(혹은 我道碑)의 내용은 대략 다음과 같다. 263년(미추왕 2)에 아도가 고구려에서 왔는데, 그는 曺魏人 我掘摩의 아들이라는 것이다. 일연은 아도를 묵호자와 동일인으로 보고, 374년 고구려에 온 아도가 바로 이 사람일 것이라고 논평하였다. 이 주장은 고구려에 온 아도가 魏나라에서 왔다는 가정 위에서 성립되는 것인데, 일연은 이 문제에 대하여 전적으로 『해동고승전』의 저자 覺訓의 설을 답습하고 있다.

이에 비하여 백제의 불교는 律宗을 중심으로 이루어진 것으로 이해되고 있다. 「彌勒佛光寺事蹟」에 의하면 백제승 謙益은 526년(성왕 4)에 인도에서 梵本 五部律을 직접 가지고 돌아와 28인의 승려와 함께 번역하였다고 한다. 曇旭과 惠仁은 이에 대한 律疏 36권을 저술하였으며 왕은 번역된 新律의 序를 지었다. 588년(위덕왕 35)에는 일본의 善信尼 등이 백제에 유학하여 율학을 배우고 돌아갔다. 그리고 백제승 玄光은 중국 천태종의 제2조 慧思의 문하에서 수업하고 귀국한 바 있다. 法王은 599년에 살생을 금하는 명령을 내렸으며, 민가에서 기르는 가축을 놓아주게 하고 고기잡이나 사냥도구 일체를 불사르도록 했다. 계율을 중시하던 백제불교가 형식주의에 치우치게 되었던 일면을 볼 수 있다.

그렇다면 이같은 불교의 전래속에서 교학의 수준은 어땠을까. 이는 대승경전의 전래와 고승들의 행적을 통해서 짐작할 수 있다.

신라 진평왕대의 圓光(541~630년 추정)은 중국에 건너가 양무제의 師友 莊嚴寺 僧旻의 제자에게서 수학하였다. 『續高僧傳』慧旻傳에 의하면 "혜민이 15세(587) 때 회향사의 신라 광법사에게서 「成實論」을 들었다"라는 기록이 있는데, 연대상으로 보아 '광법사'는 원광이 틀림없다. 당시 원광은 수나라의 서울 장안으로 가서(589년) 『攝大乘論』을 연구하고, 본국의 요청에 의해 600년(진평왕 22)에 朝聘使 2인과 함께 귀국하였다. 진평왕 30년, 수나라에 乞師表를 쓰라고 하자 원광은 그것이 사문의 도리가 아니라고 하면서도 신라의 신민임을 이유로 명령을 받들었다. 더욱 진평왕 35년에 황룡사에서 1백 명의 승려를 모시는 법회인 百高座會를 열었을 때, 원광은 거기서 경전을 강의하였다. 백고좌회는 『仁王經』護國品에 근거한 것이다. 한편 그의 저서에는 『如來藏經私記』와 『大方等如來藏經疏』가 있다.

또한 신라 진덕왕대(647~654)의 慈藏은 638년(선덕왕7)에 당나라에 유학을 가서 法常에게서 보살계를 받고, 終南山에서 3년간 수도하였다. 당시 종남산에는 중국 계율종의 宗主인 道宣이 강의와 저술에 전념하고 있었다. 자장은 귀국하여(643년) 궁중에서 『攝大乘論』을 강의하였고, 황룡시에서는 『菩薩戒本』을 강의하였다. 그의 저서에 『阿彌陀經疏』와 『阿彌陀經義記』 그리고 『四分律羯磨私記』·『十誦律木叉記』 등이 있는 것으로 보아 그 사상의 경향을 짐작할 수 있다.

이곳에 보이는 불경은 大乘經典이다. 당시 중국의 불교계에는 주로 大乘思想이 유포되어 있었는데 그곳에서 한역된 경전들이 우리에게 전달된 것이다. 大乘이란 마하야나(Maha-yana)의 譯語로 큰 수레라는 의미이며, 小乘은 히나야나(Hina-yana)의 譯語로 작은 수레라는 의미이다. 히나(hina)에는 '버려진, 천한, 열등한'이라는 의미도 있어, 당시 대승을 지향했던 이들이 소승을 어떻게 인식했는지를 이해할 수 있다. 대승불교와 部派佛敎의 교리적 차이 가운데 가장 중요한 사실은 自利와 利他의 개념이다. 대승에서는 '남을 구제함으로 자신도 구제된다.'는 自利利他圓滿의 가르침을 설하지만, 반면에 부파불교에서는 번뇌를 끊고 자기 자신의 해탈을 얻는 것이 수행의 목적이다.

이같은 대승불교의 성행은 佛傳文學의 전개와 불탑신앙의 성행과 깊게 관련되어 있다. 불전문학이란 기존의 경전이나 율장과는 달리 붓다의 생애와 成佛 그리고 修行에 대해서 기술하는 것으로 위대한 붓다에 대한 찬탄, 곧 讚佛僧이 주된 내용이다. 이같은 내용이 대승사상의 흥기에 영향을 주었고, 불탑신앙이 성행하게 되면서 불교 교단이 형성되었다.

또한 부파불교 가운데 하나였던 大衆部의 교리 가운데 佛陀論, 菩薩論, 心性本淨說 등 대승교리와 비슷한 내용이 존재하였다는 점도 주목된다. 불타론에서는 역사적으로 존재하는 한 분의 붓다를 설하지 않고 여러 명의 붓다를 설하였으며, 또 이 붓다는 세상에 나와서 중생을 교화하는 것으로 이해하였다. 이는 유부에서 주장하는 "오직 한 분의 붓다만이 존재하며, 이 붓다는 열반에 들어 세상에 나오지 않는다."는 내용과 다른 것이다. 보살론에서도 다른 점이 나타난다. 대중부계의 보살론에서는 일체의 보살은 탐욕, 성냄, 어리석음의 생각을 일으키지 않으며, 모든 有情을 이롭게 하겠다고 서원했기 때문에 스스로 원해서 惡趣에 태어난다고 설하고 있다. 이는 유부에서 업에 따라서 윤회한다고 설한 것과 다른 것으로 대승불교 사상에 가깝다. 다만 심성본정설만은 대중부만의 독특한 내용이 보이지 않는다.

이같이 대승불교는 기존의 교리를 수용하여 독자적인 해석을 가하면서, 동시에 불탑을 중심으로 모여서 불탑 공양을 통해 붓다를 찬탄하고 숭배하는 재가 신자들을 중심으로 일어난 새로운 조류 곧 불교 교단의 형성을 중요하게 여긴다.

대승의 사상이 성립되면서 일어난 변화가운데 하나가 대승경전의 신앙이다. 물론 대승불교가 흥기하기 이전에 이미 經藏, 律藏, 論藏이 존재했지만 대승불교에서는 이전의 사상들에 대해 비판하고 새롭게 해석하면서 새로운 경전들이 제작되었다. 그리고 불탑을 대신하여 경전이 숭배의 대상이 되었다.

대승경전의 역사는 보통 3기로 구별된다. 제1기인 초기는 대승의 형성에서부터 龍樹의 시대까지이고, 제2기인 중기는 용수 이후에서 無着과 世親의 시대까지이고, 제3기인 후기는 세친 이후의 후대이다. 제1기는 대체로 기원 전후로부터 3세기 전반까지로, 북인도에서는 쿠샤나 왕조가 번창하던 시대이고 남인도에서는 인드라 왕조가 지배하던 시기에 해당한다. 제2기는 세친의 연대를 어떻게 보느냐에 따라 다소 차이가 있지만 대체로 굽타 왕조가 흥성하던 시기에 해당된다.

초기 대승경전이 발전하기 이전에『般若經』이 성립되었고,『반야경』의 空사상을 중심으로 대승 경전들이 제작되었다.『반야경』은「般若波羅蜜」을 설하는 경전류의 약칭으로서, 반야바라밀은 布施, 持戒, 忍辱, 精進, 禪定, 般若의 여섯 바라밀 가운데 하나이다.『반야경』은 그 속에 포함한 頌의 수로 구분하는데〈8천송반야〉에서〈2만5천송반야〉로 확대되고, 다시〈2만5천송반야〉에서〈10만송반야〉로 확대된다. 그 후〈2만5천송〉와〈8천송〉사이에〈1만5천송반야〉와〈1만송반야〉가 생겼던 것으로 추정하고 있다. 그 가운데 가장 많이 유포된 것은 鳩摩羅什[Kumārajīva, 344~413]의 번역인『마하반야바라밀경』인데, 분량의 많고 적음에 따라『大品般若經』과『小品般若經』으로 불린다. 가장 많은 분량의『반야경』이 하나의 총서로 편집된 것은, 玄奘(602~664)이 660년부터 663년에 걸쳐 한역한『대반야바라밀다경』이다.『대반야경』은 600권으로 이루어졌고, 전체 구성은 16會로 나누어진다. 그 이외에『般若心經』과 한역만이 현존하는『仁王般若經』이 있다.

한편 대승불교에서는 他方淨土사상이 발달하였다. 彌勒佛의 兜率天[Tusita]과 阿彌陀佛의 極樂 그리고 阿閦佛의 東方妙喜國이 그 대표적인 것으로, 그 가운데 가장 먼저 성립된 정토사상은 彌勒菩薩의 도솔천이다. 이 신앙을 설한 경전으로는『中阿含經』의 說本經,『彌勒下生經』,『彌勒大成佛經』,『觀彌勒菩薩上生經』등이 있다. 아촉불의 정토신앙을 주제로 한 경전에는『아촉불국경』,『大寶積經』의 제6 부동여래회가 있다. 아촉불에 대해 언급하고 있는 경전은 각종의『반야경』과『維摩經』,『悲華經』,『華手經』,『首楞嚴三昧經』등이 있다.

아미타불과 극락정토에 관해 언급하고 있는 경전은 많지만 직접적으로 설하고 있는 것은 淨土三部經이 있다. 康僧鎧[Saghavarman, 僧伽跋摩, 252]라고도 한다. 역의『無量壽經』, 구마라집 역의『阿彌陀經』, 畺良耶舍(424~453) 역의『觀無量壽』이다.『무량수경』의 산스크리트어 원전은 네팔에서 전승된 것이며, 漢譯에는 번역된 시대에 따라 後漢, 吳, 魏, 唐, 宋의 것이 있다. 후한역은 支婁迦讖 역의『無量淸淨平等覺經』이며, 오역은 支謙 역의『阿彌陀三耶三佛薩樓

佛檀過度人道經』이며, 위역은 강승개의 『무량수경』이며, 당역은 보리류지 역의 『대보적경』제 5회 무량수여래회이며, 송역은 法顯 역의 『대승부량수장엄경』이다. 이들 번역본 사이에는 상당한 차이와 변화가 나타나 있다. 특히 가장 오래된 후한역과 오역은 다른 본과 차이가 많다. 『아미타경』은 매우 짧은 경전으로 내용이 비교적 간단하다. 『관무량수경』은 앞의 두 경전보다 발달된 사상을 담고 있지만 觀佛을 설하는 경전 가운데 하나로 아미타불과 극락정토의 장엄함을 마음으로 관하는 실천방법을 정리하고 있다.

이후 『華嚴經』과 『法華經』이 신앙되었고, 한편으로는 부파불교의 교리에 대한 재해석이 이루어졌다. 『華嚴經』은 대승불교의 근본인 菩薩行을 조직적으로 설한 경전이다. 이 경은 한역으로 60권 또는 80권의 분량에 이르는 방대한 경전이지만 전체가 한꺼번에 작성된 것이 아니라 하나의 체제 안에 편집된 것으로 보인다. 가장 먼저 佛馱跋陀羅[Buddhabhadra, 359~429]에 의해 60권본 『大方廣佛華嚴經』이 한역되었으며(420년), 80권본 『대방광불화엄경』은 實叉難陀 (652~710)에 의해 한역되었다(699년). 한편 40권본 『대방광불화엄경』은 貞元年間(785~805)에 般若에 의해서 이루어졌다. 60권본은 8회 34품, 80권본은 9회 39품으로 구성되어 있다. 華嚴은 붓다의 세계를 꽃으로 장엄한다는 것이다. 이 경은 예로부터 붓다가 깨달음을 얻은 직후 그 內觀의 세계를 직접적으로 표현한 것으로 이해되고 있다. 『法華經』은 중국, 한국 등지에서 지명도가 높은 경전이다. 이 경전에는 붓다에 대한 숭배를 강조하고 있으며, 대승불교의 여러 가지 요소들이 표현되어 있다. 『법화경』의 산스크리트어 원전은 여러 가지로 발견된 지방에 따라 네팔계, 까쉬미르계, 중앙아시아계로 구분된다. 한역으로는 竺法護(231~308) 역의 『正法華經』, 구마라집 역의 『妙法蓮花經』, 闍那崛多[Jnanagupta, 559~600] 역의 『添品妙法蓮華經』 등이 있다. 이 가운데 구마라집의 『묘법연화경』이 옛부터 명역이라 하여 널리 독송되었다.

이상 살핀 바와 같이 백제 한성 시기의 처음에 전래되었던 불교는 대승사상에 기반한 대승경전의 유통 속에서 상당히 다양한 신앙이 전개되었으리라 생각할 수 있다.

2. 신복선사 중흥기의 불교계 변화

고려 후기 사회는 일반적으로 세 시기의 정치적 변화를 겪었던 것으로 이해되고 있다. 첫째는 武人政權(1170~1270)과 몽고의 침입, 둘째는 忠烈王代(1274~1308)에 확립된 元의 정치적 간섭 그리고 마지막 세 번째로 恭愍王代(1351~1374)의 反元的 改革政治가 그것이다. 이같은 급격한 변화는 당연히 신분제의 변동과 더불어 사회 전체의 변화를 야기시켰다. 『高麗史』에는 그 변화의 실상을 보여주는 구체적인 내용들이 있어 그 시대를 이해하는데 상당한 도움을 준다. 그 일부를 인용하면 다음과 같다.

　가-① 恭愍王 3年 6月에 흉년이 들어 포목 한 필 값이 쌀 1말 3되가 되었다. 6년에 東北面에서 큰 흉년이 들었다. 7년 4월에 동북면에 흉년이 들었다. 5월에 交州 江陵道에 흉년이 들었다. 8년에 큰 흉년이 들었다. 9년 4월에 慶尙道와 全羅道에 흉년이 들어서 굶어죽은 자가 절반이나 되었으며 길가에 버린 시체를 이루 헤아릴 수가 없었다. 6월 서울에서 기근이 들었는데 포목 한 필 값이 겨우 쌀 5되였다. 10년 3월 龍州에 흉년이 들어서 사람들이 서로 잡아먹었다. 4월 西北面에 큰 흉년이 들어서 도적이 벌떼처럼 일어났다. 11년 4월 경기도에 흉년이 들었다. 13년 3월에 흉년이 들었다. 22년 4월에 전라도와 경상도에 흉년이 들었다.[4]

　가-② 辛禑 4年 5月 서울에 기근이 들어서 포목 한 필 값이 쌀 3 4 되었다. 6년 6월 서울에 기근이 들어서 포목 한 필 값이 쌀 5되였다. 7년 5월 서울에 기근이 들어서 포목 한 필 값이 쌀 1말이었다. 慶尙道 高靈郡에 흉년이 들어서 버린 아이가 길에 수두룩했으며 굶어죽은 자가 이루 헤아릴 수 없었다. 8년 윤 2월에 보리 싹이 나오지 않았다. 7월 서울에서 흉년이 들어서 포목 한 필 값이 쌀 3 4 되었다.[5]

　인용문 가의 ①·②는 공민왕대와 우왕대(1374~1388)에 지속적으로 이어졌던 농촌 경제의 황폐한 상황을 전해주고 있다. 충목왕대부터 이어졌던 災害는 경상도와 전라도 지역에서 굶어죽는 자가 속출할 정도의 상황으로 이어졌다. 이같은 어려움은 사람들이 서로 잡아먹을 정도로 가중되었고, 도처에서 도적들이 잇달아 일어났다. 그런데 이같은 현실은 이미 명종대(1170~1197)부터 끊임없이 발생하였던 西界 지방의 반란과 西京留守 趙位寵 충청도의 亡伊·亡所伊의 난 등[6] 계속된 변란 등이 원인이 되었다.

　이같은 고려 후기의 정치·사회 상황의 변화는 불교계에도 부정적인 변화를 초래하였다. 특히 사원에서는 대토지를 기반으로 하여 상당한 폐단이 진행되었는데, 14세기에 형성되었던 佛敎에 대한 批判論은 당시 불교계의 상황을 잘 보여준다.

　나-① 근래에 와서는 그렇지 않아 산중의 암자도 해마다 백이나 불어나며, 그 큰 절로

---

4) 『高麗史』 卷55, 志9 五行3.
　"恭愍王三年六月饑布一匹直米斗三升 六年東北面大饑 七年四月東北面饑 五月交州江陵道饑 八年大饑 九年四月慶尙全羅道饑死者過半棄道路者不可勝數 六月京城饑布一匹纔直米五升 十年三月龍州饑人相食 四月西北面大饑盜賊蜂起 十一年四月京畿饑 十三年三月饑 二十二年四月全羅慶尙道饑"

5) 『高麗史』 卷55, 志9 五行3.
　"辛禑四年五月京城饑布一匹直米三四升 六年六月京城饑布一匹直米五升 七年五月京城饑布一匹直米一斗 慶尙道高靈郡饑棄兒滿路飢死者不可勝計 八年閏二月無麥苗 七月京城饑布一匹直米三四升"

6) 그 외에 明宗 12년(1182)에 일어난 軍人과 官奴의 亂, 23년(1193) 경상도에서 발생한 金沙彌와 孝心의 亂, 神宗 元年(1198)의 萬積의 亂, 2년(1199)의 江陵과 三陟의 農民 叛亂, 3년(1200)의 진주와 합천의 奴婢 叛亂, 5년(1202)의 경주에서 일어난 雲門·蔚珍의 農民軍亂, 6년(1203)의 浮石寺에서 일어난 僧侶의 亂이 있다.

말하면 普德寺, 表訓寺, 長安寺 등이 있어 모두 官의 힘을 얻어 건립하여 웅장한 殿閣이 산골짜기에 가득 차고 金璧이 휘황하여 사람의 이목을 현란하게 하며, 常住의 경비에도 재물을 맡은 창고가 있으며, 寶를 맡은 관이 있고 소속된 良田이 州郡에 널려 있으며, 또 江陵·淮陽 두 도의 年租가 관에 들어올 것을 다 산으로 수송하게 하여 비록 흉년을 당하여도 조금도 감해주는 일이 없으며, 매양 사람을 보내어 해마다 衣粮과 油鹽 등속을 지급하여 반드시 빠짐없이 살피고 그 중들은 役에 도망가도 살피지 않고 民은 徭役을 피하여, 항상 수천만 명이 편안히 앉아서 먹기만을 기다리니, 한사람도 雪山의 고행을 같이 하며 道를 얻었다는 자가 있다는 말을 듣지 못하였다.[7]

나-② 우리 태조가 왕업을 창시하였을 때는 절과 民家가 구별 없이 삼삼오오 뒤섞여 있었으며 중세 이후 그 무리들은 더욱 번성해 五敎와 兩宗이 모리의 소굴로 화하고 강기슭과 산모퉁이마다 절 없는 곳이 없었습니다. 그 결과 다만 중들이 타락해졌을 뿐만 아니라 일반 백성들 역시 놀고먹는 자가 허다하게 되어 識者는 누구나 가슴 아파하였습니다. 부처님은 대 聖人으로서 좋고 나쁜 것을 반드시 남과 같이 하였을 것이니 죽은 魂靈인들 그 敎徒들의 이러한 타락을 어찌 부끄러워하지 않겠습니까. 제가 바라는 바는 엄격한 법령을 발포해 이미 중이 된 자에게는 度牒을 발부하고 도첩이 없는 자는 곧 군대로 편입할 것이며 새로 창설된 절을 일체 철거시키고 철거하지 않는 자가 있으면 곧 그 고을 수령을 처벌해 양민이 모두 땡땡이중이 되지 않도록 할 것입니다.[8]

나-① 의 기록은 崔瀣(1287~1340)의「送僧禪智遊金剛山序」이다. 최해는 1320년 원에서 과 거에 급제하여 官路에 올랐다가 귀국하여 檢校, 成均館 大司成을 지냈던 인물로 불교에 대해서 는 斥佛論을 주장하였던 인물이다. 이 글에서는 사찰 조성의 문란을 지적하고, 통제되지 않았 던 불교계에 상황에 대해서 지적하고 있다. 한편 인용문 나-②는『高麗史』열전에 있는 李穡 (1328~1396)의 불교에 대한 上疏文이다. 이색은 스스로「天寶山檜巖寺修造記」에서 "불교를 좋 아하지 않는다."고[9] 분명히 밝히고 있으나『高麗史』에는 "學文이 不順하고 佛法을 崇信하므로 세상 사람들이 기롱하였다."[10]고 하여 전혀 상반된 견해를 보여주고 있다. 그러나 현존하는 그 의 글을 통하여 불교 승려와의 폭넓은 교류가 이루어졌으며 동시에 깊은 영향을 받았던 것도

---

7) 崔瀣,「送僧禪智遊金剛山序」,『東文選』卷84.
8)『高麗史』卷115, 列傳 28, 李穡.
　　"我太祖化家爲國佛利 民居參伍錯綜 中世以降其徒益繁 五敎兩宗爲利之窟 川傍山曲無處非寺 不惟浮屠之徒浸以 卑陋 亦是國家之民多於遊食 識者每痛心焉 佛大聖人也 好惡必與人同安知 已逝之靈不恥其徒之如此也哉 臣伏乞 明降條禁 已爲僧者亦與度牒 而無度牒者卽充軍伍 新創之寺 令撤去而不撤者卽罪守令 庶使良民不盡緇"
9) 李穡,「天寶山檜巖寺修造記」,『東文選』卷73.
　　"予素不樂釋氏 然玄陵嘗師 師故敬慕之不敢置"
10)『高麗史』列傳 28, 李穡條.
　　"學問不純 崇信佛法 爲世所譏"

확인할 수 있으므로 그가 불법에 호의적이었다고 할 수 있다.

따라서 그가 보았던 당대의 현실에 대한 평가는 비교적 정확한 것으로 생각된다. 그는 이 글에서 불교가 우리나라에 수용된 이래 지속적으로 성행되었음을 말하고, 당대에 일어나는 불교계의 일부 폐단에 대해서 그 해결책을 제시하고 있다. 곧 법령으로써 이미 중이 된 자에게는 度牒을 발부하고 도첩이 없는 자는 곧 군대로 편입시킨다는 것과, 새로 창설된 절을 일체 철거시키고 철거하지 않는 자가 있으면 곧 그 고을 수령을 처벌한다는 것이다. 이는 僧政의 紊亂과 佛事의 濫發을 의미하는 것이다. 『高麗史』에 기록된 "寺院과 神祠에 田地를 施納할 수 없다. 이를 어기는 자는 죄로 다스린다."[11]는 내용은 당시 무분별했던 佛事를 방지하기 위한 하나의 방책이었을 것이다.

이같이 고려 후기의 불교계는 이미 상당한 문제점을 안고 있었다. 따라서 이 시기에는 불교의 정치적인 영향력은 물론 宗敎信仰으로서의 역할도 자연스럽게 축소되었다. 宗敎信仰의 社會的 結束力은 社會構成員들의 共同의 價値와 目的을 통하여 이루어진다[12] 면을 고려한다면, 정치적으로는 물론 사회적으로 불안했던 시대의 종교적 영향력과 결집력은 상대적으로 열약했을 것임을 쉽게 짐작할 수 있다.

그러나 14세기의 불교계를 이해하려 할 때 중요한 사실가운데 하나는 불교계의 제반 모순과 폐단을 자각하고 비판과 함께 개혁을 추구하였던 실천운동으로서 知訥(1158~1210)의 慧結社와 了世(1163~1245)의 白蓮結社 등이 성행되었다는 점이다.

불교사상적으로 修禪社의 信仰運動이 폭넓게 받아들여질 수 있었던 것은 지눌의 새로운 淨土觀에 기초한 것으로 보여진다. 「定慧結社文」에는 많은 질문이 제기되어 있는데, 그 중 淨土와 관련된 것은 다음의 두 질문이다.

다-① 여러 공이 내게 묻기를 지금은 末法時代이므로 正道가 가려졌으니 어찌 능히 定慧로써 힘쓰겠는가. 阿彌陀佛을 念하여 淨土業을 닦는 것만 같지 못하다.[13]

다-② 묻기를 요즘 修行하는 사람은 禪定과 智慧를 오로지 닦으나 대개는 道力이 충분하지 못하다. 만약 淨土를 구하지 않고 이 穢土에 머물러 있으면 온갖 고난을 만나 물러나고 잃을까 두렵다.[14]

---

11) 『高麗史』 卷 78, 食貨 1, 田制.
12) M.B. 맥과이어, 김기태·최종렬 역, 『종교사회학』, 민족사, 1994, p.247.
13) 『韓國佛敎全書』 4, 「勸修定慧結社文」.
　　"諸公聞語曰 時當末法 正道沈隱 何能以定慧爲務 不如動念彌陀 修淨土之業也"
14) 『韓國佛敎全書』 4, 「勸修定慧結社文」.
　　"問今時行者 雖專定慧 多分道力未充 若也 不求淨土 留此穢方 逢諸苦難 恐成退失"

지눌은 다-① 에서 定慧와 念阿彌陀佛을 비교하고 있다. 말법시대에 염불에 더욱 힘쓰는 것이 좋지 않겠느냐는 상황은, 당시 고려사회의 실상을 보여주는 것이다. 지눌은 이에 대해서 "때는 변해도 心性은 변하지 않는 것이다. 法道가 衰하였다는 것은 三乘權學의 견해이고 智慧로운 이가 응하는 것은 아니다. 그대와 내가 最上乘法門을 만났으니 薰習을 보고 들었으니 어찌 宿緣이 아니겠는가."[15]라고 답변하고 있다. 곧 정토를 구하는 것보다도 정혜를 닦는 것이 낫다고 권면하고 있다. 이같이 淨土에 대한 信仰과 定慧雙修에 대한 진지한 질문과 답은 定慧雙修의 修行法을 강조하기 위한 것으로 보여진다. 結社文의 성격상 그 목적은 당연히 수행에 대한 권장으로 이해하여야 할 것이고, 더욱 선사가 지녔던 淨土論을 참고할 때 淨土보다는 修行에 치중하고 있기 때문이다.

지눌이 갖고 있었던 정토사상은 法性淨土思想으로 요약할 수 있다. 이것은 일반 민중이 추구하는 진정한 淨土世界는 西方淨土만이 아니라는 것이다. 곧 法에 맡겨 번뇌의 습기를 다스리고, 이치에 맞는 지혜로 밝음을 더해 인연에 따라 만물을 이롭게하는 菩薩道를 행하면, 비록 三界 내라도 모두 法性淨土라는 것이다. 따라서 像法과 末法의 구별은 있을 수 없고, 뿐만 아니라 有佛世界와 無佛世界도 없으며, 此方穢土와 他方淨土도 없다고 하고, 修行을 하는 正因은 禪이라고 강조하는 것이다.[16]

이같은 지눌의 가르침은 自力的인 淨土信仰이라는 면에서 주목되는 것으로 고려 사회에 상당한 영향력을 미쳤다고 생각된다. 曹溪山 松廣寺 佛日普照國師碑銘에는 당시 수선 결사에 참여하였던 사람들에 대한 기록이 남아 있다.

라. 무리를 이끌어 法을 일으킨 지 十一年이다. 혹 道를 談論하고 혹 參禪을 닦기도 하며 頭陀行에 머물며 한결같이 불교의 戒律에 의지하였다. 四方의 緇白들이 풍모를 듣고 넘치도록 모여들어 성대하게 모였다. 이르러 이름과 벼슬을 버리고 처자도 버리며 옷을 상하고 모습과 목숨도 버렸다. 짝하여 함께 오는 자들이 王公士庶로서 入社하는 자가 또한 수백인 이었다.[17]

碑銘의 성격상 미화되어 강조되었던 측면이 있다 하더라도, 내용에는 王公士庶들이 수백인이 참여하였다는 사실을 전하고 있다. 그들은 벼슬을 버리고 처자를 버릴 정도로 수행을 위한 결사 참여에 열성적이었다. 이들이 결사에 참여하여 지눌의 감화를 받았다는 것은 분명한 것이

---

15) 『韓國佛敎全書』4, 「勸修定慧結社文」.
　"余曰 時雖遷變 心性不移 見法道之與衰者 是及三乘權學之見 有智之人不應如是 君我逢此最上乘法門 見聞薰習 豈非宿緣"
16) 權奇悰, 「高麗時代 禪師의 淨土觀」, 『韓國淨土思想硏究』, 東國大學校 出版部, 1985, pp.121~125.
17) 『朝鮮佛敎通史』下, 「松廣寺普照國師甘露塔碑」.
　"領徒作法 十有一年 或談道或修禪 安居頭陀 一依佛律 四方緇白 聞風幅湊蔚 爲盛集至 有捨名爵捐妻子 毁服壞形命 侶而偕來者 王公士庶 投名入社 亦數百人"

다. 이같은 경향은 지눌의 뒤를 이어 수선사를 이끌던 眞覺國師 慧諶(1178~1234)의 비문과 語錄을 통하여 참고할 수 있다. 진각국사의 사상은 頓悟漸修와 定慧雙修를 강조하고 있다. 그러나 지눌보다는 실천적인 看話 중심의 思想을 견지하였고, 話頭 參究에 있어서도 死句에 들지 말고 活句의 本質을 강조하였다.

月南寺址 眞覺國師碑의 陰記에는 100명이 넘는 公卿大夫와 여성 재가신자로서 優婆夷들이 다수 등장하고 있다. 또한『眞覺國師語錄』에도 結社와 관련있는 재가 신자들에 대한 글이 보이고 있다. 그 한 예를 보이면 다음과 같다.

마-① 나는 옛날에 公의 門下에 있었으나 공은 이제 우리 社에 들어왔으니 佛敎의 儒生이요 나는 儒敎의 佛者입니다. 새로 賓主가 되고 師資되는 것도 옛부터 그러하였고 지금에야 비롯된 것은 아닙니다.[18]

마-② 멀리서 주신 편지 받았습니다. 거기에 香社에 참여하기를 간절히 빌고 법바퀴 굴리는 것을 돕기를 원하셨는데 어찌 그 명령을 받들지 않겠습니까. 한 칼로 네 길의 葛藤을 끊기를 바랍니다. 일부분이라도 적당한 方便을 가르쳐 주십시오 하셨습니다.[19]

인용문 마-① 에 보이는 崔洪(弘)胤(?~1229)은 神宗 4年(1201) 禮部侍郎으로 詩賦를 통하여 鄭公札 등 22명과 10韻詩로 朴維弼 등 70명, 明經으로 5명을 뽑았던 인물이다.[20] 이 글은 參政이라는 종2품 관품으로 볼 때 최홍윤이 政堂文學에 임명되었던 1212년에 쓰여진 것으로 추정된다.[21] 이곳에서 혜심은 儒敎와 道敎의 근본은 佛法에 根源하는 것으로 方便은 다르나 實相은 같다고 전제한 후, 馬祖道一의 "마음이 곧 부처요, 마음도 아니요 부처도 아니다(卽心卽佛 非心非佛)."라는 話頭를 참구할 것을 권하였다. 心卽佛은 지눌이 강조하였던 法性淨土論과 맥락이 닿아 있다. 최홍윤과 같이 유학에 대한 학문적 깊이가 있는 인물이 신앙 결사에 참여하여 佛法에 대하여 관심을 갖고 수행에 임하고자 하는 태도를 주목할 필요가 있다. 곧 고려 사회에서 治國의 理念으로서 儒敎를 중요하게 여겼다면, 마음 修行의 방법으로는 佛敎를 중요하게 생각하였다는 사실을 보여주기 때문이다. 더욱 가능하다면 신앙결사와 같은 신앙 단체에 소속되기를 희망하였고 이를 통하여 더 큰 공덕과 깨달음을 얻고자 하였던 것이다. 한편 마-② 에 나오는

---

18)『韓國佛敎全書』6,『曹溪眞覺國師語錄』,「答崔參政洪胤」.
　"我昔居公門下 公今入我社中 公是佛之儒 我是儒之佛 互爲賓主 喚作師資 自古而然 非今始爾"
19)『韓國佛敎全書』6,『曹溪眞覺國師語錄』,「答盧尙書」.
　"伏審 牋緘遠投 誠懇乞叅香社 助轉法輪爲願 敢 不惟命之從 承庶幾一刀 截斷四路葛藤 少分相應 請垂手段"
20)『高麗史』卷75, 志28, 神宗4年.
　"禮部侍郎崔弘胤 取詩賦鄭公札等二十二人 十韻詩朴維弼等七十人 明經五人"
21) 秦星圭,『高麗 後期 眞覺國師 慧諶 硏究』, 中央大學校 博士學位 論文, 1986, p.176.

盧尚書는 盧仁綏로 추정된다.[22] 그는 高宗 3年(1216) 朔州分道將軍으로 있으면서 契丹兵이 쳐들어 왔으나, 山寺에서 3일동안 佛供만 드리다가 城을 함락당했던 인물이다.[23] 그가 불법에 깊이 심취하였던 것은 僧衣를 입고 佛寺에 들어가 수 십 년을 살았던 사실로 확인할 수 있다. 상기한 인용문에서는 죰社에 참여하고자 했던 그의 간절함과 더불어 갈등을 이기는 방법에 대해서 진지하게 고민하고 있음이 드러나고 있다. 이곳에서도 慧諶은 話頭를 제시하여 진실로 깨우치기를 기원하고 있다. 이같이 수선사에 참여하고자 노력하였던 재가신자들은 상당히 많았던 것으로 보인다. 이들은 혜심과의 서신 교류를 통하여 수행을 통하여 겪게 되는 어려움을 해결하고자 하였다. 그리고 가능하다면 結社에 참여하고자 하였다. 수선사에서의 수행이 知訥의 法性淨土論에 기초하였다는 사실은 이들 재가신자들에게 형성된 정토관이 어떤 것이었는지를 보여준다. 그들은 당연히 지눌과 혜심의 가르침에 순종하면서 修行과 淨土往生을 기원했을 것이다. 고려 후기 무조건적인 他力信仰으로서의 淨土往生 信仰이 아니라 自力的인 면이 강조된 신앙의 양상은 고려 후기의 불교계를 이해하는데 중요한 특징으로 보여진다.

Ⅲ. 李穀의 「大元高麗國廣州神福禪寺重興記」의 구성과 내용

「大元高麗國廣州神福禪寺重興記」는 延祐 甲寅年(충숙왕1,1314)에 시작하여 至治 末年(충숙왕8~10, 1321~1323)에 준공된 신복선사의 중건에 대한 내용을 정리한 글이다. 그 내용은『稼亭集』제3권 [記]에 수록되어 있는데, 고려시대의 기록이 많지 않은 현재 상당히 중요한 사료적 가치를 지니는 것으로 평가되고 있다.

『稼亭集』은 가정 이곡이 돌아가신 지 14년째 되는 1364년(공민왕14)에 아들 목은 이색이 편찬하고 그의 매부인 朴尚衷이 錦山에서 간행한 것이다. 이 책에는 가정 이곡이 연경으로 떠나기 전 지우들과 나누었던 14세기 고려의 현실에 대한 글은 물론 연경에 있으면서 고려 관인들에게 보낸 글과 원의 문인 명사들과 어울리며 나누었던 詩書 등이 수록되어 있는데 당대의 사회를 엿볼 수 있다는 점에서 높은 자료적 가치를 인정받고 있다. 또한 고려와 원의 불교 문화를 엿볼 수 있는 寺記를 포함하여 여러 사람의 祠堂記, 墓誌銘 등의 자료도 수록하고 있어 고려와 원의 사회문화적인 양상도 살필 수 있다.

「大元高麗國廣州神福禪寺重興記」는『稼亭集』에 수록된 사기 가운데 하나로 14세기 고려 불교의 일단을 살펴볼 수 있다는 가치가 있다. 이에 대한 원문과 번역문을 정리하면 다음과 같다.

---

22) 秦星圭, 위의 책, 1986, pp.186~188.

23)『高麗史』卷101, 列傳, 盧仁綏傳.

①

同知民匠摠管府事朴君造予言曰 吾弱冠辭親 宦于帝庭 自武宗之世 已承恩渥 洎仁廟繼極 以東宮舊臣 眷遇異常 當此之時 豈知思鄉里而慕父母乎 曩奉玉音 乘傳而歸 因觀省桑梓則先君已老矣 拊吾背曰 翁日夜願汝貴望汝來 汝豈知之 引至神福蘭若曰 是汝丱角所遊地 而鞠爲茂草者也 翁殫家之有 雖衣巾盡捨之 上爲君王祝釐 下與汝乞福 堂堂乎一大佛利也 自爾迄今幾三十年 言猶在耳 不敢一日之忘 嗚呼 不惟生之 而教養之 不惟念之于心 而又禱之于佛 是知父母愛子之心無所不至 而人能以父母之心爲心者 天下鮮矣 今先君下世 吾亦老矣 而神福之興未有紀 此不肖之嗣忘親之大者也 將買燕山之石 載其顚末 幷刻先君之言與吾鄉里昆季之名 歸置之神福之庭 俾後子孫知吾父子而天性若此也 子爲我筆之

①

同知民匠摠管府事 朴君이 나에게 와서 말하기를, "내가 약관의 나이에 부모를 하직하고 황제의 조정에 내시가 되어 武宗 때부터 두터운 은택을 입었고, 仁祖가 皇統을 계승함으로부터는 동궁의 옛 신하라 하여 사랑하고 대우함이 보통과 달랐다. 이런 때를 당하여 어찌 고향을 생각하고 부모를 그리워할 수 있었겠는가. 저번에 황제의 명을 받들고서 수레를 타고 고국으로 돌아가서 이어 귀향하여 부모님을 뵈었더니, 선친이 이미 늙으셨다. 나의 등을 어루만지시며 말씀하기를, '내가 밤낮으로 네가 귀하게 되기를 축원하고, 네가 돌아오기를 바랬는데 네가 이렇게 왔구나.' 하셨다. 그리고는 데리고 神福寺에 가서, '이 곳은 네가 총각 때에 놀던 곳으로 잡초만이 무성하던 곳이다. 내가 집에 있는 것을 모두 다 내어 심지어는 옷가지나 수건까지도 희사해서 위로는 임금님을 위하여 복을 빌고 아래로는 너를 위하여 복을 빌었더니, 이제는 당당하게 큰 절이 되었다.' 하였다. 그로부터 지금까지 거의 30년이 되었건만 그 말씀이 아직도 귀에 쟁쟁하여 하루도 감히 잊지 못하였다. 아, 낳아주었을 뿐만 아니라 기르고 가르치셨고 마음으로만 생각하실 뿐이 아니고 또 부처님에게까지 비셨으니, 이것으로 부모의 자식 사랑하는 마음이 지극하지 않는 바가 없으신 줄 알겠노라. 사람이 부모의 마음으로 마음을 가지는 자는 천하에 드물 것이다. 이제 선친이 세상을 떠나시고 나도 늙었으나 신복사의 중건을 기록하지 못함은 불초한 자식이 어버이를 잊는 큰 것이다. 燕山의 돌을 사서 그 자초지종을 기재하고, 아울러 선친의 말씀과 내 고향의 형제들의 이름을 새겨서 가져와 신복사 뜰에 세워 놓고, 후세 자손으로 하여금 우리 부자가 있었고 천성이 이와 같았다는 것을 알게 하겠으니, 그대는 나를 위하여 그것을 쓰라." 하였다.

②

予聞之不能無感 凡急於富貴利達 而游宦萬里之外者 豈盡思其鄉里而慕其父母乎 且以吾東人言之 其高步禁闥 烜赫一時者 不爲不多矣 安知不有視鄉里知秦越 待親戚如塗人者哉 朴君一聞其親之言 慈孝之感 終身不忘 必欲刻之貞珉 傳之無窮 可不爲之書乎

②

나는 그 말을 듣고 느끼는 것이 없지 않았다. 부귀와 영달에 급급하여 만리 밖에 가서 벼슬하는 자가 어찌 다 그 고향을 생각하고 그 부모를 사모하겠는가. 또 우리나라 사람으로 말한다면 그 皇宮에서 높은 자리에 올라 한때 위세가 대단한 자가 적은 것이 아니지만, 고향을 보기를 아무 관계도 없는 것처럼 보고, 친척을 대접하기를 길가는 사람 대하는 것처럼 하지 않는다고 어찌 장담하겠는가. 그런데 박군은 한 번 그 어버이의 말씀을 듣고 사랑하고 효도하겠다는 마음을 종신토록 잊지 않고, 반드시 좋은 옥돌에 새겨서 영원히 전하려 하니, 그를 위하여 쓰지 않을 수 있겠는가.

③

寺在廣州 其刱始盖與州並興 興廢不常 今則奉佛有殿 居僧有堂 廊廡靚深 門庭敞達 據一州之勝地 而爲諸方之禪藪也 始于延祐甲寅 訖工于至治之末 山人永丘實尸其事 舊無常住 資朴君施良田 在州西村之烏山者一十五結 其夫人金氏施楮五百貫 以充供具焉

③

절은 廣州에 있는데, 처음 창건된 것은 고을과 같이 시작하였다가 흥하고 폐하는 것이 무상하더니, 이제는 부처님을 받들어 모시는 법당이 있고 중이 거처하는 집이 있으며, 복도와 행랑이 깊숙하고 문과 뜰이 시원스러워 한 고을의 명승지가 되어 여러 지방의 선사들이 모이는 곳으로 되었다. 延祐 갑인년에 시작하여 至治 말년에 준공하였는데, 중 永丘가 실제로 그 일을 맡아서 주관하였다. 전에는 항상 머무르는 사람이 없었는데, 박군이 州의 서쪽 마을 烏山에 있는 좋은 땅 15結을 시주하고, 그의 부인 김씨가 紙幣 5百貫을 시주하여 공양할 재산으로 충당시켰다.

④

州於三韓 居諸牧之首 而朴氏又爲州大姓 自其祖守道以上 皆爲本州之職 長於一鄉 父諱堅由 中郞將引年致爲 爲中顯大夫監門衛大護軍 年七十八 泰定甲子九月初二日 終于家 贈匡靖大夫密直司使上護軍 母張氏 封唐津郡大夫人 元統乙亥正月廿五歲 壽八十四 君有二兄二弟 伯孝眞 檢校別將 次璉 郞將 季天祐 不仕 次寬 知安山郡事 女弟適司醞令同正李注 孝眞三男四女 長純 次彌札實禮 今監門衛大護軍 宿衛葷轂 次脫怗木兒 女皆適士人 天祐三男 曰仁萬 曰朴 曰文保 寬三女 皆適士人 孫男女及外孫甚衆不錄 君小字瑣魯兀大 武宗之初 奉旨入充內侍 帝常呼小瑣魯兀大 因賜名 初拜儀鸞局大使 再遷朝列大夫同知大都路北怯怜口諸色民匠都摠管府事 性愼重 旣知遇乎聖矣 已而謙退 老於佛事云

④

이 주는 삼한에서 여러 州牧의 으뜸이 되고, 박씨는 또 주의 大姓이 되어서 그 조부 守道로부터 이상은 다 본고을의 직책을 맡아서 한 고을의 어른이 되었었다. 아버지의 諱는 朴堅由로 中郞將으로 나이가 많아 사직하려 할 때에는 中顯大夫 監門衛大護軍이 되었으며, 나이 78세로 泰定 갑자년 9월 2일에 집에서 죽으니, 匡靖大夫 密直司使上護軍을 증직하였고, 어머니 장씨는 唐津郡太夫人에 봉하였는데, 元統 을해년 정월 25일에 죽으니 나이 84세였다. 박군에게는 두 형과 두 아우가 있었는데 맏형 孝眞은 檢校別將이요, 다음은 朴璉인데 郞將이요, 아우 天祐는 벼슬하지 않았고, 다음은 朴寬인데 安山郡의 원이었다. 여동생은 司醞令 同正 李注에게 시집갔다. 효진은 3남 4녀를 두었으니 장남은 朴純이요, 다음은 彌札實禮니 지금 監門衛大護軍으로 연경에서 宿衛하고 있으며, 다음은 脫帖木兒이며 딸은 모두 선비에게 시집갔다. 천우는 세 아들이 있으니 仁萬·朴宇·文保이다. 박관의 세 딸은 모두 선비에게 시집갔다. 손자와 손녀딸 그리고 외손이 매우 많으나 기록하지 않는다. 박관의 어릴 때 이름은 瑣魯兀大로 무종 초년에 명령을 받들고 입궐하여 내시가 되었는데, 황제가 항상 小瑣魯兀大라 부르고 이어 이름으로 하사하였다. 처음에는 儀鸞局大使에 임명되었다. 두 번째 옮겨서 朝列大夫 同知大都路 北怯怜口諸色民匠都摠管府事가 되었다. 성품이 신중해서 천자들의 지우를 받았는데 조금 뒤에 물러나서 佛事로 노년을 보냈다.

「大元高麗國廣州神福禪寺重興記」의 내용은 크게 네 부분으로 이루어져 있다. 첫 번째는 기문을 짓게 된 동기이다. 이곳에서는 신복선사의 중흥을 소원한 朴君 곧 瑣魯兀大의 지난 행적과 함께 신복선사 또는 신복사의 변화상을 살필 수 있는 내용이 있다. 두 번째는 가정 이곡의 所懷에 대한 내용이다. 신복사의 중흥기를 기록한 본인의 생각을 적고 있다. 세 번째는 신복선사에 대한 구체적인 상황을 파악할 수 있는 내용이다. 곧 사찰이 고려 초에 시작된 이래 정치적 변동에 따라 변화가 심했는데 延祐 甲寅年(충숙왕1,1314)으로부터 至治 末年(충숙왕8~10,1321~1323) 사이에 본격적인 중수가 이루어졌던 사실을 기록하고 있다. 또한 당시 책임을 맡고 있던 인물은 중 永丘이며, 중수에 들어간 비용은 조산 근처에 잇던 좋은 땅 15결과 지폐 500관이었던 사실도 기록하고 있어 당시의 상황을 짐작하는데 상당한 도움을 준다. 마지막 네 번째는 朴君 곧 瑣魯兀大의 가족에 대한 사실이다. 이는 당시 사원 중수에 참여하였던 세력을 이해하는 데는 물론 당시의 하남을 중심으로 한 지역의 유력 세력을 추정하는 데에 상당한 도움을 준다.

Ⅳ. 「大元高麗國廣州神福禪寺重興記」를 통해 본 神福禪寺

1. 신복선사 중수의 추진 세력

광주 지역은 고려대부터 많은 속군현을 거느린 중요한 지역이었다. 그러나 토성 세력은 고려 중기까지 침체하였는데, 이는 고려 초의 대호족 세력이었던 王規의 세력이 침체된 이후 오랫동안 재지세력이 성장할 수 없었던[24] 정치적인 영향 때문으로 이해되고 있다.

고려 말 광주지역에서 성장한 세력가운데 廣州李氏와 廣州安氏 그리고 廣州朴氏가 있다. 광주이씨는 출사하여 士族으로 성장한 세력과 본관의 호장직을 세습하였던 在地吏族이 있었다. 광주 읍사를 장악하였던 재지 세력은 15세기까지 그 영향력을 유지하고 있었던 것으로 보인다. 또한 廣州安氏는 州吏에서 武班으로 진출하기 시작하여 조선 초기 본격적으로 관인을 배출하였다.[25]

한편, 廣州朴氏는 토성 세력과 마찬가지로 호장직을 세습해 오다가 원의 정치적인 영향력 속에서 크게 출세한 가문이었다. 특히 「大元高麗國廣州神福禪寺重興記」에 보이는 朴君 곧 瑣魯兀大의 가문은 상당한 재지 기반을 갖고 있었다. 조부인 朴守道는 호장 출신으로 상당한 영향력을 갖추고 있었고, 부친은 朴堅由로 中郞將이었으며 후에 匡靖大夫 密直司使 上護軍을 증직받았다. 또한 형제 가운데 朴孝眞은 檢校別將, 朴璉은 郞將, 朴寬은 知安山郡事로서 출사하며 중앙에도 상당한 영향력을 가지고 있었다. 광주박씨 집안은 瑣魯兀大 이후에도 박효진의 3남 4

24) 이수건,『한국중세사회사연구』, 일조각, 1998, pp. 266~267.
25) 이수건, 위의 책, p. 266.

녀 가운데 차남인 彌札實禮가 監門衛 大護軍으로 연경에서 宿衛하였고, 3남 역시 脫帖木兒로 불리웠던 사실을 보면 계속적으로 원과 밀접한 관계를 유지하고 있었던 것으로 보인다.

神福禪寺는 「대원고려국광주신복선사중흥기」의 내용을 통하여 확인되듯이 廣州朴氏의 願刹이었던 것으로 보인다. 따라서 사찰의 중수에는 이들 집안이 중심이 되었을 것이다. 다만 비문에서 "절은 廣州에 있는데, 처음 창건된 것은 고을과 같이 시작하였다가 흥하고 폐하는 것이 무상하더니, 이제는 부처님을 받들어 모시는 법당이 있고 중이 거처하는 집이 있으며, 복도와 행랑이 깊숙하고 문과 뜰이 시원스러워 한 고을의 명승지가 되어 여러 지방의 선사들이 모이는 곳으로 되었다."라고 밝히고 있듯이 '한 고을의 명승지'이며 '여러 지방의 선사들이 모이는 곳'이었던 신복선사에는 광주 지역을 중심으로 한강 유역의 여러 지역의 유력 세력들이 폭넓게 참여하였을 것으로 추정된다.

2. 神福禪寺의 思想性과 그 의미

神福禪寺의 사상적 경향은 중수 당시의 불교사상의 경향을 통하여 추정해 볼 수 있다. 신복선사의 중수는 延祐 甲寅年(충숙왕 1, 1314)으로부터 至治 末年(충숙왕8~10, 1321~1323) 사이에 이루어졌는데, 당시 왕실의 원찰로서 불교계에 상당한 영향력을 주었던 묘연사가 창건된 이후 대략 30여 년이 지난 때에 해당한다. 당시의 불교계를 이해하는데 李齊賢이 찬한 「妙蓮寺重興碑」의 내용은 상당한 도움을 준다.

바. 京城의 鎭山을 崧山(송나라 사람 徐兢의 『高麗圖經』에 崧嶽을 崧山이라 하였다.) 이라고 한다. 그 산 동쪽 산등성이가 남으로 뻗어나 눕혀져서 서쪽으로 꺾이었으니, 낮게 숙인 것은 적고 우뚝 일어난 곳은 많으며, 또 나누어져 남쪽으로 세 개의 고개가 되었다. 멀리서 바라보면 마치 용이 서리고 있는 것 같고, 가까이서 보면 마치 鳳이 높이 솟은 것 같다. 이러한 용의 배에 해당한 위치에 웅거하고, 봉의 날갯죽지에 해당한 위치에 붙어서 절이 있는데 妙蓮寺라고 한다. 우리 충렬왕이 齊國大長公主와 더불어 부처를 높이 신앙하였다. 불법에 들어가는 길은 『法華經』이 가장 오묘한 뜻이 있고, 經文의 뜻을 통창하게 풀이한 것은 『天台疏』에 모두 갖추어졌다고 하여 좋은 땅을 가려 精舍를 세워서 『법화경』을 읽으며 그 道를 탐구하고, 『천태소』를 강설하여 그 뜻을 연구하게 하였다. 이렇게 해서 천자의 복을 빌며, 종묘 사직에 복을 맞이하려는 것이다. 至元 20년 가을에 절을 짓기 시작하여 다음 해의 여름에 낙성하였다. 절을 처음 연 자는 獅子菴의 老宿 洪恕가 바로 그 사람이다. 처음 圓慧國師가 맹주가 되어 結社하였을 때, 恕가 또 그 다음 대를 이었으며 세 번째 無畏國師에 이르러서는, 배우는 자가 더욱 많이 모여들었다. 충렬왕때부터 이미 일찍이 원혜국사에게 그 자리를 여러 번 맡겼으며, 무외국사에게는 임금이 齋를 대행하게 하였고, 충선왕은 더욱 그 禮를 정중히 하여 모든

불교의 院門과 선종·교종의 여러 사찰에서는 감히 그러한 대우를 바라지도 못하였다. 무외국사의 앞에는 희禧니, 因이니, 하는 이가 있었고, 무외국사의 뒤에는 芬이니, 璉이니, 泓)니, 焰이니, 如니 하는 이들과 지금의 堂頭 喾이니 하는 자들은 모두 승려 중에서 선택된 자로서 계승 유지하여, 梵鐘과 木魚 분향과 촛불 등 온갖 절의 의식이 처음과 다름이 없었다. 그런데 집이 기울어지고 기와와 쌓은 벽돌이 썩고 이지러진 것은, 대개 60년의 오랜 세월을 지났으니, 사세가 그렇게 될 수밖에 없는 것이다.(후략)

李齊賢의「妙蓮寺重興碑」는 다음의 몇 가지 중요한 사실을 적고 있다.

첫째는, 묘연사의 중창과 변천에 대한 내용이다. 이를 보면 묘연사의 중수는 충렬왕대인 1283년(至元20)에 짓기 시작하여 이듬해인 1284년 여름에 낙성되었던 것을 알 수 있다. 이후 고려 왕실의 원찰로서 뿐만 아니라 원황실에 대한 축원과 기원 등 관련 행사가 이곳에서 이루어지면서 국가적으로 상당한 지원을 받으며 성장하였다. 다만 충혜왕대에 이르면 묘연사가 지녔던 사찰로서의 순기능보다는 원의 사신을 맞으며 연회를 벌이고, 문인들과 승려들 간의 詩會를 벌이는 장소로 변질되어가는 모습이 보이고 있다.[26]

둘째는 묘연사에서 활동하였던 중심인물들에 대한 내용이다.「妙蓮寺重興碑」에는 처음 圓慧國師가 맹주가 되어 結社하였고, 그 뒤를 獅子菴의 老宿이었던 洪恕가 이었다는 사실과 세 번째 無畏國師에 이르러서는 배우는 자가 더욱 많이 모여들었다는 내용을 기록하고 있다. 또한 "무외국사의 앞에는 禧니, 因이니 하는 이가 있었고, 무외국사의 뒤에는 芬이니, 璉이니, 泓이니, 焰이니, 如니 하는 이들과 지금의 堂頭 喾이니 하는 자들은 모두 승려 중에서 선택된 자로서 계승 유지하여, 梵鐘과 木魚 분향과 촛불 등 온갖 절의 의식이 처음과 다름이 없었다."고 하여 그 계보를 밝혀주고 있다.

셋째는 묘연사의 창건의 직접적인 동기와 함께 사상적 배경을 밝히고 있다. 곧 "충렬왕이 齊國大長公主와 더불어 부처를 높이 신앙하였다. 불법에 들어가는 길은『法華經』이 가장 오묘한 뜻이 있고, 經文의 뜻을 통창하게 풀이한 것은『天台疏』에 모두 갖추어졌다고 하여 좋은 땅을 가려 精舍를 세워서『법화경』을 읽으며 그 도를 탐구하고,『천태소』를 강설하여 그 뜻을 연구하게 하였다. 이렇게 해서 천자의 복을 빌며, 종묘사직에 복을 맞이하려는 것이다."라고 하여『법화경』과『천태소』에 근거한 불교신앙이 전개되었음을 보여주고 있다.

한편「妙蓮寺重興碑」에 보이는 다음의 내용은 또한가지 중요한 사실을 전해주고 있다.

사. 順菴 璇公은 원혜국사의 嫡嗣이자, 무외국사의 조카이다. 중국의 천자가 三藏이라는 호를 내리며 북경의 大延聖寺의 주지를 명하였다. 그 뒤 至元 병자년에, 천자가 내리는 향을

---

26) 채상식,『고려후기불교사연구』, 일조각, 1991, pp.182~185.

받들고 우리 나라에 돌아와서 조용히 忠肅王에게 아뢰기를, "묘련사는 충렬·충선왕의 祗園으로서 그분들의 초상이 옛 그대로 있습니다. 전하께서 새로 수리하신다면 조상을 받드는 효도가 무엇이 이보다 더 크겠습니까." 하였다. 임금이 듣고 감동된 바 있어 드디어 금과 은과 實器 수백 만을 희사하여 그 절의 常住 재산, 즉 기본재산으로 돌려주니, 그 무리들이 서로 권면하지 않는 자가 없었다. 어떤 이는 계획을 짜고 어떤 이는 노력을 바치었다. 방과 마루와 부엌 행랑 등 흔들리는 것은 수선하고 기울어진 것은 바로 세우며, 썩은 것은 바꿔 넣고 이지러진 것은 보수하였으며, 像設의 制儀는 아름답게 하고 齋廚의 비용을 넉넉하게 하였다. 푸른 소나무를 더 많이 심었으며 높은 담을 둘러쌓았다. 璇公이 큰 글씨를 잘 썼으므로 금으로 불전의 액자를 써서 처마 사이에 걸어 놓으니, 해와 별과 더불어 빛을 다투게 되었다.

인용문에서는 묘련사의 중수를 실제적으로 이끌었던 順菴 璇公에 대해 기록하고 있다. 그런데 스님에 대해서'원혜국사의 嫡嗣이자, 무외국사의 조카이다.'라고 적고 있다. 順菴 璇公은 天台宗 승려인 義旋을 말하는데 바로 몽고어 통역관으로 출세하여 충선왕의 장인이 되었던 趙仁規가 부친이다.

의선이 원의 수도인 연경의 大天源延聖寺와 大報恩光敎寺에 주지하였던 사실은 그의 정치적 역량이 상당히 컸다는 것을 보여주는 것으로 이는 조인규 가문의 원황실과의 친연성때문이라 여겨진다. 또한 의선은 圓慧 곧 景宜의 법맥을 잇고 있는데 원혜국사는 백련사의 맥을 계승하였던 인물로 이해되고 있다. 이같은 「妙蓮寺重興碑」의 내용을 통하여 확인되는 사실은 天台宗이 성행하였고,[27] 특히 백련 결사를 주도했던 圓妙國師 了世의 사상이 상당한 영향을 주었다는 점이다.

神福禪寺는 妙蓮寺와 같은 귀족의 원찰로서 특히 원 황실과 밀접한 관련을 지니고 있다는 공통점이 있다. 따라서 자연스럽게 당대의 사상적 경향을 지니고 있었을 것이라 생각된다.

우선 생각할 수 있는 점은 백련사 계통의 정토 신앙이다. 이 신앙은 중국의 四明知禮 (960~1028)가 쓴 『觀無量壽佛經妙宗鈔』에 근거하고 있다. 곧 約心觀佛說에 의하면 중생의 청정한 念佛心으로(衆生淨心) 부처가 마음 안에 들어오고, 그렇게 들어온 부처는 이제 중생과 一致(相應)하는 것이다. 이를 知禮는 「是心作佛 是心是佛」이라 하였다.[28] 이것은 수선사 결사와 비교할 때 일반 민중에게 한결 접근된 사상이라 할 수 있다. 了世에게 보이는 이같이 天台의 止觀 修行과 조화되어 있었던 서방 극락정토에 왕생하기를 발원하였던 신앙은 일반 대중들에게

---

27) 고려의 천태종은 「僊鳳寺大覺國師碑」에 나오는 것처럼 1101년을 그 기점으로 하여 대체로 3기로 구별하는데, 제1기는 義天 이후 圓覺國師 德素 시대까지의 약 100년간, 제2기는 무인집권기에 해당하는 최씨집권기로부터 시작하여 지방 불교로서 천태종을 부흥시킨 圓妙國師 了世로부터 몽고 압제 아래의 無畏國師 丁午에 이르는 약 150년간, 마지막 제3기는 공민왕 이후 조선 세종대 불교를 정비했던 시기까지로 이해할 수 있다(허흥식,『고려불교사연구』, 일조각, 1986, pp.258~287).

28) 高翊晋,「圓妙國師 了世의 白蓮結社」,『韓國天台思想』, 1997, pp.232~239.

도 자연스럽게 권면되었다.

神福禪寺의 사상성을 검토하는데 있어서 또 한 가지 참고할 점은 주의할 사실은 현존하는 高麗 寫經이 대부분 『法華經』을 강조하였던 天台思想의 영향력을 보여주고 있다는 것이다. 현존 사경으로 『大寶積經』과 『佛說彌勒成佛經』 그리고 『大般若婆羅密多經』을 제외하면 전부 고려 후기에 해당되는 것으로 충렬왕 이후의 작품이 거의 대부분이다.[29] 이들 작품은 크게 王室과 個人에 의해서 발원된 두 유형으로 구별된다. 고려 후기 불교계의 동향과 사회를 반영해주는 중요한 자료로서, 跋文의 내용은 특히 주목되는 것이다.

아-① 엎드려 皇帝萬年과 國王千秋를 기원하고, 부처님께서 밝히신 法輪이 항상 이어지기를 기원하며, 돌아가신 父母가 괴로움을 떠나 복락을 얻고 나와 가문의 권속들에게도 미쳐 각각 재앙을 벗고 함께 福壽를 늘리기를 기원합니다. 世世生生토록 항상 吉祥見을 얻어 부처님께서 말씀하신 법을 깨닫고 모든 有情을 제도하기를 원하는 菩提之願을 세우고자 합니다. 집 안에서 공경스럽게 銀字 法華經 1部와 金光明經 4卷, 阿彌陀經 梵行品 그리고 각 手大悲心陀羅尼 등을 寫成하오니 사용되는 비용으로 복이 있기를 빌 따름입니다. 삼가 기록합니다. 至元 31年 甲午 12月 日에 功德主는 中正太夫 宗簿令으로 致仕한 安節과 安東郡夫人 李氏이고, 함께 발원한 이는 昌寧郡夫人 張氏입니다.[30]

아-② 洪武 19年 庚寅 5月 日 口등이 法華經 1部를 銀字寫經하였다. 삼가 축원하기는 聖壽萬歲와 王后齊年 그리고 儲宮이 鞏固하기를 빌고, 文武가 모두 안녕되고 바람과 비가 조화롭고 순하여 나라가 태평하고 백성이 평안하며, 禾穀이 풍성하게 열리고 전쟁의 어려움이 그치기를 빈다. 다음으로는 나와 함께 발원한 檀那들이 지금 세상에서 함께 福壽를 누리고 後生에는 菩提를 이루기를 기원한다. 선조의 모든 영혼들이 淨界에 태어나고 일체의 有情들이 모두 妙利를 잇기를 말한다. 施主는 竹山郡夫人 金氏이고 함께 발원한 이는 貞淑宅主 宋氏, 前奉翊大夫 禮儀判書 申允恭 등이고, 化主 覺普이다. 石室의 雲枘인 覺連이 書한다.[31]

인용문 아-①에서는 돌아가신 부모의 명복을 빌고 또한 발원자의 가문이 재앙으로부터 벗어나

29) 權熹耕, 『高麗寫經의 研究』, 미진사, 1986, p.222.
30) 『妙法蓮華經』 7卷本 및 『阿彌陀經』 梵行品 大悲心 合部(權喜耕, 위의 책, 1986, 재인용).
　　"伏爲 皇帝萬年 國王千秋 佛日證明法輪常轉 先亡父母離苦得樂 兼 及己身 門眷屬各脫災殃同 增福壽 世世生生 常得吉祥見 佛聞法悟無生忍濟度諸有情方證菩提之願 倩人家中敬寫成銀字 法華經一部 金光明經 四卷 阿彌陀經 梵行品 各手大悲心陀羅尼等 經用資福利耳 謹誌 至元三十一年 甲午十二月 日 功德主 中正太夫 宗簿令 致仕 安節 安東郡夫人 李氏 同願 昌寧郡夫人 張氏"
31) 寶物 第352號 『紺紙銀泥妙法蓮華經』 卷7, 梨花女子大學校 博物館 所藏(權喜耕, 위의 책, 1986, 재인용).
　　"洪武十九年庚寅五月日 口等 爲銀書寫法華經一部 端爲奉祝 聖壽萬歲 王后齊年 儲宮鞏固 文武咸寧風調雨順 國泰民安 禾穀豊稔 千戈戢息 次祈我等與同願檀那 今世同證福壽 後生豈證菩提 祖考諸靈超生淨界 一切有情具承妙利云 施主 竹山郡夫人 金氏 同願 貞淑宅主 宋氏 同願 前奉翊大夫禮儀判書 申允恭 化主 覺普 石室雲枘 覺連 書"

더욱 福壽를 누릴 것을 빌고 있다. 그런데 기록을 보면『法華經』뿐만이 아니라『金光明經』4卷,『阿彌陀經』「梵行品」,「各手大悲心陀羅尼」등을 조성했다는 것을 확인할 수 있다. 大功德主인 安節은 宗薄寺令이라는 종 3품의 높은 관직을 역임하였던 인물이었다. 親元系의 인물이었던 그가 부모의 명복과 가문을 위한 발원으로서 사경을 조성하고 있음은 가장 일반적인 재가불교신앙의 유형이다. 한편 아-②의 발원문에는'風調雨順 國泰民安 禾穀豊稔 千戈戢息'이라 하여 나라의 태평성대와 아울러 전란의 어려움이 없기를 발원한 후, 선조들이 淨土에 往生하기를 발원하고 있다. 이곳에 나와 있는 발원자들은 竹山郡夫人 金氏와 貞淑宅主 宋氏 그리고 前 奉翊大夫 禮儀判書였던 申允恭 등이다. 인용한 사경의 예는『法華經』을 중심으로 한 淨土信仰의 한 유형이다. 그런데 이들이 발원했던 가운데 現生에서의 어려움을 이겨내고 더불어 來世에서의 往生을 기원했다는 면을 주목할 필요가 있다. 현실적으로는 어려움을 이겨내고 내생에서는 정토에 왕생하기를 기원하는 이같은 형식의 글이 의례적인 것일 수도 있으나, 白蓮社의 淨土信仰에 止觀 修行이 강조되어 있었다는 사실을 고려한다면 실제로 自力信仰的 要素가 반영되어 전개되었던 사실을 보여주는 것이기 때문이다.

이상 살핀 바와 같이 神福禪寺는 당시 고려사회에 폭넓게 확산되었던『法華經』을 강조하였던 天台思想의 영향력 속에서 修行과 信仰을 동시에 추구하며, 정토로의 왕생신앙을 지녔던 것으로 이해된다. 이같은 정토신앙은 어려웠던 현실을 극복해내는 가장 효과적이었기 때문이다.

V. 결론

하남시 항동에 자리한 神福禪寺址에 대한 기록은 李穀의『稼亭集』제3권에 수록되어 있는데,「大元高麗國廣州神福禪寺重興記」를 통하여 延祐 甲寅年(충숙왕1,1314)으로부터 至治 末年(충숙왕8∼10,1321∼1323)에 다시 한번 중수되었던 사실을 알 수 있다.

'神福禪寺'는「대원고려국광주신복선사중흥기」의 내용을 통하여 확인되듯이 廣州朴氏의 願刹이었다. 따라서 사찰의 중수에는 본래부터 토성 세력과 마찬가지로 호장직을 세습해 오다가 원의 정치적인 영향력속에서 크게 출세한 가문이었던 廣州朴氏가 중심이 되었다. 특히「大元高麗國廣州神福禪寺重興記」에 보이는 朴君 곧 瑣魯兀大의 가문을 중심으로 祖父 朴守道, 부친 朴堅由로 이어지는 동안에 크게 발전하였다고 생각된다. 더욱 瑣魯兀大는 원의 황실과 밀접한 관련이 있었다. 따라서 '한 고을의 명승지'이며 '여러 지방의 선사들이 모이는 곳'이었던 신복선사에는 광주 지역을 중심으로 한강 유역의 여러 지역의 유력 세력들이 폭넓게 참여하여 중수가 이루어졌을 것으로 추정된다.

神福禪寺의 사상적 경향은 비슷한 시기 귀족의 원찰이었던 妙蓮寺에서 보이는 신앙적 특징을 통하여 확인되는데, 백련사 계통의 정토 신앙이 기본이 되었던 것으로 생각된다. 이 신앙은 了世에게 보이는 天台의 止觀 修行과 함께 서방 극락정토에 왕생하기를 발원하여 일반 대중들에게도 자연스럽게 확산되었다.

또한 현존하는 高麗 寫經이 대부분『法華經』을 강조하였던 天台思想의 영향력을 보여주고 있다는 특징을 중시할 수 있다. 곧 現生에서의 어려움을 이겨내고 더불어 來世에서의 往生을 기원하였던 淨土信仰이 고려사회에 폭넓게 확산되어 있었다.

이상 살핀 바와 같이 '神福禪寺'는 고대 문화의 가장 큰 흐름이었던 불교사상의 변화에 맞추어 문화적인 변화를 가져왔다는 사실을 확인할 수 있다. 초기 불교시대에는 대승불교와 그에 기반을 둔 신앙 속에서 문화중심지로서의 역할을 수행했을 것이다. 또한 중수 시기에도 원의 정치적인 영향 속에서 불교가 지니는 정신적인 역할을 수행했을 것으로 생각된다. 비록 귀족의 원찰이라는 한계는 존재하지만 고려사회의 사찰이 지니는 문화 공간으로서 지역 내에서 그 위상을 정립하고, 위상에 어울리는 활동을 수행하였으리라 이해된다.

【참고문헌】

『三國史記』
『三國遺事』
『高麗史』
『東文選』
『朝鮮佛教通史』下
『韓國佛教全書』4, 6

高翊晉,『韓國古代佛教思想史』, 동국대학교 출판부, 1989.
權熹耕,『高麗寫經의 研究』, 미진사, 1986.
이수건,『한국중세사회사연구』, 일조각, 1998.
채상식,『고려후기불교사연구』, 일조각, 1991.
허홍식,『고려불교사연구』, 일조각, 1986.
M.B. 맥과이어, 김기태·최종렬 역,『종교사회학』, 민족사, 1994.

秦星圭,『高麗 後期 眞覺國師 慧諶 研究』, 中央大學校 博士學位 論文, 1986.

高翊晋,「圓妙國師 了世의 白蓮結社」,『韓國天台思想』, 1997.
權奇悰,「高麗時代 禪師의 淨土觀」,『韓國淨土思想研究』, 東國大學校 出版部, 1985.
吳舜濟,「百濟佛教 初傳地에 대한 研究:河南市 고골을 중심으로」,『明知史論』11·12, 명지사학회, 2000.
_____,「百濟 佛教에 대한 再考察 : 摩羅難陀와 初傳地를 中心으로」,『明知史論』13, 명지사학회, 2002.
이도학,「漢城百濟 佛教史 研究의 問題點」,『위례문화』제15호, 2012.
조경철,「『삼국유사』홍법 난타벽제조와 백제의 불교수용」,『신라문화제학술논문집』제35집, 동국대학교 신라문화연구소, 2014.
_____,「한성백제시대의 불교문화」,『鄕土서울』제63호, 서울시사편찬위원회, 2003.

安城 奉業寺址 관련 石造文化財 保存硏究

韓丙日*

目 次

Ⅰ. 머리말

봉업사지는 안성시 죽산면 죽산리 일대에 위치하고 있는 평지가람이다. 기록[1]에 의하면 봉업사는 고려 태조의 진영을 봉안한 진전사원으로, 1363년(공민왕12) 공민왕이 홍건적의 난을 피해 남천하였다가 청주로부터 환도할 때 들려 태조의 진영을 알현한 곳으로 알려진 위엄있는 사찰이다.[2] 현재 사역에는 봉업사지 오층석탑(보물 제435호), 봉업사지 당간지주(유형문화재 제89호)가 사역의 중심지역에 남아 있고 이절과 관련된 것으로 봉업사지 석조여래입상(보물 제983호)이 현재 칠장사에 옮겨져 있으며 주변에는 죽산리 삼층석탑(유형문화재 제78호), 죽산리 석불입상(유형문화재 제97호) 등 많은 석조문화재를 비롯해 초석, 장대석 등이 잔존하고 있어 당시 규모가 큰 사찰이었음을 알려 준다.[3] 이와 함께 봉업사지를 포함한 죽산지역은 많은 문화재가 한 곳에 밀집[4]하고 있어 관광 자원으로서도 많은 가치를 가지고 있다. 봉업사지에 대한 학술적 조사와 연구는 출토된 유물[5]과 야외에 남아 있는 석조문화재를 통하여 미술사적 연

---

* 엔가드 문화재연구소

1) 『高麗史』世家 卷第四十, 恭愍王 12年條
2) 경기도박물관, 『봉업사』, 안성시 · 경기도박물관, 2002, p3 참조.
3) 정명호, 「안성의 석불」, 『고고미술』12, 고고미술동인회, 1961, 참조.
4) 안성시 죽산지역에는 죽주산성, 칠장사, 봉업사지, 매산리 석불입상 등 많은 문화유적이 밀집하여 분포하고 있다.
5) 1966년 후반기 경지정리를 하던 중 60여점의 청동제 공예품, 많은 도토기가 출토 되었으며 특히 '정우 오년명' 봉업사 반자와 봉업사 향로, 봉업사 청동 촛대 등 귀중한 유물이 출토되어 이 사역이 봉업사터라는 사실을 명확히 밝혀지게 되었다.

구가 진행되었으며 경기도박물관에서 3차에 걸쳐 실시한 발굴조사를 통하여 많은 고고학적 성과를 가져왔다. 그러나 봉업사지 관련 석조문화재에 대한 보존과학적인 현황조사와 연구는 2000년대 초 국가지정문화재에 대한 전국 일제 조사에서만 실시하였을 뿐이다.[6]

주로 실내에 보관되는 동산문화재에 비해 야외에 위치하는 사례가 많은 석조문화재들은 환경 변화에 영향을 받게 되고, 주변 여건에 따라 관리의 어려움이 있다. 봉업사지 관련 석조문화재는 안성시 죽산지역의 평지에 위치하고 있으며 주변의 밀집한 여러 문화 유적지와 더불어 훌륭한 문화, 관광 유적으로서의 많은 가치를 가지고 있어 올바른 보존방안과 이에 대한 활용방안 연구가 더욱 필요하다. 봉업사지 오층석탑의 경우 탑 주변 환경이 열악해 정비가 필요하고, 봉업사지 석조여래입상의 경우 수차례에 걸쳐 위치가 바뀌면서 원위치를 알 수 없게 되었으며 하부부재도 원형과는 다르게 복원되어 있었다. 이들 석조문화재의 올바른 보존을 위해 2014년부터 2년에 걸쳐 봉업사지 주변 석조문화재들의 정비와 보존처리가 시행되었다.[7] 따라서 본 고에서는 최근 실시한 봉업사지 오층석탑, 봉업사지 석조여래입상, 죽산리 석불입상의 보존처리에 대한 사례연구를 토대로 죽산지역 봉업사지 관련 석조문화재의 올바른 보존방안을 제시하고자 한다.

Ⅱ. 안성 봉업사지 인문학적 현황

봉업사지가 위치한 경기도 안성시 죽산면은 고구려 영토였을 때는 개차산군으로 불리다가 6세기 중반 신라 영토였을 때는 개산군으로 개칭되었고, 고려 초에는 죽주로 불렸다. 조선시대 1413년(태종13년)에는 죽산으로 개칭되고 1914년 조선총독부령에 의거하여 통폐합될 때 안성군에 편입되면서 죽이면으로 불리다가, 1917년 이죽면으로 개칭, 1992년에 죽산면으로 최종 개칭되어 지금에 이른다[8].

봉업사지 일원은 전체적으로 비교고도에 있어 500m의 남북 또는 북북서-북북동 방향의 저산성 산지가 우세하게 발달되어 있다. 남으로부터 무이산-덕성산-칠현산-칠장산-국사봉-구봉산으로 이어지는 산계가 비교적 연장성 있게 발달한다. 사지의 북쪽에는 비봉산, 남쪽에는 남산과 죽림산이 있다.

또한 여러 집수유역이 인접해 있는 지형적 특징을 갖는다. 봉업사지는 죽산천, 제요천, 석원천 등과 인접해 있고 청미천에 합류한다. 청미천을 중심으로 한 이 수계방은 안성시와 이천시

---

6) 문화재청에서는 2001년부터 2005년까지 5년간 한국 국가지정 중요 석조문화재의 풍화상태, 생물분포 현황, 구조 진단 등에서 전문가들의 공동 조사가 있었으며 조사결과는『석조문화재 보존관리 연구』로 발간되었다.

7) 2014년부터 2015년까지 2년에 걸쳐 봉업사지 오층석탑, 봉업사지 석조여래입상, 죽산리 석불입상의 보존처리를 실시하였다.

8) 안성시·한국지질환경연구소,『안성 봉업사지 사역범위 확인을 위한 학술조사보고서』, 2013, p.20 참조.

를 거쳐 여주군에서 남한강에 합류한다.
인문지리학적인 지역 범위도 자연환경적
집수 유역의 범위와 유사한데, 이는 하천,
산맥 등의 자연적 경계가 생활에도 영향을
미쳤기 때문이다.[9]

『海東地圖』에서 볼 수 있듯이 봉업사지
가 위치한 죽산지역은 예로부터 영남지방
과 기호지방을 잇는 교통, 전략적 요충지
였다. 따라서 선진문물의 유입과 접촉이
용이하여 문화적으로도 많은 발전이 이루
어졌다. 봉업사는 8세기 중엽인 혜공왕 2
년(766) 이전에 창건된 것으로 알려져 있
으며[10] 나말여초의 시대적 혼란기를 겪으

도 1. 『海東地圖』 죽산부 (규 10351, 『봉업사』, 2002, p 17)

면서 여러 호족 세력들과의 관련을 맺었다.[11]

죽산지역은 고려시대의 수도 개경과 근접하여 수많은 중앙양식의 불교문화재가 분포하고 있
으며, 지방 호족들에 의해 조성된 불교문화재들도 분포하고 있어 고려 불교문화재의 특징을 살
필 수 있는 대표적인 곳이다. 고려시대의 불교문화재는 중앙양식과 지방양식이 공존하는데, 지
방양식은 세력이 컸던 지방호족들에 의해 조성되었다. 당시 큰 사찰이었던 봉업사나 칠장사 위
주에서는 중앙양식의 불교문화재가 보여 지며, 매산리사지, 장명사지 등에서는 지방 양식의 불
교문화재가 있다. 이들 불교문화재는 양식적으로는 중앙양식과 지방양식으로 나눠지지만 신앙
적 면에 있어서는 대부분 미륵신앙을 보여주고 있어 당시 나말여초의 혼란스러운 사회적 분위
기에서 미래불인 미륵신앙이 공통적으로 유행하고 있었음을 알 수 있다.

Ⅲ. 석조문화재 보존현황[12)]

죽산면에는 25점의 불교문화재가 지정되어 있는데, 특히 봉업사지 주변에 밀집되어 나타난
다. 본 고에서는 이들 문화재 중 보존처리가 이루어진 안성 봉업사지 오층석탑, 안성 봉업사지

---

9) 안성시·한국지질환경연구소, 위의 책, pp.17~19 참조.
10) 창건 당시의 사명은 '華次寺' 였음이 1997년 발굴조사를 통해 확인되었다.
11) 김성환, 「竹州의 호족과 봉업사」, 『문화사학』 11·12·13호, 한국문화사학회, 1999, pp.522~533 참조
12) 2014년 보존처리 전 현황이다.

석조여래좌상, 안성 죽산리 석불입상의 3점(표 1)에 대한 보존현황과 보존처리 사례에 대해 살펴보고자 한다.

표 1. 사례연구 대상[13]

문화재 명칭		소재지	조성시대	지정현황
		문화재 설명		
1	안성 봉업사지 오층석탑	죽산리 148-5	고려시대	보물 제435호
		지금은 주변이 경작지로 변한 봉업사(奉業寺)의 옛터에 위치하고 있는 탑으로, 1단의 기단(基壇) 위에 5층의 탑신(塔身)을 올린 모습이다. 탑의 전체적인 체감도 적당하지 못하고, 각 부의 조각도 형식에 그치고 있다. 신라의 양식을 계승하고 있어 석재의 조합 방식은 우수하나, 기단에 새긴 조각이 형식화 되는 점 등에서 약화되고 둔중해진 고려석탑 특유의 모습이 보이고 있다.		
2	안성 봉업사지 석조여래입상	죽산면 칠장로 399-18	고려 시대	보물 제983호
		원래 봉업사지에 있었던 것을 죽산중학교로 옮기고 그 뒤 다시 선덕여왕 5년(636년)에 자장율사가 세운 경기도 안성의 칠장사(七長寺)로 옮겼다. 옷주름은 여러 겹의 둥근 모양을 이루며 자연스럽게 흐르고 있으며, 그 아래에는 치마가 양다리 사이에서 지그재그 모양을 이루고 있다. 전체적인 신체표현에 있어서는 손이 다소 큰 편이기는 하나 머리, 어깨 너비 등의 신체비례가 비교적 좋다. 불상의 뒷면에는 몸 전체에서 나오는 빛을 상징하는 광배(光背)가 있는데 주위에 불꽃무늬를 새기고 있다. 당당한 어깨, 발달된 신체표현, U자형의 옷주름, 그 밖의 조각기법 등으로 미루어 이 불상은 고려 초기에 유행했던 이 지방 불상양식의 특징을 살필 수 있는 자료로 높이 평가된다.		
3	안성 죽산리 석불입상	죽산면 죽산리 산6-2	나말여초	경기도유형문화재 제97호
		경기도 안성군 죽산면 죽산산성 아래 쓰러져 있던 것을 다시 세운 석불 입상이다. 머리와 신체가 절단되었지만 비교적 잘 보존되어 있다. 둥근 연꽃대좌 위에 서 있으며, 민머리 위에는 상투 모양의 머리묶음이 큼직하다. 부피감 있는 얼굴은 온화한 인상이며, 귀는 길어 어깨까지 닿는다. 양 어깨에 두른 옷에는 두터운 U자형 무늬가 촘촘히 새겨져 있다. 큰 머리묶음, U자형 옷주름 표현 등으로 보아 고려 초기에 만들어진 것으로 보인다.		

1. 안성 봉업사지 오층석탑

이 탑은 보물 제435호로 지정되어 있으며 죽산면의 도로변에 위치하고 있다. 그러나 현재 탑의 위치는 발굴조사 결과 사찰 조성 시에 세워진 위치에서 약간 이동한 것으로 보인다.[14] 석탑의 구조는 단층기단위에 5층의 탑신부가 있으며 현재 상륜부는 없는 方形重層의 일반형 석탑이다.

이 탑은 1968년 12월부터 1969년 1월에 걸쳐 해체 복원한 기록이 있으며 복원공사 시에는 4층 탑신에서 사리장치와 유물이 출토 되었다.[15] 석탑표면에는 1969년 복원 시 사용한 것으로

---

13) 문화재청 참조.
14) 백종오, 「안성 봉업사지 2차 발굴조사 현장 설명회 자료」, 경기도박물관, 2001.
15) 오호석, 「고려시대 죽주지역 석조미술 연구」, 단국대학교 석사학위논문, 2005.

도 2. 봉업사지 오층석탑 전경

도 3. 봉업사지 오층석탑

보이는 철제 고임편의 녹이 흘러내리고 있고, 지의류, 선태류 등의 생물피해가 발생되어 있다.
5층 옥개석 상부면에 위치한 깊이 10cm, 지름 10cm 정도의 찰주공은 항상 노출되어 있어 빗물
등이 고여 있으며, 분진, 오염물 등이 모여 있다.

도 4. 5층 옥개석 상부면의 찰주공

도 5. 철제고임편 녹물 및 흑화현상

도 6. 석탑 표면에 이끼류 발생

도 7. 석탑 표면에 선태류 발생

또한 탑 표면은 풍화로 인한 오염 및 박리, 박락이 진행 중인데, 2층 옥개받침부나 5층 옥개석, 탑신석 등에서 박리, 박락으로 인한 균열이 뚜렷하게 발생되어 있다. 석탑 2층과 5층의 옥개석은 하부와 상부 부분의 균열이 있고 수분에 의한 동결피해가 진행 중에 있어 보존적 조치가 필요하다. 지대석 주변에는 배수가 잘되지 않고 초본류가 우거져 있으므로 이에 대한 주변 정비가 요구된다.

도 8. 5층 탑신석의 박리균열

도 9. 박락 균열부 1.5cm 공간 발생

도 10. 2층 옥개석 균열부

도 11. 5층 옥개석 박리로 인한 균열

2. 안성 봉업사지 석조여래입상

이 불상은 봉업사지에 있었던 것으로 1961년에 죽산리 소재 주택의 담장으로 쓰고 있는 것을 발견하여 죽산중학교로 옮겨졌다. 이후 다시 현 위치인 칠장사의 대웅전 좌측에 봉안되어 있다. 불상의 우측에는 다른 석조여래좌상이 있는데 이 불상도 봉업사지 남쪽 장원리의 남산 기슭에 있었는데, 일제 강점기에 면사무소로 반출되었고 현재 칠장사로 옮겨져 위치하고 있다.[16]

---

16) 단국대학교 매장문화재연구소, 『문화유적분포지도』, 안성시, 2005.

두 불상의 전면에는 전체적으로 지의류가 덮여 있어 암석의 훼손이 진행되고 있으며 일부 세부 조각의 분별이 어려운 상태였다. 특히 불상들이 원위치에서 여러 번 이전되어 원형과 다른 부재와 혼합되어 이질감이 있고 관람객에게 혼란을 줄 우려를 갖고 있다. 석조여래좌상의 대좌는 육각형이며 새겨진 조각도 기계를 사용한 조잡한 형태로 고려시대의 불상과 전혀 격이 맞지 않은 상태로 있었다. 석조여래입상의 경우에도 연꽃문양의 중간 대좌가 칠장사로 오기 이전에는 없었던 것으로 원형의 부재가 아니다. 기단부는 판석으로 되어 있는데 부분적으로 파손되고 이탈되었으며 과거에 이루어진 보수부분은 이질감이 발생되어 있었다.

도 12. 석조여래입상 및 좌상

도 13. 생물피해 현황

도 14. 석조여래입상 대좌

도 15. 석조여래좌상 대좌

3. 안성 죽산리 석불입상

이 석불입상은 1980년 6월 2일 경기도유형문화재 제97호로 지정되었다. 높이는 3.36m로 원래 현재의 위치에서 서남쪽으로 200m 정도 떨어진 죽주산에서 남쪽으로 내려 온 능선의 끝부

분에 쓰러져 있던 것을 다시 세운 것이다.[17]

죽산리 석불입상은 보호각 없이 강우 등 자연환경에 노출되어 있어 지의류, 선태류 발생 등 생물학적 풍화가 심한 편이다. 석불입상 표면에는 전반적으로 고착지의류가 퍼져 있고, 기단부 일부에 엽상지의류가 서식하고 있다. 그리고 조류에 의한 흑색오염인 흑화가 부분적으로 발생되어 있다. 석불 배면의 일부분에서는 박리와 균열 등의 물리적 풍화가 진행되고 있다.

도 16. 죽산리 석불입상

도 17. 오염에 의한 흑화

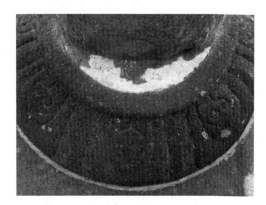

도 18. 이끼류 등 생물피해 발생

17) 오호석, 앞의 논문, 2005 참조.

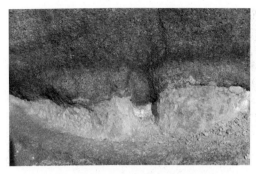

도 19. 기 보수 부분 풍화(대좌와 신체)　　　　　도 20. 기 보수 부분 이질감(목부분)

　특히 이 석불입상 발과 목부분의 소실부분은 과거 보수공사 시에 시멘트, 수지의 보수재로 처리하였는데, 환경 영향을 많이 받는 야외에서 오랜 기간 경과하면서 기존 석재와의 들뜸 현상이 발생되었다. 따라서 들뜸 현상이 발생된 보수 부분을 제거 후 다시 재처리가 이루어져야 한다. 또한 석불입상 후면 머리 부분은 파손부에 균열이 발생되어 있어 강우, 강설 시 수분이 유입되므로 동결·용해에 의한 파손이 우려된다. 따라서 균열부를 메움 처리하여 수분 유입에 의한 동결방지 조치를 할 필요가 있다.

Ⅳ. 보존처리 사례연구

　석조문화재는 주로 야외에 위치하고 있어 지진, 화재, 강우, 바람, 기온변화, 환경오염, 생물 서식 등과 같은 환경적 요인에 의해 크게 영향을 받는다. 그 외에도 미신에 의한 훼손, 잘못된 보존처리, 도굴 등에 의한 인위적 요인에 의해서도 훼손되고 있다. 이러한 환경적, 인위적 요인에 의해 석조문화재는 박리, 균열과 같은 물리적 훼손, 변색과 같은 화학적 훼손, 지의류나 선태류 생장과 같은 생물학적 훼손, 기반침하, 부재 이탈과 같은 구조적 훼손 등이 발생되게 된다. 훼손유형은 단독적으로 나타나기보다 복합적으로 나타나면서 훼손을 가속화시키기 때문에 보존처리나 보존관리에 더욱 주의를 기울여야 한다.

　훼손된 석조문화재에 대한 보존처리는 일반적으로 유사한데, 먼저 처리 전에 보존상태와 훼손 원인에 대한 예비조사를 실시한다. 예비조사는 간단한 육안조사부터 기기를 이용한 분석에 이르기까지 다양하게 진행되며, 예비조사를 통해 구성암석의 상태와 훼손원인을 파악하고 처리에 대한 재료, 방법, 정도 등을 결정하게 된다. 예비조사와 함께 풍화훼손도, 사진기록 등의 현황을 잘 기록해야 한다. 본격적인 보존처리에 앞서 처리재료와 처리방법을 간단히 테스트 하여 결과를 확인해야 하고 보존처리를 진행한다.

보존처리는 먼저 건식 또는 습식세척을 실시하고, 접합, 메움, 성형, 암석강화 등의 보존처리를 진행한다. 석조문화재는 여러 매의 부재가 조적식으로 구성되면서 철제로 된 고임편을 사용하는 경우가 많은데, 철제 고임편은 오랜 시간이 경과하면서 부식되어 석재 표면에 녹물 발생 등의 오염원인이 되기도 한다. 따라서 찰주나 고임편 등 철제는 방청처리를 하기도 하며, 원활한 배수나 주변 초본류 제거 등의 주변 정비를 실시한다. 또 처리한 모든 내용과 사진들은 보고서로 작성하여 기록화 하도록 한다.

〈석조문화재 보존처리 과정〉

예비조사 / 현황기록(풍화훼손도, 사진) ⇒ 예비테스트 ⇒ 세척 ⇒

보존처리(접합, 복원, 강화, 방청 등) ⇒ 주변 정비 ⇒ 보고서 등 정리

죽산 봉업사지 관련 석조문화재들도 일반적인 석조문화재 보존처리 과정과 유사하게 진행되었으나 일부 다른 작업들이 진행되기도 하였다. 따라서 본 고에서는 안성 봉업사지 오층석탑, 안성 봉업사지 석조여래입상, 안성 죽산리 석불입상의 보존처리 사례를 분석하여 석조문화재 보존처리와 향후 보존방안에 대해 고민해 보고자 한다.

1. 안성 봉업사지 오층석탑 보존처리

일반적으로 석조문화재는 '예비조사, 현황기록 → 예비테스트 → 세척 → 보존처리 → 주변정비 → 보고서'의 순서로 진행된다. 안성 봉업사지 오층석탑 보존처리도 이러한 일반적인 과정으로 진행되었으나 5층 옥개석 상부 찰주공이 노출되어 분진과 오염물, 강우 등이 고이게 됨에 따라 찰주공을 덮는 공사를 별도로 추가 하였고, 고임편에 대한 방청처리를 진행하였기에 이에 대한 내용을 집중적으로 살펴보고자 한다.

(1) 세척작업(Cleaning)

세척작업은 건식세척과 습식세척으로 이루어지는 데, 먼저 건식세척을 실시하고, 건식으로 세척되지 않는 부분들은 습식을 사용하여 진행하였다.

1) 건식세척

건식세척은 석재표면에 부착되어 있는 지의류나 선태류를 물리적으로 제거하는 과정이다. 주로 대나무침과 같이 너무 강하지 않은 재질을 이용하여 진행하는데 이는 다소 강한 힘을 주어도

비교적 석재에 무리가 가지 않기 때문에 효과
적으로 이끼류 및 지의류를 제거할 수 있다.
그러나 고착지의류와 같이 표면에 밀착되어
있는 생물은 건식세척으로는 한계가 있다.

  봉업사지 오층석탑의 세척작업은 암석에
손 상을 주지 않는 선에서 실시하고자 유의하
였으며 필요에 따라 대나무침이나 부드러운
플라스틱 브러쉬 같은 도구를 사용하여 암석
깊숙이 남아있는 지의류 및 이끼의 뿌리를 제
도 21. 건식세척(대나무침 사용)

거하였다. 선태류나 엽상지의류의 경우 건식세척을 통해 가능한 범위까지 제거하였다.

2) 습식세척

  건식세척이 물리적 힘을 이용한 처리였다면 습식세척은 건식세척을 통해 제거되지 않는 고

도 22. 헝겊에 증류수 도포

도 23. 랩으로 증류수 증발 차단 및 수분 유지

도 24. 브러싱으로 오염물(지의류,이끼류) 제거

도 25. 세척 전 후 비교(좌:처리 후)

착지의류나 여타의 이물질과 화학적 오염물을 제거하기 위해 실시한다. 봉업사지 오층석탑의 경우 암석의 풍화와 함께 흑화오염이 심하게 진행되어 있어 오염을 제거하기 위해 습식세척을 실시하였다. 세척은 세정제의 사용을 피하고 증류수로서 진행하되 헝겊에 증류수 도포 후 랩으로 덮어 수분이 쉽게 건조되지 않도록 하였다.

(2) 찰주공 홈 덮개 설치 작업

탑 상륜부의 찰주 홈(구멍) 부분은 5층 옥개석 상부로서 찰주와 상륜부가 없어 항상 빗물이 고여 있게 되고 각종 오염물이 쌓이게 됨에 따라 홈을 막는 작업이 필요하였다. 찰주 홈에는 빗물이나 오염물이 유입되지 않도록 홈 크기에 맞게 아크릴 소재의 덮개를 제작하고 접합면을 실리콘 코팅처리해서 빗물이 유입되지 않도록 하였다. 또한 외부표면은 수지와 동종석분을 이용해서 이질감이 없도록 마감작업을 하였다.

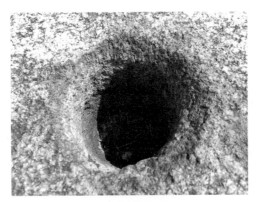

도 26. 찰주 홈(구멍) 현황

도 27. 아크릴 덮개 제작

도 28. 석재용수지와 동종석분으로 표면 마감

도 29. 찰주 홈 덮개 설치 완료

(3) 철물 방청처리 작업

1) 부식화합물 제거

석탑의 부재와 부재사이의 철제 편이 부재 간의 수평을 맞추기 위해 설치되었으나 오랜 시간 외부환경에 의해 부식되어 부식화합물 인 녹물이 2차 오염을 발생시키고 있었다. 이 러한 부식화합물은 지속적으로 철편에 영향 을 주어 장기적으로 석탑의 구조적인 불안정 을 야기 시킬 수 있다. 부식화합물 제거에는

도 30. 부식화합물 제거(메스 이용)

치과용 소도구 및 와이어브러쉬를 사용하였으며, 스크래치 등의 손상이 발생하지 않도록 주의 하면서 작업에 임하였다.

2) 부식화합물 안정화처리

철제 표면 부식화합물을 제거한 후 더 이상 부식이 진행되지 않도록 녹 전환제 처리 및 코팅 처리를 실시하였다. 녹 전환제 처리는 철제의 표면에 잔존하는 부식층을 안전한 부식화합물인 Magtite(Fe_3O_4)층으로 전환시켜주는 과정으로 강도를 높여주고 외부환경에 대한 강한 내성을 갖는 것이 목적이다. 이번에 사용한 녹 전환제는 RT-1000으로 기존의 방청도료의 단점을 보완 한 고분자 화합물로 존재하는 부식화합물을 안정한 철 착화물로 전환시키고 동시에 더 이상 부 식되지 않게 철 표면에 유리산소를 흡수하는 녹전환형 방청도료이다.

코팅처리는(약품:Paraloid N.A.D. 3%) 철제표면을 얇게 코팅하여 부식인자(산소, 물)등 으로 부터 철을 보호하는 역할을 하도록 하였다.

도 31. 방청처리약품(RT-1000, 파라로이드N.A.D 3%)

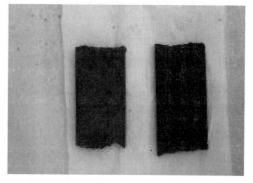

도 32. 방청처리 샘플테스트(좌: 처리 前 / 우: 처리 後)

도 33. 약품처리 작업(녹전환처리 / 코팅처리)

도 34. 방청처리 前 / 後 비교

2. 안성 봉업사지 석조여래입상 보존처리

석조여래입상의 보존처리 과정도 현황조사 후 일반적인 보존처리 과정으로 진행되었으나 지의류에 오염된 부분의 세척작업과 이질감이 있는 두 불상 대좌부분의 교체작업, 기단석을 새로 조성하기 위한 해체, 복원의 보존정비 공사에 대해 중점적으로 이루어졌다. 본고에서는 석불을 해체하고 대좌를 새로 제작하여 복원하는 과정에 대해 기술하겠다.

(1) 해체 및 이운

석불의 해체는 상태조사 → 보양 → 진폴설치 → 해체 → 이운 순으로 진행하였다. 석조여래입상은 석불과 광배가 하나의 돌로 만들어져 있고 중간 연화대좌에 꽂을 수 있게 하부에 촉이 새겨져 있다. 석불의 보양은 일차적으로 한지로 전체 면을 페이싱(facing)하고 조각부위와 굴곡이 있는 부위는 부드러운 솜과 헝겊으로 제작한 완충제로 보호하였다. 페이싱 후에 광목천을 이용하여 불상과 광배를 감싸고 고무밴드를 사용하여 고정한 후 한식진폴을 사용하여 연화대좌와

도 35. 석조여래입상 보양 후 해체

도 36. 석불하부 촉부분(약 10cm)

분리하여 해체 하였다. 해체 시에는 불상의 수직과 수평을 유지하는 것이 무엇보다도 중요하다.

석불하부는 10cm 가량의 촉이 새겨져 있어 중간 대좌에 박혀 세워져 있었다. 그러나 조사 및 자문회의 결과 원형의 중간 좌대와 하부의 연화 대좌는 석조여래입상과는 관련이 없고 칠장사로 봉안할 때 조성한 것으로 판단하여 이번 해체, 복원공사에서 대좌를 석불상의 조성시대에 맞는 형태와 조각으로 새롭게 조성하기로 하였다. 특히 기단 판석을 해체하는 과정에서 석불의 하대 연화대좌 밑부분에 별도의 조각이 되어 있음을 발견하였다. 이 조각도 근래에 새겨진 것으로 석불 연화대좌가 최근에 제작되어 석조여래입상의 대좌로 사용했음을 확인할 수 있었다. 석조여래입상의 우측에 위치한 석조여래좌상도 석조여래입상입상과 같은 형태로 보양하고 한식 진폴을 이용하여 해체 하였다. 해체 된 부재들은 보존처리와 부재 보관을 위하여 석불이 위치한 바로 옆에 제작한 가설창고 내부로 옮겨져 세부조사와 세척을 진행하였다. 기존 두 석불의 대좌는 원형과 상관이 없는 것으로 판단되었으나 폐기하지 않고 안성시 소재 무상사 사찰로 옮겨 보관키로 하였다.

(2) 대좌 제작과 복원

석조여래입상과 석조여래좌상의 대좌는 자문회의를 통해 모두 새로 제작하기로 하였다. 두 불상의 제작시기를 고려시대 초로 추정하여 이 시기의 연화대좌 형식에 가깝도록 조각하였다.

도 37. 연화대좌 하부 조각

도 38. 세척 전 샘플링

기존 판석으로 된 기단부위를 해체하고 새로 제작하는 기단석은 화강암으로 테두리를 제작하고 기단 내부는 생석회와 마사토를 혼합하여 생석회 다짐을 하고 위에 연화대좌를 안치하였다.

석조여래입상과 연화대좌의 연결은 기존 석불 밑부분의 촉을 이용하되 두 곳에 티타늄 봉을 제작하여 설치하였다. 티타늄봉의 연결은 기존의 촉을 이용하여 설치하는 것만으로는 도괴 위험이 있어 석불의 안정적 고정을 위한 것으로 연화대좌 상부와 석불의 촉 부분에 고정하였다. 티타늄봉은 지름 10mm 길이 150mm로 두 개를 제작하였다. 석불의 촉이 들어간 대좌의 홈은

도 39. 석조여래입상 연화대좌 제작

도 40. 주변 정비 후 연화대좌 안치

가로 270mm 세로 230mm 깊이 140mm로 절단하여 홈을 만들었다. 티타늄 봉을 설치할 부분은 인주를 사용하여 봉이 박힐 부분을 상하 오차 없이 표시한 후 드릴로 천공하였다. 석불과 대좌의 에폭시수지 L-30을 주제화 부제를 1:1로 혼합하여 접합하였다.

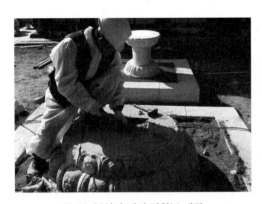

도 41. 불상과 대좌 결합부 제작

도 42. 티타늄 봉 설치 후 결합

(3) 고색처리와 포방전 설치

석조여래입상과 석조여래좌상의 대좌를 신재로 조각하여 설치한 다음 신 석재와 기존 석재의 부조화에 의한 이질감을 감소하기 위하여 신 부재에 고색처리를 시행하였다. 고색처리는 최소한으로 시행하되 원 부재의 색과 동일하기 보다는 신재의 밝은 톤을 약간 없애는 방법으로 진행하였다. 안료는 아크릴물감에 흙을 물에 충분히 녹인 무기안료와 곱게 갈은 석분을 골고루 혼합하여 붓으로 채색하였다. 색의 농도는 짙게 하지 않고 엷게 해서 여러 회 나누어 칠하였다. 기단부는 테두리를 화강석으로 설치하였으며 기단 상부는 포방전을 설치하였다. 포방전은 방형으로 전돌과 전돌 사이에 빗물이 스며들지 않도록 마감하였다.

도 43. 석조여래좌상 대좌 고색처리 비교

도 44. 석조여래입상 연화대좌 고색처리 후

도 45. 포방전(300mm*300mm*50mm)

도 46. 기단부 포방전 설치 모습

3. 안성 죽산리 석불입상 보존처리

죽산리 석불입상도 일반적인 석조문화재 보존처리 과정으로 진행하였는데, 집중적으로 살펴볼 처리과정은 기 보수된부분의 들뜸현상 제거와 성형작업, 배면 균열부의 접합과 암석강화이다.

(1) 기 보수부분 제거 및 성형

죽산리 석불입상의 상부 목부분과 하부 발 부분, 하부 배면은 기존에 보수한 부분으로 수지가 내구성을 잃고 박락이 진행되고 있었다. 박락된 수지를 제거해서 확인한 결과 내부의 메움 수지와 외부 표면수지가 종류가 달라 물성의 차이로 박락이 진행된 것으로 추측할 수 있었다. 따라서

도 47. 기 보수 부분 제거

박락이 진행된 부분은 물론, 내부의 메움 수지도 석불입상의 구조적인 문제가 발생하지 않는 범위 내에서 제거한 후에 동일 종류의 수지로 복원을 진행하였다.

　죽산리 석불입상 발 부분은 기존에 보존처리 시 모양을 명확하게 하지 않고 둥글게 표현한 것으로 미루어보아 보존처리 시 원형을 알 수 없었던 성태였음을 추측힐 수 있다. 금번 보존처리 시 자료를 찾아본 결과 원형을 확인할 수 있는 사진자료를 찾을 수 없었다. 자문회의 결과 기존에 복원한 방법과 같이 둥글게 표현을 하되 기존에 표현된 발은 폭이 좁고 민자 형태로 되어 있어 복원부분이 어색하므로 발가락 부분의 상부가 남아있는 오른발은 발가락을 1cm정도 더 표현하여 발 형태임을 충분히 나타내고, 성형된 오른발을 기준으로 좌측발도 동일하게 복원하여 전체적으로 자연스럽게 표현하였다.

(2) 균열부 수지처리

　배면 머리부분은 파손부에 균열이 발생한 상태로 우수 유입 후 동결에 의한 파손이 진행될 위험이 있으므로 수지처리 하여 균열을 충전하였다. 충전에 사용된 합성수지는 국내외 석조문화재 보존처리에서 사용되는 에폭시 수지(상품명 : L-30)[18]이다. 수지 L-30을 주제, 경화제 비율 100:50으로 혼합한 후 탈크, 의석 등을 첨가하여 충전제를 만들고 균열을 충전하였다.

　석조문화재는 대부분 야외에 위치하고 있기 때문에 보존처리 된 에폭시수지에서 광학반응이나, 산화반응 등으로 인하여 화학적 구조와 물성변화를 보인다. 이러한 에폭시 수지의 내구성 변화는 보존처리 된 석조문화재에서 접착제의 균열과 박락, 피착재와 접착제의 분리 그리고 접

도 48. 충진제 (의석, 탈크 등)

도 49. 수지 배합

18) 국립문화재연구소 보존과학연구실에서는 1998년부터 황변현상 등의 문제점을 해결한 에폭시수지 개발시험을 착수하여 2종류의 에폭시 수지(상품명 : L-30, L-40)를 개발하였다. 에폭시 수지가 가진 특성들은 다른 수지들과 비교하여 접착력이 우수하며, 경화 후에 수축이 적다. 또한 접착 시 압력이 필요치 않고 상온에서 경화되며, 내수성, 내약품성을 비롯한 화학적 저항력이 우수하고 사용 시 각종 충전제의 첨가가 가능하다. 따라서 현재 국내 석조문화재의 보존처리 및 복원에 있어서 에폭시 수지가 가장 많이 사용되고 있다.

도 50. 수지로 성형복원

도 51. 수지처리 부분 고색처리

착제의 색상 변화 등 다양한 양상으로 확인되고 있다. 이러한 내구성변화에 따른 문제점을 개선하기 위하여 보존처리 시 탈크(활석) 등과 같은 충전제를 첨가하고 있다. 탈크는 내열성과 화학적 안정성이 우수하며 수축율이 낮은 물질로 석재와 에폭시수지 사이의 물성차이(강도, 흡수율 등)를 보완해 주고 균열 방지와 에폭시 수지의 농도 조절을 위해 에폭시 수지의 충전제로서 광범위하게 사용되고 있다. 수지처리 후 이질감을 없애기 위해 처리된 부분에 고색으로 색 맞춤을 하였다.

(3) 암석 강화처리

죽산리 석불입상은 표면이 전체적으로 침해생물이 서식하고 있었고 세척 후 암질을 확인할 결과 박리박락이 진행되는 것을 확인할 수 있었다. 따라서 표면의 물리적 풍화를 저감시키는 암석 강화처리가 필요하였다.

석조문화재에서 요구되는 암석강화제의 성능은 외부에서 유입되는 수분이 반발하여 풍화된 석재의 흡수율을 낮추어 풍화에 대한 저항성을 높여야 하고 석재 내부의 수분은 통기가 원활하여 증발되어야 한다. 그리고 자연환경에 대한 지속적인 내수성을 지니고 있어야 하며, 처리 후 석재의 색상변화가 없어야 한다.

금번 죽산리 석불입상의 암석 강화처리 시에는 SILRES BS OH 100[19]을 사용하였다. SILRES BS OH 100의 적용 후 평균적인 상태(온도 20℃, 상대습도 50%)에서 에탄올의 증발에 의하여

---

19) SILRES BS OH 100은 에틸 실리케이트계 약품으로 실란이나 실록산과 같은 소수성의 첨가제를 전혀 포함하고 있지 않다. 적용 시 암질의 모세관을 따라 깊이 흡수되며 도포 시 표면에 유리질 실리카 겔 바인더층(SiO_2)을 형성한다. 강화의 메커니즘은 실리케이트를 에틸렌에 분산한 본 용액을 석재에 침투시킨 후 수분과 반응하여 에탄올이 생성되어 증발하면 실리케이트 성분이 침투한 공극에 남아 그로인해 강도의 증가와 수분의 침투력에 대한 저항력을 갖게 해 주는 것이다.

에틸 실리케이트가 실리카겔로 전환되어 처리 후 2~3일 이후부터는 비에 대한 보호력을 갖고, 열이 에탄올을 증발시킴으로 직사광선에 대해서도 보호되며, 최종적인 강도에 다다르는데 2주가 걸린다. 그리고 표면이 열화된 암석에 완전히 침투시키기 위하여 반드시 석불입상을 건조시켜야 한다. 이러한 특성에 대한 고려하여 암석강화제 도포 후 상부에 기림막을 설치하여 우수의 침입을 방지하도록 조치하였다.

도 52. 암석강화처리   도 53. 암석 강화처리 후 상부 가림막 설치

V. 맺음말

봉업사는 고려 태조의 진영을 보관한 진전사원으로서 고려시대 중요한 호국사찰이었다. 언제 폐사되었는지 기록으로는 알 수 없지만 현재 폐사지에는 봉업사지 오층석탑과 당간지주 그리고 폐사지 주변에 죽산리 석불입상과 삼층석탑이 있고 봉업사지 석조여래입상이 죽산면 소재 칠장사에 옮겨져 있다.

야외에 놓여있는 석조문화재는 비, 바람과 같은 자연환경과 여러 인위적 환경요인에 의해 석재의 풍화가 진행되는 것을 피할 수 없다. 봉업사지 관련 석조문화재의 보존상태를 조사하여 이 중 봉업사지 오층석탑, 봉업사지 석조여래입상, 죽산리 석불입상에 대해서는 2014년부터 2년에 걸쳐 보존처리를 실시하였다. 우선 보존상태를 알아보면 봉업사지는 평지가람으로 오층석탑과 당간지주는 지반이 주변에 비해 낮아 보존환경이 열악하였으며 주변 수목에 의한 피해를 받고 있었다. 오층석탑은 탑신의 오염과 박리박락이 심하게 진행되고 있었다. 석불입상은 기 보수부분이 들떠 빗물이 유입되어 훼손이 진행되고 있고 배면에는 일부 균열부위가 있었다. 칠장사 경내에 있는 석조여래입상은 봉업사지에서 두 차례 이전되어 설치되었는데 하부조각이

원부재가 아니므로 이질감이 심하게 나타나고 불상 전면부는 갈색 오염물이 전체적으로 덮여 있었다.

우선 오층석탑의 보존처리는 예비조사와 세척, 박리부분 접합, 철제 고임에 대해 녹제거와 방청작업을 실시하였고 5층 옥개석의 찰주공은 빗물유입 등을 방지토록 덮개를 별도 설치하였다. 지반이 낮아 일부 경계석을 재설치하고 주변다짐을 하였으나 향후 이에 대한 근본적인 지반정비가 필요한 상황이다. 보물 제 983호인 봉업사지 석조여래입상과 나란히 위치한 석조여래좌상 모두 대좌부분이 원형이 아닌 것을 칠장사로 이전하면서 임의로 설치하여 이질감이 있고 기단부의 판석도 파손되어 위험한 상황으로 석불을 해체 한 후 대좌는 신재로 가공하여 교체하였다. 문화재는 원위치에 있을 때 그 가치가 가장 높은 것으로 어떠한 이유라도 쉽게 원위치를 이동해서는 안된다. 정말 부득이한 경우라도 원위치를 명확히 기록 보전하여야 한다. 특히 이번 봉업사지 석조여래입상이나 석조여래좌상과 같이 이전하면서 임의적으로 다른 부재를 혼용하여 설치하면 후손들에게 커다란 혼란을 줄 수 있으며 그 가치를 훼손하는 일이다. 문화재는 원형으로서 원 위치에 있게 하는 것이 문화재의 올바른 가치를 갖고 진정성을 살리는 길이다. 석불입상은 목과 발가락부분에 기 처리되어 들뜬 부위를 제거하고 새롭게 성형하였으며 석불 배면의 균열부위는 수지로 접합 충진하였다. 야외에 있는 석조물의 풍화방지 효과를 갖기 위해 암석강화제를 도포하였으나 지속적인 관찰과 모니터링이 필요하다고 판단된다.

위와 같이 훼손이 진행된 석조문화재의 보존현황과 보존처리에 과정에 대해 기술하였다. 야외에 노출되어 있는 석조문화재는 내구성이 강한 재질의 석재라 하더라도 오랜 시간이 지나면 환경의 영향 하에 풍화가 진행되는데, 환경의 영향을 차단하여 완벽하게 보존하기는 현실적으로 불가능하다. 야외에 위치한 석조문화재의 풍화를 예방하고 보존하는 방법은 훼손원인이 되는 요인을 제거하고 주변환경을 정비하는 것이다. 또 지속적인 관심을 갖고 보존상태에 대해 모니터링하는 것이다. 한번 훼손된 석조문화재는 보존처리를 하더라도 조성당시의 원형 그대로를 되찾는 것은 어려운 일이다. 따라서 훼손되기 이전에 원형 가능한 그대로 보존할 수 있도록 예방조치하고 추가 훼손을 방지하는 것이 중요하다. 또한 보존처리 후에도 지속적인 모니터링을 하여 보존상태의 변위여부를 관찰하고 기록하여 적절한시기에 이에 맞는 보존방법이 적용되어야 한다. 천년 넘게 야외에서 묵묵히 자리를 지키고 역사와 문화적 가치를 이어 내려오고 있는 석조문화재를 보다 올바르게 보존하여 후손에게 넘겨줄 수 있도록 더 많은 노력과 연구가 필요할 것이다.

【참고문헌】

경기도박물관,『경기문화유적지도』Ⅰ, 1999.

경기도박물관,『봉업사』, 2002.

단국대학교 중앙박물관,『안성시의 역사와 문화유적』, 1999.

단국대학교 매장문화재연구소,『안성 죽주산성 지표 및 발굴조사 보고서』, 2002.

안성시·충북대학교 중원문화연구소,『안성 낙원공원, 죽산공원, 죽주산성 입구 석물 및 역사 조사 보고서』, 2005.

엄기표,『한국의 당간과 당간지주』, 학연문화사, 2004.

김성환,「죽주의 호족과 봉업사」,『문화사학』11 · 12 · 13호, 한국문화사학회, 1999.

백종오,「진전사원 봉업사와 고려왕실」,『한국의 고고학』통권1호, 주류성출판사, 2006.

이진현,「안성 봉업사지의 건축적 특성에 관한 연구」, 성균관대학교 석사학위논문, 2004.

오호석,「고려시대 죽주지역 석조미술 연구」, 단국대학교 석사학위논문, 2005.

_____,「고려 초기 죽주지역의 석탑과 건립배경」,『선사와 고대』통권 제31호, 한국고대학회, 2009.

이정훈,「안성지역 불교유적 및 유물에 대한 연구 : 불교문화 조성세력을 중심으로」, 중앙승가대학교 석사학위논문, 2011.

정성권,「태조 왕건의 봉업사 중창과 능달 : 봉업사지 석불입상과 관련하여」,『한국사학보』제51호, 고려사학회, 2013.

梵魚寺 大雄殿을 통해본 僧匠 建築技法의 流入

吳世德*

目 次

Ⅰ. 머리말

한반도에 남아 있는 오래된 건조물 대부분은 조선후기 임진왜란의 참화로 소실되어 재건된 것이다. 이마저도 임진왜란 이후 400년이 흐르는 시간동안 수많은 장인의 손길이 더해져 오늘에 이른다. 그러나 우리는 이러한 이름 없는 장인의 땀과 노력을 기억하지 못한다. 조선후기 건조물을 조영한 장인의 노고는 비단 우리가 살고 있는 민가뿐만 아니라 사찰 불전도 예외는 아니다.

부산시 금정구에 위치한 범어사 역시 임진왜란 당시 소실되어 이후 승장의 노력으로 재건된 사찰이다. 전쟁으로 많은 피해를 입은 범어사지만 비교적 이른 시기부터 재건작업을 시작하여 17세기 초반 대웅전을 완성한다. 이후 대웅전은 18세기와 19세기 중수 과정을 거쳐 최근 2003년 대대적인 해체수리가 진행되었다. 범어사 대웅전이 400년 넘는 긴 시간을 견뎌올 수 있었던 것은 중수과정에 참여한 승장의 노고가 있었기에 가능했던 일로 여겨진다.

그러나 현재까지 범어사 대웅전 중수에 참여했던 승장이나 이들이 즐겨 사용한 건축기법을 밝힌 연구는 거의 없는 편이었으나, 최근 경상도 일원에서 주로 활약한 승장과 이들의 건축기법에 대한 연구가 진행되고 있다.[1]

---

* 경주대학교 문화재학과 교수

1) 서치상, 「機張 長安寺 大雄殿의 造營記文과 建築形式에 관한 연구」, 『건축역사연구』 제19권2호(통권69호), 한국건축역사학회, 2010, p.106.
　오세덕, 「18世紀 僧匠 快然의 建築術과 佛殿」, 『古文化』 83호, 한국대학박물관협회, 2014.

이에 본고에서는 기존 연구 성과에 더하여 17세기와 18세기 경상도 일원에서 활약한 승장의 건축기법 분석을 통해 범어사 대웅전에 남아 있는 승장의 흔적을 찾아보고자 한다. 이를 위해 먼저 17세기 경상도 일원에서 활약한 승장 중 범어사 대웅전과 동일한 건축기법을 보이는 신흥사 대웅전을 건립한 승장집단을 살펴보고, 이어서 18세기 범어사와 통도사, 울진 불영사 등에서 활약한 승장 조헌의 건축기법을 함께 검토해보도록 하겠다. 이러한 일련의 과정을 통해 조선후기 범어사 대웅전 재건에 참여했던 승장과 건축기법에 다가설 수 있을 것이다.

Ⅱ. 승장 浚英의 계보와 건축기법

1. 계보

僧匠 浚英(俊英)은 17세기 경상남도 일원에서 활약한 장인으로 추정되지만, 조선후기 대부분의 장인이 그러하듯이 자세한 출신 내력은 확인되지 않는다. 준영의 이름이 처음으로 등장하는 기록은 1988년 梁山 新興寺 大光殿 해체수리과정에서 출현한 종도리 墨書名이다. 신흥사 대광전(도판 1)은 사찰의 중심 불전으로 1987년 蟲害로 인하여 기둥 부식 및 전체적인 부재의 노후화가 진행되는 문제가

도판 1. 신흥사 대광전

발생하여 수리가 결정되었고, 1988년부터 순차적인 해체작업을 진행하였다.[2] 대광전 해체 과정 중에서 지붕상단 종도리로 사용되던 부재 배면 바닥에 적혀 있는 묵서명이 발견되었는데 이 기록이 바로 종도리 묵서명이다.(도판 2) 종도리 묵서명은 크게 시주질, 연화질, 대정질, 사내질, 사내소자질 등의 6개 단락으로 구분되어 있으며, '順治十四年 丁酉年 四月 十七日 上樑記'라는 명확한 기년이 확인되고 있어 1657년 신흥사에 대광전이 세워진 사실을 명확하게 알 수 있다. 특히 연화질 명단을 통해 대광전 공사를 주도적으로 이끈 대목 준영비구를 비롯한 현준, 설헌, 쌍륜, □륜, 영일, 영심, 옥담, 천우, 상청, 상휘, 상언[3]을 포함한 총 12명임을 알 수 있다. 대

_____,「울진 佛影寺 大雄寶殿 特徵과 建築術」,『文化財』제47권 · 제1호, 국립문화재연구소, 2014.

_____,「朝鮮後期 佛殿造營 僧侶匠人의 系譜와 建築技法 研究」, 東國大學校 大學院 博士學位論文, 2014.

2)『新興寺 大光殿 修理報告書』, 文化體育部文化財管理局, 1994. pp.7~10.

3) 上樑記(原文) … (중략)緣化秩 大木 浚英比丘 邊手 玄浚比丘 雪軒靈駕 雙輪比丘 □倫比丘 靈日比丘 靈心比丘 玉談比丘 天雨比丘 尙淸比丘 尙輝比丘 尙彦比丘(후략) …『新興寺 大光殿 修理報告書』, 文化體育部文化財管理局,

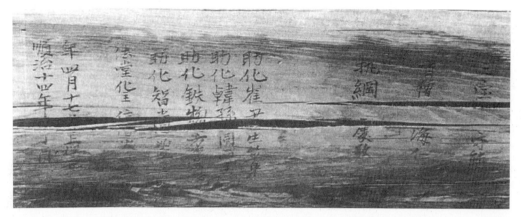

도판 2. 신흥사 대광전 종도리 묵서명(『新興寺 大光殿 修理報告書』, 文化體育部文化財管理局, 1994. 재인용)

광전 공사를 주도적으로 이끈 준영은 이후 다른 사찰 불사 기록이 확인되지 않고 있어 자세한 이동경로를 추정하기 어려운 측면이 있으나, 준영과 함께 대광전 공사에 참여한 장인 중 설헌 은 1658년 장안사 대웅전 중수에 참여하고 있다. 연화질 다섯 번째 방명에 등장하고 있는 영일 은 1641년 경남 통영 세병관 중수에 참여하고 있고, 맨 마지막에 등장하고 상언비구는 1648년 통도사 약사전 약사불조성기 연화질 방명에서 확인된다. 연화질 열한 번째 상휘는 1658년 범어 사 대웅전 출토 명문와 연화질과 1661년 범어사 목조석가모니불좌상 시주질 등에서 확인되고 있어, 대체로 준영과 함께 신흥사 대광전 조성공사에 참여했던 장인은 대부분 경상남도 일원에 서 활약했던 장인으로 추정된다.(【표 1】 참조)

【표 1】 각종 문헌자료를 통해본 승장의 교류관계

신흥사 대광전 종도리 묵서명	교류사찰 기록
대목 준영비구	신흥사 대광전
편수 현준비구	신흥사 대광전
설헌영가	1656년 장안사 대웅전 중수 목수[4]
영일비구	1641년 경남 통영 세병관 중수 목수[5]
상휘비구	1661년 범어사 목조석가모니불좌상 시주질[6], 1658년 범어사 대웅전 출토 명문와 연화질[7]
상언비구	1648년 통도사 약사전 약사불조성기 연화질[8]

1994. pp.181~184.

4) 서치상, 앞의 논문, 2010, p.106.

5) 김동욱, 『한국의공장사연구』, 1994.

6) 『한국의 사찰문화재 부산광역시/울산광역시/경상남도II 자료집』, 문화재청 · 재단법인 불교문화재연구소, 2010, pp.126~127.

7) 『梵魚寺 大雄殿 修理報告書』, 文化財廳, 2004, p.77.

8) 송은석, 『조선후기 불교조각사』, 사회평론, 2012, p.459.

2. 건축기법

승장 준영이 조성한 불전은 양산 신흥사 대광전 한 동에 불과하지만 경상남도 일원에서 임진왜란 이후 다포계맞배집의 시원적인 불전으로 갖는 의미가 큰 편이다. 본 장에서 양산 신흥사 대광전을 중심으로 준영과 함께 조영에 참여한 승장의 건축기법을 평면, 공포, 가구, 징엄요소 등의 순으로 검토해보도록 하겠다.

신흥사 대광전은 정면 3칸, 측면 3칸 형식으로 조선후기 일반불전에서 가장 많이 사용한 평면을 그대로 따르고 있어 특별한 형식을 선호했는지 알 수 없다. 다만 동일한 경상도 일원에 건립된 다포계맞배집인 은하사 대웅전(도판 3), 성흥사 대웅전(도판 4), 용화사 보광전(도판 5), 운흥사 대웅전, 통도사 약사전(도판 6)[9] 등에 비해 그 규모가 큰 편이며 조선후기 가장 이른 시기에 건립되었다.

대광전의 공포배치는 큰 규모에 맞게 주간 포작이 있는 다포계 공포를 사용하고 있는데 큰 첨차와 살미를 이용해서 전 후면 동일하게 외 3출목 7포작(도판 7), 내 4출목 9포작(도판 8)으로

도판 3. 은하사 대웅전

도판 4. 성흥사 대웅전

도판 5. 용화사 보광전

도판 6. 통도사 약사전

9) 裵秉宣, 「多包系맞배집에 關한 硏究」, 서울대학교 大學院 박사학위논문, 1993, p. 10.

도판 7. 신흥사 보광전 공포(외단)

도판 8. 신흥사 보광전 공포(내단)

구성하고 있다. 공포의 배치는 주상포는 기둥 위에 8구, 주간포는 양 측면 협칸에 4구, 정칸에 4구를 포함해서 8구씩 설치하여 총 16구를 두고 있다. 공포의 포간거리는 대략 영조척[10]을 기준으로 각 칸에 관계없이 6척 간격으로 동일하게 구성하고 있다.

제공의 세부형태는 외단으로 초 이 삼제공은 쇠서형태로 그 길이는 건물에 비례하여 적정하고 초각한 기법은 간결하고 부드럽다. 사제공 외부의 쇠서는 삼분두 형태로 끝이 날카롭고 길이는 짧은 편이며, 이러한 사제공의 삼분두 형태는 조선전기 이전에 해당하는 서울 숭례문 1층, 개심사 대웅전, 신륵사 조사당, 불영사 응진전 등에서 모두 사용되었으나 17세기 초반기를 걸치면서 사용례가 줄어들고 17세기 중반의 건물에서는 양산 신흥사 대광전에서 보이는 정도로 드물게 사용하고 있다.[11] 오제공 외부의 쇠서는 외출목도리를 받치고 있는데 끝을 초각하여 장식하였고, 첨차 마구리를 교두형로 끝단을 사절하였다.

공포의 내부는 주간포와 주심포에서 차이를 보이는데 주간포는 4제공까지 교두형이고 5제공은 삼분두를 올려 마감하고 있는 반면 주심포는 3제공까지 교두형으로 처리하고 4, 5제공은 보아지 형태로 대보를 받고 있다.

신흥사 대광전은 공포형태는 17세기 일반적인 법식을 충실히 따르고 있으며, 쇠서의 세부형태나, 공포의 내단처리 기법은 동일한 경상도 지역에서 건립된 17세기 불전인 범어사 대웅전과, 관룡사 대웅전 등과 유사성을 보이고 있다.

대광전의 가구는 맞배집의 특징상 내부가구와 측면가구로 구분되는데, 내부 가구는 불전 내부로 정치 위치에 불단을 놓고 전면에서 뻗어온 대보가 내진고주 상부에서 퇴보와 맞보 형식으로 결합되고 그 상부로 다시 중보와 종보가 결합되는 후퇴 3중량 방식을 사용하고 있다.

---

10) 「양산 신흥사 대광전 정밀실측조사보고서」, 문화재청, 2012, pp.199~200.
11) 양윤식, 「조선중기 다포계 건축의 공포 의장」, 서울대학교 大學院 박사학위논문, 2000, p.143.

측면가구는 중앙칸으로 2기의 고주를 놓고 그 상부에 중보와 종보가 결합되는 전후퇴 2중량 구성을 사용하고 있다. 대광전에서 보이는 가구법은 동일한 다포계맞배집의 갑사 대웅전, 선운사 대웅보전, 만의사 대웅전, 삼척 영은사 대웅보전, 각연사 대웅전, 영국사 대웅전, 신안사 극락전, 선운사 참당암 대웅전, 남장사 극락보전, 용연사 극락전, 대비사 극락전, 범어사 대웅전 등의 전형 다포계맞배집에서 가장 많이 사용하고 있는 일반적인 법식을 충실히 따르고 있다.[12]

이상을 통해 살펴본 승장 준영과 그의 일파가 사용했던 건축기법은 기본적으로 정면 3칸, 측면 3칸의 주망구성에 전·후면으로 동일한 공포를 배치하고 있는 다포법식을 사용하고 있다. 가구구성 역시 전형 다포계맞배집에서 즐겨 사용하고 있는 내부가구로는 1고주 3중량 방식을 사용하고, 측벽은 2고주 3중량 방식을 사용하고 있어 일반적인 법식을 충실히 따르고 있는 편이다.

III. 승장 조헌의 계보와 건축술

1. 계보

승장 祖軒은 18세기 초반 부산 범어사 일원을 중심으로 활약한 장인으로 범어사의 천왕문과 통도사 영산전, 불영사 대웅보전 등 10여동 이상의 크고 작은 전각을 조성한 기록이 확인되고 있다. 그러나 아직까지 그의 정확한 생몰연대는 밝혀지지 않고 있다.

조헌의 최초 기록은 1700년 부산 범어사 보제루 창건공사 후 작성된 東萊府北嶺金井山梵魚寺普濟樓創建記[13]문의 연화질 부분에서 확인되고 있는데, 모든 공사를 주도적으로 이끈 장인인 首頭라는 직책으로 기록되어 있어 범어사 보제루 창건공사 당시 상당한 기술력을 보유했던 것으로 보인다. 특히 보제루가 중층 누각으로 조성되었을 가능성이 높아 그의 건축 역량은 이미 18세기 초반 부산지역을 대표하는 승장으로써 손색이 없던 것으로 평가해 볼 수 있다.[14]

범어사 보제루 조성공사 이후 조헌은 인근 통도사로 이동하여 관음전 중수 공사에 도대목으로 참여하였으나 1780년 조헌의 중수 이후 많은 중수가 이루어지고 있어 특별한 조헌의 건축기법은 확인되지 않고 있다. 이후 조헌은 1704년부터 진행된 동래부의 향교 이건사업과 향청재건공사에 도대목으로 참여하여 동서무와 명륜당, 남루 등의 재건공사를 주도적으로 이끈다.[15] 조헌의 동래향교 재건공사 참여 사실은 승장으로써 유교 건축물을 지은 또 다른 장인의 일면을 엿

---

12) 裵秉宣, 앞의 논문, 1993, pp.128~129.
13) 「東萊府北嶺金井山梵魚寺普濟樓創建記」 … (중략)緣化秩 都大木 祖軒(중략) …
14) 서치상·윤석환, 「범어사 보제루의 복원을 위한 건축형식 연구」, 『건축역사연구』제18권 6호(통권67호), 한국건축역사학회, 2009, pp.132~133까지 내용을 통해 보제루가 중층 누각 형식이었을 가능성이 높음을 설명하고 있다.
15) 「攀化樓上樑文」, 『東萊鄉校 實測調查報告書』, 釜山直轄市, 1989, p.28.

볼 수 있는 대목으로 주목해 볼 필요가 있다. 그러나 동래향교의 대성전과 동 서무 등의 주요 전 각은 1813년 대대적인 이건 중수가 이루어진 상태이고, 건물의 공포 및 세부기법 역시 18세기 형 식을 찾아 볼 수 없어 조헌의 건축기법이 어느 정도 반영되었는지 찾아보기 힘든 실정이다.

1704년 동래부 향교 및 향청공사 이후 조헌은 1708년 금정산성내 해월사 법당 재건공사와 1712년 범어사 법당 재건 공사의 도대목으로 참여하고 있으나[16], 아쉽게도 해월사 법당은 소실 되었고, 범어사의 법당은 현재의 대웅전으로 추정할 수 있어 건축기법 일부 확인이 가능하다.

조헌이 18세기 초반까지는 주로 범어사 일 원을 중심으로 활약한 시기였다면, 1714년 이 루어지는 양산 통도사 영산전 불사 참여를 통 해 보다 넓은 지역의 건축물을 조영하는 전기 를 마련한다. 조헌의 참여로 이루어진 통도사 영산전의 재건공사는 '1713년 봄 어느 밤에 돌 연 화재가 일어 영산전과 천왕문이 함께 하루 아침에 폐허가 되었고, 1715년 任間淸印, 松谷 正眼, 楓岩朗日, 禪岩致源 등 4인의 대선사[17]

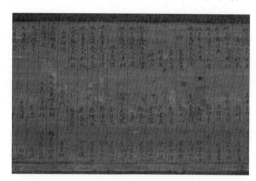

도판 9. 통도사 영산전 중수현판(신용철 관장님 제공)

가 모연하여 건물을 이루게 되었다.' 이 중수 과정에서 영산전과 천왕문을 조성한 우두머리 승 장으로 조헌이 초청되었으며, 각 분야에 맞는 32명의 장인을 하부조직으로 거느리고 재건공사 를 완료한다. 특히 상량기문 목수질에 大木秩 都大木兼施主祖軒 天王門片手 道侃 英惠 李居士 周草 祖嚴 爾軒 隆欽 存建 元湜 申鑑 靈山殿前面片手 智聰 智淳 智淡 偉淸 金片手 海坦 思悅 靈 山前後面片手 萬雄 廣海 國信 李片手 淸建 道鑑 天惠 內片將 俊明 建行 建哲 日悟 外片將 大隱 普明 萬世 學宗, 32명의 장인이 나열되어 있으며 도대목 이하 천왕문 편수, 영산전 전면 편수, 영산전 후면 편수 등 각 장인의 담당분야가 명시되어 있어 18세기 불전을 건립한 세부 영선조 직을 밝히는데 좋은 자료를 제공해 주고 있다.(도판 9)[18]

1714년 통도사 영산전의 공사 이후 범어사로 다시 돌아온 조헌은 1715년 천왕문 중수 공사의 도대목 참여 기록을 마지막으로 범어사 불사기록은 확인되지 않는다. 다만 1722년 비로자나 삼 존불 개금과 관음상 조상기문 현판의 시주질 명단에서 이름이 확인되고 있어 범어사 일원에서 귀거하고 있었던 것으로 추정해 볼 수 있으나, 이 시기 직접적인 범어사 불사참여기록이 확인

---

16)「東萊府梵魚寺法堂重創丹艧記」, 앞의 사지, 1989, pp.35~46.

17) 신용철,「通度寺 靈山殿의 歷史와 建築意匠 考察」,『불교미술사학』제6집, 불교미술사학회, 2008, pp.66~67.

18)「通度寺 靈山殿 丹艧記」대목질 도대목겸시주조헌 천왕문편수 도간 영혜 이거사 주초 조엄 이헌 륭흠 존건 원 식 신감 영산전전면편수 지총 지순 지담 위청 김편수 해탄 사열 영산전후면편수 만웅 광해 국신 이편수 청건 도감 천혜 내편장 준명 건행 건철 일오 외편장 대은 보명 만세 학종

되지 않고 있어 의문이 남는다.

조헌의 마지막 행적은 1722년 범어사 공사이후 3년이 지난 1725년 경상북도의 가장 끝자락이며 조선시대 행정구역상으로는 강원도에 소재하던 울진 불영사 대웅보전 재건 불사이다. 불영사 대웅보전은 1720년 화재로 소실되어 천옥이라는 승려의 주도로 중건되는데, 이때 조헌이 상편수로 참여하여 1725년 대웅보전을 완성하게 된다.[19]

이상의 기록을 통해 살펴본 승장 조헌이 직접적으로 참여하여 재건사업을 주도적으로 이끈 건물을 정리해 보면 1700년 범어사 보제루 창건 공사를 시작으로, 1704년 부산향교와 향청, 1708년 해월사 법당, 1712년 범어사 법당, 1716년 통도사 영산전, 1718년 범어사 천왕문, 1725년 울진 불영사 대웅보전 등 10여동에 이른다. 조헌 건물의 분포 지역은 부산 범어사를 중심으로 통도사 일원과 울진 불영사까지 확장되어 주로 경상도 일원에서 강원도까지 비교적 넓은 범위이다. 이는 18세기 건물 이외에 다른 불화, 조각, 공예 등의 분야를 이끌던 승장의 주요 활동지역과 그 궤를 같이하고 있어 영선조직의 활동범위를 짐작할 수 있게 해주는 대목이다. 또한 조헌의 활동 기간 역시 1700년에서 1725년까지로 약 26년간의 행적이 확인되고 있다. 18세기 초반 경상도 일원에서 강원도 일원까지 약 26년간 활약한 조헌의 불사 내역을 정리하면 다음【표 2】와 같다.

【표 2】 조헌의 조영활동[20]

순번	건립 건축물 및 시기	지역	내용	비고
1	범어사 보제루 창건기 (1700)[21]	부산	緣化秩 首頭 祖軒	현판
2	통도사 관음전 중수[22]	양산	연화질	상량기문
3	부산 향교(1704)[23]	부산	大木 僧祖軒	상량기문
4	부산 향청(1704)[24]	부산	大木 祖軒	상량기문
5	해월사 법당(1708)	부산	大木 祖軒	사적기
6	범어사 법당(1713)[25]	부산	都木木 祖軒	사적기
7	통도사 영산전(1715)	양산	都大木無施主 祖軒	상량문
8	범어사 천왕문(1718)	부산	都大木 祖軒	상량기문
9	비로삼존중수개금겸금상관음신조기현판(1722)[26]	부산	山中大德 祖軒	현판
10	불영사 대웅보전(1725)	울진	都大木 祖軒	상량문

19) 『佛影寺 大雄寶殿 實測調查報告書』, 文化財廳, 2000, pp.73~74.
20) 오세덕, 「울진 불영사 대웅보전 특징과 건축술」, 『文化財』 제47권·제1호, 2014, p.56.
21) 「東萊府北嶺金井山梵魚寺普濟樓創建記」, 『梵魚寺誌』, 亞細亞文化史, 1989, pp.27~32.
22) 「通度寺 觀音殿 上樑文」, 都大木 祖軒比丘
23) 「攀化樓上樑文」, 『東萊鄕校 實測調查報告書』, 釜山直轄市, 1989, p.28.
24) 김숙경, 「朝鮮後期 東萊地域의 官營工事에 관한 硏究」, 釜山大學校 대학원 박사학위논문, 2003, p.93.
25) 「東萊府梵魚寺法堂重創無丹腰記」, 앞의 사지, 1989, pp.35~46.
26) 「梵魚寺毘盧三尊重修 開金兼金像觀音新造記」, 앞의 사지, 1889, pp.56~61.

2. 건축술

18세기를 초반 경상도와 강원도 일원에서 활약한 승장 조헌이 중수에 직접적으로 참여했던 불전은 앞장에서 살펴보았듯이 범어사의 보제루, 법당, 천왕문, 통도사 영산전, 불영사 대웅보전 등 약 10여 동에 이른다.

승장 조헌에 의하여 재건된 불전 중에서 주불전으로 사용된 통도사 영산전(도판 10)과 불영사 대웅보전(도판 11)을 중심으로 건축술을 평면, 공포, 가구, 장엄요소 순으로 살펴보도록 하겠다.

먼저 건물의 가장 기본이 되는 평면을 검토해 보면 통도사 영산전은 정면 3칸×측면 3칸 다포계 맞배지붕 집이고, 불영사 대웅보전은 정면 3칸×측면 3칸 다포계 팔작지붕 집으로 동일하게 사용하고 있다. 통도사 영산전과 불영사 대웅전은 평면 형태는 동일하게 나타나고 있지만 그 세부적인 형식이 모두 고식의 기단 상부에 조성하고 있어, 조헌의 중수 이전의 기단을 그대로 활용하고 있다는 사실을 알 수 있다. 이 두 불전이 왜 고식의 기단을 그대로 둔 채 상부에 목조건물을 올렸는지는 정확하게 알 수 없지만 조헌 불전 두 동에서 동일한 고식의 기단 상부로 조선후기 목조건물을 올린 이원적인 구성을 보이고 있어 일정부분 승장의 건축적 성향이 반영될 결과로 추정해 볼 수 있다.

두 번째로 조헌불전의 공포 구성은 울진 불영사 대웅보전은 다포계 팔작지붕으로 사면 모두 설치되어 있는데, 정면과 후면 정칸에 주간포를 2구씩 배치하고 다른 칸은 모두 1구씩 배치하여 전체적으로는 주심포 8구, 주간포 14구, 귀포 4구를 포함한 총 26구로 짜인다. 통도사 영산전은 맞배지붕의 특징상 전면과 후면에서 공포가 배치되고 있는데, 정면은 각 칸마다 주간포를 3구씩 배치하고 후면은 각 칸마다 주간포를 2구씩 배치하고 있어 전면과 후면이 차이를 보이고 있다. 공포의 세부형태는 불영사 대웅보전과 통도사 영산전 모두 외 3출목 7포작 내 4출목 9포작 형식이고, 제공의 세부형태는 외단으로 일·이·삼제공은 앙서 중간에 蓮化와 연봉이 차례

도판 10. 통도사 영산전

도판 11. 불영사 대웅보전

로 草刻되어 있다. 사제공은 수서형이고, 오제공은 운공으로 마감하고 정칸의 주상포는 鳳凰頭 장식을 가미하여 강조하고 있다. 이러한 연화쇠서형 공포형태는 1635년 금산사 대장전, 1694년 쌍봉사 극락전 등에 사용되다 1700년 이후 폭발적인 증가를 보여 1727년 동화사 대웅전, 1735 년 직지사 대웅보전, 1738년 논산 쌍계사 대웅전, 1741년 오어사 대웅보전 등에 이르기까지 많은 사찰 건물에서 나타나고 있어 18세기를 대표하는 공포형식으로 볼 수 있다.[27] 그러나 연화 쇠서형 공포도 그 세부형태가 각 건물마다 조금씩 다르게 나타나고 있는데 불영사 대웅보전에서 나타나고 있는 외단 제공의 세부형태는 1714년 중건된 통도사 영산전의 외단 공포의 세부형태인 일·이제공은 연꽃을 표현하고, 삼제공은 연봉을 초각하고, 사제공은 수서형이고, 오제공은 운공으로 마감하고 있는 수법과 동일하게 나타나고 있다.

조헌 불전의 공포 내단은 외단보다 1단 더 높은 4출목 9포작 형식으로 구성되어 있는데 제공의 세부형태는 일~사제공까지 교두형으로 간략하게 처리하고 오제공은 삼분두로 처리하였다. 그리고 오제공의 삼분두 상부로 연봉이 가미된 제공을 내목도리 상부로 길게 놓고 끝단에 봉황두를 올려 마감하고 있다. 일반적으로 18세기 조성된 불전은 외단 제공이 연화쇠서형으로 처리하면 동화사 대웅전이나 오어사 대웅보전처럼 내단의 제공 역시 연화쇠서형으로 통일시키는 경우가 많으나 조헌 불전 같이 제공의 내·외단이 다르게 나타나는 경우는 드문 편이다. 이러한 내단 제공의 교두형 처리기법은 주로 18세기 보다는 앞선 17세기 조영된 1653년 운문사 대웅전, 1657년 양산 신흥사 보광전, 통도사 약사전 등에서 많이 나타나다 1730년을 전 후한 시점에서 내단의 제공형태가 연화쇠서형으로 많이 바뀌는 경향이 있다.[28] 또한 내단의 제공형태가 교두형으로 나타나더라도 불전에 따라서 세부형태 차이를 보이고 있는데 불영사 대웅보전의 공포 내단 세부형태와 1714년 조성된 통도사 영산전, 1734년 조성된 직지사 대웅보전 공포의 내단 제공 세부형태와 동일하다.

세 번째로 조헌불전의 가구구성은 통도사 영산전은 맞배집의 특징상 내부가구와 측벽가구로 구분되는데, 내부가구는 무고주 2중량 방식으로 불전 내부로 전면에서 후면까지 한 번에 대보가 이어지고 있으며, 대보 상부로 포동자와 2중 장여를 놓아 상부의 종보를 받고 있다. 측벽 가구는 2고주 방식으로 중앙에 고주 2기를 놓고 대보를 생략하고 그 상부에 종보를 직접 받는 구조로 이루어져 있다.

이에 비해 불영사 대웅보전은 1고주 2중량 방식이다. 불전 내부의 측면 중행주 보다 약간 후면에 2기의 내진고주를 놓아 불단을 고정하고 상부에 전면 평주에서 이어진 대보와 퇴보가 맞보형식으로 결합되어 있다. 대보 상부에 전·후쪽으로 2기씩의 포대공을 놓아 종보와 외기도

---

27) 양윤식, 앞의 논문, 2000, p.144.
28) 양윤식, 앞의 논문, 2000, pp.147~148 〈표 4-14 조사대상별 공포 내부 형태 유형〉 참조.

리를 함께 받고 있으며, 측면에서는 각각 동·서쪽에서 2기의 충량을 이용하여 대보와 결합하고 있다. 대웅보전의 가구구성은 일반적인 18세기 불전을 잘 따르고 있지만 내진고주의 위치가 중행주 보다 약간 후면에 위치하고 있는 방식은 18세기 불전[29]의 중행주와 후면 중간지점에 고주를 놓아 불단을 배치하는 방식과 다소 차이를 보인다.

통도사 영산전 역시 불단 배치가 다른 조선후기 불전에서 쉽게 나타나지 않는 측좌법[30]을 사용하고 있는데 이러한 불단배치법을 보이는 건물은 불갑사 대웅전과 마곡사 대광보전, 부석사 무량수전 등이 있다. 측좌법의 불단 배치법이 적용된 불전의 뚜렷한 공통점이 확인되지는 않지만, 고려시대 조성된 부석사 무량수전에서 확인되고 있는 점을 통해 볼 때 이미 조선후기 이전부터 존재한 불단배치법으로 보인다. 이는 통도사 영산전 역시 조헌의 중수 이전 고식의 기단을 갖추고 있다는 사실을 통해 측좌법의 불단 배치가 고대부터 적용된 상태로 조헌이 그대로 받아드렸을 가능성이 있다.

이상을 통해 살펴본 조헌불전의 가구구성은 울진 불영사 대웅보전과 통도사 영산전의 지붕 형태가 다르게 나타나고 있어 뚜렷한 공통점을 발견하기 어렵지만, 불단의 배치에서 고식적인 배치 방식을 그대로 계승하였다는 공통점이 확인된다.

네 번째로 조헌의 불전의 세부장엄 요소를 살펴보면, 먼저 천장의 구성은 불영사 대웅보전은 중앙부와 전면부, 후면부로 나누어지는데, 중앙부는 반자틀에 초각이 가미된 소란대 두른 8×6열의 널을 설정하고 반자널 중간 중간에 9종의 화판 장식을 덧대고 있어 화려한 장식성이 돋보인다. 중앙부는 외각을 감싸는 전면과 측면 천장 역시 반자틀에 소란대를 둘렀지만 소란대가 초각형태가 아닌 직선재로 구성되고 있어 중앙부 천장 반자틀에 비해 장식성이 떨어진다. 천장 후면은 장널을 이용한 빗반자 구성을 보이고 있어 전체적인 대웅보전의 천장 구성은 중앙부가 강조되는 위계형이다. 통도사 영산전의 천장구성 역시 전·후칸에 비해 중앙부가 한단 높은 층급형으로 팔작지붕인 불영사 대웅보전에 차이가 있다. 그러나 중앙칸의 경우 직선재의 판자틀에서 소란대를 도리지 않고 다양한 종류의 화판 장식을 덧대고 있어 공통점이 나타나고 있다. 이러한 다양한 화판장식이 부산 범어사 대웅전에서 천장에서 동일하게 나타나고 있어 1712년 조헌의 범어사 법당 중수 기록은 대웅전일 가능성이 높다.[31] 조헌 불전의 천장 구성은 18세기 일반불전의 반자틀을 이용한 천장을 만드는 기법과 상통하고 있으나, 9종에 달하는 화판 문양판을 덧대고 있는 점은 다른 불전에서 좀처럼 찾아 볼 수 없는 화려한 장엄 요소이다.

---

29) 김홍주, 앞의 논문, 2000, p.26을 통해 18세기 분석대상의 건물 중 60%가 이주법 구성을 보이는 것으로 설명하고 있음.

30) 김상현·김일진, 「사찰 불전의 평면구성과 불단위치에 관한 연구」, 『大韓建築學術發表論文集』第17卷 第2號, 대한건축학회, 1997, pp.31~35.를 통해 불전의 위치에 따라 정치법, 이주법, 후치법, 측좌법 등으로 구분하고 있음.

31) 「東萊府梵魚寺法堂重創無丹賸記」, 앞의 사지, 1989, pp.35~46.

조헌불전의 화려한 천장의 구성 이외에도 용과 봉황을 많이 사용하고 있는데 그 위치를 살펴보면 불영사 대웅보전 귀포 귀한대의 승천하는 용의 표현은 다른 불전에서 보이지 않는 요소이지만 통도사 영산전에 내목도리 상부에서 동일하게 사용되고 있다. 또한 내진고주와 대보가 연결되는 주두 하단에 놓인 보아지의 용두 표현은 불영사 대웅보전의 화려한 장엄을 돋보이게 하는 요소이며 대보 상부에 놓이는 초각장식을 가미한 포대공과 화반은 구조적 부재의 역할을 충실히 수행함과 동시에 장엄적 효과를 극대화 시킨 부재의 표현으로 볼 수 있다. 이러한 불영사 대웅보전에서 나타나는 장엄적 요소는 1714년 건립된 통도사 대웅보전의 내부 장엄의 포대공과 화반, 용두의 표현 등에서 동일한 표현법이 확인되고 있다.

결론적으로 이상을 통해 살펴본 조헌의 건축기법을 간략하게 정리해보면 1714년 건립된 통도사 영산전과 1725년 건립된 불영사 대웅보전은 동일한 도편수에 의해 건립된 불전으로 팔작지붕집과 맞배지붕집으로 전체적인 구조의 직접적 비교가 어려운 측면이 있으나, 고식의 기단을 사용하고 있는 점, 공포의 제공 외단과 내단을 동일하게 처리하고 있는 세부기법, 그리고 귀포 내부에서 나타나고 있는 주간포 내단과의 유사성, 대보상부에 초각이 가미된 포대공과 화반, 귀한대의 승천하는 용의표현, 보아지 용두의 표현, 고식의 불단 배치법 수용 등이 두 건물에서 동일하게 사용되고 있어, 이러한 세부기법이 승장 조헌의 독자적인 건축기법으로 여겨진다.

Ⅳ. 범어사 대웅전의 준영과 조헌의 건축기법

범어사 대웅전(도판 12)은 사찰의 중심 불전으로 정면 3칸, 측면 3칸의 다포계 맞배지붕집이며 임진왜란으로 전소되어 1614년 미륵전터에 미륵상이 발견된 것을 계기로 妙全 등이 재건을 시작한 것으로 전하고 있다. 2004년 대웅전 해체수리를 통해 출현한 종도리 묵서명에 따르면 '임인년(1602년) 현감 황□□이 임시로 복구하였고 순치 십오년무술(1658

도판 12. 범어사 대웅전

년) 봄에 절의 승려 선유와 항해 등이 중창하게 되었다.'[32]라는 기록이 확인되고 있어 실제로 1658년 대대적인 중창이 이루어진 사실을 알 수 있다. 이후 1713년 중수공사 기록이 확인되고

---

32)「大雄殿宗道理墨書銘」, … (전략)壬寅之歲玄監黃□□也草創之而今順治十五年戊戌之春寺內僧善恒解等重創之此莫非數也 … (후략), ;『韓國의 古建築』第16號, 國立文化財研究所, 1994, p.18. ;『梵魚寺 大雄殿修理工事報告書』, 釜山廣域市 金井區廳, 2004, p.75.

있다.[33]

대웅전의 세부형식을 살펴보면 기단은 상
대갑석 하단에 판석이 결합된 가구식으로 판
석에는 우주와 화문이 시문되어 있다.(도판
13) 가구식기단은 삼국통일을 전·후한 시기
에 처음 사용되기 시작하여 고려시대를 걸쳐
조선시대까지 꾸준히 사용되고 있으나 시대
별로 세부형식에 차이가 있다. 범어사 대웅전
기단 판석의 화문은 양감이 깊지 않고 도식적
으로 표현되고 있어 고식이 아닌 주변 운홍사

도판 13. 범어사 대웅전 기단

지 부도기단과 통도사 금강계단 기단 화문과 친연성을 보이고 있어 조선후기에 건립되었을 가
능성이 제기되고 있다.[34] 특히 기단의 우측 끝 부분에 '강희 19년 4월 조성[35]' 이라는 정확한 명
문이 남아 있어 조선후기인 1680년 축조되었을 가능성이 높다. 기단 상부에 놓인 초석은 자연
석 초석과 자연석 상부에 주좌와 운두가 모각되어 있는 고식초석을 병행하여 사용하고 있으나
고식초석 상부의 주좌방향이 건물방향과 일치하지 않고 있어 재활용한 초석으로 추정된다.

대웅전의 평면은 정면 3칸, 측면 3칸 구성으로 조선후기 일반적인 불전평면 형태를 따르고
있으며, 주칸 간격은 정면이 11.3척-15척-11.3척이고, 측면이 7척-17척-7척으로 설정하고 있
다. 불전의 평면은 맞배집의 평면 비례는 평균 1:1.52이고 다포계 팔작집은 평균 1:1.35으로 팔
작집 보다 맞배집이 세장한 비율로 조성하는 것이 일반적이지만[36] 범어사 대웅전은 측면과 정
면이 1:1.2의 비율을 보이고 있어 다소 차이가 있다. 이를 조금 더 세부적으로 살펴보면 주칸 설
정은 정면과 측면의 중앙 칸을 넓게 설정하는 형식으로 일반적인 조선후기 법식을 따르고 있지
만 정면의 정칸이 15척인데 비해 측면의 중앙 칸이 17척으로 더 넓게 설정되어 다른 불전에서
찾아볼 수 없는 독특한 평면구성을 보인다. 이러한 평면 형태가 왜 이루어지고 있는지 정확하
게 알 수 없지만 고대의 탑형 불전으로 추정되고 있는 쌍봉사 대웅전과 법주사 오층탑 등의 평
면형태가 정면과 측면 비율이 1:1에 가깝고, 초창 기록에 미륵전의 옛터에 복원하였다는 기록

33) 대웅전 배면 측면 좌 우 뒷간 외3출목 장여 내측면에서 발견된 기록 十一 康熙五月日壬辰三癸巳年(713년)重倉
　　□ 四月日丹靑 十六名□金海 □□通政□□ 都□□□□□ 左□□□□□ 右□□□□□ ;『梵魚寺 大雄殿修理工
　　事 報告書』, 釜山廣域市 金井區廳, 2004, p.82.
34) 韓政鎬,「通度寺 大雄殿의 諸問題에 대한 考察-名稱變化와 基壇의 築造年代를 중심으로-」,『佛敎考古學』第3
　　號, 威德大學校博物館, 2003, pp.95~96를 통해 범어사 대웅전 기단과 통도사 대웅전 기단의 동일시기 건립에
　　대해 주장하고 있음.
35)「大雄殿 基壇 刻字」康熙十九年四月日造成
36)『양산 신흥사 대광전 정밀실측조사보고서』, 문화재청, 2012, p.195.

이 확인되고 있어 미륵전의 전신은 탑형 불전이었을 가능성이 높아[37] 조선후기 독자적인 건물의 평면 형태가 아닌 임진왜란 이전 미륵전의 평면형태가 반영된 결과로 추정해 볼 수 있다.

도판 14. 대웅전 석주

대웅전을 구성하고 있는 기둥은 평주 4기, 우주 4기, 고주 4기와 내부의 후불벽을 형성하며 대들보를 받는 2기의 고주를 포함한 총 14기로 구성되어 있다. 대웅전 기둥의 가장 큰 특징은 전면의 우주 2기가 石柱와 木柱를 연결하여 사용하고 있는 점을 들 수가 있는데 다른 사찰의 주불전에 사용되는 경우가 드문 편이고 범어사 일주문에서 사용되고 있다.(도판 14) 그러나 이 우주의 석주기둥에 관해서는 일제강점기 때인 1904년 촬영된 사진에서 우주를 일반목주로 사용한 흔적이 확인되고 있어 일제강점기 이후 목주와 석주가 혼합된 형식으로 변경된 것을 알 수 있다.[38]

대웅전의 공포형식은 외 3출목 7포작 내 4출목 9포작이며, 다포계 맞배집으로 전면과 후면에 공포를 배치하고 있는데 전·후면 모두 양 협칸은 주간포를 2구씩 놓고, 정칸은 3구를 놓아 전체적으로 주간포 14구, 주심포 6구로 구성되고 있다. 공포의 세부 형태는 외부로 3제공까지 쇠서형이고 4제공은 새부리처럼 뾰족한 수서 그 위에 운공을 올려 마감하고 있다.(도판 15) 내부는 주간포와 주심포에서 차이를 보이는데 주간포는 4제공까지 교두형이고, 5제공은 삼분두를 올려 마감하고 있는 반면 주심포는 3제공까지 교두형으로 처리하고 4, 5제공은 보아지 형태로 대보를 받고 있다.(도판 16) 대웅전의 쇠서형 공포는 주로 17세기 불전에서 많이 사용하는 형식으로, 인근 신흥사 대광전과 통도사 대웅전에 사용하고 있는 공포와 강한 친연성이 확인된다.

도판 15. 대웅전 공포(외단)

도판 16. 대웅전 공포(내단)

---

37) 「梵魚寺創建事蹟」 上層階長二百二十尺高十尺橋階十九層彌勒殿(후략) … ; 『梵魚寺誌』, 亞細亞文化社, 1991.
38) 『梵魚寺 大雄殿修理工事 報告書』, 釜山廣域市 金井區廳, 2004, p.135.

　대웅전의 가구는 맞배지붕의 특징상 내부가구와 측면가구로 구분되는데, 내부 가구는 불전 내부로 정치 위치에 불단을 놓고 전면에서 뻗어온 대보가 내진고주 상부에서 퇴보와 맞보 형식으로 결합되고 그 상부로 다시 중보와 종보가 결합되는 후퇴 3중량 방식을 사용하고 있다.

　측면가구는 중앙칸으로 2기의 고주를 놓고 그 상부에 중보와 종보가 결합되는 전후퇴 2중량 구성을 보이고 있다.

　대웅전의 천장은 우물반자와 빗반자를 혼합해서 사용하고 있으며 정칸을 강조하는 층급형식이고 전체적으로 반자틀 하부로 화려한 화판장식을 두고 있다.(도판 17)

　이상을 통해 살펴본 범어사 대웅전에 남아 있는 17~18세기 승장 준영과 조헌의 건축기법을 살펴보면 다음과 같다. 먼저 신흥사 대광전은 범어사 대웅전과 동일하게 사찰의 주불전으로 정면 3칸, 측면 3칸 평면구성을 보이고 있으며 두 건물 모두 다른 일반불전에 비해 정칸이 상당히 넓게 설정된 공통점이 나타나고 있다. 그러나 신흥사 대광전은 건물의 평면과 공포의 배열 등을 고려해 볼 때 6척 간격을 기준으로 건물의 전체적인 조영이 이루어졌을 가능성이 높은 반면 범어사 대웅전은 3.3~3.5척을 기준으로 조영되어 차이가 있다. 이러한 두 건물의 기준척도 차이는 범어사 대웅전의 경우 앞쪽에서 간략하게 언급하였듯이 1614년 초창이후 1658년 중건된 건물로 1614년의 평면구성을 그대로 따른 것으로 추정되고, 신흥사 대광전은 1657년 조성 때 준영에 의해 조성된 평면구성을 사용하고 있어 나타나는 차이로 보인다.

　두 번째로 신흥사 대광전과 범어사 대웅전의 공포 출목수를 살펴보면 외 3출목 7포작과 내 4출목 9포작으로 동일한 구성을 보이고 있으나 건물에 놓이는 주간포의 개수는 평면의 주칸 간격 차이로 인하여 범어사 대웅전이 각 칸마다 1조씩 더 두고 있다. 두 건물의 제공의 세부형태는 외부로 3제공까지 쇠서형이고 4제공은 신흥사 대광전은 삼분두를 사용하고 있는 반면 범어사 대웅전은 새부리처럼 뾰족한 수서를 사용하고 있다.(도판 18) 5제공은 운공을 올려 동일하게 마감하고 있다. 내부로는 두 건물 모두 3제공까지 교두형으로 처리하고 주심포는 보아지 형태로 대보를 받고 있는 반면 주간포는 4제공도 교두이고 그 상부로 삼분두를 올려 마감하고 있

도판 17. 대웅전 천장

도판 18. 범어사 내부고주 상부

다. 두 사찰에서 나타나고 있는 공포의 세부형식은 인근 사찰인 통도사 대웅전에서 동일한 구성을 보이고 있어 이 세 건물간의 친연성이 확인되고 있으며, 17세기 초반에 건립된 관룡사 대웅전, 18세기 초반에 건립된 통도사의 많은 불전의 공포형태와는 차이를 보이고 있다. 이는 신흥사 대광전과 범어사 대웅전을 조영한 장인의 친연성이 확인되는 부분으로 주목해 볼 필요성이 있다.[39]

세 번째로 두 건물에서 나타나고 있는 가구 구성은 맞배지붕집으로 내부와 측면이 다른 구성을 보이고 있다. 내부 가구는 불단을 정치 위치에 놓고 내진고주를 이용해서 후면의 퇴보와 전면의 대보가 맞보 형식으로 결합되고 있으며 상부의 동자주와 내진주가 내진고주 상부에 일직선으로 놓이는 차두주형[40]을 사용하고 있어 공통점이 확인된다.(도판 19) 다만 범어사 대웅전은 측면의 주칸 간격이 넓

도판 19. 신흥사 공포세부(외단)

게 설정되어 3중량 방식을 채택한 반면 신흥사 대광전은 2중량 방식을 채택하고 있어 차이점이 있지만 기본적인 정치위치에 불단을 놓는 구성은 동일하다.

네 번째로 두 건물의 세부형태 중에서 이중 장여 사이에 놓이고 있는 연봉과 초가지가 잘 어우러진 화반을 사용하고 있는 점과 창방뺄목 하단에 초가지 장식을 간략하게 하고 있는 기법 등에서 두 건물의 친연성이 확인된다. 두 건물의 천장구성은 모두 정칸을 강조하고 있는 층급형식으로 동일하게 사용하고 있지만 세부형식에 약간의 차이를 보이고 있는 신흥사 대광전은 우물반자 하부로 화판 및 장식재가 확인되지 않고 있는 간략한 구성이지만 범어사 대웅전은 화려한 화판장식을 사용하고 있어 차이를 보인다. 이러한 화판장식의 사용은 일반적인 불전 천장에서 확인되지 않고 있는 특징으로 18세기 초반 경남지역에서 활약했던 승장 조헌이 즐겨 사용했던 천장 구성법이다.(도판 20, 21) 이는 1713년 승장 조헌이 범어사 법당을 중수했던 기록이 사적기에서 확인되고 있는데, 이 당시 조성했던 법당이 대웅전을 가능성이 높다. 또한 이러한 천장의 구성은 조헌이 중창한 불전인 통도사 영산전과 울진 불영사 대웅보전 등에서 나타나고 있어 범어사 대웅전 천장은 1713년 조헌의 중창공사 때 새롭게 조성된 것으로 볼 수 있다.[41]

---

39) 『양산 신흥사 대광전 정밀실측조사보고서』, 문화재청, 2012, pp.196~197을 통해 두 건물의 공포세부 형태 및 지역의 인접성 등을 통한 동일한 장인이 조성하였을 가능성이 높음을 시사하고 있다.
40) 안대환, 「조선시대 사찰 주불전에서 불단위치와 목가구의 상관성과 시대적 변화」, 연세대학교 박사학위논문, 2010, p.58 불단의 내진고주 위치와 상부로 결합되는 동자주를 위치관계를 내진평주 차두주형, 내진평주 외편주형, 외진평주 주두형, 평방형, 특수형 등으로 구분하고 있음.
41) 오세덕, 「울진 불영사 대웅보전 특징과 건축술」, 『文化財』 제47권·제1호, 국립문화재연구소, 2014, pp.46~65

도판 20. 통도사 영산전 천장

도판 21. 불영사 대웅보전 천장

이상을 통해 살펴보면 범어사 대웅전의 각 시대별 건축기법을 통해 살펴본 승장의 공사참여 내용을 간략하게 정리해보면 1614년 범어사 대웅전의 초장이후 하부평면은 고정된 상태에서 1658년 범어사 일원에서 활약한 승장 준영에서 의해서 1차 중수가 일어나고 공포와 가구부의 일부가 변형된 것으로 확인된다. 이후 1713년 조헌의 중수공사로 인하여 천장에 많은 변형이 이루어져 오늘날에 이른 것으로 추정해 볼 수 있다.

【표 3】준영 불전과 조헌불전 건물 양식표

		신흥사 대광전(준영)	범어사 대웅전	장안사 대웅전	통도사 영산전(조헌)	불영사 대웅보전
건립연도		1657년	1658년	1658년	1714년	1725년
건물 칸수		정면 3칸×측면 3칸	정면 3칸×측면 3칸	정면 3칸×측면 3칸	정면 3칸×측면 3칸	정면 3칸×측면 3칸
가구		1고주 11량가 3중보	1고주 11량가 3중보	1고주 11량가 3중보	무고주 7량가 3중보	1고주 7량가 2중보
불단위치		정치법	정치법	이주법	측좌법	이주법
측면간격		36척	39척	35척	정면 동일형(다포)	사면 동일형(다포)
용척		309mm	309mm	300mm	298mm	298mm
지붕		맞배	맞배	팔작	맞배	팔작
공포의 형식		전후 동일형(다포)	전후 동일형(다포)	사면 동일형(다포)	연화쇠서형+운공	연화쇠서형+운공
출목	외단	3출목 7포작	3출목 7포작	3출목 7포작	3출목 7포작	3출목 7포작
	내단	4출목 9포작	4출목 9포작	4출목 9포작	4출목 9포작	4출목 9포작
제공의 형태	외단	쇠서+수서+운공	쇠서+수서+운공	쇠서+수서+운공	연화쇠서+운공	연화쇠서+운공
	내단	교두형	교두형	교두형	교두형	교두형
주간포 간격		6척	3.3~3.5척	4척	4척	4척
귀포내단 처리기법		·	·	교차형	·	분리형

를 통해 조헌의 건축기법과 불사 내용에 대해서 자세히 설명하고 있음.

IV. 맺음말

한반도에 남아 있는 고건물의 대다수는 임진왜란이후 제작되어 수많은 장인의 손길이 덧입혀저 오늘날까지 전해지고 있다. 이러한 고건물온 지금도 끝임 없는 개·보수가 진행되고 있지만, 각 건물에 남겨진 선조 장인들의 흔적을 기록하고 밝혀내는 작업은 이를 따라가지 못하고 있는 실정이다.

이에 본고에서는 조선후기 범어사 대웅전을 조성한 것으로 추정되는 두 장인인 17세기 준영과 18세기 조헌을 주목해 이들이 남겨 놓은 건축기법과 흔적을 찾고자 하였다. 물론 17세기 중수 불사에서 가장 많은 영향을 미친 것으로 보이는 준영이 직접적으로 범어사 대웅전 공사에 참여했다는 기록은 확인되지 않고 있지만, 준영과 함께 신흥사 대광전 공사에 참여했던 장인인 설헌과 영일, 상언, 상휘 등이 범어사와 동일한 경상도 일원의 부산, 양산, 통영 등에서 활약하고 있어 17세기 범어사 중수공사가 준영 일파와 무관하지 않다는 사실을 알 수 있게 해준다. 특히 신흥사 대광전과 범어사 대웅전에서 동일하게 보이는 공포의 세부형식과 가구법 등은 준영의 건축기법 영향이라는 측면으로 해석할 여지가 충분하다.

1713년 범어사 대웅전 중수공사에 참여하였을 것으로 추정되는 18세기 대표 승장 조헌은 비록 건물하부의 공포와 가구법 등에서 손길을 남기도 못하고 있지만, 범어사 천장의 개·보수 공사에서 그가 즐겨 사용했던 세부기법을 남기고 있다. 17세기 승장 준영이 남긴 족적에 비해 18세기 조헌이 남긴 범어사 대웅전의 흔적은 미비하다고 할 수 있으나, 18세기 중수공사의 흔적이 조헌 이외에 더 이상 확인되지 않고 있어 조헌의 중요성은 결코 무시할 수 없다.

이상을 통해 간략하게 살펴본 범어사 대웅전에 남겨진 조선후기 승장 준영과 조헌의의 흔적과 건축기법에 대한 연구는 한반도에 남아 있는 고건물을 구조적인 관점이 아닌 건물을 조영한 조영자의 관점에서 바라봤다는 시각의 전환에서 가장 큰 의의를 두고 싶다.

【참고문헌】

『東萊鄕校 實測調査報告書』, 釜山直轄市, 1989.

『梵魚寺誌』, 亞細亞文化史, 1989.

김동욱, 『한국의공장사연구』, 1994.

『韓國의 古建築』第16號, 國立文化財研究所, 1994.

『新興寺 大光殿 修理報告書』, 文化體育部文化財管理局, 1994.

『佛影寺 大雄寶殿 實測調査報告書』, 文化財廳, 2000.

『梵魚寺 大雄殿 修理報告書』, 文化財廳, 2004.

『한국의 사찰문화재 부산광역시/울산광역시/경상남도 II 자료집』, 문화재청 · 재단법인 불교문화재
　　　연구소, 2010.

송은석, 『조선후기 불교조각사』, 사회평론, 2012.

『양산 신흥사 대광전 정밀실측조사보고서』, 문화재청, 2012.

김숙경, 「朝鮮後期 東萊地域의 官營工事에 관한 研究」, 釜山大學校 대학원 박사학위논문, 2003.

裵秉宣, 「多包系맞배집에 關한 研究」, 서울대학교 大學院 박사학위논문, 1993.

안대환, 「조선시대 사찰 주불전에서 불단위치와 목가구의 상관성과 시대적 변화」, 연세대학교 대학
　　　원 박사학위논문, 2010.

양윤식, 「조선중기 다포계 건축의 공포 의장」, 서울대학교 大學院, 박사학위논문, 2000.

오세덕, 「朝鮮後期 佛殿造營 僧侶匠人의 系譜와 建築技法 研究」, 東國大學校 大學院 博士學位論文,
　　　2014.

김상현 · 김일진, 「사찰 불전의 평면구성과 불단위치에 관한 연구」, 『大韓建築學術發表論文集』第17
　　　卷 第2號, 대한건축학회, 1997.

서치상, 「機張 長安寺 大雄殿의 造營記文과 建築形式에 관한 연구」, 『건축역사연구』제19권 2호(통
　　　권69호), 한국건축역사학회, 2010.

서치상 · 윤석환, 「범어사 보제루의 복원을 위한 건축형식 연구」, 『건축역사연구』제18권 6호(통권
　　　67호), 한국건축역사학회, 2009.

신용철, 「通度寺 靈山殿의 歷史와 建築意匠 考察」, 『불교미술사학』제6집, 불교미술사학회, 2008.

오세덕, 「18世紀 僧匠 快然의 建築術과 佛殿」, 『古文化』83호, 한국대학박물관협회, 2014.

오세덕, 「울진 佛影寺 大雄寶殿 特徵과 建築術」, 『文化財』제47권 · 제1호, 국립문화재연구소, 2014.

韓政鎬, 「通度寺 大雄殿의 諸問題에 대한 考察-名稱變化와 基壇의 築造年代를 중심으로-」, 『佛教
　　　考古學』第3號, 威德大學校博物館, 2003.

동·서축 伽藍에서 나타난
通度寺 大雄殿의 特殊性

申龍澈*

目 次

Ⅰ. 머리말

통도사는 646년 신라의 大國統 慈藏律師가 金剛戒壇을 쌓아 중국에서 가져온 불사리를 안치하고 모든 사람들을 濟度함과 동시에 한국 불교의 戒律을 정한 곳이다. 이후 단 한번도 법통이 끊어지지 않고 1400여년이 지난 지금까지 한국 불교의 구심점으로 자리하고 있다. 이 같은 역사를 대변하듯 통도사에는 약 80여동의 건물이 중창과 중

그림 1. 통도사 전경

수를 거치며 남아 上爐殿, 中爐殿, 下爐殿으로 구성된 三爐殿制의 독특한 가람체계를 형성하게 되었다(그림 1).

이 가운데 대웅전(국보 제290호)은 상로전의 중심건물이면서 한국 불교건축 가운데 그 유례를 찾아 볼 수 없는 독특한 평면구조와 지붕형태로 일찍부터 주목되었다. 일반적으로 사찰은 南北軸線을 기준으로 형성하는 것이 기본이지만 통도사는 구릉에 동서축으로 넓게 펼쳐진 공

* 양산시립박물관장

간을 사역으로 삼았다. 왜 그곳에 가람을 형성해야만 했는지 의문이다. 왜냐하면 그곳이 아니라 근방에 남북축선의 넓은 공간은 얼마든지 있었다. 통도사가 현재의 자리에 들어선 정확한 이유는 아직 알려지지 않고 있다. 다만 통도사 건립의 핵심이었던 금강계단이 그 곳에 定點했기 때문에 이를 중심으로 가람이 형성된 것에는 異見이 없을 것이다.

남북축선의 가람은 中門을 최남단에 배치하고 단탑이나 쌍탑을 금당 앞에 건립하고 강당을 금당 後面에 두는 배치를 보이고 있다. 그런데 동서축의 산지가람에서는 이와같은 가람배치는 불가능하다. 대웅전은 어떠한 사찰에서나 가람에 있어 가장 중요한 위치를 지닌다. 그래서 남북축선의 가람에서는 대웅전을 중앙에 위치하게 하고 중문에서 대웅전이 한눈에 확인되는 조영을 하고 있다. 그런데 동서축선의 가람배치에 건물의 숫자가 많은 통도사에서는 자칫하면 통도사에서 가장 중요한 금강계단과 대웅전의 위치를 잃어버리기 쉽다. 그러므로 어떠한 방법이든지 가람상에서 대웅전의 모습을 한눈에 들어오게 했으리라 짐작되는데, 통도사 대웅전은 이와 같은 동서축선의 가람배치에서 오는 난점을 부속 건물의 배치와 대웅전 건물자체의 장엄으로 완벽하게 소화해 내고 있다.

이에 본 글에서는 통도사 부속건물이 대웅전과 어떠한 관계 속에 배치되는가와 대웅전 자체에 표현된 각종 장엄을 통하여 지형이 갖는 난점을 어떠한 방법으로 극복해 나갔는가를 알아보고자 한다. 이를 통하여 국내유일의 丁자형 지붕구조를 지닌 독특한 대웅전 건물의 특수성과 상징성을 파악해보고자 한다.

Ⅱ. 가람배치의 의문점

예로부터 사찰의 입지를 定點할 때는 두 가지 방법이 이용되었다. 첫째, 장소를 먼저 설정하고 그 장소에 따른 건축 계획을 수립하는 경우이고, 둘째, 건축의 기본적인 계획을 수립한 이후에 그 계획에 맞는 장소를 선정하는 경우도 있다. 전자의 경우 경주 황룡사가 대표적이며, 후자는 불국사가 대표적이다. 아직까지 이러한 문제에 대하여 구체적으로 논의된 적은 없지만, 김대성에 의해 발원된 불국사는 그 건축에 있어 모든 건축이 당시대에 건립되었음을 알 수 있다. 말하자면 불국사는 기본적인 건축설계가 끝난 상태에서 그에 부합하는 토함산의 서쪽 기슭을 찾아 현재와 같은 석축의 아름다움이나 가람의 형태를 만든 것이 아닌가 한다.

통도사는 주변 환경과 가람배치 상에서 봤을 때 위에서 언급한 두 가지 사례 중 전자에 속한다고 할 수 있다. 결국 가람이 들어설 장소를 먼저 설정하고 그 장소에 맞는 건축을 건립했을 것이라는 것이다. 일반적인 절들은 남북축선상에 각각의 건물들을 건립한 것에 비하여 통도사는 동서축선상으로 길게 뻗은 계곡을 따라 있는 지형이었기 때문에 당시의 일반적인 가람배치에 있어서 대사찰을 지을 공간적 구조가 아니었다는 것이다. 그럼에도 불구하고 이곳에 통도사라는 대 사찰을 건립한 이유는 자장율사가 부처님의 진신사리를 봉안해야만 했던 어떤 필연적인 이유가 있었던 것으로 생각된다.

현재까지 통도사 건축을 연구한 연구자들이 중요시한 문제는, 과연 초창 가람 형태가 어떠한 것이었겠느냐 하는 것이다.[1] 현재 통도사 경내에 있는 주요 목조건물은 임진왜란후 17세기 이후의 건물들이며 18세기에 와서 현존 가람의 틀이 완성되었다. 통도사의 가람은 신라 선덕여왕 15년(646) 자장율사가 석가

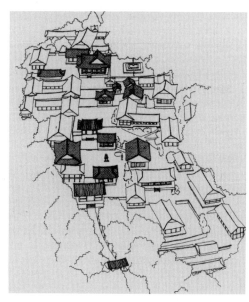

그림 2. 통도사 가람배치도

모니의 정골·치아·금란가사를 봉안한 것에서 시작되었다.[2] 그러나 현재 통도사의 목조건축은 말할 것도 없고 기단과 초석 등 석조물에서도 창건 당시는 물론이고 신라 시기까지 끌어올릴만한 유구는 없다.[3]

---

1) 지금까지 연구성과 중 주목받은 연구목록은 다음과 같다. 김봉렬, 「불교적 건축이론—통도사」, 『이상건축』, 1996; 최상헌, 『한국산지가람건축의 외부공간의 구성에 관한 연구』, 서울대학교대학원, 1979; 김경표, 『한국고대 불사의 조형공간에 관한 연구—통도사를 중심으로』, 부산대학교대학원, 1979; 울산공대 건축학과, 「통도사 가람배치 실측조사보고서」, 『울산공대연구논문집』 제11권 3호, 1980; 안영배, 「통도사 가람배치에 관한 연구」, 『대한건축학회지』 25권 48호, 1981; 김광현, 「통도사의 중층적 전개에 관한 형태분석」, 『대한건축학회지』 29권 122호, 1985; 이규성, 「정연한 건축체계로서의 통도사 건축」, 『대한건축학회지』 29권 127호, 1985; 한동수, 「통도사의 영역구조분석과 형태과정에 관한 연구」, 한양대학교대학원, 1985; 손승광·임충신, 「통도사 전각들의 영조척도 고찰」, 『대한건축학회논문집』 2권 1호, 1986; 윤성호, 『한국사원건축 외부공간의 상징성에 관한 연구』, 국민대학교대학원, 1987; 임충신, 「통도사 금강계단의 영조척도 고찰」, 『불교문화연구』 제2집, 영취불교문화연구원, 1991; 홍광표, 「통도사의 입지선정과 공간구성 변화에 관한 연구」, 『불교문화연구』 제2집, 영취불교문화연구원, 1991; 한국불교연구원, 『통도사』, 일지사, 1974; 김동현 외, 『통도사』, 대원사, 1991; 한정호, 「통도사 대웅전의 제문제에 대한 고찰」, 『불교고고학』 3호, 위덕대박물관, 2003; 신용철, 「통도사 영산전의 역사와 건축의 장 고찰」, 『불교미술사학』 6집, 불교미술사학회, 2008.
2) 『三國遺事』 卷第4, 塔像, 前後所將舍利條.
3) 김동현은 大雄殿의 基壇을 新羅時代 것으로 보고 있다. (김동현 외, 『통도사』, 대원사, 1996, 39쪽) 근래에 발간된 보고서에서는 기단을 고려시대 것으로 보고 있다.
　架構式으로 구성된 기단은 地臺石 위에 面石과 隅柱 그리고 撑柱를 설치하고 그 위에 甲石을 얹어 놓은 방식으로 구성되어 있다. 그러나 부분적으로 면석과 탱주가 몇 개씩 붙어 한 부재로 구성되어 있고 부재 가공의 정밀도가 떨어지는 등 통일신라시대의 典型的인 가구식 기단과는 그 구성 기법이나 치석 수법에 차이가 있다.…(중략)… 기단의 造成年代에 대해서는 아직 확실한 고증이 되지는 않았고, 다만 초창의 모습을 남기고 있다고 보거나 고려시대의 중수시에 조성된 것으로 보기도 하며 혹은 조선시대의 중수시에 현재의 모습으로 된 것으로 보기도

『佛宗刹略史』에 의한 각 건축물의 창건 연대를 보면 현 가람의 확장범위를 알 수 있다.[4] 현재 통도사의 입구인 일주문과 불이문은 1305년에, 천왕문은 1337년에, 그리고 중로전과 하로전 일대의 건물들이 대부분 14세기 이후에 초창되었음을 알 수 있다. 결국 이『불종찰략사』에 충실 한다면, 동서축의 현재 가람의 형태는 14세기 이후에 구축되었음을 알 수 있다. 그렇다면 고려시대 이전의 가람은 어떠한 형태였을까 하는 의문이 남는다. 우선 금강계단과 대웅전영역은 초창 당시에는 어떠한 식으로든지 건축물이 있었던 것은 확실하다.[5]

통도사의 가람배치도를 보면, 동서축으로 길게 뻗은 지형상 대웅전 영역이 남북선으로 가장 넓은 영역임을 알 수 있다(그림2). 필자는 초창때의 모습을 추정하는 과정에서 현재의 상로전 영역, 즉 대웅전을 중심으로 한 남북축선상에 가람을 설립한 것이 아닌가 한다. 전통적으로 고려 이전의 가람에서는 금당(대웅전)을 중심으로 회랑을 두르기 마련인데 현재 대웅전을 중심으로 한 산령각-응진전-설법전-세존비각을 잇는 선으로 회랑이 둘러져 독립된 영역을 형성했던 것으로 보고 있다.[6] 만일 이러한 구조로 회랑이 둘러져 있었다면 그 출입구는 어디였을까. 조심스럽기는 하지만 남쪽으로 그 출입구가 나 있었을 가능성이 높다고 생각한다. 결국 초창가람의 형태는 남북축선의 가람으로 건립되었다가 고려시대에 들면서 동쪽으로 사역을 넓혀 갔음을 알 수 있다. 그런데 여기서 한 가지 의문이 남는다. 이 글에서 본격 논의하고자 하는 대웅전의 구조상의 문제인데, 남쪽 정면관으로 대웅전을 건립하였다면 의장적인 면에서 동쪽에 치중을 하게 된 것이 어느 때인가라는 점이다. 이 점은 다음 장에서 본격적으로 논의하겠지만 그 관계는 대웅전의 기단에서 찾아보아야 할 것이다. 말하자면 14세기 이후 동서축으로 가람을 넓혀가는 과정에서 일주문과 천왕문, 불이문을 잇는 축선의 형성과 때를 맞추어 대웅전 역시 동쪽면에 의장적으로 치중하는 양상을 나타낸 것이라 생각한다.[7]

Ⅲ. 대웅전의 구조

대웅전은 통도사의 중심 건물로 상로전의 주건물이다. 평면은 정면 3칸, 측면 5칸의 규모이

한다(靈鷲叢林 通度寺,『通度寺 大雄殿 및 舍利塔 實測調査報告書』, 1997, pp. 177～179).

4) [佛宗刹略史],『通度寺誌』, 아세아문화사, 1978, pp. 147 193.

5) 손승광·임충신은 금강계단과 대웅전의 초석들의 간격에 사용된 척도가 고려척이며, 고려척은 삼국시대에 일반화됐던 영건척으로 이 건물들의 초창년대가 창건가람 당시의 것임을 입증했다.(손승광·임충신,「통도사 전각들의 영조척도 고찰」,『대한건축학회논문집』2권 1호, 1986.)

6) 김봉렬,「불교적 건축이론-통도사」,『이상건축』, 1996. 2, p.92.

7) 木造建築은 壬辰倭亂 이후의 것이지만 基壇은 대체로 高麗時代의 것으로 보고 있다. 결국 高麗時代에 基壇에 대한 增築이 있었고 階段 구조에서 東面에 더 화려한 신경을 쓰고 있는 것은 14세기 이후 東西軸 伽藍이 형성된 이후로 여겨진다.

며, 두 개의 건물을 복합시킨 평면형이 특이한 건물로, 기둥의 배치가 다른 건물에서 찾아 볼 수 없는 독특한 구조를 가지고 있다(그림3).

그림 3. 통도사 대웅전, 국보 제290호

현재의 건물은 임진왜란 때 전소된 것을 인조22년(1644)에 友雲堂 眞熙가 중건한 것이고 기단은 고려 때의 것이나 혹은 조선시대의 것으로 보고 있다. 기단의 형식은 地臺石, 面石, 甲石 등을 조립한 架構式 기단이며 石階의 배치는 원래부터 현존의 건물과 같은 평면형이었을 것으로 생각된다. 내부에는 불상을 모시지 않기 때문에 불단은 拜殿의 기능만을 갖고 있는데, 북쪽에는 동서방향으로 길게 불단만이 있고 그 앞쪽 중앙에 說法床이 있다.

건물의 구조 형식을 보면 공포는 多包式으로 外3出目, 內4출목으로 7包作이다. 외부는 모두 牛舌가 仰舌로 되고 내부는 翹頭形으로 되었다. 천정은 우물천정인데 층급을 두어 중심부를 가장 높게 처리하였고 내부바닥은 우물마루를 깔았다.

지붕은 팔작지붕의 복합형인 丁字形이며 기와 가운데는 철제와 청동제 기와가 올려 있어 다른 건물과의 차이를 보인다. 지붕 정상 중앙에는 청동제 보주를 올려놓았는데 이것이 목탑의 흔적인지도 모르겠다. 이 건물은 사면에 편액을 걸어 놓은 것 또한 특징인데 동쪽이 大雄殿, 서쪽이 大方廣殿, 남쪽이 金剛戒壇, 북쪽이 寂滅寶宮이라고 되어 있다.

1. 임진왜란 이전의 모습

현재의 대웅전은 앞서 언급한 바와 같이 임진왜란 이후 중건된 것이다. 그렇다면 처음 건립한 신라시대부터 임진왜란 전까지 어떠한 모습이었겠느냐 하는 것이 중요한 문제가 될 수 있다. 이 문제에 대하여 김봉렬은 금강계단 위치의 문제와 그 생김새가 고려후기의 것으로 보이고 형태에 있어서도『삼국유사』에 언급된 솥뚜껑 모양임을 들어 초기의 계단은 木塔의 형상이었을 것으로 보고 현재 3×5칸의 대웅전의 기단이 금강계단쪽으로 증축된 것임을 들어 원래의 기단은 3×3칸의 正方形 평면이었고 이러한 구조는 목탑의 구조에 충실한 구조라고 하였다.[8] 결국 현재의 대웅전이 목탑이었을 가능성을 시사한 것이라 할 수 있다. 그리고 동측기단 전체와 남측기단의 계단 동측부분에는 기단의 바깥쪽으로 마치 塔區처럼 다시 한 단의 석재가 설

---

8) 김봉렬, 앞의 논문, p.93.

그림 4. 통도사 금강계단

그림 5. 통도사 대웅전 지붕의 보주

치되어 있고 석재 바깥으로 배수로가 설치되어 있어, 대웅전이 탑이었을 가능성을 더욱 높여준다.[9] 이러한 문제를 해결하기 위해서는 먼저 금강계단의 성격을 규명해야 한다고 생각하는데 이와 관련된 기사가 『三國遺事』에 있어 주목된다.

　…이때를 당하여 나라 안사람으로써 계를 받고 불법을 받는 이가 열 집에 여덟, 아홉은 되었다. 머리를 깎고 중이 되기를 청하는 이가 세월이 갈수록 더욱 많아지니 이에 통도사를 새로 세우고 계단을 쌓아 사방에서 오는 사람들을 제도했다…[10]

　이 기사를 통하여 금강계단의 성격을 파악할 수 있는데, 즉 통도사의 금강계단은 계율을 받는 곳으로서 먼저 이해되어야 한다는 것이다. 말하자면 금강계단은 당시 불가에 입문하려는 사람들이 부처님의 사리가 봉안된 신성한 곳에 와서 계를 받는 곳으로 신성성이 부여된다는 것이다(그림 4). 김봉렬의 주장대로 현재의 대웅전 기단은 동쪽면과 서쪽면의 북단에서 후대의 증축한 흔적이 발견된다. 이는 고려시대 이후의 것으로 임진왜란 이후에 현재의 대웅전 건물을 만들기 위하여 증축한 것으로 보인다.

　그런데 증축 이전의 기단에서는 앞서 말한대로 3×3칸의 정방형 공간이 마련된다. 이는 대웅전이 임진왜란 이전에는 정방형의 건물임을 말해 주는데 이것만 가지고는 목탑이라는 중층의 건물이었는지는 확인할 길이 없다. 다만 필자가 생각하는 건축의 형태는 위에서 언급한 수계의 장소로 신성을 갖기 위해서는 적어도 밝은 장소였을 것이라는 점과, 다른 사찰의 강당의 역할도 병행하였던 것으로 생각되는 방형의 공간이었을 것이라는 것이다.

　아울러 현재 지붕 상부 중앙의 청동제 寶珠는 현재 이전의 건물형태를 답습한 것으로 생각된

---

9) 靈鷲叢林 通度寺,『通度寺 大雄殿 및 舍利塔 實測調查報告書』, 1997, p.167.
10)『三國遺事』, 卷4, 義解, 慈藏定律條.
　"…當此之際 國中之人 受戒奉佛 十室八九 祝髮請度 歲月增至 乃創通度寺 築階段 以度四來…"

그림 6. 일본 호류지 유메도노   그림 7. 법천사 지광국사현묘탑

다(그림 5). 이는 목탑의 모습을 본뜬 사모지붕의 형태이고, 정상부에 현재와 같은 보주가 장식된 것이 아닌가 하는 생각을 해볼 수 있다. 이와 관련하여 일본 나라(奈良)의 호류지(法隆寺)의 유메도노(夢殿)를 살펴보면, 지붕 정상부에 청동제 보주를 올린 것이 동일하다(그림 6). 이 건물은 팔각당이라는 점이 차이가 있으나, 대웅전의 기단과 청동보주를 함께 고려한다면 사모지붕이었을 것으로 추정된다. 즉, 팔작지붕이나 맞배지붕의 경우 사모ㆍ육모ㆍ팔모지붕처럼 청동보주를 올릴 수 있는 위치가 마련되지 않기 때문에, 사모지붕으로 추정이 가능하다.

사모지붕은 이미 부여 출토의 동탑편이나 일본 호류지의 목탑구조에서 오래전부터 사모지붕의 형태가 발생 유행하였던 것을 짐작할 수 있다. 다만 현재 조선 이전으로 올라가는 목조 사모지붕이 남아 있지 않은 상황이어 사모지붕의 정상부에 올려진 보주의 형태를 짐작하기는 어려우나 고려시대 석조건축에서 그 일례를 찾아 볼 수 있다. 현재 경복궁 정원에 있는 法泉寺智光國師玄妙塔(1085년)은 형태가 방형 2층으로 각 부분에서 보여지는 화려한 장엄과 더불어 건축의장에서도 뛰어나 당시의 목조건축과 비교할 만한 작품이다. 이 묘탑은 지붕이 방형의 사모지붕 형태를 지니고 있고 정상부의 상륜부가 통도사 대웅전 상륜부의 보주와 비슷한 형태를 가지고 있다(그림 7). 즉 상륜의 원형으로 처리된 복발 위에 이를 덮는 보개가 있고 그 위에 원형 보주로 마무리되고 있어 통도사 대웅전 보주와 그 기본 구조가 매우 동일함을 볼 수 있다. 바꾸어 말하자면 통도사 대웅전의 보주의 성격을 알 수 있는 것이다. 즉 통도사 대웅전은 조선시대 복원시 정상부에 이와 같은 보주를 설치함으로 사모지붕의 전통을 충실히 반영하면서 복원한 것으로 보아 무방하리라 생각된다.

따라서 창건 당시의 대웅전과 금강계단의 모습은 현재와 크게 다르지 않아, 정방형의 대웅전이 위치하고 그 뒤에 금강계단이 위치해 신성성을 부여했을 것으로 보인다.

2. 가람배치상의 대웅전

통도사 대웅전의 구조적 특징은 동서축 가람이 완전히 형성된 14세기 이후의 가람에서 현재에 이르는 가람의 특징이라 할 수 있다. 즉 동서축선의 공간적 어려움을 대웅전에 이르는 과정으로 직접 체험하다 보면 이를 얼마나 효과적으로 처리하였는지를 알 수 있다. 대웅전은 통도사 서쪽의 가장 깊숙한 위치에 있다. 가람 배치상 가장 깊숙한 곳에 위치해 있어 50여동이 넘는 많은 건물들에 둘러싸여

그림 8. 불이문에서 바라보는 대웅전

대웅전의 위치를 자칫하면 잃어버리기 쉽지만 통도사의 주축선과 건물의 배치는 대웅전을 위한 길로 표현되어 있다. 우선 일주문에 서서 천왕문 쪽을 바라보면 길이 휘어져 있다. 이는 직선적인 길보다 공간적 깊이를 더해주며 좌우 비대칭균형이라는 한국 산지가람의 특성을 잘 보여주고 있다. 천왕문은 몇 개의 높은 계단을 통해 불국토로 들어섬을 느끼게 해주는데 참배자의 위치에서는 불이문이 정면으로 다가서고 멀리 대웅전의 동측 계단이 보인다(그림 8). 참배자가 불이문으로 다가설 때마다 불이문 안으로 들어오는 대웅전의 모습이 점차 점철되는데 불이문에 올라서면 대웅전의 동쪽면이 완전히 들어온다.[11]

결국 가람상에 나타난 모든 건물의 구조는 대웅전에 이르는 기본적인 구조를 가지고 조영되어 가람의 중심이 대웅전을 향하고 있음을 볼 수 있는데 중요한 것은 대웅전에 이르는 길이 남북축이 아닌 동서축이라는 점이다. 그렇기 때문에 통도사 대웅전이 분명 남면이 정면임에도 불구하고 동면에 많은 건축적 의장과 건축적 공간을 표현하고 있다.

3. 구조적 특징

앞서 언급한 바와 같이 대웅전은 예배자가 동쪽에서 서쪽으로 들어오는 구조적 특징 때문에 가람 내에서 주요 문의 배치나 공간적 구조에서 대웅전의 동쪽으로 이르는 구조를 택하고 있다.

---

11) 불이문에 서서 대웅전의 동쪽면을 바라보면 관음전의 처마에 의해 대웅전 북쪽면이 가려짐을 볼 수 있는데 관음전 건물은 영조 원년(1725)에 초창된 것으로 불이문에서 바라보는 대웅전의 모습을 많이 잠식하고 있다. 그러나 대웅전과 불이문이 관음전보다 이전에 지어진 건물이고 공간적 의도는 불이문에서 대웅전이 한눈에 보이도록 조영한 의도를 알 수 있다.

그렇기 때문에 예배자가 처음 당도하는 지점
은 대웅전 동편이 된다. 통도사 대웅전은 그
건축적 특성이 다른 건물에서는 찾아 볼 수 없
는 독특한 구조를 지니고 있어 매우 유명하다.
그런데 이러한 구조는 바로 통도사의 독특한
가람구조가 가지고 있는 구조적인 공간에서
탄생된 것이라 할 수 있다. 본 장에서는 정면
인 남면보다는 예배자가 제일 먼저 당도하는
동면에 어떠한 구조적 특징으로 동쪽면을 부

그림 9. 대웅전 기단부

각시키고 있으며 그것이 대웅전 전체에는 어떠한 영향을 미쳤는가에 대하여 알아보고자 한다.

1) 기단과 계단

앞서 언급한 바와 같이 대체로 이 가구식 기단에 대하여 고려시대의 유구나 조선시대 중수할
때의 모습으로 보기도 한다.[12]

현재 기단의 면석을 살펴보면, 남면에 9개, 동면에는 12개의 화문이 양각되어 있다. 또 다른
특이점은 면석사이의 우주나 탱주를 2중으로 모각하는 소위 겹기둥 형식이 나타난다는 점이
다. 그런데 이와 같은 기법은 범어사 대웅전 기단, 울산 운흥사지 승탑 기단에도 보이는데, 이는
통도사 대웅전을 중건한 우운당과 연관된 곳에서만 나타난다는 특징을 지닌다. 따라서 통도사
대웅전 석조기단은 1644년 우운당의 중건 때에 조성되었을 가능성이 높다(그림 9).[13]

대웅전의 북쪽 금강계단은 인공으로 축대를 쌓고 공간을 마련하였는데 이 축대는 대웅전의
기단보다 높은 지대이므로 대웅전 북쪽을 제외한 3면에 기단이 마련되어 있다. 남쪽과 동쪽은
가구식으로, 장대석으로 석주를 세우고 이 석주 사이에 면석을 끼워 넣고 이 위에 다시 갑석을
덮어 마감했다.[14] 반면, 서쪽은 장대석으로 되어 있다. 현재 서쪽면은 대지가 높은 상태이기는
하지만 기단의 상태로 보면 남쪽과 동쪽면에 많은 배려를 하고 있다. 여기서 주목되는 것은 동
쪽기단 북쪽으로 확장된 면석이다. 이것은 물론 임진왜란 이후 대웅전을 중축하면서 넓힌 면으
로 생각되는데 결과적으로 2칸의 건물이 넓어진 상태를 볼 수 있다. 이는 중건시 동쪽면의 건축
을 남쪽면보다 넓게 하기 위한 배려였던 것으로 생각되는데 결과적으로 동쪽면이 남쪽면에 비
하여 시각적으로 정면관임을 나타내기 위해 증축한 것이 아닌가 생각된다.

---

12) 靈鷲叢林 通度寺, 앞의 책, 1997, p.179.
13) 신용철, 「우운당 진희 분사리탑 연구」, 『동악미술사학』 17호, 동악미술사학회, 2015, pp.735 736.
14) 朱南哲, 『韓國建築意匠』, 一志社, 1992, p.39.

그림 10. 동쪽면 소매돌

이와 같은 것은 동·남면의 계단을 비교하면 확연히 드러난다. 동쪽과 남쪽의 석계는 각각 측면에 菊花, 蓮花 등의 화문이 조각된 소맷돌이 설치되어 있는 구조이다. 그런데 주목되는 것은 동측면의 계단이 남쪽의 정면계단보다 길이가 넓고 중간에 연판이 양각 되어 있다는 점이다. 이것은 역시 주 진입로인 동쪽에 보다 많은 배려를 하고 있음을 보여준다. 동쪽 계단은 6개의 디딤돌이 상하로 얹히지 않고 상단의 석재 옆면에 하단의 석재 옆면이 접하는 방식으로 처리되어 있고 양측의 소맷돌은 두번째 디딤돌 위에 설치되어 있다. 남쪽 계단은 동쪽 계단에 비하여 계단의 폭이 좁고 소맷돌의 문양도 동쪽 것이 더 화려한 감을 주고 있다(그림 10).

2. 기둥과 주초

대웅전 사면 外陣柱礎는 모두 16개이다. 형태는 圓形柱座를 마련한 초석과 막돌 초석의 2가지로 분류해 볼 수 있다. 남쪽면은 모두 方形의 주초 상면에 원형의 주좌를 다듬어 놓은 형식이고 북동쪽면의 1개의 隅柱 초석을 제외하면 모두 남쪽면과 동일한 주초의 형식이다. 나머지 서쪽과 북쪽면의 7개의 초석은 모두 막돌 초석으로 되어 있다. 앞서 언급한 바와 같이 대웅전의 기단의 구조는 고려시대의 것으로 생각되는데, 임진왜란 이전의 건물의 형태가 사모지붕의 형태였다는 것을 고려하면 3×3칸의 건축구조의 주초에서 보여지는 동남면에 보다 많은 배려가 있었음을 알 수 있다. 더구나 대웅전 평면도를 보면 내진주가 위치한 지점이 정확히 3×3칸의 방형구조를 갖고 있다는 점이다(그림 11). 이는 조선시대 중축이전 건물의 형태는 방형의 구조임을 알려주는 것이다. 결국 기단과 주초의 형태로 보아 통도사 건축이 동쪽으로 확장되던 고려시대에 대웅전의 주초가 현재의 형태로 완성된 것으로 보

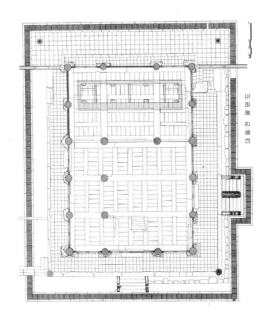

그림 11. 대웅전 평면도

인다. 다만 북쪽면으로 확장된 1칸의 주초는 조선시대 중건때의 것이 확실한데 조선 시대의 대부분 사찰에서 이러한 막돌 초석이 주류는 이루는 것과 같은 현상이다.[15]

3. 벽과 창호

고건축에서 벽체와 창호의 관계는 건물내부의 채광과 직접적인 관계가 있는 요소이다. 대부분의 불교 건축물은 남면을 제외한 나머지 부분을 벽체로 처리하고 있어 내부가 어두운 감을 주고 있으며 장엄한 공간의 상징성을 지니고 있는 것이 보통이다. 그러나 통도사 대웅전의 경우는 이와는 전혀 다르다. 즉 서쪽의 북측 2면을 제외하고는 모든 면을 창으로 설치하고 있다. 즉 건물내부의 채광 효과를 극대화 하고 있는 것이다. 앞서 언급한 바와 같이 통도사 대웅전은 다른 사찰의 대웅전과는 달리 戒를 받는 곳이므로 채광을 통한 신비스러움을 나타내려는 목적이 있었을 것으로 보인다. 그리고 측면인 서쪽면에는 2칸에 벽체를 설치한 것에 반하여 반대편 측면인 동쪽은 모든 면을 창호로 처리하고 있는데, 이는 역시 동쪽면에 대한 배려임을 알 수 있고 이러한 점은 서쪽을 背面으로 표현하고자 한 것이 아닌가 한다.

그림 12. 대웅전 남면창호

그림 13. 대웅전 동면창호

15) 김봉렬, 앞의 논문, p.43.

창호의 경우는 대부분의 살의 짜임은 正字窓, 빗살, 빗꽃살의 세 가지가 사용되었는데 남쪽 면은 모두 정자살로(그림 12), 동쪽면은 御間 두짝이 꽃살이고 나머지는 교살로 서쪽면은 두 짝 중 남측 것만 교살이고 나머지는 모두 격자살로 되어 있다. 역시 여기서도 교살이나 격자살이 아닌 꽃살로 처리된 면이 동쪽면이라는 것이다(그림 13).

4. 지붕

남쪽면에서의 지붕은 전형적인 팔작지붕의 합각에 해당되는 부분으로 측면에 해당된다. 건 물의 구조에 있어서도 정면은 3칸인데 비해 측면이 5칸으로 지붕을 고려하지 않는다면 대웅전 건물은 외관상 동면을 정면관을 삼은 건물임에 확실하다. 그러나 이러한 기본적인 구조는 독특 한 지붕을 통해 변형된다. 지붕은 정자형의 지붕으로 사리탑이 있는 북면을 제외한다면 동·서·남측이 하나의 합각을 가진 특이한 건물구조가 된다. 합각은 외진 기둥열 선상에 설치되어 있어 규모가 상당히 크게 만들어져 있다. 서측면의 합각부에는 쪽문을 설치하여 지붕속으로 들어 갈 수 있게 되어 있다. 기본적으로 팔작지붕을 ‘丁’자형으로 구성하였으므로 지붕에는 용마루, 합각마루, 추녀마루가 설치되어 있는 지붕의 구조를 하고 있는 것이다.

먼저 남측면에서 보면 팔작지붕의 합각에 해당되는 측면이나 뒤로 물러나 보면 동서로 뻗은 정자형 지붕의 양쪽 용마루가 보여 금강계단을 감추고 있는 듯이 보인다. 동·서측면에서는 팔 작지붕의 정면에 해당된다. 그런데 서측면은 북쪽 2칸에 벽체가 마련되어 있으므로 배면으로 처리한 듯한 느낌을 주고 동쪽면 또한 지붕의 한면이 합각으로 처리되어 있어 정면관인 듯 하 면서 측면관인 듯 한 이중적 요소를 엿볼 수 있다. 다만 북쪽면에서는 팔작지붕의 전형적인 모 습을 보임으로 확실한 배면관임을 알 수 있는데 벽체를 적당히 쌓고 창호를 높게 설치하여 낮 은 모습으로 대웅전 내에서 금강계단이 볼 수 있는 배려를 하고 있다(그림 14). 결국 지붕에 있

그림 14. 통도사 대웅전
(위에 왼쪽부터 시계방향으로 동서남북 순)

그림 15. 통도사 대웅전 철기와

어서도 동면과 남면의 정면관을 표현하면서 남면이 실제적인 정면임을 나타내는 구조를 보여주고 있는 것이다.

마지막으로 지붕에 올려진 기와이다. 현재 흙으로 구워진 기와를 한 장 들어내면 모든 지붕에는 철기와가 있다. 그런데 동쪽면에만 특이하게 막새기와를 철기와로 만들어 놓았는데, 그 가운데 20여장이 銅으로 만든 조선시대 막새기와가 있다. 결국 지붕에 있어서도 동면과 남면의 정면관을 표현하면서 남면이 실제적인 정면임을 나타내는 구조를 보여주고 있는 것이다(그림 15).

이상에서 통도사 대웅전이 갖는 가람 내에서의 구조와 예배자의 도착점인 동쪽면을 어떠한 방법으로 처리하고 있는가에 대하여 몇가지 장엄과 의장적인 면에서 살펴보았다. 대부분의 사찰은 남쪽면을 정면관으로 취하고 남쪽면에 보다 많은 장엄을 하고 있다. 그러나 통도사 대웅전은 동서축이라는 독특한 가람구조 때문에 다른 불전에서 볼 수 없는 동쪽면에 보다 많은 장엄을 하고 있다는 것을 알 수 있었다. 이는 한국불교의 대표건축인 통도사 대웅전이 어떤 특별한 儀軌보다는 자연환경과 지형에 따라 건립되고 장엄되었음을 보여주는 독특한 사례로 주목된다고 할 수 있다.

Ⅳ. 맺음말

지금까지 살펴본 통도사 대웅전을 통해 다음과 같은 몇 가지 결론을 나름대로 도출해 볼 수 있다. 먼저 통도사 대웅전과 가람의 모습을 복원 추정함에 있어 선행되어야 할 것이 초창에서 임진왜란 이전의 모습이었다. 그것은 주초와 기단의 구조적 문제에서 사모지붕임을 추정하였다. 현재 대웅전 정상부에 놓여진 보주는 사모지붕의 형태를 답습한 모습으로 이해되며 고려시대의 석조물에서도 비슷한 모티프를 가진 내용을 찾을 수 있었다. 이러한 구조는 통도사 대웅전이 갖는 수계의 장소로서의 신성성을 추구하고자 함과 동시에 사면벽에 창호를 설치함으로 채광효과를 극대화 하려는 구조적 특징으로 나타나기도 하였다. 13세기 이후 통도사의 전체적인 가람이 불이문과 천왕문 등 동쪽으로 확장되면서 가람 구조에 맞게 대웅전의 의장들이 고안되고 추가되었을 것으로 보인다. 즉 기단과 계단 구조가 동면에 많은 의장적 요소들을 드러낸 시기라고 할 수 있는 것이다. 마지막으로 임진왜란 이후 건물이 중건되면서 본격적으로 동면에 더 많은 의장적 요소를 나타내는데 북편으로 2칸을 확장하면서 남면보다 동면이 상대적으로 길어진 모습을 보이며 벽체와 창호에서도 이와 같은 현상을 나타냈다고 볼 수 있다. 그러나 대웅전의 지붕이 팔작지붕으로 처리되었다면 이와 같은 요소는 남면을 버리고 동면을 정면관으로 취했을 것이나 지붕의 처리를 '丁'자형으로 처리함으로 동면이 측면관이라는 것을 암시하였다.

이상으로 동서축으로 확장된 산지가람에서 건축의 기본축인 남면을 버리지 않으면서 이를 효율적으로 극복하고자 했던 통도사 대웅진의 변천과 기본직인 의장에 내하여 살펴보았다. 고대의 건축에는 현대인의 풀어야만 하는 비밀이 숨겨져 있다. 더구나 종교적 건축물에서는 나름대로 표현해야만 하는 상징성을 지니고 있기에 그것에 대한 교리적 해석이 뒤따라야 하는 것이다. 그러나 여기서 간과해서는 안되는 것은 지형적인 면이다. 즉 건축의 기본적 상징성과 지형적 요소를 동시에 추구해야만 그 내적 의미를 바로 파악할 수 있는 것이다. 통도사 대웅전은 이와 관련한 대표적인 것으로 지형상의 난점을 건축에서 나타낼 수 있는 모든 것으로 완벽하게 소화해낸 대표적인 불교문화유산이라 할 수 있다.

【참고문헌】

『三國遺事』.

靈鷲叢林 通度寺,『通度寺 大雄殿 및 舍利塔 實測調査報告書』, 1997.
通度寺 聖寶博物館,『韓國의 名刹 通度寺』, 1987.
『通度寺』, 一志社, 1974.
『通度寺誌』, 아세아문화사, 1978.
김동현 외,『통도사』, 대원사, 1996.

朱南哲,『韓國建築意匠』, 一志社, 1992.
김봉렬,「불교적 건축이론」,『이상건축』, 1996.
손승광·임충신,「통도사 전각들의 영조척도 고찰」,『대한건축학회논문집』 2권 1호, 대한건축학회,
        1986.
신용철,「통도사 영산전의 역사와 건축의장 고찰」,『불교미술사학』 6집, 불교미술사학회, 2008.
_____,「우운당 진희 분사리탑 연구」,『동악미술사학』 17호, 동악미술사학회, 2015.
한정호,「통도사 대웅전의 제문제에 대한 고찰」,『불교고고학』 3호, 위덕대박물관, 2003.

18세기 刊, 『海東地圖』와 『輿地圖書』에 수록된 江原地域의 寺刹 檢討

洪性益*

目 次

I. 머리말

　필자는 강원지역의 불교상에 관심을 갖고 현장과 문헌자료를 찾아 이를 정리하여 발표해 왔다.[1] 그렇지만 강원지역은 면적이 넓고 산악이 많으면서도 민간인이 출입할 수 없는 군사보호

* 강원대학교 사학과 강사 · 강원도 문화재전문위원

1) 홍성익,「청평사적에 대한 새로운 접근」,『춘주문화』7, 춘천문화원, 1992;「춘천·화천지역 부도에 관한 연구」,『춘주문화』9, 춘천문화원, 1994;「북한강 유역의 불교유적 고찰」,『강원문화사연구』4, 강원향토문화연구회, 1999;「강원지역의 석탑 조사보고」,『춘천칠층석탑 정밀실측 및 수리공사 보고서』, 2000;「홍천 신봉리사지 탑재에 대한 시론」,『강원지역문화연구』1, 강원지역문화연구회, 2001;「진전사지 도의선사 부도 名에 대하여」,『강원사학』17·18, 강원사학회, 2002;「영월 보덕사 창건년대에 관한 연구」,『강원문화사연구』10, 강원향토문화연구회, 2005;「강원도 수타사·봉복사의 서곡당 이분사리 부도에 관한 연究」,『강원문화연구』25, 강원대학교 강원문화연구소, 2006;「조선후기 환적당의 팔분사리 부도에 관한 연구」,『박물관지』13, 강원대학교 박물관, 2006;「원주 남산에서 새로 조사된 석탑재」,『강원사학』22, 강원사학회, 2006;「횡성 포동리 사지의 석불좌상과 석탑재」,『강원문화사연구』11, 강원향토문화연구회, 2008;「홍천·인제지역에서 새로 조사된 석탑재 3기」,『강원사학』22·23, 강원사학회, 2008;「양구 심곡사·두타사의 창건과 변천에 관한 연구」,『문화사학』31, 한국문화사학회, 2009;「양구에서 새로 조사된 석탑재와 부도재」,『강원문화사연구』14, 강원향토문하연구회, 2009;「유점사본말사지에 대한 연구-청평사지를 중심으로」,『인문과학연구』24, 강원대학교 인문과학연구소, 2010;「나말려초 폐사지 사명비정에 관한 연구」,『신라사학보』19, 신라사학회, 2010;「굴산사지 범일의 부도 名에 대한 검토」,『신라사학보』24, 신라사학회, 2012;「동여비고에 나타난 강원지역 사찰 검토」,『강원문화연구』32, 강원대학교 강원문화연구소, 2013;「부도형 불사리탑에 대한 연구」,『전북사학』43, 전북사학회, 2013;「강원 영서지역 寺址 조사의 현황과 과제」,『인문과학연구』40, 강원대학교 인문과학연구소, 2014;「신라말 관동지역의 선종 전래와 정착과정-고고자료검토를 겸하여」,『신라사학보』33, 신라사학회, 2015;「조선총독부 刊, 조선보물고적조사자료의 체제와 사료적 가치-강원지역 불교유적을 중심으로」,『강원문화연구』34, 강원대학교 강원문화연구소, 2015;「낙가사에 소재한 고고자료의 종합적 검토」,『인문과학연구』46, 강원대학교 인문과학연구

구역이 넓어 현장을 조사하는데 여러 한계점을 가지고 있다. 문헌자료의 분석도 현장과 비교해야 하는 문제로 인하여 이에 대한 연구를 그다지 진전하지 못하였다.

이 글은 1750년경에 편찬된『海東地圖』와 1765년경에 편찬된『興地圖書』에 수록된 사찰 자료를 분석한 것이다.『海東地圖』의 경우 사찰 명을 수록하면서 사찰 건축물을 의미하는 그림을 첨가하였다. 이는『海東地圖』가 편찬될 당시에 사찰이 존속되고 있음을 의미하는 것으로 판단되지만 이 자료에서 이에 대한 별도의 의미를 기술하지 않고 있어서 그 의미를 명확히 파악할 수 없기 때문에 다른 자료와 비교하여 파악해야 하는 한계가 있다.

『興地圖書』는 지도와 본문으로 구성되었는데 사찰에 대한 많은 자료가 수록되어 있다. 따라서 지도와 본문에 기록된 자료들을 몇가지의 방법으로 분류한 이후 이를 존속되는 사찰과 폐사된 사찰을 분석하고자 하였다. 이는 사찰이 창건되었다가 폐사되는 시기와 존속되는 사찰을 구분하고 나아가 사찰의 규모와 寺格 등, 조선 전 후기의 불교상을 파악하는데 기초자료로 사용하고자 한다. 그렇다고 하여도 이 작업은 강원지역의 불교상을 이해하는데 극히 일부분에 지나지 않는다. 앞으로『三國史記』부터 일제강점기에 편찬되는『江原道誌』에 이르기까지 불교 관련 자료를 추출하고 遊山記 · 漢詩 · 記文 등도 참고하여 정리하는 작업이 필요하다.[2] 이러한 작업이 진행된다면 삼국시대부터 일제강점기에 이르는 기간까지 강원지역에 존재했던 다양한 불교상을 미시적이면서도 거시적으로 정리할 수 있을 것이다. 이 글은 이러한 작업의 일환으로 작성하는 것이다.

II.『海東地圖』에 등재된 사찰과 특징

『海東地圖』는 전국을 대상으로 지방행정구역 단위별로 1장을 기본으로 작성된 지도로 1750년에 발간되었다.[3] 이 지도에는 산맥과 강줄기를 기본으로 하고 관아를 중심으로 驛路, 驛, 院, 倉 등을 표기하였으며 행정의 하위단위인 面의 명칭을 소개하여 위치를 파악할 수 있도록 하였다. 이외에도 교육기관인 향교, 사대부의 유람문화와 관련 깊은 樓와 臺도 중요한 경우 대부분 표기하였다. 이러한 인문학적 자료를 지니고 있는 유산 외에 사찰도 표기하는 것이 주요 사안에 포함되었다. 따라서 이 자료는 당시의 불교상을 이해하는데 중요한 단서를 제공해 주고 있다.[4]『海東地圖』에 수록된 사찰을 정리하면 아래와 같다.

소, 2015;「한송사지에 대한 문헌 · 고고자료의 종합적 검토」,『임영문화』39, 강릉문화원, 2015 등.

2) 춘천시의 경우 춘천지역 불교에 관련한 인문학적 문화유산, 한시, 유산기, 산문, 지리지를 망라한 자료집이 발간되었다(허남욱 외,『춘천 정체성 확립을 위한 역사문화 아카이브1-춘천의 불교문화』, 춘천시 · 춘천문화원, 2015).

3) 서울대학교 규장각,『海東地圖』下, 1995, pp.68~73.

4) 앞으로 조선시대 고지도와 지리지 등을 통하여 중앙정부와 권력층에서 행한 對불교정책도 살필 수 있는 자료로

【표 1】『海東地圖』에 표기된 사찰[5]

행정명	사찰명	비고
襄陽府	⇧神興寺 · ⇧靈穴寺 · ⇧洛山寺 · ⇧明珠庵 · ⇧開雲寺	의상대:건물 표기 없음
三陟府	-	
平海郡	-	
蔚珍郡	⇧大興寺 · ⇧佛影寺	
通川郡	⇧雙鶴庵 · ⇧觀音寺 · ⇧龍貢寺 · ⇧明道庵	
江陵府	⇧月精寺 · ⇧寒松寺	한송사(文殊寺 異稱)
高城郡	⇧新溪寺 · ⇧鉢淵寺 · ⇧圓通庵 · ⇧楡岾寺	
杆城郡	⇧乾鳳寺 · ⇧禾岩寺	
歙谷縣	⇧華藏庵	
原州牧	⇧九龍寺 · ⇧法興寺 · ⇧上院寺 · ⇧瑩原寺	
橫城縣	⇧奉福寺 · ⇧南山寺	
春川府	⇧淸平寺 · ⇧三岳寺	
洪川縣	⇧龍水庵 · ⇧成佛庵 · ⇧水墮寺	
鐵原郡	⇧積石寺 · ⇧源深寺	원심사(深源寺의 誤記)
麟蹄縣	⇧深源寺 · ⇧大勝庵	
金化縣	⇧水泰庵	
金城縣	-	
平康縣	-	
淮陽縣	⇧天寶庵 · ⇧天德庵 · ⇧正陽寺 · ⇧表訓寺 · ⇧摩訶衍	
伊川府	-	
安峽縣	-	
寧越府	⇧普賢寺 · ⇧報德寺 · ⇧石臺庵	
旌善郡	-	
平昌郡	-	
楊口縣	⇧深谷庵	
鬱陵島	-	'有塔寺刹基址'라 기록 있음
狼川縣	⇧雲峰寺 · ⇧龍岩寺	

위에서 살펴본 바와 같이 『海東地圖』는 강원지역의 26개 목·부·군·현을 모두 수록하였고 울릉도를 별도로 첨가하여 총 27개의 지도를 수록하였다. 각 지역에 수록된 사찰을 순서대로 보면 다음과 같다. 양양부는 5개소를 등재하였는데 낙산사 경내에 소재한 의상대를 건물을 의미하는 「⇧」의 표기가 없이 명칭만 수록하였다. 울진군은 2개소, 통천군은 4개소, 강릉부는 2개소를 등재하였는데 한송사는 文殊寺로 창건된 사찰인데 한송사로 표기하였으며 월정사 위에

표기된「⚕」는 사명은 없지만 위치로 보았을 때 上院寺로 판단된다. 월정사는 현재 평창군 진부면에 소속되어 있다. 고성군은 4개소, 간성군은 2개소, 흡곡현은 1개소, 원주목은 4개소, 횡성현은 2개소, 춘천부는 2개소를 등재하였다. 춘천부의 경우 홍국사로 불리우는 사찰을 삼악사로 기록히였디. 홍천현온 3개소, 철원군과 인제헌은 2개소를 등재하였는데 철원군의 源深寺는 深源寺의 誤記이고 현재는 경기도 연천군 신서면에 속해 있다. 김화현은 1개소, 회양현은 5개소, 영월부는 3개소, 양구현 1개소, 낭천현 2개소가 등재되었다. 또한 삼척부 · 평해군 · 금성군 · 평강현 · 이천부 · 안협현 · 정선군 · 평창군 · 울릉도는 등재된 사찰이 없다. 울릉도는 삼척부에 속해 있는 섬이면서도 별개의 지도로 수록하였는데 사찰은 없지만 탑과 절터가 있다고 기록하였다.[6]

『海東地圖』에 수록된 강원지역은 총26개 지역에 울릉도를 포함하여 27개 지도로 구성되었으며 울릉도를 제외하고 18개 지역에 사찰이 수록되었으며 9개 지역은 사찰을 수록하지 않았다. 수록된 사찰은 총47개소이다. 소개된 모든 사찰은 「⚕」와 같이 건물을 표기하여 사찰이 존속되고 있음을 의미하였고 예외적으로 강릉 오대산의 상원사는 사명은 없지만 「⚕」을 표기하여 상원사가 존속되고 있음을 의미하였다. 그러나「⚕」의 표기가 『海東地圖』 편찬 당시에 존속되었는지는 명확히 알 수 없다. 이는 『輿地圖書』를 정리한 다음에 살펴보겠다.

Ⅲ. 『輿地圖書』에 보이는 사찰

『輿地圖書』는 1757~1765년에 편찬된 전국지리지로 조선전기에 편찬된 『新增東國輿地勝覽』과 함께 조선전기와 후기를 연구하는데 양대 지리지로 인용되고 있으며 많은 연구가 집적되었고,[7] 전문이 번역되었다.[8] 조선시대에는 주자학을 국시로 삼은 사회이면서도 각 지리지에서는 불교관련 자료들을 많이 다루고 있다. 그러나 이러한 편찬 체제가 무엇 때문인지 명확히 알 수 없으나 인문학적 자산을 의도적이고 조직적으로 훼손하지는 않은 것으로 판단된다. 이는 이 글

---

6) '有塔寺刹基址'

7) 최영희,「解說」,『輿地圖書』, 국사편찬위원회, 1973.
　　노희방,「輿地圖書에 게재된 색지도에 관한 연구」,『지리학과 지리교육』10-1, 서울대학교 지리교육과, 1980.
　　이상식,「『輿地圖書』를 통해 본 지방행정 체계의 구성 및 운영원리-충청도 지역을 중심으로」,『한국사학뵈 25, 고려사학회, 2006.
　　변주승,「『輿地圖書』의 성격과 道別 특성」,『한국사학보』25, 고려사학회, 2006.
　　_____,「조선후기 輿地圖書의 성격과 인천 지역의 특성」,『인천학연구』6, 인천대학교 인천학연구소, 2007.
　　강서연 외,「조선시대 도시연구를 위한 지리지의 기초연구-『東國輿地志』·『輿地圖書』·『輿圖備志』·『大東地志』를 중심으로」,『건축역사연구』21-5, 한국건축역사학회, 2012.
　　양윤정,「18세기『輿地圖書』편찬과 군현지도의 발달」,『규장각』43, 서울대학교 규장각 한국학연구원, 2013.
　　이외에도 다양한 연구물이 있다.

8) 김우철 역주,『輿地圖書』, 디자인흐름, 2009.

에서 다루는 2가지의 자료만을 가지고 조선시대인의 인식을 논할 수 없지만 조선시대 전시기를 거쳐 편찬된 대부분의 지리지에서 「佛宇」 또는 「寺刹」 條를 중요한 項으로 다룬 것을 보면 불교 유산을 의도적으로 축소하거나 왜곡했다고 보기 어려운 면이 있기 때문이다. 이러한 면은 후일 검토의 기회를 갖기로 하면서 『輿地圖書』에 수록 사찰을 정리하면 아래와 같다.

【표 2】 『輿地圖書』에 표기된 사찰9)

행정명	지 도	본 문
원주목	覺林寺(基)	각림사(廢)·法泉寺(廢)·桐華寺(在)·興法寺(廢)·居頓寺(廢)·文殊寺(廢)·天王寺(廢)·山城寺(在)·上院寺(12)·鵃原寺(在)·龜龍寺(85)·隱寂庵(在)·鬱巖寺(8)·黃山寺(8)·興寧寺(廢)·聖住寺(16)·城南寺(6)·呆山寺(12)·法興寺(10)·石逕寺(14)·隱秀庵(12)
춘천부	淸平寺	문수사(221)·仙洞息庵(6)·見性庵(6)·興福寺(30)·伴睡庵(28)·牛頭寺(廢)
정선군	-	降仚庵(8)·須彌庵(12)·雪庵(10)
영월부	仚水雲庵·仚報德寺·仚石臺庵·仚大乘庵·仚興敎庵	보덕사(76)·대승암(17)·석대암(12)·靈隱庵(7)·隱神庵(6)·홍교암(5)·禁夢庵(7)·수운암(1)
평창군	-	雲頭庵(3:草屋)·松庵(2:草屋)
삼척부	仚中峯庵·仚三和寺·仚看藏庵·仚靈隱寺·仚雲興寺	中臺寺(51)·간장암(47)·【新增】영은사(65)·운흥사(50)·중봉암(25)·제영:竹藏古寺
양양부	仚繼祖窟·仚內院庵·仚新興寺·仚靈穴庵·仚明珠寺·仚開雲寺·仚洛山寺·仚觀音窟	낙산사(90)·관음굴(법당有)·영혈사(13)·四攤寺(廢)·道寂寺(廢)·【新增】신흥사(56)·내원암(10)·少林寺(8)·명주사(24간)·圓通寺(3)·寶蓮庵(5)·개운사(13)·沙林寺(址)·고적조:繼祖窟(건물·有)
평해군	仚繼祖庵·仚禪岩寺·仚廣興寺·仚修眞寺	선암사(43)·계조암(6)·수진사(46)·광흥사(87)
간성군	仚禾岩寺·仚乾鳳寺	건봉사(132)·白花庵(8)·靑蓮庵(6)·盤若庵(7)·上院庵(6)·鳳巖庵(8)·普琳庵(4)·鳥蹄寺(8)·화암사(51)·安養庵(5)
고성군	隱仙庵·新溪寺·鉢淵庵·圓通庵·夢泉庵	楡岾寺(846)·몽천사(32)·발연사(67)·원통사(40)·신계사(57)·成佛庵(기사無)·栢田庵(廢)·松林窟(10)·興盛庵(40)·明寂庵(40)·白蓮庵(35)·般若庵(60)·憇房寺(10)·
통천군	觀音寺·龍貢寺	관음사(17)·용공사(48)
울진군	仚佛影寺·仚大興庵	불영암(40)·대흥암(33)
흡곡현	華藏寺	화장사(26)·報恩庵(3)·萬景庵(2)·慈雲庵(3)
김화현	仚觀音庵·仚水泰庵	普賢庵(廢)·수태암(58간)
이천부	圓明寺·觀音寺·無住寺·小林寺	甘露寺(5)·소림사(12)·무주암(7)·관음암(9)
안협현	-	深谷庵(3)·西子庵(3)
평강현	-	幽寂寺(18)·寶月寺(88)·浮石寺(79)·繼雲寺(45)·深寂庵(15)·兩水庵(7)·隱寂庵(6)
강릉부	仚水精庵·仚金瓮寺·仚東臺(관음암)·仚獅子庵·仚上院寺·仚觀音庵·仚月精寺·仚庵(청학사)·仚地藏寺·仚文殊寺	상원사(50)·사자암(3)·관음암(5)·문수사(20)·艶陽寺(在)·금옹사(5)·興原寺(廢)·월정사(220)·수정암(在)·燈明寺(廢)·지장암(15)
횡성현	仚奉福寺·仚開院寺·仚南山寺	봉복사(5)·개원사(1)·남산사(3)·舞仙庵(1)
홍천현	龍水寺	水墮寺(104)·玉水庵(8)·용수사(22)

---

9) 寺名에 밑줄을 그은 것은 지도와 본문에서 중복되는 예이고 진하게 표시하였다. 基는 寺址이고 아라비아 숫자는 건물의 규모를 뜻하는 間의 數를 뜻한다.

인제현	⚌鳳頂庵 · ⚌五歲庵 · ⚌永矢庵 · ⚌百潭寺	백담사(8) · 봉정암(6) · 오세암(8) · 영시암(8) · 寒溪寺(址) · 上勝庵(在) · 白雲庵(廢) · 隱寂庵(10간)
회양현	-	長安寺(300) · 表訓寺(170) · 正陽寺(50) · 佛地庵(11) · 松蘿庵(12) · 普德窟(6) · 摩訶衍(8) · 靈源庵(10) · 白華庵(12) · 內圓通庵(11) · 地藏庵(16) · 安養庵(13) · 雲知庵(8) · 神林庵(6) · 青蓮庵(8) · 獅子庵(5) · 妙峯庵(5) · 萬灰庵(5) · 佛知庵(6) · 上白雲庵(4) · 下白雲庵(4) · 頓頭庵(5) · 沙根庵(13) · 彌陀庵(28) · 報喜庵(1) · 天審庵(15) · 鳳逸庵(21) · 守國寺(53)
철원군	安養庵 · 洗淨庵 · 石臺庵 · 聖住庵 · ⚌深源寺 · 靈隱庵 · 南庵	석대암(7) · 地藏庵(5) · 심원사(92) · 성주암(15) · 영은암(17) · 세정암(10) · 남암(13) · 知足庵(廢) · 안양암(30) · 龍華寺(廢) · 積石寺(廢) · 到彼庵(1)
양구현	⚌深谷寺 · ⚌清凉寺	심곡사(24) · 청량사(草幕)
낭천현	-	成佛寺(無) · 啓星寺(無) · 雲峰庵(16) · 龍鳳庵(12) · 雲興庵(8)
금성현	⚌長淵庵	장연사(在) · 安心寺(在) · 道成庵(在)

이상으로『輿地圖書』에 수록된 사찰을 지역별로 정리하였다. 수록된 사찰 중에서 특기할 사항을 보면 원주목에서는 동일 사찰인 법흥사와 홍녕사가 본문에서 중복되어 수록되었고, 산성사는 '在鵡原城中'라고 표현하였는데 내용 중에 '… 성이 허물어지고 절이 없어지니 마침내 僧將을 없애고 무기와 군량을 읍내로 옮겼다. 절의 서쪽 언덕에 제단을 쌓아 날이 가물면 이곳에 관리를 보내 제사를 지내 전쟁에서 죽은 장수와 병졸을 위로한다'라 한 것을 보면 산성사가 영원성 내에 있었으나 폐찰된 것으로 보인다.[10] 그러나 같은 용례로서 은적암은 '관아 남쪽 60리, 미륵산 아래에 있다'고 '在'라는 표현을 사용하였는데 '암자 앞에 물이 휘돌아 굽이굽이 흐른다'고 한 것을 보면 존속되고 있었음을 알 수 있다. 동화사와 영원사도 '在'라는 표현을 사용하였는데 폐사와 존속의 여부는 확인되지 않는다. 수록된 사찰을 보면 폐찰이 8개소이나 홍녕사[11]가 법흥사와 동일한 사찰이고 법흥사는 10간이라고 하였으므로 존속되는 사찰로 파악된다. 산성사를 폐찰된 것으로 파악한다면 없어진 사찰은 8개소이고 존속되는 사찰은 11개소이며 확인되지 않는 사찰이 2개소이다. 수록된 사찰은 홍녕사를 제외하고 총21개소이다. 홍녕사는 현재 영월군 수주면에 속해 있다. 지도에서는 폐찰된 각림사만을 기록하였다.

춘천부는 지도에서 청평사만을 표기하였는데 본문에서는 청평사를 문수사로 수록하였고, 청평사의 암자로 선동식암과 견성암을 실었다. 수록된 사찰은 폐찰이 1개소이고 존속되는 사찰은 중복된 문수사를 제외하고 5개소이다. 이중에서 반수암은 현재 화천군 사내면에 속해 있다. 정선군은 지도에서 사찰이 표기되지 않았고 본문에서 존속되는 사찰 3개소를 수록하였으며 영월부는 지도에서 5개소와 본문에서는 존속되는 8개소의 사찰을 수록하였다. 평창군은 지도에

---

10) 산성사가 없어졌다는 기록이 거주하는 승려가 없다는 것인지, 사찰 건물까지 없어진 폐찰을 의미하는지는 확인되지 않는다. 단지 임진왜란 이후에 영원산성이 폐성되면서 사찰의 기능까지 소멸한 것인지 등에 대한 종합적인 자료를 찾을 예정이다. 이는『輿地圖書』외에도 다른 자료에서 '在'로 표현되는 사찰을 살피는데 중요한 부분이다.

11) 홍녕사의 공간적인 범위가 넓어서『輿地圖書』의 찬자가 홍녕선원 터를 폐찰로 보고 새로 터를 잡은 법홍사를 10間이라고 했을 가능성도 있다.

사찰을 수록하지 않았고 본문에서 존속되는 사찰 2개소를 수록하였는데 규모를 '間'으로 하지 않고 '草屋'이라 하였다.

삼척부는 지도에서 5개소를 수록하였는데 본문에서 다루지 않은 삼화사를 「⇧」와 함께 수록하였다. 본문에서 존속되는 5개 사찰을 수록하였으며 제영에서 '竹藏古寺'에 관한 시를 수록하였다. 양양부는 지도에서 8개소를 수록하고 본문에서는 폐찰된 2개소와 존속되는 사찰 11개소가 수록되었는데 홍각선사비편을 소개하면서 폐찰된 沙林寺가 소개되어 있다. 이 절터는 현재 禪林院址로 부르고 있는데 신라시대에는 億聖寺로 불리운 것으로 추정하고 있으며 선림원지의 원래 명칭을 찾는데 사료로서의 가치를 지닌다. 내원암과 소림암은 신흥사의 암자이고 원통암과 보련암은 명주사의 암자이다. 평해군은 지도와 본문에서 동일한 사찰 4개소가 수록되었는데 선암사의 경우 동일한 사찰임에도 지도와 본문에서 禪岩寺와 仙巖寺를 다르게 사용하고 있다.[12]

간성군은 지도에서 2개소를 수록하고 본문에서는 존속되는 10개소가 수록되었다. 백화암·청련암·반야암·상원암·봉암암·보림암·조제사는 건봉사의 암자이다. 고성군은 지도에서 5개소를, 본문에서는 15개소가 수록되었는데 백전암은 폐찰되었고 성불암은 본문에서 관련 기사없이 명칭만이 수록되었다. 이 사찰들은 금강산이라는 명산을 배경으로 고려말 이후 번창한 사찰이면서도 조선시대 유람문화가 활성화되었을 때 유람객들의 宿食을 해결하는 장소로 제공되기도 하여 고성군의 사찰들은 규모가 다른 지역보다 컸다. 특히 게방사는 유점사의 승려가 물레방아를 설치하여 쌀을 찧었다가 겨울에 가져가는 곡식창고로 10간 규모였다고 한다. 이는 유점사의 승려만을 위한 곡식 저장소가 아니라 조선시대에 유행했던 유람객의 식량으로 제공되었을 것으로 생각된다.

통천군과 울진군은 지도와 본문에서 동일한 사찰 2개소가 수록되었는데 모두 존속되고 있다. 흡곡현은 지도에서 1개소, 본문에는 4개소가 수록되었는데 모두 존속되고 있었다. 김화현은 지도와 본문에서 각기 2개소를 수록하였는데 관음암과 보현암은 지도와 본문에서 각기 다루고 있으며 수태암만이 공동으로 수록하였다. 보현암은 폐찰되었다. 이천부는 지도와 본문에서 4개소를 다루었는데 관음사·소림사·무주암은 같이 수록하고 원명사와 감로사는 각기 수록하였다. 소림사는 지도와 본문에서 각기 小林寺와 少林寺로 사명을 표기하였다.[13] 안협현은 지도에서 사찰을 수록하지 않았고 본문에서 존속되는 사찰 2개소를 수록하였으며, 평강현은 지도에서 사찰을 수록하지 않았고 본문에서 존속되는 사찰 7개소를 수록하였다.

강릉부는 지도에서 10개소를 수록하였는데 같은 사찰인 동대와 관음암을 중복되게 실었으며 본문에서는 11개소가 수록되었는데 이는 폐찰 2개소, 존속되는 사찰 7개소와 '在'를 표기한 사

12) 『新增東國輿地勝覽』에서는 「禪菴寺」이다.
13) 『新增東國輿地勝覽』에서는 「小林寺」이다.

찰이 수정암과 염양사이다. 이중에서 수정암은 오대산 월정사의 5대 산내 암자 중의 하나이고 한강발원지라고 인식되어 온 우통수가 있는 암자이다. 현재도 초막으로 존속하고 있으나 당시의 상황은 파악하지 못하였다. 염양사도 당시의 상황을 파악하지 못하였다. 사자암·관음암·수정암은 월징사의 암자이다. 또한「⟨⟩庵」은 사명이 표기되지 않았으나 위치로 보면 연곡면 정학동의 靑鶴寺로 추정된다. 횡성현은 지도에서 3개소, 본문에서는 존속되는 4개소를 수록하였는데 무선암은 본문에서만 수록하였다. 다른 지역은 사찰의 규모를 間數로 표기하였으나 횡성현만은 房의 개수를 표기하였다. 홍천현은 지도에서 1개소, 본문에서 존속되는 3개 사찰을 수록하였다. 옥수암은 수타사의 암자이다. 인제현은 지도에서 4개소, 본문에서 폐찰된 1개소와 존속되는 5개소가 수록되었고 상승암은 한계사 옛터의 뒤에 있다고 하였는데 존속되고 있었는지는 불명확하다.

회양현은 지도에서 표기된 사찰은 없고, 본문에서는 존속되는 사찰 28개소가 수록되었다. 강원지역에서 가장 많은 사찰이 수록되었는데 이는 고성군과 함께 금강산에 위치하고 있기 때문인 것으로 파악된다. 철원군은 지도에서 7개소, 본문에서 폐찰된 3개소와 존속되는 9개소를 수록하였다. 양구현은 지도와 본문에서 동일한 사찰 2개소가 수록되었는데 모두 존속되고 있으며 청량사는 草幕이라고 하였다. 낭천현은 지도에서 수록된 사찰이 없고 본문에서 폐찰된 2개소와 존속되는 사찰 3개소가 수록되었다. 다른 지역에서 폐찰을 '今廢'로 기술하였으나 낭천현에서는 '今無'로 기술하였다. 금성현은 지도에서 1개소를 본문에서는 3개의 사찰을 소개하였는데 소재지를 기술하면서 '在'라고만 하였다.

이상으로『輿地圖書』에 수록된 강원지역의 사찰을 정리하였다. 그런데 '今廢'·'今無'·'基'로 기술한 예는 폐찰되었음을 알 수 있고 '間'·'房'·'草屋'·'草幕' 등은 존속되고 있음을 알 수 있다. 그러나 '在'는 자료의 전체적인 기술형태로 보았을 때 존속되는 사찰일 가능성이 높으나 원주의 산성사와 은적암은 동일하게 '在'라 하였음에도 전자는 폐찰되고 후자는 존속하고 있는 상태이므로 이는 추후 다른 자료와 비교검토가 필요하다.

다음으로『輿地圖書』의 지도에 표기된「⟨⟩」의 의미를 살펴보고자 한다. 앞에서 살펴보았듯이『輿地圖書』는 각 지역 앞에 1장의 지도를 제시하고 다음에 본문을 실어 해당 지역의 상황을 파악할 수 있도록 하였다. 그런데 지도와 본문에 수록된 사찰이 다른 경우가 여러 지역에서 보이고 있다. 그러나 대부분의 지역에서 지도 보다는 본문에서 많은 사찰을 등재하였고 폐찰과 존속하고 있음을 의미하는 사찰의 규모를 기록하여 당시의 상황을 쉽게 파악할 수 있다. 그런데 지도에서는 사명만을 기록한 예와 사명과 건물표시인「⟨⟩」를 기록한 두가지의 예가 있어서 이를 어떻게 파악해야 하는지 명확하지 않다. 우선 지도에 표기된 경우를 중심으로 지역별로 본문과 비교하여 보고자 한다.

원주목은 각림사를 건물 표기 없이 '覺林古寺基'라 하여 폐찰되었음을 알 수 있다. 춘천부의 청평사는 건물 표기가 없이 수록하였는데 본문에서 청평사와 동일 사찰인 문수사를 221간이라고 하였다. 따라서 건물 표기가 없어도 존속하는 사찰임을 알 수 있다. 영월부는 5개 사찰에 건물 표기가 모두 되었는데 본문에서 모두 존속되고 있다고 하였으며 삼척부에서도 5개소의 사찰에 건물 표기가 모두 되어 있고 본문에서 삼화사를 제외하고는 모두 존속하고 있다고 하였다. 삼화사의 경우 1765년대에 존속하였는지 명확히 알 수 없으나 수차례 중대사 터로 이전하고 다시 삼화사 터로 이전하는 사례가 있고 1979년 중대사 터로 다시 이전하기 전까지 존속한 것으로 판단된다.[14] 양양부는 8개소를 수록되었고 모두 건물이 표기되었다. 이들 중에서 계조굴을 제외하고 본문에서 모두 존속하고 있는 것으로 수록하였다. 단지 계조굴만이 古蹟 條에 수록되었다. 고적조에서 '그 안에 절이 있는데 바위에 의지해서 건물을 지었다'라고 한 것을 보면 존속했음을 알 수 있다. 평해군은 4개소, 간성군은 2개소를 수록하였는데 모두 건물 표기가 되었고 본문에서 모두 존속된다고 하였다. 고성군은 5개소를 수록하고 5개소 모두 건물 표기가 없다. 그런데 은선암을 제외하고 모두 존속하고 있다고 하였다. 은선암이 당시에 존속하였는지는 파악하지 못하였다. 통천군은 2개소를 수록하고 건물 표기가 모두 없다. 본문에서는 2개소를 수록하고 존속하고 있다고 하였다. 울진군은 2개소를 수록하고 모두 건물 표기를 하였으며 본문에서도 존속한다고 하였다. 흡곡현은 1개소를 수록하고 건물 표기는 하지 않았는데 본문에서 존속한 것으로 기록하였다. 김화현은 2개소를 수록하고 건물 표기를 하였는데 본문에서 관음암은 수록하지 않아서 존속 여부를 확인할 수 없다. 이천부는 지도에 4개소를 수록하였는데 모두 건물 표기를 하지 않았다. 그러나 본문에서 3개소는 존속하고 있는 것으로 기록하고 원명사만이 수록되지 않아 존속 여부는 확인할 수 없다. 강릉부는 10개소를 수록하였는데 10개소 모두 건물을 표기하였고 동대와 관음암이 중복 수록되었으며 본문에서 모두 존속하고 있는 것으로 기록하였다. 횡성현은 3개소를 수록하고 3개소 모두 건물 표기를 하였으며 본문에서 모두 존속하고 있다고 하였다. 홍천현은 1개소를 수록하고 건물 표기를 하였는데 본문에서 존속하는 것으로 기술하였다. 인제현은 4개소를 수록하고 4개소 모두 건물을 표기하였으며 본문에서 모두 존속한다고 하였다. 철원군은 7개소를 수록하고 7개소 모두 건물 표기를 하지 않았는데 본문에서 모두 존속한다고 하였다. 양구현은 2개소를 수록하고 2개소 모두 건물을 표기하였으며 본문에서 모두 존속하는 것으로 기술하였다. 금성현은 지도에서 장연암 1개소를 수록하고 건물 표기를 하였는데 본문에서 '在'라고 기술하여 실제 존속하였는지 확인되지 않는다.

이상과 같이 지도에 사찰이 수록되고 건물이 표기된 경우를 살펴보았다. 사찰을 수록하면서 건물이 표기되지 않은 경우는 원주목 1, 춘천부 1, 고성군 5, 통천군 2, 흡곡현 1, 이천부 4, 홍천현 1, 철원군에 6개소이다. 이 중에서 철원은 7개소가 수록되었지만 1개소만 건물이 표시되었

---

14) 동해시, 『두타산과 삼화사』, 민족사, 1998.

을 뿐이다. 이를 다시 보면 원주목은 폐찰로 기록하였으므로 건물 표기가 필요없고 춘천부는
존속하였으며 고성군은 5개소 중에서 4개소가 존속하고 1개소만이 확인되지 않는다. 통천군·
흡곡현은 모두 존속하였고 이천부는 4개소 중에서 3개소는 존속하고 1개소만이 확인되지 않는
다. 철원군은 6개소 모두 존속히였다. 따리서 미확인 사찰은 고성군의 은선임, 이천부의 원명사
뿐이다. 2개소의 사찰은 현재 북한지역에 있는데 당시의 상황이 파악되지 않는다.

건물이 표기되었지만 본문에서 존속 여부를 파악할 수 없는 사찰은 삼척부의 삼화사와 김화
현의 관음암이다. 삼화사는 확실하지는 않지만 사적기 등을 볼 때 존속했을 가능성이 높고 관
음암은 북한 지역에 소재하는데 당시의 상황을 파악할 수 없다. 이를 종합적으로 정리하면 지
도에서 건물이 표기된 사찰은 48개소이고, 건물이 표기되지 않은 사찰은 20개소로 총68개소를
수록하였다. 본문에서는 총186개소를 수록하였는데 지도와 본문에서 중복되는 사찰을 제외하
면 총195개의 사찰이 수록되었다.

이와같이 『輿地圖書』에 수록된 사찰들을 몇가지로 분류하여 살펴보았다. 그런데 건물을 표
기한 예에서 몇가지 특징이 보여진다. 첫째, 건물이 표시되지 않은 지역은 모두 표시되지 않았
다는 점이다. 원주목·춘천부·고성군·통천군·흡곡현·이천부·홍천현의 경우 수록된 모
든 사찰에 건물이 표시되지 않았다. 이는 사찰에 대한 건물만 표시되지 않은 것이 아니라 다른
건물에도 표시가 되지 않거나 관아와 향교와 같이 행정력과 관련 있는 건축물에만 표시하는 제
한적인 면이 보이는 지역이었다. 이는 해당 지역의 지도를 작성하는 편찬자가 갖는 지도 제작
의 의지가 서로 달랐기 때문으로 판단된다. 둘째, 건물이 표기되지 않은 경우에도 모두 존속한
사찰로 보여진다. 이는 지도에 표기된 사찰은 본문과 비교하였을 때 대부분 존속하고 있었음을
알 수 있었다. 셋째, 본문에 '今廢'와 '間' 또는 '房' 등으로 표기한 것은 그 단어의 의미대로 폐찰
되거나 존속하였으며 단지 '在'라고 표기한 몇 예만이 다른 자료의 도움을 받아 존속 또는 폐찰
을 확인할 작업이 남아 있다.

Ⅳ. 『海東地圖』와 『輿地圖書』의 검토

두 자료에 수록된 사찰은 많은 정보를 주고 있지만 수록된 사찰에는 차이점이 발견된다. 『海
東地圖』는 지도책이고 『輿地圖書』는 지리지라는 특성으로 인하여 자료를 수록할 수 있는 양이
다를 수밖에 없지만 지리지라고 하여도 편찬과정에서 소홀히 다룰 경우 누락되는 예가 있을 수
있기 때문에 편찬자가 무엇을 의도하고 있는가에 따라 수록되는 수가 다를 수 있을 것이다. 두
자료에 수록된 사찰을 『輿地圖書』에 수록된 지역 순으로 비교하면 아래와 같다.

【표 3】『海東地圖』와『輿地圖書』에 수록된 사찰

행정명	공동 수록 사찰	『海東地圖』	『輿地圖書』
원주목	상원사 · 영원사 · 구룡사 · 법흥사		각림사 · 법천사 · 동화사 · 흥법사 · 거돈사 · 문수사 · 천왕사 · 산성사 · 은적암 · 울암사 · 황산사 · 성주사 · 성남사 · 고산사 · 석경사 · 은수암
춘천부	문수사(=청평사) · 삼악사		선동식암 · 견성암 · 반수암 · 우두사
정선군		–	강선사 · 수미암 · 설암
영월부	보덕사 · 석대암	보현사	대승암 · 영은암 · 은신암 · 홍교암 · 금몽암 · 수운암
평창군		–	운두암 · 송암
삼척부		–	중대사 · 간장암 · 영은사 · 운흥사 · 중봉암 · 사림사 · 계조굴 · 죽장사
양양부	낙산사 · 영혈사 · 신흥사 · 명주사 · 개운사		관음굴 · 사웅사 · 도적사 · 내원암 · 소림암 · 원통암 · 보련암
평해군		–	선암사 · 계조암 · 수진사 · 광흥사
간성군	건봉사 · 화암사		백화암 · 청련암 · 반야암 · 상원암 · 봉암암 · 보림암 · 조제사 · 안양암
고성군	유점사 · 발연사 · 원통사 · 신계사		몽천사 · 성불암 · 백전암 · 송림굴 · 홍성암 · 명적암 · 백련암 · 반야암 · 계방사
통천군	관음사 · 용공사	쌍학암 · 명도암	
울진군	불영사 · 대흥사		
흡곡현	화장사		보은암 · 만경암 · 자운암
김화현	수태암		보현암 · 관음암
이천부		–	감로사 · 소림사 · 무주암 · 관음암
안협현		–	심곡암 · 서자암
평강현		–	유적사 · 보월사 · 부석사 · 계운사 · 심적암 · 양수암 · 은적암
강릉부	문수사(=한송사) · 월정사		암 · 상원사 · 사자암 · 관음암 · 염양사 · 금웅사 · 홍원사 · 수정암 · 등명사 · 지장암
횡성현	봉복사 · 남산사		개원사 · 무선암
홍천현	수타사 · 용수사	성불암	옥수암
철원군	적석사 · 심원사		옥수암 · 석대암 · 지장암 · 심원사 · 성주암 · 영은암 · 세정암 · 남암 · 지족암 · 안양암 · 용화사 · 도피암
인제현		심원사 · 대승암	백담사 · 봉정암 · 오세암 · 영시암 · 상승암 · 백운암 · 은적암 · 한계사
회양현	표훈사 · 정양사 · 마하연 · 천보암	천덕암	장안사 · 불지암 · 송라암 · 보덕굴 · 영원암 · 백화암 · 내원통사 · 지장암 · 안양암 · 운지암 · 신림암 · 청련암 · 사자암 · 묘봉암 · 만회암 · 불지암 · 상백운암 · 하백운암 · 돈두암 · 사근암 · 미타암 · 보회암 · 봉일암 · 수국사
양구현	심곡사		청량사
낭천현	운봉암	용암사	성불사 · 계성사 · 용봉사 · 운흥암
금성현		–	장연사 · 안심사 · 도성암

이상으로『海東地圖』와『輿地圖書』에 수록된 사찰을 살펴보았다. 두 자료에 공동으로 수록된 예와 각기 자료에서만 수록된 사찰을 분류하였다. 공동으로 수록된 사찰은 39개소,『海東地圖』에 만 수록된 사찰이 8개소,『輿地圖書』에만 수록된 사찰이 150개소이며 두 자료에 수록된 사찰은 총 197개소이다. 앞으로 이들이 왜 다르게 수록되었는지를 찾아 사찰의 특징을 살펴보

아야 할 것이다.

다음으로 두 자료의 사료적 가치를 찾아보고자 한다. 『海東地圖』는 지방의 목 부 군 현 단위를 1장으로 제작한 지도책으로 여백에 戶數, 田畓 結數, 方里 등을 기록하였다.[15] 따라서 이 자료는 많은 자료를 수록할 수 없는 원천적 한계를 지니고 있다. 이러한 한게에도 불구하고 삼척부·평해군·금성군·평강현·이천부·안협현·정선군·평창군에는 사찰을 전혀 수록하지 않았다. 삼척부·평해군의 경우 관아와 향교 등과 같은 행정조직에 관련한 건물만을 표기하는 등 행정단의 별 지도를 작성함에 있어서 찬자의 의도가 통일되지 않았다. 그럼에도 불구하고 여러 지역 지도에서 많은 사찰을 수록하였고 모든 사찰에 건물을 그림으로 표기하여 자료의 편찬 당시에 사찰이 경영되고 있음을 밝히고 있다. 『興地圖書』는 『海東地圖』와 달리 지도의 성격이 아니라 지리지로 편찬되었기 때문에 『海東地圖』보다 많은 자료를 수록할 수 있는 장점이 있다. 그러면서도 각 행정구역에 지도를 첨가하여 지도에 사찰이 위한 지점을 표시함으로써 지리적 위치에 대한 이해를 돕고 있다. 또한 사찰조를 별도로 두었으며 사찰을 기술함에 있어서 사찰의 규모인 '間'을 밝히고 폐찰되었을 경우 '今廢'라고 기술하여 당시 사찰의 상황을 명확히 전하고 있다. 이러한 차이점에도 불구하고 두 자료는 사찰의 존속 여부를 판단할 수 있도록 건물을 표기하였으며 편찬년대가 명확하여 당대의 불교상을 파악하는데 절대 기준작으로 삼을 수 있다는 가치를 지닌다.

V. 맺음말

이상으로 『海東地圖』에 표기된 강원지역 사찰을 거의 동시기에 발간된 『興地圖書』와 비교하여 보았다. 『海東地圖』에 수록된 강원지역은 울릉도가 추가되어 총27개 지역이고 18개 지역의 사찰이 수록되었으며 9개 지역은 사찰을 수록하지 않았다. 수록된 사찰은 총47개소이다. 소개된 모든 사찰은 건물이 표기되어 사찰이 존속되고 있음을 의미하였고 예외적으로 강릉 오대산의 상원사는 사명은 없지만 건물을 표기하여 상원사가 존속되고 있음을 의미하였다. 울릉도의 지도는 별도로 작성하였는데 寺址와 塔址가 있다고 하였다. 『興地圖書』에는 지도와 본문을 합하여 중복되는 경우를 제외하면 172개의 사찰이 수록되었다. 두 자료에는 총197개소의 사찰이 수록되어 당시의 불교상을 재구성하는데 절대적인 도움을 주고 있다.

이와같이 18세기 중엽에 편찬된 2개의 자료를 검토하였으나 1770년경에 편찬된 『伽藍考』와 1799년에 편찬된 『梵宇攷』를 함께 비교하는 작업도 필요하다. 나아가 강원지역의 불교상을 파

---

15) 서울대학교 규장각, 『海東地圖』下, 1995, pp.68~73.

악하기 위하여 『三國史記』부터 1940년에 편찬되는 『강원도지』에 이르기까지 확인 가능한 모든 사서와 지리지, 遊山記, 記文, 金石文, 漢詩 등을 망라한 작업이 필요하다. 이러한 작업이 진행되었을 때 궁극적으로 지향해야 할 과제인 사찰에 주석하였던 승려, 가람배치, 사원경제 등의 불교상 정립에 도움이 될 것이다.

특히 불교는 전래되어 흥성하고 쇠퇴하는 과정과 다시 세력을 확장하여 성장하는 과정이 반복되는 현상이 있어 왔기 때문에 어느 특정한 시기의 자료가 아니라 통시대적인 사료의 집성과 비판이 전제되어야 한다.

이러한 작업을 통하여 자료가 집성되었을 때 사찰의 명칭과 위치의 변천, 규모의 변화와 같은 초보적인 자료가 정리되고 이를 바탕으로 사격과 법맥이 검토될 수 있을 것이다. 나아가 현장에 남아 있는 유형적 유산을 비교 정리하고 또한 문헌에 수록되지 않은 유적도 추가하여 강원지역에 유지되고 유지됐던 불교문화를 정리해야 될 것이다.

【참고문헌】

국사편찬위원회, 『輿地圖書』, 1973.

김우철 역주, 『輿地圖書』, 2009.

동해시, 『두타산과 삼화사』, 1998.

민족문화추진회, 『국역 신증동국여지승람』, 1985.

서울대학교 규장각, 『海東地圖』, 1995.

허남욱 외, 『춘천 정체성 확립을 위한 역사문화 아카이브1-춘천의 불교문화』, 춘천시 · 춘천문화원, 2015.

강서연 외, 「조선시대 도시연구를 위한 지리지의 기초연구-『동국여지지』 · 『輿地圖書』 · 『여도비지』 · 『대동지지』를 중심으로」, 『건축역사연구』 21-5, 한국건축역사학회, 2012.

노희방, 「輿地圖書에 게재된 색지도에 관한 연구」, 『지리학과 지리교육』 10-1, 서울대학교 지리교육과, 1980.

변주승, 「『輿地圖書』의 성격과 道別 특성」, 『한국사학보』 25, 고려사학회, 2006.

변주승, 「조선후기 輿地圖書의 성격과 인천 지역의 특성」, 『인천학연구』 6, 인천대학교 인천학연구소, 2007.

양윤정, 「18세기 「輿地圖書」 편찬과 군현지도의 발달」, 『규장각』 43, 서울대학교 규장각 한국학연구원, 2013.

이상식, 「『輿地圖書』를 통해 본 지방행정 체계의 구성 및 운영원리-충청도 지역을 중심으로」, 『한국사학보』 25, 고려사학회, 2006.

朝鮮後期 佛殿莊嚴과
嶺南地域 佛鐸 文樣의 樣相

許詳浩*

目 次

Ⅰ. 머리말

사찰은 불교에서 말하는 이상세계, 즉 부처님이 계시는 곳, 부처님의 나라다. 이 부처님의 나라는 세속과 眞界의 경계인 일주문에서부터 불상을 모신 법당에 이르기까지, 크고 작은 건물들과 탑, 그리고 불전에 모셔진 불상을 중심으로 다양한 조각과 문양들이 베풀어진다.

그런데 사찰의 이러한 장식 요소는 단순히 겉만 꾸미려는 게 아니다. 부처님의 공덕을 기리고 불국토의 이상향을 추구하는 인간의 염원과 불교사상을 나타내는 종교적 상징의 투영인 것이다. 동시에 여러 대중으로 하여금 그 아름다움에 감화를 일으켜 부처님이 보여준 진리의 길에 따라 나설 것을 권하는 포교의 수단이자 불교미술을 이해하는 가장 빠른 길이라 할 수 있다.

조선후기 '佛殿莊嚴'은 종교적 목적과 예술적 효과를 최대한 발휘하는 목적 아래 설계조건을 충분히 고려하여 조성되었다. 경전의 내용이 범 시대적으로 읽혀지고 경전에 설해진 불국토, 불도량, 불전 등의 모습이 불변적인 것이라 하더라도 그것을 형상화한 결과는 시대상을 반영하는 의례의 형식에 따라 공간과 장엄이 결정되고 각기 다변화된 모습으로 나타나게 되었다.

본 글에서는 먼저 조선후기 불전장엄과 그 중심에 조성된 봉안부의 불탁에 주목하였으며, 특히 장엄형 불탁의 중심을 이루는 영남지역 불탁을 중심으로 그 유형과 특징, 그리고 문양의 의미를 통한 전통과 계승에 주목하였다.

---

* 성보문화재연구원 조사팀장

Ⅱ장에서는 먼저 조선후기 불전장엄의 의미와 불전을 구성하는 구조를 건축적·장엄적 요소로 구분하였으며, 그 대상을 유물과 기록과 비교하며 고찰하였다. 특히 불탁을 중심으로 형성된 건축·공예적 장엄양상을 살펴 그 기능을 유추함으로써 조선후기 불탁의 기능과 문양을 이해하는 도움을 구하였다.

Ⅲ장에서는 영남지역 불탁의 현황과 유형, 그리고 그 특징을 외형적으로 구별하여 분류하였으며, Ⅳ장에서는 중대를 중심으로 도상화된 문양을 그 기능과 상징성에 주목하여 해석함으로써 영남지역 불탁문양의 특징을 살펴보았다.

Ⅱ. 조선후기 불전장엄과 구조

1. 불전장엄의 의미

불교 미술에서는 예배대상이 봉안된 가람 혹은 불전을 장식한 요소들을 '莊嚴·修莊'이라고 표현하는데, 장엄은 산스크리트어 'Vyuha'를 한자로 바꾼 것으로, 사전적 의미는 '깨끗하고 아름다운 것들로 위엄 있게 꾸며 놓은 것 또는 華麗하고 嚴肅하게 장식하는 것'을 의미한다. 특히 불전장엄은 '佛堂에 文彩를 놓아 裝飾을 화려하게 하는 것은 지난친 것이 아니라 부처님의 功德을 밝히기 위함이다'고 하여 사찰 전반의 장엄이 부처님의 공덕을 밝히기 위한 것임을 살펴 볼 수 있다.[1]

누구나 사찰을 찾아 법당에 들어서면 예배대상인 불상이나 불화를 먼저 보게 되는데, 법당의 주인이 불상이고 불화이니 당연한 것이지만 여기서 그치지 말고 법당 안 이곳저곳까지 관심을 갖고 살펴보면 예배대상에 가려져 드러나지 않은 다양한 장엄들을 발견하게 된다. 특히 불상이 봉안된 곳 그 주변은 각종 장식 문양이나 벽화, 조각, 佛具, 幡, 꽃으로 장식해 다른 어느 곳보다 훨씬 화려하게 꾸며 놓았다. 이런 장엄은 부처님과 불국토의 위엄을 한층 드러내기 위한 것이고, 나아가 대중으로 하여금 그 아름다움에 감화를 일으켜 사찰을 찾는 이들에게 부처님의 나라를 경험하도록 유도하는 것이다.

또한 장엄의 수단은 유형의 외형적 요소 외에 무형의 의례를 중심으로 부처님이 보여준 진리의 길을 상징하고 따르도록 권하는데 적극 사용되기도 하는데, 이런 장엄에 대해 단순한 외양의 아름다움뿐만이 아니라 내포된 상징과 의미까지 살펴 볼 수 있다.(도 1, 2)

네덜란드의 종교학자 게라두스 반 데르 레우후(Geradus van der Leeuw)는 장엄의 미적 특성

---

1) 釋息影庵, 「禪源寺毗盧殿 丹靑記」, 『東文選』卷之六十五.
  "佛堂位其文飾貴華靡 匪盈也 昭佛德也"

도 1. 부산 범어사 대웅전-불전내부

도 2. 대구 은해사 백흥암 불탁

에 대해 이렇게 언급하였다.

"신의 집에서는 반드시 신이 통치해야 하며 신의 뜻은 건축 안에서 그 표현 방법을 찾을 수 있어야 한다. 만약 사람들이 신의 뜻을 이해할 수 없다면 그 뜻은 반드시 미의 대가를 치르고 표현되어야 한다."

이 말은 '부처님의 집'인 佛殿에 베풀어지는 장엄은 부처님의 뜻을 전달하기 위한 상징적 장치임을 의미한다. 동시에 부처님의 존재에 대한 확신이며 그 존재가 대중들에게 던지는 대화이자, 아름다움의 가치를 포함함으로써 비로소 그 종교적 상징이 성립된다는 것이다.

특히 조선후기 '佛殿莊嚴'은 종교적 목적과 예술적 효과를 최대한 발휘하는 목적 아래 설계조건을 충분히 고려하여 조성되었다. 그러나 불전장엄을 설계하는데는 시대와 경전 해석에 따라 法式이 달랐다. 즉 종교에 내포된 신앙을 구체적인 행위로 표현하기 위해서는 신앙행위의 표현인 의례가 중심이 되었으며, 사찰건축과 불전장엄은 그 곳에서 이루어지는 각종 의례의 영향 아래 다변화되었을 것이다.

2. 불전장엄의 구조

조선후기는 예배대상이 자리한 불탁을 중심으로 장엄이 확대되는데, 불전장엄 구조는 주불 봉안의 설비와 불상 봉안을 위한 건축 및 장엄적 諸要素를 중심으로, 儀式 및 예불행위에 따른 위계구조, 공간구조, 행위자의 사상 등에 따라 다양한 변화상을 보인다.

특히 불전장엄은 고대에 추구했던 공예적 장신구나 장엄구에 한정하지 않고 불상을 안치하는 불전의 다양성으로부터 불상을 안치하는 방식, 불상을 에워싼 유·무형의 기물에 이르기까지 광의의 개념에서 정리되어, 불전장엄이 건축적 구조로부터 시작하여 내·외부의 마감과 기타 부가

시설의 설비에 이르기까지 예배대상을 숭배하기 위한 모든 제반사항을 포함한다고 할 수 있다.

따라서 법당 내 불전의 장엄 구조는 바닥, 후불벽, 기둥 같은 기본적 건축적 요소와 보탁, 좌대, 불탁, 천개, 포벽과 천장, 벽화 같은 건축부속 기물을 포함한 장엄적 요소로 분류된다.

1) 바닥

불전의 바닥은 石造·塼·木造 마루의 3가지 바닥구성을 가지며, 삼국시대부터 조선시대에 이르기까지 전돌과 마루로 바닥면이 구성되어 왔다. 예외적으로 돌로 만든 바닥을 가진 석굴암, 감은사 금당, 중원 미륵리 석굴, 보경사 적광전 등의 고대유구가 전해지지만, 한국건축 바닥의 기본구조는 전돌과 마루였다.

전돌로 축조된 바닥의 역사는 삼국시대부터 시작하여 고구려의 文彩塼, 백제와 통일신라의 文樣塼을 거쳐 고려시대로 계승된다. 고려시대 부석사 무량수전, 봉정사 극락전, 장곡사 상대웅전 등에 전돌 바닥의 계승이 보이며, 조선시대 이르러 무위사 극락전, 법주사 팔상전, 화엄사 각황전 등 조선후기 건물까지 그 영향을 미쳤다.(도 3-1·2)

통일신라시대 이후 고려시대까지 불전 내부는 전돌을 깔고 바닥보다 한단 높은 곳에 석조나 목조의 좌대나 불탁을 설치하였으며, 麗末鮮初부터 마루가 부분적으로 사용되면서 전돌과 마루과 공유된 것으로 추정된다.[2] 이후 불상 앞에서 행해지는 불전의식의 행위에 따라 입식과 좌식의 의례행위와 건물 내부에서의 법회가 성행하면서 내부의 바닥도 주거 공간처럼 마루를 깔게 된 것이다.[3]

도 3-1. 부석사 무량수전 유리전　　　　　도 3-2. 부석사 무량수전 불탁-유리전 현황

2) "遂令陷墜 其下板樓寸 擴折其南楹樓尺": 釋息影庵, 「禪源寺毘盧殿丹青記」, 『東文選』卷 六十五에 의하면 1325년에 비로전을 넓힌 목적이 승려를 더 많이 수용하기 위해서이며, 이때 마루바닥이었음을 밝히고 있어서 이미 고려말에 불전 내부에 마루를 깔기도 하였으며, 120~130명의 승려가 법회를 열었던 사실도 확인된다.

3) 金奉烈, 『朝鮮時代 寺刹建築의 殿閣構成과 配置形式 硏究』, 서울대학교 박사학위논문, 1989. 고려시대까지의 불전은 승려층의 의식을 위한 주요 공간이었다며, 조선시대의 불전은 의식을 통해 대중까지 불전의 출입이 가능하며 의식보다는 설법을 위주로 진행되었다.

그 예로는 수덕사 대웅전, 부석사 무량수전, 무위사 극락전 등이 있으며, 특히 은해사 거조암 영산전의 경우 바닥 전체를 전돌로 깔고 난 후 불탁 앞 한 칸에만 한단 높여 마루를 깔아서 마루 사용의 선례를 보여 주는 과도기적 모습을 보여준다. 또 조선후기의 예로 법주사 팔상전과 화엄사 각황전이 바닥 전체를 전돌로 깔아 전통을 유지하되 내부에서 행하는 예불행위을 위하여 이동식 마루를 설치하고 있음이 주목된다.[4]

이는 불전 내부에 모셔진 예배대상의 공경과 함께 불교의례나 예법에 따른 시대적 불전 사용법이 반영된 결과로, 중국을 비롯한 고대 한국에서도 시대적 편차를 두며 반영된 것으로 보인다.[5]

따라서 조선후기 재건된 불전의 경우 몇몇 건물을 제외하고 모든 건물의 내부에 마루가 깔리게 되며, 이것이 널리 유행하던 시기는 대략 戰亂 이후인 16세기 말과 17세기 초로 18세기에 이르러서야 보편화된다.

또 마루와 관련되어 주목되는 것은 불상이 봉안된 불탁과 예배자들이 참배하는 공간을 구별하는 것이다. 이는 고대부터 예배대상의 불상봉안 공간과 예배를 위한 공간을 구획하는 전통이 이어져 온 것으로 고대 사찰 가람에서 뿐만 아니라 불전 내부에서도 불전을 출입하는 행위자의 신분과 출입문제, 그리고 내부의례의 종류에 따라 엄격한 공간 구별이 있었던 것으로 추정된다.[6]

---

4) 김동현, 「법주사 통신」, 『고고미술』 100호, 고고미술동인회, 1968, p.463; 문화재관리소, 『화엄사 조사보고서』, 1986, p.284, 중수전 평면도 참조.

5) "若比丘禮時 從座起偏袒右肩 脫革屣右膝著地 以兩手接上座足禮" : 唐道世撰, 『法苑珠林』, 卷 第二十, 通會部 第五(『新修大正大藏經』 第五十三卷, no2122, p. 434a)라고 하여 예를 향할 때 신발을 벗고 우측 무릎을 땅에 대고 두 손을 上座에 대고 足禮를 행하도록 하였으며, "住持上堂祝香云 次跌坐云 次說法竟 自云 下座 領衆同到殿上 香佛排立定 住持上香三拜 不收坐具……又三拜收坐具" : 不空釋, 『無量壽如來觀行供養儀軌』(『新修大正大藏經』 第十九卷, no2025, p. 1115c)에는 예배를 드릴 대 좌구를 사용하고 예배가 끝나면 삼배 후 좌구를 걷는 다고 하여, 좌구를 휴대하면서 사용한 것으로 추정된다. 이외 "殿堂之內 以楮以莞 塗之鋪之 遍施丹艧 而莊嚴無不備焉" : 朴全之, 「靈鳳山龍巖寺重創記」, 『東文選』 卷之六十八에서는 용암사 불전 바닥에 왕골자리를 깐 경우가 있어 불전의 바닥이 전돌인 경우 의례 및 종교생활을 위해 편의상의 자리를 까는 것이 일반적이었을 것이다. 전돌 이외에 마루에도 왕골을 까는 예가 마곡사 대광보전에 전해진다.

6) 일본 中世의 불당은 双堂形式으로 正堂과 禮堂 또는 內陳과 外陳으로 구분되어 있었고, 正堂이나 內陳은 불상이 안치된 주된 공간이며, 불보살의 전용공간으로 격리된 공간영역을 형성한 반면에 禮堂이나 外陳은 俗人을 위한 예배공간이었다고 하는 것이 일반적인 견해이다. 山岸常人, 「東大寺の法華堂正堂・礼堂の性格」, 『日本建築學大會學術講演槪要集(關東)』(昭和 59年 10月), pp.2615 2616; 한국은 平地伽藍에서 성역인 中門으로부터 回廊 내 塔과 金堂은 일반인의 출입이 제한되었다거나, 불전 외부의 마당이나 石燈 앞에 있는 拜禮石에서 예불의 례가 행해졌다는 의견, 그리고 고려시대까지 주불전은 승려를 위한 공간이었다는 주장에서 조선시대 이전까지는 불상봉안부와 예배공간이 신분이나 의례의 종류, 그리고 바닥마감재 등에 따라 엄격한 공간구분이 있었던 것으로 추정된다. 불전평면과 공간에 관해서는 金正基, 「高麗時代 木造建築」, 『考古美術』 175 176, 한국미술사학회, 1987; 李康根, 「17世紀 佛殿의 莊嚴에 관한 硏究」, 동국대학교 박사학위논문, 1994; 光森正士, 「韓國古代佛敎寺院의 禮佛空間について-特に拜禮石と奉爐石を中心として」, 『日韓兩國に所在する韓國佛敎美術の共同調査硏究』, 奈良國立博物館, 1993 참조.

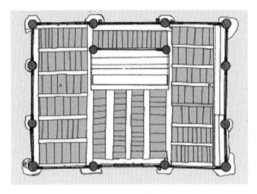

도 4. 대구 은해사 백흥암-마루 배치   도 5. 경주 불국사 대웅전-후불벽

정면 3칸×측면 3칸의 건물의 경우 불탁 전면의 어칸마루와 퇴칸마루의 널크기가 서로 다르고, 불탁의 마루평면이 어칸〉전면 퇴칸〉후면 퇴칸순으로 이동하면서 마루의 배열 길이나 가공정도에 차이를 둔다. 이는 불상이 봉안된 불탁을 중심으로 불탁과 근접한 전면과 떨어진 측면, 후면의 위치에 따라 마루의 크기와 치목된 부재를 통해 불상 봉안부와 예배공간의 위계를 바닥을 통해 보여주는 것이다.

그 예로는 17세기 후반 쌍계사, 선운사 참당암, 직지사, 운흥사, 마곡사를 중심으로 불탁이 위치한 어칸을 봉안부로서 차별화하여 협칸·퇴칸을 구별시키는 바닥 마감 체계가 형성되었으며, 18세기 불전내부의 의식에 따른 동선체계와 함께 내부 의식공간을 구별하여 불상 봉안부와 예배공간을 구분하는 마루의 짜임과 돗자리의 배치 등이 불전장엄에 반영되고 있음을 확인할 수 있다.(도 4)

2) 後佛壁과 高柱

후불벽이란 말 그대로 불상이나 불화가 봉안된 후면의 벽을 뜻하며, 불전 중앙에 설치된 일종의 칸막이벽을 말한다.[7] 불전의 규모, 봉안된 불상의 구성, 불탁의 크기에 따라서 1칸(앞면 3칸인 건물), 3칸(앞면 3칸 또는 5칸인 건물), 5칸(앞면 7칸인 건물)의 규모로 설치된다.(도 5)

오래된 법당에서는 규모에 따라 내부의 내진주를 빠짐없이 세워 공간을 내진과 외진으로 나누고, 내진주 사이 후면, 측면, 전면 양 끝에 벽을 세워 외진과 구별하는 독립된 폐쇄형 감실을 조성하는 것이 일반적이다. 그러나 현존하는 조선중기 이후의 불전에서는 불탁을 중심으로 후불벽이 측면에서 가장 높은 기둥인 고주 사이에 설치되어 있다.

---

7) 張起仁, 『新編 韓國建築辭典(韓國建築大系:IV)』, 普成閣, 1993, p.174.

법당 내부 가구시설의 변화는 삼국시대 한 겹의 벽을 둘러막아 불상 봉안부를 형성하는 폐쇄적 평면구성에서, 후불벽만을 설치하는 고려시대를 거쳐 앞면과 옆면을 완전히 개방하는 평면구성으로 서서히 변모해 조선시대 불전에 정착하게 된다. 이는 내부 고주와 불탁의 위치 변화에 따른 시대적인 흐름으로 불전 내부 의식에 따른 시대 변화와 함께 후불벽, 불탁, 천개 등 의장과 가구 시설의 변화가 조선후기 불전장엄의 기본 구성을 이루는 것이다.

고려 말 조선 전기의 건물인 봉정사 극락전과 대웅전, 심원사 보광전에서는 이런 과도기적 변화가 보이는데, 불전의 중앙칸 후면에만 내부고주를 세우거나, 무위사 극락전처럼 내부고주를 세우지 않은 채 불탁에 기대어 가림막 형식인 수장판을 가설하는 방식으로 불상 앞쪽에 넓은 예배공간을 확보하게 된다.

불전은 불상을 봉안하기 위해 마련된 건축물이다. 건축 당시에는 불상을 중심으로 그 주위를 세 번 도는 예불의식인 右繞三匝을 위한 공간 확보를 위해 후불벽 뒷면의 공간을 가장 우선시 했을 것이다. 그런데 불전의례의 변화에 따른 공간의 성격이 변하다 보니 결과적으로 후불벽 뒷면의 공간은 수장용 공간으로 변질되어 공양구, 의식구, 공양물이나 불화, 괘불탱 등을 보관하는 공간으로 바뀌게 되었다. 또 수장용품의 반입을 쉽게 할 목적으로 후불벽 뒷면이나 좌

우측면에 협문이 설치되기도 하였다. 이외 후불벽 뒷면은 내부 예배공간 확보와 수륙재, 영산재 등 외부의례의 성행으로 관음도나 달마도를 그리는 벽화의 전통이 사라져 조선후기로 오면서 후불벽의 위치가 용도의 변화에 따라 뒤로 물러서거나 사라지는 경향을 보이기도 한다.

이와 같이 조선후기 불전의 구성은 대부분 내부 고주만을 세워 후불벽을 막고 그 앞에 후불벽의 폭과 같거나 더 넓은 불탁을 설치하게 된다. 또 이 시기에 이르러서는 후불벽을 포함한 불탁이 자리한 불상 봉안부는 예외 없이 벽화 대신 탱화가 자리함으로써, 불탁은 천판이 넓어진 긴 직사각형의 모습으로 법당의 평면에 맞게 확장되고 불탁 뒷편은 수장용 공간으로 변질된다.(도 6)

도 6. 김천 직지사 대웅전-후불벽 및 후불벽화

3) 장엄 및 의식구

불탁 상부에 봉안된 예배대상인 불상과 불화는 불전장엄의 다양한 흐름과 절대연대를 가늠할 수 있는 중요한 척도가 된다. 불상의 복장물이나 조성기문, 불화의 畵記, 좌대에 기록되어 있는 묵서를 통해 뼈대를 이루는 건축물과 불진장엄 중 불탁, 천개, 그리고 다양한 불교 의식 장엄구와의 연관성을 추적할 수 있다.[8]

특히 좌대와 불탁 위에 진설되는 불패, 소대, 경장, 불영패, 신두패, 용가 등은 다양한 불교 의식 · 장엄구로서 예배대상을 보호하고 장엄하는 불전 내 중요한 기물임을 알 수 있으며, 兩亂이후 전통적 불교법식의 정착과정에서 예배대상을 중심으로 다양한 불전장엄이 발생하고 변형되어 후기 불교의식의 용도에 맞게 변형되었음을 살펴 볼 수 있다.[9]

4) 천개 · 천장 · 벽화

불전 내부에 들어서면 불상 위에 집 모양의 寶宮이 천장의 가구 구조물로 달려 있다. 이는 '天蓋' 또는 '寶蓋', '닫집', '唐家'라고 부르는데, 불타나 불제자에게 씌워 경의를 표하는 불전장엄구로 불세계의 화려함과 엄숙함을 상징한다. 수미산을 도해한 불탁과 함께 보궁을 형상화한 축소판의 목조 건축물로 불상이 자리한 공간을 상징적으로 승화시켜 대중이 깨달음의 길로 인도하고자 만들어진 것이다.[10] 초기 인도에서 더위를 피하기 위해 귀인들이 썼던 傘蓋에서 유래된 것으로 불 · 보살 등 존경의 대상을 화려하고 아름다운 집에 모시려는 순수한 의도로 제작되어 불전을 천상의 불세계로 꾸미는 장엄구의 역할을 담당한다.

---

8) 의례적 측면에서 예배대상인 조상과 불화, 의식구를 고찰한 연구는 다음과 같다. 허상호, 「불교의례의 佛具와 그 用法」, 『文化史學』 31, 한국문화사학회, 2009, pp.179 220; 정명희, 「朝鮮時代 佛教儀式의 三壇儀禮와 佛畵 研究」, 홍익대학교 박사학위논문, 2013.

9) 1548년 휴정이 금강산 도솔암을 방문하고 남긴 기록에서 16세기 주불전 내부에 봉안된 예배대상과 기물의 구성을 유추해 볼 수 있다. 주불전인 극락전 불탁에는 불상 7구가 있고 純金彌陀會幀과 西方九品會幀이 걸려 있었다. 벽 서쪽에는 持地菩薩 天藏菩薩 地藏菩薩과 天仙神部二十四衆을 한폭에 그린 幀畵가 걸려 있었고 창과 문 사이에는 水墨魚籃觀音菩薩圖가 있었다고 한다. 창 우측에는 鍾, 북, 경쇠가 있고 불탁 위에는 三足香爐와 버드나무가지가 꽂혀진 古銅甁이 있었다. 이들 기물은 의례를 위한 범음구와 灑水 절차를 위한 의식구이다. "… 越戊申春三月 寮之西 特起極 樂殿三4間 鑄金像七 並安于殿中 殿之壁 掛純金彌陁會一幀西方九品會一幀 紅綠莊嚴 光彩動人 壁之西 持地天藏地藏三菩薩眞 與天仙神部二十四衆 並畵一幀 又魚藍菩薩水墨眞一幀 風勢尤爲精妙 古今莫比問其 誰畵 則唐畵士吳道子筆也 而特垂於 門窓之間 門窓戸闥 則皆芇桃花也 白日方當 塵態不到窓之左右 懸鍾皷錚磬之噐 乃晨昏主人之所奏繫也 佛之前案 立三足銅鑪一座 香雲郁郁 又鑪之傍 有古銅甁一口 挿碧柳枝一枝…": 「金剛山兜率庵記」, 『淸虛集』 卷 3 記 11편(동국대학교불전간행위원회, 『韓國佛教全書』 제7책, 동국대학교출판부, 1979, p.707.

10) 천개는 불전장엄구로서 언급되며, 닫집이라는 불교 목공예 측면에서 학위논문과 도록으로 정리되었다. 申芝容, 「닫집에 관한 연구, 이화여자대학교 석사학위논문, 1992; 裵秉宣, 「닫집의 建築史學的 研究」, 『문화재연구소 연구교재』, 1991; 허상호, 「불교의식 속에 피어난 목공예의 精華」, 『2007 상설전』, 불교중앙박물관, 2007; 이강근, 「불전의 장엄」, 『붉고 푸른 장엄의 세계』, 불교중앙박물관, 2015.

도 7. 남양주 흥국사 대웅보전-천개

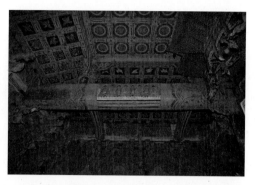

도 8. 해남 미황사 대웅전-대량의 천불도(1754년)

천개는 보통 천장장엄과 함께 구성되는데, 주전각에 봉안된 주불의 성격에 따라 천개의 현판과 천장반자의 장식문양이 결정되며, 가람 내 전각의 규모와 불탁에 봉안된 예배대상의 위계에 따라 시문된 조각 및 범자, 단청문양이 다양해진다.(도 7)

불교 발생 이전 고대인들은 연꽃을 태양의 빛으로 상징하여 태양꽃으로 섬겼으며, 하늘에는 하늘연못, 즉 蓮池가 있어 지상의 연꽃이 하늘연못에 거꾸로 심어진 연꽃의 광희를 받아 이 세상을 환하게 밝힌다고 여겼다는 이야기가 있다.[11] 그래서 고대인들은 왕궁이나 고분 천정에 하늘연못, 곧 천정을 만들고 거기에 연꽃을 거꾸로 심었던 것이며, 이런 전통은 조선시대 후기 불전의 천장장엄에 있어 佛·菩薩, 覆蓮과 琪花瑤草의 장엄을 통해 이어진다고 믿었고 반영되어 표현되기도 하였다. 천장에는 '井'의 반자 사이로 연꽃을 비롯한 다양한 종류의 꽃들과 서수들이 빼꼭히 장식되어 있으며, 벽사적 의미의 범자 및 주술적 진언과 투각문들이 수장되는데, 이는 예배자로 하여금 불세계의 경이로움과 환상적인 세계로 빠져들게 한다.

이외 불전의 벽화는 불탁 및 천개, 천장장엄과 함께 불전장엄의 極大化를 꾀한다. 특히 불전 내외의 벽에는 벽화들이 단순히 불전을 장식하는 용도 외에 각 벽면의 위치와 성격에 적합한 불교적 소재를 효과적인 방법으로 표출하여 대중을 교화하며 신앙심을 불러일으키는 가장 근접한 포교적 수단 효과로 투영되었다. 천장과 간벽, 공포에서 베풀어진 단청의 색채와 문양, 포와 포사이에 자리한 포벽의 化佛과 羅漢, 供養花, 奏樂飛天, 瑞獸 등의 배치를 통해 불전이 사바세계가 아닌 彼岸의 淨土界 寶殿임을 보여준다.(도 8)

이는 시대에 따라 변모하는데 고려 말 조선초기 벽화가 화조를 중심으로 주악비천과 용, 사자 등 서수들이 주류를 이루었다면, 후기에는 불·보살상을 중심으로 형성된 나한, 제자를 비롯하여 중국에서 유입된 畵譜들의 수용에 따른 회화적 풍경, 그리고 서유기 및 토끼전 같은 소

---

11) 서정록, 『백제금동향로-고대 동북아의 정신세계를 찾아서』, 학고재, 2001.

설삽화 등의 민화적 도상이 함께 표현된다. 이외 회화적 작풍을 배경으로 한 반야용선, 관음·달마도와 다양한 길상·서수문이 기복과 내세에 대한 상징성을 띠며 변질되어 가며 장식적 문양이 주류를 이루고 있음을 살필 수 있다.

따라서 불진 내부의 장임은 불탁의 중대 장임을 중심으로 다분히 지역적·시내적 조류를 수용하며 변화하고 있는 것이다. 특히 목조 불전의 취약점인 화재에 대한 벽사 및 防火符로서 '消災具'라는 상징적 의미를 담은 기능적 문양이 선호된 것으로 확인된다.

이는 불탁과 불전 내외부의 장식화 경향이 예배대상을 위한 봉안과 장엄문양의 기본 요소와 함께 전통적인 불전의례에 시대적 성향을 담은 용도로 변형·계승되었으며, 실리적 장엄을 표현하기 위해 유기적인 문양의 틀 안에 반향하고 있는 것이다.

따라서 불전이 개개의 장엄물을 통해 독자적인 상징성을 띄고 있는 것이 아니라 불전장엄 설비와의 유기적인 모듈 속에 조선후기 불전이 부처님의 세계임을 보여주는 것이다. 이런 흐름은 특히 영남지역에 분포한 장엄형 불탁을 중심으로 독특하게 표현되는데, 직지사, 통도사, 은해사 백흥암, 환성사, 운문사, 범어사, 관룡사 등에서 조선후기 시대적 불전장엄의 反響을 살펴 볼 수 있다.[12]

Ⅲ. 영남지역 불탁의 유형과 특징

조선시대 불탁은 불전의 중심이라는 우주관에 입각하여 수미산의 관념적인 도상인 上廣下狹의 구조 속에 상부 가리개인 寶卓과 寶壇·寶欄 등의 보조물과 바닥·후불벽·고주 등 주불봉안의 건축 설비로 이루어진다.(도 9)

불탁의 구조는 上臺·中臺·下臺의 3단을 기본으로 天板이 추가되는 모습으로 일반적으로 우리가 사용하는 식탁 중 옛 소반의 모습과 흡사하다.(도 10)

그 중 상대는 小盤의 반에 해당하는데, 상대는 중대보다 지름이 훨씬 커서 그 위에 佛器·향로·꽃병과 같은 각종 공양물을 놓을 수 있게 되어 있다. 중대는 소반의 운각과 가락지가 합쳐진 구조로 다시 상·중·하 삼단으로 나뉘며 전체 불탁의 몸체 역할을 한다.

하대는 불탁의 몸체를 받드는 부분으로 소반의 다리와 생김새도 닮고, 같은 역할을 하여 '足臺'라고도 한다. 조선시대 불탁은 이러한 상대부·중대부·하대부로 이루어진 3단 구조로 구성되며, 중·하대의 표면에 다양한 문양이 새겨지거나 채색으로 장식된다.

불탁의 형식은 몸체인 중대의 모습에 따라 크게 고식형, 일반형, 특수형으로 분류된다. 시대

12) 허상호, 『수미단』, 대한불교진흥원, 2010 참조.

에 따라 불탁의 차림도 달라지는데, 고려 말에서 조선초기에는 불상봉안과 보호를 위한 감실형태를 갖춘 고식형이 주류를 이루다가, 조선후기에는 불상공양과 의식을 위한 일반형과 그 변형인 특수형 불탁이 정착화된다. 또 중대 몸체를 구성하는 청판의 장식에 따라 청판 장엄형과 청판 안상형으로 구분되며, 이 두가지가 혼합되는 형식도 나타난다.[13]

현재 사찰에 전래되는 영남지역에 남아 있는 조선시대 불탁은 대개 17~19세기에 주불전을 중심으로 유행한 일반형 불탁으로 60~80여점 정도가 남아 있으며, 소형법당과 선원을 중심으로 근대기에 제작된 불탁들이 조선시대 불탁의 전통을 유지하며 계승되고 있다.

유형은 고려~조선초기의 고식형 불탁을 제외하고 일반형과 특수형이 고루 분포하고 있으며, 3단의 일반형 불탁을 중심으로 전각의 규모나 용도, 주불의 성격에 따라 장엄형 불탁의 구조와 문양의 변화를 보인다. 〈표1〉

본 글에서는 17세기 이후 불전 장식화 경향에 따른 장엄불탁 중 그 대표적 유형으로 꼽히는 영남지역의 불탁을 중심으로 형식과 장엄구조를 분류하고, 세부적인 특징에 대해 살펴보기로 하겠다.

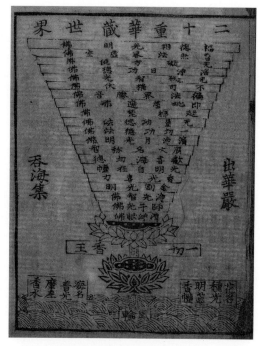

도 9. 수미산그림-賢首諸乘法數(가야산 봉서사, 1387)

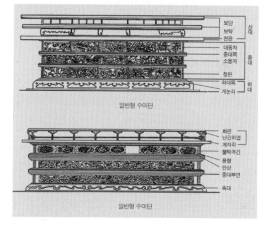

도 10. 조선시대 불탁의 구조와 명칭

---

13) 허상호, 「朝鮮時代 佛卓莊嚴 研究」, 동국대학교 미술사학과 석사학위논문, 2002, pp.39~117.

〈표 1〉 영남지역 조선후기 佛卓의 현황 및 유형 (64점)

時期	形式分類			조선후기(17-20C)
조선후기	고식형	座臺形/寶殿形		대구동화사금당 안동봉정사극락전
	일반형	1단형		부산범어사독성각 창녕관룡사명부전
		2단형	2-1(청판장엄)	고성운흥사대웅전 밀양표충사대광전 영천묘각사극락전 영천은해사대웅전 포항보경사적광전
			2-2(안상장엄)	경주기림사대적광전 문경김룡사웅진전 산청율곡사대웅전 상주남장사보광전 양산통도사극락보전 양산통도사영산전 영주부석사무량수전 의성대곡사대웅전 의성대곡사명부전 통영안정사대웅전
		3단형	3-1(청판장엄)	경산경흥사대웅전 김해은하사대웅전 김천직지사대웅전 대구파계사원통전 부산범어사대웅전 부산범어사팔상전 부산수수사대웅전 성주선석사대웅전 안동봉정사대웅전 영덕장육사대웅전 영천백흥암극락전 울산석남사대웅전 진주청곡사대웅전 창녕관룡사대웅전 청도대비사대웅전 청도용천사대웅전 청도운문사관음전 청도운문사대웅보전
			3-2(안상장엄)	경주백률사대웅전 남해용문사대웅전 대구동화사대웅전 문경김룡사대웅전 문경김룡사명부전 상주남장사극락전 상주용흥사극락보전 양산통도사대광명전 양산통도사약사전 영천영지사대웅전 영천영지사명부전 의성고운사극락전 청송대전사보광전 하동쌍계사대웅전 문경봉암사극락전 포항보경사대웅전 군위법주사보광명전
		4단형	4-1(청판장엄)	상주남장사선원(직지사성보박물관)
			4-2(안상장엄)	산청율곡사대웅전 안동개목사원통전 양산통도사보광전
		5·6단형	5·6-2(안상장엄)	양산통도사극락암무량수각 양산통도사영각
	특수형	특수형		경산환성사대웅전 양산통도사대웅전
		보탁형		대구동화사극락전 양산통도사극락보전

1. 일반형-1·4단

　일반형 1·4단은 사찰의 부속전각 또는 하단에 주로 조성된 불탁으로, 스님들의 수행을 위한 선원에서 사용하기 위해 제작된 것으로 추정된다. 대부분 후불벽 없이 소형 불·보살상이나 의식을 위한 불패, 기물을 봉안한 경우로 영남지역에는 남장사, 통도사, 범어사, 관룡사처럼 선원이나 부속전각에 배치되어 있으며, 중대는 1·4단의 구조로 모두 청판과 안상장엄으로 조각되어 있다.

　범어사 독성각의 1단형 불탁은 족대 없이 가구식 기단을 갖춘 형식으로 불탁 봉안부에는 좌우 초각난간을 둘러 감실의 구조를 보여준다. 1칸 짜리 소형 불전에 마루 대신 다다미를 깔고 2단 층급으로 예배공간과 불상 봉안부를 구분한 것이 특징이며, 좌우 벽에는 백동자도와 기하학적인 불탁문양이 특징이다.(도 11)

도 11. 부산범어사 독성각-일반형 1단 불탁

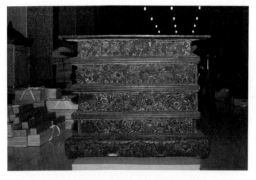

도 12. 상주 남장사 -일반형 4단 불탁

도 13. 산청 율곡사 대웅전-일반형 4단 불탁

관룡사 명부전 불탁은 지장보살과 명부권속을 병풍식으로 표현한 가리개형으로 좌대와 불상을 일자형으로 두르고 천판과 하부 수장고가 없는 것이 특징이다. 대개 조상들이 탁자 위에 봉안되는 것이 일반적인 모습이나 관룡사의 경우는 권속을 바닥에 두고 불상 봉안부와 예배공간을 구획 짓고 있어 의식을 위한 공양대의 역할을 위해 후대 개조된 것으로 보여진다.

4단형은 후불벽이 없는 소형불전이나 선원에서 독존을 봉안하거나 경책을 보관하는 경장의 용도로 만들어진 것으로 보인다. 특히 남장사 불탁은 조선후기 일반형 장엄형 불탁의 축소판으로, 하대의 족대 내 장엄과 중대에 장식된 상하부연의 앙·복련 장식, 그리고 측면에 개폐가 가능한 수장고 등 불탁이 불전의 규모와 용도에 따라 다양하게 제작되었음을 보여준다.(도 12)

율곡사 대웅전 불탁은 신중탱을 봉안한 중단의 불탁으로 주불을 위한 예배단의 성격보다 불전의 기물을 보관하기 위한 수장고용 탁자이다. 탁자의 외형은 민가의 가구인 欌이나 籠을 모방한듯 중대의 청판을 안상으로 장식한 가구재를 붙이고 좌우에 족대를 형식적으로 표현하여 불교용 목가구의 공예성을 보여준다.(도 13)

통도사 보광전은 19세기 후반에서 20세기 초에 유행한 가구식 불탁으로 청판과 양선문을 두어 민가의 饌欌을 가로로 펼쳐 놓은듯한 모습이다. 불탁이 벽면과 맞닿아 있어 중대의 중앙에 양선문을 제작하여 수장시설을 마련하였고, 상부에 감실이 설치되어 공양구 진설이 어려워지자 천판 전면에 보조형 천판을 매립한 모습이다. 천판은 진설과 의식에 따라 전면에서 분리되어 천판의 크기를 자유자재로 늘릴 수 있으며, 청판에는 백동장석과 범자를 조각하여 민가의 가구양식을 불가에서 차용하고 있다.

2. 일반형-2단

2단형 불탁은 운흥사, 표충사, 기림사와 같이 평면 5×3칸의 삼세불 삼신불을 봉안한 중형건

도 14. 경주 기림사 대웅보전-일반형 2단 불탁　　　도 15. 포항 보경사 적광전-일반형 2단 불탁

물에 주로 나타나며, 불상의 크기와 건물구조의 비례에 따른다. 또 상단이 아닌 중단의 보조용 불탁으로 사용되며, 불상 봉안부는 2단 층급의 보단을 올려 불상의 무게를 지탱하고 있으며, 청판과 안상장엄으로 중대를 장엄하게 된다.(도 14)

寶鏡寺는 2단형 중 1569년 절대명문을 가진 가리개형식의 고식 불탁으로 현전하는 완형의 가장 오래된 불탁이다. 불탁은 내부의 八角蓮花座臺를 중심으로 右繞三匝 할 수 있는 중심형 구조로, 고주 없이 수장판을 후불벽으로 장엄한 후, 옥으로 만든 전돌 위에 배치하였다.(도 15) 구조는 전면에 공양대가 사라지고 천판이 형성된 모습으로, 중대는 내부에 자리한 소조팔각연 화좌대를 병풍처럼 감싼 채 좌대의 높이에 맞게 정형화된 2단의 중대를 형성하고 있다. 이 불탁 은 일반형 불탁으로 전이되는 과도기적 단계로, 고식형 불탁에서 볼 수 있는 천판과 하대의 폭 일치, 2단의 불탁 중대 속에 천판 받침의 중대목화, 중첩형 족대 등 고식 요소가 남아 있으며, 격간 높이의 일치, 용면과 용 · 목단화 등의 화훼문의 장엄 등 일반형 불탁의 특징이 등장하기 시작한다.

특히 불탁 우측 청판 내부에 나타나는 眼象과 莊嚴文은 이미 1569년에 다양한 장엄이 시작되 었음을 보여주며, 조선후기 불탁의 명문이 먹으로 쓰여 있는데 반하여, 이곳에서는 年代와 發 願者를 안상내부에 음각하고 있어 시기에 따라 명문 기입방법도 달리하고 있음을 시사하고 있 다.14) 특히 명문 중 施主 겸 化主가 조선중기 고승인 信眉라는 점과 불탁 조성을 위해 畵工, 木 手가 그 역할을 분담하였다는 주목할 만한 내용을 담고 있어 불탁의 제작에 있어 小木들의 역 할 분담을 살펴 볼 수 있는 귀중한 자료이다.(도 16)

---

14) 「寶鏡寺佛卓 右側格間內 廳板陰刻記」(1569).
　　"無盡煩惱斷 無量法門學 誓度諸有情 皆共成正覺 願生出善家 願早遇明師 願語玆法門 願信心堅固願戒行淸淨願 淫心永斷 願活眼輕術 常行六波羅蜜 用天大報恩 國王報恩世界施主恩父母受生恩 四恩三有盡忠忘永斷生 入涅 槃', 隆慶三年己巳元月日成 施主兼化主 信眉 供養主 玄一 畵工 演嘻 木手 克淳"

도 16. 포항 보경사 적광전-불탁 명문

도 17. 밀양 표충사 대광전 불탁-중대장엄

이외 표충사 대광전 불탁은 1929년 대광전 중건 때 조성된 것으로 단청과 불탁에서 근대기 장엄이 표현된다. 탁자는 기존의 조선후기 일반형 불탁 형태를 갖추었지만 좌우 가장자리에 日·月을 상징하는 해와 달을 투각하고, 왕실을 상징하는 칠보문과 오얏꽃을 표현하였으며, 토끼와 거북이의 별주부전 도상과 쌍어문 등 길상의 소재와 민간에서 유행하는 이야기거리를 청판에 서양화법으로 채색하고 있어 근대기 불교 목공예의 시대상을 엿 볼 수 있다.(도 17)

3. 일반형-3단

현재 사찰에서 볼 수 있는 상 중 하대를 갖춘 전형적인 조선시대 불탁으로 중대가 3단으로 이루어져 있다. 대개 평면 3×3칸의 건물에 등장하며, 고식형 불탁과 한쌍을 이루며 나타난 보탁이 사라지고, 상대의 기본 골격이 되는 천판이 확대되면서 다양한 유형의 불탁이 등장하게 된다.

특징은 천판이 중·하대의 폭보다 커지고, 구획된 격간이 대칭구도 속에 청판의 높이가 일치하며, 보단과 보탁을 갖춘 모습이다. 중대는 청판과 안상장엄이 함께 조각되는데, 청판 내부에는 석가전생의 동·식물이 문양의 주체가 되며, 본생담의 내용과 불교적 길상문이 채색되거나 조각되는 장엄성향을 보여준다. 또 가리개로서 보단과 보탁·보란이 정착되면서 고식형에서 볼 수 있는 보탁이 불탁의 천판 상부로 이동하여 의식과 공양 위주의 기능성 불탁으로 변화한다.

영남지역에서도 대부분 일반형 3단불탁이 70%이상을 차지하는데, 중대의 장엄에 따라

도 18. 창녕 관룡사 대웅전-일반형 3단 불탁

청판장엄을 가진 관룡사대웅전, 범어사대웅전, 운수사대웅전, 청곡사대웅전, 직지사대웅전, 선석사 대웅전, 운문사대웅보전 등이 대표작이다. 또 안상장엄으로만 구성된 쌍계사대웅전, 통도사극락전, 동화사대웅전, 고운사극락전 등이 있다.(도 18)

4. 특수형

특수형은 외형상 일반형 불탁과 다른 異形의 構造로 공예적 가구수법을 가진 環城寺 佛卓과 석조 戒壇을 木材로의 번안한 通度寺 佛卓이 있다.

환성사 불탁은 본생담을 표현한 장엄불탁으로 정면 12칸, 측면 4칸의 1단 구조이다. 중대는 창호의 결구법인 머름대로 격간을 분절하고, 청판에는 蟹目形 眼象을 상하로 확대시켜, 본생담의 내용을 압축하여 표현하고 있다. 전반적인 구조는 백홍암 불탁의 중대를 蟹目形 眼象 속에 회화적으로 도해한 것으로 廳板에 琪花瑤草와 어우러진 서수들의 동적인 움직임과 서사적인 줄거리를 민화적인 형태로 표현하고 있다.[15](도 19)

통도사 대웅전 불탁은 부처의 진신사리가 모셔진 금강계단 때문에 여느 사찰과는 다른 모습을 하고 있다. 일반적으로 대웅전은 석가모니를 모시는 전각이지만 전면에 부처님의 진신사리를 모신 금강계단이 있기 때문에 불전에는 불탁만 설치되고 불상은 존재하지 않는다. 내부는 금강계단이 사방으로 열려 있는 것처럼 대웅전도 사방으로 열린 구조로 법당 내부에서는 불탁을 통해 금강계단을 참배할 수 있는 특이한 구조로 짜여있어 구조와 용도에도 차이가 있다.

불탁은 하대와 중대·상대를 갖춘 3단 구도에 천판 위로 계단식의 寶壇을 올려놓은 모습으로, 총 높이 190cm에 가로 너비가 1,031cm, 길이 251cm나 되는 대형 탁자의 모습이다. 이는 여느 불탁처럼 공양대의 개념과는 달리 승려들의 수계작법과 사리탑으로서의 금강계단을 예경하기 위한 특수한 용도fh 만들어졌음을 보여주는 구조이다.(도 20)

우리나라 불교 계율의 기초를 이루는 경전 가운데 하나인 『梵網經』에 따르면 "불자가 수계

도 19. 경산 환성사 대웅전- 특수형 불탁

15) 허상호, 「朝鮮 後期 佛卓 연구」, 『美術史學研究』 244, 한국미술사학회, 2004, pp.144~145.

도 20. 양산 통도사 대웅전-특수형 불탁

도 21. 양산 통도사 대웅전-불탁 족대

를 원할 때 먼저 부처님의 형상 앞에서 스스로 발원하여 계를 받는다"라고 하여 受戒儀式을 위한 특수한 장소가 있음을 알 수 있는데, 통도사에서는 그 특수한 장소가 현재 불탁으로 추정되며 외형 역시 계단의 성격을 갖춘 구조물로 바뀌었다.

하대는 불탁을 지탱하는 기단으로 계단과 맞닿은 북측면에 연꽃이나 琪花瑤草, 龍面을 파노라마식으로 배치하였다. 족대는 도식화된 如意頭文과 구름문을 조각하여 앞면 8칸, 옆면 1칸의 공간을 형성하고, 위로 화염문과 보주문이 혼용된 홑잎의 연화문을 양각해 영남지역 불탁의 조각양상을 보여준다. 중대는 여느 불탁과는 달리 좌대 앞에 위치한 보탁이 가로로 확대되어 불탁의 몸체를 형성하고 있는 구조이다.

대형 탁자인 만큼 다리인 족대 역시 큰데, 앞면 7칸, 옆면 1칸으로 높이 50센티미터의 큼직한 다리 사이마다 모란당초문과 탁의 모양의 幡장식을 띠 모양으로 장엄하였다. 특히 足臺는 청도 大悲寺와 雲門寺, 경주 불국사, 군위 법주사의 鷺角形 족대와 유사한 것으로, 17~18세기 화승의 교류를 통한 조각승의 교류와 장식적 특징을 살펴 볼 수 있다.(도 21)

대형 다리 위로는 여느 불탁의 중대처럼 廳板으로 표현한 다양한 장엄세계가 펼쳐지는데, 竹節形의 동자목을 중심으로 앞면 10칸의 판재가 액자틀처럼 배치되어 있다. 청판 내부는 장방형 판재에 당초문의 외곽을 곡선으로 조각한 안상을 장식하고, 불세계의 상상 동물인 기린, 사람의 머리를 한 물고기, 용 등 천상계의 동물과 게, 백로, 개구리, 물고기, 거북이 등 현실계의 길상문을 반복된 서기를 배경으로 장엄하였다.

이는 중국 북경 戒臺寺의 戒壇殿의 기단 형태와 흡사하지만, 계단의 수호신 대신 조선시대 후기 벽사를 상징하는 용면이나 용신을 배치했다는 점에서 차이를 보인다.

또 상대는 登壇을 위해 설치한 넓은 천판 앞면에 철물과 꽃문양, 梵字文 다라니, 해와 달, 구름무늬 등으로 치장된 경첩 7가지가 불탁의 표면을 장식하고 있다.(도 22-1 · 2) 천판 위의 寶壇은 2층 구조로 되어 있는데, 아래는 낮고 긴 일체형의 보단을 형성하고, 위로는 높고 긴 보단

도 22-1. 양산 통도사 대웅전-불탁 경첩

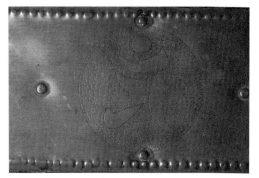

도 22-2. 양산 통도사 대웅전-불탁 경첩

을 두어 등단설법을 위한 가리개로서 금강계단의 供養臺나 儀式壇의 기능을 수행하고 있다.

아래에 있는 보단은 앞면 9칸, 옆면 1칸의 직사각형 구조로, 청판 내부에 菊花唐草文, 봉황, 학 등 천상계의 극락조를 문양으로 채택하고 있으며, 손이 닿는 앞면에는 국화를 중심으로 연화당초의 모습을 가진 풍혈을 가구 장식 하듯 징을 박아 단장하였다.

이처럼 통도사 불탁은 受戒作法, 登壇說法, 舍利塔 공양 등 금강계단을 위한 용도에 맞춰 제작된 특수형 기능을 가진 불탁이다. 고대 불탁의 앞에 위치한 공양대인 補卓의 확대와 석조 금강계단이 목재로 변형된 특이한 유형이라고 할 수 있다. 이는 대웅전이 금강계단의 예불 장소로 사용되었음과 법당내부 장엄구조의 특수한 구조를 통해 법당 내부에 또 하나의 계단을 형상화한 것으로 볼 수도 있다.

Ⅳ. 영남지역 불탁의 문양과 의미

불탁을 '須彌壇'이라는 이름으로 부르는 것은 부처가 이 세상에서 가장 높은 곳에 있음을 상징적으로 보여주는 동시에 부처님의 세계가 수미산 위에 있는 제석천의 세계와 다르지 않음을 상징하기 위해서다. 또 수미단이라는 것 자체가 부처님의 상을 직접 모시는 자리인 만큼 다른 어느 곳보다 장엄하게 꾸밀 수밖에 없다.

불탁의 중대 장엄은 조선시대 불교미술의 길상문양의 결정체라고 할 수 있다. 일반적인 불탁의 중대는 동물문과 식물문을 위주로 불교적 길상문과 민화적 문양이 주류를 이루고 있다. 하지만 17세기에 들어서면서 불교의 대중화와 포교사업의 일환으로 경전의 국역이 이루지면서 그 시대를 살았던 민중들의 바람이 투영되고, 여기에 종교적 신념과 기복신앙의 단면이 해학적으로 표현되기도 한다.

도 23-1. 김천 직지사 대웅전 불탁-중대장엄　　　　도 23-2. 성주 선석사 대웅전 불탁-중대장엄

이 시기의 가장 보편적 문양은 불교 대중화와 함께 불교경전의 국역으로 널리 알려지게 된 본생담의 줄거리와 그 아류작이라고 할 수 있는 說法과 說話가 중심을 이룬다. 또한 불상 수호와 벽사의 의미를 지닌 金剛杵, 용과 귀신의 얼굴, 또 장엄의 상징인 꽃과 淨甁, 목조 건물의 단점인 화재를 예방하는 상징성을 띤 동·식물과 상서로운 의미를 지니는 길상문이 함께 유행하며 전승된다.

영남지역의 불탁에서도 대부분 일반형 2·3단과 특수형 불탁을 중심으로 다양한 문양들이 펼쳐진다.

조선후기 일반형 불탁의 문양은 크게 기능과 장엄이라는 두가지 성향이 조합되어 표현된다. 문양은 불탁의 용도에 따라 예배대상의 예불과 의례를 위한 供養기능을 중심으로, 예배대상의 守護와 불전의 辟邪와 관련된 상징적 의미의 단순한 장엄성향을 가지게 된다. 또 대부분 불상수호와 공양을 상징하는 문양 외에 奏樂飛天, 龍, 鳳凰, 獅子 등과 같은 서수들이 불전장엄의 주요 吉祥文으로 정착화되어 가며, 장엄문양 중 포교의 일환으로 釋迦前生의 동·식물을 주체로 本生譚을 도해한 것, 그리고 민간신앙의 요구와 바람이 변용되어 불교화된 것 등 조선후기 17~18세기의 시대상을 문양을 통해 보여준다.(도 23-1·2)

1. 벽사와 불상수호의 기능성

불탁에서 불상수호와 벽사를 상징하는 문양으로는 金剛杵와 梵字文, 龍面, 龍, 獅子 등의 瑞獸들이 있다.

고려말 조선전기 불탁에서 처음 등장하며, 일반형 불탁으로 정착하기 이전, 불상을 봉안하는 좌대의 문양으로 표현된다. 특히 금강저는 불상수호의 초기 문양으로 불상을 예경하며, 불탁이 신성한 장소로서 구획을 결계한다는 의미를 가지나, 고려 이후 사라져, 조선 후기에는 용면이

나 용으로 대체되어 나타난다.[16]

영남지역 불탑에 등장하는 불상수호를 위한 용과 용면문은 운흥사, 관룡사, 범어사, 백흥암, 직지사, 환성사 등 일반형 2·3·4단형에 주로 표현된다.

불탑에 표현되는 용과 용면의 배치는 관룡사, 운수사처럼 불상수호를 의식한 듯 사천왕의 방위를 평면에 배치하듯 청판 좌우 모서리 사면에 투각한 경우와 1688년 선석사처럼 청판 전면을 龍身이나 용생구자설의 독특한 도상으로 표현한 경우, 그리고 범어사, 운흥사, 통도사, 환성사처럼 중대의 하단이나 하대에 배치하여 상·중·하단의 위계에 따라 배치한 경우가 있다. 특히 중대 하단에 배치된 용면의 경우는 그 시선들이 중앙은 정면을, 좌우는 불상쪽을 응시하는 동적인 모습으로, 문양을 통해 사방을 감시하는 벽사의 기능을 엿 볼 있어 불탑이 좌대에서 변용되어 불상을 봉안하고 수호하는 고유의 기능을 잃지 않고 계승되고 있음을 보여준다.(도 24)

이외 벽사적 기능은 불탑에 표현된 사자·코끼리, 용·봉황·기린·거북의 四靈獸인 서수문을 중심으로 불전의 벽화, 단청, 천장장엄과 같은 도상과 유기적인 관계 속에 다양성을 보인다.

특히 불탑의 문양 중 목조 건물의 취약점인 화재를 예방한다는 消災具의 상징성을 지닌 물에 사는 동물인 용과 물고기, 파충류, 그리고 수생식물이 그것이며, 용궁을 간접적으로 상징하는 도상과 蓮池의 표현들이 중심이다. 이런 벽사적 상징성은 불탑의 문양에서 뿐 아니라 사찰에서 화재를 막기 위해 소금을 이용하거나 바다와 관련된 眞言을 새기는 등 물과 관련된 주술적 용도로 표현되며, 사찰의 세시풍속 중 용왕제나 매화의식, 그리고 단오행사를 통해 부적이나 소

도 24. 부산 범어사 대웅전 불탑-중대 용면문

도 25. 양산 통도사 대광명전-소재구 명문

---

16) 고려시대 금강저문은 高裕燮,「高麗의 佛寺建築」,『高裕燮 全集 2』, 1993, p.239에서 高麗 心源寺 大雄殿 불탑
에 시문된 金剛杵·揷花甁 등의 眼象 彫刻을 고려시대 문양의 특징이라 언급하고 있다.

금을 불탁 아래 묻거나 水神을 찬탄하는 의식으로 발전하기도 한다.[17](도 25)

또 천장을 물과 관련된 문양으로 장식하거나 藻井式, 즉 반자형 틀로 짜 맞추는 우물반자의 전통을 고수하는데, 이는 조선후기 불전에 채택된 보편화된 구조로 정착된다. 하지만 천장을 수초와 연꽃, 수생 동식물로 조각하거나 단청하는 것은 불전장엄의 벽사적 성향으로, 통도사, 해인사, 금광사, 정혜사, 전등사, 금탑사 등과 같이 화재로 피해를 본 사찰이나 해안가에 위치한 불전을 중심으로 이루어진다. 이런 벽사적 성격의 소재구는 화재예방을 위한 符籍의 의미로, 불탁을 용선으로 상징화한 운문사 관음전 불탁을 비롯하여 불영사, 대적사 축대의 석조 龍頭, 수다사 대웅전, 통도사 용화전의 화반 등을 통해 불전장엄에 있어 화재에 대한 두려움이 불탁과 함께 다양하게 표현된 사례라 할 수 있다

2. 불·보살 공양과 헌공의 기능성

부처님께서 『大般若經』에서 "慈悲로 上首를 삼고 方便으로 구경을 삼는다."라고 하신 이야기가 있다. 이는 자비를 으뜸으로 삼고 방편으로 일체 중생을 제도한다는 의미로 卽身成佛을 위한 다양한 방편을 뜻한다. 이중 가장 큰 비중을 차지하는 것은 공양으로 웃어른에게 음식을 대접한

---

17) 사찰의 화재예방을 위한 벽사적 기능으로 물과 관련된 불탁문양 이외에 소금과 진언, 부적, 단청장식 등 목조건물의 재료적인 취약점을 보완하기 많은 방편이 있다. 이는 액을 막고 복을 불러들이는 '除厄招福'의 조건 아래 액은 반드시 피함으로써 길상을 위한 예방책을 벽사적 의미로 예배공간 곳곳에 글자나 진언, 단청장식으로 장엄한 것이다. 특히 소금은 민간신앙의 소재로 자주 등장하며, 특성과 색깔에 주술적인 힘이 부여되어 민간에서 부정한 행위나 제액을 방지하는 정화력의 산물로 애용되었으며, 사찰에서는 화재를 막기 위해 소금을 이용하거나 바다와 관련된 진언을 새기도 하였다. 소금은 예부터 원래 바닷물로 만들어졌기에 소금 자체가 거대한 물이나 바다를 상징한다. 화재는 한번에 재물과 인명을 앗아갈 수 있는 무서운 재앙으로, 목조건물이 많은 사찰에서는 화재를 예방하기 위해 소금을 납입하거나 바다나 물을 상징하는 표식을 부적이나 불전 상징물로 장엄하고 있다. 청도 운문사와 서울 진관사에서는 음력 1월20일경에 소금을 담은 단지를 불전 뒤에 묻거나 불탁 아래 '水'자를 뒤집어 붙이며, 해인사에는 단오날에 건너편 매화산 정상에 소금단지를 묻어 火山의 화기를 누른다. 또 통도사에서는 단오날 구룡지에서 용왕제를 지내고 水神을 찬탄하며, 소금단지를 처마 곳곳에 올려둔다. 통도사 소금항아리에는 水神을 찬탄하는 불막이용 "降火魔眞言"을 근봉 하는데, 각 전각의 평방에 단청된 물의 신을 찬탄하는 글귀로서 '吾家有一客 定是海中人 口吞天漲水 能殺火精神 우리 집에 한 손님이 있는데 필시 바다의 사람이라 입으로 폭포 같은 물을 뿜어서 능히 불귀신을 죽이네" 라고 적혀 있다. 문장의 내용은 용이 비를 내려 화재를 막아낸다는 뜻이나 사찰에서는 소금단지를 이용해 화재를 미연에 방지하는 것은 소금 자체가 바닷물로 만들어졌기에, 거대한 바닷물로 화재를 막으려는 벽사적 의지를 보여주는 것이다. 또 사찰에서 주로 불탁에 행해진 벽사적 방화부로 진관사와 운문사에는 화재예방을 위해 스님들이 요사채의 방안 네 귀퉁이나 불탁 아래에 '水'자를 거꾸로 붙여두었는데, 이는 물이 쏟아 내리라는 의미를 담고 있어 "유사가 유사를 낳는다"는 유사 주술적인 원리가 조선후기 불전 장엄에 팽배해 있었음을 보여준다. 이런 방화부는 민간에서도 목조로 재실이나 고택을 지을 때 「每年火災防法文리라」나 「火滅眞言」을 상량문과 함께 기재하여 건물의 화재를 방지하는 주술용 진언으로 전승되었는데, 한문가사의 부적문에도 수록되어 있어 사찰과 민간의 화마에 대한 방화의지와 벽사에 대한 인식을 불전에서 애용된 진언을 통해 살펴 볼 수 있다. 사찰의 벽사기능과 부적에 관한 자료는 구술과 다음의 논문을 참고하였다. 김영자, 『한국의 부적의 역사와 기능』, 고려대학교 대학원 박사학위논문, 2006.

도 26 봉서암 감로탱, 1759년, 견본채색,
228×182㎝, 삼성리움미술관

다는 1차적인 의미와 내 육체를 수양하고 정신력을 함양시킨다는 2차적인 의미가 있다. 곧 공양이란 단어 속에 무엇인가를 바쳐서 참 생명력을 기른다는 뜻이 깃들어 있는 것이다. 이런 방편 중 최고의 수행인 공양은 조선시대 의식과 더불어 불·보살과 삼보에 귀의하는 공양 외에 깨달음의 방편으로 애용되었으며, 다양한 佛具와 佛器들이 사용된 의식을 통해 불·보살에게 귀의하는 지름길이 되었다.

불탁의 몸체에 장엄되어 있는 성스러운 동물들과 식물, 그 중 공양화는 불탁이 부처님을 봉안하는 상주처로서 건물의 뼈대가 되는 基壇의 기능을 가지지만, 상시 공양이 베풀어지는 공양단의 의미가 더욱 컸음을 보여준다.(도 26)

불전에서 이루어지는 獻供은 향을 사르는 일-燒香, 꽃을 받치는 일-獻花, 등을 올리는 일-燈火, 차茶와 쌀米과 과일果을 올리는 일이 가장 보편적인 공양으로 이를 六法供養이라고 한다.

특히 이러한 불전 공양 중 공양화는 공양 중 으뜸으로 무한한 공덕에 비유된다.[18]

옛부터 꽃은 공양과 상서의 상징으로 고구려 고분의 벽화를 시작으로 조선시대의 사찰벽화 및 장엄구에서도 아름답게 치장되었으며, 부처님이 계신 전각을 장엄하기 위해 꽃공양을 상징하는 꽃그림을 그리는 것은 당연한 일이었다.(도 27-1 · 2)

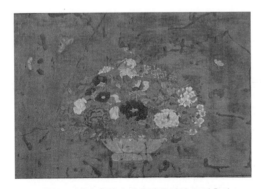

도 27-1. 예산 수덕사 대웅전 공양화-고려후기

도 27-2. 청도 운문사 대웅보전 불탁-1688년

---

18)『法華經』방편품에는 "꽃 한송이 정성 다해 불상 앞에 공양해도 이와 같은 인연으로 많은 부처 뵙게 된다."는 내용과 "만일 이 경을 쓰고 꽃, 향 등을 공양하면 얻는 공덕이 한량없으리라." 라는 기록을 통해 불전에서 꽃 공양의 의미를 짐작할 수 있다. 또 불가의 여러 가지 의식에도 다양한 꽃공양이 이루어지는데 "손을 모아 꽃으로 삼고, 몸은 공양구가 되어 마음껏 정성을 다한 진실한 모습으로 향연이 가득함을 찬탄합니다."라는 合掌偈의 내용을 통해 불탁에 헌공하는 꽃 공양의 지극한 믿음을 엿 볼 수 있다.

화려한 단청 속에는 활짝 핀 갖가지 꽃이 마치 하늘에서 꽃비를 내리듯 장엄되었으며, 그 꽃비에 둘러자리한 곳에 불전의 중심이자 우주의 중심인 부처님이 자리하게 되는 것이다.

불전에서 꽃은 부처님이 상주하는 불탁은 물론 천장과 벽체와 단청에 이르기까지 다양하게 등장한다. 천장에는 '井'의 반자 사이로 연꽃을 비롯한 다양한 종류의 꽃들이 빈틈없이 들어 장식되어 있어 보는이로 하여금 경이롭과 환상적인 세계로 빠져들게 한다.

이는 『妙法蓮華經』에서 설한 영축산에서의 설법 현장을 불전에 표현한 것으로 비구, 비구니, 우바새, 우바이 등 사부대중에게 둘러싸여 공양과 찬탄을 받으며 설법 당시, 하늘이 만다라꽃과 마하만다라꽃, 만수사꽃과 마하만수사꽃을 비오듯이 내리어 부처님과 모든 대중을 축복한 장면을 상징하는 것이다.(도 28) 즉 불전을 꾸미는 장엄으로, 또는 불·보살의 공양을 상징하는 것으로 부처님이 설법을 마치고 삼매에 들었을 때 하늘에서 상서로운 꽃비가 내린 雨花의 祥瑞를 압축해서 보여줌으로서, 불전을 영산도량으로 구현하는 방편의 수단으로 삼은 것이다.(도 29-1·2)

도 28. 율곡사 괘불탱, 1684년, 견본채색, 900×471㎝, 율곡사

한편, 꽃은 장엄과 더불어 공양의 상징적 개념을 가지며 불탁에서 더욱 화려하게 피어난다. 불

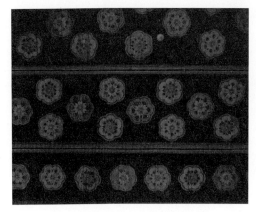

도 29-1. 고창 선운사 대웅보전-천장

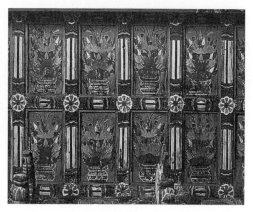

도 29-2. 여수 흥국사 대웅전-천장

탁 위에는 다양한 공양물과 함께 화병에 꽂힌 꽃이 있고, 중대에는 연꽃, 모란, 국화 등 현실에서 쉽게 볼 수 있는 꽃들과 불수화, 보상화, 파련화 등 상상속의 꽃들이 새겨져 있다. 이는 불전의 천장과 불탁, 창호에 장식된 꽃들이 단순히 장엄을 위한 수단이 아닌 부처님께 올리는 공양화로서, 또는 지혜를 상징하며 부처님의 말씀을 깨닫는 覺華[19]의 상징물로 표현되는 예들이다.

이처럼 불탁을 꽃으로 장엄하는 것은 불상 공양 중 으뜸의 의미로 조선후기 일반형 불탁이 공양과 설단을 위한 탁자로서 그 기능을 하였음을 의미한다. 꽃문양은 蓮花, 蓮花唐草, 寶相花文 같은 불교적 길상화와 牧丹, 菊花文 등 현실의 길상화가 주류를 이루는데, 불탁에서는 이를 압축하여 입체적으로 장엄한 佛壇莊嚴花도 있다.[20](도 30-1·2)

도 30-1. 목조불단장엄화, 조선후기,
높이 71㎝, 국립진주박물관 소장

도 30-2. 미황사 대웅전 목조불단장엄화

19) 허균, 『사찰 100美 100選』上, 불교신문사, 2007, p. 346. 불교에서는 꽃을 상징화하여 萬行花라 부른다. 꽃이라는 것은 개화 다음에는 반드시 열매를 맺는 속성을 가지고 있기 때문에 꽃을 해탈을 이루기 위해 힘쓰는 정진에 비유한 것이다. 해탈을 이루기 위해서는 불심도 닦고 자비를 실천하는 등 만 가지 실행을 필요로 한다. 그런 까닭에 열매 맺기 전에 먼저 피는 꽃의 속성을 본받아야 한다는 것이다. 또한 꽃을 깨달음에 비유하여 覺華라 하기도 하는데, 지혜를 터득하는 것이 마치 꽃을 피는 것과 같으므로 꽃을 각화라 부르는 것이다.

20) 佛壇莊嚴花는 현재 진주박물관과 미황사에 2구가 있다. 진주박물관 소장 莊嚴花는 美黃寺것 보다 투각이나 기법에서 뛰어난 것으로 하부의 거북을 座臺로, 연봉의 자방에서 화생하는 개구리·童子·鶴 등을 표현하였으며, 상부에는 日·月을 상징하는 둥근 원형의 寶珠를 올려놓은 모습이다. 이는 불탁장엄의 축소판으로 거북을 하대로, 莊嚴花를 중대로 표현하고, 원형보주를 불탁 위에 봉안되는 佛像으로 미화시킨 것으로 추정된다. 국립진주박물관, 『김용두옹 기증문화재 도록』, 1997, 유물번호 : 晉涯 1151 참고.

꽃공양이 표현된 영남지역 불탁으로는 청도 운문사 대웅보전, 경주 기림사 대적광전, 대구 용천사 대웅전, 파계사 대웅전, 창녕 관룡사 대웅전 등이 있다.

도 31. 청도 운문사 대웅보전 불탁-보단 공양화문

그 중 운문사 대웅보전 불탁은 꽃공양이 중대 전면에 꽃과 공양화로 투각된 대표작으로, 하대와 중대·상대를 갖추며, 천판 위로 보단과 보탁을 가진 일반형 불탁의 구조 속에 다양한 장엄법을 보여준다.

중대는 불탁이 蓮華藏世界의 꽃공양을 위한 공양탁자를 재현한 듯 청판 속에 투각한 연화문을 중심으로 국화문과 모란을 장식하였으며, 꽃은 대부분 만개한 모습으로 위에서 내려다보는 俯瞰法의 효과를 노린 듯 圓滿形과 활짝 핀 側面形의 두가지 도상으로 표현된다.

천판 위로는 보탁과 보단을 두어 보탁에는 중대에서 표현된 꽃들을 당초와 혼용하여 나열하였으며, 보단에는 좌·우측면에서 중앙으로 화반과 화병에 헌공된 꽃들을 연봉을 중심으로 만개하는 모습까지 시간적인 차이를 두며 化生의 의미를 조각하고 있어 흥미를 더해 준다. 특히 이런 도상은 장엄된 청판에 두 개 이상의 시간이 공존하는 장면 구성을 보여주는 異時同圖法으로 공양화가 주요 소재로 다루어진 다보사, 문수사, 전등사 대웅전 불탁에서도 흥미로운 장면을 엿 볼 수 있다.(도 31)

특히 보단의 공양화는 예배대상에 대한 헌공화의 의미를 지니지만 연꽃을 소재로 극락정토에서 다시 태어나기를 염원하는 불자들의 종교적 열망과 신앙심을 함축적으로 표현한 것인지도 모른다. 『大智度論』에서 "연꽃의 연하고 깨끗함으로써 신력을 나타내어 그 위에 앉되 꽃이 상하지 않게 하고자 함이다. 또 묘법의 자리를 장엄하게 하는 까닭이며, 또 다른 꽃은 모두 작고 연꽃같이 향기가 깨끗하도 큰 것이 없기 때문이다. 천상의 연꽃은 이보다 크다. 이것은 결가부좌하기에 족하다. 부처가 앉은 꽃은 이보다 크기가 백천만배이다. 또 이와 같은 연화대는 깨끗하고 향기가 있어 앉을 만하다."라고 하여 부처가 연꽃 위에 앉은 뜻을 밝힌 것처럼 연화좌를 불탁을 통해 표현하려는 승장의 조각의도가 담겨 있지 않나 생각 할 수 있다.

이는 하대부터 중대, 보단과 보탁으로 이어지는 꽃들의 향연이 족대에서 피어나는 보주를 시작으로 줄기를 뻗치며 피어나고 있으며, 그런 꽃들의 상부에 공양 중 가장 으뜸인 헌공화의 모습으로 표현되고 있어 옛 장인들의 조형미와 불탁의 기능성을 문양을 통해 찾아 볼 수 있다.(도 32-1·2)

불탁에 표현된 연꽃은 대부분 연지 속에서 만개하거나 연밥을 표현한 도상, 연꽃잎의 한쪽이 나선형으로 꼬부라져 감긴 波蓮花의 도상, 당초문양과 결합된 寶相華의 도상으로 표현되며, 수

도 32-1. 청도 운문사 대웅보전 불탁-하대 족대

도 32-2. 청도운문사 대웅보전 불탁-보단 족대

덕사, 봉정사를 시작으로 정혜사, 파계사, 화암사, 경흥사 등 불탁의 대표적인 꽃장식으로 애용된다.

대개 영남지역에서는 연꽃과 모란, 국화를 중심으로 불수화, 보상화, 파련화 등 불세계의 꽃들이 새겨지고 물과 연관된 용과 물고기, 파충류, 그리고 수생식물과 함께 蓮池를 상징하는 도상으로 표현된다.

특히 모란은 전라도·충청도 지역의 다보사, 정혜사를 중심으로 관룡사, 운흥사, 운문사, 화엄사 등 영남지역 불탁에서 다양한 색채와 도상으로 묘사되며, 꽃과 잎을 풍성하고 화려하게 묘사하여 길상의 의미를 표현하려는 조각가의 의지를 엿 볼 수 있다.

도 33. 나주 다보사 대웅전 불탁-공양화문

모란은 富貴平安을 상징하는 길상화이자, 번영과 창성의 꽃으로 우리나라에서는 美好와 행복의 상징으로 널리 애호되어 불전의 공양화로 사용되는 꽃이다. 모란이 표현된 대표적인 다보사 불탁에서는 모란을 화병에 심고, 좌우로 뻗어나간 꽃과 잎을 투각하여 청판에 표현하였는데, 화병 속에서 피어난 세송이의 모란을 붉은색, 청색, 흰색으로 화려하게 채색하여 같은 색의 꽃들을 일정한 그룹으로 묶은 독특한 모습이다.(도 33)

이는 불교에서 부처님께 공양하는 꽃다발을 상징하는 것으로 華鬘이라고 하는 것을 표현한 것이다. 원래 인도에서 모란과 같이 향기가 진한 생화를 실로 꿰거나 묶어 목이나 몸에 장식하는 장신구였으나, 승려들이 몸에 치장하는 것이 허락되지 않자 승방에 걸거나 부처님에게 공양하는 것으로 애용되었다. 이후 중국을 거쳐 금속이나, 종이, 그림 등으로 소재나 재질이 바뀌면서 불전을 장식하는 장엄구의 일종으로도 사용되었으며, 불전의 포벽에 장식소재로 그려져 장엄과 공양의 이중적 성격을 띤 장식 소재가 된다.

도 34-1. 강화 전등사 대웅보전 불탁-보탁 공양화문   도 34-2. 나주 다보사 대웅전 불탁-중대 공양화문

또 불교에서는 꽃을 꽂은 병을 賢甁이라고도 하며, 보배가 가득 찬 병이라고 하여 寶甁, 불사의 묘액이 가득찬 병이라고 하여 甘露甁, 바라는 모든 것이 충만되어 있다고 하여 滿甁 등으로 불린다. 이는 관음이 지닌 정병이 불전을 청정도량으로 만드는 맑은 물을 담아 두는 병이라는 뜻처럼 불탁에 표현된 공양화를 통해 현실의 욕구를 충족시키려는 속세의 마음을 찾을 수도 있다.

특히 운문사, 다보사, 전등사의 공양화는 꽃을 화반이나 정병에 담은 공양화의 모습만을 보여주는 대표적인 불탁으로 꽃을 담은 정병이 당시 유행한 기물을 대변하고 있어 흥미롭다. 이런 예는 고려시대 수덕사의 공양화가 고려 청자의 기물의 가진 화반이었다면, 17세기 공양화인 다보사의 화병은 청화백자인 花尊의 모습을 담고 있어 불탁의 문양이 시대상을 반영하고 있음을 보여준다.(도 34-1·2)

이외 운흥사, 다보사, 운문사, 용천사 불탁에는 안상 또는 청판 내부에 만개한 국화를 다양한 모습으로 모델링한 도상이 있다.(도 35) 대부분 자방을 중심으로 2~4겹의 복판문으로 묘사되며, 국화의 생태를 그대로 모방한 듯 잎은 어긋나고 날개깃처럼 갈라졌으며, 갈라진 조각의 가장자리에는 작은 톱니들이 표현되어 있다. 불탁에서 국화는 연꽃과 목단처럼 홀로 묘사되지 않으며, 한쌍을 이루거나 군락

도 35. 대구 용천사 불탁-중대 국화문

을 이루는 모습으로 굵은 줄기에 끝이 말린 잎이 생경하게 장식되는 것이 특징이다.

3. 수미산과 불국토 미화의 상징성

수호와 공양을 상징하는 문양 외에 불탁에는 불전장엄을 위해 용, 봉황, 코끼리, 사자, 가릉빈가 등 경전에 기록된 서수들과 천인들을 표현하여 佛國土를 미화하고자 하였다.

직지사 대웅전에는 불탁이 불전의 중심이라는 수미산을 상징하듯, 바다 위에 떠 있는 龍과

도 36-1. 김천 직지사 대웅전 불탁-수미산도

도 36-2. 안성 칠장사오불회괘불탱-
수미산도(국보296호)

寶殿을 형상화한 수미산의 도상을 용이 탑과 사찰을 떠 받드는 모습으로 변용하여 표현하고 있다. 이는 조선 후기 불탁이 외형상 불상 봉안과 공양용 탁자의 기능 용도로 변화하였지만, 여전히 불탁이 불전의 중심에 있다는 수미산의 상징성을 담지하고 있는 것이다.(도 36-1·2)

도 37. 김천 직지사 대웅전 불탁-중대

직지사 불탁은 외형상 중대 중앙에 용의 머리를 가진 큰 拇柱를 중심으로 좌우에 용이 머금는 여의주를 형상화한 보주형 기둥을 배치하고 그 좌우에 대나무형 기둥을 세워 장엄패턴을 형성하고 있다. 또 3단을 특징짓는 청판에는 하부에서 상부로 올라갈수록 바다(수중) → 땅·산(지상) → 하늘(천상)로 변화하는 디오라마식의 표현을 투각기법으로 도상화하였는데, 모두 繼世思想속에 靈媒로서의 동물들을 표현하고 있다는 점이 주목된다.(도 37)

중대장엄은 뚜렷한 테마 속에 공간의식을 구분지어 불세계에 거주하거나 繼世思想과 관련있는 용, 거북이, 개구리, 새, 물고기 등의 靈媒를 통해 그 상징세계를 표현하고자 한 것이다. 따라서 사람이 오직 한 공간, 땅에서만 살수 있다면 이들 동물은 무한대의 공간을 자유롭게 다니며, 다른 他界로가는 부활한 영혼을 실어나르는 안내자로서 신성시되었으며, 불세계의 서수로서의 습성과 상징성을 고려하여 불탁의 소재로 애용된 것이다.

이는 하늘에 부처님이 계시는 불세계가 있음을 담지하여, 인간은 천상계에서 지상의 현실로 내려와 살다가 사후 다시 내세의 이상계로 돌아간다는 관념을 가지고 있음을 직지사의 불탁을 통해 표현하려 하였던 것이다. 즉 불탁에 표현된 장엄과 문양은 당시 불자들의 시대적 불교관과 기복적인 믿음을 적절하게 투영한 것으로 그 곳에는 하늘과 땅과 바다의 경계가 없는 미지의 세계가 펼쳐져 있는 것이다.

중대를 구성하는 3단 중 중대의 하부인 1층은 수중세계로, 불교의 蓮花化生관 관련된 연꽃을 배경으로 연지의 수중세계가 펼쳐진다. 소재는 연꽃의 씨앗인 자방과 수룡, 그리고 魚變成龍의 모티브를 가진 물고기와 다산과 재생, 수중과 육지를 왕래하는 동물인 게와 개구리가 소재로 채택된다. 또 그 배경에는 강, 냇가, 연못, 바다 등의 물을 이상세계로 삼으며, 민간신앙에서 바라보는 수중세계의 개념인 原鄕, 樂土의 의미를 통해 영혼이 죽은 후 윤회하여 인간이 돌아가는 공간을 물속 이미지를 통해 장엄하고 있다.

중대의 중간인 2층은 지상세계로 땅, 산, 하늘을 배경으로 묘사하여 산악숭배의 산수문과 연꽃, 목단, 나비, 잠자리 등 지상세계에서 흔히 볼 수 있는 영매를 통해 祖上神이 거주하는 이상계를 표현하고 있다. 여기서 산, 그리고 이승과 저승의 매개체로서 새는 연꽃 속 화생의 상징 아래 지상세계의 부귀와 다산, 왕생의 의미를 함축하고 있다.

마지막으로 1층은 천상의 세계로 구름 속에서 다변하는 구룡의 모습을 상징한 것이다. 바다 → 땅 → 하늘을 이어주는 천상계의 안내자이자 이상계의 신령스런 瑞獸로서 천판 상부가 부처의 거주처인 불세계라는 암시적인 상징과 아래 표현된 영매 중 으뜸으로서 의인화되어 불탁에 표현되어 있다.

이를 통해 직지사 불탁의 중대는 하늘과 땅과 바다의 경계가 없는 이상향의 불세계를 향한 속인들의 부처님에 대한 믿음과 바람을 불세계의 서수들을 통해 표현하려고 하였으며, 그 이상계를 표현함에 있어 어느 불탁에서 볼 수 없는 디오라마식의 구조와 다양한 장엄을 경험할 수 있게 된다.

이런 불탁에 등장하는 수미산과 불세계 도상의 전통은 조선 후기 정형화된 일반형 불탁을 계승한 범어사 대웅전, 운문사 대웅전, 백흥암 극락전, 운흥사 대웅전 등에서도 그 모습을 찾을 수 있다. 즉 도상과 문양의 변용은 있지만 조선후기 영남지역 불탁의 중대에 보편적인 문양과 상징으로 채용된 것이다. 특히 범어사 대웅전 불탁은 하부에 벽사를 상징하는 용이나 용면

도 38-1. 부산 범어사 대웅전 불탁-중대

을 배치하고, 중앙에 주악비천과 천녀상을 비
롯하여 다양한 동식물이 그 주위를 외호하는
모습으로 불탁을 장엄하였다. 이런 문양과 구
조는 수미산을 표현한 중국 운강석굴 10굴의
수미산도와 유사한 모습으로, 시기적 間隙은
있지만 하부의 용을 중심으로 상광하협의 구
조물을 만들어 그 구획 속에 동식물을 장엄하
는 동일한 모티브를 보여주며 계승되고 있는
것이다.(도 38-1·2)

도 38-2. 중국 운강석굴 제 10굴-수미산도

4. 불·보살의 전생 이야기-本生譚의 투영

조선후기에 이르면 전에는 볼 수 없었던 희귀한 도상들이 불탁 중대에 표현된다. 대개 장엄
을 위한 불교적 문양으로 볼 수 있지만 무언가 암시적인 상징성이 깃들어 있으며, 설화와 스토
리를 가진 도상들이 곳곳에 숨은그림처럼 자리한다.

이는 바로 전생의 부처님 이야기를 교훈을 담아 꾸민 本生譚을 표현한 것으로 부처님 생전의
동·식물이 이야기의 주인공이 되어 표현된 것이다.

본생담은 5세기 무렵 중국을 기점으로 중앙아시아 쿠차지역과 敦煌의 莫高窟에서 처음 나타

도 39-1. 중국 키질 118굴-본생도

도 39-2. 중국 키질 17굴-대원본생도

났다. 쿠차에서 보이는 본생담은 수미산의 형태를 취한 마름모꼴의 구획 속에 천상의 세계를 시각적으로 구분하여, 봉우리마다 여러 인간과 새와 짐승의 모습으로 善業을 쌓아가는 부처님 전생을 표현했다. 또 돈황의 막고굴에서는 전래된 동물 위주의 본생담이 주류를 이루고 있다. 조선시대 불탁의 본생담은 이 두 가지가 합쳐져 도상화된 것이다.(도 39-1·2)

특히 우리나라에서는 전란 이후 혼란한 시기에 대중이 바라는 내세관과 기복적인 사고관인 緣起, 因果應報, 善惡說 등이 퍼지면서 본생담이 유행하였고, 불교에 위탁하는 계기가 되었다. 또 많은 불사를 일으킬 수 있도록 윤회와 인과, 蓮花化生과 같은 현실적 바람을 강조하다 보니 불탁에 있어서는 안 될 살생장면도 보이게 되며, 이와 함께 각종 부처 전생 설화가 변질되어 도상으로 나타난 것이다.

따라서 불탁에 있어서는 안될 살생 장면과 선인의 모습들이 다분히 그 이야기의 중심에 자리하며, 육도의 태를 순환하는 人非人과 식물, 서수들이 부처님 전생의 인연설화를 통해 몸을 빌어 대중들을 교화하거나 포교하는 가상의 부처님의 모습으로 표현되었다.

본생담의 줄거리를 차용한 대표적인 영남지역 불탁은 통도사, 범어사, 청곡사, 관룡사, 운흥사, 백흥암, 환성사 등 영남지역을 중심으로 모든 장엄불탁의 중대문양에서 대표적인 소재로 애용된다.

이는 어렵고 알아듣기 힘든 언어나 경전의 포교보다는 그림으로 풀이된 이야기를 보여줌으로써 쉽게 이해할 수 있도록 한 것인데, 여기에 이전에 볼 수 없었던 다양한 천상계와 축생계의 문양들이 나타난다. 이처럼 본생담의 내용은 조선시대 중기 일반 민중이 지닌 윤회사상이 바탕이 되어 내세 극락왕생을 위한 무도와 공덕, 인연이 주제가 되었다.

또 세월이 흐르면서 도덕적으로는 善을, 종교적으로는 業을 강조하여 일반 민중들에게 선을 행하고 악을 멀리하여 남을 위해 희생하고 진리와 종교적으로 헌신하고 수행해야 한다는 포교적 줄거리를 가진 본생담이 불탁을 장엄하여 교화의 방편으로 애용되었다.[21]

도상 중 대표적인 것으로 계율과 연관된 부처님의 전생 이야기로, 불탁에서는 「靑鷺本生」과 「雛鳥本生」의 이야기를 담지한 윤회·업보의 살생장면이 있다. 이 장면은 연못에서 해오라기

도 40-1. 창녕 관룡사 대웅전 불탁-추조본생

도 40-2. 고성 운흥사 대웅전 불탁-살생장면

21) 허상호, 앞의 책, 2010, pp.67~70.

도 41-1. 경산 환성사 불탁-삼법본생　　도 41-2. 경산 환성사 불탁-인비인　　도 41-3. 경산 환성사 불탁-하동

가 물고기를 유인하여, 물고기를 살생하는 장면으로, 물고기가 윤회를 통해 부처의 化身으로 등장하며, 어리석은 이의 욕심과 그릇된 생각을 묘사하고 있다.(도 40-1·2)

또 윤회와 관련된 주목되는 도상으로는 상상의 인물인 人非人과 죄업을 받아 업보를 짊어진 나찰, 하동이 있다.[22] 이 장면은 본생담의 「三法本生」과 「箱本生」을 도해한 것으로 죄업을 받아 업보를 짊어진 나찰과 신구의 모습을 표현한다. 환성사·통도사 불탁에는 해학적 모습으로 전생의 업보를 보여주는 業鏡을 쥔 나찰과 寶珠를 공양하는 河童으로 표현되는데, 전생의 죄업을 윤회하는 과정에서 사람도 仙人도 아닌 人非人의 모습으로 묘사되어 불탁이 불전을 찾는 글을 모르는 대중들에게 윤회의 구조를 시각적인 구도의 메시지로 전달하고 있다.(도 41-1·2·3)

환성사에는 이런 하동의 모습이 상서로운 기운을 내뿜는 형상에 보주를 머리에 이고 구도하는 모습으로 표현된다. 기괴한 상상력의 산물로 탄생한 하동이지만 부처님 앞에서는 예의 바른 습성을 보여줌으로써 외경심을 느낀 모습을 표현했고, 결국 하동에게 보주가 담긴 공양물을 짊어지게 하는 모습에서 내세의 공덕쌓기의 한 단면을 보여주기도 한다.

---

22) 환성사에 등장하는 '하동'은 물속에 산다는 상상의 동물로, 10세 정도의 어린이 몸집에 황록색을 띠며, 원숭이를 닮았지만 피부는 물고기 비늘, 등은 털 대신에 거북의 껍질로 덮여 있고 개구리의 다리를 가진 것으로 전해진다. 초자연적인 힘으로 사람을 물속에 집어 넣어 익사시키면서 재미 삼아 피를 빨라 먹는 흡혈동물이다. 머리 꼭대기에는 움푹 파인 구멍이 있어 뇌에 해당하는 이 부분에 물을 담고 다니는데, 만약 이 물이 없어지면 신통력을 잃고 힘을 쓰지 못한다. 하동은 일본에서 '갓파'라는 이름으로 불리는데, 갓파를 만났다는 전설들을 보면 갓파의 머리를 강제로 또는 속임수를 써서 숙이게 하여 물을 쏟아지게 했다는 이야기가 담겨 있다. 또 갓파는 예의 바르게 인사하는 사람에게 깍듯이 답례하는 습성이 있다고 전한다.

또 이런 인과·윤회와 관련된 다양한 줄거리는 17세기 불전장엄의 다른 표현인 벽화 및 단청에서 문양의 확산을 보여주는데, 제천 신륵사 극락전의 합각에 등장하는「大須陀須摩本生」이 그 대표적인 예이다.(도 42)

「대수타수마본생」은 鯨魚가 배고픔을 참지 못하고 弱肉强食의 섭리 아래 물고기의 꼬리에 꼬리를 무는 윤회를 보여주는 본생담으로, 통도사, 범어사, 백홍암에서는 인간고의 시름을 들어주는 人頭魚神의 阿彌陀魚로 나타나 당시 불탁과 불전이 지녔던 통일된 문양의 반향을 보여준다.(도 43)

특히 사람의 얼굴에 몸이 물고기의 모습을 띤 아미타어는 아미타불이 상주하는 극락전의 불탁에 주요문양으로 등장한다.『三寶感應錄』에는 아미타어를 다음과 같이 설명하고 있다.

　"獅子國 서남족에 한 물고기가 있었는데, 사람의 말을 하며 나무아미타불을 염송하기에 '阿彌陀魚'라고 이름지었다. 사람이 아미타불을 부르면 이 물고기도 좋아하면서 언덕 밑으로 다가와 사람들의 먹이감이 되었는데, 이 물고기가 바로 아미타불의 화신이다."

물고기가 법당에 등장하는 것은 불교의 權化라는 말이 있듯이 불·보살이 중생을 구제하기 위하여 자신의 모습을 바꾸어 세상에 태어나는 불·보살의 권화를 상징한 듯하다.

도 42. 제천 신륵사 극락전 합각-대수타수마본생

도 43. 양산 통도사 대웅전 불탁-아미타어문

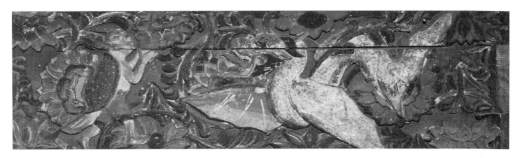

도 44-1. 대구 은해사 백흥암 극락전 불탁-용왕

도 44-2. 표충사 대웅보전 불탁-별주부전

도 44-3. 양산 통도사 명부전 벽화-별주부전, 18세기

불교에서는 유독 물고기와 관련된 단어가 많은데, 그 중 '魚母'라는 것은 아미타불의 원력으로 극락정토를 주재하는 것이 어미물고기가 새끼를 보살피는 것과 같다는 비유로, 법당에서 보이는 물고기는 권화한 불·보살의 모습으로, 또는 불전 설화의 주인공으로 등장하며, 단순한 장식의 차원을 넘어 불법의 진리를 드러내기 위한 상징으로 자리 잡게 된 것이다.

이외 본생담이 각색되어 불전설화의 도상으로 정착된 『토끼전』이 있다. 이는 본생담의 「鰐本生」과 「猿王本生」의 장면을 도해한 것으로, 17세기 중반 백흥암 불탁에서는 보주를 찾아 떠나는 거북의 모습으로 묘사되나, 표충사의 불탁에서는 자라 위에 앉아 용궁으로 향하는 토끼전으로 함축적으로 표현하고 있다 이를 통해 불탁의 문양이 민간에서 유행하는 설화들을 문양에 차용하였음을 알 수 있다.[23](도 44-1·2·3)

또한 불탁에 표현된 소재들이 부처님의 전생을 동·식물로 표현한 것임을 알 수 있는 것은 불탁에 표현된 채색기법에서 드러난 불신 표현법의 차별화이다.

특히 백흥암과 환성사, 운흥사, 범어사 불탁에서는 부처님의 본생담 중 주인공으로 등장하는 소재에 金泥 또는 絶金箔으로 불신을 마감하였다. 하나의 줄거리에 표현된 주인공은 불·보살상의 신체를 개금하듯 금을 입혀 부처나 보살이 중생을 구제하기 위하여 자신의 모습을 나툰 또 다른 化身임을 장엄을 통해 드러내고 있어 불탁의 도상이 본생담의 내용이 투영되고 있음을

---

23) 허상호, 앞의 논문, 2004, pp.157~160.

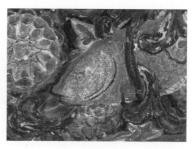

도 45-1. 고성 운흥사 대웅전 불탁-동자　　도 45-2. 경산 환성사 대웅전 불탁-코끼리　　도 45-3. 은해사 백흥암 극락전 불탁-물고기

확인할 수 있다.(도 45-1 · 2 · 3)

5. 현실적 바람과 민간신앙의 불교화

불탁에는 본생담이 민간신앙의 현실적 바람으로 표출되어 다양한 길상문과 함께 시대상을 반영하는데, 現世求福 혹은 벽사적 상징, 그리고 신선에 대한 민간인들의 믿음과 소재거리들이 불교화된 것들이다.

그 중 대표적인 도상은 연지나 길상화와 함께 표현된 童子文이 대표적인 것으로「小蓮花本生」,「大蓮花王子本生」등 본생담의 이야기를 함축한 蓮生貴子로 묘사되다가, 17세기 후반에는 多産을 상징하는 포도문이나 목단을 쥔 동자의 모습으로 변용된다.(도 46-1 · 2)

영남지역에서는 파계사, 청곡사, 은해사 백흥암, 남장사, 범어사 등의 일반형 장엄불탁에서 주로 등장하는데, 대부분 蓮池를 배경으로 化生하는 동자의 도상이다. 이는 초기 본생담을 도해한 연꽃과 어우러진 동자의 모습에서 동자가 손에 쥔 연꽃이 불·보살의 징표임을 상징하였으나, 전란 이후 부녀자들의 蓮花化生, 子孫繁昌과 같은 현실적 요구에 부응하며, 불탁의 문양

도 46-1. 대구 파계사 원통전 불탁-연지동자　　도 46-2. 진주 청곡사 대웅전 불탁-동자

도 47-1. 고흥 금탑사 대웅전 부연-소재문자   도 47-2. 양산 통도사 용화전 대량-화반

역시 당시 유행한 祈福의 〈百童子圖〉의 도상으로 변화하였음을 보여준다.

이처럼 동자가 연잎줄기를 잡고 있는 모습은 후에 하나의 문양으로 정형화되어 불전장엄에 주요소재로 채택되며, 이후 불전 의식·장엄구, 그리고 벽화의 도상으로 채용되는 점이 흥미롭다.

이런 동자문은 목조 불전의 취약점인 화재로부터 보호하기 위해 연꽃과 수초와 같은 수생식물과 함께 용·오리·도룡뇽 같은 수생계의 동물들이 함께 표현되기도 한다. 이는 17세기 이후 불전장엄의 반향으로 잇따른 화재로 防火符가 절실했던 선암사, 금탑사 대웅전 부연에서 볼 수 있는 '海·水·西海' 등 消災文字를 비롯하여 천장을 '藻井'이라 하여 수초 및 수중세계로 묘사한 바닷가 인근의 금광사, 정혜사, 전등사의 천장 장엄, 그리고 운문사 관음전의 龍船과 통도사 용화전 화반에 이르기까지 불탁문양과 불전장엄의 흐름을 엿 볼 수 있다.(도 47-1·2)

또 민간신앙의 불교 수용을 단적으로 보여주는 도상으로 운흥사 불탁의 산신·선인 도상이 있다. 산신도상은 19세기 초반에 등장하는 불화의 산신도와 흡사한 것으로, 소나무를 배경으로 산신과 호랑이, 그리고 차를 달이는 동자, 산수의 모습에 이르기까지, 산신도를 입체적으로 투각하고 있다. 도사와 선인 도상은 본생담에는 하늘을 나는 신비한 능력의 도교적 성향을 띤 도인으로 등장하나, 불탁에서는 비상하는 신선이나 동자의 모습으로 묘사되어 산신도와 함께 무위자연을 즐기는 도인의 모습으로 정착된다.(도 48-1·2)

도 48-1. 고성 운흥사 대웅전 불탁-산신도   도 48-2. 고성 운흥사 대웅전 불탁-동자도

도 49-1. 경산 환성사 대웅전 불탁-하대 용면

도 49-2. 경산 환성사 대웅전 불탁 -하대 용면

　이외 민간신앙의 전통과 결합된 불탁의 대표적인 도상으로 환성사 불탁이 있다. 불탁 하대 좌우 측면에는 동일한 화면 속에 용면이 표현되는데, 불탁의 외호신인 이들은 각기 연봉·꽃·금강저·여의주 등을 입에 문 채 줄다리기를 하는 해학적인 포즈로 구성되며, 고려시대 좌대에서 볼 수 있는 금강저와 금줄을 문 용면이 표현되고 있는 점이 특이하다.(도 49-1·2)

　18세기 이후 금강저를 입에 문 용면의 등장과 금줄을 문 용면의 도상은 조선시대 유일한 예로, 용면이 물고 있는 두 지물은 모두 민간에서 잡귀를 물리치는 벽사의 상징물로 인식된다. 특히 좌측 두 마리의 용면이 함께 물고 있는 금줄의 왼새끼는 민간에서 아이가 태어났을 때 왼새끼에 고추와 숯을 내건 금줄을 채택한 것으로 민간신앙의 불교화와 함께 불탁문양이 단순한 도안이 아닌 무언의 의미를 반영한 함축적인 도상임을 엿 볼 수 있다.

　또 환성사에는 용면 도상 외에 본생담에 나온 작은 거위문양이 있다. 안상 속에는 덫에 걸려 한발로 서 있는 「小鵝本生」을 표현한 거위왕과 그를 지키기 위해 목숨을 던져 날아 온 거위가 시·공간을 초월

도 50. 경산 환성사 대웅전 불탁-거위

해 표현된 것이다.(도 50) 또 이 거위를 오리로 보는 견해도 있는데, 오리는 고대부터 우리민족에게 특별한 의미의 새로 사계절의 순조로운 변화와 생산의 풍요를 기원하고, 자손을 보호하고 번창하게 하며 솟대를 세워 이승과 저승과의 交通을 담당한다고 믿어왔다. 또 오리는 짝을 이룬 뒤 하나가 죽으면 따라 죽는다고 하여 일반적으로 쌍을 이룬 것은 부부의 화합과 다산을 나타낸다는 점에서 당시 대중이 원하던 이상적 바람과 기원이 불교화되어 투영된 표현으로 볼 수 있다.

V. 맺음말

불교에서 말하는 이상세계는 부처님이 계시는 곳, 바로 부처님의 나라이다. 그래서 글이나 말로 표현할 때 사람들이 생각할 수 있는 온갖 아름다운 수식을 동원하며, 그림이나 조각으로 표현할 때도 마찬가지이다.

그런 의미에서 부처님이 상주하는 불전을 지으면서 건물 자체는 물론이고 그 내부도 다양한 방식으로 아름답게 꾸미는 것, 즉 사찰의 모든 장식적인 요소들은 바로 이상세계를 추구하는 인간의 염원과 불교사상을 드러낸 종교적 상징으로 꾸며진다.

저명한 독일의 미술사학자 디트리히 젝켈은 불상과 법당 사이의 기능적 · 도상학적 · 형식적 통일성을 통해 불전의 구성체계를 파악할 수 있으며, 그로 인해 법당이 '부처님의 나라'로 변모하여 예배자들에게 부처님의 나라를 환상처럼 경험하게 한다고 서술했다.

"불상은 혼자 따로 떨어져 있지 않고, 최소한 불상이 그 안에서 지성소 역할을 하는 건물 안에 안치되어 있다. 기능적인 견지에서 보면 불상을 건물의 중심이나 중심축 위, 또는 벽감, 제단 등에 안치해서 사찰 전체의 聖路가 이곳에 이르게 되어 있다. 그것은 도상학적인 배치와 예배공간의 중심 핵이다. 미학적인 견지에서 보면 불상을 배치하는데는 불상은 안치할 법당에 대한 불상의 비율, 제단이나 보좌에 대한 불상의 비율, 그리고 불상을 둘러싸는 광배나 때로는 장식된 천정이나 큐폴라의 형태로 나타나는 寶蓋에 대한 비율을 맞추어서 배열한다. 이 모든 요소가 결합해서 하나의 전체가 된다. 불상과 법당 사이의 기능적, 도상학적, 그리고 형식적 통일성을 감지할 때 비로소 그 전체의 의미를 파악할 수 있게 된다. … 불상은 조각상이나 그림으로 그린 크고 작은 불상의 집단 속에 끼워 있는 경우가 많다. 이 형상들의 배열도 그들이 안치한 건물에 관련되어 있다. 이러한 성상들의 존재가 법당을 '부처의 나라'로 만든다. 말하자면, 마치 환상 속에서 보듯이 신자들에게 이 부처의 나라를 보게 만드는 것이 바로 미술가들의 임무이다."

이 말은 부처님이 상주하는 불전에 베풀어지는 장엄은 부처님의 뜻을 전달하기 위한 시각적 상징적 투영체이지만, 인간이 신의 뜻을 이해하는 것이 불가능하므로 장엄은 미적가치에 더 의미를 두어 스스로의 위치를 확보하게 된다는 것이다.

따라서 불전장엄은 부처님의 존재에 대한 증명이며, 그 존재가 불전을 찾는 이들에게 던지는 대화임과 동시에 아름다움의 가치를 포함해야 비로소 상징으로 성립되는 것이다.

한국의 불교미술에서 장엄은 예배대상의 가르침에 따라 시대별·지역별로 다양성과 복잡성을 가지지만 하나의 통일된 흐름 속에 그 상징세계를 완성하고 있다. 현전하는 전통사찰의 경우 1592년 임진왜란을 기점으로 16세기 말 '불전 구조의 장식화'라는 건축구조의 흐름 속에 재건된 것으로 승장과 화승집단들에 의해 설계·시공된 불전이 부처님의 나라를 이상화시켜 불국토관을 불전 장엄에 반영하였다는 것은 의심의 여지가 없다.

따라서 승장들은 단순한 기술자들과는 달리 부처님의 뜻을 받들어 종교적 열정을 불전에 투영하려고 하였으며, 불전장엄을 1차적으로 불·보살의 권위와 숭배, 2차적으로 대중들의 종교적 감흥을 불러 일으켜 포교의 장치로 적극 사용한 것이다.

본 글은 조선후기 불전장식화 성향을 가장 뚜렷히 보여주는 영남지역의 장엄불탁을 대상으로 예배대상에 가려져 인식하지 못했던 불전장엄의 구성과 그 문양세계를 고찰하는데 의의를 가진다. 이는 영남지역의 불탁 연구를 통해 조선후기의 불전장엄 양상을 유추할 수 있는 계기가 될 것이며, 시대적 바람을 담지한 불전장엄의 설계 속에 불탁문양에 투영된 상징적 의미를 밝혀냄으로써 조선후기 공예구의 대표작인 불탁의 위치와 불전에 표현된 다양한 도상과 기물의 유기적 관계를 재조명하는 자료가 되기를 바란다.

【참고문헌】

『東文選』
『新修大正大藏經』

국립진주박물관,『김용두옹 기증문화재 도록』, 1997.
동국대학교불전간행위원회,『韓國佛敎全書』제7책, 동국대학교출판부, 1979.
문화재관리소,『화엄사 조사보고서』, 1986.
裵秉宣,「닫집의 建築史學的 研究」,『문화재연구소 연구교재』, 1991.
서정록,『백제금동향로-고대 동북아의 정신세계를 찾아서』, 학고재, 2001.
張起仁,『新編 韓國建築辭典(韓國建築大系:IV)』, 普成閣, 1993.
허균,『사찰 100美 100選』上, 불교신문사, 2007.
허상호,『수미단』, 대한불교진흥원, 2010.

金奉烈,『朝鮮時代 寺刹建築의 殿閣構成과 配置形式 研究』, 서울대학교 박사학위논문, 1989.
김영자,『한국의 부적의 역사와 기능』, 고려대학교 대학원 박사학위논문, 2006.
申芝容,「닫집에 관한 연구」, 이화여자대학교 석사학위논문, 1992.
李康根,「17世紀 佛殿의 莊嚴에 관한 研究」, 동국대학교 박사학위논문, 1994.
정명희,「朝鮮時代 佛敎儀式의 三壇儀禮와 佛畵 研究」, 홍익대학교 박사학위논문, 2013.
허상호,「朝鮮時代 佛卓莊嚴 研究」, 동국대학교 미술사학과 석사학위논문, 2002.

高裕燮,「高麗의 佛寺建築」,『高裕燮 全集 2』, 1993.
김동현,「법주사 통신」,『고고미술』100호, 고고미술동인회, 1968.
金正基,「高麗時代 木造建築」,『考古美術』175 176, 한국미술사학회, 1987.
이강근,「불전의 장엄」,『붉고 푸른 장엄의 세계』, 불교중앙박물관, 2015.
허상호,「불교의식 속에 피어난 목공예의 精華」,『2007 상설전』, 불교중앙박물관, 2007.
_____,「불교의례의 佛具와 그 用法」,『文化史學』31, 한국문화사학회, 2009.
_____,「朝鮮 後期 佛卓 연구」,『美術史學研究』244, 한국미술사학회, 2004.

光森正士,「韓國古代佛敎寺院の禮佛空間について-特に拜禮石と奉爐石を中心として」,『日韓兩國
        に所在する韓國佛敎美術の共同調査研究』, 奈良國立博物館, 1993.
山岸常人,「東大寺の法華堂正堂・礼堂の性格」,『日本建築學大會學術講演概要集(關東)』, 1984.

朝鮮後期 全北地域 紀年銘 佛像 研究

崔閏淑*

目 次

Ⅰ. 머리말

조선후기 전북지역에서는 국가의 억불정책에도 불구하고 불상을 포함하여 다방면의 불사활동이 이어졌다. 특히 조선후기 불상 제작은 임진왜란과 정유재란 이후 파괴된 사찰의 재건을 계기로 시작되었다. 특히 이 지역에는 복장발원문이나 사찰기록을 통해 연대가 알려진 다수의 기년명 불상이 남아 있어 조선시대 불상 연구에 많은 자료를 제공해 주고 있다.

조선시대 불상에 관한 연구는 1960년대부터 시작되었다고 할 수 있다. 1970년대와 1980년대에 이르기까지 대부분 개별 불상들에 대한 발원문과 양식을 간략히 소개한 글이 주를 이루었으나, 황수영·문명대의 자료 조사와 연구에 힘입어 조선시대 불상 연구의 발판이 마련되었다.[1] 이후 1990년대 들어서 좀 더 진전된 연구가 이루어졌지만 불상에서 발견된 복장발원문을 바탕으로 조각승과 조성 연대 등을 소개하는 내용이 주를 이루었다.

이러한 자료의 축적과 연구 성과에 힘입어 1990년대 중반 이후 조선시대 불상에 대한 연구가 본격적으로 진행되었다. 또한 2002년을 시작으로 현재까지 진행되고 있는 한국의 사찰문화재

※ 이 논문은 한서대학교 학술연구비 지원을 받아 수행된 연구이다.
　이 논문은 최윤숙,「조선후기 전북지역 불교문화재 연구」, 한서대학교 박사학위논문, 2015, pp.64~141에 수록된 원고를 수정·보완한 것이다.
* 익산시 유적전시관 학예연구사

1) 관련논문을 연대순으로 제시하면 다음과 같다. 정영호,「水鐘寺 石塔內 發見 金銅如來像」,『고고미술』106·107, 한국미술사학회,1970;문명대,「三幕寺在銘 磨崖三尊佛考」,『又軒 丁仲煥博士 還曆記念 論文集』, 1974.12, pp.231~241; 김리나,「뉴욕 메트로폴리탄 박물관의 조선시대 가섭존자상」,『미술자료』33, 국립중앙박물관, 1983. 12, pp.59~65.

조사를 통해 조선시대 불교문화재 연구를 위한 기초 자료가 마련되었다.[2] 다음으로 불상 제작자인 조각승에 대한 연구가 진행되었다. 이후 1990년대 후반부터 조선후기 불상의 복장발원문이 다수 조사되면서 17세기에서 18세기에 제작된 불상에 대한 관심이 높아졌고, 한국 불교조각사에서 조각승이라는 개념이 처음으로 중요하게 부각되었다. 이처럼 2000년대 이후 최선일, 송은석, 이희정 등에 의해 조선후기 조각승과 조각승의 불상 양식을 밝히는 연구가 활발하게 진행되면서 조선후기 불상에 관한 종합적이고 체계적인 연구가 가능하게 되었다.[3]

다음으로 전북지역 불교조각에 대한 연구 성과로 전북 북부지역 17~18세기 불상에 대한 연구와[4] 전라도 지역 보살입상에 대한 연구 등이 진행되어 전북지역 불상연구의 단초를 마련하였다. 또한 최선일 등에 의해 개별 불상에 대한 양식과 조각승에 대한 연구가 진행되었으며,[5] 조각승이 확인되지 않은 불상을 대상으로 불상양식과 신체비 분석을 통해 조각승을 추론한 연구도 이루어졌다.[6] 더불어 전북지역의 인문지리적인 바탕 속에서 불교문화재를 종합적으로 살핀 연구가 진행되어 불교문화재 연구의 새로운 방법론을 제시함과 동시에 연구의 외연을 넓히는 계기를 마련하였다.[7]

이상의 연구를 통해 조선후기 불교조각을 조성한 조각승의 개인양식 및 계파를 정리하고 불상양식의 변화양상을 살필 수 있는 자료가 축적되었다고 할 수 있다. 그러나 현재까지 지역의 자연환경과 역사문화의 흐름속에서 불교조각의 지역 특징을 다룬 연구는 많지 않다.

---

2) 문화재청·문화유산발굴조사단,『한국의 사찰문화재』, 전라북도·제주도, 2003.

3) 문명대,「무염과 목불상의 조성과 설악산 신흥사 목아미타 삼존불상의 연구」,『강좌미술사』20, 한국미술사연구소, 2003.6,pp.63~82; 송은석,「17세기 조각승 현진과 그 유파의 조상」,『미술자료』70·71, 국립중앙박물관, 2004.12,pp.69~99; 이희정,「조선 17세기 불교조각과 조각승 청헌」,『불교미술사학』3, 불교미술사학회, 2005.10, pp.159~182; 문명대,「조각승 무염, 도우파 불상조각의 연구」,『강좌미술사』26-1, 한국미술사연구소, 2006.6, pp.23~51; 이분희,「조각승 승일파 불상조각의 연구」,『강좌미술사』26-1, 한국미술사연구소, 2006.6, pp.83~112; 손영문,「조각승 인균파 불상조각의 연구」,『강좌미술사』26-1, 한국미술사연구소, 2006.6, pp.53~82; 최선일,「朝鮮後期 彫刻僧의 활동과 佛像 研究」, 홍익대학교 박사학위논문, 2006;同著,「17세기 전반 彫刻僧 守衍의 활동과 佛像 研究」,『동악미술사학』8,동악미술사학회, 2007, pp.149~171; 송은석,「조선후기17세기 조각승 희장과 희장파의 조상」,『태동고전연구』22,한림대학교 태동고전연구소,2006.12,pp.189~229; 同著,「17세기 朝鮮王朝의 彫刻僧과 佛像」, 서울대학교 박사학위논문, 2007.2; 김길웅,「조각승 승호가 제작한 불상」,『문화사학』27, 한국문화사학회, 2007.6, pp.881~894; 최선일,『조선후기 조각승과 불상 연구』, 경인문화사, 2011; 송은석,『조선 후기 불교 조각사』, 사회평론, 2012; 이희정,『조선후기 경상도지역 불교조각 연구』, 세종, 2013. 이외에도 다수의 논문이 있다.

4) 김동현,「全羅北道 北部地域의 朝鮮時代 木造佛像 研究」,한국교원대학교 석사학위논문, 2000. 이외 전북지역 불교조각과 관련된 자료로 곽동석,「전북지역 불교미술의 흐름과 특성 -불상을 중심으로-」,『전라북도의 불교유적』, 국립전주박물관, 2001. 등이 있다.

5) 최선일,「완주 대원사 대웅전 목조불상의 제작시기와 조각승 추론」,『완주 모악산 대원사의 역사와문화유산』, 제1회 동북아불교연구소 학술대회논문집, 동북아불교미술연구소, 2011, pp.39~53; 同著,「17세기 전반 彫刻僧 元悟의 活動과 佛像 研究」, 위의 책, 경인문화사, pp.3~28; 同著,「17세기 전반 彫刻僧 守衍의 活動과 佛像 研究」, 앞의 책, pp.29~61; 同著,「京畿道 抱川 東和寺 木造如來坐像과 彫刻僧 思忍」, 앞의 책, pp.91~134; 同著,「완주 대원사 대웅전 목조불상의 제작시기와 조각승 추론」,『문화사학』35, 한국문화사학회, 2011; 同著,「남원 선원사 목조지장보살삼존상과 조각승 원오」,『미술사학』, 한국미술사교육협회, 2013; 同著,「완주 대원사 명부전 목조불상의 연구」,『문화사학』42, 한국문화사학회, 2014 등의 연구가 있다.

6) 최윤숙,「진안 천황사 목조삼세불좌상과 마일」,『동방학』31, 한서대학교 동방학연구소, 2014. pp.373~410.

7) 최윤숙,「조선후기 전북지역 불교문화재 연구」, 한서대학교 박사학위논문, 2015.

이에 본 연구에서는 조선후기 전북지역에서 조성된 기년명 불상 75점을 대상으로 시기별 조성 양상 및 지역별 분포 양상을 검토하고, 불상양식의 변천양상을 살핌으로써 조선후기 전북지역 불상의 특징을 밝혀보고자 한다.

이를 위해 먼저 전북지역을 인문지리적인 환경에 따라 호남정맥을 기준으로 서부평야지역권과 동부산간지역권으로 구분하고 이를 바탕으로 불상의 지역별 분포 현황을 살필 것이다. 그리고 불상의 신체비 분석을 위해 불상 사진을 Auto CAD 프로그램을 이용하여 실측하고 그 결과치를 활용고자 한다.[8]

Ⅱ. 朝鮮後期 佛像 造成 現況

1. 불사 성행 배경

전북지역에서는 양란 이후 불교건축의 재건과 불상 조성이 활발하게 진행되었다. 이러한 움직임이 가능했던 것은 전쟁으로 인해 물질적·정신적 피해를 입은 이들에게 어느 때보다 정신적 위안이 필요하였으며, 그 욕구를 충족시켜 줄 수 있는 종교가 불교였기 때문이다. 또한 17세기의 최대 정치적 현안이었던 왕자의 출생을 빌기 위해 왕비나 후궁, 종친들이 사찰을 찾아 공을 들이거나 불교문화재를 조성함에 따라 사찰 재건이 더욱 활기를 띠게 되었다.[9] 무엇보다도 양란 때 보여 준 의승군들의 활약으로 인해 왕실과 사대부 계층, 일반 민중들의 불교에 대한 인식이 달라졌기 때문이다.[10] 이에 따라 승병들의 주둔지로 전쟁의 피해를 입었던 사찰에 대한 재건이 우선적으로 고려되었을 것으로 짐작된다.

불교교단에서는 사찰을 일으키려는 자구책으로 주자가례 등 성리학적 의례를 일부 수용하였고, 불교 교육체계의 정립 이외에도 규율과 의례를 규정하는 승가 의례서를 정리하였다. 이를 계기로 성리학적 사고를 수용하고 융합한 불교계의 입지는 한층 더 넓어졌다고 볼 수 있다.[11] 더불어 불교교단에서는 사찰계를 운영하는 등 사찰을 다시 세우기 위한 노력을 기울였다.[12]

---

8) 여래상이 아닌 보살상의 신체비를 분석할 때 머리 길이를 기준으로 할 경우 상투나 보관의 길이로 인해 정확한 분석을 진행할 수 없다. 따라서 본 연구에서는 불상의 신체비 분석을 위해 불상 사진을 Auto CAD 프로그램으로 이용하여 실측하고 첫째, 전체 높이 대 무릎 폭 비율로 분석한 결과치 둘째, 불상 전체 크기 대 얼굴 길이 비율로 수치화한 결과치를 활용해 분석을 진행하고자 한다.

9) 한국교원대학교박물관, 『완주 송광사』, 1997. 「完州 松廣寺 木造釋迦佛坐像 造成發願文」 "崇禎十四年 崇德六年歲次辛巳六月二十九日佛像造成施主目錄…畵員秋 無染 玄准 首畵員 戒訓 思印 性淳 太信 法器……以此造像 功德奉爲 主上殿下壽萬歲 王妃殿下壽濟年 世子邸下壽千秋遠還本國 鳳林大君增福壽亦爲還國……"

10) 양은용, 「임진왜란 이후 불교 의승군의 동향 –전주 송광사 개창비 및 신출 복장기를 중심으로」, 『인문학연구』 4, 원광대학교 인문학연구소, 2003, pp.127~139.

11) 이와 관련하여 불교의식의 규범화를 주자가례 등 성리학적 예제의 영향으로 보는 견해로는(김순미, 「釋門家禮抄의 五服圖 硏究」, 『영남학』 18, 경북대학교, 2010, pp.383~385)가 있다. 석문가례는 주자가례의 영향을 받아 1659년에 간행된 불교 의례서이다.

12) 한상길, 「조선후기 사찰계 연구」, 건국대학교 박사학위논문, 2000, pp.214~217.

이 같은 불교계의 자구책과 함께 상권이 발달한 지역에서 부를 축적한 상인이나 농업생산력 증가에 따라 부농이 된 농민들이 사찰을 재건할 때 새로운 시주자로 참여하게 되었다. 이러한 분위기 속에서 불전에 봉안할 불상의 조성도 활발하게 이루어졌을 것으로 짐작된다.

또한 구병이나 기복 같은 기원 행위는 민중들뿐만 아니라 왕족, 종실, 사대부 등 여러 층에서 다양하게 이루어졌다.[13] 그 외 전북지역에는 목조 불상 제작에 적합한 수종들이 풍부하게 자생하고 있었던 것도 불상 조성 등이 활발하게 이루어진 요인이라 할 수 있다.

2. 시기별 조성 현황

표 1에서와 같이 조선후기 전북지역에서 조성된 불상 중 현재 남아 있는 불상은 75점이다. 이 중 17세기에 조성된 것은 66점, 18세기에 조성된 불상은 6점, 19세기에 조성된 불상은 3점으로 17세기에 조성된 불상이 88%로 대부분을 차지하고 있다.[14]

또한 왕별 제작 현황을 살펴보면 인조대 가장 많은 24점이 제작되었고 다음으로 효종대에 20점이 조성되었다. 이처럼 조선후기 불상 조성은 불교건축이 재건되고 있는 17세기 전반대인 인조와 효종대에 집중되는 것을 알 수 있다.(표 1. 참조)[15] 숙종대에는 남원과 진안 등 동부산간

---

13) 완주 송광사 대웅전 소조석가삼세불상의 [조성기]에는 임진왜란과 정유재란 때 전사한 장졸의 명복을 빌고 소현세자와 봉림대군의 무사귀환을 기원하는 내용이 담겨있다.
14) 지역과 사찰에서 군산 보천사(현 숭림사 봉안) 등으로 표기한 것은 원래 군산(옥구)보천사에 봉안되었던 불상이나 현재 숭림사에 봉안했다는 의미이다. 본 연구에서는 불상조성 당시의 지역적인 맥락을 이해하고자 불상이 현재 봉안된 지역이 아닌 원봉안처를 기준으로 지역을 구분하였다.
15) 조선후기 전북지역 기년명 불교건축의 재건 현황은 본 연구자의 논문 자료를 인용하였다. 최윤숙, 「조선후기 전북지역 불교건축의 양상과 장엄」, 『역사민속학』48, 한국역사민속학회, 2015.7, pp.281~282. 〈표 1〉 전재.
조선후기 전북지역 기년명 불교건축 조성 현황

연번	사찰	전각	재건 및 중수 연도		인문지리적 위치		
					권역	세분류	지역
1	화암사	극락전	1605-1606	선조	서부평야지역	중부	완주
2	안국사	극락전	1613	광해군	동부산간지역	동부	무주
3	숭림사	보광전	1613	광해군	서부평야지역	북서부	익산
4	선운사	대웅보전	1614-1619	광해군	서부평야지역	서해안	고창
5	참당암	대웅전	1614-1642	광해군	서부평야지역	서해안	고창
6	송광사	대웅전	1622-1631	광해군 인조	서부평야지역	중부	완주
7	귀신사	대적광전	1624	인조	서부평야지역	북서부	김제
8	내소사	대웅보전	1633	인조	서부평야지역	서해안	부안
9	금산사	미륵전	1635	인조	서부평야지역	북서부	김제
10	개암사	대웅보전	1636-1640	인조	서부평야지역	서해안	부안
11	상주사	대웅전	1641	인조	서부평야지역	북서부	군산
12	신광사	대웅전	1649	인조	동부산간지역	남부	장수
13	문수사	대웅전	1653	효종	서부평야지역	서해안	고창
14	실상사	부도전 (극락전)	1684	숙종	서부평야지역	북서부	김제
15	금산사	대적광전	1686	숙종	서부평야지역	북서부	김제
16	불주사	대웅전	1716	숙종	서부평야지역	북서부	군산
17	선국사	대웅전	1803	순조	동부산간지역	동부	남원

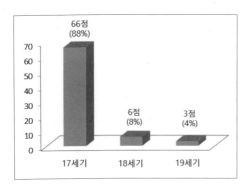

도 1. 조선후기 전북지역 불상 조성 현황

지역에 있는 사찰의 불전에 불상을 조성하였으며, 김제 흥복사와 문수사 대웅전 등 북서부지역의 작은 사찰의 대웅전과 고창 선운사 백련암이나 영산전 등 작은 규모의 암자나 부속전각에 중소형의 목조 불상을 조성하고 있다.

17세기에 조성된 불상의 크기는 불전의 크기와 조성 재료와도 관련성을 보이고 있다. 17세기에는 목조불 58점〉 소조불 8점이 조성되었으며, 18세기에는 목조불 6점, 19세기에도 목조불 3점이 조성되어 목조불의 비율이 월등히 많은 것을 알 수 있다. 소조불상은 효종대 조성된 금산사 대장전(현 군산 동국사 봉안) 소조석가여래좌상을 제외하고 모두 인조대에 조성되었으며, 김제, 완주 등 서부평야지역에 위치한 왕실 및 관청 지원 사찰에 봉안되었다.

17세기에 조성된 불상을 10년 단위로 구분하여 불상 높이의 평균을 낸 결과 병자호란 뒤인 1640년대에 550cm(전체 평균: 260cm) 이상의 대형불상이 조성되었고, 다음으로 1670년대인 숙종대 그리고 1650년대인 효종대 순을 보였다. 정유재란 이후 병자호란 사이에 조성된 불상으로는 김제 귀신사 소조삼신불좌상, 내소사 목조삼존불좌상, 군산 보천사(현 숭림사 봉안) 목조지장보살좌상, 선운사 목조삼신불좌상 등이 있으며, 병자호란 직후 조성된 불상으로는 완주 송광사 소조삼세불좌상과 목조석가여래좌상을 들 수 있다.

이와 같이 1633년과 1641년에 대형의 소조불이 조성되고, 1630년대(16점)와 1650년대(20점)에 다수의 불상이 조성된 것은 전란 이후 국난을 극복하려는 의지가 대형 전각과 불상 조성 등으로 가시화된 것이라 할 수 있다. 또한 양란 이후 왕실 및 관청 지원을 받은 사찰에 불교건축이 재건되면서 여기에 걸맞은 불상이 조성되었을 것으로 보인다. 다음으로 17세기 후반 숙종대에는 13점의 불상이 조성되었다.

【표 1】 조선후기 전북지역 기년명 불상 조성 현황

연번	조성 시기	지역	사찰	봉안장소	재질	종별	전체높이 (cm)	무릎폭 (cm)
1	1605	선조	완주	북암 (익산 관음사 봉안)	큰법당	목조	보살입상	152.5	34 (어깨폭)
2	1610	광해군	김제	문수사	대웅전	목조	석가여래좌상	59	45.5
3	1610	광해군	완주	위봉사 (남원 선원사 봉안)	명부전	목조	지장보살좌상	93	68
4	1612	광해군	순창	강천사 (금산사 성보박물관)	주지실	목조	아미타여래좌상	70	41.6
5	1614	광해군	익산	숭림사	보광전	목조	석가여래좌상	106	81.5

6	1629	인조	군산	은적사	극락전	목조	문수보살좌상	112	70
7	1629	인조	군산	은적사	극락전	목조	석가여래좌상	113	76
8	1629	인조	군산	은적사	극락전	목조	보현보살좌상	113	69.00
9	1633	인조	김제	귀신사	대적광전	소조	비로자나불상	313	223
10	1633	인조	김제	귀신사	대적광전	소조	아미타여래좌상	293	207
11	1633	인조	김제	귀신사	대적광전	소조	약사여래좌상	291.5	212
12	1633	인조	김제	귀신사	응진전 (영산전)	소조	석가여래좌상	140	95
13	1633	인조	부안	내소사	대웅보전	목조	석가여래좌상	125	98
14	1633	인조	부안	내소사	대웅보전	목조	보현보살좌상	115	82.5
15	1633	인조	부안	내소사	대웅보전	목조	문수보살좌상	115.6	82
16	1634	인조	군산	보천사 (익산 숭림사 봉안)	영원전	목조	지장보살좌상	102.5	69
17	1634	인조	고창	선운사	대웅보전	목조	비로자나불좌상	295	194
18	1634	인조	고창	선운사	대웅보전	목조	아미타여래좌상	266	166
19	1634	인조	고창	선운사	대웅보전	목조	약사여래좌상	256.5	162
20	1639	인조	남원	풍국사 (예산수덕사 봉안)	대웅전	목조	석가여래좌상	155	103.5
21	1639	인조	남원	풍국사	대웅전	목조	약사여래좌상	143.6	95.1
22	1639	인조	남원	풍국사	대웅전	목조	아미타여래좌상	145	98.2
23	1640	인조	군산	불명사 (익산 숭림사 봉안)	안심당	목조	아미타여래좌상	61	39
24	1640	인조	완주	송광사	지장전	목조	지장보살좌상	172	130.5
25	1641	인조	완주	송광사	대웅전	소조	석가여래좌상	550	405
26	1641	인조	완주	송광사	대웅전	소조	아미타여래좌상	520	356
27	1641	인조	완주	송광사	대웅전	소조	약사여래좌상	520	365
28	1646	인조	군산	불주사	벽안당	목조	관음보살좌상	61.7	37
29	1649	인조	순창	만일사 (포천 동화사 봉안)		목조	석가여래좌상	101.5	62
30	1650	효종	김제	금산사	대장전	목조	석가여래좌상	114	80
31	1650	효종	김제	금산사 (군산 동국사 봉안)	대장전	소조	석가여래좌상	147	107.5
32	1650	효종	무주	관음사	법보전	목조	관음보살좌상	61	38
33	1652	효종	완주	정수사	극락전	목조	대세지보살좌상	136	92
34	1652	효종	완주	정수사	극락전	목조	관음보살좌상	140	93
35	1652	효종	완주	정수사	극락전	목조	아미타여래좌상	142	102
36	1652	효종	완주	안심사 (대전 비래사 봉안)		목조	비로자나불상	81.5	77.3
37	1653	효종	고창	문수사	대웅전	목조	석가여래좌상	104.5	84
38	1653	효종	고창	문수사	대웅전	목조	약사여래좌상	88.5	64
39	1653	효종	고창	문수사	대웅전	목조	아미타여래좌상	87.5	64.5
40	1653	효종	고창	문수사	명부전	목조	지장보살좌상	84	64
41	1654	효종	진안	옥천사	인법당	목조	관음보살좌상	79.5	50

42	1655	효종	완주	봉서사 (김제 청룡사 봉안)	주지실	목조	관음보살좌상	47	28.5
43	1656	효종	완주	송광사	나한전	목조	석가여래좌상	192	158
44	1656	효종	완주	송광사	나한전	목조	제화갈라좌상	181	130
45	1656	효종	완주	송광사	나한전	목조	미륵보살좌상	181	130
46	1657	효종	금산	운출암 (무주 북고사 봉안)		목조	아미타여래좌상	70	56
47	1658	효종	부안	개암사	대웅보전	목조	석가여래좌상	167	110
48	1658	효종	부안	개암사	대웅보전	목조	보현보살좌상	168	94
49	1658	효종	부안	개암사	대웅보전	목조	문수보살좌상	165	96.5
50	1662	현종	전주	학소암	자음전	목조	아미타여래좌상	84	54
51	1666	현종	군산	불주사	극락전	목조	아미타여래좌상	88	65
52	1666	현종	김제	금산사 정수암 (군산 은적사 봉안)		목조	아미타여래좌상	43.3	33.5
53	1667	현종	고창	선운사도솔암	극락보전	목조	아미타여래좌상	65	47.5
54	1675	숙종	남원	금강사 (진안 금당사 봉안)	극락전	목조	아미타여래좌상	164	126
55	1675	숙종	남원	금강사	극락전	목조	관음보살좌상	139	99
56	1675	숙종	남원	금강사	극락전	목조	대세지보살좌상	140.5	99.5
57	1675	숙종	완주	안심사 (김제 금복사 봉안)	대웅전	목조	아미타여래좌상	84.9	55
58	1676	숙종	김제	흥복사	대웅전	목조	석가여래좌상	111.5	83
59	1676	숙종	김제	흥복사	대웅전	목조	아미타여래좌상	94	73.5
60	1676	숙종	김제	흥복사	대웅전	목조	약사여래좌상	100	79
61	1676	숙종	고창	선운사	명부전	목조	지장보살좌상	137	99
62	1677	숙종	완주	용문사 (전주 일출암 봉안)	비로전	목조	약사여래좌상	107.5	72.5
63	1680	숙종	진안	천황사	대웅전	목조	석가여래좌상	163.3	114
64	1680	숙종	진안	천황사	대웅전	목조	아미타여래좌상	130.5	86.5
65	1680	숙종	진안	천황사	대웅전	목조	약사여래좌상	133	87
66	1688	숙종	완주	대원사	명부전	목조	지장보살좌상	90	66.5
67	1708	숙종	전주	삼경사	요사체	목조	아미타여래좌상	65	43
68	1712	숙종	부안	도솔암 (익산 혜봉원 봉안)	대웅전	목조	보현보살조상	75	49
69	1712	숙종	부안	도솔암	대웅전	목조	석가여래좌상	76	57.5
70	1715	숙종	김제	문수사	대웅전	목조	지장보살좌상	55	33
71	1715	숙종	김제	문수사	대웅전	목조	아미타여래좌상	66	47
72	1779	순조	고창	선운사백련암 (온양민속박물관 소장)		목조	대세지보살좌상 (아미삼존)	.	.
73	1821	순조	고창	선운사	영산전	목조	석가여래좌상	272	185
74	1821	순조	고창	선운사	영산전	목조	미륵보살좌상	265	58 (어깨폭)
75	1821	순조	고창	선운사	영산전	목조	제화갈라좌상	265	60

다음 18세기 전북지역에서 조성된 기년명 불상은 현재 6점이 남아 있으며, 이중 5점은 숙종대에 조성된 것이다. 17세기 후반기가 되면 조선후기 전북지역 주불전의 재건이 거의 마무리되고, 불전에 봉안할 불상도 대부분 조성되었다고 볼 수 있다. 따라서 이 시기에는 대웅전 같은 큰 전각보다는 사찰의 부속건물이나 암자에 봉안하기 위한 불상 제작이 주를 이루거나 기존 불상의 중수와 개금작업이 주로 이루어졌음을 사적기 등을 통해 확인할 수 있다.

19세기에 전북지역에서 조성된 기년명 불상은 1821년(순조 21)에 조성하여 선운사 영산전에 봉안한 목조삼존불입상 1건 3점이 남아 있다.

조선후기 전북지역 기년명 불상 중 여래상을 대상으로 시기별 평균 크기와 무릎 폭 비를 살펴본 결과 17세기에는 156.4cm로 중대형의 불상이 조성되었으나, 18세기에는 64.3cm로 불상의 평균 크기가 현저하게 작아진 것을 알 수 있다.

전체 높이 대 무릎 폭 비를 살펴보면 불상의 크기가 가장 작은 18세기에 가장 넓고 불상의 평균 크기가 제일 큰 19세기에 제일 좁은 것으로 확인되었다.(표 2) 얼굴 비는 17세기에 길게 조성되고 18세기로 갈수록 장방형 → 방형의 얼굴로 변하면서 짧아지는 것을 확인할 수 있다. 19세기에 조성된 여래상은 불상은 크게 조성되었으나 무릎 폭은 좁고 얼굴 길이는 다시 길어지고 있다.

【표 2】조선후기 전북지역 기년명 여래상의 시기별 크기 및 신체비 비교

구분(평균) 　　　　　　시기	17세기	18세기	19세기
분석대상	여래상 43점	여래상 3점	여래상 1점
전체 높이	164.8	64.3	272
전체 높이 대 무릎 폭 비	0.71	0.72	0.68
전체 높이 대 얼굴 길이 비	0.21	0.19	0.20

아울러 중소형 불상의 무릎 폭 평균이 대형 불상의 무릎 폭보다 더 넓은 것으로 확인되었으며, 주존불의 무릎 폭 비가 협시불보다 더 넓게 조성된 것은 10건의 불상에서 확인되었다. 이를 통해 17세기에는 주존불을 더 크게 조성하여 주불로서의 권위를 높이고 무릎 폭도 더 넓고 안정감 있게 조성하였음을 알 수 있다.

불상의 크기가 가장 큰 1640년대에 무릎 폭과 전체 높이의 비는 1:0.68로 1630년대와 비슷하며, 17세기 평균인 1:0.71보다 좁은 것으로 나타났다. 그러나 시간이 갈수록 무릎 폭이 넓어지는 경향을 보인다. 선행연구에서는 후반기로 갈수록 전체 높이에 비해 무릎 폭이 좁아지는데 이것은 불상의 크기가 작아졌기 때문이라고 보았다. 그러나 전북지역의 경우 17세기 여래상의 전체 높이 대 무릎 폭 비는 0.59~0.82 사이로 편차가 크며, 불상의 크기가 큰 시기에 조성된 불상의 평균 무릎 폭은 좁게 나타나고 있다.

다음으로 불상의 전체 높이와 얼굴 길이 비를 살펴보면, 1610년대 조성된 완주 위봉사 지장보살좌상(현 남원 선원사 봉안)의 얼굴 비는 1:0.26으로 긴 편이었으나, 1612년에 조성된 순창 강천사 아미타불좌상(1:0.20)에서 작아지다가,[16] 다시 1629년 조성된 군산 은적사 석가여래좌상(1:0.23)에서 커졌으며, 다시 1633년 조성된 귀신사 비로자나불좌상(1:0.19)에서 얼굴 길이 비가 작아졌다. 1640년대 군산 불명사(현 숭림사 안심당 봉안)에서 다시 얼굴의 비율이 커 졌으며, 1654년 진안 옥천사 관음보살좌상에서 얼굴의 비율이 작아지다가 1675년 조성된 남원 금강사 아미타여래좌상(1:0.21, 현 진안 금당사 봉안)에서는 얼굴의 비가 커지고 있다. 1650년을 기준으로 전후 시기의 얼굴 비를 살펴보면 1600~1650년에 조성한 불상의 얼굴 길이 비는 1:0.217, 50년대 이후 조성된 불상의 얼굴 길이 비는 1:0.207로 50년대 이전이 더 길게 조성된 것으로 확인된다. 전북지역의 불상 얼굴 표현은 군산 은적사 석가여래좌상을 기점으로 장방형의 상호를 보이기 시작하지만, 충남지역에서 보이는 타원형에 가까운 방형은 확인되지 않는다. 이러한 양상은 같은 조각승이 조성한 불상 간에도 확인되는데 이는 조각승이 지역의 불상 양식을 수용하면서 개인양식을 만들어가기 때문이라 판단된다.

17세기에 조성된 불상 중 얼굴 비가 가장 작게 조성된 불상은 군산 불주사 아미타불좌상(1:0.18)이며, 18세기에 조성된 불상 중 얼굴 비가 작은 것은 전주 삼경사 아미타여래좌상(1:0.18)이다. 순창 강천사 아미타불좌상이나 진안 옥천암 관음보살좌상 등 일부 불상에서는 불신이 길고 세장한 모습을 보이기도 한다. 이러한 양상은 17세기 불상 상호의 흐름이면서 불상을 조각한 조각승의 개인양식 또는 지방양식이 반영된 것으로 볼 수 있다.

3. 지역별 분포 현황

이 절에서는 조선후기 전북지역 불상의 제작양상과 조성 맥락 그리고 불상의 지역 특징을 파악하기 위해, 전북지역을 인문지리적인 환경에 따라 호남정맥을 기준으로 서부평야지역권과 동부산간지역권으로 구분한 후 불상의 지역별 분포 현황을 살펴보고자 한다.[17]

---

16) 남원 선원사에 봉안된 목조지장보살좌상은 완주 위봉사에서 이운해온 것으로 전한다. 최선일, 「남원 선원사 목조지장보살삼존상과 조각승 원오」, 『미술사학』27, 한국미술사교육학회, 2013. p.232 참조.

17) 최윤숙, 앞의 논문, 2015.7, pp.273~301 인용. 기존 연구에서는 지역양식을 검토하면서도 조선후기 당시의 역사지리적인 여건을 고려하지 않고 조각승의 불상양식에만 중점을 두는 경우가 많았다. 불상이 조성된 당시의 불교 동향과 지역의 역사·문화적 맥락을 이해하기 위해서는 지역의 인문지리적인 환경에 대한 이해가 바탕이 되어야 할 것이다. 행정구역이 조정된 현재까지도 이러한 문화적인 전통이 생활속에 이어지고 있기 때문이다. 전라북도의 서쪽은 대체로 100m 미만의 야산 및 평야지역이다. 이에 비해 동부산간지역은 해발고도 1,000m 이상의 산이 많고 그 사이에 산간 분지 및 고원이 조성되어 있다. 따라서 호남정맥을 경계로 동부 산간지역과 서부 평야지역으로 구분할 수 있다. 현재까지 진행된 고고학이나 역사학의 연구 성과에 의하면 두 지역권은 독

　　표 1과 도 2의 자료를 보면 조선후기 전북지역 기년명 불상은 17세기에는 서부평야지역이 52 점, 동부산간지역이 14점으로 서부평야지역이 약 3.7배 이상 분포하고 있다. 세부지역권을 살펴보면 북서부지역 19점, 중부지역 18점, 서해안지역 15점으로 북서부지역이 가장 많은 분포를 보인다. 개별지역으로는 서부평야지역의 완주 17점〉 고창·김제 13점〉 부안 8점〉 군산 7점〉 남원 6점〉 진안 4점〉 전주·순창 2점이 조성되었고 익산·전주·무주 등은 1점, 장수는 1점도 확인되지 않고 있다. 따라서 서부평야지역권에 위치한 완주, 고창, 김제 지역의 불상 분포가 높은 것을 알 수 있다.

　　18세기에 조성된 불상 6점의 지역별 분포 양상을 살펴보면, 모두 서부평야지역권에 분포하고 있다. 서부평야지역권 중에서도 서해안지역에 속하는 부안이 2점, 고창이 1점으로 확인되며, 북서부지역인 김제는 2점, 중부지역에 속하는 전주는 1점이 확인되었다. 이에 반해 동부산간지역에서는 1점도 확인되지 않고 있다.(그림 2) 19세기 전북지역에서 조성된 불상은 서부평야지역의 고창에 1건 3점만이 남아 있다.

　　이상과 같이 조선후기 전북지역 기년명 불상의 지역별 분포 현황을 살펴본 결과 서부평야 지역(61점, 81%)이 동부산간지역(14점, 19%)의 4.3배가 넘는 조성 비율을 보이고 있다. 지역권별로는 북서부·서해안 21점〉 중부지역 19점으로 확인되었다.(표1·도 2)

　　이러한 양상은 조선후기 전북지역에서 조성된 불교건축의 지역별 분포 양상에서도 확인된다. 현존하는 조선후기 전북지역 불교건축 중 조성연대가 확실한 주불전은 17세기(88%)에 재건된 것이 대부분이며, 서부평야지역이 동부산간지역에 비해 5.7배가 넘는 분포를 보이고 있다. 이것은 서부평야지역이 양란 이전부터 존재했던 큰 사찰이 있었던 곳이며, 당시 의승군과 관련된 사찰로 전쟁의 피해가 많았고 그에 따라 사찰의 재건이 추진되었기 때문일 것이다. 또한 이 지역에는 선운사, 귀신사, 금산사, 송광사 등과 같이 왕실과 관청 지원 사찰이 위치하고 있고, 금강 하구에 위치하여 수운을 통해 부를 이룬 상인과 농민이 시주자로 참여한 사찰들이 위치하고 있기 때문이다. 따라서 이러한 사찰을 중심으로 불전 조성과 함께 불전에 봉안할 불상의 제작도 활발하게 이루어졌음을 알 수 있다. 왕실 및 관청 지원 사찰로 볼 수 있는 금산사, 귀신사, 송광사, 선운사 등은 5×3(4)칸의 불전으로 크고 장중하며, 대형 소조삼신불과 중대형의 목조삼세불을 봉안하고 있다. 그리고 농업 및 상업자본 지원 사찰로 볼 수 있는 숭림사, 내소사, 개암사 등에는 3×3(2)칸의 규모에 중대형의 목조삼존불과 삼세불을 봉안하고 있다. 이에

특한 문화적 양상을 보이고 있다. 서부평야지역은 금남정맥 끝에서 서해안 전역에 이르는 지역이다. 이 지역은 다시 북서부(금강 하류권과 만경강 수계권에 속하는 군산, 익산, 김제), 중부(전주와 완주), 서부(동진강 수계권과 서해안을 중심으로 정읍, 부안, 고창)로 세분하였다. 그리고 동부산간지역은 동부(금강 상류권인 무주, 진안, 장수), 남부(섬진강 수계권인 임실, 순창, 남원)로 구분 하였다. 금산은 현재 충남지역에 속하며, 일부 지역이 충청도 지역에 속해 있었지만 조선후기에는 큰 흐름상 전라도 지역이었다고 볼 수 있어 전북지역에 포함시켰다.

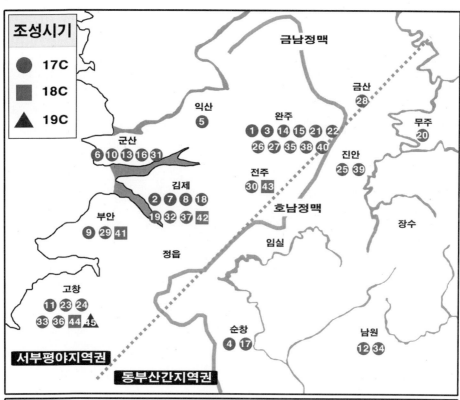

범 례

❶ 완주 복암 보살입상(독존)
❷ 김제 문수사 석가
❸ 완주 위봉사 지장(삼존)
❹ 순창 강천사 아미타(독존)
❺ 익산 숭림사(삼세불)
❻ 군산 은적사(삼세불)
❼ 김제 귀신사(삼신불)
❽ 김제 귀신사(독존)
❾ 부안 내소사(삼존불)
❿ 군산 보천사 지장(독존)
⓫ 고창 선운사(삼신불)
⓬ 남원 풍국사(삼세불)
⓭ 군산 불명사 아미타(독존)
⓮ 완주 송광사 지장(독존)
⓯ 완주 송광사(삼세불)

⓰ 군산 불주사 관음(독존)
⓱ 순창 만일사 석가(독존)
⓲ 김제 금산사 석가(독존,소조)
⓳ 김제 금산사 석가(독존,목조)
⓴ 무주 관음사 관음(독존)
㉑ 완주 정수사(삼존불)
㉒ 완주 안심사 비로자나(독존)
㉓ 고창 문수사(삼세불)
㉔ 고창 문수사 지장(독존)
㉕ 진안 옥천사 관음(독존)
㉖ 완주 봉서사 관음(독존)
㉗ 완주 송광사(삼존불)
㉘ 금산 운출암 아미타(독존)
㉙ 부안 개암사(삼존불)
㉚ 전주 학소암 아미타(독존)

㉛ 군산 불주사 아미타(독존)
㉜ 김제 금산사 정수암 아미타(독존)
㉝ 고창 선운사 도솔암 아미타(독존)
㉞ 남원 금강사(삼존불)
㉟ 완주 안심사 아미타(독존)
㊱ 고창 선운사 지장(독존)
㊲ 김제 흥복사(삼세불)
㊳ 완주 용문사 약사(삼세불)
㊴ 진안 천황사(삼세불)
㊵ 완주 대원사 지장(독존)
㊶ 부안 도솔암(삼존불)
㊷ 김제 문수사(삼존불)
㊸ 전주 삼경사 아미타(독존)
㊹ 고창 선운사 백련암(삼존불)
㊺ 고창 선운사 영산전(삼존불)

도 2. 조선후기 전북지역 기년명 불상의 시기·지역별 분포

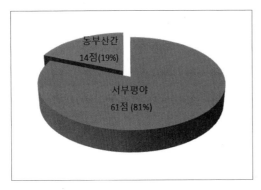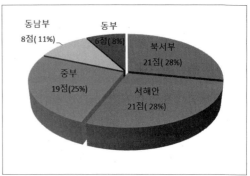

도 3. 조선후기 전북지역 기년명 불상 지역별 분포

반해 동부산간지역에는 큰 사찰보다는 소규모의 호국·승영사찰이 위치하고 있으며, 3×3(2) 칸의 불전에 중소형의 목조불상이 봉안되어있다.[18] 따라서 조선후기 전북지역 불상의 지역별 분포는 재건된 불전의 성격 및 지역분포와 밀접한 관련을 맺고 있음을 알 수 있다.

Ⅲ. 朝鮮後期 佛像 製作 樣相

이 장에서는 조선후기 전북지역에서 조성된 불상 75점을 대상으로 도상의 구성에 따라 삼세불, 삼신불, 삼존불, 독존불과 독존보살상으로 나누어 제작 양상과 특징을 살펴보기로 하겠다. 불상의 종별 제작 양상을 살펴보기 전에 먼저 조선후기 전북지역 불상을 봉안한 불전의 명칭을 살펴보았다. 그 결과 대웅전(대웅보전) 11건, 극락전(극락보전) 5건, 명부전 4건, 대적광전(보광전) 2건, 응진전·비로전·자음전·영산전·나한전 등이 각 1건으로 대웅전(대웅보전)이 가장 많이 조성된 것을 알 수 있었다.

조선후기 전북지역에서 조성된 기년명 불상의 종별 현황을 살펴보면 삼세불이 7건 17점, 삼신불이 2건 6점, 삼존불이 12건 28점, 독존불이 14점, 독존보살이 10점으로 삼존불이 가장 많은 분포를 보이고 있다.(도 4) 불상의 종별 분석은 도상의 구성과 의미, 시기별 조성 현황, 지역별 분포, 규격과 재질, 양식상의 특징 순으로 살펴보도록 하겠다.

---

18) 최윤숙, 앞의 논문, 2015. 참조.

종별		건(점)
삼세불		7(17)
삼신불		2(6)
삼존불	12(28)	석가 6
		아미타 5
		지장 1
독존불	14	석가(5)
		아미타(8)
		비로자나(1)
독존보살	10	지장(5)
		관음(4)
		보살입상(1)

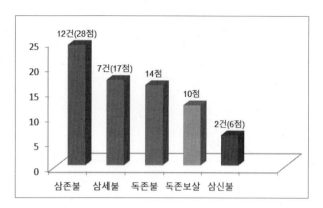

도 4. 조선후기 전북지역 기년명 불상 종별 분포

1. 三世佛 製作 樣相과 樣式 特徵

삼세불은 일반적으로 존명이 다른 불상 세구가 나란히 배치되어 있는 불상 형식을 말한다.[19] 본래 삼세불은 과거, 현재, 미래를 나타내는 아미타불- 석가모니불-미륵불로 구성되는데 조선후기에 이르러 아미타-석가모니불-약사불로 배치되고 있다. 이는 살아서 무병장수를 약속하고 죽어서는 극락왕생을 보장해준다고 믿었던 억불숭유 정책 하의 조선불교의 한 특징이라 할 수 있다.[20] 신앙적인 측면에서 보면 무병장수와 극락화생뿐만 아니라 중앙에 불교 교주인 석가불이나 진리의 상징인 비로자나불을 배치함으로써 불교의 궁극적 목표인 깨달음을 나타내고 있다.

17세기 전북지역에서 조성된 삼세불은 7건 17점(도 5·6)이 남아있다. 시기별로 조성현황을 보면 삼세불상은 17세기 초반부터 전반·중반·후반까지 고르게 조성되고 있으며, 지역권별 분포를 살펴보면 서부평야지역이 11점, 동부산간지역이 6점의 분포를 보이고 있다. 삼세불상은 중대형의 목조불로 조성되었다.

삼세불상의 크기를 살펴보면 소조불인 송광사 삼세불은 5m가 넘는 대형불이며, 그 외 목조불은 88.5~163.3cm 사이의 중소형 불상으로 제작되었다. 완주 송광사는 왕실 및 관청 지원 사찰로 대웅전은 재건 당시 정면 5칸 측면 3칸의 중층으로 조성되었다.

---

19) 삼세불은 시간 중심의 연등불+석가불+미륵불과 공간 중심의 아미타불+석가불+약사불, 시·공간이 융합된 삼세불로 분류되기도 한다. 황규성, 「조선시대 삼세불 도상에 관한 연구」, 『미술사학』 20, 한국미술사교육학회, 2006, pp.221~275. 조선시대 삼세불상에 대한 연구로는 심주완, 「조선시대 삼세불상의 연구」, 『미술사학연구』 259, 한국미술사학회, 2008.9, pp.4~40; 정은우, 「조선 후반기 조각의 대외교섭」, 『조선 후반기 미술의 대외교섭』, 예경, 2007, pp.176~182; 김정희, 『불화, 찬란한 불교미술의 세계』, 돌베개, 2009, pp.168~169 등을 참조할 수 있다.
20) 문명대, 『한국의 불화』, 열화당, 1977, pp.39~45.

| a. 익산 숭림사 보광전 목조삼세불좌상[21] (1613, 석가) | b. 완주 송광사 소조아미타여래좌상 (1641, 청헌, 법령, 혜희) | c. 완주 송광사 소조석가여래좌상 (1641, 청헌, 법령, 혜희) | 완주 송광사 소조약사여래좌상 (1641, 청헌, 법령, 혜희) |

도 5. 조선후기 전북지역 조성 삼세불좌상(사진 2013·2014 최윤숙)

| a. 고창 문수사 목조삼세불좌상 (1653 추정, 해심) | b. 진안 천황사 목조아미타불좌상 (1680, 마일 추정) | c. 진안 천황사 목조석가여래좌상 (1680, 마일 추정) | d. 진안 천황사 목조약사여래좌상 (1680, 마일 추정) |

도 6. 고창 문수사 목조석가여래좌상, 진안 천황사 목조삼세불좌상(2014 최윤숙)

2. 三神佛 製作 樣相과 樣式 特徵

삼신불은 법신 비로자나불, 보신 노사나불, 화신 석가불을 말한다. 조선후기 전북지역에서 조성된 삼신불은 김제 귀신사 대적광전 삼신불좌상(1633, 도 7), 고창 선운사 대웅보전 삼신불좌상(1634, 도 7) 2건 6점이 있다.[22] 선운사 삼신불좌상(1634)은 본존상의 대좌 묵서에서 아미타불-비로자나불-약사불로 존명을 밝히고 있기에 두 곳에 봉안된 삼신불은 아미타-비로자나-약사불로 구성된 것을 알 수 있다. 삼세불과 삼신불이 합쳐 5불, 4불, 3불 등 여러 가지로 구성이 되는데 이 가운데 가장 많은 것이 3불이며, 가장 많은 구성을 보이는 도상은 삼신불의 법

---

21) "大明萬曆肆拾二年 歲次癸丑季冬初八日爲始 明年 甲寅季春初八日畢功……"

22) 귀신사 대적광전과 선운사 대웅보전에 봉안된 불상과 같이 법신 비로자나불과 삼세불의 약사불(동방유리광세계), 아미타불(서방 극락세계)의 조합을 문명대는 삼신불과 삼세불이 함께 구성된 만큼 '삼신삼세불'로 보고 '비로자나삼불'로 파악한 바 있다. 문명대, 「삼신불의 도상특징과 조선시대 삼신삼세불도의 연구」, 『한국의 불화 선암사』, 12, 성보문화재연구소, 1998.

신 비로자나불과 삼세불의 약사불(동방유리광세계), 아미타불(서방 극락세계)이 조합된 예이다. 이 조합을 삼세불[23]로 보는 견해와 삼방불[24]로 보는 견해가 있다.

| 소조아미타여래좌상(1633, 법해, 인균) | 소조비로자나불좌상(1633, 법해, 인균) | 소조약사여래좌상(1633, 법해, 인균) |

도 7. 귀신사 대적광전 소조삼신불좌상(『한국의 사찰문화재』 전라북도, p. 41 사진 전재)

| 목조아미타여래좌상
(1634, 무염, 도우, 성수, 해심) | 목조비로자나불좌상
(1634, 무염, 도우, 성수, 해심) | 목조약사여래좌상
(1634, 무염, 도우, 성수, 해심) |

도 8. 고창 선운사 대웅보전 목조삼신불좌상(『한국의 사찰문화재』 전라북도, p. 251 사진 전재)

이 중 석가불, 약사불, 아미타불이 조선후기에 유행하게 된 배경으로 『供養儀文』에 수록된 『別祝上作法』에 주목하기도 한다.[25] 또한 삼신불과 삼세불이 함께 구성된 만큼 삼신삼세불로

---

23) 정은우, 「경천사지 10층석탑과 삼세불회고」, 『미술사연구』 19, 미술사연구회, 2005, pp.31~58.
24) 송은석, 앞의 논문, 2007.2, p.20.
25) 이용윤, 「삼세불의 형식과 개념변화」, 『동악미술사학』 9, 동악미술사학회, 2008. pp.91~118. 이용윤은 삼세불의 개념이 시간적 → 시·공간적 → 공간적 개념으로 변화하였다고 보았다. 또한 그는 임진왜란과 병자호란 이후 사찰 중창을 활발히 진행했던 사찰들이 왕실의 지속적인 보호와 후원을 받기위해 왕실을 축원 하고 있는데, 이러한 것이 주불전에 모셔진 삼세불과 자연스럽게 연결되면서 조선 전기보다 삼세불 신앙이 성행하였다고 파

보고 비로자나삼불로 명명해야한다[26]는 의견도 있다. 이처럼 전북지역 삼신불은 삼신삼세불의 성격을 가지고 있어 다른 지역 불상과 다른 독특한 구성을 보이고 있다.

삼신불은 모두 인조대(1633·1634)에 왕실 및 관청지원 사찰이 위치한 서부평야지역 김제와 고창에서 대형 불상으로 조성되었다. 단 귀신사 삼신불은 소조로 고창 선운사 삼신불은 목조로 조성하였으나 양식상으로 유사한 점이 확인된다.

3. 三尊佛 製作 樣相과 樣式 特徵

삼존불은 중앙의 주존불과 주존불을 보좌하는 협시불을 말하며, 삼존은 주존의 성격과 전각에 따라 여러 도상을 보인다.[27] 조선후기 전북지역 삼존불은 문수-석가-보현, 대세지-아미타-관음, 제화갈라(정광불)-석가-미륵, 지장보살삼존불상(완주 위봉사) 등으로 구성되었으며 12건 28점이 남아있다.[28]

17세기 전북지역에서 조성된 삼존불은 인조대와 효종대 그리고 숙종대 조성되었으며, 군산, 부안, 완주 등 서부평야지역에 17점, 동부산간지역에 3점 등이 분포하고 있다. 특히 숙종대에는 동부산간지역인 남원에 삼존불이 조성되었다.

조선후기 전북지역에서 조성된 삼존불은 석가 삼존 6건〉아미타 삼존 5건〉지장 삼존 1건으로 아미타 삼존보다 석가 삼존불이 1건 더 조성되었으며, 송광사 나한전에는 제화갈라-석가-미륵으로 구성된 삼존불상이 봉안되어 있다. 본래 석가, 미륵, 제화갈라는 시간적 의미의 삼세불인데 현재불인 석가만 여래로 나타내고 미륵과 제화갈라는 보살로 표현해 수기삼존불로 보고 나한전 등에 주불로 봉안하고 있는 것이다.

선운사 영산전에 봉안된 삼존불상도 수기 삼존불인 석가, 미륵, 제화갈라보살로 구성되어 있다. 이 수기삼존불은 중층이던 장육전이 훼손되자 불전을 1층으로 줄이면서 불전명을 고친 후 봉안한 것이다.[29] 고창 선운사 영산전에 봉안된 미륵보살입상은 금산사 미륵전의 대묘상·법화림보살(1627, 소실)의 장식 요소를 반영하면서 이전 시기보다 화려한 장식을 통해 차별성을 두

악하였다.

26) 문명대, 「삼신불의 도상특징과 조선시대 삼신삼세불도의 연구」, 『한국의 불화 선암사』12, 성보문화재연구소, 1998.

27) 전북지역 삼존불상에 대한 연구는 다음 논문을 참조할 수 있다. 최선일 외, 「完州 大院寺 冥府殿 木造佛像의 研究」, 『문화사학』42, 한국문화사학회, 2014, pp.71~97.

28) 「鎭安 金塘寺 大勢至菩薩坐像發願文」, "婆娑世界瞻部洲朝鮮國全南道南原府地東嶺萬行山金剛寺佛像造成發願文....證明 熙日比丘 持殿 海敬比丘 別座 戒安比丘 供養主 熙益比丘...... 畵員秩 熙莊比丘 信悶比丘 敬玉比丘 敬浩比丘 信元 比丘 寶海比丘 雙默比丘 蕙正比丘 覺元比丘...順治七年庚寅十月十四日結願隨喜等襜首"(문명대 외, 『조선시대 기록문화재자료집』II, p.302.)

29) 「도솔산 선운사 영산전 조성시주일록」, 『도솔산 선운사지』, 선운사, 2003.

었을 뿐만 아니라 여수 흥국사 상과 같이 거치형 치마를 표현했다는 점에서 전 시기 보살입상의 장식성을 계승한 작품으로 볼 수 있다.

4. 獨尊像 製作 樣相과 樣式 特徵

조선후기 전북지역에서 조성한 독존불상은 14점이 남아 있으며, 광해군, 인조, 효종, 현종대 그리고 18세기 숙종대에 조성된 것이다. 이들 불상은 대웅전, 응진전, 대장전, 극락전 등에 봉안된 것으로 보이며 크기는 43.3cm~101.5cm 사이의 중소형 목조불상이다.(도 9) 독존불은 김제, 고창, 완주, 군산 뿐 아니라 동부산간지역인 순창과 금산(현재는 충남에 속해 있으나 전북지역으로 파악)에서도 조성된 점이 주목된다. 독존불 중 가장 많이 조성된 도상은 아미타여래상(8점)이며 다음이 석가여래상(5점)과 비로자나불상(1점)이다.

이와 같은 독존불의 조성 비율을 통해 17세기 전북지역에서는 다른 지역에 비해 석가보다 아미타여래좌상이 많이 조성되었음을 알 수 있다. 특히 아미타불은 17세기에 골고루 조성되지만 1657~1667년에 집중되어 나타난다. 또한 중소형의 목조불로 조성되었다.

조선후기 전북지역에서 조성된 기년명 독존 보살상은 17세기에 조성된 것으로 현재 10점이 남아 있다. 이중 지장보살좌상이 5점, 관음보살좌상이 4점, 보살입상 1점 등이 확인되며, 모두 목조보살상으로 인조, 효종, 숙종대 서부와 동부지역에서 목조불로 조성되었다. 특히 독존보살은 47cm~152.5cm로 작은 불상이 많고 중형 불상이 일부 확인된다.

| 김제 문수사 대웅전
목조석가여래좌상
(1610, 현진 추정) | 완주 안심사 극락전
목조비로자나불좌상
(1652, 무염, 현 비래사 봉안) | 금산 운출암 목조아미타여래좌상
(1657, 승일, 현 북고사 봉안) | 김제 금산사 정수암
목조아미타여래좌상
(1708, 법종, 현 삼경사 봉안) |

도 9. 조선후기 전북지역 기년명 독존불상(금산 운출암 : 『사찰문화재』 사진 전재, 그 외 최윤숙)

이상에서 살펴 본 조선후기 전북지역 불상의 종별 제작 현황을 정리해보면, 조선후기 전북지역에서 조성된 기년명 불상은 삼존불이 12건 28점으로 가장 많이 조성되었고 다음 삼세불(7건 17점)〉독존불(14점)〉독존보살(10점)〉 삼신불(2건 6점) 순으로 조성되었음을 알 수 있다. 삼존불 중에서는 석가삼존불이 아미타삼존불보다 많이 조성되었으며, 삼세불상은 석가삼세불상이 조성되었고, 독존불은 아미타여래상이 많은 분포를 보이고 있다. 한편 독존보살상은 지장보살상과 관음보살상이 주로 조성되었으며, 지장보살상이 한 점 더 많은 분포를 보이고 있다.

| 진안 옥천사 인법당 목조관음보살좌상 (1654) | 군산 불주사 벽안당 목조관음보살좌상 (1646, 청헌, 응혜) | 선운사 명부전 목조지장보살좌상 (1676, 명준) | 완주 대원사 명부전 목조지장보살좌상 (1688, 도잠 지현 진열) |

도 10. 조선후기 전북지역 기년명 독존 보살상(대원사 목조지장보살: 『한국의 사찰문화재』 사진 전재, 그 외 최윤숙)

이것은 전북지역 조선후기 주불전 중 대웅전(대웅보전)이 10건(58%)이 조성된 것과 관련이 있다고 볼 수 있다. 또한 왕실의 지속적인 보호와 후원을 받기위해 왕실을 축원하고 있는데, 이러한 것이 주불전에 모셔진 삼세불과 자연스럽게 연결되면서 조선전기보다 삼세불 신앙이 성행하였을 것으로 짐작된다. 특히 전북지역의 삼신불은 삼신삼세불의 성격을 가지고 있다. 이 시기에는 '해탈'과 '성불'이라는 의미를 가진 비로자나불 사상이 유행했기 때문에 이러한 도상이 수용되었을 것으로 짐작된다. 다음 독존 보살상으로 지장보살과 관음보살 순으로 조성되었는데 이를 통해 지장 신앙이 전쟁 후 망자의 영혼을 달래고 산자들을 위로하기 위해 당시 일반인들에게 널리 신앙되었음을 알 수 있다. 더불어 조선후기 불교 탄압을 피할 수 있는 방편으로 유교세력을 끌어 들이기 위해 효 사상을 강조한 지장 신앙을 선호했을 것으로 짐작된다.[30]

조선후기 전북지역 불상의 종별 신체비를 살펴보면 크기는 삼신불상의 평균 크기가 285.8cm로 가장 크며, 다음이 삼세불〉삼존불〉독존보살〉독존불 순을 보인다. 전체크기 대 무릎 폭 비는 독존불의 평균 비가 가장 넓고, 다음이 삼세불〉삼존불〉삼신불〉독존보살 순으로 좁아지고 있다. 특히 삼신불상은 대형 불상임에도 불구하고 무릎 폭 비는 좁게 조성되었다.

삼세불상의 평균 크기는 191.7cm로 17세기 불상의 평균 크기인 164.8cm보다 크고 무릎 폭

---

30) 바라문녀는 꿈결같이 집으로 돌아와, 이 일을 깨닫고는 곧 각화정자재왕여래의 탑상 앞에 나아가 서 큰 서원을 세우기를, "바라옵나니, 저는 미래 겁이 다하도록 죄고에 허덕이는 중생에게 널리 방편을 설하여 해탈케 하오리다."하였느니라. 부처님께서 문수사리에게 또 말씀하였다. "그때의 귀왕인 무독이란 자는 지금의 재수보살이고, 바라문녀는 바로 지장보살이니라. 「지장보살본원경」, 『지장경』, 보광사, pp.35~36.

과 높이의 평균 비는 1:0.71로 17세기 평균과 같다. 삼세불상의 전체 크기 대 얼굴 길이 비는 1:0.257로 17세기에 조성된 여래상의 평균 얼굴 길이 비인 1:0.21에 비해 월등하게 큰 것을 알 수 있다. 삼신불의 평균 크기는 285.8cm이고, 무릎 폭 비와 얼굴 길이 비는 17세기 평균보다 약간 적게 조성되었다. 삼존불의 평균 크기는 134.7cm이며, 무릎 폭 비는 1:0.691로 17세기 평균 비율보다 좁게 조성되었다. 독존불은 평균 크기가 86.71로 소형 불상이며 무릎 폭은 삼세불과 삼신불보다 넓게 조성되었다. 얼굴 길이 비는 17세기 평균비와 같게 조성되었다. 독존보살상은 불상 크기는 중형에 가까우나 무릎 폭 비와 얼굴 길이 비가 작게 조성되었다.

【표 3】 조선후기 전북지역 불상 종별 신체비

신체비 \ 종별	삼세불	삼신불	삼존불	독존불	독존보살	
전체 크기 평균(cm)	191.7	285.8	134.7	86.71	98.72	실측 기준점
전체 길이 대 무릎 폭 비	1:0.71	1:0.687	1:0.691	0.715	0.624	
전체 길이 대 얼굴 길이 비	0.257	0.204	0.194	0.21	0.185	

Ⅳ. 朝鮮後期 佛像樣式의 變遷과 特徵

앞 장에서는 조선후기 전북지역에서 조성된 불상의 종별 특징에 대해 살펴보았다. 이를 토대로 불상양식의 변천과정을 다음과 같이 3기로 구분하였다. 불상양식의 변천양상을 살필 수 있는 주요 속성은 불상의 얼굴 표현과 착의법 그리고 신체비례라고 할 수 있다.

따라서 이 장에서는 각 단계별로 불상의 신체 비례를 전체 높이 대 무릎 폭 비, 불상 전체 크기 대 얼굴 길이 비로 수치화한 결과치를 중심으로 검토하고자 한다. 분석은 보관과 상투로 인해 기준점이 정확하지 않아 오류가 발생할 소지가 있는 보살상을 제외하고, 여래상을 대상으로 양식의 변천과 특징을 살피되 필요한 경우 보살상을 언급하기로 하겠다.

1. 1기(1601년~1660년)
: 1-1기(조선후기 불상양식 성립기), 1-2기(조선후기 불상양식 정형기)

1기는 1601년~1660년에 해당하는 시기로 다시 1기는 1-1기인 전반기(1601~1630년)와 1-2기인 후반기(1631~1660년)로 구분할 수 있다. 선조와 광해군 그리고 인조대 초기에 해당되는

1-1기에는 서부평야지역에 속하는 김제와 군산, 익산 그리고 동부산간지역에 속하는 순창지역에서 독존불과 삼존불, 삼세불 등 6점이 조성되었다. 이 시기에 조성된 불교건축으로는 숭림사 보광전(1613), 선운사 대웅전(1614~1619), 참당암 대웅전(1614~1642) 등이 있다.

1-1기에 조성된 불상은 중소형의 목조불상으로 전체 높이의 평균은 87cm를 보이며, 전체 높이 대 무릎 폭 비는 1:0.70로 17세기 평균 비보다 좁고, 얼굴 길이 비 평균은 0.21로 17세기 평균 비와 같다.

【표 4】 1-1기 불상 규격 및 신체비

조성연대	지역	사찰		재질	종별	전체 높이	무릎 폭 비	얼굴 길이 비
1610	김제	문수사	대웅전	목조	석가여래좌상	59	0.77	0.22
1612	순창	강천사	주지실	목조	아미타여래좌상	70	0.59	0.20
1614	익산	숭림사	보광전	목조	석가여래좌상	106	0.77	0.19
1629	군산	은적사	극락전	목조	석가여래좌상	113	0.67	0.23
평 균						87	0.70	0.21

이 절에서 분석대상으로 다루고 있는 여래상 외에 완주 북암(현 익산 관음사 봉안) 목조보살입상(1605)은 전 시기에 조성된 고창 참당암 목조삼존불좌상(1561)과 달리 장방형의 긴 얼굴과 부은 듯한 눈 그리고 입술의 끝이 올라가 미소 띤 밝고 당당한 얼굴 표정 등을 특징으로 하고 있다. 따라서 이 불상은 임진왜란 직후에 활약했던 조각승들이 조선 전반기 양식을 바탕으로 새롭게 조성한 불상으로 볼 수 있다. 한편 1612년 조성된 순창 강천사의 아미타여래상에서는 17세기 전북지역의 전형적인 불상 양식이 도드라지게 보이지 않는다.

숭림사 보광전에 봉안된 석가여래좌상(1614, 광해군 5년)은 106cm의 중형 불상으로 무릎 폭이 1:0.77로 넓은 편이며, 얼굴 길이 비는 1:0.19로 길지 않다. 특히 이 불상은 조성연대가 확실하여 불상연구의 좋은 자료가 되고 있으나 조각승에 대한 자료가 없다.[31] 숭림사 석가여래상좌의 얼굴은 이전 시기의 얼굴형과는 다르지만, 17세기 전형적인 장방형이나 방형의 얼굴이 아니라 위는 넓고 아래는 좁은 얼굴형을 가지고 있다.

군산 은적사 목조삼존불좌상(1629)은 장방형의 얼굴에 무릎 폭이 넓고 낮은 것이 특징이다. 또한 하반신 대의 자락 표현과 왼쪽 무릎 위 소맷자락 표현에서 조각승 법령의 조각양식이 살펴진다. 조선후기 전북지역 불상의 특징이라 할 수 있는 장방형의 얼굴은 완주 북암 보살입상(현 익산 관음사 봉안)에서 시작하여 군산 은적사 삼존불상에서 성립한다고 볼 수 있다. 그리고 법령과 혜희, 조능, 마일의 불상에서 보이는 왼쪽 소맷자락의 표현은 법령이 조성한 은적사 삼존불상에서 시작되며, 군산 불명사 아미타여래상(현 익산 숭림사 안심당 봉안)에서부터 측면으

---

31) "大明萬曆肆拾二年 歲次癸丑季冬初八日爲始 明年 甲寅季春初八日畢功……"

로 붙어 강한 조각으로 표현되고 있다. 이러한 표현 양식은 약간씩 변화를 보이지만 혜희와 조능, 금문, 마일 등 법령계 작품에서 일관되게 표현되고 있다.

이상과 같이 완주 북암 보살입상(현 익산 관음사 봉안)과 숭림사 석가여래좌상의 양식상의 특징을 통해 1-1기에는 16세기의 양식과 17세기에 새롭게 성립하는 양식이 함께 표현되고 있음을 알 수 있다.

다음 1-2기는 인조와 효종대로 삼신불과 삼세불, 삼존불, 독존상 등 다양한 불상이 제작되고 있다. 경상도 지역에서는 17세기 후반이 되어야 소조상들을 조성하는 것에 비해 전북지역에서는 대형의 소조불상을 이 시기에 조성하고 있다. 특히 소조불은 삼신불과 삼세불로 조성되었으며, 김제와 완주 등 서부평야지역의 왕실 및 관청 지원사찰에 봉안되었다. 한편 동부산간지역인 남원과 순창 등에도 중대형의 목조불상이 조성되고 있다.

【표 5】 1-2기 불상 규격 및 신체비

조성 연대	지역	사찰		재질	종별	전체 높이	무릎 폭 비	얼굴길이 비
1633	김제	귀신사	대적광전	소조	비로자나불상	313	0.71	0.19
1633	김제	귀신사	대적광전	소조	아미타여래좌상	293	0.71	0.19
1633	김제	귀신사	대적광전	소조	약사여래좌상	291.5	0.73	0.20
1633	김제	귀신사	응진전 (영산전 봉안)	소조	석가여래좌상	140	0.68	0.22
1633	부안	내소사	대웅보전	목조	석가여래좌상	125	0.78	0.19
1634	고창	선운사	대웅보전	목조	비로자나불좌상	295	0.66	0.20
1634	고창	선운사	대웅보전	목조	아미타여래좌상	266	0.62	0.22
1634	고창	선운사	대웅보전	목조	약사여래좌상	256.5	0.63	0.23
1639	남원	풍국사 (현 수덕사 봉안)	대웅전	목조	석가여래좌상	155	0.67	0.22
1640	군산	불명사 (현 숭림사 봉안)		목조	아미타여래좌상	61	0.64	0.22
1641	완주	송광사	대웅전	소조	석가여래좌상	550	0.74	0.21
1641	완주	송광사	대웅전	소조	아미타여래좌상	520	0.68	0.25
1641	완주	송광사	대웅전	소조	약사여래좌상	520	0.70	0.24
1649	순창	만일사		목조	석가여래좌상	101.5	0.61	0.20
1650	김제	금산사	대장전	목조	석가여래좌상	114	0.70	0.21
1650	김제	금산사 (현 동국사 봉안)		소조	석가여래좌상	147	0.73	0.20
1652	완주	정수사	극락전	목조	아미타여래좌상	142	0.72	0.20
1653	고창	문수사	대웅전	목조	석가여래좌상	104.5	0.80	0.22
1653	고창	문수사	대웅전	목조	아미타여래좌상	87.5	0.74	0.18
1656	완주	송광사	나한전	목조	석가여래좌상	192	0.82	0.23
		평 균				233.7	0.70	0.21

이 시기에 조성된 불상은 총 41점이 남아 있으며 이 중 기년명 여래상 20점의 신체비를 분석한 결과 불상의 평균 크기는 233.7cm로 대형에 속하며, 무릎 폭 비는 0.70으로 17세기 평균비보다는 약간 작은 편이고, 1-1기와 같은 비율로 조성되었다. 불상의 전체 높이에 대한 얼굴 길이 비는 17세기 평균 및 1-1기 평균과 같게 조성되었다.(표 5)

남원 풍국사에서 조성한 삼세불은 현재 충남 수덕사 대웅보전에 봉안되어 있으며 복장기를 통해 1639년 인조대에 수연과 영철, 사인에 조성된 것으로 확인되었다.[32] 풍국사 석가여래좌상은 155cm의 중형 목조불상으로 방형의 얼굴에 당당한 풍채를 보이고 있다. 석가여래상의 전체 높이 대 무릎 폭 비는 1:0.67로 1619년 수연이 조성한 서천 봉서사 불상 무릎 폭 비보다 좁고, 전북지역 17세기 평균 비보다 좁게 조성되었다. 이외 수연 작 불상의 신체비를 살펴보면, 무릎 폭이 좁고 얼굴이 크고 길어 전체적으로 육중하게 힘이 느껴지나 상체에 비해 하체 부분이 빈약해 보인다.

귀신사 대적광전에 봉안된 소조삼신불좌상(1633)은 중앙의 비로자나불을 중심으로 좌우에 아미타불과 약사불로 구성되어 있다.[33] 본존인 비로자나불좌상은 오른손 검지를 왼손 검지 위에 세운 지권인으로 조선 전기 수인의 특징을 보여주고 있다.[34] 이 불상은 본존불을 좌우 협시불보다 조금 더 크게 조성하였으나, 무릎 폭은 주존불보다 협시불인 약사여래좌상의 무릎 폭이 더 크다.(비로자나불좌상·아미타여래좌상 1:0.71, 약사여래좌상 1:0.73). 그리고 선운사 삼신불좌상보다 무릎 폭 비가 더 넓게 조성되었다. 얼굴 길이 비를 살펴보면 주존불이 협시불보다 길게 조성되었으며, 선운사 불상보다는 짧게 조성되었다.

귀신사 삼신불좌상은 인조대인 17세기 전반기 대형 소조불의 정형적인 특징을 보여줌과 동시에 조선 후기로 넘어가는 과도기적인 양상을 보여준다. 이 시기는 고려 전통을 고수하는 양식과 중국 명대 산서지방의 대형소조불상의 유행과 더불어 임진왜란 직후 새로운 시대 즉 조선 후기로 접어드는 시기에 조성된 불상이라는 점에서 불교 양식사에서 차지하는 의미가 크다고 할 수 있다.[35]

선운사 대웅보전 목조삼신불좌상은 나무에 약간의 흙을 입혀 만든 대형 목조불로 1633년에 조각승 무염 등이 조성하였다. 삼세불상은 전체적으로 얼굴과 상체가 길어 날씬한 느낌을 준다. 또한 불신은 얇고 무릎은 낮으며 양감이 거의 표현되지 않아 평면적인 느낌을 준다. 비로

---

32) 「복장기」 "崇禎十二年歲次乙卯三冬 月日 萬行山 豊國寺 普光殿 彌陀尊像新造成"
33) 「金堤 歸信寺 木造三世佛坐像 造成發願文」 1633년: "……畵員秩 證明處明 持展性悅 畵員印均 畵員 大悟……."
34) 오른쪽 검지가 위로 올라간 조선 전기의 특징적인 지권인은 선운사 불상, 소실된 금산사 오불상의 본존상, 마곡사 대광보전 비로자나불좌상, 광덕사 천불전 비로자나불좌상, 월정사 중대 사장암 목조비로자나불좌상, 대원정사 소장 신원사 소조비로자나불좌상 등이 있다. 심주완, 「17세기 전반기의 대형소조불 연구」, 동국대학교 석사학위논문, 2000, pp.53~59; 조명화 김봉건 이은희, 『마곡사』, 대원사, 1988.
35) 국립문화재연구소, 『한국의 고건축 25』 귀신사 대적광전, 2003, p.204 참조.

자나불좌상의 무릎 폭 비는 1:0.66, 아미타여래좌상은 1:0.62, 약사여래좌상은 1:0.63으로 17세기 평균인 1:0.71보다 좁게 조성되었다. 고창 선운사 목조비로자나불좌상(1634)의 무릎 폭 비는 1:0.66, 완주 정수사 아미타여래좌상(1652)은 1:0.72, 고창 문수사 석가여래좌상(1653)은 1:0.80, 고창 문수사 지장보살좌상(1653)은 1:0.76, 송광사 나한전 석가여래좌상(1656)은 1:0.82의 비율을 보인다. 이처럼 무염이 조성한 불상의 무릎 폭 비는 시간이 지날수록 넓어지는 양상을 보인다. 무염의 작품으로 추정되는 고창 상원사 석가여래좌상은 1:0.82를 보여 조성시기를 어느 정도 짐작해 볼 수 있다.

완주 송광사 소조삼세불상은 아미타-석가-약사여래로 구성되었으며, 발원문에 의해 1641년에 조성된 것으로 밝혀졌다. 이 불상은 높이 550cm의 대형불상으로 장방형의 상반신과 넓은 무릎 폭(1:0.74)으로 안정감 있는 비례를 보인다. 주존불인 석가불은 협시불에 비해 30cm 이상 크게 조성하였으며 무릎 폭도 넓게 조성하였다. 석가상의 전체 높이 : 얼굴 길이 비를 보면 1:0.21로 숭림사 보광전 석가여래(1:0.18)보다는 얼굴이 차지하는 비율이 크고 군산 은적사 석가상(1:0.23)보다는 작게 조성되었다. 삼세불상은 방형의 얼굴과 각이 진 어깨, 건장한 체구를 가지고 있어 강직한 이미지를 풍긴다. 송광사에 중층의 대형 전각을 짓고 넓은 수미단 위에 엄숙한 모습의 대형 소조불상을 조성함으로써, 병자호란 및 혼란한 국내 정치 상황을 극복하고자 했던 당시 사회상을 엿볼 수 있는 불상이라 할 수 있다.

고창 문수사 대웅전 목조삼세불좌상(1653)은 신체에 비해 얼굴이 큰 편이지만, 안정적인 신체비례를 보인다. 또한 얼굴은 양감이 풍부하게 표현되어 원만한 상호를 보이고 있다. 석가여래좌상은 높이 104.5cm로 약사와 아미타여래좌상보다 크게 조성되었으며, 무릎 폭 비는 석가와 아미타여래상이 1:0.8로 17세기 평균인 1:0.71에 비해 큰 차이를 보이고 있다. 약사여래는 1:0.72로 석가와 아미타여래상보다는 무릎 폭이 좁게 조성되었다. 전체 높이와 얼굴 길이 비를 살펴보면 1:0.22로 송광사 석가여래상에 비해 얼굴이 길게 조성된 것을 알 수 있다. 이 불상은 장방형의 얼굴에 살집이 있어 부드러운 인상을 주며, 코가 오뚝하고 미소를 짓고 있는 뺨은 도톰하게 표현되었다.

이와 같이 턱이 둥글고 갸름한 얼굴과 양감이 풍부하면서 온화한 표정을 지닌 전북지역의 불상양식의 특징은 바로 1650년 무염과 무염계 조각승의 불상이 활발하게 조성되면서 정형화된 것이라 할 수 있다.

1기 전북지역에서 지속적인 불상을 조성한 조각승 계열로는 1-1기에는 완주 북암 보살입상(1605, 현 익산 관음사 봉안)과 완주 위봉사 목조지장보살좌상(1610, 현 남원 선원사 봉안)을 조성한 원오와 군산 은적사 목조삼존불좌상(1629)을 조성한 법령, 그리고 김제 문수사 목조석가여래좌상을 조성한 것으로 추정되는 현진의 활동이 살펴진다. 1-2기에는 군산 보천사 목조지장보살좌상(현 익산 숭림사 영원전 봉안)과 풍국사 목조삼세불좌상(현 예산 수덕사 봉안)을 조성한 수연계, 무주 안국사 목조삼존불좌상을 조성한 것으로 추정되는 현진계, 완주 정수사 목조아미타삼존불좌상(1652)과 완주 안심사 목조비로자나불좌상(1652, 현 대전 비래사 봉안), 고창 문수사 목조삼세불좌상(1653, 해심)과 목조지장보살좌상(1653, 해심) 등을 조성한 무염계 그리고 청헌 등이 확인된다. 특히 법령계에서는 법령과 혜희 그리고 조능의 활동이 보이며, 무염계에서는 무염과 해심의 활동이 살펴진다. 한편 1기의 불상 제작양상을 살펴보면 완주 송광사와 고창 선운사, 김제 귀신사 등의 대형 불사 진행시 여러 계파의 조각승들이 공동 작업을 하는 특성을 보이고 있다.[36]

2. 2기(1661년 1700년) : (조선후기 정형양식 유지 → 퇴화기)

2기에는 17점의 불상이 확인되며, 지역별로는 서부평야지역의 고창, 완주, 김제, 전주 등과 동부산간지역의 남원과 진안 등에 분포하고 있다. 불상은 삼세불과 삼존불, 독존불, 독존보살상 등으로 조성되었다. 이 시기에 전북지역에서는 실상사 부도전(1684)과 금산사 대적광전(1686) 등이 재건되었다. 따라서 2기에는 주불전에 봉안할 불상을 제작하기도 하지만 중소 사찰의 전각이나 부불전에 아미타, 약사, 지장 등 다양한 존상의 중소형의 목조불상을 조성하고 있음을 알 수 있다.

【표 6】 2기 불상 규격 및 신체비

조성 연대	지역	사찰		재질	종별	전체 높이	무릎 폭 비	얼굴 길이 비
1662	전주	학소암	자음전	목조	아미타여래좌상	84	0.64	0.24
1666	군산	불주사	극락전	목조	아미타여래좌상	88	0.74	0.20
1666	김제	금산사 정수암 (현 은적사)		목조	아미타여래좌상	43.3	0.77	0.20
1667	고창	선운사 도솔암	극락보전	목조	아미타여래좌상	65	0.73	0.21
1675	남원	금강사 (현 금당사)	극락전	목조	아미타여래좌상	164	0.77	0.21
1675	완주	안심사 (현 금복사)		목조	아미타여래좌상	84.9	0.65	0.23
1676	김제	흥복사	대웅전	목조	약사여래좌상	100	0.79	0.22
1676	김제	흥복사	대웅전	목조	석가여래좌상	111.5	0.74	0.24
1680	진안	천황사	대웅전	목조	아미타여래좌상	130.5	0.66	0.20
1680	진안	천황사	대웅전	목조	석가여래좌상	163.3	0.70	0.21
1680	진안	천황사	대웅전	목조	약사여래좌상	133	0.65	0.20
		평균				106	0.71	0.21

36) 송광사 소조삼세불좌상은 복장기에 의하면 1641년 청헌이 법령, 혜희 등 14명의 조각승과 함께 제작한 것으로, 이 불사는 단일 유파의 조각승들만이 아닌 법령, 혜희 등 전라북도를 중심으로 활동하던 법령파 조각승들과 함께 합동으로 불상을 조성하고 있다.

표 6을 살펴보면 2기의 불상은 1-1기에 비해 평균 크기는 현저하게 줄었으나, 전체 높이 대 무릎 폭 비는 0.71로 17세기 평균 비와 같고, 얼굴 길이 비는 0.214로 17세기 평균 비 그리고 1-2기 평균비와도 같은 양상을 보인다. 따라서 1-2기 불상양식의 정형성을 크게 벗어나지 않은 불상들이 제작되고 있음을 알 수 있다. 또한 남원 금강사 목조아미타삼존불좌상(1675), 진안 천황사 목조삼세불상좌상(1680)과 같이 크고 당당한 불상이 조성되고 있어 17세기의 정형적인 불상 양식이 이어지고 있다고 할 수 있다. 그러나 학소암 아미타여래좌상(1662)과 선운사 도솔암 아미타여래좌상(1667), 흥복사 삼세불좌상(1676) 등에서 부드러우면서도 볼륨감이 넘치던 1-2기 정형기 양식이 약화되는 모습이 살펴진다.

다음 개별 불상의 신체비 분석을 통해 불상양식을 살펴보면, 완주 봉서사(1655, 현 김제 청룡사 봉안) 목조관음보살좌상은 조능이 조성한 불상으로 이 불상의 얼굴은 위는 넓고 아래는 좁아 타원형에 가까운 방형의 얼굴을 보이며, 이목구비가 오밀조밀하게 몰려 있다. 또한 측면상을 보면 코가 크지 않고 턱에 살이 많아 마일의 불상과 차이를 보인다. 특히 하반신 양쪽 무릎을 각지게 표현하고 대의 끝자락을 두껍게 표현하고 있다.

완주 안심사 목조약사여래좌상(1675, 현 김제 금복사 봉안)은 조각승 혜희와 금문이 조성한 불상이다. 혜희는 보은 법주사 원통보전 관음보살좌상을 1655년에 조성하였으며,[37] 완주 용문사 목조약사여래좌상(현 전주 일출암 봉안)을 1677년에 조성하였다.[38] 또한 금문과 함께 완주 안심사(현 김제 금복사 봉안)목조아미타여래상을 제작하였다. 또한 혜희는 마일이 진안 천황사 목조삼세불좌상(1688)을 조성할 때 함께 참여하였거나 불상 조성에 영향을 미쳤을 것으로 추정된다.

진안 천황사 대웅전에 봉안된 삼세불좌상(1680)은 각 존상의 대좌에 남아 있는 '康熙十九年 庚申'이라는 기록을 통해 1680년 숙종대에 제작하였음을 알 수 있다.[39] 이 삼세불상을(1680)을 조성한 조각승에 대해서는 몇 가지 의견이 제시된 바 있다.[40] 삼세불상은 전체적으로 안정적인 구도를 보이며, 높은 불단에 모셔져 있어 예불자가 아래에서 위를 올려다보았을 때 당당한 풍모를 느낄 수 있다. 삼세불상의 상호는 전체적인 느낌이 완주 용문사 목조약사여래좌상(1677, 현 전주 일출암 봉안)이나 안성 칠장사 목조삼존불좌상(1685), 김해 은하사 목조삼존불좌상(1688) 등 마일이 조성한 불상의 상호와 유사한 점이 확인된다.

천황사 삼세불좌상의 신체비를 살펴보면, 본존인 석가상이 약사와 아미타상보다 30cm 이상 크게 조성되었고, 무릎 폭도 넓게 조성되어 전체적으로 안정적인 구도를 가지고 있다. 석가여

---

37) 「報恩 法住寺 木造觀音菩薩坐像 腹藏發願文」1655년'順治十二年乙未十月日 終 … 畫師秩 惠熙比丘…'
38) 「全州 日出庵 木造觀音菩薩坐像 腹藏發願文」1677년'… 畵員 惠熙 … 康熙拾六年丁巳夏日落成…'
39) 『천황사 대웅전』 실측보고서, p.124에 의하면 이 불상에 대한 복장물은 금산사 성보박물관에 보관되어있다.
40) 이희정, 앞의 논문, 2011. pp.170~171; 최선일, 앞의 책, 2011. p.208. 이희정은 "마일은 혜희를 계보로 하여 자신의 개인적 양식으로 이끌어 갔다."고 보았으나 마일이 조성한 불상으로 기술하지는 않았다. 최선일은 그의 책에서 "熙藏 → 摩日로 이어지는 사제관계를 추정해 볼 수 있었다"라고 기술하고 있다.

래상의 전체 높이 대 무릎 폭 비는 1:0.70, 혜희가 제작한 법주사 관음보살좌상(1655)의 무릎 폭
비는 1:0.68이며, 마일이 조성한 은하사 불상 평균 무릎 폭 비는 1:0.69, 칠장사 석가여래좌상은
1:0.71, 청련암 관음보살좌상은 1:0.70으로 확인되어 천황사 석가상의 무릎 폭 비는 은하사와
청련암 불상의 비율과 같거나 비슷한 것으로 확인되었다. 한편 17세기 전반기에 전북지역에서
조성한 법령의 불상은 1:0.61~0.67의 비를 보이며, 1650년대 활약한 무염계 불상은 1:0.66~0.82
의 비를 보인다(완주 안심사 제외). 또한 전체 길이 대 얼굴 길이 비 를 분석해보면 천황사 석가
여래좌상(1:0.21)은 완주 용문사 약사여래좌상(1:0.19), 청련암 목조관음보살좌상(1:0.19)의 얼
굴 길이 비와 가까운 것으로 확인되었다. 혜희가 조성한 불상의 얼굴 길이 비는 1:0.19~1:0.21
의 범주 안에 있으며, 마일이 조성한 불상의 얼굴 길이 비는 1:0.19~0.23의 범주 안에 위치하기
때문에 천황사 삼세불상은 양식의 유사성 외에도 신체비 분석에서 혜희와 마일의 불상양식과
관련성이 깊은 것을 확인 할 수 있다.[41]

2기에 전북지역에서는 1기 조각승의 양식을 이은 금문, 마일 외에도 희장과 승일, 웅혜, 회감,
진열과 도잠 등의 활동도 확인되고 있다.

3. 3기(1701년 1900년) : 조선후기 불상양식 퇴화기

3기에 조성된 기년명 불상은 9점이 남아 있으며, 이 시기 전북지역에서 조영된 불교건축으로
는 군산 불주사 대웅전(1716)과 남원 선국사 대웅전(1803)이 확인된다.

3기에 조성된 기년명 여래상의 신체비를 분석한 결과 전체 높이의 평균은 116.3cm이며, 무
릎 폭 비는 17세기 평균인 1:0.71과 같고, 얼굴 길이 비는 17세기 평균 비보다 약간 짧은 0.20의
비율을 보인다. 따라서 불상의 크기는 작아졌지만 무릎 폭 비와 얼굴 길이 비는 차이가 크지 않
은 것을 확인할 수 있다. 그러나 1708년 조성된 금산사 하서전 목조아미타불좌상(현 전주 삼경
사 봉안)과 1821년 조성된 고창 선운사 석가여래좌상의 무릎 폭 비는 1:0.68로 전 시기에 비해
좁아진 것을 알 수 있다.(표 7)

【표 7】3기 불상 규격 및 신체비

조성 연대	지역	사찰		재질	종별	전체 높이	무릎 폭 비	얼굴 길이 비
1708	김제	금산사	하서전	목조	아미타여래좌상	51	1:0.68	1:0.17
1712	부안	도솔암	대웅전	목조	석가여래좌상	76	1:0.75	1:0.22
1715	김제	문수사	대웅전	목조	아미타여래좌상	66	1:0.71	1:0.19
1821	고창	선운사	영산전	목조	석가여래좌상	272	1:0.68	1:0.20
				평 균		116.3	0.71	0.20

---

41) 진안 천황사 목조삼세불좌상에 대해서는 본 연구자의 논문을 인용 하였다. 최윤숙, 앞의 논문, 2013.

1708년 조성된 금산사 하서전 목조아미타불좌상(현 전주 삼경사 봉안)은 전체적으로 세장하고 얼굴에 전 시기의 강건함이 부족하며 단순화하여 불상 양식이 퇴락하고 있음을 보여준다. 또한 부안 도솔암 목조석가여래상과 보현보살좌상(1712, 현 익산 혜봉원 봉안) 그리고 1800년 이후 조성된 선운사 영산전 석가삼존불상(1821)은 입체감이 사라지고 밋밋하게 도식적인 양식을 뚜렷하게 보인다.[42] 그러나 선운사 영산전에 봉안된 불상은 불교조각에 있어 쇠퇴기에 해당하는 시기의 상임에도 불구하고 미륵과 제화갈라상에 화려한 장식을 베풀고 있어 당당한 신체비를 보이고 있어 조성시기에 대한 검토가 필요하다.

조선후기 전북지역에서 조성된 기년명 여래상에 대한 규격 및 신체비를 정리해 보면 불상의 평균 크기가 가장 크게 조성된 시기는 1-2기로 평균 233.7cm를 보이며, 양란 이후 큰 사찰의 주불전이 조성되는 시기에 조성된 불상의 크기와 주불전의 재건이 마무리되고 부속전각이나 작은 사찰의 주불전을 조성하는 시기에는 현저하게 불상의 크기가 차이가 나는 것을 알 수 있다. 무릎 폭 비는 각 분기마다 1:0.70~0.71을 보이고 있어 큰 차이를 보이지 않지만 2기와 3기로 갈수록 넓어지고 있다.(표 8)

불상의 전체 길이 대 얼굴 비는 1-1기에는 완주 북암 보살입상(현 익산 관음사 봉안)과 은적사 삼존불상 이후 길어지기 시작해서 1-2기와 2기까지 같은 비율을 유지하고 있다. 그러나 3기에는 얼굴 길이 비가 줄고 있다. Ⅱ장에서 17·18·19세기로 구분하여 신체비를 살펴보았을 때 무릎 폭은 18세기에 들어 늘었다가 19세기에는 현저하게 줄었고, 얼굴 길이 비는 17세기에 제일 길고 18세기에 줄어들었으며 다시 19세기에 길어지는 것으로 확인된 바 있다. 이러한 분석치는 시대양식으로 이해할 수 있으며, 각 분기별로 산출된 분석치가 큰 차이가 없는 것은 불상이 서로 비슷한 양식을 공유하고 있기 때문이다. 따라서 양식변천의 분기설정에 큰 오류가 없음을 확인할 수 있다.

【표 8】 조선후기 전북지역 기년명 여래상 규격 및 신체비

구분		전체 높이(cm)	무릎폭비	얼굴길이 비
1기 (1601~1660)	1-1(1601~1630)	87	1:0.70	1:0.21
	1-2(1631~1660)	233.7	1:0.70	1:0.21
2기 (1661~1700)		94	1:0.71	1:0.21
3기 (1701~1900)		116	1:0.71	1:0.20

---

42) 선운사 영산전 목조삼존불상의 조성연대는 문화재청·재)불교중앙교원대한불교조계종문화유산 발굴조사단, 「전라북도·제주도」, 『한국의 사찰문화재』, 2003, p.257을 참조하였다.

【표 9】 조선후기 전북지역 불상 양식의 변천양상

구분		대표 불상도면	
· 1기 (1601~1660)	· 1-1(1601~1630) 전 시기 양식과 새로운 양식 공존 조선후기 불상양식 성립기	익산 숭림사 목조석가여래좌상(1614)	군산 은적사 목조석가여래좌상(1629)
	· 1-2(1631~1660) 조선후기 불상양식 정형·절정기	완주 정수사 목조아미타여래좌상(1652)	완주 안심사(현 대전 비래사) 목조비로자나불좌상(1652)
· 2기(1661~1700) 조선후기 정형양식 유지기 / 일부 불상양식 퇴화기		전주 학소암 목조아미타여래좌상(1662)	진안 천황사 목조석가여래좌상(1680)
· 3기(1701~1900) · 조선후기 불상양식 퇴화기		전주 삼경사 목조아미타여래좌상(1708)	부안 도솔암(현익산혜봉원봉안) 목조석가여래좌상(1712)

V. 맺음말

이상으로 전북지역 기년명 불상 75점을 대상으로 시기별 조성 양상과 지역별 분포 양상을 분석하고 불상양식의 변천양상과 특징을 살펴보았다.

본 연구에서는 조선후기 기년명 불상이 불교건축의 조성 및 지역의 인문지리적인 환경과 깊은 관련을 가지며 조성되었다고 보고, 먼저 전북지역을 인문지리적인 환경에 따라 서부평야지역과 동부산간지역으로 구분한 후 불교건축의 분포와 불상의 시기별·지역별 분포 양상을 검토하였다. 그리고 개별 불상에 대한 세부적인 분석보다는 큰 틀에서 전북지역 불상의 양식변화와 특징을 살펴보았다. 더불어 불상양식의 변화양상을 살필 수 있는 주요 속성이 불상의 전체 길이 대 무릎 폭 비, 전체 길이 대 얼굴 길이 비라고 판단하고, 불상의 신체비 분석을 위해 불상 사진을 Auto CAD 프로그램을 이용하여 실측하고 그 결과치를 활용하였다. 그 결과를 정리하면 다음과 같다.

첫째, 조선후기 전북지역의 불상은 17세기(66점, 88%)에 대부분 조성되었으며, 불상 조성이 가장 활발했던 시기는 인조대(24점)와 효종대(20점)이고, 조성된 불상의 평균 크기가 가장 큰 시기는 1640년대(인조대)로 확인되었다. 특히 인조대에는 서부평야지역에 위치한 김제 귀신사와 완주 송광사에서 대형의 소조불상이 조성되었다. 이것은 정유재란 이후 국난을 극복하려는 의지가 대형 전각의 재건과 불상 조성 등으로 가시화된 것이라 할 수 있다. 이를 반영하듯이 17세기 전반기인 인조~효종대에 조선후기 전북지역 불교건축의 75%가 재건되었다.

둘째, 불상의 지역별 분포 양상을 살펴본 결과 서부평야지역에서 동부산간지역의 4.3배가 넘는 불상이 조성되었다. 한편 불교건축의 지역별 현황을 보면 서부평야지역이 동부산간지역에 비해 4.6배가 넘는 분포를 보이고 있다. 따라서 왕실과 관청 지원 사찰이 위치한 서부평야지역의 김제, 완주, 고창 지역이 조선후기 전북지역 불교신앙의 중심지였음을 알 수 있다. 이에 비해 익산의 불상 조상 비율이 낮은 것은 백제 말기에서 17세기 이전까지 천여 년 간 사세를 유지하였던 미륵사가 폐사하고 바로 절 뒤편에 서원이 생기면서 큰 불사가 없었던 것으로 짐작된다. 현재 익산의 사찰에 봉안된 기년명 불상은 숭림사 보광전 목조석가여래좌상을 제외하면 인근에 위치한 군산과 부안 등에서 이운해 온 것이다.

셋째, 조선후기 전북지역에서 조성된 기년명 불상은 삼존불이 12건 28점으로 가장 많이 조성되었고 다음 삼세불(7건 17점) 〉 독존불(14점) 〉 독존보살(10점) 〉 삼신불(2건 6점) 순으로 조성되었다. 삼존불 중에서는 석가삼존불이 주를 이루며, 삼세불상은 석가삼세불상이 주를 이루고 독존불은 아미타여래상이 많은 분포를 보이고 있다. 특히 조선전기에 비해 삼세불 신앙이 성행하고 있는데 이는 살아서 무병장수를 약속하고 죽어서는 극락화생뿐만 아니라 중앙에 불교 교주인 석가불을 배치하여 불교의 궁극적인 깨달음을 나타내기 위한 것으로 짐작된다. 아울러 전북지역의 삼신불은 삼신삼세불의 성격을 가지고 있어 다른 지역 불상과 다른 독특한 구성을 보이고 있다. 또한 독존 보살상으로 지장과 관음보살 순으로 조성되어 전쟁 후 망자의 영혼을 달래고 산자들을 위로하기 위해 당시 지장신앙과 관음신앙이 일반인들에게 널리 신앙되었던 것으로 보인다. 아울러 조선후기 불교 탄압을 피할 수 있는 방법으로 유교세력을 끌어들이기 위해 효 사상을 강조한 지장 신앙을 선호했을 것으로 짐작된다. 위와 같은 불상 제작 양상은 전쟁 후 국난을 극복하고 민심을 모으려는 왕실과 사찰, 시주자 그리고 신도들의 요구가 반영된 결과라고 할 수 있다.

신체비를 살펴보면 불상의 크기는 삼신불상의 평균 크기가 가장 크며, 무릎 폭은 독존불이 가장 넓고, 얼굴 길이는 삼세불이 가장 길게 조성되었다. 따라서 불상의 크기가 크다고 해서 반드시 무릎 폭이 넓은 것이 아님을 알 수 있었다.

넷째, 조선후기 전북지역 불상양식의 변천양상을 3단계로 설정할 수 있었다.

1기(1601년~1660년)는 1-1기(1601년~1630년)와 1-2기(1631년~1660년)로 구분할 수 있다. 1-1기에는 조선 전반기 양식과 후반기 양식이 함께 확인되며, 1620년대 후반에는 조선후기 전북지역 불상의 특징적인 양식이 확인된다. 이후 1-2기인 1650년대 중반 이후에는 개별 조각승의 독특한 불상 양식이 완성되면서 전북지역 불상양식이 정형화 되고 있다. 둥글고 완만한 턱과 갸름한 얼굴 그리고 양감이 풍부하면서 온화한 표정을 지닌 전북지역의 불상양식은 1650년~1660년 사이에 절정을 이루고 있다. 한편 1기에는 삼신불과 삼세불, 삼존불, 독존상 등이 다양하게 제작되며, 원오계, 수연계, 법령계 조각승들의 활동이 살펴진다.

2기(1661년~1700년)에는 1기 후반기와 같이 크고 당당한 불상이 조성되고 있어 조선후기 전북지역의 정형적인 불상 양식이 계승되고 있다. 그러나 일부 불상에서 양식의 퇴락이 확인된다. 이 시기 전북지역에서는 1기 조각승의 양식을 이은 금문과 마일 그리고 희장과 승일, 응혜 등의 활동이 살펴진다. 3기(1701년~1900년)에 조성된 불상은 얼굴과 신체에 전 시기의 강건함이 부족하고 세부 표현에서 도식화된 모습이 확인된다. 따라서 이 시기에는 불상 양식이 전 시기에 비해 퇴락하고 있음을 알 수 있다.

불상의 분기별 분석에서는 불상의 전체 높이 대 무릎 폭 비는 1기와 2기가 같고 3기가 되면서 넓어졌으며, 얼굴 길이 비는 1기와 2기가 같고 3기에서 짧아지는 것으로 확인되었다. 따라서 전북지역 불상양식은 3기에 큰 변화가 있음을 알 수 있다. 한편 불상양식의 변화를 큰 흐름 속에서 시기별로 살펴보면 전체 높이 대 무릎 폭은 18세기에 들어 넓어졌다가 19세기 들어 현저하게 줄어들며, 불상의 얼굴 길이는 17세기에 제일 길고 18세기에 줄었다가 19세기에 다시 길어지는 양상을 보이고 있다.

전북지역 기년명 불상은 같은 조각승의 작품이라고 해도 다른 지역 불상에 비해 대체적으로 턱이 둥근 장방형의 얼굴과 당당하면서도 부드러운 신체 표현, 그리고 양감을 표현하되 과하지 않아 환미감이 느껴진다. 한편 조각승의 개인양식은 시기와 지역에 따라 약간씩 차이를 보이고 있다. 따라서 전북지역 불상양식은 조각승의 개인양식이 지역양식을 이끌며 시대양식을 주도 하고 있다고 할 수 있다.

본 연구는 지역의 인문지리적인 환경을 바탕으로 지역권을 구분한 후 이를 바탕으로 조선후 기 전북지역 불상의 양식적 특징을 살핀 연구로, 향후 지역 불상 연구에 도움이 될 수 있을 것으 로 기대한다. 그러나 개별 불상에 대한 세밀한 분석을 진행하지 못한 한계가 있다. 또한 이 연 구에서는 다루지 못하였으나 전북지역의 불상양식을 잘 표현하고 있는 무기년명 불상에 대한 연구는 향후 연구과제로 남기기로 하겠다.

【참고문헌】

김길웅, 「조각승 승호가 제작한 불상」, 『문화사학』 27, 한국문화사학회, 2007. 6.

김리나, 「뉴욕메트로폴리탄 박물관의 조선시대 가섭존자상」, 『미술자료』 33, 국립중앙박물관, 1983. 12.

김순미, 「釋門家禮抄의 五服圖 硏究」, 『영남학』 18, 경북대학교, 2010.

곽동석, 「전북지역 불교미술의 흐름과 특성 −불상을 중심으로−」, 『전라북도의 불교유적』, 국립전주
　　　박물관, 2001.

문명대, 「三幕寺在銘 磨崖三尊佛考」, 『又軒 丁仲煥博士 還曆記念 論文集』, 1974. 12.

_____, 「삼신불의 도상특징과 조선시대 삼신삼세불도의 연구」, 『한국의 불화 선암사』 12, 성보문화
　　　재연구소, 1998.

_____, 「무염파 목불상의 조성과 설악산 신흥사 목아미타 삼존불상의 연구」, 『강좌미술사』 20, 한국
　　　미술사연구소, 2003. 6.

_____, 「조각승 무염, 도우파 불상조각의 연구」, 『강좌미술사』 26-1, 한국미술사연구소, 2006. 6.

손영문, 「조각승 인균파 불상조각의 연구」, 『강좌미술사』 26-1, 한국미술사연구소, 2006. 6.

송은석, 「17세기 조각승 현진과 그 유파의 조상」, 『미술자료』 70 · 71, 국립중앙박물관, 2004. 12.

_____, 「조선후기 17세기 조각승 희장과 희장파의 조상」, 『태동고전연구』 22, 한림대학교 태동고전
　　　연구소, 2006. 12.

심주완, 「조선시대 삼세불상의 연구」, 『미술사학연구』 259호, 한국미술사학회, 2008. 9.

양은용, 「임진왜란 이후 불교 의승군의 동향 −전주 송광사 개창비 및 신출 복장기를 중심으로」, 『인
　　　문학연구』 4, 원광대학교 인문학연구소, 2003.

이분희, 「조각승 승일파 불상조각의 연구」, 『강좌미술사』 26-1, 한국미술사연구소 2006. 6.

이용윤, 「삼세불의 형식과 개념변화」, 『동악미술사학』 제9호, 동악미술사학회, 2008.

이희정, 「조선 17세기 불교조각과 조각승 청헌」, 『불교미술사학』 3, 불교미술사학회, 2005. 10.

정영호, 「水鐘寺 石塔內 發見 金銅如來像」, 『고고미술』 106 107, 한국미술사학회, 1970.

정은우, 「경천사지 10층석탑과 삼세불회고」, 『미술사연구』 19, 미술사연구회, 2005. 12.

최선일, 「17세기 전반 彫刻僧 守衍의 활동과 佛像 硏究」, 『동악미술사학』 8, 동악미술사학회, 2007.

_____, 「완주 대원사 대웅전 목조불상의 제작시기와 조각승 추론」, 『완주 모악산 대원사의 역사와
　　　문화유산』, 제1회 동북아불교연구소 학술대회논문집, 동북아불교미술연구소, 2011.

_____, 「남원 선원사 木造地藏菩薩三尊像과 彫刻僧 元悟」, 『미술사학』 27, 한국미술사교육협회,
　　　2013. 8.

최선일 외, 「완주 대원사 명부전 목조불상의 연구」, 『문화사학』 42, 한국문화사학회, 2014.

최윤숙, 「진안 천황사 목조삼세불좌상과 마일」, 『동방학』 31, 한서대학교 동방학연구소, 2014.

_____, 「조선후기 전북지역 불교건축의 양상과 장엄」, 『역사민속학』 48, 한국역사민속학회, 2015. 7.

황규성,「조선시대 삼세불 도상에 관한 연구」,『미술사학』20, 한국미술사교육학회, 2006.

김동현,「全羅北道 北部地域의 朝鮮時代 木造佛像 硏究」,한국교원대학교 석사학위논문, 2000.
송은석,「17세기 朝鮮王朝의 彫刻僧과 佛像」, 서울대학교 박사학위논문, 2007. 2.
최선일,「朝鮮後期 彫刻僧의 활동과 佛像 硏究」, 홍익대학교 박사학위논문, 2006. 6.
최윤숙,「조선후기 전북지역 불교문화재 연구」, 한서대학교 박사학위논문, 2015.
한건택,「17세기 충남지역 목조불상 연구」, 한서대학교 석사학위논문, 2007.
한상길,「조선후기 사찰계 연구」, 건국대학교 박사학위논문, 2000.

국립문화재연구소,『한국의 고건축- 귀신사 대적광전』25, 2003.
문화재관리국,『완주 화암사』실측조사보고서, 1982.
문화재청·문화유산발굴조사단,『한국의 사찰문화재』, 전라북도·제주도, 2003.
선운사,『도솔산 선운사지』, 2003.
전라북도·진안군,『천황사 대웅전』, ㈜ 길건축사무소, 2012.
한국교원대학교박물관,『완주 송광사』, 1997.

김정희,『불화, 찬란한 불교미술의 세계』, 돌베개, 2009.
문명대 외,『조선시대 기록문화재자료집』II, 2014.
송은석,『조선 후기 불교 조각사』, 사회평론, 2012.
이희정,『조선후기 경상도지역 불교조각 연구』, 세종, 2013.
조명화·김봉건·이은희,『마곡사』, 대원사, 1988.
최선일,『조선후기 조각승과 불상 연구』, 경인문화사, 2011.

〈西方極樂世界九品蓮花臺〉와 〈精進圖說〉에 대하여

李基善*

目 次

Ⅰ. 머리말

이 글은 조선 후기에 간행된『三門直指』라는 불교 전적 속에 수록된 두 그림에 대한 고찰이다. 그 두 그림이란 〈西方極樂世界九品蓮花臺〉와 〈精進圖說〉이다.

잘 알다시피 불교 경전은 본문에 들어가기에 앞서 책머리 부분〔卷首〕에 그림을 그려 넣는 경우가 있는데 이 그림을 卷首畫라 通稱하며 그림 내용을 보면 護法神將이나 經變相圖를 그려 넣는 것이 일반적이다. 그러나 본문 즉 經文 속에 그림이 들어가는 경우는 매우 드물다. 그런데 『三門直指』에는 경문 중에 그림이 들어 있고, 더구나 그 그림의 내용이 매우 흥미로운 것이었다. 필자는 미술사를 공부하면서 특히 이미지와 상징에 흥미를 느끼고 나름대로 관련 자료를 모으며 정리해오고 있었으므로 이 두 그림에도 당연히 주목해 왔다.

이 두 그림은 圖說의 형식을 갖추고 있다. 여기서 도설의 형식을 갖추고 있다는 표현은 먼저 그림에 대한 명칭이 있고, 이어서 그림을 제시하고, 다음에 그림에 대한 서술이 뒤따르는 형식을 취했기 때문이다.

'도설'이란 낱말에 대한 辭典 풀이는 "그림이나 사진 따위를 이용하여 설명함, 또는 그런 책"이라 되어 있다. 그리고 '圖解'라는 낱말에 대해서는 ①그림을 곁들여 설명함. 또는 그런 글이나 책. ②그림으로 설명함. 또는 그림으로 된 설명. ③그림의 내용을 설명함. 또는 설명한 글 등으로 풀이하고 있다.

---

* 한국범종학회 회장

그런데 두 그림의 경우 그림에 뒤따른 글이 그림에 대한 설명이라기보다는 매우 함축적인 의미를 담고 있기 때문에 도설이라든가 도해라는 사전식 풀이만 갖고는 왠지 미진하다는 생각을 떨칠 수 없다. 더구나 〈정진도〉의 경우는 『三門直指』의 본문에서는 「精進圖說」이란 명칭을 붙이고 있어서 이러한 형식의 그림[1]을 어떻게 이해하고 또 성격을 파악하여 유형을 분류할 것인지 하는 어려움에 봉착한다. 널리 알려진 義湘의 찬술인 〈華嚴一乘法界圖〉가 이러한 성격을 지닌 최초의 그림이라 할 수 있다. 〈화엄일승법계도〉에서는 그림을 '圖印'이란 명칭으로 부르고 있다. 그리고 210자의 槃詩를 일러 '印文'라 하고, 54각을 이루고 이는 圖印의 형상을 설명하면서 '印相'이라는 용어를 사용하고 있다. 불교학계에서는 화엄학의 입장에서 〈화엄일승법계도〉에 대한 연구가 이루어져 오고 있다. 하지만 이 도인에 대해서는 다양한 접근이 필요하다고 볼 때, 특히 이미지(image)를 다루어야 한다면 미술사의 입장에서의 접근이 요청된다. 그럼에도 불구하고 이제까지 이러한 연구는 이루어지지 않았다. 이 문제에 관한 접근이 쉽지 않기 때문이기도 하지만 관심의 부족한 데도 원인이 있을 것이다.

어쨌든 〈화엄일승법계도〉를 비롯하여 〈서방극락세계구품연화대〉와 〈정진도설〉는 기존의 불교미술에서는 볼 수 없었던 요소를 갖고 있다. 이렇게 독특한 성격을 지닌 그림들이 비록 시간을 달리하고 있으나 그 어떤 맥락을 이어오고 있다고 생각되었고, 그것이 어쩌면 한국 불교미술 나아가 한국불교가 지닌 성격의 하나일 수도 있다는 데 생각이 이르게 되었다. 구체적인 내용은 본론에서 논의하고자 하지만 이들 그림들이 공통적으로 지닌 특성은 단지 經文의 도설이란 형식을 지니고 있는 것만이 아니라 바로 수행을 위한 의식과 밀접한 관련을 갖는다는 점이다.

이에 여러 가지로 부족한 필자가 감히 이 문제에 도전해보고자 한다. 아직은 시론적인 글에 머무를 수밖에 없겠지만 학계에 관심을 촉구하는 마음에서 쓴 글이니 同學들의 가르침이 있기 바란다.

II. 『三門直指』와 찬술자 振虛 捌關

이 글에서 다루고자 하는 〈西方極樂世界九品蓮臺圖〉와 〈精進圖說〉은 조선 후기에 활동한 振虛 捌關이 찬술한 『三門直指』 가운데 들어 있는 내용이다.

---

1) 捌關이 精進圖라 하지 않고 왜 精進圖說이라고 '說'이란 말을 덧붙여 사용했는가 하는 점이 매우 흥미롭다. 이 문제는 필자가 지나치게 용어에 집착하는 것이 아니냐 하는 힐문도 있을 수 있겠다. 하지만 용어의 규정은 그 내용의 要旨나 핵심을 담고 있다고 보아 특히 학술용어인 경우 더더욱 신중하고 先學의 용어 선택과 사용에 주목하지 않을 수 없다. 더구나 언어도 역사성을 지니기 때문에 그 언어가 쓰인 그 때와 지금의 표기가 같다고 하여 의미까지 같을 수는 없다. 어쨌든 이에 관한 적합한 용어를 찾기가 어렵다고 필자는 여기기 때문에 앞으로 적합한 용어가 정립되기까지 이 글에서는 우선 '그림'이란 용어를 사용하기로 하겠다.

1. 삼문직지

『三門直指』[2]는 조선 영 정조 때의 승려 捌關이 念佛·敎·禪을 회통적으로 정립하여 편찬한 책으로 1769년(영조 45) 安州 隱寂寺[3]에서 최초로 간행되었고, 그 뒤 묘향산 普賢寺에서 다시 간행하여 현재까지 그 판본이 전한다. 책머리[卷頭]에 저자인 振虛 捌關 자신의 서문이 있고, 권 말에 시주목록과 「千手陀羅尼啓請」·刊記 등이 있다.

책의 내용을 간추리면 다음과 같다. 찬술자인 捌關은 불교를 크게 念佛門·圓頓門·徑截門 으로 나누어 설명하고 있다. 염불문은 淨土, 원돈문은 敎, 경절문은 禪의 진수를 각기 집약한 것 으로, 三門一室의 뜻을 밝히려는 것이다. 불교 삼문이 이름만 다를 뿐 뜻은 같은 것으로, 삼문이 결국 하나로 귀결됨을 논함으로써 염불과 선의 관계를 이론적으로 정립하고 있다.[4]

염불문은 平生念佛과 臨終念佛로 크게 분류된다. 평생염불에서는 염불관을 다시 10종염 불·4종염불·5종염불·勝行念佛로 나누고, 『回由經』·世親의 논서 등을 널리 인용하여 염불 의 공덕과 방법을 밝히고 있다. 念佛法도 두 종류가 있으니 無相念佛과 有相念佛이다. 임종염 불에서는 『華嚴經』賢首品의 偈를 經證하여 임종 때 염불의 공덕을 밝혔으며 十念을 설명하고 있다. 이어 한글의 토가 달린 진언의 염송법이 기술되어 있다. 〈구품연대도〉는 염불문의 말미 에 수록되어 있다.

원돈문에서는 지눌의 「圓頓成佛論」을 인용하여 자기 마음의 분별의 종자가 곧 부처님의 不 動智임을 증득한 연후에 修禪을 통하여 妙用이 일어남을 밝혔다. 뒤를 이어 義湘의 「四法界圖 頌」, 다시 말해 〈華嚴一乘法界圖〉가 한문과 한글로 각각 수록되어 있다.

경절문에서는 普照 知訥의 「看話決疑論」, 休休庵主의 「坐禪文」에 이어 「示覺悟禪人法語」, 그 다음에 「精進圖說」·「看堂規」·「行禪祝願規」가 수록되어 있다. 그리고 말미에 刊記와 더 불어 施主目錄이 수록되어 있다.

2. 진허 팔관

振虛 捌關의 생애에 대해서는 알려진 바가 거의 없다. 다만 그가 찬술한 『삼문직지』에는 찬술

---

2) 이 책의 서지사항은 現存刊本은 乾隆 34年 己丑(英祖 45年·1769) 安州 隱寂寺 開板, 香山 普賢寺 移鎭本이 있 다. 本書는 卷首에 乾隆 34年 기축(1769) 4月日 振虛捌關 謹撰의 序가 있으며, 本 直指에는 1에 念佛門, 2에 圓頓 門, 3에 徑截門의 3門으로 나누어서 當時 禪家中心의 修行要諦 등을 說하고 있다. 1권. 목판본(불교문화연구소, 『韓國佛教撰述文獻總錄』, 동국대학교출판부, 1976, p.211 참조). 이 책은 동국대학교출판부, 『韓國佛教全書』 제 10책, 조선시대편4, 1989, pp.138~166)에 수록되어 있다.

3) 隱寂寺는 『新增東國輿地勝覽』 제52권 평안도 안주군 불우조에 의하면 王山洞에 있다. 그런데 『梵宇攷』에 의하 면 지금은 폐사가 되었다고 하며, 『寺塔古蹟攷』에 의하면 "古址在安州郡大尼面文南里文南洞東南約十五町悟道 山中腹 東西約十五間 南北約二十間 有高五尺直徑三尺浮屠四個 稍完"이라 한다.

4) 서윤길, 「삼문직지」, 『한국민족문화백과대사전』 11, 한국정신화연구원, 1991.

자 자신이 서문을 남겼고, 문도가 엮은 詩文集인『振虛集』⁵⁾(2권) 있다.『진허집』은 현재 남아 있는 것으로는 乾隆 51년 병오(丙午, 正祖 10년 · 1786) 7월에 安州 靑龍寺⁶⁾에서 開板하였다.

『진허집』에는 金正中⁷⁾이 지은「序文」이 있는데, 팔관과 맺은 인연을 담은 내용이 들어 있을 뿐이다.⁸⁾ 그밖에「墾封先師行蹟」이란 글 속에 '庵主 振虛 八關'이란 단편적인 내용이 들어 있다.⁹⁾ 상월 새봉이 입적한 해가 1767년이고 그때 팔관은 오도산의 암주로 있었다는 기록과 더불어 그 자신의 직접『삼문직지』의 서문을 쓴 사실로 미루어『삼문직지』는 그가 생존했을 때인 1769년에 간행되었고 생각된다. 앞서 말한 대로『진허집』은 그의 사후인 1786년에 간행되었다. 따라서 생몰연대는 알 수 없으나 그의 활동한 시기는 영 · 정조의 시대임을 알 수 있다.

---

5) 2권 1책. 저자가 입적한 후 문인 普崟이 유고를 수습하여, 1786년(정조 10) 7월에 安州 靑龍寺에서 개간하였다. 책 첫머리에 1786년 7월에 金正中이 쓴 서문이 있다. 권1에는 오언절귀 39편, 오언율시 15편, 칠언절귀 11편, 칠언율시 22편 도합 87편의 시가 실려 있고, 권2에는 행장 1편, 서문 1편, 기문 2편, 文 2편, 도합 8편이 실려 있다 (불교문화연구소,『韓國佛敎撰述文獻總錄』, 동국대학교출판부, 1976, p.211 참조). 이 책은 동국대학교출판부, 『韓國佛敎全書』제10책, 조선시대편4, 1989, pp.167~177에 수록되어 있다.

6)『新增東國輿地勝覽』제52권 평안도 안주군 불우조에 의하면 "靑龍寺 · 文殊寺 · 普賢寺 · 開法寺 · 雲住菴 · 金洞寺 모두 悟道山에 있다"고 한다.『輿地圖書』에도 "在州南三十五里 悟道山"이라 記載되어 있으나,『梵宇攷』에는 今廢라 했다.

7) 김정중에 대해서는 알려진 바가 없다. 다만 1791년 冬至 兼 謝恩使로 정사 金履素, 부사 李祖源, 서장관 沈能翼을 따라 청나라에 다녀오면서 그 해 11월부터 이듬해 3월까지 5개월 간을 기록하여 남긴《燕行錄》에서 살피면, 字를 士龍이라 하고 호를 自在庵이라 하며, 平壤에 살고 당시 50세 또는 그에 가까운 나이이며, 벼슬한 일이 없고 詩文을 좋아한 士族이라고 한다(鄭然悼,『燕行錄』解題, 한국고전번역원, http://db.itkc.or.kr/itkcdb/text/seojiViewPopup.jsp?bizName=MK&seojiType=heje&seojiId=kc_mk_h043)

8)「振虛堂文集序」. 振虛師歸寂後四年 其徒弟普崟 拾其遺藁 屬余爲之序 爲文只有八 詩八十八 盖不多 故尤貴耳 庚寅(1770, 영조 40)春余入太白山中 茳泉寸石 無不歷覽 至內院 見淸虛堂詩板 誦詠數四 欲從而遊之 其人已遠 招住持老僧 問山中故事 因語及淸虛 余歎曰 今之世 何其無善男子也 盖有之矣 吾未及得見耶 僧俯而笑 徐徐擧手 指安州之某山曰 此中有關大師號振虛者 其人聰明穎達 讀內外敎 入解脫門 傳淸虛師衣鉢 非善男而誰也 其詩若文 特其餘事耳 余踢躍下山 路過安州 足病 不得往敲山門 否嗟悵缺之懷 未嘗不形於夢寐也 後五年 余乘小舟 㳄江 至浮碧樓 是年夏紅痲大虐 死者相望 蔡樊巖相公 廣募名僧 設無遮會 爲民祈福 邀關大師主席 師於時披錦袈裟 垂百八念珠 坐蒲團上 朗朗誦經云 余闖入人海中 未得交一語 望其風範 眉毫垂白 眼如曙星 因自語曰 聞名而未得見 見而未得語 豈非數也歟 異日當脫却婚宦 累入迉率菴中 借菴前隙地 築精廬一間 紙窓方几 燈火青熒 與老師說無生論 誦六如偈 了當過去生業緣 則佛所謂大千世界無量福力 非他人必我也 其後十一年 在西山讀書 有一浮屠 抗暑來訪 出其師若干集示之 問其師 振虛師其師也 問其師安否 曰荼毗久矣 余驚悵移日不忍 讀至終篇 玩其一行一句 無一剩語 無一浮氣 深得淸虛堂骨髓 余於今信老僧之言也 惜哉 當師之出家 初有如蘭文公者 喩而進之 立脚於正大之域 其文辭學術 必爲吾輩師表 而不幸不出於其時 以上根器大智慧 托身空門 誤入三昧 其殘編斷簡 流落於寂寞之濱 其可嘅也夫 其可悲也夫 余得其爲人 盖十有六年 不一從其遊 以爲平生之恨 今不辭而掛名 於文字之末 丙午七月七日 金正中序(『振虛集』『韓國佛敎全書』10, p.167)

9) 先師嘗曰 近世舍利之出 或在於不意 吾有眞贋之疑 吾西山祖 生有齒齦之出 身後奉骨精虔 得五顆 此理最正且眞 吾歿須持吾骨 以請於香山 當有冥應 丁亥十月 有微疾 召門徒曰 吾將行矣 子等珍重 遂口授一偈曰 水流元法海 月落不離天 怡然順世 世壽八十一 法臘七十 紫雲翳空 七日乃滅 群弟子 述其德行之美 加號曰平眞大宗師 平取實德 眞取實行也 及其荼毗 竟無所得 門兄卓濬 虔奉寒瓊擡 至寧邊之悟道山 妥之西山影堂 濬自入香山 欲聚門徒之散在者 將設醮如例 濬將行同行僧朗聰 有感夢 庵主振虛八關 亦得神夢 秉燭視之 之重封有孔 內見三顆神珠 遂以所聚齋具 起浮屠於悟道山 以藏其一 關西之僧 羣起發誓 以靈骨與之 卽起石龕於香山 順天之仙巖 海南之大芚 又各安一顆 (霜月 墾封,『霜月大師詩集』『韓國佛敎全書』9,「霜月禪師行蹟」, p.599).

그런데 김정중의 서문에 의하면 1775년에 채제공이 평양에서 베푼 無遮大會[10]에서 팔관 대사가 法主가 된 것을 직접 견문하였으며, 그 후 11년(1786)이 지나 西山에서 독서할 때 팔관 스님의 문집을 보고 그의 안부를 물으니 다비한 지 오래되었다고 적고 있다. 또한 서문 첫머리에 진허 선사가 입적한 4년 후에 그의 제자 普喆이 유고를 수습하여 김정중에게 서문을 부탁하였다고 하며, 서문을 지은 때가 '병오 7월 7일'이라 적고 있다. 병오년은 1786년이며 『진허집』이 간행된 해이기도 하다. 따라서 팔관이 입적한 해를 정확히 알 수는 없지만 위의 기록을 미루어 볼 때 1786년에서 4,5년 소급한 시기로 추정해 볼 수 있겠다.

팔관의 履歷은 파악 할 수 없으나 그가 남긴 『삼문직지』와 『진허집』을 통해 그의 사상을 엿볼 수는 있다. 또한 김정중의 서문에 나오는 "그 사람이 총명하고 뛰어나고 불교와 다른 가르침도 읽고 해탈문에 들어 청허 선사의 의발을 전수받았으니 선남자가 아니면 누구인가(其人聰明穎達 讀內外教 入解脫門 傳淸虛師衣鉢 非善男而誰也)"이란 글귀로 미루어 볼 때 淸虛 休靜의 禪脈을 잇는 禪師였다고 여겨진다.

Ⅲ. 도설(圖說)의 내용과 그 해석

『삼문직지』의 구성을 살펴보면 앞서 말한 바 있듯이 염불문·원돈문·경절문의 세 부분으로 이루어져 있다. 그런데 경론 등을 인용한 본문이 마무리 되는 각 門의 말미에 그림이 실려 있다는 점이 흥미롭다. 염불문의 말미에는 〈서방극락세계구품연대도〉, 원돈문의 말미에는 〈義湘師四法界圖頌〉이 한글과 漢文으로 각각 실려 있으며, 경절문은 「간화결의론」·「시각오선인법어」 다음에 「정진도설」이 들어 있고 이를 이어 「간당규」와 「행선축원규」가 기재되어 있지만, 뒤의 둘은 경절문을 구성하는 본격적인 내용이 아니라 「정진도설」과 관련되어 수행자의 修禪에 관한 規範이므로 「정진도설」은 구성상 경절문 말미에 두었다고 볼 수 있겠다.

〈서방극락세계구품연대도〉와 〈정진도〉는 확실한 그림이나 〈의상사사법계도송〉은 圖印은 싣지 않고 글자로 이루어진 '圖頌'의 것만 수록하고 있어 차이를 보이고 있다. 하지만 이 〈화엄일승법계도〉에 대해서 안상수 교수는 "우리나라 최초의 타이포그래피"라며 다음과 같이 말하고 있다.

---

10) 김정중의 서문에서는 無遮大會라 적고 있다. 그런데 『진허집』을 보면 「平壤川邊水陸疏」(『진허집』/『한국불교전서』 10, p.173)란 글이 있는데, 내용을 읽어보면 평양의 川邊에서 베풀어진 水陸齋가 김정중이 목격한 '無遮大會'이라고 추정할 수 있다. 또한 「謹次蔡樊嚴相國練光亭韻」(『진허집』 권1/『한국불교전서』 10, p.172)이란 七言律이 있음을 볼 때 捌關과 樊嚴 蔡濟恭 사이에 親交가 있었다고 본다.

타이포그래피(typography)란 글자를 부려 이미지를 전하는 예술분야를 일컫는다. 의상스님이 지은 '法'으로 시작해서 '佛'로 끝나는 7언30구의 [화엄일승법계도는 바로 그가 의도한 메시지의 타이포그래피적 표현이다. 네 개의 기하학적 소용돌이가 교묘하게 엉켜 하나의 도상을 이루고 있는데, 그 내용 중『眞性은 참으로 깊고 지극히 묘해, 自性을 지키지 않고 인연 따라 이룬다(眞性甚深極微妙 不守自性隨緣成)』는 오묘함을 표현하고 있다.

이것은 그 흔한 대칭이 아닌, 의도된 비대칭이다. 모두 2백10자의 정방형은 가로 15자, 세로 14자의 우주의 그물을 만들어놓고, 그 에너지의 중심으로부터 시작한 如來一音의 외길을 54번의 굴곡을 이루면서 전체 형태를 나타낸 것은 치밀한 디자인적 의도라고밖에는 이해할 수 없다.

중생세계를 뜻하는 흰 바탕에, 부처의 지혜를 뜻하는 붉은 줄과 번뇌의 업보에 얽혀 무명으로 덮여 있는 중생세간을 나타내는 검은 글자로 圖印은 구성되어 있다.

대개 서양의 타이포그래피 역사 중 구텐베르크 활자 발명 이후 현대에 이러한 글자 개념적 표현의 비슷한 예는 있을 수 있겠으나, 법계도가 만들어진 서기 668년이라는 동시대 필사시기에 이러한 예는 전무하다.

의상의 탁월한 사상은 이러한 타이포그래피적 표현으로 민중에게 한 걸음 더 나아가 각인되었고, 그의 뜻은 더욱 높이 승화되었다. 즉 의상은 글자의 의도적인 배열로 새로운 상징을 창조해낸 것이다. 글자는 문화의 표상이라는 점에서, 이러한 타이포그래피적 유산이 우리 타이포그래피를 포함한 디자인문화의 높은 탑을 쌓을 수 있는 초석이 되기에 늘 힘이 난다.[11]

여기에서 거칠게『직지삼문』에서 三門과 도설 내용의 관계를 圖示하면 다음과 같다.

삼문의 구분	도설 내용	신앙 또는 교리 내용
염불문	서방극락세계구품연대도	淨土信仰(관무량수경)
원돈문	화엄일승법계도	敎(화엄경)
경절문	정진도	禪(십바라밀/반야경 등)

『삼문직지』에 실린 원돈문과 관련되어 있는 〈의상사사법계도송(화엄일승법계도)〉를 다른 두 그림과 함께 다루어야 하는 것이 마땅하나 〈화엄일승법계도〉에 대해서는 이번 글에서는 생략하고자 한다. 그 이유는 〈화엄일승법계도〉에 대해서는 교학 분야에서 많은 논저가 알려져 있고, 필자의 역량으로는 아직은 〈화엄일승법계도〉에 대해 본격적으로 논할 만큼 공부가 되어 있지 못하기 때문에 후일을 기약하기로 하겠다.

---

11) 안상수,「의상은 우리나라 최초의 타이포그래피」,『시사월간 원』, 중앙일보사, 1995.7, p.267.

1. 西方極樂世界極樂九品蓮臺圖

이 〈서방극락세계구품연대도〉는 염불문의 말미에 수록되어 있다. 〈西方極樂世界極樂九品蓮臺圖〉(이하 글에서는 구품연대도로 줄여서 부르기로 함)란 經題 다음에 그림이 있고, 이어서 7언 8구로 된 다음과 같은 게송이 있다.

마음의 정토만 있을 뿐 따로 부처님 땅은 없고	惟心淨土別無地
자성미타가 어찌 다른 모습이겠는가	自性彌陀何異形
중생이 미혹하여 티끌 세상에 있다네	衆生迷此在塵中
이런 까닭으로 석가여래께서는 정토를 열었다	是故能仁開淨土
하루 이레 사십구일	一日七日七七日
아홉 송이 상서로운 연꽃이 차례로 피어나니	三三瑞蕚次第開
귀천을 묻지 않고 모두 피안에 나고자 하네	無問貴賤欲生彼
저 부처님 명호와 상호는 마음머리에 있구나	彼佛名相在心頭

그리고 이어서 그림에 대한 記述이 있는데 한문이 먼저 나오고 이어 한글로 된 설명이 이어지고 있다.

此圖 乃人人自心田九宮本淨 如淨蓮花處染常淨 而人自迷 故世尊方便爲說經典 依經圖示 路有其四日 竪入當品路 橫出度生路 次第漸上路 始終圓融路 則終頓圓及各有二 利義可知 又旣自心田 則禪何異乎 然行人念佛巡堂時 但匝次第漸上一路 而入路在下下品下左也 出路在上上品下右也

첫도는 사람마다 ᄆᆞᅀᆞᆷ구궁이 본ᄂᆡ 조ᄒᆞ미 조흔 년쏟ᄀᆞᆺᄒᆞ되 제 미흘시 세존이 위ᄒᆞ샤 경을 닐너 겨시니 경대로 도 그려 뵈되 그 길 넷 등애 다만 ᄎᆞ뎨졈샹노만 돌며 념불ᄒᆞ러니와 출입노ᄂᆞᆫ 샹하표니라.[12]

그 내용을 풀이하면 다음과 같다.

이 그림은 사람마다 마음밭[心田]아홉 궁[九宮]이 본래 깨끗함이 마치 깨끗한 연꽃이 진흙 속에 피어도 늘 깨끗하건만 제 스스로 迷惑하므로 세존께서 방편으로 경을 설하시고 경대로 그려 보이셨다. 길은 넷이 있으니 竪入當品路 · 橫出度生路 · 次第漸上路 · 始終圓融路이다. 頓圓에서 마치니 각각 두 가지 이로움의 뜻이 있음을 알 수 있다. 또 그 자신의 마음밭이 곧 선이니 무

---

12) 捌關撰, 「三門直指」, 『한국불교전서』 10, p.153하-154상, 원문을 현대어로 옮기면 다음과 같다. [此圖는 사람마다 마음구궁이 본래 깨끗함이 깨끗한 연꽃 같되 제가 迷할 새 세존이 위하여 경을 일러 계시니 경대로 圖 그려 뵈되 그 길 넷 중에 다만 次第漸上路만 돌며 염불하려니와 출입로는 상하 表니라.]

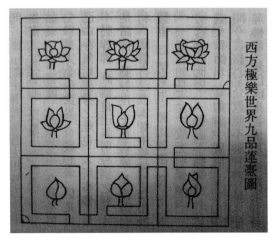

도판 1) 서방극락세계구품연대도

슨 차이가 있겠는가. 그러나 수행자가 염불하며 巡堂할 때에 다만 차례로 점차 한 길씩 향상하는 길[次第漸上一路]만 돈다. 들어가는 길은 하품하생의 아래 왼쪽에 있고 나오는 길은 상품상생의 아래 오른쪽에 있다.

(1) 그림의 형식 구성과 내용

그림은 정사각형에 가까운(세로보다 가로가 조금 길다) 사각형을 가로 쪽과 세로 쪽으로 각각 3등분 하여 닮은꼴의 작은 사각형으로 이루어진 9칸을 만들었다 [3 3=9]. 앞으로 서술할 내용의 편의를 위해 필자는 〈그림-2〉를 작도하고 임의로 번호를 부여하였다. 평면상 그림에서 세로 쪽은 上下라고 하고 위쪽부터 상・중・하단이라 부르기로 한다. 한편 가로 쪽은 좌・중앙・우칸이라 부를 수 있겠으나 이 또한 편의적으로 좌는 ①, 중앙은 ②, 우는 ③이란 번호를 부여하고 이를 다시 각각 상・중・하단에 대응하여 9칸 하나하나에 번호를 붙이면 상-①, 상-②, 상-③, 중-①, 중-②, 중-③, 하-①, 하-②. 하-③의 구성을 이루게 된다.

9칸으로 나뉜 작은 사각형 칸마다 그 중심에 연꽃을 한 송이씩 그려 넣었다. 그런데 그 연꽃은 한 송이라는 점은 동일하나 그 형상은 각각 다르게 묘사되어 있다. 즉 꽃봉오리를 이룬 모습에서 시작하여 조금씩 꽃잎이 피어나서 마침내 아홉 번째 칸에 그려진 연꽃의 모습은 활짝 피어난 모습이다. 이와 같은 꽃의 모습과 함께 하단 향좌 즉 하-①의 아래쪽에서 시작된 하나의 直線이 연꽃을 돌되〔遶匝〕하되 작은 사각형을 이루는 외곽선과 평행을 이루며 구불거리면서 왼쪽에서 오른쪽으로, 그리고 아래에서 위로 진행되면 마침내 상-③에 이르러 끝난다. 다시 말해 한 칸마다 그 중심에 있는 연꽃을 요잡하여 이어지는 직선을 예배자의 動線이라고 가정한다면 그 동선은 칸칸을 돌아 하단에서 중단을 거쳐 상단의 맨 끝에 있는 9번째 칸(상-③)에서 마치게 된다. 또한 그림에는 출발점과 종착점을 나타내는 표시가 하단 첫 번째 칸(하-①)과 상단 아홉 번째 칸(상-③)의 모서리에 각각 그려져 있다.

그림에서 아홉 등분으로 이루어진 사각형은 잘 정리된 논이나 밭의 모습을 연상시킨다. 앞서 나온 설명문에서 '마음밭 아홉 궁(心田九宮)'에 해당한다. 그리고 '들어가는 길은 하품하생의 아래 왼쪽에 있고 나오는 길은 상품상생의 아래 오른쪽에 있다(入路在下下品下左也 出路在上上品下右也)'이란 내용에서 이 그림에서 필자가 사각형 칸이라 부른 것이 바로 설명문의 궁에 해당되는 것을 알 수 있다. 따라서 이 그림에서 3 3=9으로 이루어진 숫자의 의미는 바로 정토신앙에서 일컫는 특히 『관무량수경』에서 설하는 정토에 왕생하는 이들을 九品으로 나누는 것을 상징하고 있는 것이라 하겠다.

그리고 설명문에서 "길은 넷이 있으니 竪入當品路・橫出度生路・次第漸上路・始終圓融路이다"라고 했다. 그림에서는 직선 하나만 그어져 있어 이해하기 어렵다. 그런데 설명문에서 "수행자가 염불하며 巡堂할 때에 다만 차례로 점차 한 길씩 향상하는 길만 돈다(然行人念佛巡堂時但匝次第漸上一路). 들어가는 길은 하품하생의 아래 왼쪽에 있고 나오는 길은 상품상생의 아래 오른쪽에 있다"고 한 내용이 있어 이해의 실마리를 찾을 수 있다고 생각된다. 그림에서 볼 수 있는 곧은 선이 바로 실제로 절에서 수행자가 巡堂하면서 도는 次第漸上一路 그 길을 가리키고 있는 것이다. 그렇다면 나머지 세 길은 어디에 있는가. 결론부터 말하자면 그 세 길은 수행자의 마음밭에 있는 것이다.

여기서 제시한 세 길[三路]은 중생이 因行을 상징하며 아울러 그에 따른 과보로 극락세계에 왕생하여 蓮華生함을 상징한다고 볼 수 있을 것이다. 因行과 果位를 아울러 상징한다.

竪入當品路란 상품・중품・하품으로 구분될 적에 수행자가 해당되는 품에 들어감을 의미하니, 그림에서 보면 세로로 상・중・하단으로 구분된 길을 상징하고 있다고 하겠다.

橫出度生路란 글뜻 그대로 풀이하면 가로로 나아가 중생을 제도하는 길이란 의미이다. 여기서 橫이란 가로, 동서, 좌우란 방향의 의미를 넘어서 종횡무진하며 중생을 교화하고 제도하는 것을 상징한다고 이해하여야 할 것이다. 그림에서 보면 각 단의 宮에서 좌에서 우로 전진하는 동선을 상징하는 것이라 추정할 수 있다.

次第漸上路란 글뜻 그대로 풀이하면 차례로 점차 향상하는 길이란 의미이다. 즉 수행자가 한 걸음 한 걸음 수행 정진하여 깨달음의 길로 나아가는 것을 뜻한다.

始終圓融路이란 처음과 끝이 모두 걸림 없이 원융한 길을 뜻한다.

(2) 勤修淨業往生捷徑

〈구품연대도〉와 유사한 내용을 담은 것으로 「勤修淨業往生捷徑」이란 그림이 있다. 經名을 풀이하면 "淨業을 부지런히 닦아 왕생극락하는 지름길"이라 새길 수 있겠다. 경남 양산 통도사가 소장하고 있는 경판(경상남도 유형문화재 제100호) 17종 746매 가운데 1매가 바로 〈근수정업왕생첩경〉목판이다. 이 목판은 "강희 무오 삼월일 경상도 울산부 원적산 운홍사 간(康熙戊午三月日慶尙道蔚山府圓寂山雲興寺刊)"이란 간기가 있어 조선 숙종 4년(1678) 운홍사 간행임을 알 수 있다.

그림은 크게 상하 2단으로 이루어졌다. 상단 중앙부에는 구품연대에 앉아 계신 아미타여래를 중심으로 팔대보살이 좌우로 시립하였고 그 나머지 공간을 구름과 꽃무늬로 가득 채웠다. 상단의 맨 위에는 한 줄로 圓圈 14개를 나란히 그리고 그 안에 앞쪽 3개 그리고 뒤쪽의 3개 원 안에는 범자로 된 '옴마니반메훔'이란 六字大明王眞言을 배치하고 그 사이 6개 원 안에는 '勤修淨業往生捷徑'이라는 經題를 넣고 있다. 아미타불의 좌대 중앙부에는 '주상전하수만세'를 가운데에 두고 좌우에 '왕비전하수제년'과 '세자전하수천세'란 축원 문구를 새겨 넣었다.

하단은 연꽃이 핀 연못을 새겼다. 두 겹으로 된 동그라미를 가로 세로로 각각 3개식 일정한 간격으로 배치하고 그 안에 앉아 있는 인물을 묘사하고 있다. 다만 목판이므로 하단 향우(상품상생)에만 연꽃 위에 꽃봉오리 인 듯한 것이 좌우로 2개 솟아 있는 형상이다. 원권의 여백에는 활짝 핀 연꽃과 연잎 그리고 줄기로 이루어진 마치 한 다발의 꽃다발을 배치하고 있는데, 모두 12다발을 고르게 배치한 것처럼 구성되어 있다. 이는 상단과 중단의 3분지 2에 해당하는 위치에 약간 중심부가 아래로 늘어진 띠[帶]를 두 줄로 가로 지르게 하여 화면을 상중하 3단으로 나누고 있기 때문에 마치 화면은 3×3의 배치를 보이는 二重圓圈과 3×4 꽃다발 배치가 정연한 구성을 이루고 있다. 목판의 뒷면에는 양류관음과 남순동자, 해상용왕 그리고 극락조를 새겼다.

그 아래쪽에는 "강희 무오 삼월일 경상도 울산부 원적산 운홍사 간(康熙戊午三月日慶尙道蔚山府圓寂山雲興寺刊)"이란 刊記와 시주자 명단을 새겨 넣었다.

이 그림이 새겨진 경판이 1678년이고 〈구품연대도〉가 수록된 『삼문직지』의 간행연도는 1769년이니 〈근수정업왕생첩경도〉가 91년을 앞서 간행되었다. 따라서 〈근수정업왕생첩경도〉가 서방극락세계구품연대도에게 영향을 주었을 가능성이 있다.

여하튼 정토삼부경 가운데 하나인 『불설관무량수경』을 의거하여 정토신앙을 바탕으로 있는 〈서방극락세계구품연화도〉는 고려 불화 가운데 관경변상도의 전통을 이어 조선시대에도 널리 유행한 극락구품도 혹은 구품도와도 맥이 닿는 자료라 생각된다. 앞으로 이에 대한 논구가 이어져 학문적 성과가 이루어지길 기대해 본다.

2. 精進圖說-十波羅密圖

앞서 살펴본 것처럼 精進圖는 『삼문직지』 가운데 徑截門의 말미에 수록되어 있다. 「精進圖

도판 2) 정진도설

도판 3) 근수정업왕생첩경

說」이라는 제목이 그 다음에 모두 10개의 그림이 그려져 있는데 그림 하나하나에는 그 옆쪽에
명칭이 붙어 있다. 그 명칭을 차례로 적으면 布施·持戒·忍辱·精進·禪定·智慧·方便·
願·力·智라는 열 가지 수행덕목이다. 그리고 그림에 다음에는 그림에 대한 간단한 설명이 있
고 이어 열 개의 덕목에 대응하는 그림의 명칭을 倂記하고 그에 대한 의미를 서술하고 있다. 따
라서「정진도설」이라 하였지만 그 내용은 十波羅密圖에 관한 것이다.

(1) 바라밀의 개념

바라밀 혹은 바라밀다는 산스크리트어 pāramītā를 한자로 音譯한 말이다. 波羅密多의 原語
pāramītā는 본래 最高를 뜻하는 형용사의 派生語인 pāramī에 狀態나 性質을 나타내는 접미어 t
를 붙여서 抽象名詞化한 말로서 궁극의 상태·궁극의 경지, 완성 따위를 의미하고 있는데 한역
자가 到彼岸이라고 해서 彼岸, 즉 깨달음의 세계에 도달한다고 해석하고 있는 것은 반야바라밀
다의 敎義的 해석이다. 이와 같은 교의적 해석은 pāra에 '건너편 언덕[彼岸]'의 뜻이 있고 간다고
하는 동사의 語根인 i를 연결지어 '건너편 언덕으로 간다'는 뜻을 취하여 到彼岸의 譯語가 생겼
다. 이와 같은 주석은 인도의 주석서 중에도 있지만 반야바라밀다의 어학적 해석은 어디까지나

'지혜의 완성'을 의미하는 것이다.[13)]

다시 말해 바라밀이란 범어 pāramīta를 음역하여 波羅密多라 하고, 意譯하여 到彼岸 · 度無極 · 度 등으로 표기한다.

십바라밀은 대승불교 보살의 열 가지 수행덕목을 말한다. 대승불교의 일반 보살행은 처음에는 6바라밀[布施 · 持戒 · 忍辱 · 精進 · 禪定 · 般若 바라밀]로 완성시켰으나 뒤에 方便 · 願 · 力 · 智의 네 가지를 더하여 십바라밀을 만들었다.

경전에 의하면 네 가지 바라밀을 더한 것은 여섯 가지 바라밀을 助伴하기 위한 때문이라 한다.

"선남자여, 앞의 여섯 가지 바라밀다와 함께 돕는 짝[助伴]이 되는 까닭이니라. 이른바 모든 보살은 앞의 세 가지 바라밀다에 포섭되는 바 유정에 대하여 모든 일로 포섭하는 방편의 공교함[攝事方便善巧]으로써 그들을 받아드리어 착한 품류에 安置하나니, 그러므로 나는 方便善巧 바라밀다는 앞의 세 가지와 함께 돕는 짝이 된다 말하노라. 만일 모든 보살이 현전의 법에 대하여 번뇌가 많은 까닭에 사이 없음을 닦음에 견디는 능력이 없고, 약하고 못 생긴 뜻 즐거움인 까닭에, 아래 세계의 수승한 견해인 까닭에 안으로 마음의 머무름[心住]에 대하여 견디는 능력이 없고, 보살법에 대하여 들은 반연을 능히 닦고 익히지 못하는 까닭에 지니는 바 靜慮는 능히 세간을 벗어나는 지혜를 이끌어내지 못하느니라. 그는 곧 적은 부분의 좁고 못난 복덕 자량을 받아들여 오는 세상의 번뇌가 가볍고 적어지게 하기 위하여 마음으로 바른 원[正願]을 내느니라. 이런 것을 願 바라밀이라 부르느니라. 이 원을 말미암는 까닭에 번뇌가 엷어져서 능히 정진을 닦느니라. 그러므로 나는 원 바라밀은 精進 바라밀과 더불어 돕는 짝이 된다 하노라. 만일 모든 보살이 善士에게 가까이 하여 바른 법을 듣고, 이치와 같게 뜻을 짓는 인연인 까닭에 못생긴 뜻 즐거움을 굴리어 수승한 뜻 즐거움을 이루며, 또한 능히 윗세계의 수승한 견해를 얻나니, 이와 같음을 力 바라밀이라 부르느니라. 이 힘[力]을 말미암는 까닭에 안으로 마음의 머무름[心住]에 대하여 견디는 능력이 있느니라. 그러므로 나는 역 바라밀다는 靜慮 바라밀다와 더불어 돕는 짝이 된다 하노라. 만일 모든 보살이 보살법에 대하여 이미 능히 반연을 듣고 잘 닦고 익히는 까닭에 능히 정려를 일으키나니, 이러한 것을 智 바라밀다라 부르느니라. 이 지혜에 의하는 까닭에 세간을 벗어나는 지혜를 이끌어 내기에 견디느니라. 그러므로 나는 지 바라밀다는 慧 바라밀다와 더불어 돕는 짝이 된다 하느니라."[14)]

---

13)『한글대장경 大般若經』1, 역경원, 1987/2002. p.5, 해제 중.

14) 觀自在菩薩復白佛言. 世尊. 何因緣故. 施設所餘波羅蜜多. 但有四數. 佛告觀自在菩薩曰. 善男子. 由前六種波羅蜜多爲助伴故. 謂諸菩薩於前三種波羅蜜多所攝有情. 以諸攝事方便善巧. 而攝受之安置善品. 是故我說方便善巧波羅蜜多. 與前三種而爲助伴. 若諸菩薩於現法中煩惱多故. 於修無間無有堪能. 羸劣意樂故下界勝解故. 於內心住無有堪能. 於菩薩藏不能聞緣善修習故. 所有靜慮不能引發出世間慧. 彼便攝受少分狹劣福德資糧. 爲未來世煩惱輕微心生正願. 如是名願波羅蜜多. 由此願故煩惱微薄能修精進. 是故我說願波羅蜜多與精進波羅蜜多而爲助伴. 若諸菩薩親近善士. 聽聞正法如理作意. 爲因緣故轉劣意樂成勝意樂. 亦能獲得上界勝解. 如是名力波羅蜜多. 由此力故於內心住有所堪能. 是故我說力波羅蜜多與靜慮波羅蜜多而爲助伴. 若諸菩薩於菩薩藏. 已能聞緣善修習故. 能發靜慮. 如是名智波羅蜜多. 由此智故堪能引發出世間慧. 是故我說智波羅蜜多與慧波羅蜜多而

다시 말해 方便·願·力·智의 네 가지 바라밀이 가운데 방편은 보시·지계·인욕바라밀을 助伴(도와서 함께 함)하게 되고, 원은 정진바라밀을, 역은 선정바라밀을, 지는 반야바라밀을 조반하게 된다. 또한, 이들 네 가지 바라밀은 반야바라밀이 분화되어 생겨난 것으로, 각각의 독자적인 기능도 가지고 있다.

(2) 십바라밀의 열 가지 덕목

십바라밀은 十到彼岸 또는 十度라고도 말한다. 그리고 그 열 가지 덕목의 용어도 경전마다 약간의 차이를 드러내고 있다. 몇몇 예를 들어보면 다음과 같다. 『大般若波羅密多經』에서는 布施·淨戒·安忍·精進·精慮·般若·方便善巧·妙願·力·智 바라밀다라 하였다.[15] 『화엄경』에선 시(施波羅密)·계(戒波羅密)·인(忍波羅密)·정진(精進波羅密)·선(禪波羅密)·반야(般若波羅密)·지(智波羅密)·원(願波羅密)·신통(神通波羅密)·법바라밀(法波羅密)이라 한다.[16] 그리고 『十住經』에서는 단(檀波羅密)·시(尸波羅密)·찬제(羼提波羅密)·정진(精進波羅密)·선(禪波羅密)·반야(般若波羅密)·방편(方便波羅密)·원(願波羅密)·력(力波羅密)·지(智波羅密)이라 한다.[17] 『辯中邊論』에서는 施·戒·安忍·精進·定·般若·方便·願·力·智이다.[18]

위의 내용을 정리하여 비교하기 편리하게 표로 만들면 다음과 같다.

次第	大般若波羅密多經	大方廣佛華嚴經	十住經	辯中邊論
1	布施	施	檀	施
2	淨戒	戒	尸	戒
3	安忍	忍	羼提	安忍

爲助伴(玄奘, 『解深密經』卷第4, 「地波羅密多品] 제7/대정장16- p.705중하/『한글대장경 維摩經外』, p.507).

15) 佛告具壽舍利子 諸菩薩摩訶薩 從初發心修行布施淨戒安忍精進精慮般若方便善巧妙願力智波羅密多 住空無相無願之法 卽能〈超過一切聲聞獨覺等地 能淨無上佛菩提道)(『대반야바라밀다경』제4권·학관품②/ 대정장 5-19하).

16) 佛子 菩薩摩訶薩 有十種波羅密 何等爲十 所謂施波羅密 悉捨一切所有故 戒波羅密 淨佛戒故 忍波羅密住佛忍故 精進波羅密 一切所作 不退轉故 禪波羅密 念一境故 般若波羅密 如實觀察一切法故 智波羅密 入佛力故 願波羅密 滿足普賢諸大願故 神通波羅密 示現一切自在用故 法波羅密 普入一切諸佛法故 是爲十 若諸菩薩 安住此法 卽得具足如來無上大智波羅密(實叉難陀譯, 『大方廣佛華嚴經』/ 대정장10-p.282중~하).

17) 所謂是十種 波羅密等法 如是諸菩薩 所修之福德 皆與諸衆生 名檀波羅密 滅諸心惡垢 名尸波羅密 不爲六塵傷 羼提波羅密 能起轉勝法 精進波羅密 於是道不動 名禪波羅密 無生忍是名 般若波羅密 廻向佛道名 方便波羅密 求於轉勝法 名願波羅密 無有能壞者 名力波羅密 能解如實說 名智波羅密 是助菩提法 念念皆能攝 發於廣大願 緣於大事故(『十住經』권제3/ 대정장10-p.519하).

18) 在第十地及佛地中. 菩薩如來因果滿故. 由施等十波羅蜜多. 皆有如斯十二最勝. 是故皆得到彼岸名. 何等名爲十到彼岸. 頌曰. 十波羅蜜多 謂施戒安忍 精進定般若 方便願力智. 此顯施等十度別名(「변중변론(辯中邊論)」하권 7.辯無上乘品/ 대정장 31-p.474상중).

4	精進	精進	精進	精進
5	精慮	禪	禪	定
6	般若	般若	般若	般若
7	方便善巧	智	方便	方便
8	妙願	願	願	願
9	力	神通	力	力
10	智	法	智	智

한편 남방 上座部의 빨리(Palī)불교에서는 보살의 수행법으로 북방불교와는 다른 10바라밀 (dasa-pāramī)을 설하고 있다. 빨리 불교에서는 보살의 수행기간도 4아승지백천(십만)겁이라 고 하여 북방불교와는 수행덕목과 그 기간에 있어 차이가 있다.[19]

이 글에서는 널리 알려진 십바라밀다의 열 가지 덕목을 간추려 설명하면 다음과 같다.

1) 布施婆羅密(dāna-pāramītā)

보시는 단나(dāna, 檀那)를 번역한 것이다. 보시란 베풀어 주는 것이다. 대자비심으로써 다 른 이에게 조건 없이 베푸는 것을 말한다. 보시는 財施·法施·無畏施의 3종으로 나눈다. 재시 란 재물을 구하는 이에게 재물을, 법을 구한 이에게는 법을 惠施하여 주는 것을 재시와 법시라 한다. 후세에 와서는 이 재시와 법시 이외에 재·법의 보시가 아무런 조건 없이 안전하게 이루 어져 생사에 대한 두려움도 없게 하여야 한다는 뜻이 상당히 강조되어 無畏施가 첨가 되었다.

三輪相 보시하는데 있어서, 보시 하는 이, 보시 받는 이, 보시 하는 물건을 말한다. 이 3륜의 상을 마음에 두는 것을 有相의 보시라 하니, 참다운 보시를 행하는 것이 아니고 삼륜의 상을 없 애고 無心에 住하여 행하는 보시를 3륜이 청정한 보시바라밀이라 한다. 三輪清淨偈 : 凌澌所施 及施物 於三界中不可得 我等安住最勝心 供養十方諸如來.

2) 持戒婆羅密(śila-pāramītā)

지계는 시라(śila, 尸羅)의 번역어이며 淨戒라고도 한다. 계는 身心을 조절하는 것이다. 몸과 마음을 이는 종교적·도덕적으로 不善·惡을 피하는 소극적인 자세가 아니라 모든 면에서 자 율적·적극적으로 잘못을 방지하고 악을 차단하는 것[防非止惡]이 본래의 뜻이다. 악을 끊는 것을 止惡戒(saṃvara)라고 한다. 한편 계에는 선을 행하는 게는 作持戒 또는 作善戒라 부른다.

---

19) 전치수 편역,『불교학의 기초지식』, 불교사상연구소, 1992, pp.23~24.
    십바라밀다의 10가지 덕목은 다음과 같다. ①시(施, dāna) ②계(戒, śila) ③출리(出離, nekhamma) ④혜(慧, paññā) ⑤정진(精進, vīrya) ⑥인욕(忍辱, khanti) ⑦체(諦, sacca) ⑧결의(決意, adhiṭṭāna) ⑨자(慈, mettā)⑩사 (捨, upekkha).

특히 대승불교에서는 지악과 행선의 自利行과 利他行을 강조하여 三聚淨戒 즉 攝律儀戒・攝善法戒・攝衆生戒를 주장한다.

열 가지 선 즉 十善을 대승계로 하는데 이는 『반야경』에서 시작하여 『화엄경』이 이어받았다고 한다. 반야경에서는 계바라밀을 보살 자신이 십선을 행하지 아니하고 타인이 먼저 십선을 행하여야 한다고 설명한다. 화엄경에서는 계바라밀을 보살이 번뇌를 떠난 자리에서 십선의 淨戒로 십선의 마음으로 일체중생을 어여삐 여겨 깊은 자비심을 일으켜 3종 정계를 구족하는 것이라고 설명한다.

3) 忍辱波羅密(kṣānti-pāramītā)

인욕은 찬제(kṣānti, 羼提)의 번역인데, 때로는 安忍이라고도 한다. 온갖 욕됨을 참고 원한을 일으키지 않는 것을 말한다.

4) 精進婆羅密(vīrya-pāramītā)

정진은 비리야(vīrya, 毘梨耶, 進)의 번역이다.

5) 禪定波羅密(dhyāna-pāramītā)

선정은 선나(dhyāna, 禪那)의 번역어이다. 禪定, 靜慮라고도 말하며 줄여서 禪이라고도 한다. 신심이 조절되면 다음은 마음을 통일하는 定(sammadhi, 三昧)이 뒤따라야 한다. 선정에 들기 위해서는 調身・調息・調心 즉 신체와 호흡과 정신을 조정하는 것이 요구된다. 정이란 정신을 고요히 하는 것이다. 사람에 따라 그 정도의 차는 크다. 보통 사람의 평상심의 선정을 欲界定이라 하는데 이는 진정한 정신통일은 아니다. 참된 정신통일은 根本定이라 일컫는데, 여기에는 色界定과 無色定이 속한다. 불교의 우주관을 설명하는데 三界가 있다. 욕계(kama-dhatu)는 감각적 욕구가 성한 세계이고, 色界(rūpa-dhatu)는 감각적 욕구가 없어져 물질적인 것만이 남아 있는 세계이며 이는 四禪定의 세계이다. 무색계는 물질적인 것도 없어지고 순수정신만이 있는 세계이니, 마음이 극히 고요해진 상태를 말한다. 본래 삼계설은 마음의 상태를 나타내는 것으로 해석되었던 것이나 業報說에 의해서 구체적인 공간적 세계를 개념화하게 되었을 뿐이다. 삼계는 윤회전생하는 미망의 세계이다. 번뇌를 벗어나면 즉 해탈하면 無漏의 出世間(lokottara)에 이른다. 따라서 세간이든 출세간이든 지역적 공간적 세계를 말하는 것이 아니라 마음의 상태에 의한 세계를 일컫는 것이다. 무색계도 4단계로 구별하는데 空無邊處・識無邊處・無所有處・非想非非想處이다. 사선정(초선・제2선・제3선・제4선)과 사무색정(제5선・제6선・제7선・제8선)을 합친 여덟 단계의 선정 즉 八禪에다 마음의 작용이 완전히 멸한 상태인 滅盡定을 더하여 아홉 단계를 설정한다.

6) 지혜바라밀(般若婆羅密, prajñā-pāramitā)

지혜는 prajñā(智慧, 智・慧)의 번역어이다. 사실 불교에는 智慧를 위미하는 용어가 수없이 많다. 이중 가장 일반적으로 사용되는 것은 prajñā(paññā)와 jñāna(ñāna)이다. 둘 모두를 지혜로 번역하지만, 현장의 신역에 의하면 앞의 것은 慧로, 뒤의 것은 智로 각각 나누고 있다. 三學 중의 혜나 6바라밀 가운데 반야바라밀은 慧이고, 십바라밀의 중의 지바라밀은 智이다.

慧는 가장 넓은 뜻의 지혜이다. 따라서 반야바라밀[prajñā(paññā)-pāramitā]은 최고완전의 지혜로 지혜의 완성(perfection of wisdom)이다.

智는 주로 '깨달음의 지혜'를 가리킨다. 盡智・無生智・正智는 모두 아라한의 지혜이고, 지바라밀은 十地의 최고보살의 지혜이고, 五智는 모두 깨달음의 지혜이다. 菩提(bodhi, 覺, 道)나 正覺(sambodhi)은 지혜뿐만 아니라 계・정・혜 삼학의 전체가 완성된 깨달음의 상태를 가리킨다.

한편 지혜를 有分別智(savikalpa-jñāna)와 無分別智(nirvikalpa-jñāna)로 구분할 수 있다. 유분별지는 그 지혜가 그 대상을 의식하여 대립하는 경우이고, 무분별지는 그 지혜가 대상의 의식하지 않고 대상과 일체가 된 경우를 말한다. 힘과 마음을 쓰지 않고 무애자재하게 스스로 법에 맞는 지혜가 무분별지이다. 최고의 깨달음의 지혜를 가리키며, 大智라고도 한다. 그런데 이 최고의 무분별지를 획득한 불・보살은 이에 그치지 않고 그 지혜로서 중생구제의 자비활동을 한다. 이때는 지혜는 대상인 중생을 의식하는 유분별지가 된다. 그러나 이 지혜는 최고의 무분별지를 획득한 후에 일어나는 것이다. 이를 앞의 유분별지와 구별하여 有分別後得智라 일컫는다.

6바라밀로 말하면 반야바라밀 이전의 다섯 바라밀 즉 보시・지계・인욕・정진・선정의 바라밀은 유분별후득지의 작용이 되는 것이다. 이를 방편이라 한다. 따라서 6바라밀은 방편과 반야의 두 부분으로 이루어지고, 방편은 유분별후득지에 의한 자비활동이고 반야는 무분별지에 의한 지혜의 활동이다. 전자는 下化衆生의 大悲이고 뒤의 것은 上求菩提라 볼 수 있다. 이와 같이 대지와 대비의 지혜활동을 구비하는 것이 불교의 목적이다.[20]

7) 方便波羅密(upaya-pāramitā)

방편은 우파야(upaya, 烏波野)의 번역어이다. 方은 방법이고 便은 편리로서, 일체 중생의 근기에 계합하는 방법과 수단을 편리하게 쓰는 것이다. 또 방은 방정한 이치이고 편은 교묘한 언어로서, 여러 가지 根機의 중생들에게 방정한 이치와 교묘한 말을 하는 것이다. 또한 방은 중생의 方城이며 편은 교화하는 便法으로, 여러 근기의 중생에게 방역에 순응하여 적당히 교화하는

---

20) 전치수 편역, 『불교학의 기초지식』, 불교사상연구소, 1992, p.202.

편법을 쓰는 것이다. 즉 중생을 제도하기 위해 여러 가지 수단과 방법을 강구하는 것이며, 또는 그 수단과 방법을 방편이라 한다. 부처는 근기가 아직 성숙하지 못하여 깊고 묘한 교법을 받아들이지 못하는 어리석은 중생들을 깊고 묘한 진실도로 나아가게 하기 위하여 낮고 보잘 것 없는 방편으로써 중생을 교화하였다.

8) 願波羅密(praṇdhāna-pāramītā) :

원은 푸라냐다나(praṇdhāna)의 번역어이며, 波羅尼陀那라고 音譯하며 때로는, 尼底라고도 한다. 원은 '바란다'는 뜻으로, 바라는 것을 반드시 얻으려고 하는 희망인 誓願이다. 이 원에는 ①처음으로 진리를 갈구하며 발심하는 發心願, ②未來世에 출생하여 중생을 선도하고 두루 이익 되게 하겠다는 受生願, ③모든 진리를 올바로 사유하고 참다운 지혜로써 간택하며, 뛰어난 功德을 쌓아 중생을 교화하겠다고 결심하는 所行願, ④일체의 진리와 菩提의 공덕을 포섭하고 수용하겠다는 正願, ⑤정원에서 더욱 나아가 법과 중생을 위하여 몸을 바치겠다는 大願 등이 있다.

9) 力波羅密(bala-pāramītā)

역은 바라(bala, 波羅)의 번역어이다. 력은 몸과 마음을 요란하게 하여 善法을 방해하고 좋은 일을 깨뜨려 수도에 장애가 되는 것을 막는 힘을 뜻한다. 이 역에는 思擇力과 修習力이 있다. 사택력은 지혜로써 사물을 진리답게 생각하며 실천하는 힘이고, 수습력은 육바라밀을 수행하는 정진력을 뜻한다.

10) 智波羅密(jñāna-pāramītā)

智는 범어 jñāna의 번역어이다. 음역하여 惹孃曩 · 惹那 · 闍那라고도 한다. 지는 결단을 의미하며, 모든 事象과 도리에 대하여 옳고 그름과 삿되고 바름을 분별하고 판단하는 마음의 작용이다. 지는 慧의 여러 가지 작용의 하나이나 지혜라 붙여 쓴다. 불교에서는 깨달음의 세계의 참뜻을 지를 얻는 데 있다 하고, 佛果에 이르러서도 지를 主德으로 한다.

한편 경전에 따르면 육바라밀의 次第(段階)를 布施 · 持戒 · 忍辱 · 精進 · 禪定 · 般若바라밀이라는 여섯 단계로 구성한 데는 연유가 있다고 한다.

관자재보살이 다시 부처님께 사뢰었다.
"세존이시여, 어떠한 인연으로 여섯 가지 바라밀다를 말씀하심에 이러한 차례가 있나이까."

"선남자여, 능히 다음다음으로 이끌어냄의 의지가 되는 까닭이니라. 이른바 모든 보살이 만일 몸과 재물에 대하여 돌아보고 인색하는[顧悋] 바가 없으면 곧 능히 청정한 禁戒를 받아 지니고, 금계를 보호하기 위하여 곧 忍辱을 닦고, 인욕을 닦고는 능히 정진을 내고, 정진을 일으키고는 능히 정려를 판정[辦]하고, 정려를 갖추고는 곧 능히 세간을 벗어나는 지혜를 얻느니라. 그러므로 나는 바라밀다를 말함에 이와 같은 차례로 하느니라."[21]

이 십바라밀은 우리나라에서 신라시대 이래 瑜伽法相宗과 화엄종을 중심으로 그 실천이 크게 강조되었으나, 조선시대에는 禪 중심의 불교에서 육바라밀만을 중심으로 채택하게 됨에 따라 나머지 네 가지 바라밀은 크게 중요시하지 않았다.

(3) 십바라밀도의 비교

앞서 살펴 본 것처럼『삼문직지』에서는 이 열 가지 바라밀다를 일러 「精進圖說」이라 일컫고 있다. 그러나 「정진도설」에는 십바라밀을 상징하는 열 개의 그림 즉 십바라밀도와 그에 대한 풀이만 간단하게 적어 놓았을 뿐이다. 따라서 십바라밀도라 命名하지 않고 「정진도설」이라 이름 붙인 이유나 동기를 알 수 없다. 그런데 1931년에 安震湖가 엮어 펴낸『석문의범』을 보면 下卷에 '附十波羅密精進'이라 題 아래 십바라밀의 열 덕목을 싣고 이어 한 面에 '海印及十波羅密圖'란 이름을 붙인 그림과 더불어 印詩와 法性偈를 수록하고 있다. 그 다음에는 「정진도설」이란 題目에 이어 海印圖가 제작되어 유래한 내용과 海印圖形을 분석한 내용을 적고 있다. 이어서 십바라밀도 열 덕목에 대한 각각의 풀이를 싣고 있다.『삼문직지』에서는 원돈문의 말미에 있는 [사법계도송]과 경절문에 속해 있는 「정진도설」은 구체적인 관련을 맺고 있지 않은 반면에,『석문의범』에서는 '海印及十波羅密圖'란 명칭에서 드러난 것처럼 해인도와 십바라밀도가 결부되어 있다. 이것은『석문의범』을 엮은 안진호의 개인적인 찬술에 의한 것이지 아니면 불교계에서 오래전부터 전해오는 전통을 담아낸 것이지 여부는 알 수 없다. 어쨌든『삼문직지』의 「정진도설」을 계승하고 있다는 사실에 의의가 있으며, 진허 팔관의 「정진도설」을 이해하는 데도 참고가 되기 때문에 이 양자의 비교 고찰이 요청된다.

『석문의범』에 실린 안진호의 「정진도설」의 내용[22]을 간추리면 '海印圖'는 '法性圖'이며 또한

---

21) 觀自在菩薩復白佛言. 世尊. 何因緣故. 宣說六種波羅蜜多如是次第. 佛告觀自在菩薩曰. 善男子. 能爲後後引發依故. 謂諸菩薩若於身財無所顧吝便能受持淸淨禁戒. 爲護禁戒便修忍辱. 修忍辱已能發精進. 發精進已能辦靜慮具靜慮已便能獲得出世間慧. 是故我說波羅蜜多如是次第(玄奘,『解深密經』卷第4,「地波羅密多品」제7/ 大正藏16-p.705하/『한글대장경 維摩經 外』, p.508).

22) 「정진도설」 전문은 다음과 같다. "海印圖 一名은 法性圖며 亦曰法性偈니 此는 新羅武烈王時에 義湘祖師이 唐에 往하야 終南山 至相寺 智儼和尙에게 華嚴經을 修學하야 그 奧妙한 玄理를 通하다. 一日은 智儼和尙이 華嚴經 法界無量義에 就하여 圖로써 開示호대 或圓或方 種種形으로 七十二個의 法界相을 畵하야 此를 門徒에게 示함에 義湘은 七十二個의 義旨를 綜合하야 此圖를 製進하니 智儼이 嘆曰 汝의 一印이 我의 七十二圖보다 勝하

'法性偈'라고 하며 신라 義湘 祖師가 중국에서 해인도를 작성하게 된 과정을 서술하고 있다. 이어서 의상 조사가 歸國하여 榮州 浮石寺를 창건하고 화엄종을 세우고 이 法界圖를 그 제자 相元 대덕에게 전하니 상원은 神琳에게 전하고 신림은 順應에게 전하니 순응은 이 해인도를 가지고 가야산에 머물며 절을 창건하고 海印으로 寺名을 일컬었으며, 마침내 화엄경과 水精無孔珠와 함께 화엄종 信物三種寶를 만들었다고 한다. 그밖에 이들 보물에 대한 최근 閭巷傳說을 적고 있다. 다음에는 海印圖形을 분석하고 있다. 이 印의 전부를 印相이라 하고 바깥둘레[外圍]의 큰 테두리[巨緣]를 印廓이라 하고 내부의 線을 印文이라 하며 선에 있는 文字를 印字라 하고 글자와 글자가 이어져 행을 이룸[連續成行]을 印道라 하며 인도의 屈曲處를 印角이라 하고 印道에 쓰인 印字 전부를 일곱 자씩 읽어가면 모두 三十句의 偈를 이르나니 이것을 印詩라 하며 印字 總計 210개 글자요 印角 총 숫자는 54이다. 그 읽는 법[讀法]은 印 맨 가운데에 있는 '法'자에서 시작하여 "法性圓融無二相" 한 귀[句]과 같이 일곱 글자씩 읽어 가면 다시 중앙에 있는 "舊來不動名爲佛"이라는 '불'자에서 마치게 되어 首尾가 相接하고 처음과 끝이 실마리가 없이[無端]되어 그 巧妙奇異함은 사람으로 하여금 경탄하지 않을 수 없다고 서술하고 있다. 끝으로 의상 조사의 직접 서술한 글의 일부를 옮겨 적고 있다.

위의 글이 말한 대로 『석문의범』에 실린 그림은 '海印及十波羅密圖'란 이름이 나타내는 것처럼 해인도와 십바라밀도가 합쳐져 그려졌다. 다시 말해 해인법계도 다른 이름으로 華嚴一乘法界圖[23]를 두고 그 四周를 시계방향으로 돌아가며 십바라밀도가 배치되어 있다. 오른쪽 邊 상단부터 '圓月-보시'의 그림부터 시작하여 아래쪽으로 가면서 '반월-지계', '인욕-鞋經(신날)', '정

도다. 汝는 法性을 窮證고 佛陀의 義旨를 達하엿스니 此에 解釋을 加하라. 湘이 奮筆成章하야 三十句의 頌을 作하니 此名이 法界圖이며 다시 註釋을 作하니 일홈이 法界圖記라. 其後 義湘祖師이 歸國하야 榮州 浮石寺를 創하고 華嚴宗을 立하며 此를 其弟子 相元大德에게 傳함에 元은 神琳大德에게 琳은 順應大德에게 傳하니 應은 此海印을 持하고 伽倻山에 往하야 寺를 創하고 海印으로 寺名을 題하며 遂히 華嚴經과 水精無孔珠와 共히 華嚴宗 信物三種寶를 作하니라. 最近 閭巷傳說을 依하면 海印寺에는 海印이라는 것이 잇는대 此를 使用하게 되면 呼風喚雨와 移山超海를 任意로 하는 術法이 잇는 것인대 鄭萬仁이 此를 竊去하얏다 한다. 圖識之說에 迷惑한 鄭萬仁이 前記 三種 寶物中 海印만을 竊去하얏는가를 確知치 못하나 華嚴經板과 無孔珠뿐이 至今 相傳되고 海印이 烏有인 것을 보아 疑點이 不無이며 今에 그 實物이 無한 것만이 遺憾되야 年前에 餐松居士 崔基南이 此를 鑄就하야 海印寺에 奉安 云이나 其後 下落은 未可知이다. 姑舍是하고 此 海印圖形을 分釋하자면 이러하다. 此印의 全部를 印相이라 하고 外圍의 巨緣을 印廓이라 하고 內部의 線을 印文이라 하며 線에 在한 文字를 印字라 하고 字와 字가 連續成行을 印道라 하며 印道의 屈曲處를 印角이라 하고 印道에 書한 印字 全部를 七字式 讀過하면 總히 三十句의 偈를 成하나니 이것을 印詩라 하며 印字 總計는 二百一十字요 印角 總計는 五十四이라 其讀法은 印 最中央 法字를 始하야 法性圓融無二相 云云과 如히 每七字式 讀過하면 다시 中央에 在한 舊來不動名爲佛이라는 佛字가 終이 되야 首尾가 相接하고 始終이 無端되야 그 巧妙奇異는 人으로 하여금 敬歎하지 안을 수 없나니 義湘祖師의 親述을 記하면 如左하다. 日 夫大聖 善敎無方 應機隨病非一 迷之者守迹不知失體 勤而歸宗未日故 依理據敎 略製槃詩 冀以執名之徒 還歸無名眞源 讀詩之法 宜從中法爲始 繁廻屈曲 乃至佛爲終 隨印道讀 總章元年七月十五日記(總章은 唐 高宗年號)"(『釋門儀範』하, 「精進圖說」, p.154-159).
23) 현재 해인법계도 즉 화엄일승법계도는 좌우가 뒤바뀐 채로 실려 있다.

진-剪子(가위)'의 도상이 배치되어 右邊에는 4개의 도상이 배치되었다. 그런데 四角形의 모서리에 각각 보시·정진·지혜·력의 그림을 배치하고 있어, 그 위치는 우변의 맨 끝인 동시에 下邊의 처음을 이루고 있는 배치이다. 좌향하여 '선정-구름', '지혜-금강저'의 2개 도상을 지나면, 세 번째 모서리에 놓인 여섯 번째 그림인 '지혜-금강저'를 만나는데, 하변의 마지막을 이루면서 동시에 左邊의 시작이 된다. 좌변의 그림은 위아래 두 모서리에 놓인 그림을 포함하면 4개가 놓였는데 아래쪽부터 위로 올라가면서 '지혜-금강저', '방편-좌우쌍정', '원-전후쌍정'이 배치되고, 모서리에 놓인 '역-탁환이주'를 돌아 상변에 오르면 그 중앙에 10번째 그림인 '지-성중원월'이 자리를 잡고 있다. 상변의 중앙에 위치한 10번째 '지-성중원월'은 하변의 중앙에 놓인 5번째 '선정-靉靆'와 마주보고 있다. 즉 10번과 5번 도상을 중심으로 상하를 잇는 수직선을 기준을 삼으면 좌우대칭을 이루고, 좌우을 잇는 수평선으로 기준을 삼으면 상하가 대칭을 이루고 있다. 십바라밀의 열 개의 덕목을 나타낸 그림은 각 모서리에 4개, 좌우변에 각 2개씩 합쳐 4개 그리고 상변과 하변에 1개씩 합쳐 2개로 모두 10 그림이 시계방향으로 돌면 즉 右旋하면서 배치된 것이다. 이렇게 해인도를 중심에 두고 십바라밀의 열 개 덕목을 나타낸 그림을 오른쪽으로 도는[右遶]방식으로 배치한 것은 불교의 고유한 禮敬法을 그대로 따르는 것이어서 주목된다. 이는 마치 탑이나 불상을 요잡하는 방식이기 때문이다. 해인도라는 法寶를 대상으로 십바라밀의 次第를 따라 右旋遶匝하는 이 修行精進의 궁극적인 목적은 바로 십바라밀의 실천을 통한 '지혜의 완성'을 상징적으로 나타내고 있다. 이것이야말로 「정진도설」이 담고 있는 뜻이다.

진허 팔관의 「정진도설」과 안진호의 「해인급십바라밀도」의 명칭과 그림을 비교한 것을 간추려 표로 만들면 다음과 같다.

	『三門直指』(振虛 捌關)		十波羅密	『釋門儀範』(震湖 錫淵)	
차제	그림	그림 명칭		그림 명칭	그림
1		圓月	布施	圓月	
2		半月	持戒	半月	
3		圭斤	忍辱	鞋經(신날)	

4		剪子	精進	剪子(가외)	
5		靉靆	禪定	靉靆(구름)	
6		金剛杵	智慧	金剛杵	
7		左右雙井	方(便)	左右雙井	
8		前後二井	願	前後雙井	
9		卓環二周	力	卓環二周(고리두퇴)	
10		星中圓月	智	星中圓月	

　그림의 명칭을 두고 약간의 차이가 드러난다. 첫째는 그림 명칭 10개 가운데 8개는 두 설이 모두 일치하고 2개가 다른 점이다. 즉 제3 '인욕' 바라밀에 해당하는 그림은 팔관이 '圭斤'이라 표기하고 있는데 비해 안진호는 '鞋經'이라 표기하고 있어 완전히 다르며, 제8 '願' 바라밀의 그림은 '前後二井'과 '前後雙井'이라 각각 표기하여 뜻을 같으나 글자만 다른 同義異字인 점이 다르다. 두 번째는 팔관의 표기는 모두 한자인데 비해 안진호는 한자만 쓴 것과 한자와 더불어 한글 표기를 한 점이 차이를 드러내고 있다. 제3 '인욕'바라밀을 '鞋經-신날', 제4 '정진'바라밀을 '剪子-가위', 제5 '선정'바라밀을 '靉靆-구름', 제9 '원'바라밀을 '卓環二周-고리두퇴'라 표기하고 있다.

잘 알다시피 精進은 6바라밀이나 10바라밀의 덕목 가운데 하나이다. 그런데 십바라밀도설이라 하지 않고 굳이 〈정진도설〉이라 이름 붙인 것은 무슨 까닭일까.

본문에서는 아무런 설명이 없지만, 그 하나의 근거를 경전에서 찾을 수 있을 것 같다.

"세존이시여, 이와 같은 여섯 가지의 배워야 할 바 일은 몇 가지의 가장 높은 戒學에 포섭되는 바이며, 몇 가지가 가장 높은 心學에 포섭되는 바이며, 몇 가지가 가장 높은 慧學에 포섭되는 바이옵니까."

"선남자여, 마땅히 알라. 처음의 셋은 다만 가장 높은 계학에 포섭되는 바이며, 정려 한 가지는 가장 높은 심학에 포섭되는 바이며, 지혜는 가장 높은 혜학에 포섭되는 바이니라. 그리고 나는 정진이 일체에 두루한다 말하노라."[24]

6바라밀을 三學가 연관을 지어 말할 경우, 여섯 가지 덕목 가운데 보시·지계·인욕은 戒學에 포섭되고, 靜慮(곧 禪定)는 心學(定學)에, 智慧(반야)는 慧學에 포섭되며, 정진은 이 모두에 두루한다고 한다.

(4)십바라밀도-열 개의 그림

정진도 혹은 십바라밀도는 십바라밀의 가르침을 상징적 그림으로 나타낸 것이다. 바라밀은 到彼岸이라 번역하듯이 보살이 실천 수행하여 중생을 제도하여 생사의 고해를 벗어나 열반의 언덕에 이르게 함을 뜻한다. 대승불교에서는 수행덕목으로서 6바라밀 곧 보시·지계·인욕·정진·선정·지혜라는 여섯 가지 수행덕목을 말하고 있으며, 여기에 방편·원·력·지라는 4가지 덕목을 더한 것이 십바라밀이다. 이 네 가지 바라밀을 더한 것은 여섯 가지 바라밀을 助伴하기 위한 때문이라 한다.

앞에서도 말한 바 있지만 『삼문직지』에서 〈정진도설〉이란 명제 다음에 십바라밀 열 개의 덕목의 명칭과 그림이 있고 바로 이어서 전체를 아우르는 다음과 같은 글이 있다.

이 그림을 지음은 옛 총림이 꽃필 때에 시작되었고, 十度를 갈무리했으니 보살의 大行을 닦음으로 말미암는다. 그러므로 『법계품소』에 이르기를 참된 정진은 (욕망의) 따름을 물리치고 번뇌의 생겨남을 그치게 함이니, 마음을 일으키고 생각을 움직이는 것은 망령되고 참된 것이 아니다라고 하였다. 또 『원각경초』에 이르기를 일체 번뇌의 결박을 풀어낼 수 있어야 하니 그렇게 하는 것이 곧 衲子가 禪을 닦는 것이다. 이는 선현과 나란히 하려고 하지

---

24) 觀自在菩薩復白佛言. 世尊. 如是六種所應學事. 幾是增上戒學所攝. 幾是增上心學所攝. 幾是增上慧學所攝. 佛告觀自在菩薩曰. 善男子. 當知初三但是增上戒學所攝. 靜慮一種但是增上心學所攝. 慧是增上慧學所攝. 我說精進遍於一切(『대정장』16-p.705상).

않고 수행할 때에 靜慮하지 못하고 混雜하고 어지러움[雜亂]이 마치 아이들이 말을 타며 노는 것과 같다. 無雜을 행함[修禪]이 어찌 이와 같겠는가. 이제 힘써 道의 물길을 두었으니 물러섬 없는 수행은 또한 이와 같을까. 후생들이 정진의 설을 듣고자 하여도 누구를 좇아 들을 수 있겠는가. 그러므로 성인의 가르침 중에서 모아 글을 풀고 이를 그림으로 나타내었다.[25]

앞서 살펴본 것처럼 精進圖는 『삼문직지』 가운데 徑截門의 말미에 수록되어 있다. 〈精進圖說〉이라는 제목이 그 다음에 모두 10개의 그림이 그려져 있는데 그림 하나하나에는 그 옆쪽에 명칭이 붙어 있다. 그 명칭을 차례로 적으면 원월-布施·半月-持戒·圭斤-鞋經-忍辱·剪子-精進·靈彙-禪定·金剛杵-智慧·左右雙井-方便·前後雙井-願·卓環二周-力·星中圓月-智라는 열 가지 수행덕목이다.

이와 같이 〈정진도설〉은 대승불교 보살의 열 가지 수행덕목인 십바라밀를 도설한 것이다. 이렇게 열 가지 덕목을 각각 그림으로 나타내고 그림의 명칭도 붙이고 있는 예는 필자가 과문한 탓인지는 모르나 다른 예를 아직은 찾지 못하였다. 『삼문직지』에 수록된 것이 현존하는 가장 앞서 자료이며 그 다음으로는 『석문의범』뿐이다. 두 문헌 모두 '精進圖說'이라는 이름을 붙이고 있다. 다만 『삼문직지』에서는 〈정진도설〉이란 이름으로 열 개의 그림만을 제시하고 있으나, 『석문의범』에서는 〈화엄일승법계도〉를 중심에 두고 〈정진도=십바라밀도〉를 우요하듯이 그 바깥에 배치하고 있어 차이를 드러내고 있다.[26]

도판 4) 석문의범 소재 해인 및 십바라밀도

---

25) 此圖之作 始於古叢林綻花之時 而宰十度 修因菩薩大行 故法界品疏云 眞精進 却從定生 起心動念 是妄非眞 又圓覺抄云 能解一切煩惱結也 然則衲子修禪 疇不欲齊先賢 而行時未精雜亂 如兒戱捉馬勢 無雜之行 固如是乎 今以爲勞置之道水 不退之行 又如是乎 後生欲聞精進之說 孰從而聽之 故衷以聖敎中解文類圖示之([三門直指], 『韓國佛敎全書』 제10책, 조선시대편 4, p.162).

26) 이런 차이에 대해서는 본고에서도 언급한 바가 있다. 따라서 현재의 자료만으로 단정할 수는 없지만, 두 계통의 흐름이 있었다고 추정하기보다는 『삼문직지』의 내용을 이해한 안진호가 『석문의범』을 엮으면서 나름으로 〈해인도〉와 〈정진도〉를 합쳐 '십바라밀정진도'를 그렸다고 보는 것이 합리적이라 생각된다.

두 문헌자료의 정진도설의 서술에도 약간의 차이가 있다. 따라서 필자는 두 자료를 종합하여 그림의 형상[圖相]과 그 설명을 살펴보기로 하겠다.

1) 둥근달(圓月) - 布施

線 하나로 큰 동그라미를 그려 둥근 달을 표현하고 있다. 둥근 보름달을 일러 圓月이라 이름하고 있다. 이는 보시를 상징하는 것으로, 보시를 하는데 있어 보시하는 이, 보시를 받는 이, 보시하는 물건이 마음에 조금도 걸림없이 베푸는 청정함을 어두운 밤에 온누리를 두루 밝히지만 조금도 이지러짐이 없는 보름달에 비유한 것이다.

2) 반달(半月) - 持戒

그림은 선으로 큰 원을 그리고 안쪽에 호선을 그리고 한쪽을 검게 메꾸어 반달을 나타내었다. 『석문의범』의 그림은 동그라미에서 왼쪽 부분을 弧線으로 파내어 반달에 가까운 달의 모습을 나타내고 있다.

반달의 모양으로 지계를 나타낸 것은 그릇되고 악한 짓을 그치고 착한 일을 쌓아감이 마치 밤하늘에서 초승달이 솟아나서 어둠을 몰아내며 반달이 되어 가는 것에 비유한 것이다.

3) 신날(鞋經) - 忍辱

그림은 영어의 'U'자 닮은 형태를 안팎으로 크고 작은 두 개를 옆으로 눕혀 놓은 모양인데, 열린 쪽이 오른쪽을 향한 모습이다. 이에 비해 『석문의범』의 그림은 'U'자를 거꾸로 엎어 놓은 형태이다.

『삼문직지』에서 '圭斤'이라 일컫고 있는데, 규근이란 용어의 의미를 字典 등에서 찾아보았지만 필자는 아직 밝히지 못하고 있다. 그런데 『석문의범』에서는 이를 '鞋經-신날'이라 하였다. 따라서 이 글에서도 '규근'이란 말뜻이 밝혀지기까지는 석문의범에 따라 '신날(鞋經)'이라 일컫기로 하겠다.

忍辱을 나타낸다. 바깥에서 오는 갖은 욕됨을 참고 안에 담긴 法性을 밝혀 나가는 것이 마치 신날이 진땅, 마른땅, 자갈밭 등 가리지 않고 어디를 가든 발을 보호하여 무사히 목적지에 이르게 하는 것처럼 인욕 또한 모든 장애를 참고 견디어 마침내 깨달음에 이르는 것을 비유한 것이다.

4) 가위(剪子) - 精進

그림은 ×자의 기본형을 갖춘 꽃잎 모양인데 花心에 해당하는 부분에도 새잎이 피어난 것처럼 작은 장식이 그려져 있다. 이에 비해 『석문의범』의 그림은 보단 단순한 ×형의 꽃잎 모양이다.

가위를 상징하고 있다. 가위는 물건을 자르는데 앞으로 나아갈 뿐 물러섬이 없다. 이처럼 정진이란 가위처럼 곧게 나아갈 뿐 물러섬이 없이 용맹 정진해야 함을 비유한 것이다.

5) 구름(靉靆)-禪定

선으로 그린 작은 직사각형을 중앙에 두고 그 바깥을 구불거리는 곡선으로 둘러싸고 있는데 선은 끊어지지 않고 이어지면서 마치 넝쿨을 닮은 閉曲線을 이루고 있는데 마치 여섯 갈래로 갈라진 바람개비나 톱니의 형상을 떠올리게 한다. 한편 『석문의범』의 그림은 기본적으로 『삼문직지』의 도형과 통하지만 중심에 있던 직사각형이 없어지고 고사리 순을 닮은 여섯 개의 곡선이 육각형의 형태를 드러내고 있다.

선정을 구름으로 나타낸 것은 마음을 한 곳에 모아 번뇌를 소멸하는 것이 마치 구름이 태양을 가려 대지의 뜨거운 열을 덜어서 시원하게 함을 비유한 것이다.

6) 金剛杵-智慧

영어 알파벳의 'H'자를 연상시키는 모습으로 두 그림 모두가 동일하다. 이는 금강저를 표현한 것이다.

금강저는 지혜를 나타낸다. 이는 마치 광산에서 금 줄기를 찾아 캐어 불에 녹여 진귀한 보배를 얻듯이 중생이 지닌 번뇌의 줄기를 찾아 캐어내고 지혜의 불에 녹이고 단련하여 마침내 佛性金寶를 얻는 것에 비유한 것이며, 이것은 또한 금강저가 지닌 굳세고 날카롭고 지혜로움[明]이 모두 갖추어져 깨달음에 나아가는데 아무런 걸림이 없는 것을 비유한 것이다.

7) 좌우의 쌍우물(左右雙井)-方便

그림은 좌우로 나란히 그려진 한 쌍의 동그라미를 그리고 있는데 좌우에 나란히 놓인 동그라미의 사이가 조금 벌어져 있다. 『석문의범』의 그림은 좌우로 나란히 놓인 한 쌍의 동그라미가 한 점에서 맞붙어 있는 점이 다르다.

이 그림으로 우물을 상징하고 있다. 우물물은 목마른 중생의 갈증을 풀어준다. 이처럼 우물은 고해를 건너기 위해 목말라 하는 중생에게 새로운 힘을 북돋아 주어 깨달음에 이르게 하는 방편을 비유한다.

8) 앞뒤의 쌍우물(前後雙井)-願

앞과 뒤로 나란히 그려진 두 개의 동그라미가 한 쌍을 이루고 있는데 두 동그라미는 조그만 틈이 벌어져 있다.

이러한 그림으로 우물을 나타내고 있다. 이는 큰 바람 곧 大願을 상징하니 모든 중생이 보살행을 닦는 것이 우물에서 감로수를 얻는 것과 같음을 비유한 것이다.

9) 두 개의 고리(卓環二周)-力

중심에 조그만 직사각형을 그리고 그 바깥 테두리를 두 겹의 원으로 둘러싼 모습이다. 『석문의범』의 그림은 중심에 직사각형은 없이 원을 두 겹으로 둘러싼 형상이다. 이는 마치 두 개 크고 작은 고리가 중심축을 함께 하여 돌아가는 모양을 나타내고 있다. 이런 모양을 '卓環二周'라고 부르고 있고, 『석문의범』에서는 '고리두퇴'라는 한글 이름을 붙였다.

이 그림은 힘(力)바라밀을 나타내고 있다. 이는 바른 힘 곧 正力을 상징한다. 모든 중생이 수행 정진하여 깨달음을 이루는 것이 마치 사람 사는 집에 담장을 쌓고 밤낮으로 돌면서 도적을 막는 일에 비유한 것이다. 또한 이는 마치 두 개의 톱날바퀴가 맞물려 잘 돌아가면 커다란 기계를 움직이는 큰 힘을 발휘하듯이 깨달음에 이르기 위해서도 용맹 정진하는 올바른 힘이 필요함을 비유한 것이다.

10) 별 가운데 둥근 달(星中圓月)-智

그림은 큰 동그라미 속에 작은 동그라미 세 개가 정삼각형 구도를 이루고 있는 모양이다. 는 이는 본디 밤하늘에 둥근 달이 떠 있고 그 둘레에 별이 비추는 모습 곧 月中星을 나타낸 것에서 비롯된 것이라 생각된다. 이 圖形은 이른바 圓伊三點과 그 생김새가 같아 삼세를 두루 비추는 큰 지혜를 달과 별에 비유한 것이다.

안진호는 "다만 열 번째 星中月은 圖形을 보면 '달 속의 별[月中星]'이지 '별 속의 달[星中月]은 아닌 듯하므로 나는 정진을 돌 적에 큰 방 네 모서리[大房四隅]에다 작은 형태의 별[星體]을, 중앙에다 커다란 달[月體]을 만들었으나 재래의 圓形은 아마 달 속에 밝게 비추는 작은 별만 동그라미 안[圈內]에 묘사하고 달 주위에 빛나는 세 개의 衆星은 달빛에 가려짐으로써 동그라미 바깥으로는 그리지 않는 듯하다."는 의견을 내고 있다. 그런데 불전에는 다음과 같은 구절이 있다.

"…또한 교시가야, 보살마하살의 인연 때문에 십선도가 세간에 나오고, 사선과 사무량심에서부터 일체종지에 이르기까지, 수다원에서부터 여러 부처님께 이르기까지 세간에 나오는 것이다. 비유하면 보름달이 밝게 비추면 별들도 다시 밝게 비춤과 같다."[27]

이제 『삼문직지』와 『석문의범』이 각각 십바라밀다도에 대한 도설 내용을 비교하기 위하여

---

27) 구마라집역, 『마하반야바라밀다경』 제9권, 「34, 勸持品」, / 『한글대장경 마하반야바라밀다경』 1, p.248.

표를 작성한다.

次第	十波羅密	『三門直指』[28)](振虛 捌關)	『釋門儀範』[29)](震湖 錫淵)
1	布施	修廣大法 隨衆生心 悉令滿足 如清空明月 隨諸人心 悉令圓滿	一, 圓月은 布施를 表함이니 廣大한 財法無畏三種施로서 衆生心을 隨하야 모다 滿足케 함이 마치 清淨虛空에 光明月輪이 無邪圓照함과 如하다 함
2	持戒	防非止惡 修成淨戒 如初生半月 暗死明生也	半月은 持戒를 表함이니 防非止惡하야 淨戒를 漸次修成하는 것이 마치 初生半月이 暗謝明生함과 如하다함
3	忍辱	堪忍外辱 內順法性 如圭斤堅塞外 刺內全足心	此 鞋經(신날)은 忍辱를 表한 것이니 外辱을 堪忍하고 法性을 內明하는 것이 마치 신날이 外刺를 防禦하고 足心을 安全케 함과 如하다 함
4	精進	趣一切智 恒不退轉 如剪剪物 精進而未了則不退也	此 剪子(가외)는 精進을 表함이니 一切智에 趣向하야 퇴전치 안는 것이 마치 剪刀로써 物을 剪함에 有進無退함과 如하다 함
5	禪定	冥心一境 能滅一切衆生煩惱熱 如靉雲布陰能止衆熱也	此 靉靆(구름)는 禪定을 表한 것이니 心을 一境에 冥合하여 一切의 熱惱를 消滅하는 것이 마치 靉雲이 垂布하야 大地의 熱炎을 止息清凉케 함과 如하다 함
6	智慧	能徧了知一切法海 如金剛杵 徧攝信行淨心如來等三地闊狹也 俗言機者非義也	金剛杵는 智慧를 表함이니 智慧工匠으로써 我人山을 鑿破하야 煩惱鑛을 發見하고 以覺悟火로 烹鍊하야 自己佛性金寶를 了明淨케 함이 마치 金剛杵의 堅利明三義가 具足하야 進行無碍함과 如하다 함
7	方便	能成熟衆生 渡二生死海 如一水分作雙井 東西俱便也	左右雙井은 方便을 表하는 것이니 方便으로 衆生을 成熟케 하야 生死海를 渡하는 것이 마치 一源泉으로써 雙井을 分作하야 東西에 俱便함과 如하다 함
8	願	徧一切佛刹一切衆生海 盡未來劫 修菩薩行 如上下二井 貴賤各得其飲也	前後雙井은 大願을 表한 것이니 一切佛刹과 一切衆生海에 大願으로 遍入하야 菩薩行을 修하는 것이 마치 前後雙井에 貴賤이 飲料를 各得함과 如하다 함
9	力	念念現於一切法界海 一切佛國土成等正覺 常不休息 如人巡邏重垣奴主等 知常不休息也	卓環二周(고리두뢰)는 正力을 表한 것이니 一切佛國土에 正力으로 隨入하야 等正覺을 成하는 것이 마치 人家에 堂垣을 修築하야 晝夜巡環하야 外侵을 防止함과 如하다 함
10	智	得如來智 徧知三世一切諸法 無有障碍 如星中圓月 徧照遠近 無有障碍 故云具於大盡三昧等 後後具前前也	星中圓月은 大智를 表한 것이니 三世一切法을 如來智로 遍智호대 無障無碍한 것이 마치 星中圓月이 遠近을 斯照함과 如하다 함. 但第十月中星은 圖形을 보와 月中星이지 星中星은 아닌 듯하므로 余는 精進을 돌 적에 大房四隅에다 小形의 星體를 中央에다 大形의 月體를 作하엿으나 在來圖形은 아마 月中에 照明되는 小星만 圈內에 寫하고 月邊으로 三烈한 衆星은 月光에 隱蔽됨으로 圈外는 寫하지안혼 듯하노라.

안진호는 십바라밀도를 설명하는 글 가운데 "余는 精進을 돌 적에 大房四隅에다 小形의 星體를 中央에다 大形의 月體를 作하엿으나"라는 내용을 적고 있는 것이 흥미롭다. 그 자신이 직접 십바라밀 정진에 참여한 경험을 말하고 있는데다, 십바라밀 정진을 하는 장소가 대방임을 밝히고 있기 때문이다. 그뿐만 아니라 십바라밀 정진을 하는 방식에 대해서도 언급을 하고 있다. 아침저녁으로 방식이 달라, 아침에는 "본체를 좇아 작용을 일으킨다[從體起用]"이라고 하여 왼쪽부터 돌고, 저녁에는 "작용을 거두어 본체로 돌아간다[攝用歸體]"고 하여 오른쪽으로 돈다고 한다.[30)]

---

28) 동국대학교출판부, 『韓國佛教全書』 제10, 조선시대편4, 1997, p.162.

29) 安震湖, 『釋門儀範』 下, 法輪社, 1931/1976, pp.157~158.

30) "精進에나 頌子巡廻는 모다 體用을 表하야 朝에는 從體起用이라 해서 左邊으로 先向하고 夕에는 攝用歸體라 하야 右邊으로 先向함"(안진호편, 『석문의범』하, p. 158).

오늘날에도 불가에서는 큰 불교의식이 있을 적에 의식에 참여한 사람들이 십바라밀의 형상을 따라 열을 지어 돈다. 이렇게 행렬을 지어 도는 것을 「십바라밀 정진돈다」고 한다.[31]

(5) 乾鳳寺의 십바라밀도 雙石柱

지금까지 살펴본 십바라밀도가 새겨진 유물로 현재 남아 있는 예는 강원도 고성군 거진읍에 자리한 '금강산 건봉사'의 옛 터에 남아 있는 석물에서 찾아볼 수 있다.[32] 건봉사지는 크게 대웅전 지역, 팔상전 지역, 극락전 지역, 樂西庵 지역으로 나뉜다고 볼 수 있다. 십바라밀도가 새겨진 석물은 대웅전 지역이다. 주 진입로를 따라 사찰 경내로 들어서면 불이문 안쪽에 큰 장대석으로 축조한 무지개다리 곧 虹霓橋가 냇물 위에 걸쳐 있다. 이 다리를 凌波橋라 부른다. 이 능파교를 건너면 몇 段의 단을 쌓아 만든 ⑩ 築壇臺地가 남향하여 자리잡고 있다. 본디 이 구역에는 대웅전을 비

도판 5-1) 건봉사의 십바라밀 석주1   도판 5-2) 건봉사의 십바라밀 석주2

롯하여 명부전, 四聖殿(=羅漢殿)과 萬日院(=念佛堂), 普眼院(=講院), 持殿 그리고 鳳棲樓 등이 있었다.

능파교를 건너면 바로 대석단을 만나게 되며, 대석단을 올라 곧 바로 가면 '봉서루'라는 門樓址를 만난다. 십바라밀도는 대석단을 오르는 계단의 좌우에 한 쌍을 이루면 서 있는 석주(石柱)에 새겨져 있다. 석주의 형태는 길다란 직육면체의 기둥형태인데 입면은 직사각형을 이루고 있

---

31) 高城郡,『乾鳳寺址 地表調查 報告書』, 1990.8, pp.72~74; 사찰문화연구원,『전통사찰총서2-강원도』, 1992, pp.113~116
32) 高城郡,『乾鳳寺址 地表調查 報告書』, 1990.8.

다. 좌우로 한 쌍을 이루고 있는 석주의 앞쪽 면에 십바라밀도를 음각하고 있는데, 한 기둥에 5 개씩 나누어 도상을 새기고 있다. 다시 말해 향좌의 석주에는 위에서 아래쪽으로 ①보시 · ③인 욕 · ⑤선정 · ⑦방편 · ⑨역, 향좌의 석주는 ②지계 · ④정진 · ⑥지혜 · ⑧원 · ⑩지를 새겨 각 각 대응하고 있다.

이 십바라밀석주는 건봉사에서 십바라밀도 정진이 널리 행해졌음을 입증해주는 유물임에 틀 림없다. 특히 건봉사는 만일염불도량으로 오랜 전통과 명성을 지닌 사찰이라는 점도 示唆하는 바가 많다.

Ⅳ. 맺음말

지금까지 1769년에 간행된 진허 팔관이 찬술한 『삼문직지』에 실린 〈구품연대도〉와 〈정진도 설〉에 대해서 살펴보았다. 『삼문직지』는 불교 수행의 방법을 염불문 · 원돈문 · 경절문의 삼문 으로 나누어 제시하고 그 念佛 · 敎 · 禪을 회통적으로 정립하여 편찬한 책이다. 그런데 이 책이 조선후기에 얼마나 유통되었으며, 또 불교계에서 어떠한 위상을 점하고 있었던가는 알 수 없어 안타깝다.

그러나 이 책의 내용은 우리 불교의 전통의 맥을 잇고 있었음은 분명하며, 특히 신앙과 수행 면에서 중요한 기능을 해왔을 것이란 점은 미루어 짐작할 수 있다. 하지만 이에 대한 학계의 관 심은 지금까지 거의 없었다고 볼 수 있다. 이에 片鱗을 모아 천견을 시도하여 보았다.

〈서방극락세계구품연화도〉는 『불설관무량수경』을 기본으로 삼은 정토신앙을 드러내고 있 다. 이는 고려 불화 가운데 관경변상도의 전통을 이어 조선시대에도 널리 유행한 극락구품도 혹은 구품도와도 맥이 닿는 자료라 생각된다. 이에 대해서는 앞으로 본격적인 논구가 있어야 할 것이다.

그리고 〈정진도설〉은 대승불교 보살의 열 가지 수행덕목인 십바라밀를 도설한 것이다. 이렇 게 열 가지 덕목을 각각 그림으로 나타내고 그림의 명칭도 붙이고 있는 예는 필자가 과문한 탓 인지는 모르나 다른 예를 아직은 찾지 못하였다. 『삼문직지』에 수록된 것이 현존하는 가장 앞 서 자료이며 그 다음으로는 『석문의범』뿐이다. 두 문헌 모두 '精進圖說'이라는 이름을 붙이고 있다. 그리고 현재까지도 불가에서는 이 정진도설에 따른 수행의식의 전통이 이어지고 있다.

試論이라 전제하기는 하였지만 자료 소개에 그쳤다는 생각을 지울 수 없다. 십바라밀에 대한 교학적 논의는 물론이고 미술사학의 입장에서 보다 심도 있는 천착이 요청되는데 이 문제는 앞 으로 풀어야할 과제라 생각된다.

【참고문헌】

『新增東國輿地勝覽』

高城郡, 『乾鳳寺址 地表調査 報告書』, 1990.8.
구마라집 역, 『마하반야바라밀다경』 제9권.
동국대학교출판부, 『韓國佛敎全書』 제10책, 조선시대편4, 1989.
불교문화연구소, 『韓國佛敎撰述文獻總錄』, 동국대학교출판부, 1976.
사찰문화연구원, 『전통사찰총서2-강원도』, 1992.
安震湖, 『釋門儀範』下, 法輪社, 1931/1976.
전치수 편역, 『불교학의 기초지식』, 불교사상연구소, 1992.
『한글대장경 大般若經』 1, 역경원, 1987/2002.

서윤길, 「삼문직지」, 『한국민족문화백과대사전』 11, 한국정신화연구원, 1991.
안상수, 「의상은 우리나라 최초의 타이포그래피」, 『시사월간 원』, 중앙일보사, 1995.7.

珍島 雙溪寺 大雄殿 三尊佛像과 彫刻僧 熙藏

崔仁善*

目 次

Ⅰ. 머리말

雙溪寺는 진도군 의신면 사천리 尖察山 서록에 있는 사찰이며, 현재 대흥사 말사로 등록되어 있다. 조선후기의 기록인『梵宇攷』,『輿地圖書』,『沃州誌』에 쌍계사는 진도의 유일한 사찰로 기록되어 있다. 조선시대 중기에 간행된『新增東國輿地勝覽』珍島 佛宇條에 쌍계사는 없고 竹林寺, 鳳城庵, 舍那寺가 기재되어 있으나 조선시대 후기의 地理誌類에 쌍계사를 제외하고 모두 폐사지로 나온다. 이러한 기록으로 볼 때 쌍계사는 16세기까지 존재하지 않았거나 폐찰되어 왔을 것으로 보인다.

쌍계사의 연혁을 살필 수 있는 자료는 ①2015년 대웅전 삼존불에서 발견된 1665년의 발원문, ②1993년 지장삼존을 수리할 때 도명존자상의 복장으로부터 발견된 1666년의 발원문,[1] ③1982년 대웅전 중수 때 발견된 尖察山人 淸暉子 明絢이 1697년에 撰한「珎島尖察山雙溪寺法堂上樑文」,[2] ④壺隱老人이 1808년에 撰한「雙溪寺十王殿重修記」,[3] ⑤19세기 초반에 兒庵惠藏이 撰

※ 본 논문은 (재)호남문화재연구원의 연구비 지원으로 이루어졌다.
* 순천대학교 인문학부 사학전공교수
1) 성춘경·최인선,「진도 쌍계사 시왕전 목조지장보살좌상과 그 권속들」,『지방문화재 지정조사 보고서(2)』, 전라남도, 1999.
2) 부록으로 끝에 첨부하였음.
3) 壺隱老人 撰,「雙溪寺十王殿重修記」,『朝鮮寺刹史料』上卷.
　 "顧茲沃州之尖察山下有雙溪寺 寺之傍有十王殿 寺之刱在於順治戊子 殿亦相應次第而建 中間毁於康熙甲戌 重建於乙亥 又重建於乾隆丁亥 迄今四十二夏矣 上雨旁風棟楠朽敗幾至顚覆 亦梵門一屆會也 比丘敬璘慨然有志於

한 「珍島雙溪寺十王殿重修上樑文」,[4] ⑥ 1982년 중수 때 美黃寺 香嚴 스님이 撰한 「尖察山雙溪寺大雄殿重修上梁文」[5] 등이 있다.

⑥에 의하면 쌍계사는 847년(신라 문성왕 9)에 도선국사가 창건하였으며, 1129년(고려 인종 7)에 溪月선사가 제1차 중수하고, 1356년(공민왕 5)에 海雲선사가 제2차 중수하고, 1553년에 중수하고, 1619년(광해군 11)에 義雄선사가 제4차 중수하였다고 한다. 이 기록은 과거에 분실되었다고 하는 寺誌를 근거로 하고 있는데 1648년(인조 26)에 쌍계사가 창건되었다는 ④의 기록으로 볼 때 근거가 불분명하여 신빙성이 약하다. 정유재란 때 호남지역은 초토화되어 대부분의 사찰들이 전소되어 전쟁 전의 기록은 거의 없는 형편이다. 따라서 쌍계사 역시 같은 상황으로 볼 수 있어서 임란 전의 쌍계사 연혁은 살필 수 없다.

위의 자료로 볼 때 쌍계사는 조선후기 仁祖 26년(1648)에 창건되었으며, 十王殿도 相應하여 차례로 건립되었다. 1665년에 대웅전의 목조삼존불상이 희장이란 당대의 명장에 의해 조성되었고, 1666년 시왕전에 주존인 지장보살을 비롯해 33구 조각상들이 조성되어 봉안되었다. 十王殿은 숙종 20년(1694)에 훼손되었다가 그 다음 해인 숙종 21년(1695)에 중건되었다. 대웅전은 康熙 36년 丁丑年, 즉 숙종 23년(1697)에 건립되었으며 정면 3칸, 측면 3칸인 맞배지붕의 다포양식이다. 1648년에 지어진 대웅전은 갑자기 화재를 당하여 소실되었으나 불상은 다행히 화를 면하여 노지에 방치되어 있었다.[6] 그래서 1697년에 110여명이 시주를 하여 법당을 새로이 신축하고 삼존불을 다시 봉안하였다. 그리고 1720년에 쌍계사 범종이 주조되었다. 1767년에 시왕전을 중수하였으며, 이로부터 42년이 지나자 시왕전은 비바람에 낡아져 전복되기에 이르렀다. 장흥 보림사에 온 比丘 敬璘은 이를 슬프게 여겨 檀越家를 돌아다니면서 재물을 얻어 1808년에 十王殿을 새롭게 고치고, 지장보살과 十王像을 안치하였다.

대웅전의 삼존불은 1863년(철종 14)에 개금되었으며, 이 무렵에 쌍계사의 중수가 또 차례 있었다고 보여진다. 왜냐하면 草衣意恂(1786~1866)의 「珍島 雙溪寺 大雄殿佛像改金疏」(1863)와 그의 제자 梵海覺岸(1820~1896)이 지은 「沃州雙溪寺重修記」의 佛事記錄이 보여지기 때문이다.

1868년(고종 5) 8월 處士 李枕山(名 東煥)이 쌍계사에 들어왔다. 범해각안이 그를 가리켜 "維摩居士의 化身"이라고 하면서 찬사를 아끼지 않았던 인물이어서 주목된다. 범해각안이 지은 「東師列傳」에 198명이 立傳되어 있는데, 그 가운데 196명이 승려였고 나머지 2명이 俗人이었다.

重修執募卷 遍乞於檀越家鳩得若干財 遂易而新之輩革改觀無廢前規意甚盛也"

4) 『兒庵集』, 兒庵惠藏.

5) "當寺는 新羅文聖王十九年道詵 / 國師剏建으로 高麗仁宗七年溪月 / 禪師第一次重修第二次重修 高 / 麗恭愍王五年海雲禪師重修第 / 三次重修則本朝明宗八年에重修 / 第四次重修則本朝光海十一年에 義 / 雄禪師重修也 …"

6) 「珎島尖察山雙溪寺法堂上梁文」, "伏以 人天界聖賢之上釋迦在初 … 遽羅囨祿之毒灾 非神祇之不臧 佛坐露地日天愁 … 康熙參十六年丁丑四月日尖察山人淸暉子明絢謹撰序 山人聖日謹書"

이 2명이 金大城 李枕山인데 범해각안이 대단히 비중있는 불교인으로 李枕山을 서술하고 있다. 1928년에는 大興寺의 龍虛禪師가 郡守 南廷學의 도움으로 쌍계사를 크게 중수하였다고 한다.

이러한 연혁을 가진 쌍계사는 2015년 대웅전을 해체하고 다시 수리를 하게 되면서 대웅전 삼존불을 이안하게 되었다. 그러면서 삼존불의 복장을 확인(9월 10일)하게 되었는데 이때에 각 상에서 발원문을 비롯한 복장물이 발견되었다. 그래서 발원문의 내용을 검토해 보고자하며, 아울러 조각승 희장의 작품 특징도 살펴보고자 한다.

II. 쌍계사 대웅전의 삼존불상의 형식

진도 쌍계사 대웅전에 大作의 목조석가여래삼존불(소나무 경송류)이 봉안되어 있다. 중앙의 본존상(높이 140cm)은 항마촉지인의 수인을 결하고 있어 석가여래임을 알 수 있고, 좌우협시상은 보관과 영락을 착용하고 양손에 연줄기와 연봉을 대칭으로 쥐고 있는 문수와 보현보살상이다. 이들 3상은 여래와 보살의 차이만 보일 뿐 도상적으로 같은 형식을 취하고 있다.

상호는 장방형에 가까우나 중량감 있고 단정하여 이목구비가 뚜렷하다. 머리와 육계는 별도의 경계를 두지 않았으며, 그 경계 부분에 반원형의 작은 중간계주(길이 9cm, 높이 3cm)를 두고, 정상에 원통형의 정상계주(지름 5.7cm, 높이 5cm)를 두었으며, 나발은 줄을 맞추어 정연하게 표현되어 일반적인 조선후기 불상의 양식을 그대로 따르고 있다.

얼굴은 이마가 넓고 턱으로 내려갈수록 약간만 체감되는 사각형 얼굴인데 턱 부분은 둥근 편으로 자연스러워 진안 금당사상, 고흥 능가사 양협시상, 부산 범어사상 보다 훨씬 정제되어 佛

사진1. 진도 쌍계사 대웅전 목조석가여래삼존불 전경

眼의 품격이 느껴진다. 볼이 통통하여 두 뺨의 양감을 특히 강조한 점도 주목된다. 백호(지름 1.2cm)는 이마에서 내려와 양 미간 사이에 아주 작게 표현하였다. 반개한 눈은 일자형을 이루며 긴 편이다. 코는 양 미간에서 약간 사선을 이루며 높고 긴 편이고, 콧볼을 표현하기 위해 역v자로 홈을 넣어 형식화하였다. 아래 입술은 약간 둥글게 만들고, 양 입가를 살짝 눌러 미소를 머금고 있으며 양 볼의 양감을 강조하였다. 귀는 크고 길며, 귓불이 두툼하고 뭉툭하다. 목은 짧으며 생사를 윤회하는 因果를 나타내는 것으로 惑道 또는 煩惱道, 業道, 苦道를 의미하는 三道가 정연하게 표현되어 있다.

법의는 통견으로 두툼한 대의 한 겹을 걸치고 있다. 왼쪽 어깨에서 흘러내린 대의 안자락은 두툼하며 거의 수직선으로 표현되어 있다. 왼쪽 팔굽 안쪽에서 어깨선 바깥쪽으로 1조선의 음각 일직선상의 사선이 길다. 오른쪽 어깨의 대의 자락은 반단형식으로 호형의 층단을 이루며 그 안쪽의 겨드랑이 부분은 너비가 좁아 뾰족하며 끝 부분이 마치 역삼각형처럼 처리하여 어느 작가도 생각하지 못한 옷주름 문양을 독특하게 처리하였다. 희장 작품에서만 볼 수 있는 큰 특징이다.[7] 양쪽 어깨의 정상 부분 목깃은 살짝 뒤집어 한껏 멋을 풍기고 있다. 희장 작 가운데 1661년 작인 부산 범어사상을 제외하고 모든 작품들에서 볼 수 있는 희장의 특징이기도 하다.

군의의 상단은 일자형으로 띠처럼 보이고 허리띠 매듭은 생략하였다. 일자형 띠가 상체의 중간 부분에 자리 잡고 있어 전체적으로 균형미를 잘 나타내고 있다. 일자형 띠는 왼쪽 겨드랑이 상단에서 오른쪽 겨드랑이 하단으로 1조선의 사선을 넣어 밋밋한 감을 없애주고 있다. 이처럼 군의의 상단 띠에 사선을 넣은 점 또한 희장 작품의 특징이다. 오른쪽 발목에서 뻗어내린 큼직한 의문은 두툼하며 중앙에 폭이 넓은 옷주름을 두고 좌우 대칭으로 좁은 옷주름을 펼쳤다. 오른 손목에서 흘러내린 옷자락 주름이 왼손 밑으로 흘러 오른쪽 무릎 위에 걸쳐 있는 형식이 아니라 발목에서 흘러내린 옷주름 옆으로 가늘고 길게 나타나고 있다. 이 부분의 옷주름 형식 역시 희장의 특징으로 지적되고 있다.[8] 그런데 팔목에서 흘러내린 옷주름이 왼발의 앞 발바닥 부분을 지나면서 2단으로 각을 형성하여 특이하다. 이 부분은 별조한 왼손을 빼내야만 관찰할 수 있다. 왼쪽 팔굽의 측면 옷주름은 날카로운 삼각형 모양처럼 되어 있고 어깨까지 수직으로 일조선을 음각하고 있다. 이 불상의 측면관은 전체적으로 두툼하다.

---

7) 송은석, 「朝鮮後期 17世紀 彫刻僧 熙藏과 熙藏派의 造像」, 『泰東古典研究』 제22집, 태동고전연구소, 2006, pp.189~229.
8) 송은석, 위의 논문.
　　문명대, 「서울 지장암 장(藏) 불대사(佛臺寺) 목 석가불상과 희장작(熙藏作) 불대사 석가삼세불상의 복원」, 『강좌미술사』 31호, 한국미술사연구소, 2008, p.236.

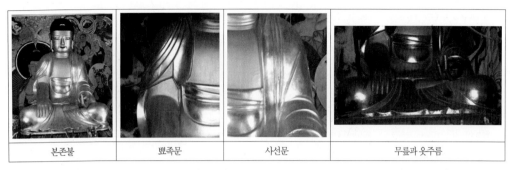

| 본존불 | 뾰족문 | 사선문 | 무릎과 옷주름 |

사진 2. 진도 쌍계사 대웅전 본존불

　수인은 오른손을 펴서 무릎 위에 가만히 올려놓은 항마촉지인을 결하고 있다. 그런데 오른 팔과 손은 전체적으로 너무 커서 다른 부분과의 비례가 맞지 않아 전체적인 조각상의 조형미를 떨어뜨리고 있다. 왼손은 별조하여 끼워 넣었는데 손등이 오른발 끝부분 위에 올려져 있다. 엄지는 곧추세운 중지의 첫마디에 대고 있으며, 2, 4, 5지는 약간 들어 올려져 있다. 이러한 왼손의 표현은 희장 작품에서 모두 동일하게 보인다.

　무릎(너비 102cm, 높이 28cm)은 넓어서 안정감을 잘 표현하였다. 오른 손목에서 흘러내린 옷자락 주름은 고려후기부터 연꽃 한 잎이 왼쪽 무릎을 덮고 있는 형식이 많으나 희장 작품에서는 부산 범어사상과 쌍계사 대웅전 좌협시상에서만 조금 보일뿐 잘 나타나지 않고 있다. 쌍계사 상에서도 왼손 밑으로 흘러내린 옷자락 주름이 발목에서 흘러내린 옷주름 옆으로 가늘고 길게 나타나 다른 조각승들과의 차이가 분명히 보인다.

　불상 밑의 대좌판은 3매를 이어서 만들고 뒷부분에 복장공을 만들었다. 복장공은 사각형이며 복장을 넣은 후 다시 네모서리에 못질을 하고 이어진 부분에 8자의 범어를 朱書하였다.

　좌우 협시불인 보살상(문수와 보현보살좌상)은 양손의 위치만 다를 뿐 같은 형식이다. 머리에는 보관을 썼으며, 이마에서 내려와 양미간 사이에 작은 백호가 있다. 상호는 사각형에 가까우며, 양 입가를 눌러 고졸의 미소를 띠고 있다. 법의는 통견이고, 두툼한데 본존불과 같은 형식이다. 한 손은 무릎에 대고, 다른 한 손은 들면서 양 손으로 연줄기를 들어 대칭을 이루고 있다. 희장 작품의 옷주름 특징 가운데 오른 손목에서 흘러내린 옷자락 주름이 왼손 밑으로 흘러 오른쪽 무릎 위에 걸쳐 있는 형식이 아니라 발목에서 흘러내린 옷주름 옆으로 가늘고 길게 나타난 형식인데 비하여 이 좌상의 옷주름은 무릎 안쪽으로 연꽃잎 한 잎이 흘러 내린 것처럼 표현하여 다른 상들과 비교가 된다. 그리고 왼발 끝부분의 옷자락은 본존불과 우협시상에서 보인 2단이 아니라 1단의 각진 모습을 보여 다르다.

| 문수보살좌상 | 상호 | 무릎과 옷주름 |

사진 3. 진도 쌍계사 대웅전 문수보살좌상

Ⅲ. 발원문 분석과 복장물

1. 발원문

쌍계사 대웅전의 삼존불에서 각각의 발원문[9]이 모두 발견되었다. '康熙四年乙巳'명 발원문으로 크기는 각각 다르나 내용은 대동소이하다. 향우 보살상 발원문은 가로 292cm, 세로 14cm 크기이며, 40 절첩본으로 종이 4장을 연결하였다. 향좌 보살상 발원문은 가로 90㎝, 세로 15.8㎝이다.

사진 4. 쌍계사 대웅전 본존불 발원문

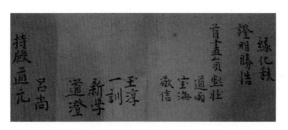

사진 5. 쌍계사 대웅전 본존불 발원분 부분(畫員)

사진 6. 쌍계사 대웅전 본존불 발원문 부분1

---

9) 송광사 성보박물관장 고경 스님의 자료.

　　본존불 발원문은 길이 320㎝, 세로 15㎝이며, 1면 6행의 절첩본이고 한지에 묵서하였다. 표
면은 康熙四年乙巳季夏[10]日 / 助緣文이라 하여 2행이며, 강희 4년 을사년(1665, 숙종 6)에 묵서하
였음을 알 수 있다. 본존불의 발원문이 가장 많은 내용을 담고 있으므로 이 전문을 소개하고자
한다. 다음은 그 전문이다.

〈표면〉
康熙四年乙巳季夏[10]日 / 助緣文
〈내용〉
康熙四年乙巳季夏日全羅 / 道珎島尖察山雙溪寺 / 佚[11]像助緣文 / 願以此功德 普及於一切 /
我等汝衆生 皆共成 佚道 / 城主景成翼[12]
一代教主釋[13]迦如來大施主申僅[14]色兩主 / 左補處大施主性印 比丘 / 右補處大施主太玄[15]
比丘 / 供養大施主金莫男 兩主 / 供養大施主郭起男 兩主 / 供養大施主處信[16] 比丘
　供養大施主日惠 比丘 / 供養大施主立眞 兩主 / 黃金大施主朴氏 保体 / 布施大施主雪玉 比丘
/ 体金大施主處熙 比丘 / 面金大施主礼仁 保体
　体金大施主李起云 兩主 / 普施大施主郭忠信 兩主 / 布施大施主朴始海 兩主 /
面金大施主覺悟 比丘 / 面金大施主羙[17]生 兩主 / 泥金大施主雪眼 比丘
　黃金大施主蓮淸 兩主 / 黃金大施主郭淸江 兩主 / 烏金大施主道習 比丘 / 黃丹大施主楚嵓[18]
比丘 / 灯[19]燭大施主礼[20]伊 保体 / 腹藏大施主金還[21]來 兩主
　座臺大施主文信元 兩主 / 唐荷葉大施主戒璘 比丘 / 楞嚴経大施主義俊[22] 比丘 /
腹藏大施主雄侃 比丘 / 腹藏大施主克英 比丘 / 引燈大施主崔好善 兩主
　腹藏大施主徐仇屯 兩主 / 鋪團大施主宝堅 比丘 / 鋪團大施主郭忠叞[23] 兩主 /
裹布大施主德厚[24] 比丘 / 裹布大施主自瓊 比丘 / 裹布大施主勝敏 比丘

---

10) 康熙四年乙巳季夏 : 1665. 6. 조선 현종 6년. 康熙는 淸 聖祖의 연호.
11) 佚天 : 佛
12) 景成翼 : 珍島郡守(재임기간 : 1665. 2. 15~1666. 9. 11)
13) 釋 : 釋
14) 僅 : 儀
15) 太玄 : 1677. 4. 쌍계사 법당 상량문(本寺, 施主).
16) 處信 : 淸潭處信. 취미수초의 제자(부휴파). 1677. 4. 쌍계사 법당 상량문(本寺, 嘉善).
17) 羙 : 美
18) 楚嵓 : 1677. 4. 쌍계사 법당 상량문(本寺).
19) 灯 : 燈
20) 礼 : 禮
21) 還 : 還
22) 義俊 : 雲坡義俊. 편영언기의 3세손(청허파).
23) 叞 : 興
24) 德厚 : 1677.4. 쌍계사 법당 상량문(本寺, 施主).

喉玲桶施主朴以立 兩主 / 鐵物施主金海信 兩主 / 清蜜施主郭吹[25] 兩主 / 朱紅施主覺信 比丘 / 㸑脂施主李成發 保体 / 腹藏施主先礼 兩主

腹藏施主粉上 保体 / 喉玲桶施主性云 比丘 / 喉玲桶施主玉玲[26] 比丘 / 三彔施主幸宣 比丘 / 鋪團施主從[27]介 兩主 / 法華経施主天心 比丘

金剛経施主賷休 比丘 / 金剛経施主模屹 比丘 / 引灯施主朴五男 兩主 / 清蜜施主朴[28]漢 兩主 / 明鏡施主夢花 兩主 / 鐵物施主鄭得仁 兩主

揮帳施主朴千生 兩主 / 袱布施主僅㘝 比丘 / 座臺施主權得精 兩主 / 灯燭勸善紙施主賷悟 比丘 / 座臺施主朴屄[29]伊 保体 / 灯燭施主天輝 比丘

灯燭施主明益[30] 比丘 / 面金施主盧湜 兩主 / 點筆布施主裵幸淂 兩主 / 點筆布施主文孟宗 兩主 / 點筆布施主韓日宗 保体 / 五藥施主姜湜 兩主

五色絲施主金應生 兩主 / 五宝施主盧鐵[31]龜 兩主 / 揮帳施主金麗湜 兩主 / 明鏡施主能介 兩主 / 食塩施主朴馿[32]㘝伊 兩主 / 末醬施主金戒連 兩主 / 末醬施主朴孝奉 保体

緣化秩
證明 勝浩
首畫員 熈壯 / 道雨 / 宝海 / 敬信 / 玉淳 / 一訓 / 新學 / 呂尙 / 道澄
持殿 道元
行者 勝 吉 / 宗吉
冶匠 崔得哲 / 道習 比丘 / 雪眼 比丘 / 清澤[33] 比丘 / 神玉 比丘 / 應和[34] 比丘
供養主 雪心[35] 比丘 / 日惠 比丘 / 處信 比丘 / 性環 比丘
饌物化主 思淨 比丘
外別座 學賷 比丘
內別座 覺信 比丘
副化主 宝雄 比丘
淸風衲子大功德[36]主 敬遠 比丘

---

25) 吹 : 實
26) 玉玲 : 廣濟玉玲. 소요태능의 손제자(청허파).
27) 從 : 従
28) 佘 : 命
29) 屄 : 㞎. ㅅㅗㅇ. 똥
30) 明益 : 1677. 4. 쌍계사 법당 상량문(本寺).
31) 鐵 : 鐵
32) 馿 : 驢
33) 清澤 : 清擇. 1677. 4. 쌍계사 법당 상량문(本寺, 施主).
34) 應和 : 朽木應和. 취미수초의 손제자(부휴파).
35) 雪心 : 1677. 4. 쌍계사 법당 상량문(化主).
36) 功德 : 原文은 德功.

山中大德

大德義諶 大德守初 大德處愚[37] 大德惠寬[38] 大德廣海[39] 大德覺圓[40] 大德海寬 大德天敏[41] 大德克和 大禪師義欽[42] 大禪師猷克[43] 大禪師克玄[44] 大禪師玉俊[45] 大禪師印閑[46] 大禪師雲學[47] 大禪師玄卞 大禪師覺弘 大禪師妙蓮

本寺秩

信學 英允 哲文 性雲 性印 玉玲 太玄 覺悟 太瓊 處明[48] 處日 印天[49] 處熙 處閑 宗感 宗軒 學浩 幸宣 勝敏 勝宗 性心 智森[50] 正律 德厚 信卓 戒文[51] 日學 日機 模屹 勝輝 明湛 法敏[52] 英敏 太俊[53] 道尖 勝悅[54] 日熏 雪玉 尙卞 自瓊 道克 道尙 明卓 明照 道欣[55] 道式 道林[56] 道冊[57] 道閑[58] 道嘿[59] 道應 應暹[60] 雪連 雪坦 道欽 清彦 清欽[61] 清念 清淳[62] 清揖[63] 清益[64] 清洽 清侃[65] 清特 清測 清哲 清凜 清戒 清旭 清衍

三綱勝海

首僧思祐

小者 者斤同 春立 立 然 士連 起玄 信 㐲奉 善明

---

37) 處愚: 葆光處愚. 소요태능의 제자(청허파).
38) 惠寬: 龜嵒惠寬. 慧觀. 靜觀一禪의 손제자(청허파).
39) 廣海: 雙運廣海. 소요태능의 제자(청허파).
40) 覺圓: 寒梅覺圓. 소요태능의 제자(청허파).
41) 天敏: 벽암각성의 제자(부휴파).
42) 義欽: 松坡義欽. 송운유정의 손제자(청허파).
43) 猷克: 唯克. 벽암각성의 제자(부휴파).
44) 克玄: 水月克玄. 소요태능의 제자(청허파).
45) 玉俊: 雲岩玉俊. 풍담의심의 손제자(청허파).
46) 印閑: 清湖印閑. 소요태능의 손제자(청허파).
47) 雲學: 翠岩雲學. 소요태능의 손제자(청허파).
48) 處明: 雲岩處明. 벽암각성의 손제자(부휴파).
49) 印天: 1677. 4. 쌍계사 법당 상량문(本寺, 大施主, 上樑布施主, 嘉善).
50) 智森: 太眞智森. 벽암각성의 손제자(부휴파).
51) 戒文: 花谷戒文. 벽암각성의 4세손(부휴파).
52) 法敏: 雲溪法敏. 청허휴정 4세손 友雲奇玄의 제자(청허파).
53) 太俊: 1677. 4. 쌍계사 법당 상량문(本寺, 施主).
54) 勝悅: 1677. 4. 쌍계사 법당 상량문(本寺)
55) 道欣: 1677. 4. 쌍계사 법당 상량문(本寺, 布施主).
56) 道林: 벽암각성의 3세손(부휴파).
57) 冊: 嚴
58) 道閑: 풍담의심의 손제자(청허파).
59) 道嘿: 1677. 4. 쌍계사 법당 상량문(供養施主).
60) 應暹: 1677. 4. 쌍계사 법당 상량문(本寺).
61) 清欽: 편양언기의 손제자(청허파).
62) 清淳: 霽霞清淳. 清順. 벽암각성의 제자(부휴파).
63) 清揖: 1677. 4. 쌍계사 법당 상량문(本寺).
64) 清益: 1720. 8. 쌍계사 중종 개주(山中老德).
65) 清侃: 凌虛清侃. 중관해안의 제자(청허파).

水陸助緣文

水陸大施主梁継[66]渥 兩主 / 侁事大施主妙尙 比丘 / 供養大施主朴以龍 保体 /

布施大施主任仚[67]同 保体 / 供養大施主郭僅敏 兩主

侁奠大施主日學 比丘 / 侁奠大施主任俊敏 兩主 / 華盖大施主勝輝 比丘 / 大卓大施主慮日 比丘

/ 步蓮大施主朴太成 兩主 / 步蓮大施主戒文 比丘 / 步蓮大施主李三春 兩主

步蓮大施主任次方 兩主 / 長幡施主日熏 比丘 / 長幡施主從介 兩主 / 長幡施主朴信日 兩主 /

長幡施主朴宝陪 兩主 / 長幡施主李光春 兩主

疏文紙施主宗軒 比丘 / 壇枋紙施主學賮 比丘 / 孤魂枋施主太俊 比丘 / 柱書紙施主金德男

兩主 / 銀錢施主道尙 比丘 / 紙衣施主法敏 比丘

丹木施主勝海 比丘 / 三泉施主朴厚元 兩主

본존불의 발원문은 모든 사람들이 佛道를 이루고자 하는 소원을 빌며 1665년에 전라도 진도 군 첨찰산 쌍계사에서 불상을 조성한 사실을 기록하고 있다. 이러한 내용으로 보아 현 쌍계사 대웅전 삼존불은 1665년 조성 당시부터 현재까지 이동되지 않고 쌍계사 대웅전에 봉안되어 왔음을 알 수 있다.

대웅전 본존불은 항마촉지인을 결하고 있는 불상이므로 석가여래임을 알 수 있는데 발원문에서도 '一代敎主釋迦如來'라 하고 있어 佛名이 일치하고 있다.

시주는 본존불 시주 申儀色을 비롯하여 73명이 동참하였는데 그 가운데 太玄 스님을 비롯해 28명의 스님들도 시주를 하였다.

시주 물목은 본존인 석가여래, 좌보처(문수보살), 우보처(보현보살), 공양(5인), 黃金(3인), 布(2인), 体金(3인), 面金(4인), 普, 泥金, 烏金, 黃丹, 灯燭(4인), 腹藏(6인), 座臺(3인), 唐荷葉, 楞嚴經, 法華經, 金剛經(2), 引燈(2인), 鋪團(3인), 裹布(3인), 喉玲桶(3인), 鐵物(2인), 淸蜜, 朱紅, 嚥脂, 三泉, 淸蜜, 明鏡(2인), 揮帳(2인), 袱布, 黜筆布(3인), 五藥, 五色, 五宝, 食塩, 末醬(2인) 등이다. 이 물목들의 내용은 불상과 대좌 그리고 복장과 관련된 모든 것들이 망라되어 있다. 불상 조성 시에 얼마만큼의 물목이 필요한지 알 수 있는 중요한 자료이며, 휘장은 복장물 안립 시에 필요한 물목이다.

緣化秩이란 불상을 조성하는데 참여하는 사람들을 나열하는 것을 말하는데 證明을 비롯하여 畫員, 持殿, 冶匠, 別座, 大功德主를 차례로 나열하고 山中大德과 本寺秩까지 기록하였다.

證明은 證明法師의 준말로 佛事를 할 때 전체의 일을 총괄하는 중요한 소임으로, 그 절의 대표적인 스님을 모시는데 쌍계사 불상 조성에 勝浩 스님을 모신 것으로 보아 그는 당시 쌍계사

---

66) 継:繼
67) 仚:갯

의 대표성을 띠는 스님으로 보인다.

불상 제작에 참여한 장인을 발원문에서 畫員, 畫士, 畫師, 畫工, 畫手, 造像畫員, 畫丈, 像匠, 良工, 匠人, 匠主, 工師, 工畫, 巧匠, 梓匠, 金魚, 片手, 邊首, 畫筆, 龍眼 등으로 표기[68]하는데 여기서는 畫員으로 표기하고 首畫員 熙壯을 비롯해서 9명의 불상 장인을 나열하였다. 수화원은 9명의 불상 장인 가운데 첫 번째의 소임을 맡는 사람으로서 이 집단의 대표적인 장인으로 불상의 양식에서 그의 작품 성격이 짙게 표현된다.

首畫員 熙壯[69]은【표 1】에서 본바와 같이 淸憲, 應彗, 勝日 등 17세기 초 중엽의 대표적인 불상 장인에게서 불상 조성 방법을 1639년부터 수학한 후 1649년부터 1666년까지 수화승으로 많은 작품을 남긴 17세기 중엽의 대표적인 조각 장인이었다.

道雨[70]는 道祐로도 표기되어 있으며 1633년 無染에게서 배운 후 수화승으로 칠곡 송림사 석조아미타삼존불좌상(1655년), 송림사 대웅전 아미타삼존불좌상(1657년), 나주 죽림사 목조삼세불좌상(1664년) 등을 제작하였다.

宝海[71]는 普海로도 표기되어 있으며, 1646년 구례 천은사 목조아미타불좌상 조성 때에 勝日의 보조화원으로 등장한 후 희장 아래에서 4회 등장한 점으로 미루어 보아 희장의 제자였을 가능성이 크다. 그는 수화승으로 1680년 고흥 송광암 목조불좌상을 조성하였을 뿐 아직까지 다른 자료는 없으며, 양식상 희장의 영향이 짙게 나타나고 있다. 자료상 34년간 조각승으로 활동하면서 1회의 수화승 작품만 남아있는 점으로 보아 명장은 아니었다고 보여진다.

산중대덕은 모두 18명인데 대덕 9명, 대선사 9명의 큰 스님들이 관련된 점으로 보아 당시 쌍계사의 위상을 알 수 있는 대목이다. 대덕 첫 번째로 등장한 義謙은 청허파의 4인 가운데 하나인 鞭羊彦機(1581~1644)의 제자이다. 그는 1592년 경기도 통천에서 태어났으며, 법명은 의심이고 법호는 楓潭이다. 대흥사에서는 스님을 해동 화엄종의 중흥조로 일컫고 있으며, 대흥사의 13대종사 가운데 첫 번째 대종사이다. 풍담의심의 제자는 수백 인이었으나 그 가운데 특히 霜峰淨願, 月潭雪齊, 月渚道安, 奇影瑞雲 등이 뛰어났다. 1665년 3월 8일 금강산 正陽寺에서 입적하였으며, 그의 비는 김포 文殊寺 楓潭大師碑(1668년 입비, 趙絅 撰), 영변 普賢寺 楓潭大師碑(1681년 입비, 趙宗著 撰), 해남 大興寺 楓潭大宗師碑(1692년 입비, 金宇亨 撰) 등이 있고 부도는 대흥사 부도전에 있다.[72]

대덕 守初는 송광사의 浮休善修 문도이다. 부휴의 직계제자는 碧巖覺性이며, 벽암의 직계제

---

68) 최선일,「조선후기 조각승의 활동과 불상연구」, 홍익대학교 대학원 박사학위논문, 2006, pp.21~22.

69) 희장은 熙藏, 希藏, 熙莊, 熙壯 등으로 표기되어 있는데 '熙莊'이 7회로 가장 많이 표기되어 있다.

70) 문명대,「조각승 무염, 두우파 불상조각의 연구」,『강좌 미술사』26-1,집 한국미술사연구소, 2006, pp.23~51; 최선일,『조선후기승장 인명사전-불교조각』, 양사재, 2007, p.32.

71) 최선일, 위의 책, p.57.

72)『東師列傳』, 梵海覺岸;『大芚寺志』, 대둔사지간행위원회, 1997;『全南의 寺刹 I 』, 전라남도, 1989.

자가 바로 翠微守初이다. 수초는 1590년 한양에서 태어나 제월경헌에게 출가하였고, 벽암의 법을 이어 받았다. 그는 선과 교로써 널리 교화활동을 펴다가 1668년 6월 오봉산 삼장암에서 나이 79세로 입적하였다. 문하에는 백암성총, 취암해란, 설파민기 등이 있다.

대선사 玄卞은 枕肱懸辯이다. 그는 1616년에 나주에서 태어나서 화순 만연사 탑암의 葆光선사에게 출가하였으며, 방장산 逍遙太能의 법을 이어 받았다. 19세에 尹善道가 일찍 죽은 둘째 아들과 닮았다고 그를 양자로 삼아 환속시키려 했으나 울면서 끝까지 사양하고 다시 절로 돌아갔다. 침굉은 선암사 비로암에서 오랫동안 주석하였고, 만년에 금화산 징광사의 조실로 추대되어 징광사 上庵에서 1684년 4월 12일 나이 69세로 입적하였다. 유언에 따라 시신을 짐승의 먹이로 금화산 봉우리 바위틈에 넣었으나 짐승들도 그의 시신을 범하지 않았으며 시신의 안색도 변함이 없었다고 한다. 소요태능에게서 선종을 전수받은 자는 침굉현변이요, 교종을 전수받은 자는 海運敬悅이라 한다.[73]

본사질에 信學 스님을 비롯해 70명이 있고, 삼강 勝海, 수승 思祐 등이 있다. 조선후기 호남 불교계는 청허휴정파와 부휴선수파로 대별되는데 불상 조성 당시의 쌍계사에는 청허파와 부휴파가 고루 분포하고 있음을 알 수 있다.

끝으로'水陸助緣文'이라 하고 시주자들만 나열하였다. 수륙제란 불교에서 물과 육지에서 헤매는 외로운 영혼과 餓鬼를 달래며 위로하기 위하여 불법을 강설하고 음식을 베푸는 종교의식을 말한다. 고려 초기부터 행해졌다가 조선 중종 때 폐지될 때까지 國行水陸齊가 행해졌으며, 조선 후기에는 각 사찰 단위별로 수륙제를 행하였음을 알 수 있다. 진도는 섬이기 때문에 바다 관련 사고가 많아 계속해서 수륙제가 행해졌을 것이다.

그리고 1961년에 대웅전 불상을 개금하였던 개금기가 한지에 다음과 같이 묵서되어 있었다.

改金佛事 佛紀四千九百八拾八年 / (辛丑年)三月一日[74]完成
　　　光州市鶴洞一區十四番地 / 金喆鉉
　　　雙溪寺 主持 金慧性[75] / 馬知錫[76]

이 개금기에 의하면 쌍계사 대웅전 불상은 1961년 3월 1일에 개금을 완료하였으며, 시주는 광주의 김철현이 하였고, 당시 쌍계사 주지는 慧性榮培(주지 1961. 1. 15 ~ 1965. 3. 2)였으며, 慧峰知錫은 前주지(1959. 10. 22 ~ 1961. 1. 14)였다.

---

73)『枕肱集』, 枕肱懸辯(이영무 번역,『침굉집』, 불교춘추사, 2001);『東師列傳』; 李政 편,『한국불교인명사전』, 불교시대사, 1993.

74) 佛紀四千九百八拾八年(辛丑年)三月一日 : 1961. 3. 1. 佛紀四千九百八十八年은 옛 佛紀로 二千九百八十八年의 오기.

75) 慧性 : 慧性榮培. 주지(1961. 1. 15~1965. 3. 2).

76) 知錫 : 慧峰知錫. 前주지(1959. 10. 22~1961. 1. 14).

2. 후령통

삼조불상 모두에서 후령통이 발견되었으나 우측 보살좌상(보현보살)의 후령통만 조사하였다. 이 후령통은 주서된 다리니경으로 감싸여 있었다. 후령통을 감싸고 있는 노란보자기를 黃綃幅子라 하는데 가로 33.2㎝, 세로 32.5㎝이며, 표면에 4가지 색의 범어 四方呪(아마라하라고 범어로 씀)가 쓰여 있다. 4가지 색의 범어는 동서남북의 방위를 가리키고 있다.

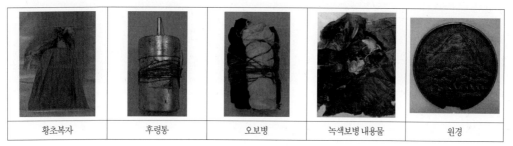

| 황초복자 | 후령통 | 오보병 | 녹색보병 내용물 | 원경 |

사진 6. 황초복자와 후령통

후령통은 은제이며 원형이다. 『觀相儀軌』에 의하면 후령통은 銀盒이라 하여 은으로 만든다고 하였는데 이를 잘 따르고 있다. 후령통 겉면에 四方鏡(동 - 方鏡, 남 - 삼각형경, 서 - 원경, 북 - 반월경)을 놓고 오색사로 여러 번 둘러서 후령통 중앙에 고정시켰고, 후령통 밑에 圓鏡을 놓았다. 후령통 밑의 원경은 복장물을 조성하면서 만든 것이 아니라 절에서 혹은 私家에서 사용하던 銅鏡이다. 이러한 예는 보고된 바가 없는 실정이다. 이 동경은 지름 9cm로 후령통(지름 5.2cm) 보다 훨씬 커서 황초복자로 감 쌀 때 밑 부분이 튀어나오게 되어 있다. 동경의 전면에는 한 폭의 산수화를 그려 넣은 듯 표현되어 있다. 그리고 좌측 중앙 부분에 "天下"란 명문이 양각되어 있다. 동경의 중앙에서 위로 三山이 표현되었는데 마치 첨산과 같아 쌍계사가 위치한 첨찰산을 표현한 것으로 볼 수도 있을 것 같다. 중앙 산봉우리 정상에 연기가 한 줄기 휘감아 오르고 있는 모습을 표현한 것처럼 일조선의 선 문양이 있다. 마치 첨찰산 봉수대의 한 줄기 연기와 비슷한 모습을 보여주고 있다. 은제 원형 후령통의 크기는 높이 11.1㎝, 지름 5.2㎝이고, 후령통 뚜껑은 높이 5.1㎝, 지름 5.3㎝이다.

후령통 뚜껑은 팔엽개가 없는 밋밋한 것이며, 뚜껑의 중앙에 작은 원통형 손잡이가 솟아 있고 원통형 손잡이 喉穴로 오색사가 끊어지지 않고 이어져 있다. 뚜껑을 열자 후령통 상부에 팔엽대홍련이 있었고 그 안에 양면원경 가운데 1개가 들어 있었다. 팔엽대홍련을 들어내자 무공심주(지름 : 0.9㎝)가 나왔다. 이것은 투명한 수정이었으며 구슬 중앙을 관통하는 구멍이 있다.

오보병은'觀世音菩薩寶齒眞言'이란 朱書된 4장의 다라니경(가로 34cm, 세로 23cm)으로 감싸여 있어 특이한 예에 속한다. 오보병(길이 6cm, 지름 약 1.5cm)은 청(동)·황(남)·백(중앙)·홍(서)

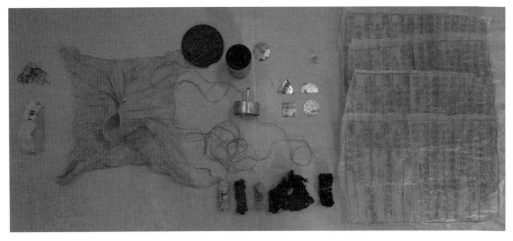

사진 7. 다라니, 황초복자, 후통령과 그 내용물 전체

·녹색(북)의 비단으로 각각 만들었다. 오보병 가운데 녹색 보병만 풀어서 조사하였는데 유리와 벼는 확실하고 五藥, 五香, 五黃, 五芥子, 五時花, 五吉祥草 등은 변질이 심해 구분할 수 없었다.

복장물은 후령통을 밖에서 감싸고 있는 외형물과 후령통을 포함하여 그 안에 있는 여러 가지 내형물로 크게 나눌 수 있다. 내형물을 넣은 안립 절차는『造像經』에 다음과 같이 자세히 나온다.

먼저 오륜종자를 안립하고 그 다음 차례로 진심종자, 보신주, 화신주, 준제주, 양면원경(1), 오보병, 사리 일곱알이 든 사리합, 무심공주를 안립한다. 다음에 양면 원경(2)으로 오보병의 입구를 덮고 각 오보병의 입구에 매어진 오색실을 오보병 전체의 입구에서 하나로 합하여 후령통 덮개로 뽑아낸다. 그러한 후에 후령통의 덮개를 덮고 통 밑에 중방원경을 안립한다. 이어서 지방으로 후령통을 싸는데 이 때 방위를 잘 살펴야 한다. 다음으로 팔엽연의 윗면이 천원의 아래로 가게 한 다음 오색실로 연화와 천원을 관통하게 하고 하늘의 지표면을 감싸듯이 천원으로 지방을 감싼다. 그리고 난 후 황초복자로 싼다.

이와같이 복장물의 안립 절차는 자세하게 설명되어 있지만, 쌍계사 대웅전 복장물은 많이 생략되어 있어 제외된 항목들이 많이 보인다.

3. 복장에서 발견된 중요 전적

대웅전 삼존불에서 발견된 전적은 불경 서적으로 표지가 없는 책자(선장본) 형태로 발견된『묘법연화경』8책과 일부 落張本의『묘법연화경』등이다. 간기가 있는 법화경은 다음과 같다.

① 영락 15년(1417), 전라도 고창 문수사, 영본1책(권1-3)

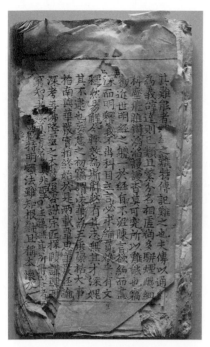

사진 8. 妙法蓮華經 高敞 文殊寺 永樂 15年(1417) 간행

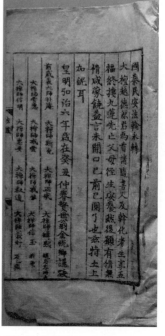

사진 9. 妙法蓮華經, 鴻山 無量寺 弘治 6年(1493) 간행. 贅世翁金悅卿謹跋

② 홍치 6년(1493), 충청 홍산 무량사, 영본1책(권5-7)
③ 융경 4년(1570), 전라도 담양 폭포암, 7권2책(완질본)
④ 숭정 6년(1633), 전라도 해남 대흥사, 1책(권1)

임진왜란이전 간행된 판본 가운데 1417년 문수사 판각본과 梅月堂 金時習(1435~1493)이 죽기 직전에 남긴 발문(皇明弘治六年歲在癸丑仲春 贅世翁金悅卿謹跋)[77]이 실려 있는 1493년 무량사 판본은 현재 국내에 남아 있는 판본이 매우 드문 희귀본으로 중요하다. 그밖에도 1570년 담양 폭포암 판각본 7권 2책과 1633년 해남 대흥사 판본 1책(권1), 간행기록이 없는 목판본 3종 3책 또한 임란전과 후에 간행된 것으로 추정되는 판본들이다.

이 불경 서적들의 상태는 모두 表紙가 탈락되어 있을 뿐만 아니라, 일부 책은 裝幀(線裝本)이 모두 解册되어 있으며, 일부 책은 落張이 발생된 상태인데, 表紙 등은 佛腹에 복장할 때에 제거된 것으로 보인다.[78]

Ⅳ. 희장 조성 불상과 그 특징

현재까지 발견된 희장[79] 관련 복장 발원문은【표 1】에서 본 바와 같이 11건이다.

【표 1】 희장 조성 작품

번호	불상명칭	조성연대	조각승	원봉안처	비고
1	하동 쌍계사 목조삼세불좌상	1639	淸憲, 勝日, 法玄, 英頤, 賢胤, 應惠, 希藏, 尙安, 學海, 瀬欽, 靈湜	하동 쌍계사 대웅전	보조 조각승 복장발원문
2	달성 용연사 목조지장보살좌상 등	1643	應慧 熙莊 善弘 處英 雙修 唯同 戒贊 道岑 四龍 命弘	달성 용연사 명부전	보조 조각승 복장발원문
3	구례 천은사 목조아미타불좌상	1646	勝日, 熙藏, 太元, 性照, 戒贊, 天學, 寶海	천은사 수도암	보조 조각승 복장발원문
	대세지보살좌상				
4	구미 수다사 목조아미타불좌상	1649	熙莊, 天, 敬玉, 太林, 敬湖, 信元, 寶海, 覺元, 敬先	수다사 극락전	수 조각승 복장발원문
	원각사 목조 대세지보살좌상				

---

77) 췌세옹은 김시습의 호이며, 열경은 그의 자이다.
78) 노기춘, 「진도 쌍계사 삼존불 복장 조사보고서」, 2015, 전라남도, 미간행.
79) 희장 관련 논고는 다음이 있다.
　　문명대, 앞의 논문, 2008; 송은석, 앞의 논문, 2006; 송은석, 「고흥 능가사 대웅전의 목조삼방불좌상」, 『항산 안휘준교수 정년퇴임기념논문집-미술사의 정립과 확산』 2권, 사회평론, 2006; 송은석, 「무염파 출신 조각승 도우와 희장파의 합동작업」, 『미술사와 시각문화』 7집, 미술사와 시각문화학회, 2008 ; 송은석, 「梁山 通度寺의 熙藏風 佛像」, 『불교미술사학』 6, 불교미술사학회, 2008; 이희정, 「부산 범어사 대웅전 목조석가여래삼존불좌상과 熙藏의 造像」, 『文物研究』 12, 한국문물연구원, 2007.

5	진안 금당사 목조아미타삼존불좌상	1650	熙莊, 信同, 敬玉, 敬浩, 信元, 寶海, 双默, 惠正, 覺元	남원 금강사	수 조각승 복장발원문
6	서울 지장암 목조석가불좌상	1653	熙莊, 性明, 寶海, 雙默, 覺元, 戒祐, 淸眼	고흥 불대사	수 조각승 복장발원문
	고흥 능가사 약사아미타불좌상				
7	청도 대운암 목조미륵보살좌상 (반룡사 목조석가삼존불)	1654	首禪宗大禪師 熙莊 彌勒菩薩 性明, 慧瑞, 太澄 釋迦世尊 普海, 双嘿, 覺元 竭羅菩薩 戒愚, 淸眼	경산 반룡사	수 조각승 복장발원문
8	부산 선암사 목조아미타불좌상	1658	熙藏, 寶海, 太澄, 賛仁, 智寬, 敬哲	선암사	수 조각승 복장발원문
9	부산 범어사 목조삼세불좌상	1661	首頭 熙莊, 寶海, 敬信, 雙默, 雷影, 神學, 淸彦	범어사 대웅전	수 조각승 복장발원문
10	진도 쌍계사 목조 석가삼존불좌상	1665	熙壯, 道雨, 宝海, 敬信, 玉淳, 一訓, 新學, 道澄, 呂尙	쌍계사 대웅전	수 조각승 복장발원문
11	진도 쌍계사 목조지장보살좌상 등	1666	首畵員 熙莊 信同 敬信, 片首善海, 玉淳, 敬安, 信覺, 三彦, 日訓, 道證, 呂尙	쌍계사 시왕전	수 조각승 복장발원문

 희장은 하동 쌍계사 대웅전 목조삼세불좌상 발원문에 처음 등장한다. 이 불상은 1639년에 조성되었으며 조각승은 淸憲, 勝日, 法玄, 英頤, 賢胤, 應惠, 希藏, 尙安, 學海, 瀨欽, 靈湜 등이다. 청헌을 수화승으로 승일, 응혜 등이 앞에 있고 희장은 7번째 등장하여 이들 밑에서 수련하였다. 두 번째는 달성 용연사 목조지장보살좌상 등의 발원문으로 應慧 熙莊 善弘 處英 雙修 唯冏 戒贊 道岑 四龍 命弘 등의 조각승이 나열되어 있다. 세 번째는 구례 천은사 목조아미타불좌상의 발원문으로 勝日, 熙藏, 太元, 性照, 戒贊, 天學, 寶海 등의 조각승이 나열되어 있다. 그리고 1649년 수다사 극락전 삼존불상을 처음으로 수화승 자격으로 조성하였다.

 위의 발원문에 보는 바와 같이 희장은 청헌, 응혜, 승일 밑에서 1639년부터 1649년까지 약 10여 년 동안 수련기를 거쳤다. 당연히 이 수련기에 청헌, 응혜, 승일 등의 작품 영향을 많이 받았음은 분명할 것이다.

 淸憲은 수화승 현진과 함께 1626년에 보은 법주사 소조삼신불좌상, 수화승 응원과 함께 1634년에 구례 화엄사 대웅전 목조삼존불좌상[80]을 조성하였고, 그 자신이 수화승으로 1639년 하동 쌍계사 대웅전 목조삼세불좌상, 1641년 완주 송광사 대웅전 소조석가삼세불좌상, 1643년 진주 응석사 목조삼세불좌상을 조성하였다.[81]

 勝日은 수화승으로 1646년 구례 천은사 수도암 목조아미타불좌상과 대세지보살좌상, 1648년 강진 정수사 목조삼세불좌상, 1651년 서울 봉은사 대웅전 협시불좌상, 1657년 무주 북고사 목조아미타불좌상, 1660년 동학산 용밀사 지장보살좌상과 시왕상(서울 청룡사 봉안), 1665년

---

80) 필자는 최근 조사에서 사적기의 내용과 상이한 묵서명을 불단 내부에서 확인하였다. 조성연대는 崇禎七年甲戌(1634년)이다. 畵員秩 應圓 淸憲 印均 法奇 省根 英頤 圓澤 天曉 印熙 尙日 尙儀 智學 雲密 法密 學浩 懶鐵 善堅. 지금까지 사적기에 의해 청헌이 수화승으로 알려져 왔으나 應圓이다.
81) 이희정,「조선 17세기 불교조각과 조각승 淸憲」,『불교미술사학』3집, 불교미술사학회, 2005, pp.159~182.

사진 10. 화엄사 대웅전 삼존불좌상

사진 11. 화엄사 대웅전 불단 내 묵서명 전체

사진 12. 화엄사 대웅전 불단 내 묵서명(화원질 부분)

칠곡 송림사 명부전 석조삼장보살좌상과 시왕상, 1668, 김천 직지사 석조삼존불좌상, 1670년 김천 고방사 목조아미타삼존불좌상 등을 조성하였다.[82]

---

82) 이분희, 「조각승 승일과 불상조각의 연구」, 『강좌미술사』 26-1집, 한국미술사연구소, 2006, pp.83~112.

應圓은 1615년 김제 금산사의 칠성각에 봉안된 독성상을 조성한 수화승 太顚 아래에서 차화승으로 등장한 이래 수화승으로 순천 송광사 광원암 목조아미타불좌상(1624년), 순천 송광사 소조사천왕상(1628년), 구례 화엄사 대웅전 목조삼존불상(1634년) 등을 조성하였다. 응원과 그의 제자였던 인균이 조성한 불상들은 묵중한 신체와 양감이 강조된 얼굴, 통통한 팔과 손 그리고 힘이 강조된 특징이 나타나고 있다.[83]

이처럼 희장은 청헌, 승일, 응원이란 조각승 밑에서 10년 이상 수련기를 거쳐 드디어 수화승이 되어 1649년부터 본격적으로 자신의 작품을 조성하기 시작하였다. 현재까지의 자료로 볼 때 희장은 1649년 구미 수다사 목조아미타삼존불좌상을 조성하기 시작하여 1666년 진도 쌍계사 지장전 목조지장보살좌상 일괄품을 조성하여 18년 동안 8건의 불상을 조성한 사실이 확인되었다.

| 구미 수다사 | 구미 원각사 | 진안 금당사 | 고흥 능가사 |
| 청도 대운암 | 부산 범어사 | 진도 쌍계사 | 진도 쌍계사 |

사진 12. 희장 작품 불상들

희장 작품 불상 가운데 法衣의 특징은 오른쪽 어깨에서 흘러내린 뾰족한 역삼각형 대의 자락 형식, 양쪽 어깨의 목깃을 어깨 정상부에서 살짝 뒤집어 한껏 멋을 풍기고 있는 형식, 왼쪽 팔굽

이희정, 『조선후기 경상도지역 불교조각 연구』, 세종출판사, 2013, pp.99 100.

83) 송은석, 「조선 후기 應元·印均派의 활동 : 應元, 印均, 三忍」, 『韓國文化』 52집, 규장각 한국학연구소, 2010, pp.219~249.

안쪽에서 어깨선 바깥쪽으로 1조선의 음각 일직선상의 사선 형식, 군의의 상단 일자형 띠에 왼쪽 겨드랑이 상단에서 오른쪽 겨드랑이 하단으로 1조선의 사선을 넣은 형식, 오른쪽 발목에서 뻗어 내린 큼직한 의문은 두툼하며 중앙에 폭이 넓은 옷주름을 두고 좌우 대칭으로 좁은 옷주름을 펼친 형식, 오른 손목에서 흘러내린 옷자락 주름이 왼손 밑으로 흘러 오른쪽 무릎 위에 걸쳐 있는 형식이 아니라 발목에서 흘러내린 옷주름 옆으로 가늘고 길게 나타난 형식 등을 들 수 있다.

오른쪽 어깨에서 흘러내린 뾰족한 역삼각형 대의 자락 형식은 희장의 가장 큰 특징적인 요소 가운데 하나로 지적되고 있다.[84] 이러한 대의 자락의 시원은 1612년 현진 작 함양 상련대 목조보살좌상과 1629년 창녕 관룡사 목조삼세불좌상의 본존불, 1619년 수연 작 서천 봉서사 목조삼존불좌상의 본존불, 1623년 수연 작 강화 전등사 목조삼세불좌상의 본존불, 1626년 현진 작 창녕 관룡사 목조삼세불좌상, 1635년 무염 작 영광 불갑사 목조삼세불좌상의 본존불, 1640년 청허 작 거창 심우사 목조아미타불좌상. 부안 개암사 대웅전 본존불(1640년대 靈哲 작 추정), 1646년 승일 작 구례 천은사 수도암 목조불좌상, 1648년 나흠 작 양산 원효암 석조약사여래좌상 등에서 나타나고 있다. 이들 불상의 오른쪽 겨드랑이 대의자락은 희장 작품처럼 끝부분이 뾰족하여 역삼각형을 이루고 있는 형식이 아니라 둥근 호형을 그려 차이가 난다. 이처럼 오른쪽 겨드랑이 부분의 대의 자락이 처음에는 끝 부분이 호형을 이루면서 전개되다가 1949년 희작 작 수다사 아미타여래좌상에서 뾰족문이 처음으로 등장하여 이후 희장 작에서는 전체적으로 잘 나타나 희장 작의 큰 특징을 이루게 되었다. 이와같은 소위 뾰족문 법의 자락은 1651년에 조성된 고흥 금탑사 극락전 삼존불에서도 잘 나타나 있다. 특히 우협시인 관음보살좌상에 뚜렷이 보이고 있다. 이 불상은 '畵員秩 大禪師休逸, 山人雷迥, 熙認, 敬安, 德海, 信惟, 惠明, 惠淨, 明印, 守方' 등 10인이 나열되어 있어 조각승 휴일을 비롯한 10이 조성한 것이며, 휴일은 아직까지 계보가 파악되지 않고 있는 새로운 조각승으로 주목되고 있다.[85] 희장의 작품에서는 뾰족문 끝이 대체로 일자형 군의 즉 복부까지 길게 내려온 반면 휴일 작품은 가슴 부분까지만 짧게 내려 온 점이 약간 다를 뿐이다. 그러므로 소위 뾰족문 법의 자락은 17세기 전반부터 호형을 이루며 등장하기 시작하여 희장과 휴일 등에 의하여 17세기 중엽 경에 완성된 특징적인 요소라 할 수 있을 것이다.

---

84) 송은석, 앞의 논문, 2006.
85) 維歲次辛卯 月 日全羅道興陽地天燈山金塔寺 / 新建法堂佛像造成腹藏于願文 --- 證師守安 --- 大功德主幹善道人勝悟 --- 本寺秩 耆德雙益 大禪師太湖 --- 畵員秩 大禪師休逸, 山人雷迥, 熙認, 敬安, 德海, 信惟, 惠明, 惠淨, 明印, 守方 --- 山人元悟 謹書(송광사 성보박물관장 고경 스님 자료)

사진 13. 고흥 금탑사 극락전 목조아미타삼존불좌상

　　양쪽 어깨의 목깃을 어깨 정상부에서 살짝 접어 한껏 멋을 풍기고 있는 형식 역시 16세기 초부터 등장하지만 이 불상들은 가슴 부위부터 접거나 크게 접어 희장 작과는 대비가 되고 있다.

　　왼쪽 팔굽 안쪽에서 어깨선 바깥쪽으로 1조선의 음각 일직선상의 사선을 전체적으로 넣은 형식은 1622년 현진을 비롯한 응원, 수연, 법령 등이 조성한 서울 지장암 목조비로자나불좌상, 1623년 수연 작 강화도 전등사 목조삼세불좌상의 본존상, 1633년 인균 작 김제 귀신사 영산전 소조석가여래좌상, 1634년 應圓 淸憲 印均 法奇 등이 조성한 화엄사 우협시인 목조석가여래좌상, 1647년 응혜 작 군산 불주사 목조관음보살좌상, 1648년 현윤 작 김천 직지사 목조석가여래좌상, 1648년 승일, 성조 계찬 등이 조성한 강진 정수사 목조석가 약사여래좌상 등에서 이미 등장하고 있다. 하지만 이들 상에서 보인 사선문은 희장 작에서 보인 일직선 사선문보다는 약간 다른 모습 즉 일직선이라기보다 약간 휘어지거나 전체적인 일직선이 아닌 모습을 보여 주고 있다. 그러므로 왼쪽 팔에 보인 일직선 사선문 형식은 희장에 와서 완전히 정착된 옷주름 형식이다. 이러한 형식은 희장의 제자인 보해 그리고 단응, 호남인으로 부처를 만드는 제주가 특별한 장인[86]으로 묘사된 진열, 상정 등에게 계승되고 있다.

　　그러므로 희장은 함께 조각에 참여하였던 청헌, 승일, 응혜 등의 수화승으로부터 수련을 하여 그들의 영향을 짙게 받으면서 17세기 중엽부터 자신의 독특한 불상을 조성하였으며, 이후에 여러 조각승에게도 그의 작풍이 계승되었다.

---

86) 한국문헌연구소, 『梵魚寺誌』, 1989, pp. 56 57.

V. 맺음말

쌍계사는 진도군 의신면 사천리 첨찰산 서록에 있는 절이며 대흥사 말사이다. 조선후기 기록에 의하면 1648년(인조 26)에 창건되었으며, 법당과 十王殿이 차례로 건립되고 희장 등의 조각승에 의해 1665년 대웅전에 목조삼존불상이 조성되고, 1666년 시왕전에 주존인 지장보살을 비롯해 33구 조각상들이 조성되어 봉안되었다. 1648년에 건립된 대웅전은 갑자기 화재를 당하여 소실되었으나 불상은 다행히 화를 면하여 노지에 방치되어 있었다. 그래서 1697년에 110여 명이 시주를 하여 법당을 새로이 신축하고 삼존불을 다시 봉안하여 현재까지 잘 보존되어 왔다. 그런데 대웅전에 구조적인 문제가 발생하여 2015년 대웅전을 해체하게 되면서 대웅전 삼존불을 이안하게 되었는데 이때 삼존불의 복장을 조사하게 되었다. 복장 조사 결과 발원문을 비롯해서 불경 서적, 후령통 등이 발견되었다.

진도 쌍계사 대웅전에 大作의 목조석가여래삼존불이 봉안되어 있다. 중앙의 본존상은 항마촉지인의 수인을 결하고 있어 석가여래임을 알 수 있고, 좌우협시상은 보관과 영락을 착용하고 양손에 연줄기와 연봉을 대칭으로 쥐고 있는 문수와 보현보살상이다. 이 삼존불은 여래와 보살의 차이만 보일 뿐 도상적으로 같은 형식을 취하고 있다. 발원문에 의하면 熙壯을 비롯한 道雨, 宝海, 敬信, 玉淳, 一訓, 新學, 呂尙, 道澄 등의 조각승이 참여하여 조성하였다.

발원문은 '康熙四年乙巳季夏日全羅道珎島尖察山雙溪寺'라 하여 1665년의 조성 연대와 봉안 장소, 시주자, 불상을 조성한 장인, 당시 쌍계사에 주석한 스님들을 총 망라하여 기록했기 때문에 불상 조성에 대한 모든 것을 살펴 볼 수 있다.

법화경 가운데 임란이전 간행된 판본 가운데 1417년 문수사 판각본과 梅月堂 金時習(1435~1493)이 죽기 직전에 남긴 발문(皇明弘治六年歲在癸丑仲春 贅世翁金悅卿謹跋)이 실려 있는 1493년 무량사 판본은 현재 국내에 남아 있는 판본이 매우 드문 희귀본으로 중요하다.

희장은 함께 조각에 참여하였던 청헌, 승일, 응혜 등의 수화승으로부터 수련을 하여 그들의 영향을 짙게 받으면서 1649년부터 1666년까지 18년 동안 자신의 독특한 불상 양식을 형성하게 되었으며, 현재까지 8건의 많은 작품들이 남아 있는 것으로 확인되었다. 희장이 조성한 불상 法衣의 특징은 오른쪽 어깨에서 흘러내린 뾰족한 역삼각형 대의 자락 형식, 양쪽 어깨의 목깃을 어깨 정상부에서 살짝 뒤집어 한껏 멋을 풍기고 있는 형식, 왼쪽 팔굽 안쪽에서 어깨선 바깥쪽으로 1조선의 음각 일직선상의 사선 형식, 군의의 상단 일자형 띠에 왼쪽 겨드랑이 상단에서 오른쪽 겨드랑이 하단으로 1조선의 사선을 넣은 형식, 오른쪽 발목에서 뻗어 내린 큼직한 의문은 두툼하며 중앙에 폭이 넓은 옷주름을 두고 좌우 대칭으로 좁은 옷주름을 펼친 형식, 오른 손목에서 흘러내린 옷자락 주름이 왼손 밑으로 흘러 오른쪽 무릎 위에 걸쳐 있는 형식이 아니라 발목에서 흘러내린 옷주름 옆으로 가늘고 길게 나타난 형식 등을 들 수 있다.

희장이 조성한 불상 가운데 특징적인 요소 가운데 하나로 지적되고 있는 오른쪽 어깨에서 흘러내린 뾰족한 역삼각형 대의 자락 형식은 17세기 초반부터 끝이 둥근 형태로 나타나다가 17세기 중엽 희장에 의해 뾰족문 역삼각형 대의자락 형식으로 완성되기에 이르렀다. 그리고 왼쪽 팔굼 안쪽에서 어깨선 바깥쪽으로 1조선의 음각 일직선상의 사선을 전체적으로 넣은 형식은 역시 응원, 수연, 응혜, 현윤, 승일 작에서 나타나지만 희장 작품에 와서 완전한 일직선 사선문으로 완성되었다.

희장에 의해 이루어진 불상 양식은 그의 제자였던 보해를 비롯해서 단응, 호남인으로 부처를 만드는 제주가 특별한 장인으로 묘사된 진열, 상정 등에게 계승되었다.

(부록) 珍島尖察山雙溪奪法堂上梁文[87]

伏以　人天界聖賢之上釋迦在初　禹貢不載慨人代之蔽賢　瓊花琪樹乃華藏之道
　　　山水間普率之中尖察爲最　華藏盛称嘆菩薩之楊善　石室岩冠是鬼秘之靈
場　緬思斯人建珠宮之日　爲雲爲雨澤朝鮮三百餘州　豈意靈山之勝境
域　勤念彼聖截海路之秋　冐福叒祥扶漢室億萬斯[88]世　遽罹回祿之毒灾
非神祇之不臧　佛坐露地日天愁　緇髡血泣患無祝之坊　若魯靈光寔
惟丙丁之無賴　僧處斑荊山哀水　黃冠剝皮恨乏首之所　如天兜率乃
人間之稀有　事旣若玆豈龍象之呈瑞　禁春深奏咸池拎樂府　豈特與民
上帝之攸居　誠能搯彼可鳳凰之來儀　仙伏日晚揮舞袖拎佛庭　必使擧國
共之　聊賦短唱
安也　三擧修梁
抛梁東眼底三山撑碧空遙望伏羲都遠近扶桑一葉落鴻濛
抛梁南虛碧水天萬象涵炎帝錫封寬幾許唇捷遙鎖半空嵐
抛梁西萬刃崑崙一眼低忽見瑤池春烏使相將少睥上天梯
抛梁北窮陰漠〻迷辰極玄冥國在渺茫間擧目唯看山水綠
抛梁上仰觀□□翻銀浪丁寧語寄廣□人〻月不計開玉帳
抛梁下夜叉來駕重成厦豈惟壯麗輝山門應使九原蒙聖化
伏願上梁之後南山不摧北斗依舊祝聖壽拎萬〻後天猶存延
鶴籌拎千〻如地久麟趾振〻金拔玉葉之相承瓜瓞綿〻文謨武
烈之罔缺諸福畢至永無邊鐸之鳴霄三光不凋坐看蓬海之成
陸僧臘弥高佛灯孤照君民共享千秋萬歲
康熙參十六年丁丑[89]四月日尖察山人淸暉子明絢謹撰序
　　　　　　　　　　　　　　　山人聖日謹書
本奪(寺)三綱秩
方丈明擇
首僧淸哲
持殿明絢
三宝寶文
書記德岑
本郡太守梁益務
木手秩

---

87) 이 상량문은 크기 47.5 129.0cm의 한지에 다음과 같이 묵서되어 있다. 고경 스님 자료.
88) 斯 : 보입
89) 康熙參十六年丁丑 : 1697年. 朝鮮 肅宗23年. 康熙는 淸 聖祖의 年號.

三南捴攝嘉善大夫卓心比丘 / 副姜厚載 / 副斗伱 / 裕軒 / 法公 / 大忍 / 雪淨 / 一聖 / 禪頓 /
學 / 太惠 / 道海 / 道淳

冶匠朴時望

化主　　緣化秩
　　　　雪心

尙倫

內別座 僅[90]行比丘

外別座供養主兼 運比丘

行者謹白

施主秩(생략　110명 시주)

夲寺秩

守裕 太玄 嘉善太夫印天 嘉善大夫處信 性還 勝密 勝悅 又敏 元淨 太俊 雪能 應暹 惠習 淸軟
雙敏 廣悅 道欣 英玉 能祐 □□ 淸擇 明擇 □益 淸揖 禪河 禪哲 善勒 善根 善日 愀軟 禪談 善梅
敏暉 善淑 禪淳 宗卜 禪宗 弘戒 智行 愀密 印梧 宗學 宗淑 省欽 智伱 宗祐 雪稔 宗訓 雪明 愀洽
德岑 聖日 僅岩 呂行 宗惻 宗順 德閑 致英 愀湜 德彦 德厚 德秋 德河 愀贅 德習 禪敏 大機 愀善
愀寶 愀允 愀侃 道林 愀坦 楚學 德捨 妙禪 楚戒 楚欽 楚軒 楚卜 楚仁 楚欣 楚梧 伱叩 楚宝
海元 楚英 楚洽 楚密 楚照 楚咼 楚豈 楚□ 楚浩 法聰 法海 楚敬 持梅 持海 法演 三聖 聖覺

行者秩

信伯 好迪 丁岩囬 有宗 友民 太公 惠太 順庭 次順 千祿 士迪 信安 旺先 命迪 庭擇 元伊 信先
釼岩囬 順日 印必 小公 三先 伱萬 後山 楚評 三照 宗眼 三克 雙登

---

90) 僅：善을 교정.

【참고문헌】

『觀相儀軌』.

『東師列傳』.

『兒庵集』.

『朝鮮寺刹史料』上卷.

「珍島尖察山雙溪寺法堂上梁文」.

문명대,「서울 지장암 장(藏) 불대사(佛臺寺) 목 석가불상과 희장작(熙藏作) 불대사 석가삼세불불상
　　　　의 복원」,『강좌미술사』31호, 한국미술사연구소, 2008.

＿＿＿,「조각승 무염, 두우파 불상조각의 연구」,『강좌 미술사』26-1, 한국미술사연구소, 2006.

송은석,「고흥 능가사 대웅전의 목조삼방불좌상」,『항산 안휘준교수 정년퇴임기념논문집－미술사의
　　　　정립과 확산』2권, 사회평론, 2006.

＿＿＿,「梁山 通度寺의 熙藏風 佛像」,『불교미술사학』6, 불교미술사학회, 2008.

＿＿＿,「朝鮮後期 17世紀 彫刻僧 熙藏과 熙藏派의 造像」,『泰東古典研究』제22집, 태동고전연구소,
　　　　2006.

＿＿＿,「조선 후기 應元·印均派의 활동 : 應元, 印均, 三忍」,『韓國文化』52집, 규장각 한국학연구소,
　　　　2010.

이분희,「조각승 승일파 불상조각의 연구」,『강좌미술사』26-1집, 한국미술사연구소, 2006.

이희정,「부산 범어사 대웅전 목조석가여래삼존불좌상과 熙藏의 造像」,『文物研究』12, 한국문물연
　　　　구원, 2007.

＿＿＿,「조선 17세기 불교조각과 조각승 淸憲」,『불교미술사학』3집, 불교미술사학회, 2005.

최선일,「조선후기 조각승의 활동과 불상연구」, 홍익대학교 대학원 박사학위논문, 2006.

노기춘,「진도 쌍계사 삼존불 복장 조사보고서」, 2015, 전라남도, 미간행.

성춘경·최인선,「진도 쌍계사 시왕전 목조지장보살좌상과 그 권속들」,『지방문화재 지정조사 보고
　　　　서(2)』, 전라남도, 1999.

대둔사지간행위원회,『大芚寺志』, 1997.

李政 편,『한국불교인명사전』, 불교시대사, 1993.

이희정,『조선후기 경상도지역 불교조각 연구』, 세종출판사, 2013.

전라남도,『全南의 寺刹Ⅰ』, 1989.

최선일, 『조선후기승장 인명사전-불교조각』, 양사재, 2007

한국문헌연구소, 『梵魚寺誌』, 1989

枕肱懸辯, 이영무 번역, 『침굉집』, 불교춘추사, 2001.

慶恩寺소장 康熙銘 石龕과 坦明比丘

張俊植*

目 次

Ⅰ. 머리말

2007년 6월 30일 필자는 충청북도 제천시 백운면 평동리 107-1번지 구학산에 위치한 경은사로부터 사찰에 소장된 목조불상의 조사를 의뢰 받았다. 경은사는 대한불교 조계종 25교구 봉선사의 말사로, 박달재 아래의 주론산에서 뻗어 내린 산줄기 사이의 동쪽사면에 비교적 높은 축대를 구축하여 만든 산지가람이다. 경내에는 대웅전을 비롯하여 문수전·삼성각 등 7채의 전각들과 고려후기 소작의 3층석탑이 위치하고 있다.

목조불상을 조사하던 중, 사찰에서 20여 년 전에 대웅전 뒤편의 배수로 공사 때 출토되어 오랫동안 주지실에 보관해 왔던 비석형의 석감과, 납 구슬, 백자대접 등을 실견하게 되었다.

주지실 외에, 사찰창고에도 백자대접과 병 편을 비롯하여 문양전과 기와들이 상당량 보관되어 있었다.

주지인 수경스님과 사찰 관계자에 의하면 전돌은 사찰입구에 위치한 탑봉 주변에서 수습하였으며 기와들은 주차장과 사찰안내판 주변에서 수습한 것이라고 한다. 그동안 사역에서는 많은 양의 자기들과 기와들이 수습되었는데 백자대접 등 완제품들은 사찰을 출입하던 대중들이 갖고 갔으며, 기와는 주차장 확장공사 때 땅속에 많이 묻혔다고 한다.

조사의 대상이었던 목조불상에서 복장기가 확인되어, 조상기와 불상의 존명 등이 밝혀지게 되었다. 그러나 무엇보다도 경은사 조사에서 가장 주목되었던 것은 배면과 측면에 명문이 음각

---

* 충청북도문화재연구원 원장

된 소형의 석조불감이었다.

이 불감은 석조라는 재료의 희소성도 있지만 조성연대와 조성주체를 기록한 명문이 있으며, 경은사의 중창주로 알려진 탄명비구가 명기되어 있어 사찰소장의 자료들 중에서 가장 중요한 유물로 인식되었다.

본고에서는 경은사 목조문수보살상의 조사보고와 더불어 강희오십년명석감과 공양주체인 탄명비구의 행장을 살펴 경은사와 탄명비구의 관련 사실들을 알아보고자 한다.

Ⅱ. 목조문수보살상

이 불상은 전고 30㎝의 작은 목조불상으로 조사 중에 복장기가 확인되어 불상의 존명이 문수보살로 밝혀졌고 조성시기가 숭정9년인 1636년대로 확인되어 2008년 7월 충청북도 유형문화재 제294호로 지정되었다. 이 보살상은 머리에 두건을 쓰고 있으며 상호는 원만상이며 미간에는 백호가 있고 상호의 각 부분이 정제되어 있다. 양귀는 길지 않으나 목에 삼도가 있어 근엄하면서도 자비스러운 인상이다.

두건은 머리 전체를 덮고 있는데 별다른 문양은 없으나 뒷면에서 2단의 큰 원호를 이루며 어깨를 덮고 배면의 중간까지 흘러내리고 있다. 검은 보발은 양쪽에서 어깨 위로 흘러내려 넓은 매듭을 지으며 두 가닥으로 갈라져 양쪽 팔에 흐르고 있다.

대의는 통견으로 길게 흘러 제전에서 원호를 그리고 있으며, 양쪽 팔에 걸쳐 수려하게 흘러 양 무릎을 덮고 있다. 제전에서 흘러내린 법의 자락은 양쪽 무릎 한가운데로 흘러 무릎 넓이만

사진 1. 목조문수보살상   사진 2. 목조문수보살상 측면   사진 3. 목조문수보살상 배면

큼 넓게 펼쳐졌는데 큼직한 주름이 주목된다. 가슴에는 대의를 묶은 띠 매듭이 보인다. 배면에는 좌우에 간결한 의문이 길게 표현되었다. 수인은 제전에서 양쪽 손을 합한 선정인을 취하고 있는데 손가락이 사실적으로 표현되었다(사진1~3).

복장에서 조상기와 朱記, 범문 다라니와 변상도, 오색실과 붉은색의 비단주머니 등이 확인되었다. 한지에 묵기한 복장기 1매에는 "大智文殊師利菩薩"이라 하여 이 보살의 존명이 문수보살임을 알리고 있다. 말미에는 "崇禎九年丙子十二月二十九日 化主 金春生伏願…"이라고 하였으므로 조선 인조14년(1636)12월 29일에 김춘생이 중심이 되어 조성하였음을 밝히고 있다. 복장기는 가로 71.5cm, 세로 24.5cm이며, 자경은 1.5~2.5cm이다. 문수보살상의 복장기 내용은 다음과 같다.

謹新造成 大智文殊師利菩薩 以此功德同成無上道故大檀那 及隨喜結緣同參善人之芳名
開列于后 造成修莊丹青兼大施主吳加應伊金 兩主盖瓦大施主池豊金兩主 盖瓦大施主金九音方兩主
供養大施主韓內ㄱ世兩主 修莊大施主許仁乞兩主 法堂修莊大施主春班子金伊石屎
法堂修莊大施主張德補兩主 施主愼鑑比丘 施主朴會日兩主 施主粉德單身 證明名現大德斗仁
持殿大師祖行 畫員大師勝一 坐臺畫員大師惠允 道祐 雲哲 應惠 熙藏 尙安 妙洽 靈識
崇禎九年丙子(1636)十二月二十九日化主金春生 伏願同志同成善人同成 無上道

朱記 1매도 함께 발견되었는데 크기는 37×33cm이고, 자경은 1~2cm이다. 주기는 마손이 심하여 판독이 어려우나, 말미에 "大韓光武十年丁未四月初八日"이라 하였으니, 1907년에 개금 불사한 것을 기

사진 4. 복장공

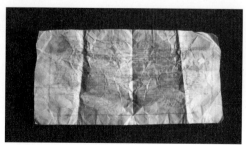

사진 5. 숭정구년명 조상기　　　　　　　사진 6. 주서 다라니

록한 것으로 짐작된다. 동일한 7매의 梵文多羅尼 와 변상도의 인출연대는 알 수 없다(사진4~6).

이 목조불상은 전고 30㎝의 소형불상이지만 원만한 상호와 균형 잡힌 동체와 수려한 의문들이 주목된다. 특히 훼손된 부분이 없고 문수보살이 머리에 두건을 쓴 희귀한 형태이다. 제작연대와 발원문이 확인된 이 불상은, 1600년대 전반기의 목조불상연구에 중요한 자료가 되고 있다. 이 불상의 조성자는 김춘생이며 그는 無上道를 성취하고 선인(성불)하기를 한마음으로 발원하였으며, 조성기에 보이는 勝一은 17세기 중엽에 주로 전라도와 경상도지역에서 활약해온 당대를 대표하는 수화승으로 1651년에 봉은사의 목조삼세불상을 조성하기도 하였다.

사진 7. 경은사출토 납 구슬

이 불상의 조사과정에서 경은사 주지인 수경스님이 1985년 대웅전 뒤편에서 석조불감과 백자대접, 금속제불기, 납 구슬을 수습하였음을 알게 되었다. 납 구슬은 모두 5개인데 직경 7㎝, 무게는 각 1.76kg~1.79kg 정도이며 동일한 형태의 같은 중량으로 주조되었다. 구슬의 외연 중앙에 1조의 횡선대를 돌기 시켜 상하로 구분하고 있다(사진7).

이와 유사한 형태의 납 구슬이 전국 각처의 사찰이나 사지의 발굴조사에서 확인되고 있다. 서산 문수사, 군위 인각사지, 구미 대둔사, 포천 선적사지, 당진 안국사지, 양주 회암사지 등이 대표적이다.

납 구슬의 용처에 관해서는 이견들이 있으나 건물 터를 만들 때 땅의 기운을 누르거나, 지신에게 바친 지진구라는 설이 유력하다. 삼국시대부터 조선시대까지 건물이나 탑을 세우기전에 액운을 막고 건물과 탑의 안전과 영속을 기원하는 지진구를 땅속에 매납하는 풍습이 있었고 일부 지역에서는 지금까지도 남아있는 점을 감안할 때 이 납 구슬은 지진구로 사용되었던 것으로 짐작된다.

석감과 납 구슬이 출토된 장소에는 현재의 대웅전이 자리하고 있어 출토지의 정확한 지점을 확인할 수는 없다. 그러나 이곳에는 일찍부터 인법당이 있었다고 하니 건물지가 있었음은 확실하다고 하겠다. 납 구슬과 함께 출토된 백자대접과 청동 합 등 금속제 유물들은 그 후 분실되었고 석조불감과 납 구슬은 주지실인 수월당으로 옮겨 소중하게 보관해 왔다고 한다.

Ⅲ. 강희오십년명 석조불감

이 불감은 옅은 붉은 색조의 납석재로 전체적인 외형은 긴 사각형이며 입면상 석비형태이다. 전고 20㎝, 하단 폭 12cm, 윗부분너비 9cm이고, 감실의 높이는 13.5cm, 감실 폭7cm, 감실 깊이는 6cm 이다.

전면 중앙에 감실을 만들고 하단부는 몸체보다 넓고 크게 조각하여 비좌와 같은 형태로 되어 있어 안정감 있게 세워진다. 석감의 좌측면에는 면의 가장자리를 따라 얕게 파낸 후 묵선으로 장방형의 액을 만들었고 내부에는 전각했던 흔적이 있으나 마멸이 심하여 명문을 확인할 수 없다. 감실의 하단부와 전면 좌·우측에 감실의 개폐시설을 했던 장치가 보이지 않으므로 이 석감은 처음부터 개방형으로 제작되었던 것으로 짐작된다. 감실내부는 비교적 거칠게 치석되었으며 발견 당시부터 감실은 비어있었다고 한다.

석감의 배면에 4행 22자의 명문이 음각되었는데 정연한 해서체로 자경은 2㎝ 정도이며 종으로 刻字하였다.

1) 康熙五十年辛
2) 卯六月 日 坦明
3) 比丘造成石室
4) 奉獻天王

4행의 하단부에 6.5㎝ 정도의 여백이 있으므로 문장은 여기서 끝난 것으로 봐야 한다.

이 명문에 의하면 조선 숙종37년인 1711년 6월에 탄명비구가 석감을 조성하여 천왕에 봉헌했다는 것인데 명문에 석실이라 한 것은 감형으로 파낸 부분 때문인 것으로 여겨진다.

석감의 우측면에는 좌측면과 같이 면의 모형을 따라서 선곽으로 긴 장방형의 액을 마련하고 위에서 5㎝ 아래 부분에서부터 종으로 각자 하였는데 배면과 동일한 해서체로 4행 27자를 각자하였는데 자경은 배면의 것보다 작은 1㎝ 내외이다.

1) 康熙五十年辛卯
2) 六月 日 坦明比丘造
3) 成石室獻于東
4) 方持國天王前

조성당시에는 감실전면의 좌·우와 양 측면 그리고 배면까지 전체 5면 모두에 각자 하였을 것으로 추정되나 현재는 배면과 우측면에서만 명문이 확인 된다. 위 명문은 전혀 마손되지 않아 자획들이 분명한데 비하여 나머지 면은 마멸이 심하다. 석감의 재질이 연질이라서 마멸이 있었다 하더라도 혹여 인위적인 훼손이 아닌가 하는 의구심을 갖게 한다.

배면과 측면의 명문은 연호명과 간기, 탄명비구 조성 석실까지 문장의 내용이 완전히 동일하나 우측면에는 5자가 더 증자 되었다.

우측 명문에서는 조성연대와 조성주체, 석실이라는 표현은 배면과 일치하는데 말미에 "동방지국천왕전" 이라고 하여 봉헌대상을 구체적으로 특정하고 있다.

　배면에 보이는 "천왕"이나 측면의 동방지국천왕은 사천왕을 의미하기 때문에 이 석감은 탄명 비구가 강희50년 6월(1711, 숙종37)에 조성하여 사천왕상에 봉납하였음을 적시하고 있으나 감실 안의 봉안물이 무엇이었는지, 언제 멸실되었는지는 알 수 없다.

　이 석감은 자료의 희소성뿐만 아니라 조성연대와 발원자 등 명문이 있어 충청북도 유형문화

사진 8. 석감 전면

사진 9. 석감 배면

사진 10. 석감 우측면

사진 11. 석감 좌측면

사진 12. 석감 전면 하단부

사진 13. 석감 밑면

재 제295호로 지정받았다(사진8~13).

경은사의 석감은 납석제와 화강암이라는 재료상의 차이가 있을 뿐, 부여 능산리에서 출토된 국보 제288호 백제 창왕명석조사리감과 양식적으로 매우 유사한 형태를 갖고 있어 주목된다(사진14).[1] 경은사 소장의 석감이 광의의 불사리기로 제작된 것이라고 한다면, 이는 백제시대부터 조선시대까지 이어지는 석제사리기와 금석문 연구에 매우 중요한 자료가 된다고 하겠다.

다음은 석감의 조성 주체인 탄명비구의 행장을 살펴보고자 한다.

사진 14. 창왕명석조사리감

Ⅳ. 탄명비구

지금까지 탄명비구의 생몰과 행적이 조사되거나 연구된 일은 전무하다. 탄명비구의 행장은 『朝鮮寺刹史料』[2]에서 찾을 수 있는데, 그는 숙종20년(1704)에 경기도 죽산 칠장사에서 주지인 석규대사를 중심으로 폐허가 되었던 칠장사 터에 법당을 세우고, 도괴되어 있던 철당간을 보수하는 등 칠장사의 중창불사에 동량이 되었던 인물이다. 이보다 앞서 탄명비구는 1703년에 칠장

---

1) 창왕명 석조사리감은 감실 전면의 좌·우 면에 명문을 각자 하였다. 경은사 석감과는 명문이 새겨진 면과 화강암재와 납석재라는 재료상의 차이가 있을 뿐 전체적인 외형은 유사하다고 하겠다.
2) 朝鮮總督府, 『增補校訂 朝鮮寺刹史料』, 보연각, 1980.

사 주변에 방치되어있던 나한상들을 모아서 당우를 건축하여 봉안하였으며, 명적암 아래쪽에 53불명호비를 세우는 등 칠장사의 중창에 진력하는 모습을 보이고 있다.[3]

현재 칠장사에는 경기도 유형문화재 제239호인 영산회상도의 대형괘불이 소장되어있다.(사진15) 이 괘불은 원래 대웅전 내의 우측에 거대한 목조 괘불함에 보관되어 있었는데 이 목궤의 측면에 부착된 금속제 고리 옆에

"康熙四十九年庚寅五月 日 坦明比丘爲母獨辦造成靈山掛佛及入盛留干七寶山七長寺"

라는 묵기가 횡서되어 있다.

이 묵기에 의하면 강희49년(숙종36, 1710)에 탄명비구가 어머니의 쾌유를 기원하고자 조성하고 그 발원문을 괘불함의 외주에 묵서하였던 것이다.

사진 15. 안성 칠장사 영산회상도

필자는 본고의 작성과정에서 괘불함의 묵기를 촬영하기 위해 2016년 2월 17일 칠장사를 다시 찾았다. 오래전부터 대웅전내의 우측에 보관되어 왔던 묵서명 괘불함은 사라지고, 불단 뒤편에 장대한 받침대위에 향나무로 신조된 괘불함이 올려져 있었다. 괘불함이 교체된 연유를 확인한 바, 사찰관계자와 안성시 문화관광해설사로 칠장사에서 활동하는 임충빈 씨의 전언에 의하면, 7년 전에 괘불함을 새로 제작하면서 원래의 괘불함은 극락전으로 옮겨 대들보 위에 올려놓았다고 하여 확인한 결과 원래의 괘불함은 극락전 대들보위에 존치되어 있다. 묵서명괘불함은 괘불보관의 기능을 잃었으나 다행히 멸실되지는 않고 극락전에 이치된 것만으로 위안 할 수밖에 없었다. 그러나 괘불의 보존상에 큰 문제가 없음에도 불구하고 연기문이 묵서된 원래의 괘불함을 교체한 것은 이에 대한 중요성을 간과했기 때문일

---

3) 경기도, 『畿內寺院誌』, 1988.
　경기도박물관, 『경기도불적자료집』, 경기도박물관, 1999.
　사찰문화연구원, 『경기도』, 전통사찰연구총서3, 1993.
　김인한, 「칠장사지표조사약보고」, 『박물관지』 3호, 충청대학박물관, 1994.

것이다. 칠장사의 대웅전 계단의 좌우에 괘불대가 있는데 우측 괘불대지주의 전면에

"竹山七長寺靈山會掛佛撑基石急 撑竹造成記"

라고 하여 괘불대 조성기가 음각되어 있다. 이 명문에 의하면 괘불대를 당시에는 "괘불탱기석"이라고 하였고, 세우는 받침석을 "탱죽"이라고 불렀음을 알 수 있다. 바로 옆줄에는 "雍正三年乙巳二月 日立" 이라고 기록하여 영조 원년인 1725년에 세웠음을 알 수 있다. 특히 "죽산칠장사 영산회괘불탱기석"이라고 하여 괘불대의 건립 목적을 특정하고 있을 뿐만 아니라 탄명비구의 발원으로 조성된 괘불과 건립시기의 편차가 크지 않은 것으로 볼 때, 이 괘불대는 탄명비구가 공양주로서 조성한 영산회상도의 괘불재에 사용할 목적으로 건립되었다고 하겠다.

칠장사의 괘불이 조성되고 보관함에 발원문이 작성된 바로 다음해인 강희50년인 1711년에 현재 경은사 소장의 석조불감이 조성되는데, 괘불과 석감의 조성시기가 강희49년과 강희50년으로 거의 같은 시기의 일이며, 발원자가 한 획도 다르지 않은 "탄명비구"로 시문되고 있는 점으로 보아 칠장사의 괘불과 경은사의 석감을 조성한 탄명비구를 동일인으로 추정하는데 무리가 없다고 생각된다.

다만 이 석감이 칠장사에서 탄명비구에 의하여 조성된 후, 어느 시점에서 경은사로 옮겨진 것인지, 아니면 탄명비구가 경은사로 이적한 후 경은사에서 제작한 것인지는 알 수 없다.

전라남도 해남군 삼산면에 위치한 대흥사는 대한불교조계종 제22교구 본사로 대둔사 또는 만일암 이라고도 한다.[4] 사적 제508호인 이 사찰은 서산대사의 승탑이 위치하고 있으며 임란 이후 많은 강사와 종사가 배출된 종찰 로서 지금도 다양한 건각들이 남원과 북원으로 구분하여 배치하여 양원으로 구성된 대가람이다. 대흥사에는 건륭29년(영조40, 1764)에 제작된 마본채색의 대형괘불이 소장되어 있는데, 전면의 화기에서 다음의 내용이 확인된다.

乾隆二十九年甲申三月 日 海南縣大芚寺
靈山掛佛撑敬成奉安于本寺

이 괘불은 해남면의 대둔사(현 대흥사)에서 조성된 것으로 960×754cm의 규모인데 화기에는 발원자와 증명·지주·금어·화주·공양주 같은 연화질을 밝히고 있다. 그러나 무엇보다도 중요한 것은 배면에, 사찰건축과 관련되어 여러 전각의 당호와 시주질 등을 상세하게 기록되어 있어 주목되는 괘불이다. 이 묵기에 의하면 대둔사는 영조 40년을 전후하여 가선대부 원각이 동량이 되어 영산전을 비롯하여 지장전·약사전·미타전·한산전·정진당·적조당 등 많은

---

4) 『大芚寺誌』, 『만일암고기』, 『죽미기』등 사적문이 전하며 『신증동국여지승람』에서도 대둔사의 사력이 보인다.

불당들이 신축되고, 명적암을 비롯하여 여러 암자들이 차례로 건설되면서 사세가 크게 융성했던 사찰 이였음을 알 수 있다. 건축불사와 더불어 여러 불당에는 영산탱·무량수탱·삼장탱·제석탱 등 불화들이 함께 조성되었음을 기록하였다. 괘불 배면에 불사에 관련한 많은 시주질의 명단이 묵서되었는데, 명적암의 시주질에 탄명비구가 등장하고 있으며, 한산전의 시주질에 또 한 번 탄명비구가 묵기되어 있다.

뿐만 아니라 1744년(영조20)에 세워진 대둔사의 사적비에도 탄명비구가 보인다. 원래의 대둔사 사적비는 1728년(영조4)에 사헌부 지평을 지낸 희암 채창윤이 찬하여 세웠는데, 17년 후 비문이 마멸될 지경에 이르자 조카인 채응만이 발문하고 채미가 처음에 베껴놓은 본을 주어 모각하고 추록하였는데 모각에 참여한 再字九十五名중에 각공질로 탄명비구가 참여하고 있다. 탄명비구는 대둔사의 사적문과 괘불의 에서 그의 이름이 3차례나 명기되어 있다. 이 자료들을 통해 볼 때 탄명비구는 사적비가 재건된 1744년 이전부터 대둔사의 여러 불사에 참여하였음을 알게 된다.

해남 대둔사의 사적비와 괘불에 명기된 탄명비구가 죽산 칠장사에서 괘불을 조성했던 탄명비구와 동일인이라고 단언할 수는 없겠으나, 양 사찰의 자료들을 볼 때 탄명비구는 동일인으로 추정되며 그의 행장을 기록한 것으로 이해된다.

탄명비구에 관한 기록이 1703년 칠장사에서 부터 나타나는데 대둔사 괘불조성이 완료된 시점이 1764년이므로, 한 사람의 일생 중에서 활동기가 무려 60년 이상이 되는 긴 시간이 되므로 동일인으로 단정하기에도 무리가 있다고 하겠다. 그렇지만 칠장사와 대둔사의 괘불 조성에 탄명비구가 발원자와 시주질로 명기되고, 괘불 조성이라는 한 분야에서의 활동이 두드러진 점과, 한 시대에 법명을 "탄명"으로 사용한 동명이인의 비구가 존재하지 않았을 것으로 추정되기 때문에 탄명은 당대의 저명한 화승으로서 전국적으로 활동하면서 양 사찰의 불사에 참여했을 가능성이 높다고 하겠다.

현재 칠장사의 천왕문에는 경기도 유형문화재 제115호인 소조사천왕상이 있다. 이곳 천왕문에 위치한 사천왕상에 강희명석감이 봉헌되었을 개연성이 크다고 하겠다. 그것은 석감의 조성 주체인 탄명비구가 숙종연간에 칠장사에 주석했을 뿐만 아니라 석감에 동방지국천왕에 봉헌했음을 분명하게 명기하고 있기 때문이다. 탄명의 행적과 유물의 편년이 같은 시기일 뿐만 아니라 이들의 성격이 상호간에 깊게 연계되고 있기 때문이다.

지금까지는 칠장사 천왕문은 영조 2년인 1726년에 건립되고 이 때 소조사천왕상이 조성되었다는 것이 일반적인 견해였다. 대부분의 칠장사 관련 사료들에서 자주 인용되고 있다. 그런데 2015년 3월 3일부터 동년 8월 27일까지 안성시에서 발주한 천왕문 해체보수 및 사천왕상 보존 처리공사과정에서 동방지국천왕과 남방증장천왕의 좌대에서 묵기가 확인되었다. 뿐만 아니라 천장의 도리와 장여에 적외선 촬영결과 천왕문건립과 관련된 많은 양의 묵기가 확인되었다. 이 자료들은 학술적인 가치가 매우 높다고 하겠는데[5] 시주질 명단을 포함하여 상당히 많은 묵기가 조사되었는데 여기에서는 천왕문의 건립시기와 천왕상조성에 관한 내용만 발췌하여 살펴보기로 한다.

① 淸康熙二十一年壬戌 ○月始於初二十二年 癸亥二月初
  一日起始四月十一日立柱
  五月十三日上 樑於 燔瓦則四月 十一日付役五月晦日成
  造燔瓦兩緣化皆於 回向
  全次 丹靑四天造成....

② 四天王形象賢歲年久○ 交術寺有道 埋行移建

③ 康熙五十一年 壬辰四月會 五日 ○ 略記始末錄

①은 강희21년 임술년에 나무를 베기 시작하여, 다음해인 강희22년 계해년 2월 1일 기공하여 4월11일에 기둥을 세우고 5월13일 상량을 올렸으며 5월 그믐날 번와 및 양연을 마쳤다. 다음으로 사천왕에 단청하였다.

이 내용은 1682~3년 사이에 신축된 원래의 천왕문 건립과정을 기록한 것이며, 특히 "회향"은 천왕상조성 직후에 베풀어진 회향의식으로 생각된다. 그러나 이 묵기만으로는 당시에 조성된 천왕상의 규모와 소재는 알 수 없다.

②의 내용은 사천왕의 형상이 오래되어 이전하였다는 것인데 말미에 "매행이건" 이라고 하였는데 문장 그대로 해석하면 천왕문을 이건하였다기보다는 사천왕상이 오래되어 매몰 한 후에 새로 조성하였다고 해석 될 요지가 있다고 보겠다. "교술사유도"는 교술사라는 사찰에서 사천왕상복원에 뜻이 있어서… 로 해석될 수 있다.

③의 내용은 강희51년(1712) 4월5일에 천왕문을 재건축하고 불사에 참여했던 여러 사람들의 명단을 기록하여 후대에 남기고자 하였다.

이번에 안성시가 발주하여 시행된 천왕문해체공사에서 많은 자료와 귀한 정보를 얻게 되었

---

5) 안성시청·디지털헤리티지,『칠장사천왕문해체보수 및 소조사천왕상보존처리공사 수리보고서』, 2015.

다. 과학적 정밀조사를 통하여 지금의 천왕문과 소조사천왕상 조성의 절대연대가 1712년으로 담보되었기 때문이다. 기존에 알려진 1726년(영조2) 천왕문과 소조사천왕상의 조성 설은 수정되어야 할 것으로 생각된다.

한편 경은사에는 오래전부터 창사연기에 관하여 다음과 같이 구전되고 있다.

"조선중기 탄명비구께서 창건하시어 도덕암 혹은 백운암으로 불리었다가 1940년대에 인법당으로 다시 재건하여 경은사라 하였다......"

라고 하여 이 사찰의 중창주가 탄명비구 임을 분명히 하고 있다.

2007년 필자가 경은사를 조사하기 전까지 목조문수보살상과 석감은 사찰의 비불로 전해져 일반에게 공개되지 않았을 뿐만 아니라, 사찰에서도 석감과 명문에 대하여 중요성을 인지하거나, 관심을 갖지 않았음에도 불구하고 사찰의 창건에 관하여 탄명비구가 명기되고 있다. 칠장사의 기록과, 석감의 금석문에 근거해서 경은사에 구전되는 내용으로 볼 때 탄명비구는 1700년대 초에 양 사찰의 중창동량이 되었다고 짐작된다.

경은사에서 지리적으로 인접한 충주시 동량면 하천리에는 남한강지류인 제천천이 흐르고 있

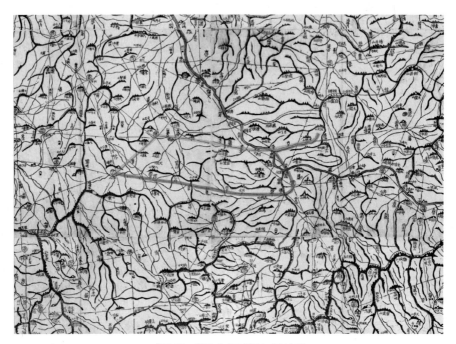

사진 16. 대동여지도(충주-죽산간)

다. 이 강변에는 고려 태조의 왕사인 법경대사를 비롯하여 홍법국사 등 고려시대의 고승대덕
들이 주석했던 개천사지(정토사지)가 있다.[6] 지금은 충주댐 건설로 수몰되었으나 개천사에 보
관해 왔던 고려실록이 1383년인 우왕9년에 왜구의 침략에 대비하여 죽주의 칠장사로 이관하
였고,[7] 1390년 공양왕 2년에 왜구가 양광도에 침입하여 음성, 안성, 죽주, 괴주에 이르자 칠장
사에 보관했던 고려실록을 7년 만에 다시 개천사로 이전하여 보관하고 있음을 볼 때[8] 충주-가
흥-안성-장호원-음죽-죽산으로 이어지는 고대 교통로가 활발하게 경영되었으며 이 교통로
를 이용하여 고려실록이 이송되었거나, 후대에 탄명비구와 같은 고승들이 경기와 충청지역으
로 왕래했을 개연성이 있다고 하겠다(사진16). 특히 1712년에 중수한 칠장사 천왕문 공사에 목
재 72목을 충주에서 가져와 사용했다는 묵기로 볼 때,[9] 충주와 죽주간의 교통과 물류이동이 활
발했음을 짐작할 수 있다. 또한 이 교통로에는 고대에 院을 경영했던 많은 사찰들이 있어 행려
객들의 숙식제공은 물론이고 물류이동의 거점이 되었을 것이다.[10]

사진 17. 경은사 탑봉에서 수습한 전편

6) 충북대박물관, 『충주댐 수몰지구 문화유적발굴조사약보고』, 1983.
　사지에는 보물 제17호인 법경대사자등탑이 현존한다.
7) 『高麗史』권15, 열전48, 우왕 9년조.
　"以倭寇蘭入內地移 忠州開天寺所藏史籍于竹州七長寺"
　『新增東國輿地勝覽』권8, 죽산 불우 칠장사.
8) 『高麗史』, 권45, 공양왕 2년 12월조.
9) 앞의 책 (안성시청, 2015)수리보고서 묵기에 …木七十二介殷忠州○ 先陵持來…
10) 충주 개천사(정토사)에서 죽산에 이르는 고대교통로는 대략 3개로가 있는데, 개천사앞에서 서쪽으로 흐르는
　제천천을 따라가면 김생사지(충북 기념물 제114호)가 위치한 북진에 닿는다. 목계나루에서 도강하여 가흥창을
　지나면 봉황리 마애불상군(보물 제1401호)이 위치한 햇골산 아래의 봉황천을 만난다. 천변에 위치한 내동사지
　에서는 대형옥개석과 사면불이 양출된 석탑재가 수습되어 현재 충주시립박물관에 복원되었다. 또한 인근의
　원동사지에서는 6엽연화문 와당을 비롯하여 "봉황"명의 와편이 수습된 바 있다. 햇골산에서 안성의 복성동을
　지나면 오갑사지(충북유형문화재 제144호 오갑사지 석불좌상)에 닿게 된다. 오갑사지에는 "명창3년" "오갑사"
　의 명문기와가 출토된다. 오갑사지에서 음죽을 경유하여 죽산에 이르게 되는데 이 길이 가장 완만하면서도 단
　거리인 동시에, 도강의 횟수가 적고, 院이 있었던 사찰들을 경유하게 되므로 이 교통로를 이용했을 가능성이
　가장 높다고 하겠다(장준식, 『신라중원경연구』, 학연문화사, 1998).

사진 18. 전돌과 측면 문양

사진 19. 경은사에서 근래에 탑봉에 건립한 3층 석탑

사진 20. 경은사 경내의 삼층석탑

사진 21. 1950년대의 경은사 전경

사진 22. 현재의 경은사

V. 맺음말

본고는 경은사 소장의 강희오십년명석감을 소개하고 이와 관련하여 경은사의 연혁을 살피고 자 하였는데 석감의 조성주체인 탄명비구를 분리하여 설명 할 수 없어 논고의 주안점이 탄명비 구의 행장중심으로 옮겨가는 경향을 보였다.

이 과정에서 18세기 전반기에 칠장사와 대둔사에서 활동했던 탄명비구의 행적을 확인할 수 있었다.

경은사소장의 강희명석감은 비록 불탑에 봉안된 사리장엄구는 아니더라도 창왕명석조사리 기와 기본적으로 형태가 유사할 뿐만 아니라, 조성연대와 봉헌대상, 공양자가 분명한 석조사리 기라는 면에서 학술적인 가치가 높다고 하겠다. 이 석감이 조선 숙종연간에 제작되었지만 그 연원을 백제의 창왕명석조사리기에서 찾을 수 있기 때문이다. 지금까지 아치형의 석조사리기 는 창왕명석조사리기가 유일하다고 알려져 왔는데, 강희명석감이라는 새로운 석조사리기의 등 장과 금석문은 향후 연구자들에게 중요한 자료가 될 것으로 생각된다.

칠장사의 영상회상도는 괘불함의 묵기를 통해서 탄명이 조성하였음을 알 수 있었다. 또한 석 감의 "탄명비구조성" 명문은 칠장사괘불의 발원문과 한 획도 다르지 않을 뿐만 아니라, 1년 시 차로 조성되었으므로 칠장사의 괘불과 강희명 석감의 공양자는 동일인 탄명이 확실하다고 하 겠다.

한편 석감의 조성연대와 같은 시기에 탄명비구가 칠장사에 주석하였고, 동방지국천왕에 봉 헌했다는 명문으로 볼 때 이 석감은, 1712년에 중건된 칠장사의 소조동방지국천왕상에 봉납되 었을 가능성이 매우 높다고 하겠다. 그것은 강희 49년 칠장사 괘불조성, 강희 '50년 석감조성에 이어서 강희 51년에 현 칠장사천왕문 중건이라는 불사들이 일련되게 진행되었기 때문이기도 하다.

그러나 문제는 이 석감이 1980년대에 경은사의 구 대웅전지에서 출토되었다는 점이다. 석감과 공반하여 출토된 납 구슬과, 18세기 백자대접 등 여러 정황상 경은사 출토가 확실하기 때문이다. 앞에서 언급한대로 석감이 칠장사소조사천왕에 봉납된 것 이라고 한다면 그 후 어느 때인가 경은사로 옮겨진 것으로 보아야 할 것이다. 물론 소형석감이기 때문에 이동이 가능하다고 하겠다. 그러나 석감의 명문으로 볼 때 천왕상의 복장물로 조성되었음이 분명한데 현재 경은사 사역에는 천왕문과 천왕상을 조성했던 내용과 흔적을 찾을 수 없다는 문제점에 봉착된다(사진 (17~22).

한편, 해남의 대둔사 사적비와 괘불의 묵기에서 탄명비구의 행장을 확인하였다. 탄명이 칠장사에서 활동한 때의 연령을 20대로 가정한다 하더라도, 이를 역산하면 탄명의 속령은 80세를 넘게 된다. 이 연령대에서 사적비에 보이는 각공질의 활동이 가능했겠는가 하는 의구심에서 탄명을 동명이인의 가능성도 염두에 두었다. 그러나 대둔사사적비는 원래에 있었던 비가 마손되자 비편들을 모으고 새로 찬하여 재자하였기 때문에(再字九十五名 云云),[11] 앞선 시기에 있었던 탄명의 행장을 1744년 사적비 재건당시에 추록하여 각자하였다고 이해하였다.

필자가 우문하여 탄명비구는 계보와 활동에 대해 더 이상의 진전을 보지 못하였으나 앞에서 살핀 대로 탄명은 1710년대 초에는 칠장사의 중창에 진력하고 1740년대 이후에는 대둔사 불사의 동량이 되었다고 하겠다.

이번에 소개된 강희오십년명석감이 새로운 연구자료로 활용되기를 기대하며 글을 맺기로 한다.

---

11) 두륜산 대둔사 사적비.

【참고문헌】

『高麗史』
『新增東國輿地勝覽』

김인한, 「칠장사지표조사약보고」, 『충청대학박물관지』 3호, 충청대학박물관, 1994.
안성시청·디지털헤리티지, 『칠장사 천왕문해체보수 및 소조사천왕상 보존처리공사 수리보고서』,
          2015.
충북대박물관, 『충주댐 수몰지구 문화유적발굴조사약보고』, 1983.

경기도, 『畿內寺院誌』, 1988.
경기도박물관, 『경기도불적자료집』, 경기도박물관, 1999.
사찰문화연구원, 『경기도』, 전통사찰연구총서3, 1993.
장준식, 『신라중원경연구』, 학연문화사, 1998.
朝鮮總督府, 『增補校訂 朝鮮寺刹史料』, 보연각, 1980.

景福宮 石造 造形物의 時代史的 背景

丁晟權*

目 次

Ⅰ. 머리말

경복궁은 태조가 창건한 정궁으로서의 권위가 있고, 한양의 도시구조가 경복궁을 축으로 종묘와 사직을 좌우로 배치했을 뿐 아니라, 규모도 가장 커서 대외적으로 왕조의 권위를 과시하는 데는 좋은 점이 있었다.[1] 이러한 경복궁은 임진왜란 당시 왜군에 의해 불타버린 후 폐허 상태로 고종대까지 방치되어 있었다. 경복궁 중건은 고종이 왕위에 오른 직후 고종 2년(1865) 대왕대비인 신정왕후의 명으로 영건도감이 조직되면서 본격적으로 시작되었다. 경복궁 중건의 총 책임자는 흥선대원군이었으며 그의 지휘아래 경복궁은 재정적인 어려움에도 불구하고 빠르게 중건되었다.

경복궁을 중건하면서 많은 수의 석조 조형물들이 새롭게 조성되었다. 본 논문은 경복궁 근정전 주변에 조성된 석조조형물의 상징적 의미와 시대사적 배경에 대해 논하였다. 경복궁에는 많은 수의 석조 조형물들이 있다. 이 중 석조 서수상들은 다양한 상징적 의미를 내포하고 있어 시대사적 배경을 논의하기에 가장 적합한 대상이다.

2장에서는 석조 서수상을 중심으로 논지를 전개하기 위해 먼저 경복궁의 중건 과정과 석조 서수상의 조성시기를 살펴보았다. 3장에서는 근정전 주변의 석조 서수상들과 광화문 해치상의 상징성을 고찰하였다. 이와 더불어 석조 서수상들이 건립된 시대사적 배경을 살펴보았다. 해치

---

* 중앙승가대학교 강사
1) 한영우,『昌德宮과 昌慶宮』, 2003, pp.75~76.

상을 비롯한 석조 서수상들은 조각상 자체가 상징적 의미를 갖고 있다. 본문에서는 각각의 석조 조형물들이 갖고 있는 상징성을 적극적으로 해석하였다. 이와 더불어 경복궁 중건 과정과 재정문제를 고찰하였다. 이를 통해 경복궁 석조 조형물이 조성된 시대사적 배경을 새롭게 이해하고자 시도하였다.

Ⅱ. 경복궁 중건과정과 석조 조형물 조성시기

1. 중건과정

경복궁 중건에 대한 노력은 임진왜란이 끝난 직후 선조 때부터 있어 왔다. 선조39년(1606)에는 궁궐영건도감이 임진왜란이후 폐허가 된 경복궁을 점차로 영건해야 할 것임을 선조에게 아뢰기도 하였다.[2] 그러나 임진왜란 이후 막대한 피해를 입은 조선은 계획대로 경복궁을 중건할 수 없었다. 이후 현종, 숙종, 영조, 익종, 헌종 시기에도 경복궁 중건이 논의되기도 하였으나 실제적인 경복궁 중건은 고종대에 들어와서야 시도되었다.

경복궁 중건은 고종 2년(1865) 대왕대비인 신정왕후가 경복궁을 중건할 것을 전교함으로써 시작되었다. 대왕대비는 고종 2년(1865) 4월 3일 조정에서는 대왕대비와 여러 대신이 모여 경복궁 중건에 대한 논의를 하였다. 이 자리에서 영건도감의 설치와 당상관 및 낭청을 차출할 것을 명하였다.[3] 이 날, 대왕대비 신정왕후와 조정의 대신들이 논의한 내용 중 주목되는 것은 경복궁 중건에 대한 모든 권한을 흥선 대원군에게 위임한다는 대왕대비의 명이다. 경복궁 중건에 대한 권한을 대원군에게 모두 일임한다는 신정왕후의 명이 내려진 같은 날 영건도감의 관리가 임명되었다.[4]

경복궁 중건 사업은 영건도감이 조직되며 빠르게 진행되었다. 중건공사는 재정적 압박을 겪으면서도 계속되어 2년 7개월 만인 고종 4년(1867) 11월에 거의 완공되었다. 창덕궁에서 경복궁으로 270여년만의 移御가 이루어진 것은 그로부터 8개월 후인 고종 5년(1868) 7월 2일이었다. 중건 공사는 궁성 → 내전 → 외전 → 경회루 → 별전 → 행각 순으로 진행되었다.[5]

경복궁 석조 조형물 중 광화문 해치와 근정전과 경회루의 서수조각은 영건도감이 조직되고

2) 『宣祖實錄』 卷205, 宣祖 39年 11月 7日(壬申).
3) 『高宗實錄』 卷2, 高宗 2年 4月 3日(丁卯).
4) 『承政院日記』, 高宗 2年 4月 3日.
5) 이강근, 『경복궁』, 1998, 대원사, pp.45~46.

본격적인 경복궁 중건이 시작된 1865년 4월부터 왕실이 창덕궁에서 경복궁으로 옮기는 시기인 1868년 7월까지는 거의 전부 조성되어 있었을 것이다.

2. 석조 조형물의 조성시기

경복궁 석조 조형물 중 상징성을 파악할 수 있는 석조 서수상은 궁궐 밖에 위치한 광화문 앞 해치상을 제외하면 대부분이 경복궁 근정전과 경회루 주변에 위치해 있다. 이밖에 영제교 주변과 집옥재에도 일부 분포하고 있다. 경복궁에서 확인된 서수상은 모두 102점이며 이 중 근정전이 56점, 경회루가 20점으로 가장 많은 분포율을 보여주고 있다. 영제교 주변에는 8점, 집옥재와 광화문에는 7점이 있으며 근정문에는 3점, 아미산과 자경전에도 각각 1점씩의 서수 조각상이 있다.

서수 조각상 중 임진왜란 이전에 조성된 조각상은 영제교 주변 '천록'이라 통칭되고 있는 4구의 조각상과 근정전 월대 계단의 서수, 월대 모퉁이에 가족처럼 조각된 서수상을 들 수 있다. 영제교 주변의 서수상은 조선 영조 때의 선비 유득공이 쓴 「春城遊記」를 통해 임란이전 조성된 것임을 알 수 있다.[6] 이 기록에서 언급하고 있는 서수상은 현제 영제교 주변의 축대 위에서 영제교 교각을 바라보고 있는 '천록'이라 통칭되는 서수상이다. 양식적인 측면에 있어서도 안면 윤곽이 고종대 중건된 서수상에 비해 크게 돌출되지 않았으며 코의 크기가 작고 뿔과 눈썹의 형태가 다른 모습을 하고 있다.

서수상 중 임진왜란 이전에 조성된 것으로 추정할 수 있는 또 다른 것은 상 하월대 모퉁이에 조성된 쌍사자상과 월대 계단의 서수상을 들 수 있다. 이는 영조 때 경복궁 근정전 터에서 연회를 베푼 행사를 그린 '英廟朝舊闕進爵圖'를 통해 알 수 있다. 영조는 영조 43년(1746) 12월 16일

그림 1. 영제교 주변 서수상1   그림 2. 영제교 주변 서수상2

---

6) 柳得恭, 「春城遊記」, 『泠齋集』卷之十五,
　"又翌日入景福古宮 宮之南門內有橋 橋東有石天祿二"

그림 3. 영묘조구궐진작도

에 경복궁 근정전 터에서 왕세손과 대신들에게 연회를 베풀고 문무관 重試를 치뤘다. 이 행사
는 태종이 1407년 덕수궁에서 행했던 행사를 기념하여 6周甲이 지난 같은 날을 택해 거행한 것
이다. '영묘조구궐진작도'는 임진왜란 때 불탄 경복궁 근정전 터의 석대에 차일을 치고 왕과 대
신들이 자리를 함께 한 모습을 화면 가득 그렸다.[7]

　'영묘조구궐진작도'를 살펴보면 상 · 하월대 모퉁이에 자리 잡은 사자상과 하월대 정면 계단
에 2구의 서수상이 보인다. 이 그림은 임진왜란 이후 폐허 상태로 방치되어 있었던 근정전 일대
의 현황을 보여주는 그림이다. 그림 속에는 난간과 동자석 등이 설치되어 있지 않다. 이 그림을
통해 알 수 있듯이 임진왜란 이전 근정전 주변에는 난간 석주와 석조 서수상이 없었다. 근정전
이나 경회루 주변에서 볼 수 있는 것과 같이 난간 동자석이 설치되고 그 위에 석조 서수상이 조
각되는 것은 대원군에 의해 경복궁이 중건되면서 부터이다.

　그 근거로는 '영묘조구궐진작도' 이외에 경회루 난간 석주의 문양을 통해서도 알 수 있다. 경
회루 난간 석주는 1846년 조성된 文祖 綏陵에서 처음 나타나는 양식이다. 이러한 점 등을 생각
한다면 근정전의 난간석주와, 엄지기둥 위에 조각된 각종 서수상은 대부분 고종대 새롭게 중건

7) 국립문화재연구소, 『조선왕조행사기록화』, 2011, p.43.

그림 4. 경복궁 근정전 석사자

그림 5. 창덕궁 석사자

되면서 만들어진 것으로 볼 수 있다. 이 서수상들은 돌출된 입, 커진 코, 변화된 눈썹과 뿔의 모양 등에서 임진왜란 이전에 조성된 '천록'과도 양식적으로 많은 차이를 보이고 있어 난간석주와 함께 고종된 중건된 것임을 알 수 있게 해준다.

근정전 상·하월대 사자상의 경우 현재 월대에 조각되어 있는 사자상과 '영묘조구궐진작도' 월대 모퉁이에 그려진 사자상의 자세가 일치하지는 않는다. 그러나 하월대 사자상의 경우 한 모퉁이에 두 마리가 그려진 점으로 보아 현재의 월대 모퉁이 자리에 창건 당시부터 석사자상이 조성되었을 가능성이 있다. 하지만 현재 남아 있는 월대 모퉁이의 석사자상이 임진왜란 이전에 조성된 석사자 상일 가능성은 단정 지을 수 없다. 그 이유는 창덕궁 후원에 최근까지 방치되어 있었던 새끼와 함께 있는 두 마리의 사자상이 경복궁 월대 모퉁이의 사자상과 유사한 형태이기 때문이다. 창덕궁에 방치되어 있는 석사자상의 경우 창덕궁의 다른 건물에서 이와 유사한 석사자가 사용되고 있지 않고 있다. 이러한 점을 고려한다면 아마도 이 사자상은 임진왜란 이전에 만들어져 경복궁 근정전 월대 모퉁이를 장식하였던 사자상일 가능성도 있다고 생각한다. 이와 같은 상황을 고려한다면 서수상을 중심으로 한 경복궁 석조 조형물은 대부분이 고종대 경복궁이 중건되면서 새롭게 만들어 진 것이라 할 수 있다.

Ⅲ. 석조 조형물의 상징성과 시대사적 배경

1. 석조 조형물의 상징성과 경복궁 중건 의미

'영묘조구궐진작도'를 통해 알 수 있듯이 조선 전기 경복궁 근정전에는 계단의 서수상과 함께 월대 양 모퉁이에 사자상 정도만이 조성되어 있었다. 조선 건국 후 조성된 궁궐 건물에는 석조 서수상이 한정적으로 만들어졌을 뿐이다. 이는 조선의 5대 궁궐인 경복궁(임진왜란 전), 창덕궁, 창경궁, 경희궁, 경운궁의 상황을 보면 알 수 있다.

임진왜란 이전에 조성된 경복궁과 현존하는 서울의 나머지 궁궐에는 중심건물의 가장자리에 난간석주를 세우고 엄지기둥 위에 상징성이 높은 서수상을 만들어 놓은 예는 없다. 현재 경복궁 근정전 같이 월대 주변에 난간을 만들고 기둥마다 서수상을 조각해 놓은 예는 경복궁에서만 확인된다. 경복궁 근정전 월대 부근의 서수상은 크게 세 부류로 분류가 가능하다.

경복궁 근정전에서 주목되는 서수상은 사신상, 십이지상과 더불어 사자상이 있다. 사자상은 난간석주 모퉁이와 월대 모퉁이에 자리 잡고 있다. 계단에는 서수상이 조각되어 있는데 머리에 뿔을 표현한 것도 있다. 근정전의 난간석주 위에 조각된 서수상의 위계는 배치된 위치의 중요성을 보아 사신상, 십이지신상, 사자상 등의 순서로 나눌 수 있다. 경복궁 경회루 주변에 시설된 석조 서수상으로 대표적인 것은 용과 기린, 螭와 코끼리상 등이 있다. 경복궁 경회루 주변의 석조 서수상이 상징하는 의미는 태평성대와 왕실의 안녕을 기원하며 군주의 덕치와 仁政을 상징하는 것으로 알려져 있다.[8]

근정전 주변 상의 상징 의미에 대해서는 상월대 사신상의 경우 우주의 공간 모형을 상징하는 것으로 해석하고 있다. 이와 함께 십이지신상은 우주의 시간모형으로 풀이하고 있다. 따라서 근정전 주변의 사신상과 십이지신상은 우주 모형을 지상에 구현한 것으로 볼 수 있으며, 그 배후에는 하늘과 그 지위를 나란히 하려는 천인합일사상이 자리 잡은 것으로 해석하고 있다.[9] 경복궁 근정전과 경회루 주변에 집중적으로 시설된 석조 서수상들은 聖君이 통치하는 유교적 이상사회가 경복궁의 중건과 함께 고종대의 조선에도 구현되기를 바라는 마음으로 조성된 것이라 볼 수 있다. 앞서 언급한 근정전과 경회루의 석조 서수상의 상징성에 대한 기존의 연구 성과는 적절한 해석이다.

경복궁은 조선왕조의 수도에 건설된 궁궐 중 국왕이 임어하는 공식 궁궐들 가운데서 으뜸이 되는 궁궐이라는 이름으로 '法宮'이라 불렸다.[10] 법궁의 중건은 세도정치로 약화된 왕권의 회복과 자연재해와 기근이 성행하고 삼전이 극도로 문란해져가는 조선 후기 사회에 대한 조선 왕실의 공식적인 대응이라 할 수 있다.

---

8) 경회루 석조 조형물의 명칭과 상징성에 대해서는 김민규에 의해 자세히 고찰되었다(김민규, 「별간역(別看役)과 석장(石匠), 서수상의 상징 고찰 및 제작시기」, 『경복궁 석조조형물 전수조사, 인문학적 연구 및 실측조사』, 2013, pp.108~125).

9) 허균, 『궁궐장식』, 2011, p.80.

10) 홍순민, 『우리 궁궐 이야기』, 1999, 청년사, p.48.

2. 시대사적 배경

(1) 근정전 석조 조형물을 통해 본 시대사적 배경

경복궁 중건을 시작할 무렵 경복궁 영건의 재정은 願納錢을 통한 충당이 재정의 주요 부분을 이루었다. 순수한 의미에서 스스로 원해서 내는 돈이라기보다는 현실적으로 강제성을 내포하고 있었다. 원납전 수봉액은 경복궁 영건 첫 해인 고종 2년(1865)에는 500만 냥을 넘었으나, 그 이듬해에는 100여만 냥으로 뚝 떨어지고 3년째인 고종 4년(1867)에 가서는 60만 냥대로 떨어졌다.[11] 경복궁 영건을 계속하기 위해서는 새로운 재원이 필요하였으며 좌의정 김병학의 건의로 당백전이 발행되기도 하였다.[12] 당백전은 발행 후 큰 사회적 문제를 야기하기도 하였다. 이에 최익현은 고종 5년(1868) 토목공사를 중지하고 당백전을 혁파하여야 한다는 상소를 올리기도 하였다.[13]

경복궁 중건은 무리한 공기 단축과 영건도감 감역소의 대화재[14] 등으로 여러 차례 시련을 겪었지만 그 중 가장 큰 문제는 재정 문제였다. 경복궁 중건의 재정은 원납전을 거두면 당백전까지 발행하는 무리수를 두어가며 해결하였다. 이러한 경복궁 중건과정을 살펴보면 경복궁 석조 조형물 조성의 배경에 대해 다시 한 번 생각해 봐야할 필요성을 느낀다. 앞서 살펴본 바와 같이 경복궁 석조조형물의 조성 목적은 천인합일사상을 바탕으로 한 왕권의 절대화라고 말할 수 있다. 그런데 이러한 조성 목적은 석조 조형물 자체의 목적일 뿐만 아니라 경복궁 건립 자체의 목적이다.

경복궁 석조 조형물의 대부분은 동자주와 석조 서수상이 차지하고 있다. 특히 경복궁 월대의 난간석주와 동자주, 석조 서수상 등은 계단의 일부 서수상을 제외한다면 거의 모두 고종대 새롭게 조성된 것이다. 경복궁은 새로운 궁궐을 만드는 것이 아니라 임진왜란 이후 폐허가 된 조선의 정궁을 복원하는 것이었다. 경복궁을 포함한 조선의 5대 궁궐 중에서 경복궁 근정전같이 주요 건물을 화려한 문양이 새겨진 동자주와 난간석주로 장식하고 엄지기둥 마다 석조 서수상을 새긴 예는 없다.

경복궁 중건의 표면적인 이유는 왕실의 권위 회복이라 할 수 있으며 실질적인 목적은 경복궁 중건을 통한 대원군의 권력 장악이라 할 수 있을 것이다. 대원군은 경복궁 중건과정을 통해서 주도적인 정치 개입을 시도하였다. 경복궁 중건 공사기간이 2년 7개월 정도임을 고려한다면 홍선대원군은 경복궁 중건을 가능한 빠르게 마치고자 노력하였음을 알 수 있다. 홍선대원군이 경

---

11) 홍순민, 「고종대 경복궁 중건의 정치적 의미」, 『서울학연구』29, 서울학연구소 2007, pp.65~66.
12) 『高宗實錄』 卷3, 高宗 3年 10月 30일(乙卯).
13) 『高宗實錄』 卷5, 高宗 5年 10月 10일(癸丑).
14) 『高宗實錄』 卷4, 高宗 4年 2月 9일(癸巳).

복궁 중건을 빠른 시간 안에 끝내고자 한 이유는 여러 가지가 있을 것이다. 그 중 가장 큰 이유는 임진왜란 이후 270여 년간 폐허로 방치된 조선의 정궁을 회복시킨 조선의 실질적 통치자라는 권위의 파급력을 명확히 인식하고 있었기 때문이 아닌가 생각된다.

경복궁 중건은 처음부터 대원군이 구상한 통치차원의 정책이었다.[15] 대원군이 경복궁 중건을 통해 경복궁을 임진왜란 이전의 상태로만 복원해 놓았다 하더라도 그 의미도 매우 컸으며 성공적인 복원이라 평가 받았을 것이다. 임진왜란 이후 역대 제왕들이 추진하고자 하였으나 여러 이유 등으로 실현하지 못했기 때문이다. 그런데 흥선대원군은 경복궁을 복원하면서 기존 궁궐에 존재하지 않았던 많은 수의 난간석주를 설치하였고 석조 서수상을 대량으로 만들어 근정전과 경회루 주변에 배치시켰다. 경복궁 중건의 가장 큰 문제 중 하나가 재정문제라는 점을 고려한다면 전대에 없었던 대량의 석조 조형물의 조성 이유에 대해 의문점이 생긴다.

경복궁 근정전과 경회루 등에 시설된 다량의 난간 동자석과 석조 조형물 등을 만들지 않았다면 경복궁 중건 과정은 보다 수월하였을 것이다. 특히 석조 조형물의 경우 석재를 가공하는데 많은 시간이 들뿐만 아니라 석재를 운반하는데 있어 많은 비용과 시간이 소모된다. 당백전의 발행에서 볼 수 있듯이 경복궁 중건은 재정 문제가 원만하지 않았다. 그럼에도 불구하고 흥선대원군은 많은 비용과 시간을 들이면서까지 전대에 없었던 새로운 석조 조형물을 만들었다. 그 이유는 무엇일까?

앞에서 언급하였듯이 경복궁과 근정전에 시설된 석조 조형물들은 왕실의 안녕을 기원하며 왕이 시간과 공간의 지배자와 마찬가지의 권위를 갖고 있음을 상징한다 할 수 있다. 그러나 경복궁 복원이라는 측면에서만 본다면 흥선대원군은 경복궁을 임진왜란 이전의 모습으로만 만들어 놓아도 충분히 그의 권위를 보여줄 수 있음에도 불구하고 새로운 시설을 비용과 시간을 들여 조성하였다. 기존에 연구된 바와 같이 왕실의 권위를 위해 경복궁을 중건했다는 의견 이외에 그 이유에 대한 새로운 설명이 필요하다고 생각된다.

경복궁 석조 조형물 조성에 대한 첫 번째 이유는 당시의 시대사적 배경에서 추론할 수 있다. 잘 알려져 있다시피 경복궁이 본격적으로 중건되기 시작하는 고종 2년(1965) 직전의 상황은 서구열강들이 본격적으로 아시아를 침탈하는 시기였다. 특히 제1·2차 중영전쟁과 병인양요는 흥선대원군이 경복궁 근정전 일대에 사신상, 십이지신상, 사자상 등을 설치한 직접적인 배경으로 설명이 가능하다.

제1차 중영전쟁으로 알려진 아편전쟁은 1840년 5월 영국군의 중국 공격을 시작으로 개시되었으며 1842년 7월 남경조약으로 일단락을 짓는다. 제1차 아편전쟁은 아편 문제와 서양의 무력이 조선왕조의 지속적인 관심사였고, 위기로 인식되었으나 정보의 자의적 해석과 전쟁의 결과

---

15) 金炳佑,『大院君의 統治政策』, 2006, 혜안, p.259.

가 영토의 지배가 아니라는 사실을 토대로 위기의식은 완화되었고, 아편에 대한 경각심을 더하게 하는 계기가 되었다.[16]

제2차 중영전쟁의 결과는 제1차 중영전쟁의 영향과는 비교할 수 없을 정도의 큰 충격을 조선에 안겨주었다. 제2차 중영전쟁의 결과 천자의 황성이 양이에게 점령되고 원명원이 불타고 황제가 피난을 가는 등 天朝의 권위가 뚜렷한 상실을 보게 되어 위기의식은 첨예화하였다. 북경의 함락과 1830년 이후 조선반도 해안에 빈번하게 출몰하기 시작하는 이양선의 존재도 민심을 소란하게 만들었다.[17]

경복궁의 중건이 결정되고 영건도감이 설치된 기일은 고종 2년(1865) 4월 3일이다. 경복궁 내에서 가장 많은 석조 서수상이 설치된 근정전의 定礎日은 고종 3년(1866) 8월 25일이며 상량일은 고종 4년(1867) 2월 9일이다.[18] 근정전과 경회루는 경복궁 중건이 계획되고 궁성과 내전이 중건된 후 조성되었다. 근정전 석조 조형물의 시설 계획과 각각의 서수상 도안은 빠르게 전개된 공사 진척 상황을 고려한다면 영건도감이 조성된 고종 2년(1865) 직후보다는 고종 3년(1866) 전반기에 만들어졌을 가능성이 있다.

근정전 공사의 전체적인 진행과정을 고려한다면 근정전 난간석주와 석조 서수상은 근정전 건물이 완공된 후 가장 나중에 조성되었을 가능성이 높다. 그 이유는 근정전 건물을 건립하기 위해 다량의 목재가 수시로 월대 위로 운반되어야 했기 때문이다. 길이가 긴 목재의 운반과 적치, 건물 건립 시 작업공간의 확보 등을 고려한다면 석재 난간과 석조 서수상은 근정전 건물이 완공된 후 조성되었을 가능성이 높다. 이를 고려한다면 석조 서수상이 조성된 시기는 근정전 상량일 이후인 고종 4년(1867) 2월 이후가 될 것이다.

일반적으로 생각할 때 경복궁 근정전 석조 서수상들은 근정전의 중건 계획과 함께 조성 계획이 완성되었을 것이다. 하지만 경복궁 중건 둘째 해에는 거둬들인 원납전이 첫해에 비해 1/5로 줄어들었으며 그해 10월(1866)에는 당백전의 발행 논의가 조정에서 진행될 정도로 재정 상태가 좋지 않았다. 경복궁 근정전의 구체적인 설계도가 실제로 완성되었을 시기는 근정전의 정초일(1866. 8. 25) 이전일 것이며 이 당시는 재정적으로 큰 부담이 가중된 시기였다. 재정적 문제를 고려한다면 경복궁 근정전의 난간석주와 석조 서수상은 원래의 설계도에는 계획되어 있지 않았을 가능성도 상정해 볼 수 있다. 그 이유는 경복궁 중건의 목적이 법궁 경복궁의 복원을 통한 왕권강화에 있기 때문이다. 즉, 경복궁 전체의 빠른 복원이 중요한 것이지 전대에 존재하지 않았던 난간석주와 석조 서수상의 조성은 경복궁 복원 목적과 재정 압박의 문제를 생각해

---

16) 하정식, 「구미열강의 중국침략과 조선의 반응」, 『東洋學』 28, 단국대학교 동양학연구소, 1998, p.17.

17) 閔斗基, 「十九世紀後半 朝鮮王朝의 對外危機意識 ― 第一次, 第二次中英戰爭과 異樣船 出沒에의 對應」, 『東方學志』 52, 延世大學校國學研究院, 1986, p.277.

18) 홍순민, 앞의 논문, p.62.

볼 때 불요불급한 문제일 수도 있기 때문이다. 또한 난간석주와 석조 서수상은 앞서 언급한 바와 같이 근정전 건립 공정상 가장 나중에 시설되었을 것이다. 어떠한 이유로 인해 기존에 계획되지 않았던 난간석주와 석조 서수상이 추가로 설치가 결정되어 시설되었다고 생각해도 공정상 큰 문제는 없다.

경복궁 근정전 난간석주와 석조 서수상이 처음에는 계획되어 있지 않다가 근정전이 본격적으로 건립되기 직전 설치가 결정되어 시설되었을 가능성은 십이지신상의 배치를 통해서도 유추할 수 있다. 경복궁 근정전 전·후·좌·우면의 계단 엄지기둥위에는 사신상이 조성되어 있고 나머지 계단의 엄지기둥위에 십이지신상이 배치되었다. 그런데 십이지신상의 경우 십이지의 순서대로 배열되어 있지 않으며 십이지 동물 중 개와 돼지는 생략되어 있다.[19] 십이지상의 배열 역시 상월대에 위치하다가 하월대로 내려가기도 하는 등 일정하지 않다. 이러한 이유는 사신상이 먼저 자리를 잡은 후 십이지신상을 배치하기위한 고육책의 일환일 수도 있다. 그러나 기존에 알려진 바와 같이 십이지신상의 조성 의미가 시간의 지배자와 같은 권위를 국왕에게 부여하기 위한 상징물이라 한다면 십이지신상의 불규칙한 배치와 십이지신상의 불완전한 구성은 오히려 국왕이 권위를 해치는 것일 수 도 있다.

근정전 십이지신상의 불완전한 배치와 구성의 이유는 결국 십이지신상이 근정전 중건 시 처음부터 계획되어 있지 않았을 가능성을 상정할 수 있게 해 준다. 근정전 석조 조형물들은 당시의 재정적 이유, 석조 서수상의 배치와 구성 상태를 고려해 보았을 때 근정전 조성 과정 중 추가된 것으로도 볼 수 있지 않을까 한다. 근정전 석조 조형물의 조성 계획이 근정전 건축 도중에 추가되었다면 그 시기는 근정전이 상량되는 전후의 시기인 고종 4년(1867) 2월 9일 전후의 시기일 것이다.

임진왜란 이전의 근정전에는 앞서 언급한 바와 같이 난간석주나 석조 서수상들이 조각되어 있지 않았다. 재정적 어려움에도 불구하고 근정전 주변에 난간 석주와 석조 서수상을 설치한 직접적인 이유는 고종 3년(1866) 9월부터 11월까지 진행된 병인양요가 직접적인 원인으로 추정된다.

병인양요는 병인사옥의 결과 처형된 프랑스인 신부들에 대한 박해와 처형에 대한 프랑스의 보복 원정이 직접적인 이유이다. 서양 세력이 조선의 안보를 직접적으로 흔든 사건은 프랑스로부터 시작되었다. 주중 프랑스함대 사령관 로즈는 1866년 9월 18일부터 10월 1일까지 강화해협

---

19) 경복궁 근정전 십이지신상의 순서가 일정하지 않은 이유에 대해서는 아직 합의된 의견은 없는 상태이다. 근정전 주변 석조 조형물의 상징과 편년에 대해서도 다양한 의견이 개진되어 있다(김원룡,「李朝石獸彫刻」,『鄕土서울』12호, 서울특별시사편찬위원회, 1963 ; 이강근,「景福宮에 관한 建築史的 硏究」, 1983 ; 조은정,「19·20세기 宮廷 彫刻에 대한 小論」,『한국근대미술사학』5, 한국근대미술사학회, 1997 ; 소재구,「月臺의 石物造形」『勤政殿 實測調査報告書』上, 문화재청, 2000 ; 배만곤,「궁궐 石獸彫刻의 象徵性에 대한 연구」, 동국대학교 석사학위논문 2006 ; 이성준,「景福宮 勤政殿 月臺 欄干石柱像 硏究」, 고려대학교 석사학위논문, 2006).

을 중심으로 서울 양화진 서강까지 올라와 지세 정찰과 수로 탐사를 시행하였다. 제2차 중영전쟁의 결과 북경이 함락되는 것을 목도하였던 조선인들에게 이양선이 수도의 목전까지 올라온 것은 매우 큰 위협이었다.

같은 해 10월 11일 로즈는 조선을 본격적으로 침공하였으며 10월 16일에는 강화부를 점령하였다. 프랑스 군들은 양헌수가 이끄는 조선군의 공격을 받고 11월 11일 퇴각하기까지 근 한 달간 강화도에 주둔하며 약탈을 자행하기도 하였다. 강화도라는 한정된 지역이었지만 수로를 이용하면 한양과 지척의 거리인 이 지역에 양이 세력이 근 한 달간 주둔하며 조선을 위협하였다는 것은 심각한 문제였다. 이에 대한 대비책으로 조선 정부는 병인양요 이후에 각 지역에서 활과 화살에 익숙했던 기존의 병력들에게 조총을 연습시키고 그 동안 분실되거나 파손된 무기들을 새로 만들고 보수하는 작업이 활발히 진행되었다.[20] 고종 3년(1866) 프랑스군의 함선이 한강에 출현한 이후 경기감사 윤치선은 서양인들의 출몰에 대비해 매년 都試에 화포과를 창설해서 바닷가 고을의 무사들이 시험을 보게 해 줄 것을 건의해서 승인을 받기도 하였다.[21]

고종 3년(1866) 9월부터 11월까지 벌어진 병인양요는 조선인들에게 북경을 함락하기도 하였던 양이세력의 위협을 직접적으로 경험하게 한 사건이었다. 병인양요가 본격적으로 벌어진 시기는 근정전의 초석이 자리를 잡은 고종 3년(1866) 8월 25일 직후이다. 근정전 공사가 본격적으로 진행되었던 1866년 10월 중순부터 11월 중순까지는 강화도가 양이세력의 수중에 넘어가 있는 비상시국이었다. 석조 서수상을 포함한 근정전 석조 조형물은 바로 이 시기에 새롭게 계획되었을 가능성이 있다. 즉, 경복궁 석조 조형물 중 가장 중요한 상징의미를 갖고 있는 근정전 석조 서수상들은 중국의 수도를 점령하기까지 한 양이세력이 목전을 위협하는 시기에 새롭게 계획되어 조성되었을 가능성이 높다고 생각한다.

경복궁 근정전 주변에 사신상, 십이지신상, 사자상 등의 석조 서수상이 이 시기에 새롭게 신설되었다면 그 이유는 무엇일까? 조성 이유를 살펴보기 위해서는 석조 서수상의 기본적인 성격이 무엇인지 우선 파악해야 할 것이다. 사신상, 십이지시상, 사자상의 가장 기본적인 성격은 벽사辟邪와 외호外護이다. 사악한 기운을 물리치고 외부의 공격을 막아내는 역할이 바로 사신상, 십이지신상, 사자상의 기본적인 기능이라 할 수 있다. 경복궁 내에서 가장 중요한 건물이며 왕의 권위를 보여주고 직접적인 통치행위를 하는 근정전 이야말로 외부의 압력과 공격으로부터 지켜 내야할 일순위의 공간인 셈이다.

경복궁에서 가장 중요한 건물인 근정전을 중건하는 시기에 거대한 양이세력의 공격이 자행되었다. 이에 대한 대원군의 대응은 프랑스군에 대한 직접적인 타격과 더불어 새로운 상징 조형물

---

20) 연갑수,『대원군집권기 부국강병정책 연구』, 서울대학교 출판부, 2001, p.164.
21)『日省錄』高宗3년 9월 7일.

의 건설로 이어진 것으로 추정된다. 전대의 궁궐 조성에 있어서 전례가 없는 석조 서수상이 대규모로 조성 되게 된 이유는 결국 그 서수상이 필요했기 때문일 것이다. 근정전을 중건하는 과정에서 발발한 병인양요는 왕실을 지키는 상징물의 필요성이 급하게 대두된 시점이라 할 수 있다. 이 당시 근정전은 월대와 월대를 오르는 계단의 공사는 이미 끝난 상태였을 것이다. 병인양요의 발발을 계기로 왕실을 호위하는 상징조각물의 조성이 대두되었으며 이미 만들어져 있는 통로(계단)에 이를 지키는 수호 상징물이 새롭게 시설된 것으로 볼 수 있다. 이러한 이유로 십이지신상의 배치에 있어 생략 되어야 하는 동물이 나오게 될 수밖에 없었던 것으로 보인다.

근정전 주변의 석조 서수상들이 근정전 중건공사 도중 계획되어 시설되었다면 이를 새롭게 설치하도록 명한 사람은 대원군이라 할 수 있다. 『京城府史』1권에 기록된 대원군에 대한 아래의 기록은 대원군이 근정전 석조 서수상의 상징 의미를 매우 중요하게 생각하였음을 알 수 있게 해주는 방증이다.

용맹과단한 대원군은 미신을 왕성하게 믿어 도읍을 충청남도 계룡산으로 옮기려고 했다. 또 경복궁의 공사가 이룩되자 예부터 궁궐의 잦은 화재는 화염 형태의 관악산이 안산이기 때문이라는 말을 믿어 관악산의 정상에 우물을 파고 동으로 만든 용을 빠뜨렸으며…(중략)[22]

위의 내용 중 대원군이 미신을 왕성하게 믿었다는 언급은 대원군을 폄하하고자 하는 의도가 다분히 잠재되어 있는 기록이다. 하지만 대원군이 풍수지리설을 신봉하여 아버지의 무덤인 남연군묘를 현재의 충남 예산군 덕산면 상가리로 옮긴 사례 등이 반영된 것으로 과장된 측면은 있지만 완전한 허구는 아니다. 관악산 정상에 우물을 파고 동으로 만든 용을 빠뜨렸다는 내용 역시 사실일 가능성이 높다. 실제로 대원군 당시 제작된 청동용이 1997년 경회루 준설 시 연못 안에서 발견되기도 하였다. 흥선대원군은 경회루 연못에 넣은 용이 화재를 예방하는 기운을 발흥할 것이라고 믿었다.[23] 그러하기에 실제 청동용을 제작하여 경회루 연못에 넣었던 것이다. 청동용의 신이성을 믿는 흥선대원권이라면 근정전 주변의 석조 서수상이 사악한 양이세력의 침범을 막는 신이적인 역할을 할 것이라 충분히 생각했을 것이다.

이와 같은 대원군 개인의 성향을 참조한다면 결국 근정전 석조 서수상의 조성은 외부 충격에 대한 당시 실질적인 최고 지도자였던 흥선대원군의 대응이라 할 수 있다. 이와 유사한 예는 조선후기 사천왕상 조성에서도 찾을 수 있다. 조선시대의 사천왕상은 주로 임진왜란과 병자호란 이후 인조대와 숙종대에 집중 조성되었다. 특히 순천 송광사, 구례 화엄사, 완주 송광사 사천왕

---

22) 『京城府史』1권, pp.465~466.
23) 경회루 연못 출토 청동용에 대해서는 다음 논문이 있다(김민규, 「경회루 연못 출토 청동용과 경복궁 서수상의 상징 연구」, 『고궁문화』7, 국립고궁박물관, 2014).

상들은 신체 균형 및 제작 기법 등에서 조선 후기를 대표하는 사천왕상들이라 할 수 있다. 임진왜란 이후 사찰 중건 시 대규모의 사천왕상이 만들어진 이유는 사악한 세력을 잡아내는 사천왕의 신통력을 이용해 임진왜란 같은 난리를 다시는 겪지 않겠다는 의도가 반영된 것이다.

경복궁 근정전 일대의 석조 서수상은 사찰의 사천왕상과 마찬가지로 벽사와 외호의 능력을 가장 기본적인 기능으로 갖고 있다. 결국 경복궁 근정전 석조 서수상들의 직접적인 조성 목적은 그들이 갖고 있는 신통력을 통해 왕실이 굳건히 지켜지며 유지되기를 바라는 구체적인 목적으로 만들어 진 것이다. 석조 서수상들이 조성된 직접적인 이유는 앞에서 언급한 바와 같이 병인양요가 가장 큰 영향을 미친 사건이며 시대적 배경이라 할 수 있다.

(2) 광화문 해치상을 통해 본 시대사적 배경

앞장에서는 근정전 석조 서수상의 경우 근정전을 중건할 당시부터 설계되지 않았으며 병인양요라는 비상시국에 대응하는 방편으로 근정전 공사 도중에 새롭게 추가되었을 가능성을 언급하였다. 근정전 석조 서수상의 역할은 사신상, 십이지신상, 사자상 등이 모두 갖고 있는 공통적인 기능인 벽사와 외호의 기능이 우선 고려되어 설치된 것으로 볼 수 있다.

근정전 석조 조형물 중 경복궁 중건 당시부터 계획되었으며 경복궁 중건을 대표하는 석조 조형물로는 광화문 해치상을 꼽을 수 있다. 광화문 해치상은 그동안 뿔이 없는 존재로 인식되어 왔다. 하지만 해치상의 정수리에는 양의 뿔처럼 둥글게 말린 두 개의 뿔이 존재한다. 광화문 해치상 머리위에 둥글게 말린 양각이 뿔이라는 점은 고종의 능인 홍릉에 배치된 석수상들을 통해 유추할 수 있다. 남양주에 위치한 홍릉은 대한제국 설립 후 만들어진 능이기에 황제릉의 양식을 따라 조성되었다. 홍릉이 황제릉임을 보여주는 대표적인 사례는 신도에 배열한 석물을 들 수 있다. 홍릉의 신도에는 신도 입구부터 말, 낙타, 해치, 사자, 코끼리, 기린, 무석인, 문석인의 석물이 도열해 있다. 신도 석물의 조성 시기는 명성황후의 능을 금곡으로 천봉하여 황제릉으로 조성하기로 결정했던 1900년이다.[24] 즉 홍릉의 신도 석물은 광화문 해치상이 처음부터 사자상이 아닌 해치상으로 불렸음을 알고 있는 고종이[25] 조성한 것이다.

홍릉 신도에 있는 석물 중 중요하게 눈여겨 봐야할 대상은 해치상과 사자상이다. 해치상과 사자상은 세부적인 표현에서 일부 차이가 있지만 전체적으로 동일한 도상이라 말할 수 있을 정도로 매우 닮았다.

홍릉 해치상의 경우 광화문 해치상과 같이 목에 방울을 달고 있으며 몸통에는 원형의 무늬가

---

24) 김이순, 『대한제국 황제릉』, 2010, 소와당, p.171.

25) 『高宗實錄』7券, 7年 2月 12日.
　　"敎曰 仍敎曰 此後動駕時 如有人馬攔入之擧 則政院與兵曹 未免嚴旨矣 自政院嚴飭兵曹 獬豸以內 百官毋得登
　　馬事 分付"

있고 목 위에는 사자의 갈기가 수직선으로 표현되어 있는 점이 광화문 해치상과 유사한 점이며 홍릉 사자상과는 구별되는 부분이다. 홍릉 해치상은 조각 기법 면에서는 광화문 해치상에 비해 장인의 조각 능력이 쇠퇴한 느낌을 주는 것이 사실이다. 하지만 홍릉 해치상의 경우 앞에서 언급한 내용 이외에 꼬리의 모양, 아래로 처진 귀 주변에 수북하게 달린 털, 발 주변에 표현된 화염각 등에서 광화문 해치상을 충실히 모방하고자 노력한 흔적을 찾을 수 있다.

홍릉 해치상에서 주목해 봐야할 것은 홍릉 해치상 정수리에 두 개의 뿔이 표현되어 있다는 점이다. 홍릉 해치상은 광화문 해치상에 비해 전체적인 조각 능력은 부족한 면이 있는 것이 사실이다. 하지만 세부적인 부분에서는 세세한 부분까지 그 표현 기법을 모방하고 있다. 홍릉 해치상의 뿔이 광화문 해치상처럼 둥글게 말려있는 형태는 아니지만 해치의 뿔을 두 개 표현하였다는 점은 중요한 점이다.

해치의 한자 표기 중 '獬', '獬廌', '解豸', '觟𧣾', '解廌' 등이 모두 해치를 의미한다. 이중 '觟'는 『설문』에 의하면 "牝䍧羊生角者." 즉 '뿔난 암양'을 의미하는 글자이다. 이밖에도 해치에 관해 언급한 문헌으로 후한의 허신은 『설문해자』에서 "解廌獸也似山牛"라 하였다. 후한 왕충의 『논

그림 6. 남양주 홍릉 사자상

그림 7. 남양주 홍릉 해치상

그림 8. 광화문 해치상 머리위의 뿔

그림 9. 남양주 홍릉 해치상 머리위의 뿔

형』에 의하면 "一角之羊"이며, 안사고의『한서·사마상여전』注에 의하면 "似鹿一角"이다. 요형의『설문해자부수정』에 의하면 "鹿前牛後"의 짐승이고『수서·에의지』에 의하면 "如麟一角"이며 청 옹정 연간에 간행된『산서통지』에 의하면 "似熊"이다.[26] 문헌에 언급된 해치의 대표적인 특징은 일각수라는 점이다.

이러한 점은 명 13릉 신도에 조각된 해치상을 비롯한 청 소릉, 청 동릉같이 중국 역대 황제릉의 해치상이 일각수라는 점을 통해서도 일각이 해치의 중요한 특징임을 알 수 있다. 해치가 일각수라는 인식은 1509년 편찬된『대명회전』과 17세기 초반 明에서 만들어진『삼재도회』의 도설에도 반영되어 있다. 이와 같이 중국의 해치는 일각수의 해치가 주로 알려져 있었다. 이에 반해 홍릉의 해치상은 이각수이며 홍릉의 해치상이 세부 표현에 있어 광화문 해치상을 철저하게 모방하려고 하였다. 홍릉의 해치상이 이각수라는 점은 광화문 해치상의 정수리에 있는 두 개의 돌출돌기 역시 해치의 뿔로 보아도 무방하다는 의미로 해석할 수 있다.

이러한 이유 등으로 양뿔 모양의 二角을 갖고 있는 광화문 해치상은 사자상과 神羊이 합쳐져 창안된 것으로 중국에서는 유행한 적이 없는 독창적인 해치상으로 해석이 가능하다. 중국의 해치와는 다른 새로운 모습의 해치 조각상을 만들도록 지시한 이는 경복궁 중건을 주도한 대원군이라 할 수 있다. 대원군이 왕실의 권위를 상징하는 경복궁 앞에 시비와 선악을 판단하는 해치를 세운 이유는 왕실의 권위에 역행하며 이상적인 유교정치에 반하는 어떠한 것도 용납하지 않겠다는 의지를 상징적으로 보여준 것이다. 대원군이 중국의 전통적인 해치상과는 전혀 다른 독창적인 해치상을 광화문 앞에 세운 다른 이유로는 명·청대 중국의 해치상의 기능이 주로 황제릉 앞, 즉 죽은자의 무덤 앞에 세워지는 것이 관례였기 때문으로 추정된다. 이러한 이유 때문에 대원군은 중국과 동일한 해치상을 광화문 앞에 세우지 않았으며 왕실의 권위를 위엄 있게 보여줄 수 있는 새로운 모습의 해치상을 창안하도록 지시한 것으로 추정된다.[27]

해치는 잘 알려져 있다시피 성군을 도와 현명한 일을 많이 하고 시비와 선악을 판단하는 정의로운 동물로써 인식되어 있었다. 해치는 시비곡직을 가리는 靈獸이며 秦에서 淸왕조에 이르기까지 법의 상징으로 표상된 동물이다. 서양에서 저울이 법과 정의의 상징이었다면 중국에서 해치가 법과 정의의 상징인 셈이다.[28] 광화문 해치가 조성된 당시의 시대적 배경을 파악하기 위해서는 해치가 세워져 있는 광화문 앞 관아들과 청사의 위치를 살펴볼 필요가 있다. 일반적으로 광화문 해치가 위치한 부근에는 사헌부가 있었던 것으로 알려져 있다. 하지만 광화문 주변이 표현된 서울의 고지도에는 해치가 위치한 광화문 앞 부근의 관청 건물로 예조와 의정부

---

26) 김언종, 2008,「'해태'고」,『韓國漢文學研究』42, 韓國漢文學會, pp.462~463.

27) 정성권,「해치상(獬豸像)의 변천에 관한 연구-광화문 앞 해치상의 탄생과 조성배경을 중심으로」,『서울학연구』51, 서울학연구소, 2013, pp.29~30.

28) 朴永哲,「獬豸考 - 中國에 있어서 神判의 向方 -」,『東洋史學研究』, 東洋史學會, 1997, p.2.

등이 표현되어 있다.

경복궁 공사의 진척과 함께 경복궁 광화문 앞에 있던 주요 관아들의 청사가 동시에 중수되었다. 의정부 청사를 중수하고, 그와 마주보고 있는 예조 자리에 삼군부를 설치하였다. 삼군부는 비변사가 가지고 있던 군사 관계 기능을 담당하도록 설치한 관서로서 의정부와 함께 관료기구의 중추를 이루는 관서였다. 이 관청의 위치는 비변사를 혁파하고 의정부와 삼군부를 복설하는 방향으로 진행된 고종 초년의 권력구조 변동이라는 한 흐름 속에 있는 것이다. 이 무렵에는 또한 『대전회통』, 『양전편고』, 『육전조례』 등 법전이 편찬되었다. 이렇게 경복궁을 중건하면서 같은 맥락에서 일련의 법전이 편찬되었다는 사실은 경복궁 중건이 단순히 왕권의 위엄을 과시하기 위하여 새 궁궐을 하나 더 마련하는 데 그치는 것이 아니라 제도적인 면을 포함한 전반적인 개혁의 일환으로 구상되고 추진되었음을 보여주는 징표이다.[29]

광화문 해치상의 조성은 조선후기 유행한 사자상을 모본으로 만들어졌으나 사자상이 아닌 엄연한 해치상이다. 중국의 일각수 해치상과는 다른 사자상을 모본으로 한 이각수 해치상은 흥선 대원군시기 창안된 새로운 해치상이라 할 수 있다. 광화문 해치상은 중국의 궁궐 앞에 주로 세워져 있는 사자상과는 그 조성 배경이 다르다. 중국의 사자상은 주로 벽사의 의미가 사자상 건립의 가장 큰 이유라 할 수 있다. 이에 반해 경복궁 중건시기 조성된 광화문 해치상은 사자상을 모본으로 조성되었기에 벽사라는 전통적인 사자의 기능뿐만 아니라 해치라는 점에서 시비곡직을 가리는 정의로운 동물이라는 이중적인 상징 의미를 갖고 있다.

광화문 해치가 가리고자 하는 시비곡직과 세우고자 하는 정의는 결국 대원군이 추가했던 경복궁 중건의 목적과 부합한다고 할 수 있다. 그것은 바로 왕권강화이며 광화문 해치가 세워진 장소가 광화문 앞 의정부와 예조(후에는 삼군부) 부근 이라는 점을 통해서도 그 조성의도를 유추할 수 있다. 광화문 해치가 지키고자 한 정의는 『대전회통』으로 상징되는 당시에 출간된 법전의 정신이라 할 수 있다. 『대전회통』은 고려말 조선조 이래 역대 왕대에 시행된 모든 규범이 집대성된 법전이다. 이 책의 구성은 六部分類를 기본으로 하고 있다. 이 점에서 비변사 위주로 시행된 세도정치를 철폐하고 왕을 중심으로 한 통치제도를 강화하고자 하였던 대원군의 의지가 반영된 법전이라 할 수 있다. 광화문 해치상은 대원군 집권 직후 세도정치를 청산하고 왕권을 강화하고자 한 대원군의 의도와 당시의 시대적 배경이 고스란히 반영된 상징 조각물이라 할 수 있다.

---

29) 홍순민, 「고종대 경복궁 중건의 정치적 의미」, 『서울학연구』29, 서울학연구소, 2007, pp.62~63.

4. 맺음말

앞 장에서는 경복궁 석조 조형물의 시대사적 배경을 고찰해 보았다. 구체적으로 살펴보면 2 장에서는 경복궁 중건 과정을 개괄적으로 검토하였으며 이후 경복궁 석조 조형물의 조성시기를 검토하였다. 구체적인 검토 대상은 많은 상징적 의미를 내포한 석조 서수상을 중심으로 고찰하였다.

검토결과 경복궁 석조 조형물 중 석조 서수상의 경우 임진왜란 이전에 조성된 것이 확실한 서수상은 영제교 주변에 시설되어 영제교 교각을 바라보고 있는 '천록'이 대표적인 경우임을 알 수 있었다. 이는 임진왜란 이후 경복궁을 답사한 유득공의 「춘성유기」기록을 통해 알 수 있었다. 경복궁 석조 조형물이 조성된 곳 중 가장 중요한 장소인 근정전 주변의 석조 조형물 들은 영조 때 경복궁 근정전 터에서 연회를 베푼 행사를 그린 '영묘조구궐진작도'를 통해 조성 시기를 파악할 수 있었다. '영묘조구궐진작도'는 임진왜란 이전 근정전 월대 주변에 조성된 석조 서수상으로 계단의 서수와 월대 모퉁이에 배치된 사자상이 있었음을 보여준다. 하지만 월대 모퉁이의 사자상의 경우 창덕궁에 출처를 알 수 없는 유사한 모양의 사자 가족상이 방치되어 있다는 점을 고려했을 때 고종대 새롭게 조성된 것일 가능성이 높은 것으로 파악하였다.

3장에서는 석조 서수상의 상징성에 대한 기존의 논의를 살펴보았다. 이와 더불어 사신상, 십이지신상, 사자상으로 분류되는 경복궁 근정전 석조 서수상의 공통된 상징적 의미를 파악하였다. 그 결과 석조 조형물의 공통된 상징성은 벽사와 외호가 가장 기본적인 기능임을 알 수 있었다. 이와 더불어 3장에서는 경복궁 근정전 중건 과정의 구체적인 일정과 당시의 재정 상황 등을 살펴보았다. 그 결과 경복궁에서 가장 중요한 건물인 근정전이 중건되는 시기에는 밖으로 병인양요가 발발하여 양이의 위협이 조선의 목전까지 다다른 상황임을 알 수 있었다. 또한 내부적으로 경복궁 중건의 재정적 난관에 봉착하여 당백전이 발행이 논의되는 시기임을 알 수 있었다.

흥선대원군은 경복궁 중건 공사를 빠르게 진척시키고자 하였다. 그럼에도 불구하고 대원군은 많은 비용과 공역을 들여 전례에 없었던 근정전 주변의 석조 서수상을 새롭게 만들었다. 본문에서는 근정전 주변의 석조 서수상이 근정적 중건과 함께 처음부터 계획된 것은 아니며 근정전 중건 과정 중 대원군에 의해 추가로 시설된 것으로 파악하였다. 그 근거로는 근정전 난간석주와 석조 서수상의 조성이 전례가 없다는 점과 십이지신상의 불규칙한 배치, 근정전 중건 당시 재정적 압박 등을 통해 유추하였다. 그 결과 근정전의 석조 서수상은 근정전 중건 계획 당시 처음부터 입안된 것이 아닐 가능성이 높다고 추정하였다. 즉, 근정전 석조 서수상은 근정전 중건 과정에 새롭게 추가된 상징 조형물로 볼 수 있었다. 대원군이 경복궁에서 가장 중요한 건물인 근정전 주변에 벽사와 외호를 상징하는 석조 조형물들을 다량으로 조성한 직접적인 원인으로는 근정전 건물 중건공사 당시 벌어진 병인양요를 주목하였다.

　본문에서는 근정전 석조 조형물을 통해 경복궁 석조 조형물의 대외적인 시대사적 배경을 설명하였으며 광화문 해치상을 통해서는 대내적인 시대적 상황을 고찰하였다. 광화문 해치상은 머리에 두 개의 뿔이 있는 이각수 임을 고종의 홍릉 해치상을 통해 논증하였다. 이를 통해 광화문 해치상은 중국에서 전통적으로 알려진 일각수의 해치가 아니라 홍선대원군의 명에 의해 새롭게 창안된 사자상을 모본으로 한, 두 개의 뿔을 갖고 있는 새로운 도상의 해치상임을 확인할 수 있었다.

　해치상은 시비곡직을 가리는 정의의 동물로 알려져 있다. 본문에서는 대원군 집권기 경복궁 중건의 일차 목적이 왕권강화이며 이는 대원군 집권기 당면한 시대적 정의라 할 수 있음을 논하였다. 이를 통해 광화문 해치상은 왕을 중심으로한 이상적인 유교정치에 반하는 어떠한 것도 용납하지 않겠다는 대원군의 의지를 상징적으로 보여주는 석조 조형물로 파악하였다.

【참고문헌】

『京城府史』,『高宗實錄』『宣祖實錄』,『承政院日記』,『泠齋集』,『日省錄』

국립문화재연구소,『경복궁 석조조형물 전수조사, 인문학적 연구 및 실측조사』, 국립문화재연구소,
　　　2013.

金炳佑,『大院君의 統治政策』, 혜안, 2006.

김이순,『대한제국 황제릉』, 소와당, 2010.

연갑수,『대원군집권기 부국강병정책 연구』, 서울대학교출판부, 2001.

이강근,『경복궁』, 대원사, 1998.

한영우,『昌德宮과 昌慶宮』, 열화당, 2003.

허균,『궁궐장식』, 돌베개, 2011.

홍순민,『우리 궁궐 이야기』, 청년사, 1999.

김민규,「경회루 연못 출토 청동용과 경복궁 서수상의 상징 연구」,『고궁문화』7, 국립고궁박물관,
　　　2014.

김언종,「'해태'고」,『韓國漢文學研究』42, 韓國漢文學會, 2008.

김원룡,「李朝石獸彫刻」,『鄕土서울』12, 서울특별시사편찬위원회, 1963.

閔斗基,「十九世紀後半 朝鮮王朝의 對外危機意識 ─ 第一次, 第二次中英戰爭과 異樣船 出沒에의 對
　　　應」,『東方學志』52, 延世大學校國學研究院, 1986.

朴永哲,「獬豸考 ─中國에 있어서 神判의 向方─」『東洋史學研究』, 東洋史學會, 1997.

배만곤,「궁궐 石獸彫刻의 象徵性에 대한 연구」, 동국대학교 석사학위논문, 2006.

소재구,「月臺의 石物造形」,『勤政殿 實測調査報告書上』, 문화재청, 2000.

이성준,「景福宮 勤政殿 月臺 欄干石柱像 研究」, 고려대학교 석사학위논문, 2006.

정성권,「해치상(獬豸像)의 변천에 관한 연구─광화문 앞 해치상의 탄생과 조성배경을 중심으로」,
　　　『서울학연구』51, 서울학연구소, 2013.

조은정,「19·20세기 宮廷 彫刻에 대한 小論」,『한국근대미술사학』5, 한국근대미술사학회, 1997.

하정식,「구미열강의 중국침략과 조선의 반응」,『東洋學』28, 단국대학교 동양학연구소, 1998.

홍순민,「고종대 경복궁 중건의 정치적 의미」,『서울학연구』29, 서울학연구소, 2007.

望京庵 磨崖佛像의 製作時期와 造成背景
- 조선시대 경기지역 마애불과의 비교를 중심으로 -

洪大韓[*]

目 次

Ⅰ. 서론

우리나라의 마애불은 7세기를 전후한 시기 백제지역을 시작으로 조선시대까지 제작되었으며, 전국적으로 200여 곳에 분포하고 있다. 마애불의 기원은 인도와 중국의 석굴사원에 있으나 우리나라는 석굴암, 군위삼존석불, 골굴암 등 소수에 불과하다. 그것은 인도와 중국의 경우 江岸을 따라 형성된 비교적 무른 암질의 사암 또는 석회암 절벽에 위치[1]한 반면, 우리는 견고한 화강암이 대부분을 차지하고 있기 때문이다. 따라서 대규모 석굴보다는 석굴사원의 조성의지를 반영한 마애불이 상대적으로 유행하였다.

삼국시대 조성된 초기 마애불의 분포는 서해안을 따라 한강 이남지역에 집중됐다. 이것은 우리나라 마애불이 북방계통 보다는 주로 중국 남조의 영향을 강하게 받아 조성되었음을 암시한다. 고구려는 아직까지 마애불이 확인되지 않고 있을 뿐만 아니라, 조사 완료된 불상 대부분이 금동 제품인 점 역시 지리적으로 가까운 산둥지역의 마애불 제작과의 친연성을 보여준다.[2]

과거부터 우리는 산악숭배 신앙이 보편화되어 왔는데, 재래 신앙과 석굴사원의 조형 의지가 결합되어 마애불의 유행을 가져온 한 이유가 되었다. 다시 말해 마애불은 불교수용 이래 한국

---

* 숙명여자대학교 건축환경연구센터 선임 연구위원

1) 宿白,『中國石窟寺院』, 文物出版社, 1996.
2) 현재까지 삼국시대 마애불 가운데 고구려 제작으로 알려진 사례는 거의 없지만 영주, 봉화, 중원의 마애불은 삼국시대 말 고구려의 영향을 받아 제작된 것으로 추정된다.

의 지형과 전통신앙 속에서 재창출된 독자적인 문화인 점에서 당대 불교미술을 이해하는데 귀중한 자료라고 할 수 있다. 이 글의 논의 대상인 望京庵 마애불상은 시기상 전통 마애불의 마지막 작품으로 각별한 의미를 지니고 있으며, 남한산성과 인접·서울을 조망할 수 있는 위치 등을 통해 특별한 제작목적을 추정할 수 있다. 동시에 삼국시대부터 시작된 마애불의 제작목적, 제작기법, 위치 등에 대한 비교를 통해 한국 마애불의 발전과정을 연구하는데 각별한 의미를 지닌다. 이 글은 전국적인 확산을 거치면서 지방양식을 수용한 고려시대 마애불, 조선시대 마애불과의 비교연구를 통해 망경암 마애불상의 미술사적 가치와 의의를 살피고자 한다.

Ⅱ. 경기지역 고려·조선시대 마애불의 특징

1. 고려시대 마애불의 현상

1) 고려시대 불교미술의 경향

고려시대 불교조각은 武臣政變을 기점으로 전기와 후기로 나뉜다. 후삼국이 통일되는 936년까지의 불교조각은 신라 계승양식과 후백제를 중심으로 한 復古양식으로 구분된다. 고려 건국은 지방 호족들의 연합체를 바탕으로 했기 때문에 왕권강화가 본격적으로 시작되는 光宗 이전까지는 지방에 대한 중앙정부의 실질적 통제가 미치지 못했다. 과거제 시행 확산과 지방관 파견이 본격화 되는 成宗 때를 거치면서 고려는 강력한 중앙집권화의 토대를 마련했으며, 불교미술에 있어서도 고려적인 이른바 高麗式 양식이 정착된다.

불교를 국교로 숭상하던 고려는 다수의 사찰창건이 이어졌고 다양한 종류의 불교미술품이 함께 제작되었다. 고려 후기의 불상양식은 원의 라마양식이 강해지는 1276년을 기점으로 현격한 차이를 보여주며, 현존 불상 역시 대부분 후대의 것들이기 때문에 전반기 양식은 오직 마애불을 통해서만 확인이 가능하다. 고려 후기 불상의 주류 양식은 봉림사·문수사·장곡사 불상에서 보이듯 단아하고 귀족적인 특징이 표현된 사실주의 양식을 바탕으로 라마 양식과 전대의 추상적인 전통이 절충된 석불조각 양식이 보이고 있어 다양한 양식의 혼재기로 평가할 수 있다.

마애불이 가장 많이 조성되는 시기는 고려시대로 마애불과 미륵불을 동일 시 하는 사상이 정착되면서 전국적인 분포 양상을 보인다. 뿐만 아니라 향리계층 등 지방 세력을 중심으로 기복적인 성향을 반영해 마을 단위 까지 확산된다. 고려시대 불교미술은 고려불화나 변상도에서 보듯 섬세한 아름다움과 화려한 표현기법을 바탕으로, 신라 말 이래 선과 교학이 병행하는 추세를 반영해 교학의 정론이 도상표현에 구체적으로 반영된 것이 특징이다. 고려불화나 사경은 이러한 당대 불교 세계관을 반영한 것으로 빼어난 조형미 이외 그 자체로 경전의 교학을 圖解 함으로써 불교 대중화와 민중화 되어가는 시대상을 반영한 것이다.

반면 고려시대 마애불은 후대로 갈수록 신라시대 불상의 권위를 탈피해 神格이 사라진 인간 세계의 모습에 가까워진다. 그것은 조각기술의 퇴화와는 구분되는 것으로 무속신앙을 수용하거나 현실 속 중생의 모습을 모티브로 삼아 조상활동을 추구한 결과로 볼 수 있다. 동시에 라마 불교의 확산과 함께 세속의 기쁨, 기복을 추구하는 사조가 반영되어 보다 인간적인 불상의 도상을 추구한 결과다.

고려 초 불상의 또 다른 특징은 대형불상의 유행이다. 논산 관촉사 석조보살입상과 같이 건국 초기 국왕의 권위를 상징하는 대형불상은 이 시기 불교미술의 새로운 특징이며 당시 佛事가 왕실주도로 진행되었음을 분명히 보여준다. 동시에 묘길상 마애불좌상·덕주사 마애불입상·선운사 도솔암 마애불·안동 이천동 마애불상 등으로 이어지는 대형 마애불 계보의 한 획을 긋는 사례라고 하겠다. 이들 대형 마애불은 바위산 전체를 불상의 신체로 삼아 부처의 佛格을 강조했으며, 산 전체가 부처라는 명확한 의식 아래 조성되었다.

2) 고려시대 마애불의 현상

고려시대 대형마애불 중 고려 특유의 양식으로 분류할 수 있는 것으로 절벽 면을 신체로 삼고 환조로 별도 제작한 佛頭를 덧붙인 마애불이 새로운 경향으로 등장한다. 경주 남산 약수계 마애불(9세기 후반), 파주 용미리·안동 이천동 마애불 등인데 이들 보다 규모는 작지만 계룡산 용화사지 마애불, 원주 평장리 불두 등도 같은 방식으로 조성됐다. 고려시대는 이와 같이 10m 이상의 대형 마애불 이외에도 4~7m 내외로 건장한 체구의 마애불들이 대거 조성되었다. 천안 삼태리 마애불·속리산 법주사 마애불의상·북한산 구기동 마애불좌상·해남 대둔사 북암 마애미륵보살좌상·동화사 염불암 마애불좌상·문경 대승사 마애불좌상·함양 대대리 마애불입상·안성 굴암사 마애불좌상·원주 주포리 황산사지 마애불좌상 등이 그러한 예에 속한다.

고려시대 마애불은 무신 난 직전까지 점차 대형화 되면서 신라 마애불의 사실적 표현이나 양감·세부 조각의 세련미가 점차 사라지는 경향을 보인다. 반면 바위 전체를 불상의 신체로 삼거나 대충 조각한 듯 건친 정 자국을 남기기도 했다. 그리고 신라 마애불이 바위 면을 깨끗이 치석 후 불상을 조각한 반면 고려시대 마애불은 바위 석질에 대한 고려가 적었고, 조각 역시 精致한 면이 감소해 기법상의 후퇴로 판단하기도 한다. 이러한 특징은 바위 자체에 내재된 神異性을 강조하기 위해 마애불을 조성함으로써 새롭게 등장한 고려 마애불조각의 신경향으로 평가될 수 있다.

현존하는 200여 곳의 마애불 가운데 7~80%가 고려시대 제작으로 조사되었는데, 양식이나 표현기법에 있어 일관성이 적고 지역에 따라 독자적인 특성이 강하다. 이 때문에 고려시대 마애불에 대해 자유표현의지가 강했다고 평가하거나 지방 장인에 의해 조성되었다는 논의가 주류를 차지하고 있다. 제작연대가 확인된 고려시대 마애불은 977년 하남 교산리 태평2년명 마애약사불좌상·981년 이천 장암리 태평흥국6년명 마애보살좌상·985년 개포동 마애보살좌상·1090년 원주 홍양리 입석사 마애불좌상·1111년 거창 가섭암지 마애삼존불 등 5구에 그치고 있다. 이들 5구의 마애불은 도상이나 조각기법, 조성 위치에 있어 연관성을 찾기 어려울 정도로 각각의 독립성을 보여준다.

교산리 마애불은 통일신라 양식을 충실히 계승하였는데, 비록 규모는 작지만 생동감 넘치는 근육표현과 사실성이 강조되는 동시에 화려함을 잃지 않는 옷 주름을 특징으로 한다. 입석사 마애불은 살찐 얼굴에 짧게 움츠러든 목으로 인해 위축된 모습이나 옷 주름을 상대적으로 단순히 처리해 신체 모델링이 도드라지게 표현되었다. 특히 가슴 앞에서 가로로 흐르는 옷 매듭 장식은 11세기 고려불화에서 보이는 특징으로, 이 불상이 고려불화의 도상표현 기법으로부터 영향을 받았음을 알 수 있다. 장암리 마애보살상과 개포동 마애보살상은 황제나 고위관료가 착용하던 通天冠과 유사한 관모를 착용하고 있는데 왕건의 청동상과 같이 고려시대 국왕의 모습을 재현한 놓은 것으로 추정된다. 신체와 얼굴의 비례가 어색하며 머리를 크게 표현하였고 안면 역시 엷은 미소가 스며있으나 어딘가 바보스러운 민화 풍을 닮아 있다.

도 1. 고려 태조 왕건의 청동좌상

도 2. 개태사 석조삼존석불입상

이들 고려 초기 마애불 제작은 신라의 전통을 계승하는 한편 중앙정부 통제에서 벗어나 지방 양식으로 불리던 자유로운 표현기법이 혼재하던 시기로, 지역호족의 취향에 따라 실험적인 불상들이 제작될 수 있었다고 판단된다. 그러나 11세기 말에서 12세기 초반에 조성된 입석사 마애불과 가섭암지 마애삼존불을 보면 오히려 순수 신라양식으로 돌아간 것 같은 착각을 불러일으킨다. 이 시기는 고려문화의 황금기로 평가할 수 있는데, 불교조각에 있어서는 오히려 복고적인 경향이 유행한다. 무신 난 이후 복고주의 경향은 새롭게 권력을 창출 한 무신집단의 취향과 대몽항전기간을 통해 강조된 호국사상의 영향에서 기인한 것으로 판단된다.

조성 위치 역시 대부분 마을부근에 위치하나 입석사 마애불은 산 중턱 벼랑 · 가섭암지 마애삼존불은 깊은 산속 자연 석굴 내에 있어 신라시대 마애불의 조성 위치와 동일하다. 신라 하대의 전통을 계승한 마애불은 산 정상에 조성한 사례가 많은데 파주 용미리 마애불을 비롯해 구례 사성암 마애불 · 원주 주포리 마애불 · 이천 영월암 마애불 등을 들 수 있다.

이와는 대조적으로 왕래가 빈번한 교통로 상에 마애불을 조성하기도 했다. 이천 장암리 태평흥국6년명 마애보살입상 · 안동 이천동 마애불입상 등이다. 그리고 괴산 원풍리 마애불좌상 · 봉암사 마애불좌상 · 남원 여원치 마애불좌상 등은 마을 진입로에 위치한다. 불상 조성은 사찰과 밀접한 관계를 맺기 때문에 반드시 살찰 경내에 위치하는 것이 일반적이다. 그러나 마애불의 경우 마을을 한 눈에 조망할 수 있는 산 정상, 오래 전부터 신앙의 대상으로 삼아왔던 기도처부근, 주요 교통로에 위치하고 있어 불교적인 목적이외 조성자의 기복의지와 裨補사상, 안전기원 등 조성목적이 다양해 졌음을 알 수 있다.[3] 특히 남한강 주변에 조성된 많은 마애불은 수운을 이용해 왕래하던 상인들의 안전을 기원하기 위한 목적으로 조성된 것으로 여주 계신리 마애불, 충주 창동리 마애여래입상 등이 대표적이다.

고려시대의 불교조각은 통일신라에 비해 다소 뒤지는 것으로 평가받고 있으나 화려하고 장식적인 면에서는 오히려 전대에 비해 돋보이는 경향이 강하다. 이것은 통일신라부터 이어져 오는 불교조각의 전통 위에 중국의 송 · 요 그리고 원대 불교미술의 영향을 수용, 발전시키면서 새로운 전통을 이룩하는 등 한국조각사의 발전 과정에서 적은 않은 기여를 해왔기 때문이다.

고려시대 불사의 조성, 발원자에 대해서는 다수의 연구가 진행되어 왔으나 조각장에 대한 기록은 소수에 불과한데, 한 가지 참고 되는 것은 사찰 내에 다수의 使役과 工匠僧이 존재하였고 고려 중기를 넘어서면서부터 그들의 인원수는 물론 역할이 증대된 것이다.[4] 고려 중기 마애불에 보이는 기량이 우수한 저부조의 형식이 두드러진 점, 그리고 수량에 있어서도 폭발적으로 확산되는 점은 마애불을 제작한 이들과 그 사역 · 공장승의 관계가 무관하지 않을 것이란 점을

---

3) 홍대한, 「高麗 石塔 硏究」, 단국대학교 박사학위논문, 2012, pp.50~86.
4) 임영정, 「고려시대의 사역 · 공장승에 대하여」, 『한국불교문화사상사』 상, 가산불교문화진흥원, 1992, pp.758~783.

추정할 수 있다. 그런데 고려시대 마애불의 조형적 특징 중 주목되는 부분은 토속적인 경향이 고려 전 기간에 걸쳐 지속되고 있는 점이다. 토속성은 객관적인 조화에 기준을 두지 않고 주관적인 생동감에 따라 부처와 자신을 동일 시 하는 개념이다. 곧 民佛의 제작과 양적 팽창은 그만큼 마애불 조성이 대중화되었음을 증명한다. 동시에 마애불은 전통신앙과 강하게 습합되는 모습을 보이며 기복신앙의 대상으로 변화되면서 불상제작의 새로운 양식으로 정착되었다.

고려는 유학이 官人교육으로 강화되었으나 불교가 여전히 사회전반에 걸쳐 상당한 역할과 기능을 담당했다. 그리고 민중들의 의식에는 산악숭배 같은 토착신앙이 더 지배적이었던 점은 주지의 사실이다.[5] 그리고 大佛의 경향을 보이면서 신체비례를 정확히 맞추지 않은 점은 신이한 불력을 마애불 조성의 새로운 척도로 수용한 것이다. 이것은 고려시대 마애불의 특성 가운데 하나이자 마애불 제작이 대중화됨에 따라 나타난 기층 내지 토착화 현상으로 평가할 수 있다. 이에 따라 고려시대 마애불은 토착화 경향 속에서 상호가 통일신라의 둥글고 입체감 있는 이상적인 모습이나 아름다운 곡면 처리에서 변모해 넓적하고 얇아지면서 광대뼈가 돌출되는 등 변화된 조형미를 만들어 낸다.

3. 경기지역 조선시대 마애불의 현상

경기도는 고려와 조선을 거치면서 행정과 문화의 중심지 기능을 지속해 왔다. 이른바 近畿라는 개념 아래 고려로부터 수도 개경 방어나 과전법 제도에서 중요한 토지 분급대상으로 유지된 것이다. 또한 신라 경순왕 귀부와 함께 왕족을 비롯한 관료계층 다수가 개경과 근기지방을 중심으로 정착했다. 이들은 이후 근기지방 문화를 주도했으며 이곳에 신라의 조형미술과 친연성이 강한 미술활동을 가져오게 하는 배경이 되었다. 고려 초 개경과 경기지역을 중심으로 창건된 사찰과 불교미술이 신라와 친연성이 강한 것은 이와 같이 신라계 세력들이 고려정부에 주도적으로 참여했기 때문이며, 동시에 태조 왕건 역시 통일왕조의 정통성을 신라로부터 찾은 것이 주요했다.[6]

조선은 고려와 달리 기득권 세력의 제거를 위해 불교의 지나친 정치참여와 경제력 집중을 해소하고자 했다. 그 결과 폐단을 명목으로 유교를 학습한 성리학자들이 주도하는 사대부 문인문화에 기반 한 국가를 건국했다. 불교에서 유교로 정치이념이 변모한 조선시대는 불교미술, 특히 마애불 조성이 급격히 감소한다. 성리학을 표방한 유교사회라는 특징과 함께 지역이나 마을

---

5) 허흥식, 「고려의 불교와 융합된 사회구조」, 『고려초기불교사론』, 민족사, 1992, p.11.
6) 조형미술의 변화는 외부자극이나 정치적 변화를 동반하며, 동시에 여타 문화변동보다 서서히 바뀌는 특징을 보인다. 특히 혼란과 위기상황에서 있어서는 새로운 조형의 창출보다는 과거의 양식을 유지하려는 경향이 높다. 따라서 고려 초 제작된 불교조각에서 새로운 양식의 등장보다는 통일신라 때 유행한 복고주의 양식이 계승되는 것은 자연스러운 결과라고 할 수 있다.

도 3. 김제 문수사 마애불좌상   도 4. 예산 장신리 마애불입상   도 5. 화순 벽라리 민불

공동체에 불교를 대신해 민속신앙이 융성해진 결과다. 앞서 기술한 바와 같이 고려시대 민중들이 마애불을 '미륵불'로 불렀던 것과 같이 조선 초 민중들은 마애불을 민불 내지 미륵으로 여전히 신앙의 대상으로 유지했다. 그러나 국가 차원의 불교 억압은 공개적인 불상조성의 감소를 가져왔고 그 결과 사찰을 벗어나 바위 면에 조성하는 마애불 제작의 급격한 감소를 가져왔다. 그리고 고려시대 전국적으로 조성된 마애불을 통해 이들을 신앙의 대상으로 유지하면서, 새로운 마애불 조성의 필요성이 감소한 것 역시 일조했다.[7]

조선시대 마애불의 새로운 경향은 조각 대상이 거대한 암면을 떠나 비석과 같이 이동가능한 소형으로 축소된 것이다. 물론 경기도를 중심으로 여전히 대형의 마애불이 조선 후기에 조성되고 있지만, 소형 석재를 이용한 마애기법의 등장은 새로운 변화이며, 동시에 전통적인 불상숭배가 감소하면서 마을 가까운 곳에 민간신앙적인 목적으로 불상을 건립하게 되었다.

조선시대 마애불은 고려와 달리 제작연도를 기록한 사례가 증가하고, 장소 역시 도성 인근지역에 밀집됐다. 임진왜란 이전 조성된 가장 이른 시기인 1465년 제작의 예산 장신리 마애불입상과 1469년에서 1472년 사이 조성된 진도 금골산 마애불좌상, 1896년 통도사 지장암 마애삼존불, 그리고 김제 문수사 마애불좌상을 재외하면 대부분 경기도 지역에 위치하고 있다. 특히 예산 장신리 마애불입상은 石碑형 바위 면에 얕은 선묘방식으로 조각해 고려의 전통을 유지한 표현기법이 조선 초기까지 유지되고 있음을 보여주고 있어 주목된다. 공주 일락산 마애지장보살은 풍화가 심해 정확한 도상을 살필 순 없으나 오른쪽 윗면에 명문 '大慈回向成化□年中秋'가

7) 임진왜란 이후 불교계 보상 차원에서 일시적으로 진행된 사찰복구 지원, 왕실발원 사찰 창건과정에서 불상조성이나 불구 제작이 빈번함에도 불구하고 마애불 조성 기록이 없는 점은 대조를 이룬다. 이것은 전란 이후 불교세력의 위축이 본격화 된 것으로 보아도 무방할 것이다.

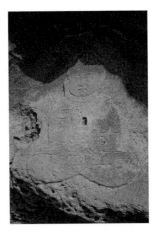

도 6. 금골산 마애불 전경　　　　　　　도 7. 금골산 마애불　　　　　　　도 8. 도선사 마애불입상

음각되어 있어 장신리 마애불입상과 같이 성화연간에 조성되었음을 알 수 있다. 성화연간은 조
선 세조의 집권시기로 말년 불교에 귀의해 다수의 불사를 후원했던 인물이다. 1459년(세조 5)
중창된 수종사는 왕실의 추복을 담당했던 사찰로, 성화연간 다수의 마애불이 조성된 것은 이
같은 왕실차원의 불교계 후원과 함께 불교미술 제작이 용이할 수 있는 환경이 조성되었음을 추
측할 수 있다.

　진도 군수 유효지가 시주해 3년에 걸쳐 제작한 금골산 마애불은 진도 앞바다가 조망되는 금
골산 정상부에 위치하는데 線描式 제작기법과 함께 자세와 불두 표현 등에서 김제 문수사 마애
불좌상과 양식적 친연성이 강하다. 이들 마애불은 고려시대 지방 마애불의 면모를 간직하고 있
으며, 조성 위치역시 산천비보사상으로 선정된 고려시대 마애불의 위치와 軌를 같이 한다.

　서울과 경기지방 마애불 중 토속화적인 고려 전통이 엿보이는 사례로는 삼각산 도선사 마애
불입상을 들 수 있다. 만경봉·인수봉·백운대 등 삼각산의 주봉을 배경으로 조성된 마애불은
왕실에서 국가기도 도량으로 지목했을 정도로 각별한 관심의 대상이었다. 도선사 사적에 따르
면 철종 14년(1863) 金左根의 시주로 중수하고 칠성각을 신축하였으며 고종 24년(1887) 任準이
5층 석탑을 건립 후 眞身舍利를 봉안했다. 이어 1903년에는 고종의 명으로 慧明이 대웅전을 중
건 후 이듬해인 광무 8년(1904) 국가기원도량으로 지정되었다.[8]

　조선은 갑오개혁 이후 유교 중심의 엄격성이 완화되었고, 때를 같이해 신분제도의 붕괴가 나

---

8) 도선사 마애불 앞에는 조선시대 칠층석탑과 神木이 배치되어 있어 불교와 무속이 결합된 신앙 공간임을 알 수
　있다. 마애불입상의 조각기법 역시 저부조로 체구가 길고 수염이 강조되어 여래상 보다는 무속의 道人 풍모에
　가깝다. 도상에서 고려 10~11세기 경 제작으로 추정되는 구미 금오산 마애불입상과 유사하다. 금오산 마애불
　입상은 얕은 선묘를 이용한 회화기법으로 제작했는데, 두 줄 두광과 신광을 가는 선각으로 새겼고 양 손은 길
　게 늘어뜨려 손바닥이 드러나 있다.

도 9. 관악산 봉천동 마애미륵불좌상

도 10. 학도암 마애관음보살좌상

타나면서 불교에 대한 가혹한 통제 역시 감소했다. 도선사 마애불입상은 국가기도 도량이라는 명분 이외에 사회혼란을 수습하면서 무력해진 왕권 강화를 추구했던 高宗과 왕실의 노력이 집결되어 조성된 것이다. 조선 말 왕실지원으로 조성되거나 원찰 명목으로 유지되던 사찰은 이와 같이 무력해진 왕실 재건과 국가 안녕을 목적으로 발원된 것임을 알 수 있다.

관악산 봉천동 마애불은 불상 우측 두광 높이에 '彌勒尊佛' 4자가 크게 새겨져 있고, 그 옆에 '崇禎三年庚午四月日' 9자와, 연화대좌 부근에 '大施主 朴山會兩主'라는 글자가 종으로 3자와 5자의 2줄로 새겨져 있다. 따라서 인조 8년(1630) 박산회 부부의 시주로 조성된 미륵불임을 알 수 있다. 봉천동 마애미륵불좌상은 고려불화와 유사한 느낌을 자아내는데, 가는 선각을 이용해 상호와 가슴 부분은 볼륨감이 크지 않게 돋을새김 했다. 반면 옷 주름 표현과 광배, 연화대좌는 음각의 선묘로 표현해 선묘를 바탕으로 신체의 입체감을 추구했던 고려시대 불화제작 기법을 토대로 제작되었음을 확인할 수 있다.

임진왜란 직후 국가차원의 대대적인 불교계 지원정책에 따라 사찰중수가 진행되는데, 이 때 공주 마곡사를 중심으로 활동하던 일련의 화승들이 경기지방 까지 진출해 불화제작에 참여하기도 했다. 봉천동 마애불을 비롯해 17세기 서울, 경기지방 마애불들이 표현기법에서 불화 요소를 강하게 보여주는 것은 이들 화승집단의 불화 草本을 이용했거나, 직접 마애불 제작에 참여했을 가능성을 추정케 한다. 1872년 제작된 서울 학도암 마애관음보살좌상은 13m가 넘는 수직 절벽에 외곽선 주변을 파내어 입체감을 살린 융기된 선묘로 조각했고, 옷 주름 처리, 化佛을 더한 花冠, 연화대좌, 七寶紋 표현 등 불화의 도상을 그대로 바위에 옮겨놓은 점 역시 화승집단이 마애불 조성에 참여했을 가능성이 높아 보인다. 또한 마애불 좌측 바위 면에는 불화 畵記와 같이 증명비구 惠默과 축문을 염불한 通呪와 실질적으로 마애불을 조각한 金魚의 명단을 남겼는데 마애불 조각가를 불화제작을 담당하는 금어와 동일하게 여기고 있음은 억불기간을 통해 전문적인 조각장 기능이 감소하고 불화제작을 담당했던 화승들이 조각에 까지 참여했을 가능성을 제시한다.

표 1. 조선시대 마애불 목록)[9]

명칭	제작시기	규모(m)	소재지
봉천동 마애미륵불좌상	1630년	전고 1.6	관악구 봉천동
도선사 마애불입상	17~18세기	전고 8.4 불두고 2.2	강북구 우이동
안양 삼막사 마애치성광삼존불	1763년	전고 1.6 삼존 폭 2.5	안양시 만안구 석수동
학도암 마애관음보살좌상	1872년	전고 7.0	노원구 중계본동 학도암
망경암 마애불좌상	1897년	전고 1.2	성남시 수정구 복정동
안양암 마애관음보살좌상	1909년	전고 3.5	종로구 창신동 안양암
강화 보문사 마애관음보살좌상	1928년	전고 9.2	강화군 삼산면 매음리
예산 장신리 마애불입상	1465년	전고 2.0	예산군 광시면 장신리
공주 일락산 마애지장보살입상	成化연간	전고 0.94	공주시 금학동
진도 금골산 마애불좌상	1471년	전고 2.0	진도군 군내면 둔전리
옥련선원 마애지장보살좌상	17~18세기	전 약 1.0	부산광역시 수영구 민락동
남원 노적봉 마애불좌상	조선 17세기	전고 6.0 폭 4.0	남원시 사매면 소도리
양산 호계동 마애불좌상	18~19세기	전고 2.2	양산시 호계동
김제 문수사 마애불좌상	18~19세기	전고 1.5	김제시 황산동
화순 벽라리 민불	18~19세기	전고 4.0	화순군 벽라리
한산사 마애불	조선	전고 3.0	제천시 남천동 한산사
통도사 지장암 마애삼존불	1896년	전고 4.0 폭 4.0	양산시 하북면 지산리

9) 명문기록이 확인되지 않은 경우 제작시기를 확정하기 곤란하다. 더욱이 조선시대는 상대적으로 불교가 위축되었던 시기로 불교미술 역시 새로운 조형의 창출과 양식발전이 이루어지지 않은 채, 고려시대 불상양식 모방이 주류를 차지했다. 표에서 제시한 목록은 마애불 연구 성과를 토대로 제작시기에 대한 동의가 이루어진 사례로 한정했으며, 보문사 마애관음보살좌상은 일제강점기 제작이지만 조선시대 불상양식이 근대로 이어지는 사례로 각별한 의미를 지니고 있어 목록에 포함시켰다. 전국 마애불 현황에 대해서는『한국의 마애불』부록으로 게재된 전국 마애불 목록을 참고할 수 있다(이태호 외,『한국의 마애불』, 다른 세상, 2001).

조사가 진행된 전국 마애불 중 조선시대 제작으로 밝혀진 사례는 17구이며, 이 가운데 서울과 경기지방에는 7구의 마애불이 조성되었다. 조사대상 마애불이 많지 않은 관계로 지역분포에서 유의미한 통계를 확인할 순 없으나 억불정책이 시행되던 조선에서도 수도 한양을 중심으로 불사활동이 멈추지 않았음을 알 수 있다.

서울·경기지역 마애 불 중 봉천동 마애불과 삼막사 치성광삼존불, 망경암 마애불좌상을 제외하면 관음보살상이 압도적인데, 당시 불교신앙의 단면을 반영하고 있다. 관음보살은 중생들의 현실적인 고통을 구제하는 대중에게 친근한 보살이다.『三國遺事』권3 '백월산의 두성인 노힐부득과 달달박박'조의 관음보살 靈記를 시작으로 꾸준히 독립상과 삼존불의 협시 상으로 유행했다. 아미타불을 협시하는 補處菩薩이면서 동시에 단독으로 조성되어 예배대상이 되었고 불화나 불상으로 빈번하게 조성되었다. 특히 고려시대에는 관음보살 불화가 크게 유행했으며, 마애불에서도 서울 홍은동 普渡閣보살좌상과 같이 예외는 아니었다. 학도암 마애불을 시작으로 19세기에 관음보살 조성이 유행한 배경에는 내부 정치 불안과 외부에서 서구열강의 진출이 증가하는 시대상을 반영했을 것이다.

이외 부산 옥련선원 마애지장보살좌상에서도 표현기법에서 불화와의 관계성을 살필 수 있다. 상호와 머리 부분만을 음각으로 처리하고, 두광 신광과 신체, 연화좌 등 나머지 대부분을 양각으로 표현했다. 하지만 양각 부분 역시 조각선이 깊지 않아 불화의 선묘처리 기법을 토대로 제작한 것으로 볼 수 있다. 광배는 조선후기인 17~18세기 조성 불화의 主尊佛 광배처럼 방사선 문양을 새기고 있어 마애불의 제작시기를 비교해 볼 수 있다.

옥련선원이 위치한 백산은 경상좌수영이 있었고, 백산의 정상부에 첨이대가 있는 등 남해를 지키는 군사적 요충지일 뿐 아니라 임진왜란을 겪으면서 사명대사와도 관련이 깊은 곳이다. 옥련선원 마애지장보살좌상은 해난구제와 수군의 歸依佛로서 기능을 가지고 조성된 것이다. 옥련선원을 비롯한 조선시대 제작된 마애지장보살은 공주 일락산과 통도사 지장암 지장보살 등은 모두 왜구 침입이 심했던 곳이라는 공통점을 지니고 있다. 따라서 임진왜란 이후의 전후복구 과정에서 전쟁기간 희생자를 위로하고 왕생을 염원하며 지장보살상을 조성했을 추정이 가능하다.

표 2. 현존 전국 마애불 현황

지역		서울·경기	강원	충북	충남	경북	경남	전북	전남	금강산
수량		25	6	16	18	49	21	9	20	2
시대별	삼국	·	·	1	3	4	·	·	·	·
	통신	1	·	2	2	29	6	1	2	·
	고려	14	5	12	10	14	9	5	11	2
	조선	7	·	2	1	·	3	2	2	·
	미상	3	1	·	2	2	3	1	5	·

서울과 경기지역에는 조선시대 마애불 이외에도 고려시대 마애불이 집중적으로 조성되었다. 표2를 통해 현재까지 조사된 166구의 마애불 중 약 15%에 해당하는 25기의 마애불이 제작되었음을 알 수 있다. 이 수치는 경상북도를 제외하곤 가장 높은 수량인데 경상북도가 통일신라의 중심지배지였음을 고려한다면 고려시대 이후로 마애불이 전국적으로 확산되며, 동시에 서울과 경기지역이 그 중심지를 차지하고 있음을 보여준다.

본 연구의 중심대상인 망경암 마애불은 시기적으로 고종이 열강의 침탈과 중국의 간섭으로부터 벗어나기 위해 추진한 광무개혁이 있던 1897년 조성되었다. 따라서 고려로부터 이어져 온 마애불 조성양식이 1910년 이후 근대로 넘어가는 마지막 시기에 제작된 마애불로 각별한 의미를 지니고 있으며, 주변에 세워진 비문 기록을 통해 조성목적을 구체적으로 살필 수 있다.

Ⅲ. 망경암 마애불의 양식과 제작시기

1. 망경암 마애불의 현상과 양식

망경암 마애불(경기도 유형문화재 제102호)은 경기도 성남시 수정구 복정동 망경암 경내에 위치해 있다. 망경암 마애불 정면에선 한강과 서울의 관악산·남산 그리고 원거리에 북한산을 조망할 수 있다. 망경암은 남한산성의 서쪽 끝에 위치하며 북서향 암벽 중앙 상단에 사각형 감실을 거칠게 판 후 돋을새김으로 새긴 결가부좌의 소형 불상이다. 현재 불신높이 120㎝, 무릎 폭 75㎝로 오른손은 오른쪽 종아리 위에, 왼손은 손등을 드러낸 채 가슴 앞에 대었다. 머리는

도 11. 망경암 마애불상 전경

도 12. 망경암 마애불좌상

소발로 보이며 상체에는 목 부분만 살짝 드러나도록 짧은 U자형을 이룬 두꺼운 법의를 표현했다. 결가부좌한 무릎 아래론 석질불량으로 대좌를 확인할 순 없다.

망경암 마애불에서 주목되는 점은 바위 면적에 비해 소형 불상을 단독으로 조성한 것이다. 비록 암질이 조각에 불리한 측면을 고려해야겠지만, 불상 주변으로 14곳의 사각형 감실을 파낸 후 명문을 기록했음에도 불구하고 1구만의 불상을 조각한 것은 예외적이다. 단독 불상의 경우 바위 면을 압도하는 대형으로 조각하는데 망경암 마애불은 이와 반대로 소규모 속한다. 다만 불상 주변의 감실에 새겨진 명문을 통해 왕과 왕비 그리고 왕실의 축원을 위해 제작되었음을 확인할 수 있다. 이곳은 원찰과 같은 신성한 장소로 인식되어 왔기에 불상 조각 보다는 왕실 기도처를 상징하는 수준에서 불상을 조성한 결과 우수한 조각을 창출하지 못했고 축원을 위해 방문했을 때 마다 불상을 대신해 감실에는 축원 내용을 음각했던 것으로 추측된다.[10]

불상의 도상은 如來 보다는 일반인의 모습에 가까우며 머리와 수평으로 표현된 어깨가 직접 붙어 있어 매우 경직된 자세를 취하고 있다. 비교적 원형을 유지하고 있는 안면과 이목구비는 부처의 신이성을 상실한 채 반개한 눈으로 원경을 향하고 있다. 의습은 두껍고 형식적이며 가슴 앞으로 도식화된 U자형 옷 주름을 일부 표현했다. 양 손 중 가슴 앞으로 들어 올린 왼손은 오른손에 비해 크고 사실성이 떨어진다. 무릎 위에서 촉지인을 취한 오른손 역시 사실성이 떨어지며, 외손에 비해 평판 적이다.

이 불상은 군위 불로리 마애보살입상과 양산 호계동 마애불좌상과 친연성을 보인다. 불로리 마애보살입상은 佛巖으로 불리는 13세기 말 또는 14세기 초 제작의 고려시대 마애불이다. 마애불은 머리에 두건을 쓴 보살상으로 사각에 가까운 각진 얼굴은 작은 눈, 넓적한 삼각형 코, 삐죽 튀어나온 작은 입술과 전반적으로 어색한 이목구비를 갖추고 있다. 비록 망경암과 달리 입상이나 입체감이 감소하고 형식적으로 안면 부를 표현한 점, 사실감이 사라진 형식적 양 손 표현 등은 상호 유사한 모습을 보여준다. 제작시기에 있어 망경암과 불로리 마애불상 간에 많은 차이가 있어 직접 비교는 곤란하지만 무신 난과 원 간섭기를 거치면서 나타난 불상의 민불화 경향과 고려 특유의 토속적 이미지가 반영된 전통이 조선말까지 이어지고 있음이 확인된다.

호계동 마애불좌상은 나발이 뚜렷하고 굵고 큰 코에 비해 입을 상대적으로 작게 조각했다. 초승달 모양의 두 눈에는 옅은 미소를 담았고 두 귀를 정면관 중심으로 크게 표현했다. 안면 표현이 돋을새김인데 비해 몸을 덮은 법의는 선각이다. 법의는 양 어깨를 덮은 통견이며 가슴부터 결가부좌한 다리 위까지 선각으로 반복적인 옷 주름을 조각했다. 머리와 어깨를 직접 연결

---

10) 망경암 칠성대에 마애불이 단독으로 조각된 것은 기복을 위한 기도처로서 기능이 유지되는 가운데, 각별한 발원목적이 발생하면서 과거 종교행사에선 진행되지 않던 불상조성이 이루어진 것으로 추정된다. 명문 내용 중 세종 두 아들에 대한 왕생추복 기원을 목적으로 불상으로 조성한 점 역시 단순 기원이 아닌 수명연장 같은 왕실 위급상황에 특별히 조성되었음을 추정할 수 있다.

도 13. 군위 불로리 마애보살입상

도 14. 양산 호계동 마애불좌상

한 듯 목 부분이 생략되어 있어 망경암 마애불좌상과 같이 경직된 느낌이 강하다.

양 무릎은 폭이 넓어 비례가 맞지 않으며 앙복련으로 구성된 대좌를 선각으로 표현했다. 오른손은 마모로 명확하지 않으나 어깨 끝의 자세로 보아 가슴 앞에 위치한 것으로 추정된다. 왼손은 결가부좌해 왼쪽으로 이동한 오른발 위에서 손등이 정면을 향한 채 촉지인을 취하고 있으며 엄지손가락을 벌린 채 크게 조각했다.

불로리와 호계동 마애불상은 고려시대 후기부터 가속화되는 불교와 민속, 무속신앙의 결합으로 나타나는 民佛의 영향을 강하게 받고 있다. 민불 등장은 단순히 불교의 위축과 성리학을 토대로 한 유학의 발전만이 아닌, 사회 전반에서 역동성이 감소하면서 조형미술 역시 후퇴하는 고려 말과 조선시대 새로이 나타난 민중미술의 새로운 조류라는 현상으로 설명할 수 있다. 지방 민중이 지향하던 생활의 안전과 무속의 확대로 나타나는 기복신앙의 유행으로 불상은 외형은 유지한 채 무속의 신선이나 道家의 도인으로 성격이 바뀌어 갔다. 망경암 마애불상은 광무개혁을 추진할 수밖에 없었던 조선의 국운을 상징하는 동시에 삼국시대부터 이어져 온 한국 불상조각양식의 마지막 작품이며, 후술할 국가와 왕실의 안녕을 기원하던 기도처와 불교가 결합되어 만들어진 국가차원 불사활동의 마지막 결과물로서 중요한 의미를 갖는다.

2. 망경암 마애불의 위치와 제작기법

고려가 불교를 국가 차원에서 후원한 결과 불교미술이 발달했는데, 강원·경기·충청지역에 고려 초기 사찰유적과 불상 등이 집중되어 있는 것은 태조가 정치세력 강화를 위해 지방호족들과 결탁하거나 인척 관계를 유지해 온 것과 밀접한 관련을 맺고 있다. 조선시대는 비록 국가차원의 불교계 지원은 미미했으나 태조 이성계를 시작으로 세종과 세조뿐만 아니라 왕실 여인들을 중심으로 불교계를 적극 후원했다. 이러한 현상은 고려시대 이래 전통적으로 유지해온 불교문화와 이로부터 파생된 생활관습을 단 시간에 탈피하지 못했던 것이 원인이었다. 반면 공식적으론 성리학에 기반 한 사대부를 주축으로 불교계 지원이 차단됨으로써 과거와 같은 국가 또는 귀족중심의 불교는 쇠퇴했지만 민중 중심의 종교로 변화하면서 명맥을 유지해 나갔다. 경기지역을 중심으로 집중된 조선시대 마애불 조성은 이와 같이 왕실의 私的 지원과 일부 사대부, 피지배 계층 주도로 불교가 신앙으로 유지됐음을 보여준다. 조선말은 국가차원의 불교계 통제가 이완되고 설령 대규모 佛事여도 그것이 국가안녕과 왕실축원이 목적이라면 거부할 수 없었기에 적지 않은 불교미술이 한양을 중심으로 한 서울·경기지역을 중심으로 유지될 수 있었다.

마애불은 환조의 석불이나 금동불과 달리 고정된 대형 암석에 조각되기 때문에 본래 위치를 벗어날 수 없다. 그 결과 해당 지역의 불상양식을 파악하는데 유리한 측면이 있다. 고려시대 마애불상은 대부분 교통로나 산천비보사상과 연관된 지형에 위치하는 특징을 보이고 있다. 과거나 현재나 교통로는 경제·군사 요충지로 국가차원에서 관리되었고 사찰 역시 이곳을 중심으로 건립이 집중됐다. 신라시대 마애불이 깊은 산속이나 사찰과 가까운 산 정상 부근에 조성된 반면 고려시대는 교통로를 끼고 왕래가 빈번한 지형에 위치하는 사례가 증가한다. 전자는 불교와 재래 산악신앙이 습합되면서 나타난 결과로 마애불이 위치한 산하가 佛國土라는 관념을 배경으로 한다. 이러한 유형은 통일신라 초에 등장한 이래 우리나라 마애불의 중요한 특징으로 정착되었다. 산 속에 마애불을 조성하는 사례는 고려에도 이어졌는데 고려 초 제작의 경기도 소래산 마애불, 중기 북한산 승가사 마애불, 후기 구례 사성암 마애불 입상 등을 들 수 있다.

교통로 부근에 마애불이 조성된 것은 마애불이 이동로를 경계하는 수호자 역할 뿐 아니라 사원의 교통기능[11] 까지 포함하고 있었기 때문이다. 이 외에 부분적으로 민간신앙과 결합되어 立石 등 민속신앙의 대상물이 되기도 하였다.

망경암 마애불의 위치는 수도 한양을 한 눈에 조망할 수 있는 명승지이며 동시에 기록을 통해 왕실 안녕을 기원하는 기도처 역할을 해왔음이 확인됐다. 동시에 망경암이 위치한 靈長山이 조선시대 대표 관방시설인 남한산성과 인접해 있고, 부근의 奉國寺 역시 국가평안을 비는 寺名임을 고려했을 때 이 지역이 조선시대 수도 關防과 태평, 왕실의 안녕을 기원하던 핵심지역임을 추정할 수 있다.

마애불의 제작기법은 크게 浮彫와 線刻技法으로 구분된다. 부조의 경우에도 바위 면과 조상의 높이에 따라 고부조와 저부조로 나뉘며, 선각은 깊은 선각과 얕은 선각 그리고 연속된 점을 이용해 표현하는 點刻 기법으로 세분할 수 있다.

마애불과 같은 부조는 양각기법을 이용하는 방법이 주류를 차지하는데, 표현대상이 되는 조각상 외형을 최대한 돋보이기 위해 바위 면을 제거함으로써 像의 형태를 강조하는 기법이다.

---

11) 김병인, 「高麗時代 寺院의 交通機能」, 『全南史學』13, 전남대학교 사학회, 1999, pp.31~58.

우리나라 마애불을 대표하는 삼국시대 서산 마애불·예산 사방불·굴불사 사방불 등은 모두 고부조 기법으로 조성된 사례로, 비교적 이른 시기 제작된 마애불은 모두 고부조로 제작된 점이 특징이다. 이것은 마애불의 기원이 인도와 중국의 석굴사원을 충실히 재현하려던 당시 사람들의 의지를 기반으로 이루어졌기 때문이다. 동시에 삼국시대 초 전래된 환조불상을 구현하기 위해 비록 마애불이라고 하더라도 입체감을 강조함으로써 환조불상을 표현하려던 조형의지를 보여주는 것이다.

후대에 고부조 기법을 사용한 마애불로는 통일신라 초 제작의 가흥동 마애불을 대표적으로 들 수 있으며, 환조에 가깝게 측면 석재를 제거해 돋으라지게 표현했다. 이 시기 마애불은 정면에서 관찰하면 마치 환조를 보는듯한 착각에 빠지게 할 정도로 입체감이 뛰어나다. 저부조는 고부조에 비해 불상 주변의 바위를 적게 제거한 것이 아니라 선각기법을 일정 부분 응용한 것이다. 신체 모델링이나 옷 주름 등 특징적인 부분은 양각으로 표현하고 단순히 주변 석재를 얇게 파내어 고부조에 비해서는 입체감이 줄어든다. 이러한 표현은 마치 회화작품을 연상시키는데 남산 탑곡 사방불·남산 신선암 마애불 등의 사례를 검토해 보면 스토리의 표현이나 섬세한 조각을 필요로 했을 때 즐겨 사용하던 수법으로 판단된다.

신라 하대에서 고려로 이어지는 시기는 마애불 제작이 증가하면서 앞선 시대와 같은 고부조 작품을 조성할 경우 경제·시간적으로 애로가 따르기 때문에 점차 저부조 제작기법 위주로 제작방식이 변화되었다. 선각기법은 불상 뿐 아니라 선사시대 암각화로 까지 기원이 올라가는 조각의 기본기법이다. 바위 면을 평면으로 가공하거나 요철 부분만을 제거 후 연속된 선을 파내어 조각하는 기법과 정을 이용해 바위 면을 두드려 형태를 구성하는 점각 기법이 대표적이다. 선각 작품의 대표 사례로는 경주 남산 삼릉계 선각 마애육존상·법주사 창건연기 등을 들 수 있는데 실재로는 선각과 점각을 엄격히 구분한 것이 아닌 장인의 의지에 따라 두 기법을 병행해 사용했다.

도 15. 망경암 경내에서 조망한 서울 방향 전경

망경암 마애불상은 소형이고 주변 암질이 조각용으로 적당치 않은 관계로 섬세한 표현이 곤란했음을 부정할 수 없다. 하지만 세부 조각기법을 분석해 보면 양감과 신체 볼륨을 강조하기 위한 고부조 기법으로 제작되었음을 알 수 있다. 불상 머리 뒷부분에 사각형으로 조성된 감실 역시 처음 의도는 龕室 내부에 불상을 조성하려고 했으나 암질 특성 때문에 머리 부분에만 제한된 것으로 판단된다. 조각 장인의 의도에 따라 불신 전체를 감실 내부에 표현했다면 망경암 마애불상은 현재보다 입체감과 신체의 근육표현이 돋보였을 것이다. 사실성이 떨어지는 양손의 표현 역시 古式의 선각표현이 아닌 面 중심 위주의 표현기법을 따르고 있다. 이상의 검토를 통해 망경암 마애불의 조각 장인은 회화와 같은 평면미술에 대한 이해가 부족했고 신체 볼륨을 강조하려던 의지가 있었음에도 불구하고 佛身을 감실 전체에 담아내지 못해 평판 적이고 입체감이 감소한 결과를 가져왔다. 망경암 마애불상은 조형미와 조각기법이 세련되진 못했으나 불상의 입체감을 강조하려던 목적으로 조형계획이 수립됐다. 그리고 세부표현에 있어 사실성이 떨어지나 당시 유행하던 일반조각과 민중들이 지향하던 민불의 조형미를 토대로 제작된 작품이다.

이상의 검토를 통해 망경암 마애불은 삼국시대부터 시작된 한국 마애불의 전통과 제작기법을 토대로 20세기 초 조선의 여건 아래서 조성된 마지막 불교조각이라는 가치를 갖는다. 아울러 조각 장인은 영장산 주변에서 활동하던 석공으로 추정할 수 있다. 임진왜란 이후 陶工과 활자 주조공 등의 피랍으로 이들 산업이 위축된 것과 같이 18세기 이후 위축된 국내 여건으로 사적인 불교계 지원마저 감소하면서 불상조성 기회가 감소했고, 종국에는 우수한 불상조각 기술이 감소한 것을 고려할 수 있다. 비록 망경암이 왕실의 기도처임에도 불구하고 우수한 불상조각이 불가능했던 것은 이와 같은 국내 상황에 기인한 것이다. 또한 사찰 내부에는 고려시대에 비해 축소되었지만 우수한 기술을 보유한 僧匠 집단을 확보하고 있었음에도 불구하고 불상의 조각수준이 우수하지 못한 것은 망경암 주변사찰의 영향력이 과거와 같이 않았음을 보여준다. 또한 불상조성을 통한 공덕보다는 망경암 칠성대가 갖고 있던 기복신앙의 기능에 더욱 주목했기 때문일 것이다.

IV. 망경암 마애불의 조성배경과 미술사적 의의

1. 망경암 마애불의 조성배경

망경암 마애불은 불상 주변에 감실을 파고 새겨진 14곳의 명문을 통해 이곳에서 왕과 왕비·왕자 등 왕실의 명복을 기원했음을 확인할 수 있다. 특히 세종의 7남 평안대군과 손자 제안대군의 명복을 빌기 위해 단을 만들어 七聖齋를 지내왔는데 여기서 유래해 마애불이 조각된 바위를 七星臺로 부르고 있다. 칠성신앙은 북두칠성을 부처님으로 의인화한 것으로 도교의 영향을 받아 주로 수명장수를 기원한다. 북두칠성을 신앙의 대상으로 삼은 것은 인도에서 시작됐지만 칠성신앙은 별이 인간의 길흉화복과 수명을 지배한다는 도교의 인식으로부터 전환되어 독립된 신앙으로 정착됐다. 국내에는 삼국시대부터 유입되었지만 성행하지 않다가 조선말 크게 유행했으며 사찰 경내에 七星閣이라는 독립 전각이 생길정도로 발전했다. 칠성은 주로 비를 내려 풍년을 이루게 하고 수명을 연장해 주며 재물을 준다는 믿음의 대상이다. 따라서 지극히 現世利益적 기복신앙의 대상물이라고 할 수 있다.[12]

불교 초창기 인도에선 북극성을 妙見菩薩이라했고 큰곰자리의 7개별을 北斗 내지는 북두칠성으로 불러 신격화 했다. 북극성인 묘견보살은 칠성을 권속으로 거느린다. 특히 묘견보살의 눈이 밝고 청정해 사물을 잘보고, 인간의 선악을 기록하며 국토를 옹호하여 재난을 제거하고 적을 물리치며 사람의 복을 늘리는 신으로 추앙 받았다.

불교에선 북극성의 밝기가 유별나 熾盛이라고 하는데 金輪佛頂熾盛光如來에서 기원한다. 도교에선 북극성을 모든 별을 통솔하는 紫薇大帝라고 불렀다. 칠성신앙은 불교가 중국에 유입되면서 당나라 승려 一行에 의해『藥師七佛經』의 七星護摩法을 통해 도교와 충돌 없이 수용된다. 『약사칠불경』에선 약사불을 주존으로 칠불 각각에 칠성의 이름을 부여했다. 그 결과 자미대제는 치성광여래로, 칠원성군은 七如來로 대치되었다. 해와 달은 일광변조소재보살과 월광변조소재보살로 전환되어 치성광여래의 좌우보처로 정착된다.

따라서 칠원성군은 칠여래의 화현이 되며, 수명을 관장하는 破軍星君이 약사여래의 화현으로 나타난다. 이것은 약사신앙과 칠성신앙이 결합된 것으로 현세이익을 공통적으로 추구한 두 신앙의 유사성을 통해 확인할 수 있다. 또한 칠성신앙의 영향을 받은 불교 위경인『六方禮經』에선 동방 부모·남방 스승·서방 아내·북방 친척·상방 행(行; 실천)이 높은 사람·하방 아랫사람으로 상징하고 있다.

망경암 마애불의 조성 장소인 七星臺는 이와 같이 조선시대 들어 전국적으로 유행한 칠성신앙의 기도처다. 칠성대 바위 면에 새겨진 명문기록 역시 七星齋를 지냈거나 일찍 숨을 거둔 왕자들의 명복을 빌고 있어 단순 기복이 아닌 왕실의 추복과 안녕을 기원하기 위해 망경암을 각별히 운영해 왔던 것으로 추정할 수 있다. 또한 세종의 아들에 대한 추복 기록을 당시가 아닌 불상을

---

12) 김형우,「한국사찰의 山神閣과 山神儀禮」,『禪文化研究』14, 한국불교선리연구원, 2013, pp.297~332.
   정진희,「고려 치성광여래(熾盛光如來) 신앙 고찰」,『정신문화연구』36권 3호, 한국학중앙연구원, 2013, pp.313~342.
   서경전,「韓國七星信仰을 通해 본 道·佛交涉關係」,『한국종교』10, 원광대학교 종교문제연구소, 1985, pp.45~57.

도 16. 삼막사 치성광삼존불　　　　　　　　　　도 17. 삼막사 여근석

조성한 李奎承이 담당했음을 밝히고 있는데, 사료에는 이규승에 대한 기록이 확인되지 않아 몰락한 방계 왕족으로 추정된다. 하지만 이규승이 세종의 아들들을 별도로 추복한 것은 그가 평원대군, 제안대군과 각별한 관계를 갖고 있는 왕족으로 볼 수 있는 계기를 제공해주고 있다.

칠성신앙의 또 다른 예로는 시주자, 치성광불을 조성했다는 기록이 남아있는 1763년 제작의 삼막사 致誠光三尊佛을 들 수 있다.[13] 마애불 아래에는 '乾隆二十八年 癸未 八月 日悟心首 施主 徐世俊'이라는 명문이 있어 1763년 조성임을 알 수 있다. 뒤이어 마애불을 조성한 이듬해 전각이 축조됐는데 前室 형태의 목조건축이 부가되어 석굴의 공간구조를 구성했다.

삼존불 중앙 연꽃 위에 결가부좌로 앉아 있는 본존불상은 보주형태의 보륜을 들고 있는 석가모니의 화신으로 칠성신계의 주존인 치성광불이다. 조선시대 마애불 중 치성광여래로는 유일한 예이며, 본존의 좌우 일월이 장식된 관을 쓴 협시는 각각 일륜과 월륜보살이다. 조선후기의 불교조각 중 격조를 유지하면서 세부기법에서 우수한 조각법을 보여준다. 칠성여래의 도상은 조각보다는 칠성탱화의 도상으로 잘 나타나며, 불교와 전통신앙의 결합으로 나타난 조선시대 불교계의 변화상을 반영하고 있다. 삼막사 치성광삼존불 주변에는 이 외에도 남근석과 여근석이 남아 있는데, 이 역시 불교계가 현세이익 또는 기복 중심의 민속신앙화 하는 경향을 반영한다.

조선은 망경암 이외에도 여러 왕실발원 사찰인 원찰을 경영해 왔다. 임진왜란 이후 승병활동에 대한 보답차원으로 진행된 사찰중건을 통해 한양 주변에 다수의 사찰이 중건되었다. 이때 개개 사찰은 국가와 왕실에 대한 감사와 마치 사액서원과 같이 국왕의 권위를 빌어 유학자들의 사찰 침입을 예방하기 위해 원찰을 표방했다. 그 결과 단순 재정지원만 이뤄진 사찰이더라도 원찰로 불리게 되었으며, 이들 사찰에는 불단 앞에 설치하는 불패 등에 '주상전하 천세' 등의 문구를

---

13) 김삼룡, 『한국미륵신앙의 연구』, 동화출판공사, 1983, p.108.
　　문명대, 「三幕寺 在銘磨崖三尊佛考」, 『又軒 丁仲煥博士還曆記念論文集』, 1974, p.195.

도 18. 김천 청암사 입구 최송설당 각자　　　　도 19. 김천 청암사 입구 최송설당 각자 전경

새겨 놓았다.[14] 그 외 왕실 여인들을 중심으로 개별적인 원찰이 운영되었는데 홍은동 보도각 보살좌상은 홍선대원군의 부인 민씨가 고종의 천복을 빌었다. 이외 관악산 학도암에도 동치 11년 (1872) 명성황후의 후원으로 조성했다고 전해오는 마애불이 남아 있어 조선 후기까지 지속적으로 왕실 여인들을 중심으로 불교를 매개로 한 종교행위가 진행되었음을 입증하고 있다.

그리고 김천 수도암 사적에는 숙종의 둘째 왕비인 인현왕후가 장희빈의 무고로 폐서인이 되었을 때 청암사 보광전에서 기도를 드렸고 그 인연으로 왕실의 후원을 받았으며 조선 말기까지 상궁들이 내려와 신앙생활 했었다고 전한다.[15] 뒤이어 근세의 수도암 대중창주 대운스님이 청암사를 두 차례에 걸쳐 보수할 때 崔松雪堂이 大施主로 참여했음을 기록했다. 최송설당은 김천 출신으로 英親王의 보모상궁이었다. 최송설당은 영친왕의 생모인 엄비와 고종의 총애를 받으

---

14) 경기도 북부지역과 남한강 유역의 임진왜란 이후 중건 사찰에는 금당으로 진입하기 위한 전면 공간에 樓형태의 大房 건축을 공통적으로 설치, 운영했다. 더욱이 가평 현등사 대방·봉은사 법왕루 등은 금당 전면에 별도의 예불공간을 마련한 것이다. 아무리 왕실과 반가의 여인이라고 하더라도 남녀 간의 유별성이 강조되는 상황에서 방문을 개방하기만 하면 금당에 예불을 드릴 수 있는 대방에서 별도로 예불을 드리기 위한 목적으로 운영됐다. 따라서 대방이 설치된 가람은 대부분 임진왜란 이후 왕실과 반가에서 후원한 원찰이 주축을 이루고 있음을 알 수 있다. 조선시대 대방건축에 대해선 다음의 연구를 참고할 수 있다.
유호건, 「조선시대 능침원당 사찰의 건축특성에 관한 연구 : 용주사를 중심으로」, 경기대학교 석사학위논문, 2008.
홍병화, 「조선후기 대형요사 형성배경과 분류」, 『대한건축학회 논문집 : 계획계』 Vol.25 No.4, 대한건축학회, 2009.
홍병화, 「조선 후반기 불교건축의 성격과 의미 : 사찰 중심영역의 배치 및 건축 계획의 변화과정」, 연세대학교 박사학위논문, 2010.
15) 『修道庵 寺蹟記』

며 많은 재산을 모았다.[16] 대운스님은 그녀를 통해 많은 궁녀들의 시주를 얻을 수 있었기에 짧은 기간에 큰 불사를 두 차례나 일으킬 수 있었다. 이와 같이 조선 후기에는 왕비, 후궁, 궁녀들이 불교계의 중요한 후원자로 활동했으며 최송설당의 사례를 통해 망경암 마애불 조성을 주도한 이규승 역시 왕실을 대표해 불상조성을 주도했던 것으로 추정할 수 있다.

　망경암 마애불상의 존명을 구체적으로 규명할 순 없으나, 이규승의 기록을 토대로 불상이 조성된 바위가 칠성대로 불려왔고 이곳이 왕실을 추복하기 위한 칠성신앙이 행해진 것을 고려한다면 칠성여래로 보아도 무방할 것이다. 특히 전술한『육방예경』에서 북방이 친척을 상징하는데, 망경암 칠성대 마애불이 관악산과 목멱산을 조망할 수 있는 남쪽에 위치해 북쪽 왕궁을 향하고 있는 것은 우연이 아닐 것이다. 이상의 논의를 통해 망경암 마애불상은 조선왕실의 추복처 중 한 곳이며, 칠성신앙의 현세이익 내지 수명장수를 기원하기 위해 조선 말 까지 운영된 곳임을 알 수 있다. 또한 마애불상은 도상 특징을 갖추지 못하고 있으나 치성광여래로 판단되며, 조선 말 민불을 조성했던 민중중심의 조형미를 반영해 제작된 것이다.

2. 망경암 마애불의 미술사적 의의

　조선시대는 억불정책으로 사원 신창 금지는 물론 원당 설립과 설립지역의 분포까지도 제한했다. 그리므로 왕실과 가까운 도성이나 주변을 중심으로 원찰이 경영되었으며, 조선 후기에 이르러서는 지방에 까지 태실과 능침사원 성격의 원찰이 확대 운영됐다. 원당을 경영했던 본래 목적이 천복과 기복에 있으므로 가능한 수도 한양과 가까운 장소에 설립하고자 했던 것이다. 원당은 유교적 충효를 불교적 祈福佛事로 대체한 것인 만큼 원당 소재지가 멀면 왕실에서 직접 내왕하기 어렵고 관심 또한 감소할 수 있기 때문이다.[17]

　원당의 설립이 비교적 용이했던 조선 전기에는 왕과 왕비의 능침사와 조포사의 기능으로 원당이 도성 부근에 건립됐다. 그러나 후기에는 도성 부근을 비롯해 비교적 원거리로 까지 확대된다. 이것은 정치적 원인과 함께 경제적 집적의 수단으로 설립되는 절수원당의 영향이라고 할 수 있다.[18] 이들 지역은 물산이 풍부할 뿐 아니라 승려들도 많아 원당 설립조건을 두루 갖춘 지역이다. 일반적으로 원당은 願主나 발원자와 가까운 거리에 위치해야 독점적 발원과 자유로운 불사가 가능하기 때문에 조선 초기에는 왕실출입이 용인한 곳을 중심으로 私庵이 원당으로 지정됐다. 하지만 조선 후기는 기능적으로 능침원당이 감소하고 경제적 목적 내지는 약화된 왕실

---

16) 김호일,「최송설당의 교육이념과 교육활동」,『국학연구』Vol.11, 국학연구소, 2006, pp.197~236.
17) 원당은 조선 전기 도성을 중심으로 한 도성 주변의 경기도 지역과 강원・충청지역에 집중적으로 창건되었다. 후기 역시 도성 부근의 경기도와 강원도에 집중되고 있으나 점차 경상도와 전라도 같은 원거리에도 설립된다. 이것은 부산 옥련선원 예에서 보여주듯이 임진왜란 이후 민심결집과 전후복구라는 이중적 목적을 담고 있다.
18) 박병선,「朝鮮後期 願堂의 設立 節次 및 構造」,『경주사학』29, 경주사학회, 2009, pp.53~98.

의 추복을 중심으로 절수원당이 건립되어 거리와 무관하게 명산대찰이나 사세가 큰 사찰이면 어디든 원당으로 지정될 수 있었다. 갑오개혁 이전 까지 승려의 도성 출입이 자유롭지 못했던 상황에서 원당 경영은 공식적으론 단절된 불교계와 왕실, 국가 간의 중요한 연결고리였다.

또한 조선시대 왕비와 공주, 상궁 등은 국가정책과 무관하게 불교를 후원하고 사찰창건의 대 공덕주로 활약했다. 원당 사찰들은 공덕주의 권위를 이용해 사찰을 경영했고, 해당 원찰의 중 요 불사로 공덕주의 기원과 요구를 적극 수용했다. 그리고 임진왜란 이후부터 지방을 중심으로 강해진 무속신앙과 불교의 습합현상은 교리를 기반으로 한 수행방식 뿐 아니라 조형미술에도 영향을 끼쳐 전통적인 불상조성이나 가람경영을 벗어난 새로운 경향을 만들어 냈다.

망경암은 비록 조선왕실이 경영했던 원찰기록이 문헌으로 확인되진 않았으나 칠성대 주변 암각 명문을 통해 칠성신앙을 매개로 왕실의 추복을 담당했던 원당이었음을 알 수 있다. 나아 가 광무개혁이 시행된 1897년 조성된 점은 다음의 미술사적 의의를 갖는다.

첫째, 삼국시대부터 시작된 한국 마애불 제작의 전통이 조선 후기까지 이어져, 불교를 매개 로 계승되었다.

둘째, 도성을 중심으로 경영되던 왕실 원찰 내지 원당 기능이 조선 후기까지 지속되었다. 특 히 李奎承이 세종 자제들의 추복목적으로 망경암 마애불을 조성한 것은 고종황제와 관련해 특 별한 의미를 부여한다. 고종은 三從叔인 추존왕 익종의 양자로 입양되어 익종의 양자 자격으 로 조선의 왕위를 계승하였다. 다시 말해 고종은 본래 영조와 사도세자의 후손이 아니라 인조 의 직계 후손이었다. 초기 대왕대비 조씨와 홍선대원군의 섭정을 거치면서 독자적인 국정 운영 권을 확보했지만, 조선은 이미 청과 일본 그리고 서구열강의 패권다툼으로 국력약화를 돌이킬 수 없는 지경에 이르렀다. 고종을 비롯한 왕실은 누구보다도 이러한 상황을 인식하고 있었으며 왕권강화를 위해 노력했다. 고종 2년(1865) 홍선대원군이 주도한 경복궁 중건 역시 표면적으론 궁궐재건이었지만, 왕권 강화를 통해 통치권 안정을 추구하려던 의도였음을 고려할 수 있다.

즉 이규승은 표면적으로 세종의 자제 추복을 목적으로 마애불을 조성했지만, 조선왕조의 정 통성을 되살리고 왕실을 중심으로 국력을 강화하려던 의도를 담았던 것이다. 이규승에 대한 문 헌기록은 남아 있지 않지만 적어도 왕실과 관계된 인물로 추정되며 이를 통해 조선시대 원찰경 영의 목적을 구체적으로 확인할 수 있다.

셋째, 조선 후기 불교와 민간신앙의 결합양상이 증가하는데 불상 조성 역시 전통적인 도상 위주의 근엄함과 신이성을 탈피해 민중지향적인 민불 형태로 발전한다.

넷째, 한양을 조망할 수 있는 명승, 남한산성 인접지라는 지리·역사적 의의를 통해 망경암 마애불이 왕실 뿐 아니라 도성을 위해 조성된 비보목적을 담고 있음을 알 수 있다.

V. 맺는 말

망경암 마애불은 삼국시대부터 시작된 한국 마애불의 전통이 근대로 계승되는 마지막 작품으로서 불교조각사에서 각별한 의미를 갖는다. 조선시대까지의 불상을 매개로 한 조각 전통이 서구미술의 영향으로 근대로 대체되는 과도기에 제작됨으로써 한국 조각사에서 있어 분수령으로 평가할 수 있다.

동시에 마애불을 미륵불 또는 산천신앙의 대상으로 간주해 왔던 민중지향적인 의식이 조형화 되는 과정에서 교리에 얽매이지 않고 자유로운 도상의 창출을 가져왔다. 이 불상은 전통적인 불상 도상을 따르고 있지 않지만 주변 칠성대와 불상조성 기록을 통해 칠성여래로 추정된다. 비록 경전 교리에 충실하지 못한 점이 있지만 도상의 자유를 가져온 것은 한국 불교 내지 사상의 자유로움과 다양성을 지향했던 특징을 충실히 반영한 것으로 해석할 수 있는 것이다.

망경암 마애불은 수도 한양을 조망할 수 있는 경승에 위치함으로써 근거리 사찰에서 왕실안녕을 기원하려던 원찰 경영의 지리적 특징을 충실히 반영하고 있다. 이와 같은 특징과 마애불의 조성시기, 발원목적을 종합해 본다면 국가 위기상황에서 왕실추복을 통해 왕실주도의 국력강화 목적이 망경암 마애불 조성의 배경이 되었음을 알 수 있다. 동시에 망경암 지역이 조선시대 도성수비와 경제적 배후지로서 특별히 관리되고 있었음을 아 수 있다. 비록 조각기법의 퇴색으로 주목되고 있지 못하지만 망경암 마애불의 가치는 한국 조각사 발전의 한 부분을 차지하는 중요성을 지닌다.

【참고문헌】

『三國遺事』
『修道庵 寺蹟記』

김삼룡, 『한국미륵신앙의 연구』, 동화출판공사, 1983.

문명대, 「三幕寺 在銘磨崖三尊佛考」, 『又軒 丁仲煥博士還曆記念論文集』, 1974.

이태호 외, 『한국의 마애불』, 다른 세상, 2001.

宿白, 『中國石窟寺院』, 文物出版社, 1996.

유호건, 「조선시대 능침원당 사찰의 건축특성에 관한 연구 : 용주사를 중심으로」, 경기대학교 석사학위논문, 2008.

홍대한, 「高麗 石塔 研究」, 단국대학교 박사학위논문, 2012.

홍병화, 「조선 후반기 불교건축의 성격과 의미 : 사찰 중심영역의 배치 및 건축 계획의 변화과정」, 연세대학교 박사학위논문, 2010.

김병인, 「高麗市代 寺院의 交通機能」, 『全南史學』13, 전남대학교 사학회, 1999.

김형우, 「한국사찰의 山神閣과 山神儀禮」, 『禪文化研究』14, 한국불교선리연구원, 2013.

김호일, 「최송설당의 교육이념과 교육활동」, 『국학연구』Vol.11, 국학연구소, 2006.

박병선, 「朝鮮後期 願堂의 設立 節次 및 構造」, 『경주사학』29, 경주사학회, 2009.

서경전, 「韓國七星信仰을 通해 본 道ㆍ佛交涉關係」, 『한국종교』10, 원광대학교 종교문제연구소, 1985.

임영정, 「고려시대의 사역ㆍ공장승에 대하여」, 『한국불교문화사상사』상, 가산불교문화진흥원, 1992.

정진희, 「고려 치성광여래(熾盛光如來) 신앙 고찰」, 『정신문화연구』36권 3호, 한국학중앙연구원, 2013.

허흥식, 「고려의 불교와 융합된 사회구조」, 『고려초기불교사론』, 민족사, 1992.

홍병화, 「조선후기 대형요사 형성배경과 분류」, 『대한건축학회 논문집 : 계획계』 Vol.25 No.4, 대한건축학회, 2009.

朝鮮 中期 秋山 朴弘中 考察

孫煥一*

目 次

Ⅰ. 머리말

조선 중기를 살다간 朴弘中(1582~1646)의 연구는 전무하다. 다만 그의 유집인 『秋山集』이 전할 뿐이다. 그것도 화재로 인하여 대부분의 유고가 불타고 남은 몇 편의 유고를 정리한 『추산집』이 있다. 이런 『추산집』을 통하여 그의 전모를 정확하게 파악하기란 오류를 범하기 쉽다. 그러나 한 인물의 연구는 모든 연구의 시발점이라는 점에서 그 중요성은 매우 크다.

박홍중이 살았던 조선 중기는 임진왜란(1592), 정유재란(1597), 계축옥사(1613), 인조반정(1623), 병자호란(1636) 등 외세의 침입과 내분이 끊이질 않았다. 이런 정치적인 회오리 속에서 조선 중기 사대부가의 후손으로 자신의 뜻을 구현해 보려는 자세와 처세를 가계와 정치적인 이념과 구현, 문학과 문예활동을 통하여 조명해 봄으로써 어두운 시대의 선구자적 처세는 복잡한 시대를 살아가는 현대인에게 등대와 같은 지표가 될 것이다.

본 연구의 목적은 바로 어지러운 한 시대를 살다간 지성인의 일생을 통하여 조선 중기 사대부가의 한 유생의 생애를 고찰해 봄으로써 단편적이나마 상류 계층의 이상과 현실, 문화를 조명할 수 있을 것이다. 매우 단편적인 고찰이지만 여기에 본 연구의 목적이 있다.

* 대전대학교 서화문화연구소 소장

Ⅱ. 가계와 행적

박홍중은 본관이 경주이다. 자는 子建, 호는 秋山, 秋山子이다. 先祖 중에는 중조 朴彦儀의 10세손인 工曹典書 兼亨과 아들 문하시중 朴儒가 있다. 박유의 아들 龜가 고려 말에 中軍司正·부령을 지냈다. 구는 고려가 망하여 벼슬을 버리고 仁川 鳥洞에 있는 山中에 은거하였으며, 그래서 이 산을 藏我山이라 불렀다. 그 후 조선 태조가 여러 차례에 걸쳐 벼슬을 하사하며 그를 불렀으나 끝까지 節義를 지켰고, 장아산 望京臺에 올라 개성을 바라보며 망국의 한을 통곡으로 달래다가 장아산에서 일생을 마쳤다.

그의 아들 朴幹은 태종 16년(1416)에 문과에 급제(親試 을과), 세종 조에 청양현감, 단종 조에 성균관 대사성 경주부윤, 성종 조에 이조참판 판의금부사 등을 지냈다. 간의 아들 朴徽之는 장례원 판결사 대사헌을 지냈다. 그는 信謙, 好謙, 宗謙 등 아들 3형제를 두었다. 박홍중은 신겸의 증손자이다. 그런데 양자하여 松溪 호겸(1493년 癸巳生, 문과; 연산군 2년(1496) 식년시 병과)의 증손자가 되었다. 조부는 士恭이며, 희룡의 장남이다.

박홍중의 출생과 행적을 간단하게 정리해보면 다음과 같다.[1]

1세, 선조 15년(1582) 壬午 2월 24일 신시 士恭의 여섯째아들 熙龍과 평산 신씨 사이에서 靑坡에서 출생.
8세, 선조 22년(1589) 기축옥사, 전국 전염병 만연.
9세, 선조 23년(1590) 조부가 별세.
11세, 선조 25년(1592) 임진왜란.
13세, 선조 27년(1594) 전국 대기근, 파주에 거처하는 成渾의 문하생이 되어 공부 시작.
16세, 선조 30년(1597) 정유재란.
18세, 선조 32년(1599) 진사시에 급제.
19세, 선조 33년(1600) 병오시(진사시)에 榜 二等 二十二로 급제.
27세, 선조 41년(1608) 참봉, 四山監役이 되었으나 나가지 않음.
28세, 광해 1년(1609) 5월, 장남 朴大衍이 태어남. 6월, 부친상을 당함. 참봉, 四山縣監 등에 임명되었으나 부임하지 않음. 그 뒤 世子翊衛司洗馬에 제수.
31세, 광해 5년(1612) 김직재의 무옥, 음보로 翊衛司 洗馬가 되었으나 관을 버리고 청풍 黃江(지금의 충북 제천군 한수면)에 은거함.
32세, 광해 6년(1613) 계축옥사가 일어나자 金悌男, 李元翼, 南以恭, 鄭澤雷 등을 변호하고, 폐모의 논을 일으킨 李爾瞻, 尹訒, 鄭造, 李偉卿 등의 탄핵을 주장하는

---

1) 李亮淵 撰, 「秋山先生行狀」, 『秋山集』의 내용을 정리하였다.

상소를 올렸다가 담양으로 유배됨. 西人들이 추산을 구출하여 담양에서 돌아오게 되었으나 인목대비가 西宮에 유폐된 뒤 沈礪·金振直과 함께 직납되는 식량과 반찬을 서궁에 올린 이유로 심현은 담양에 유배되고, 김진직은 제주도에 유배되었으며, 추산은 해남으로 다시 유배됨.「秋日有懷」·「伸救南以恭疏」를 지음.

33세, 광해 7년(1614)「送高君涉傅川赴京序」를 지음.

34세, 광해 8년(1615) 을묘, 남해로 유배 가는 정택뢰를 송별함. 음보로 참봉, 사산감역을 제수 받았으나 부임하지 않음. 이원익 파면. 정택뢰의 유배지 방문.「廣陵口占」·「錦江途中有作」·「送鄭花山適南海」를 지음.

35세, 광해 9년(1616)「論救朴來章疏」를 올려 담양으로 유배됨.「丙辰九月宿靑坡夜次李月沙贈別」을 지음.

37세, 광해 11년(1618) 沈礪 등과 인목대비가 유폐된 서궁에 양식을 대다가 발각되어 해남의 외딴섬으로 유배됨.

42세, 인조 1년(1623) 인조반정 후 사간원에서 상소하여 귀경. 내직으로는 掌令을 지내고, 외직으로는 진잠, 고부, 재령 등을 다스림. 인조반정으로 서인 집권. 8월, 담양에서 사면되어 귀경하며「次息機軒韻」을 지음. 통훈대부 司諫院 掌令이 됨. 가을, 鎭岑縣監이 됨.「大風歎十二韻」을 지음.

43세, 인조 2년(1624) 이괄의 난. 2월, 淸風郡 黃江 鳴鳥村에서 광주 오포면 문영산으로 돌아감.「甲子春自黃江歸廣陵」·「甲子二月來秋山口占」을 지음.

44세, 인조 3년(1625) 을축 3월, 부인 홍씨의 상을 당함. 11월, 차남 朴大素가 태어남.

46세, 인조 5년(1627) 금나라군사 침입 정묘호란, 2월 모친상을 당함. 淸庄으로 돌아옴.

47세, 인조 6년(1628)「次歸去來辭韻」을 지음.

50세, 인조 9년(1631) 5월, 掌隸院 司評이 됨. 윤11월, 木川縣監이 되었다가 바로 載寧郡守가 됨. 급여를 내어 南月堰이라는 저수지를 축성하여 가뭄에 대비한 관개농업을 육성하여 군민이 송덕비를 세움[2]

52세, 인조 11년(1633) 병으로 사직. 삼강오륜의 중요성을 인식하고 의연히 절의를 지키며 지냄.

53세, 인조 12년(1634) 5월, 부인 권씨의 상을 당함.

54세, 인조 13년(1635) 청풍으로 피란.「早春傷懷序」와「悼己序」를 지음.

55세, 인조 14년(1636) 청 건국, 병자호란으로 청장으로 피난.

57세, 인조 16년(1638)「黃江諸會有作次崔殿中」을 지음.

60세, 인조 20년(1642)「元日有懷寄崔殿中」을 지음.

61세, 인조 21년(1643) 9월, 광주 문영산 別墅에 우거하여 후진을 양성함.

63세, 인조 23년(1645) 을유, 12월 병이 남.

---

2) 지금까지 비각을 세워 제사를 지내고 있음(李亮淵 撰,「秋山先生行狀」, 앞의 책).

64세, 인조 24년(1646) 병술, 3월 28일 경기도 광주에서 사망. 5월 16일 용인 모현촌에 장사. 후에 인천 藏我山 錦衣洞 남서향으로 천장함.

Ⅲ. 정치적 이념과 구현

1. 정치적 이념

박홍중(이하 추산으로 호칭)은 아버지 姬(熙)龍, 숙부 汝龍과 함께 成渾(1535~1598)[3]의 문인이 되었다. 13세 선조 27년(1594)에 문하에 들어가서 공부한지 4년 후에 17세 선조 31년(1598)에 스승인 성혼(이하 우계로 호칭)이 돌아가고, 2년 후인 19세, 선조 33년(1600) 병오시(진사시)에 榜 二等 二十二로 급제하였다.

추산과 우계의 사제관계를 살펴보면 나이 차이가 있고, 정치적인 성향이 달랐다. 우계는 광해군을 도왔으나 추산은 영창대군을 옹호하였다. 우계는 평화와 안정을 귀중히 여겨 광해군을 도왔고, 추산은 正道를 찾아 영창대군의 대열에 섰다. 당시 성균관 진사들의 의견은 광해군과 영창대군으로 양립되어 있었다. 즉 스승 우계는 대북이요, 제자 추산은 소북인 셈이다. 여기서 그의 인생이 바뀐다. 「自敍幷序」에 "살고 죽는 것은 명에 달렸으니, 세상을 바루고 죽으리라"[4]는 대목은 직접적인 사회참여로 이상세계 구현을 위하여 목숨을 바치겠다는 결의가 담겨 있다. 이러한 그의 정신적 자세와 신념은 불의를 보고 못 본체 할 수 없었다. 추산은 義氣志士임을 알 수 있다.

선조 말엽부터 왕위계승을 둘러싸고 광해군을 지지하는 대북파와 영창대군을 지지하는 소북파간에 심한 암투가 있었다. 1608년 광해군이 즉위하자 鄭仁弘과 李爾瞻 등의 대북파는 소북의 우두머리이며 당시 영의정인 柳永慶에게 광해군의 이복동생인 영창대군을 왕으로 옹립하려 했다는 구실로 사약을 내려 소북을 모조리 몰아내었다. 대북에서는 계속하여 영창대군의 외할

---

3) 성혼은 조광조의 문인인 守琛의 아들이다. 10세 때, 기묘사화 후 정세가 회복되기 어려움을 깨달은 아버지를 따라 파주 우계로 옮겨 살았다. 白仁傑의 문하에 들어가 『尙書』 등을 배웠다. 20세에 한 살 아래의 이이와 道義의 벗이 되었으며, 선조 1년(1568)에는 이황을 만났다. 경기감사 尹鉉의 천거로 전생서참봉을 제수받은 것을 시작으로 계속 벼슬이 내려졌으나 모두 사양하고 후학을 양성하는 데 힘썼다. 1584년 이이가 죽자 서인의 영수가 되어 동인의 공격을 받기도 했으나, 동인의 崔永慶이 寃死할 위험에 처했을 때 鄭澈에게 구원해줄 것을 청하는 서간을 보내는 등 당파에 구애되지 않았다. 1591년 『율곡집』을 評定했다. 1592년 임진왜란이 일어나자, 이천에 머무르던 광해군의 부름을 받아 의병장 金潰를 돕고, 檢察使에 임명되어 개성유수 李廷馨과 함께 일했다. 이어 우참찬·대사헌에 임명되었다. 1594년 일본과의 강화를 주장하던 유성룡·李廷馣을 옹호하다가 선조의 노여움을 샀다. 이에 乞骸疏를 올리고 이듬해 파주로 돌아와 후학을 지도하며 여생을 보냈다.
4) 朴弘中, 「自敍幷序」, 『秋山集』.
"其死也命 惟願得正而斃焉"

아버지이며 선조의 비인 仁穆大妃의 아버지인 金悌男을 모함하던 중 烏嶺에서 잡힌 도둑 朴應犀 · 徐洋甲 · 沈友英 등의 서얼 일당을 심문할 때 그들로 하여금 김제남이 역모하였다고 허위 진술하게 하여 일으킨 사화가 계축옥사(1613)이다. 그로 인해 김제남에게는 사약이 내려지고 영창대군은 庶人으로 강화도에 유배되었다가, 강화부사 鄭沆에게 살해되었다. 이후 대북파가 정권을 완전히 장악했으며 인목대비는 폐위되어 西宮에 유폐되었다.

광해군은 1613년의 계축옥사를 계기로 왕통에 가장 걸림돌이 되었던 영창대군을 제거하고, 인목대비를 서궁에 유폐시키면서 정치적 부담을 없애려하였지만, 이 사건은 오히려 광해군에 대한 반대세력을 결집시키는 빌미를 제공해 주었다. 광해군의 '廢母殺弟'를 계기로 공안정국이 조성되었지만 권력에서 소외되었던 서인들은 이를 기회로 뭉쳤다. 성리학의 의리론과 명분론으로 광해군의 부도덕성을 부각시켜 세력을 확산하였고, 남인들이 서인의 입장을 지원하였다. 이이와 이항복이 중심이 된 서인들은 광해군 정권의 타도에 나섰다.

1623년 인조반정을 성공시킨 인조가 인목대비를 왕실의 최고어른으로 대접하면서 그녀는 그동안 쌓였던 울분을 풀 수 있게 되었다. 『인조실록』의 다음 기록은 광해군에 대한 인목대비의 분노가 어떠했는지를 잘 보여주고 있다.

한 하늘 아래 같이 살 수 없는 원수이다. 참아온 지 이미 오랜 터라 내가 친히 그들의 목을 잘라 亡靈에게 제사지내고 싶다. 10여 년 동안 유폐되어 살면서 지금까지 죽지 않은 것은 오직 오늘 날을 기다린 것이다. 쾌히 원수를 갚고 싶다.[5]

이상을 정리하면 1606년 선조의 계비인 仁穆王后 김씨가 영창대군을 낳은 것을 계기로 왕위 계승을 둘러싼 붕당간의 파쟁이 확대되었다. 광해군이 서자이며, 둘째 아들이라는 이유로 영창대군을 후사로 삼을 것을 주장하는 小北과, 광해군을 지지하는 大北이 크게 대립했다. 계축옥사는 1613년(광해군 5) 사색당파 중 하나인 대북파에서 일으킨 옥사이다. 추산은 계축옥사 때 리이첨 · 윤인 등의 전횡을 탄핵하였고, 인목대비가 서궁에 유폐된 뒤 심현 · 김진직과 함께 서궁에 양식을 올린 이유로, 해남에 유배되었다가, 뒤에 풀려났다. 추산은 소북파의 편에서 의리론을 견지하였다.

추산은 이황의 主理論과 이이의 主氣論을 종합한 절충파의 鼻祖인 성혼의 문하에서 수학하였다. 『추산집』에는 "추산의 아버지 희룡과 숙부 여룡이 모두 우계와 율곡의 고제자로 이름을 날렸다. 임진왜란으로 피난 다니면서도 공부를 게을리 하지 않았다"[6]고 하였을 만큼 추산과 성

---

5) 『仁祖實錄』卷1, 1年(1623) 癸亥.
　"慈殿曰, 不共戴天之讎 忍之已久 願親斫渠父子之頭 以祭亡靈 幽囚十餘年 至今不死者 蓋待今日耳 願得甘心焉"
6) 李亮淵 撰, 「秋山先生行狀」, 『秋山集』.

혼의 관계는 밀접했다. 그러나 추산의 思潮는 스승인 우계와는 달리 소북의 의리론을 견지한 것으로 파악된다. 우복 정경세도 추산의 도량을 "그대의 재주와 도량은 크게 등용될 만한데, 세상은 어찌하여 유독 그대에게만 공평하지 못한가"[7]라고 외쳤다. 그의 고고한 성격은 「廣陵口占」에 잘 나타나 있다.

> 십리 깊은 추산에는,
> 잘 익은 맛난 술이 있다.
> 의건을 상자에 잘 보관함은
> 먼지 묻을까 두려워서다.[8]

또한 추산의 의리에 대한 지적은 여러 편이 있다. 洪命元은 담양으로 유배가는 송별시에서 그의 의리를 이렇게 지적하였다.

> 그대의 높은 의리는 하늘에 닿았건만,
> 북두성 아래 원한은 가득차서 없어지지 않는구나.
> 봄바람 노 한 번에 바다가 저물고
> 아! 외딴섬은 바다 한가운데 멀리 떠 있구나.[9]

특히 鄭澤雷(1585~1619)[10]는 막역한 사이였다. 정택뢰는 1615년 이이첨이 정조·윤인·이위경 등을 사주하여 인목대비의 폐모론을 제기하자, 은둔생활을 하고 있던 李元翼이 그 부당성을 극력 논박하다가 유배당하였다. 이에 대하여 유생 洪茂績·金孝誠 등과 더불어 이른바 論斥造訌의 상소를 올려 이원익을 변호하고, 이이첨 일파를 치죄할 것을 극력 주장하였다. 이로 인하여 남해의 절도에 유배되었으며, 어머니 姜氏가 배소에서 1616년에 죽자 애통 끝에 실명하여 그곳에서 죽었다.

그가 죽던 해 추산은 유배지를 찾아가 정택뢰의 제문인 「祭鄭休吉文」을 지었다.『추산집』에 실린 제문에는 추산과 정택뢰의 혈맹관계를 잘 알 수 있다. 정택뢰는 귀양처에서 어머니와 함

---

7) 李亮淵 撰,「秋山先生行狀」,『秋山集』.
 "謂君才局大登用, 天道如何獨不公"
8) 朴弘中,「廣陵口占」,『秋山集』.
 "十里秋山裏 深深有酒杯 衣巾藏古篋 恐惑襲塵埃"
9) 朴弘中,「原韻洪命元作」,『秋山集』.
 "憐君高義薄層霄 斗下寃氣鬱未消 一棹春風海雲暮 嗚呼孤島望中遙"
10) 정택뢰의 본관은 河東, 자는 休吉, 호는 花岡이다. 영의정 麟趾의 7대손으로, 현감 得悅의 아들이다. 1612년(광해군 4) 진사시에 합격하였고, 1623년(인조 1) 인조반정 이후에 지평, 순조 조에는 이조판서로 추증되었고, 충청남도 부여의 義烈祠에 제향되었다. 시호는 忠潔이다.

께 돌아오지 못하였으나 추산은 정택뢰의 자녀들을 길러 출가 시켰다.[11]

아! 휴길이여, 어찌 이렇게 운명이 기구한가? 정승의 후예이고, 충렬의 자식으로 혹 국가의 어려운 일이 있을 때 重役을 기약할 수 있었다. 사회의 참여는 의지와 시기에 따라 다를 수 있다고 생각한다. 지금은 정치참여를 경계해야 할 시기이지 죽을 때가 아니다. 그대의 불행은 오직 나 때문에 발생한 것이다. 한마디 말로 서로 모든 것을 허락할 수 있을 정도로 친하였던 것이 그대를 이 지경에 이르게 하였다. 서로 같은 생각을 갖고 있으면서 나 때문에 죽고 나만 목숨을 유지하고 있으니 천지에 면목이 없구나! … 아! 휴길이여, 나 때문에 죽었구나.[12]

이러한 심정은 친구 정택뢰가 해남으로 귀양가던 전날 송별회를 하며 지은 「送鄭休吉澤老謫南海」와 「送鄭花山謫南海」 등의 송별시에도 잘 나타나 있다.

「송정휴길택노적남해」(33세, 1614년)
오늘 밤은 참으로 애달픈 밤,
내일에는 천리 먼 길 헤어지도다.
이별에 술잔을 가득 채우고,
눈물을 거두고 소리 높여 노래나 불러보세.
밤이 깊어 달이 지니 사람들은 집으로 돌아가고,
강에 바람이 부니 물결이 일도다.
동쪽에는 날이 훤히 밝아오는데,
이 이별을 어찌해야 하는가?[13]

「송정화산적남해」(34세, 1615년)
부질없이 그대만 멀리 떠나보내고,
차마 나만 남아 살겠는가.
반생을 담론하며 사귄 처지,
서로 마주보니 눈물이 앞을 막네.[14]

---

11) 李亮淵 撰, 「秋山先生行狀」 및 「代鄭進士澤雷疏」, 『秋山集』.
12) 朴弘中, 「祭鄭休吉文」, 『秋山集』.
 "嗟哉 休吉 何命之奇 相國之孫 忠烈之兒 風雲倘來 鐘鼎可期 顯晦殊途 行藏異宜 時乎可去 死非其所 子之不幸 斯我之故 一言相許 陷子于此 子死吾生 何面天地 … 嗟哉 休吉 由我而死"
13) 朴弘中, 「送鄭休吉澤老謫南海」, 『秋山集』.
 "此夜足可惜 明朝天一涯 臨分須滿酌 收淚强高歌 月落人初散 風生强欲波 東方看漸白 奈此別離何"
14) 朴弘中, 「送鄭花山謫南海」, 『秋山集』.
 "徒令雛浩去 忍作魏其生 半世論交地 相看涕泗橫"

32세 1613년 계축 광해 6년 계축옥사가 일어나자 김제남, 이원익, 남이공 등의 伸救를 청하는 소를 올렸다. 「伸救南以恭疏」는 이 때 올린 것으로 이원익과 남이공의 신구를 청하는 당론을 살펴보면 다음과 같다.

삼가 제 생각으로는 '성명한 세상에는 지위 낮은 어떤 백성도 모두 제 맡은 일을 한다.'고 하건마는 유독 죄지은 신하인 남이공만은 맡은 바 일을 하지 못하고 있습니다. 충신임에도 의심을 받고 무죄로 감옥 생활을 하고 있으니 한번 구덩이에 빠져 스스로 신원할 길이 없고, 해를 보지 못한지가 2년이 되었습니다. 제 생각으로는 남이공의 무고하고 지극한 아픔은 천지를 감동시키기에 충분하다고 생각합니다. 무릇 이원익은 선조의 노신입니다. 평생 동안 自處하였고, 어떤 경우에도 남에게 배반당하는 일이 없었으며, 그가 후진의 명사를 보는 안목은 남이공과 같은 무리들을 하찮게 생각하였을 것입니다. 죄의 유무를 제가 감히 알 수 없지만 상식적으로 생각해보아 이원익이 어찌 남이공의 명을 듣고 전하를 매도하였겠습니까?"[15]

위의 당론은 「論救朴來章疏」와 더불어 광해군 때 폐모론을 둘러싸고 벌어졌던 정치세력간의 갈등을 알 수 있다. 그리고 광해군에게 올린 소장을 읽어보면 추산이 얼마나 언변이 논리적이고 훌륭한지 알 수 있다. 그는 국법을 중요시하는 국가관과 의리를 소중히 여겼다. 두려움 때문에 하고 싶은 말을 하지 못하는 사람이 아니었다. 곧 죽을망정 할 말 하는 그런 지조지사였다. 「논구박래장소」에서도 추산의 대쪽 같은 기개를 엿볼 수 있다.

제가 자신이 생각해 보아도 오늘 전하 앞에서 한 말을 생각해보면 내일 어디서 죽을지 모르는 심각한 내용입니다. 그러나 충정과 울분으로 판단이 어려울 지경입니다. 요즘의 국사를 돌아보면 누가 전하를 위하여 바른 말 할 사람이 있겠습니까? 이미 언로(言路)가 막힌 것이 오래되었습니다. 국사를 위하여 일할 사람도 없어진지 이미 오래되었습니다. 전하가 고립된 지도 이미 오래되었습니다. 전하께서 어쩌려고 그러시는지 알 수 없습니다. 말과 생각이 이 지경에 이르니 눈물이 흐릅니다. 원컨대 전하의 명석한 판단으로 미친놈의 말이라고 죄주지 마옵시고 유념하여 살펴주십시오.[16]

---

15) 朴弘中, 「伸救南以恭疏」, 『秋山集』.
　　"恭惟我聖明之世 宜無匹夫匹婦之不獲其所 而獨負罪 臣南以恭 忠信見疑 縲絏非罪 一落坑塹 無路自伸 不見天日 二年于今 臣恐以恭之窮冤極痛 亦足以感動 夫元翼先朝老臣也 平生自處 必不背後於人 而其視後進之士 若以恭輩 盖渺然耳 有罪無罪 卽臣不敢知 原其本情 則寧欲聽命於以恭 而甘賣殿下乎"
16) 朴弘中, 「論救朴來章疏」, 『秋山集』.
　　"臣自料 今日言之於殿下之前 而明日不知其死所也 忠憤所激 言不知哉 顧視其今日之國中 誰復有爲殿下言者 言路之絶已久矣 國事之無可爲者已久矣 殿下之孤立於上 亦已久矣 不審殿下從欲何爲 言念至此 涕無從矣 伏願聖明 勿以狂言見罪 留審察焉"

이쯤 되면 추산으로서는 할 말 다한 것이다. 더 이상 무슨 말을 더하겠는가. 이러한 직언은 영상도 하기 어려운 말들이다. 죽음을 각오하고 상소하였을 것으로 추찰된다. 그래서 35세 1616년 병진 광해 9년 「논구박래장소」를 보고 광해군이 격분하여 해남으로 유배 보냈다.

2. 정치적 구현

추산이 담양으로 유배가면서 구례를 지나다가 빈집들을 보고 시한수를 읊었다. 「行次九禮見村舍空虛歎而有詩」에는 당시의 사회상황이 그대로 실려 있다. 흉년보다 더 무서운 것이 고을 수령의 호령이다.

　　석양에 비친 무너진 울타리는 누구의 집인지,
　　열 집에 아홉 집은 비어있구나.
　　무슨 일로 풍년에도 백성은 모두 흩어지고,
　　고을수령 위협적인 호령만이 우뢰와 같구나.[17]

유배생활 7년을 보내던 42세때인 계해년(1623) 인조반정이 일어나고 서인이 집권하였다. 8월, 7년 만에 해남에서 사면되어 돌아와서 통훈대부 司諫院 掌令이 되었고, 가을에는 진잠현감이 되었다. 진잠현감으로 있을 때 인조에게 올린 「鎭岺民弊疏」는 진잠현의 水軍役의 문제점을 제시한 것으로, 그의 치정을 통하여 단편적인 사회경제와 군역을 이해할 수 있다.

　　지금 백성들의 폐단은 모두 말할 수 없습니다. 그러나 심장을 도려내고 뼈를 깎는 듯한 가장 참혹한 일은 수군의 부역이 아니고 무엇이겠습니까?[18]

「진잠민폐소」는 진잠현민의 수군부역이 부당함을 상소한 글이다. 내용에 의하면 충남 유성 진잠은 백호정도의 민가로 형성되어 있으며 본디 육군만이 있었는데 수군이 만들어져 수군부역을 감당하기에 무거운 것이다. 육군과 수군의 부역으로 민심이 이탈하고 백성이 이탈하여 도저히 육군과 수군의 부역을 감당할 수 없다는 내용이다. 심지어는 젖먹이까지도 부역의 장부인 役籍에 올라 있을 정도였다 하니 참상의 실태를 이해 할만하다. 다만 생활의 지장을 받지 않고

---

17) 朴弘中, 「行次九禮見村舍空虛歎而有詩」, 『秋山集』.
　　"誰家籬落夕陽中 十室蕭條九已空 何事年豊民盡散 縣官威令急雷風"
18) 朴弘中, 「鎭岺民弊疏」, 『秋山集』.
　　"當今民瘼不可殫論 而剜心刮骨最慘耳目者 何莫非水軍之役乎"

있는 것은 산출되는 물량이 많기 때문이다.

본디 진잠은 수군이 없었는데 현으로 복귀하면서 수군이 신규로 창설되었으니 아마도 아전들이 한 짓으로 하루도 그냥 두어서는 안 된다는 것이다. 이는 한 지방의 목민관으로써 실태를 파악하고 혹정의 민폐를 생각하여 올린 상소에 해당한다. 여기서 목민관의 성실한 역할을 확인할 수 있다.

이듬해(1624년, 甲子 인조 2년)인 43세 때 이괄의 난이 있었다. 2월, 피난처인 청풍군 황강 명오촌에서 이사하여 아버지의 묘소 근처인 경기도 광주 오포면 문영산으로 들어가서 후학을 길렀다. 54세 1635년 을해 인조 13년 청풍으로 피란하였다. 「早春傷懷序」와 「悼己序」는 청풍 황강에 피란하여 살 때 지은 것이다. 이듬해 55세 1636년 병자 인조 14년 청 건국, 병자호란으로 청장으로 피난을 갔다. 62세 1643년 계미 인조 21년 9월 광주 오포읍 문영산 별서에 거처를 정하고, 아버지 희룡의 묘소가 광주 초월면 쌍영리 鳥坪에 있기 때문에 광주로 거처를 정한 것으로 추측된다.

「應變策」에서는 거듭된 자연재해와 흉년을 지적하고, 민심을 수습하여 자연재해에 대비할 것을 주장한다. 병정과 군마가 특히 날랜 평산 지방과 중앙, 그리고 인구가 많고 토지가 광활한 忠原 지역 간에 연계 체제를 마련해 유사시에 효과적인 방어를 수행하게 할 것을 건의한 내용이다.

지금부터 서늘한 바람이 불고 찬 서리 내려 초목이 시드는 것은 추위가 닥칠 징조이다. 그 어찌 추위 막을 준비를 소홀히 하겠는가? 반듯이 바람 막을 문에 흙을 바르고 장작과 숯을 쌓아 준비하고, 솜으로 두꺼운 옷을 준비해야 추위를 막을 수 있다. 모진 추위가 갑자기 닥쳐도 동사를 면할 수 있는 것이 준비 아니겠는가?[19]

기근이 심하여 피폐하여진 이때 청의 침입에 대비 江都 築城 등의 계책이 적절하지 않음을 개진하면서, 수원·충주·평산 등의 지리적 장점을 살려 軍制를 개편하고 연계할 것을 대안으로 제시하는 등 국방 정책에 대한 탁견을 펼쳤다. 그만큼 백성의 편에서 위무하는 정책을 폈다.

지금의 국가 정세는 여러 해 고질병을 앓는 사람과 같다. … 이러한 때 강화도에 성을 쌓는 일은 옳은 정책이 아니며, 경기도와 황해도 사이에 진을 설치하는 것도 좋은 정책이 아니다. … 병사를 일으키고 난후 백성들의 생활이 어렵고 병든 것이 극치에 달했다. 피폐한 백성들을

---

19) 朴弘中,「應變策」,『秋山集』.
"今夫涼風止白露降 而草木衰者大寒之徵也 其可忽禦寒之備乎 必塞向墐戶多積紫炭先求綿絮豫作重裘 然後禦寒之能事畢矣 玄冬猝迫 而能免其凍死者 非以其備歟"

급하지도 않은 부역에 부르는 것은 첫째로 불가한 일이다.[20]

「웅변책」에서 청나라의 침입에 대비한 방어책을 제시한 것으로 그의 국방정책에 대한 높은 식견을 보여준다. 그리고 국정 전반에 걸친 위정의 모순점과 대외 정세 등에 관해 포괄적인 대응책을 제시, 당시 어수선한 국내외의 실상과 치열했던 당쟁의 면모를 살필 수 있다.「春宵」·「悼舊」·「秋夜」·「有所思」·「月夜有懷」등의 시에서는 난국을 염려하는 고뇌가 잘 표현되어 있다. 추산은 자연현상과 지리에도 밝았다.「웅변책」에서도 간단한 자연의 변화와 음양관에 관한 견해를 볼 수 있다.

겨울인데도 우뢰가 치고 비가 계속된다. 태백성이 낮에 나타나고 요염한 무지개는 오히려 밤에 나타난다. 바람과 우박이 크게 일고 해마다 기근이 거듭되니 참담한 변괴가 어찌 한꺼번에 오는가. 이런 진조는 반듯이 비상한 변고가 창졸들에게서 일어나고 헤아릴 수 없는 환난이 조석으로 일어날 징조이다.[21]

지리의 깊은 조예는 주역에 있으며 역경에 능했음을 간접적으로 알 수 있다.『승정원일기』인조 4년(1626) 에는

제가 듣건대 천마리의 양가죽보다는 한 마리의 여우가죽이란 말이 있습니다. 이의신은 세간의 술사입니다. 풍수를 말하는데 있어서는 이의신을 버리고 누가 있겠습니까? 그 다음으로는 권순성·성력·박홍중 등입니다.[22]

라고 하여 이미 지리를 잘 보는 반열에 올라 있었다.『인조실록』22권, 8년(1630, 庚午, 明 崇禎 3) 3월 14일(갑오) 세 번째 기사에는 國風으로써의 역할도 확인된다.

우의정 李廷龜를 보내 術官과 地術을 아는 朝士들을 이끌고 穆陵(선조와 비 의인왕후 박씨, 계비 인목왕후 김씨의 능) 안의 여러 언덕을 살피도록 하였다. 전 감사 崔晛, 병조 좌랑 李尙馨,

---

20) 朴弘中,「應變策」,『秋山集』.
"噫今之國勢 如積年沉痼之疾 … 以此論之 江都築城非計也 畿黃間設津非計也 兵興以來凋瘵極矣 驅了遺之民興 不急之役 不可一也"
21) 朴弘中,「應變策」,『秋山集』.
"冬雷擊冬雨恒 太白晝明 妖虹夜隮 風雹大作 歲又荐饑 變怪之慘 一何叢集 意必有非常之變 起於倉卒 不測之患 生於朝夕"
22)『承政院日記』, 인조 4년(1626, 天啓 6) 4월 15일,「園所에 대한 沈命世의 상소」.
"臣聞千羊之皮 不如一狐之腋 李懿信 實間世術士也 若論風水 則捨懿信誰哉 其次則權純性成櫟朴弘中也"

전 현감 박홍중, 新寧縣監 成櫟, 전 참봉 成汝樗이 참여하였다.[23]

추산은 이 밖에도 여러 차례 술관들과 동참하였다.[24] 이러한 기록에서 그의 음양지리관을 짐작할 수 있다.

박홍중은 본디 괴이하게 속임수를 쓰는 사람으로 雜術에 종사하였습니다. 이번 능을 옮길 때에 처음부터 끝까지 술관들의 반열에 참여하여 산을 정하고 자리를 잡는 데에 동참해 알지 않은 것이 없습니다.[25]

추산은 목민에 관심이 많았고 민본위주의 정치를 펼 것을 상소하였다. 이런 민본정치는 여러 곳에서 확인할 수 있다. 특히 「응변책」과 「진잠민폐소」 등에 잘 나타나 있다. 흉년과 기근으로 피폐한 백성을 안정시키고 민심을 수습하는데 총력을 기울였다. 이런 노력은 매우 간절하였다. 추산이 목능을 돌아보고 술관 등과 동참한 것은 이정구와의 관계 때문으로 볼 수 있다. 이런 일은 일연의 관계를 살필 수 있는 것으로 측근에서 이루어지는 일이다. 우의정인 이정구는 추산과 문학적으로도 매우 친분관계가 가까운 관계에 있었기 때문이었을 것이다.

Ⅳ. 문학과 서예

1. 문학

추산은 이정구(1564~1635), 李植(1584~1647), 李恒福(1556~1618), 徐渻(1558~1631), 金尙憲(1570~1652) 등 당시의 명사들과 폭넓게 교유하였으며, 시문에 뛰어났다. 특히 월사 이정구와의 관계는 '대대로 두터운 호의가 있었다. 글을 주고받은 것이 매우 많았다'[26]는 서술에서 잘 알

---

23)『仁祖實錄』, 8년(1630) 庚午.
　　"遣右議政李廷龜 率術官及朝士解地術者 看審穆陵內諸岡 前監司崔晛 兵曹佐郎李尙馨 前縣監朴弘中 新寧縣監成櫟 前參奉成汝樗預焉"
24)『承政院日記』, 인조 8년(1630, 崇禎 3) 6월 20일(무진), 「山陵 裁穴에 대하여 崔晩成도 참여시켜 다시 商議하여 啓稟하기를 청하는 禮曹의 계」.
　　"禮曹啓曰 左議政啓辭云云 山陵裁穴時 朴弘中亦同參 而不爲就質於摠戎[總護]使 退有後言 莫重之事 不可獨與在京術官議定 崔晩成 稱世號爲精於術業 下諭觀察使 使之乘馹上送齊到後 更爲商議啓稟 何如 傳曰 允"
25)『仁祖實錄』, 8年(1630) 庚午.
　　"諫院啓曰, 朴弘中 本以詭譎之人 從事雜術 今此遷陵之際 自初至終 隨參於諸術官之列 凡定山裁穴 無不與知 若有未盡之意 則所當稟於摠護使 登時善處 而事過之後 乃敢偃然呈疏 略無顧忌 其反覆其說 輕蔑朝廷之罪 不可不懲 請削去仕版, 不從"
26) 李若愚 撰, 「序」,『秋山集』.

수 있다.

추산의 시문의 편찬 및 간행[27]은 헌종 12년(1846) 7대손 朴東奎(1794~?)가 문집을 간행하였고, 1922년 9대손 朴教文이 문집을 중간하였다. 7대손 박동규가 수습 편차하고 李若愚의 서문, 成近默의 발문을 붙여 1846년에 경상도 龜山縣에서 목활자로 인행하였다. 이본이 초간본으로 규장각(奎5288, 12126), 국립중앙도서관(한46-가199), 장서각(4-6570), 고려대학교 중앙도서관(D1-A613), 연세대학교 중앙도서관 등에 소장되어 있다. 이때 종형 朴弘美(1571~1642)의 『灌圃集』도 박동규의 주관으로 함께 간행되어 두 문집의 구성 형식이 유사하다.

1922년에 9대손 박교문이 시 21편과 문 24편을 수습 증보하여 초간본의 편차에 따라 편집하고 金晩秀에게 서문을 받아 2권 2책으로 석인 간행하였다. 중간본은 성균관대학교 존경각(D3B-2121), 간송미술관, 월성박씨추산공파 문중 등에 소장되어 있다. 그 후 2001년에 11세손 朴文鉉 등 월성박씨 추산공파 문중에서 최근에 발견된 저자의 친필 문집과 초·중간본을 상호 고정하여 통합본으로 편집하고, 이를 국역하였다.

구성과 내용은 2권 1책으로, 권두에 1846년에 이약우가 지은 序와 1845년에 李亮淵이 지은 行狀이 있다. 목활자본 2권 1책은 규장각도서관소장이며 1846년(헌종 12) 후손 華淳·동규 등이 편집, 간행하였다. 권두에 이약우의 서문과 이양연이 쓴 저자의 행장이 있다. 시·서·記·書·墓誌·祭文·잡저·傳·表·策 등으로 구성되었으며, 성근묵·박동규의 발문이 있다.

상권은 시로 오절(1제), 칠절(33), 오고(5), 칠고(2), 오율(21), 칠률(55), 오배(5), 칠배(1)이다. 오절의 「廣陵口占」은 1614년에 저자가 이원익을 변호하는 내용의 상소를 대신 써서 지우인 정택뢰가 疏頭로 올렸는데, 이듬해 정택뢰가 이로 인해 남해로 유배 가자 그를 보내고 광릉 별장에 돌아와 지은 것이며, 오율의 「송정휴길적남해」와 오배의 「송정화산적남해」 등은 같은 시기에 정택뢰가 유배가기 전날 송별회를 하며 처연한 심회를 읊은 작품이다. 오고의 「次鶴谷洪韻奉呈李白沙北遷」은 洪瑞鳳의 시에 차운하여 1618년에 북청으로 유배 가는 이항복에게 올린 것이다.

칠고의 「山中儒生歌」에서는 세사를 멀리하고 농사지으며 자락하는 모습을 노래하였고, 칠율의 「寄呈灌圃」는 늙게 외직으로 나가는 종형 박홍미를 염려하며 이별의 정을 읊은 것이다. 그밖에 崔地緯, 이정구, 이식, 서성, 김상헌, 李明漢 등과 수창한 시가 있다.

하권은 서(5), 기(3), 소(5), 서(3), 묘지(2), 제문(4), 잡저(5), 전(1), 표(2), 책(1)이다. 권미에 1846년에 성근묵과 7대손 박동규가 지은 발이 있다. 『추산집』시 중에는 이정구·이식·이항복·김상헌 등 당대의 학자들을 대상으로 지은 贈與詩 등이 있고, 陶淵明의 「歸去來辭」에 차운한 것이 있다. 「早春傷懷序」와 「도기서」는 청풍 황강에 피란하여 살 때 지은 것이다. 「樂天窩

---

27) 成近默·朴東奎 撰, 「序」·「跋」, 『秋山集』.

記」는 저자의 세거지인 인천에 樂天窩를 세우고 지은 기문이다.

묘지는 숙부 朴汝龍(1548~1619)의 것이다. 잡저의 「차귀거래사운」과 「黃江問答」 등은 저자의 지취가 드러난 작품이며, 「呂上舍傳」은 서경덕의 문인인 呂世潤의 전이다.

이상의 추산의 글들은 화재로 망실되어 그 전모를 알 수 없다. 그 잔편들을 모아서 1846년(헌종 12) 후손 화순·동규 등이 유집을 간행하였다. 그렇기 때문에 현재 『추산집』에 실린 글들은 극히 일부라고 생각된다. 월사의 후손인 이약우에세 서문을 부탁한 것도 후손인 동규이다. 역시 추산의 문학을 대표하는 그의 자화상은 「山中儒生歌」이다.

산중의 유생 나이는 사십,
남루한 갈의를 걸치고 머리엔 삿갓을 썼도다.
천권의 책을 읽고도 세상사에 밝지 못하면서,
무리에서 이탈하여 독립하고자 한다.
다행이 남촌에 몇 평의 밭이 있어,
날마다 삽을 메고 밭으로 나온다.
풀은 자라 무릎을 덮어 저녁이슬이 무겁고,
참새들은 곡식을 쪼며 나를 따라 날아든다.
집에 오면 어린아이가 찬없는 나물밥을 올리는데,
주발엔 보리밥 상에는 된장.
배가 불룩하게 든든히 먹고,
명아주로 만든 평상에 누워 장엄하게 코를 곤다.
세간만사가 나에게 무슨 상관이 있는가!
나 자신 밖에는 이 즐거움을 아는 이 없도다.
그대는 상채황견, 화정학고사를 모르는가?
인생의 부귀는 오히려 복이 아닐세.[28]

2. 서예

조선 중기 서체의 유행을 살펴보면 다음과 같다. 조선 초기 안평대군을 중심으로 조맹부체의 전성기를 가져왔다. 그러나 조맹부체의 연미함에 반기를 들고 서체도 위진으로 돌아가야 한다고 복고를 외친 사람이 퇴계 이황이다. 이황은 종요와 왕희지의 서법을 좋아 하였고, 조맹부를

---

28) 朴弘中, 「山中儒生歌」, 『秋山集』.
　　"山中儒生年四十 身着葛衣頭着笠 讀書千卷不曉事 强欲離群長獨立 村南幸有數頃田 日日荷鋤田中歸 蒿
　　萊沒膝夕露重 黃雀啄粟隨我飛 入門童穉進草具 碗有麥飯盤有漿 撑腸拄腹飽喫罷 歸臥藜床鼾睡壯 世間萬
　　事於吾何 身外無人知此樂 君不見上蔡黃犬華亭鶴 人生富貴還非福"

겸하였다.[29] 그는 글씨에 대하여 그의 시 「習書」에서 '字法은 心法이며 습서에는 명필을 구할 필요는 없다'[30]라고, 글씨도 魏晉의 글씨가 자연스럽다고 역설하여, 조맹부의 연미하고 아름다움만을 추구하던 필법에 반기를 들었다. 이는 사조의 전환기를 가져온 이황의 출현으로 성리학적 견지에서 조맹부체는 이미 깊이를 잃고 가볍게 보이며 저속하고 혐오감이 만연하여 이윽고 유학의 부활사상에 의해 천고의 성서인 왕희지의 필법으로 돌아가야 한다고 부르짖은 이론적 바탕이 된다. 이런 사상적 기조는 程子의 말에서도 볼 수 있다.

무릇 완호는 모두 사람의 올바른 뜻을 빼앗는다. 서찰은 유자의 일에 가까운 것이나 오로지 이일만을 좋아하여 집착하면 역시 그 뜻을 잃어버린다. 가령 왕희지 · 虞世南 · 顏眞卿 · 柳公權 등과 같은 무리들은 진실로 좋은 사람들이라 하겠으나, 일찍이 글씨 잘 쓰는 사람으로서 도를 아는 사람이 있는 것을 본적이 있는가? 평생의 정력을 이 글씨 쓰는데 만 쏟았으니, 이는 오직 한갓 시일만 헛되이 보내었을 뿐 아니라, 도에는 방해된 것이 있었으니 그것이 족히 뜻을 잃어버리게 하는 것임을 알 수 있다.[31]

이는 복고를 주창하던 韓退之의 '文以載道'와 일맥상통하며 이황의 古法論 또한 이러한 견지에서 주장되었을 것이다. 이런 영향으로 16세기에 들어서 魏晉으로의 복고주의경향으로 조맹부체의 유행이 줄고, 왕희지 필법이 새로이 대두되었으나, 成世昌(1481~1548) · 蘇世讓(1486~1562) · 鄭惟吉(1515~1590) · 宋寅(1517~1584) · 李山海(1539~1609) · 金玄成(1542~1621) 등에 의하여 조맹부체의 명맥이 이어졌다.

조선 중기와 후기 왕희지체와 韓濩의 石峯體가 유행되는 중에도 趙希逸(1575~1638) · 申翊聖(1588~1668) · 曹文秀(1590~1645) · 尹順之(1591~1666) · 金佐明(1616~1671) · 柳赫然(1616~1680) · 沈益顯(1641~1683) · 肅宗(1660~1723) · 李健命(1663~1722) · 吳泰周(1668~1716) 등 왕과 왕족, 사대부들에 의해 조맹부체의 필법이 이어졌다.[32]

추산이 李榮伯을 北閫幕下로 보내며 지은 송별시가 칠언율시로 오세창의 『槿墨』에 전한다.

이영백을 북곤막하(北閫幕下)로 보냄

그대 능력에 합당한 명을 받아,

---

29) 『河西集』.
30) 『退溪集』卷3(『韓國文集叢刊』, 110면).
  "字法從來心法餘 習書非是要名書 蒼羲制作自神妙 魏晉風流寧放疎 學步吳興憂失 故效開東海恐成虛 但令點劃皆存一不係人間浪毀譽".
31) 『聖學輯要』Ⅲ, 제2(『國譯栗谷全書』Ⅴ, 권21, 「修己」 中 제7장 「養氣」, 114면).
32) 손환일, 『고려 말 조선 초 조맹부체』, 학연문화사, 2009.

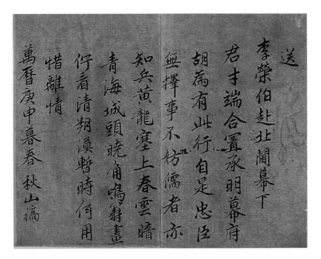

「送李榮伯赴北閫幕下」, 『槿墨』, 가로34 · 세로27.5cm
(성균관대학교 박물관소장, 유물번호1175)

군막에 장수되어 행차하였네.
본디 충신은 가리는 일 전혀 없고,
유자로써 병사를 아는 것이 해로운 건 아니네.
변방에서 황룡 깃발은 하늘을 가리고,
청해성 머리에서는 새벽나팔이 울리네.
앞일 생각하니 삭막할 뿐이지만,
잠시 이별을 어찌 안타까워하겠는가.

광해군 12년(1620) 늦은 봄 추산.[33]

추산은 39세인 1620년 해남 유배시절 李光裕[34]에게 보내는 칠언율시가 있다. 이는 북방군영으로 부임하는 이영백을 송별하는 시이다. 여기에서 보듯이 추산의 글씨는 조맹부체(송설체)를 따랐다. 추산이 조맹부체를 구사한 연원은 알 수 없지만 여기서 만큼은 전적으로 조맹부체를 구사하고 있다. 조선 중기에는 조맹부체와 왕희지체 등 두 서체가 유행하였는데 왕과 궁중의 왕족과 가까운 사대부들이 조맹부체를 선호하였고, 지방의 사림들은 왕희지체를 즐겨 썼다.

---

33) 「送李榮伯赴北閫幕下」, 『槿墨』.
"送李榮伯 赴北閫幕下, 君才端合置承明 幕府胡爲有此行 自是忠臣無擇事 不妨儒者亦知兵 黃龍塞上春雲暗 靑海城頭曉角鳴 籌畫佇看淸朔漠 暫時何用惜離情, 萬曆庚申暮春 秋山稿"
34) 이광유의 자는 榮伯, 익안대군의 8대손이며 李巖(1499~?)의 장남이다. 1616년(광해군 8)에 알성문과 병과에 급제하고, 通訓大夫 行北評事에 올랐으며 슬하에 1남 1녀를 두었다.

두 서체 모두 화려하여 귀족의 취미에 맞는 서체이다.

　특히 '雲'·'君'·'無'·'爲'·'自' 등은 필획과 결구가 조맹부체의「증도가」필법과 꼭 같아서 얼마나 철저하게 조맹부체를 학습하였는지를 보여주는 직접적인 예에 해당한다. 조맹부「증도가」는 세조 때 석각하여 많은 대신들에게 선사하였고, 그러한 영향으로 조맹부체의 유행을 가져왔다. 추산 역시 조맹부체의「증도가」와 같은 교본으로 학습한 것으로 유추할 수 있다. 그리고 이런 교본은 우계 성혼의 문하에서 접수되었을 것이다. 왜냐면 성혼의 아버지는 조광조의 문인인 守琛이다. 성수침은 아우 守琮과 함께 조광조의 문하에서 수학했던 인물로 왕이 하사하여 선사지기의 보인이 날인된 각종의 서첩을 구장하고 있었을 것이다.

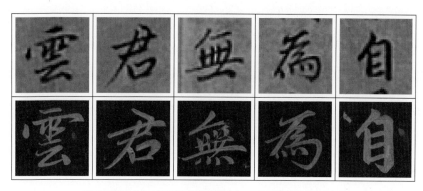

[상(박홍중, 「송이영백부북곤막하」)·하(조맹부, 「증도가」)]

V. 맺음말

　고려 말 조선 초 사대부가의 후손인 박홍중이 살았던 조선 중기는 조선 500년의 정치상황을 조명해 볼 때 매우 혼란했던 시기에 해당한다. 임진왜란, 정유재란, 계축옥사, 인조반정, 병자호란 등 외세의 침입과 내분이 끊이질 않았다. 이런 정치적인 회오리 속에서 자신의 뜻을 구현해 보려는 조선 중기 사대부가의 후손으로 가계와 정치적인 이념과 구현, 문학과 문예활동을 조명해 봄으로써 어두운 시대에 처세한 선구자적 처세를 살필 수 있었다.

　암울한 시대를 살면서도 곡학아세하지 않기가 얼마나 어려운가를 보여주었다. 당파마다 명분론을 내세워 온갖 협잡과 불의가 횡행하고, 그 혼탁하고 어려운 사회 속에서도 주관을 잃지 않고 遺世獨立하여 삶을 영위하였던 선조들의 지혜는 현대를 살아가는 우리들에게 커다란 스승의 교훈이다. 정택뢰, 이광유 등과의 관계는 앞으로 연구해야 될 과제이다.

추산은 만년에 아버지 산소 근처에 거처를 정하고 후학을 지도하다 일생을 마쳤다. 이런 일생이 조선 중기 사대부출신 선비들의 올곧은 일생이었다. 뜻을 펴기 위해 최대한 노력하였고, 만년에는 낙향하여 후학을 지도하고 학파를 형성하는 것이다. 불행히 학파를 형성하기에는 단명하였다. 문학으로는 시문의 명가, 정치는 의리지정을 폈고, 서예는 송설체의 대가로 詩書畵 三絶이 아니라 詩書政에 뛰어난 역량을 보였다. 정치의 뜻을 펴지 못한 것을 시서로 즐겼다.

[참고문헌]

『仁祖實錄』.

『月城朴氏秋山公派譜』.

『退溪集』권3(『韓國文集叢刊』).

『聖學輯要』Ⅲ, 제2(『國譯栗谷全書』Ⅴ, 권21).

『槿墨』.

『河西集』.

『秋山集』.

손환일,『고려 말 조선 초 조맹부체』, 학연문화사, 2009.

터로 본 韓國의 山寺
-乘生氣의 觀點-

崔孟植[*]

目 次

Ⅰ. 들어가는 말

한국의 山寺는 주변의 경관이 사찰과의 어울림을 넘어선 어떤 의미를 지니고 있다. 그 의미는 무엇인가? 여기서는 이른바 자신의 궁극적인 수도의 과정을 거쳐 일정한 경지를 넘어서면 진정한 중생제도에 접어들 수 있는 역량이 생겨날 수도 있다. 이러한 상태를 흔히 도를 얻었다거나 해탈했다거나 어떤 경지를 보았다거나, 스님들간의 표현을 빌면 한 소식 들었다는 등등 많은 표현으로 대신하기도 한다.

물론 실제 나름대로 그 경지에 이른 상태는 적지 않은 편차가 있을 것이다. 여기서는 이러한 부분을 알아보는 것이 목적이 아니기 때문에 다시 본론으로 들어가서 그 어떤 의미가 무엇인가를 나름대로 기술해보기로 한다. 그런데 왜 구지 여기에서 일정한 경지에 이른 바에 대하여 이야기를 끄집어내었는가 하는 점이다.

산사가 그 어떤 것 이상의 의미를 품고 있는 점을 판단하기 위해서는, 사찰에서 가장 중요한 탑이나 법당의 위치를 제대로 잡았는가 여부에 달려있다고 보기 때문이다. 탑과 법당은 부처님의 사리나 부처님을 모시는 곳이고, 진정한 깨달은 부처님의 육체에서는 강한 아우라를 품고 있다. 또한 일정한 경지에 오른 스님 중에는 땅의 地氣를 감지하거나 안목으로 볼 수 있는 역량이 생길 수도 있다. 따라서 이러한 경지에 오른 스님이 사찰의 위치를 점지할 경우에는 반드시 터를 보았을 것이다. 적지 않은 산사에서는 이러한 증거를 그대로 남기고 있다는 점에서 확인

* 國立文化財研究所 所長

이 가능한 것이다.

필자는 많은 좋은 사찰중에서 대표적인 몇몇 사찰을 선정하여 사찰의 중심터에 어떠한 기운이 들어오는지, 이러한 기운은 어떠한 의미를 가지고 있는지를 간단하게 알아보고자한다. 또한 이러한 과정을 통하여 우리 옛 선조들의 지혜를 엿보고, 가능하다면 오늘날 여러 이유로 산천이 파괴되고 잘리어 나아가는 안타까운 현실에 직면한 우리의 모습을 간접적으로나마 반성하는 기회로 삼고자한다.

Ⅱ. 우리의 山寺

1. 鳳停寺

봉정사는 신라 문무왕12년(672) 能仁大德이 수도를 하고 이곳 봉정사를 지었다는 설이 있지만 정확한 기록은 명확하게 남아있지 않다.[1] 극락전은 1972년 해체 보수시에 발견된 상량문에 절의 지세가 봉황이 머무른듯하여 봉정사라 하였다는 기록이 씌여 있다. 동 상량문에는 "前重創至正二十三年癸卯三月日"의 명문이 있어 고려 공민왕12년(1363)에 중창했던 사실을 알 수 있다.

본 상량문에는 "天啓五年三月"(1625)에 다시 중창했음을 기록하고 있다. 따라서 봉정사의 극락전은 현존하는 한국 최고의 목조 건물로 확인되고 있는 셈이다. 현재의 봉정사는 주변의 산세와 터로 보아 현재의 규모를 능가하는 사세는 쉽지 않았을 것으로 보인다.

사진 1. 봉정사 극락전 전경[2]

사진 2. 봉정사 극락전 측면

---

1) 문화재청, 『鳳停寺-화엄강당·고금당 정밀실측보고서(상)-』, 2010, p102.
2) 이하 모든 사진 자료는 문화재청 및 국립문화재연구소 자료실에서 제공 받았다.

기운이 서려있는 가장 중심에 있는 건물은 극락전이다. 극락전은 아마도 처음 사찰을 창건할 당시 터를 점지했던 분은 터의 기운을 정확하게 감지할 수 있었던 역량을 갖추었던 인물이었을 것으로 판단된다.

극락전의 기운이 들어오는 주용맥은 북편에서 들어오고, 보조 맥선은 동편으로 들어오는 맥선 1개이다. 주용맥이 발원하는 시원처는 천등산 정상부(해발575m)에서 시작하여 남서측 능선을 타고 220여m 정도 흘러오다가 남으로 꺾은 능선을 타고 그대로 직진하여 지금의 극락전으로 곧장 들어왔다. 따라서 주용맥의 총 연장길이는 약950m로서 짧은 편이다.

보조용맥은 한 가닥으로 확인된다. 이 보조맥선은 봉정사 남측의 가장 아래편에 자리 잡은 두 번째 주차장 서편과 맞닿은 작은 구릉의 정상부에서 시작한다. 이 보조맥선은 북북동으로 꺾여 흐르다가 봉정사의 가장 위쪽의 마지막 주차장을 가로질러 차도를 타고 동북으로 흘러가다가 영산암과 봉정사 본사로 들어가는 삼거리에서 서편으로 90도 꺾여 극락전으로 들어간다.

이 보조맥의 길이는 약745m로서 주용맥선과 비례하여 역시 짧은 편이다.

극락전의 터에 서린 지기는 현존하는 기둥선의 중심부에서 한 치 이상 벗어나지 않을 정도로 정확하게 자리 잡고 있다. 또 이 터의 기운은 서편의 $\frac{1}{2}$은 陽穴(秘氣, 坎氣, 生氣)이, 동편의 $\frac{1}{2}$은 陰穴(紫氣, 脈氣, 天氣)가 서려있다.[3]

봉정사 본사 중심부에는 극락전이외에는 대웅전에서 가까운 동편에 조그마한 음택용 혈 1기가 자리 잡고 있지만, 아직 生地[4]로 남아 있다.

2. 法住寺

법주사의 사찰건물 중심은 대웅보전을 중심으로 쌍사자석등, 팔상전, 천왕문을 축으로 잇는 곳이라고 볼 수 있다. 따라서 이 중심을 이루고 있는 건물과 석등이 자리 잡고 있는 지점은 미미하지만 모두 정확한 혈터에 자리를 틀고 있다. 법주사의 이 중심건물들이 들어서있는 방향은 모두 주용맥이 혈정을 이루고 혈정에서 혈로 들어오는 입혈맥 방향에 맞추어 좌향을 바르게 잡고 있음을 볼 수 있다. 따라서 처음 이곳에 중심건물을 기초하기 위하여 점지했던 인물은 이러한 기운이 입수하는 방향과 기운이 머무는 자리를 정확하게 감지하거나 볼 수 있는 안목을 갖춘 인물이 아니었을까 판단된다. 물론 이러한 정도의 안력을 갖추려면 부처님의 법에 開眼할 정도의 능력을 얻지 않았다면 소점에서 한계가 있었을 것이다.

---

3) 여기서 음혈과 양혈의 세부적인 기운의 명칭은 모두 고유명사로 사용한 것이다.
4) 生地의 의미는 아직 사용하지 않은 앞으로 쓸 수 있는 터를 의미한다.

(1) 大雄寶殿과 石燈

대웅보전은 건물 전체에 地氣와 艮氣가 분포되어 있다. 대웅보전의 외벽체를 기준으로 한치의 오차도 없이 기운의 분포경계선을 따라 기둥과 벽체가 세워져 있어 놀라울 따름이다. 기운의 氣力은 대단히 약하지만 이를 감지할 수 있었던 점에서 더욱 그렇다.

대웅보전은 서반부는 地氣, 동반부는 艮氣가 분포한다.[5] 이 음 양의 두 기운은 각각 짝을 이루면서 처음 기운의 발원지부터 함께 흘러오다가 이곳에서 동서로 접하여 분포된 것이다. 기운의 주용맥은 대웅보전의 坐가 되는 동북방에서 흘러왔고, 주용맥의 방향을 정확하게 인지하고 좌향을 맞추었던 것으로 확인된다.

대웅보전 앞에 위치한 석등의 터는 음택터로서 艮氣(고동색; 陽穴)가 맺힌 곳에 정확하게 소점하여 건립하였다.

사진 3. 법주사 대웅보전 및 석등   사진 4. 법주사 쌍사자석등

(2) 쌍사자석등

이 석등은 두 마리의 석사자가 마주보면서 석등의 화사석의 연화대를 받치는 형상인데, 이곳의 기운은 음택에서 사용할 수 있는 기운이어서 그 범위가 대단히 좁게 형성된 곳이다.

서편의 사자가 위치한 지점은 양혈(비기, 감기, 생기)에 자리 잡았으나, 동편의 석사자는 혈에

---

5) 여기서 지기와 간기는 고유명사로서 일반 지기의 구체적인 명칭이며, 지기는 회색계, 간기는 고동색계의 고유색을 지니고 있다.

서 조금 벗어난 지점에 위치하고 있다. 이 지기의 양혈은 음혈의 서편에 자리 잡고 있다.

쌍사자 석등의 놓을 위치를 정했던 인물은 정확한 혈을 인식, 소점할 수 있었던 것임에 틀림없다.

(3) 八相殿

사진 5. 법주사 八相殿 전경

팔상전의 주용맥은 대웅보전 중심부 방향에서 흘러와 팔상전에 맺혔다. 팔상전의 서반부는 간기, 동반부는 지기가 응혈되었는데, 기운의 맺힌 범위가 팔상전 외측 벽선에서 조금도 오차가 확인되지 않는다.

팔상전에 맺힌 지기와 간기의 기력은 대단히 미미한 편이다.

(4) 天王門

천왕문의 주용맥 역시 대웅보전 방향에서 흘러와 이곳에 혈이 맺힌 형상이다. 혈의 入穴脈방향과 크기에 맞추어 건물을 세웠다. 이곳의 기운은 남반부는 지기, 북반부는 간기가 맺혔다.[6]

(5) 조사각

조사각의 주용맥은 명부전이 있는 동북방으로부터 흘러오지만 입수혈로부터 들어오는 방향에 맞추어 장방향으로 맺혀있다. 따라서 부득이 향은 큰 중정인 대웅보전 앞쪽인 동향으로 짓고, 건물은 기운이 자리한 전체에 맞추어 앉힌 것이다.

기운은 天氣와 生氣가 맺혔다.[7] 북반부는 生氣(陽穴), 남반부는 天氣(陰穴)이다.

(6) 벽암대사비

벽암대사비의 자리 역시 음택터의 기운이 맺힌 곳이다. 기운의 주용맥은 명부전과 조사각 방

---

6) 地氣(灰色)와 艮氣(고동색)는 고유명사이다. 지기는 음혈과 간기는 양혈로서 짝을 이루면서 발원처부터 함께 한다.

7) 천기(白色)와 생기(軟綠色)는 고유명사이다. 두 기운은 각 음혈과 양혈로서 짝을 이루면서 발원처부터 함께 한다.

사진 6. 법주사 祖師閣

사진 7. 법주사 벽암대사비

향으로부터 흘러왔다. 이곳의 기운은 지기와 간기이다.

그밖에 팔상전의 동북방에 있는 대방의 북편으로 접한 동서로 장축을 이루는 건물에도 간기와 지기가 각 서반부 및 동반부에 맺혔다. 이외의 건물에는 기운이 감지되지 않는다.

법주사의 주 건물과 석등 및 비 등은 이렇듯 모두 기운이 맺힌 곳을 정확하게 찾아 건립했다는 점에서 명찰로서의 면모를 보여주고 있다.

법주사의 대웅보전부터 남북을 축으로 배치된 천왕문에 이르기까지 모두 지기가 서린 곳을 찾아 그 범위에 맞추어 각 건물을 정확하게 배치한 점은 황룡사지 및 분황사와 궤를 함께 한다.[8]

3. 修德寺

수덕사는 백제의 위덕왕 때 고승인 지명이 창건했다고 전해진다. 대웅전에 자리 잡은 主穴의 주용맥은 그 북편의 덕숭산(495m)에서 발원하여 동남편 능선을 타고 약200m 정도 흘러오다가, 남방으로 250m지점까지 남향한다. 이 주용맥은 250m지점에서 다시 서남방의 능선을 타고 정상에서 약570m지점에서 능선을 벗어나 남쪽의 경사면을 따라 곧장 대웅전터까지 달려온다.

이 대웅전의 혈은 두 개의 보조용맥을 가지고 있다. 보조용맥의 한 줄기는 동편, 다른

사진 8. 수덕사 大雄殿

8) 최맹식, 「乘生氣의 觀點에서 본 新羅主要遺蹟」, 『馬韓百濟文化』 25, 馬韓百濟文化研究所, 2015.

사진 9. 부석사 無量壽殿

사진 10. 부석사 應眞殿

한 줄기는 서편쪽으로 들어온다.

4. 浮石寺

부석사는 신라 문무왕16년(676)에 義湘大師가 창건했다고 한다.[9] 부석사내의 지기가 감지되는 건물은 무량수전, 조사전, 응진전, 조사당 및 3층석탑 등이다.

(1) 無量壽殿

무량수전은 서반부는 양혈이 맺혔다. 이 양혈의 기운은 秘氣와 生氣 2종이다. 서반부는 음혈로서 紫氣와 天氣가 응혈되었다. 즉 무량수전의 터는 서편은 양혈, 동편은 음혈이 접하여 동서로 맺힌 것이다.

(2) 應眞殿

응진전은 음택혈이 맺혔다. 중앙의 음혈과 서편의 양혈에 모신 불상은 혈에 정확하게 모셨다.

(3) 祖師堂

조사당은 음혈과 양혈이 각각 북반부와 남반부에 응혈되었다. 혈이 맺힌 곳을 따라 건물의 크기를 맞추어 정확하게 재혈한 후, 건립한 것이다.

---

9) 李箕永,『浮石寺 −韓國의 寺刹 9−』, 韓國佛敎硏究院, 1982.

사진 11. 부석사 조사당   사진 12. 부석사 3층석탑

(4) 부석사 3층석탑

3층석탑은 무량수전에서 조금 떨어진 동편에 위치한데, 혈이 자리한 곳에 정확하게 자리하고 있으나, 좀 한적한 곳이기도 하고 아쉬움도 남아 있는 터다.

부석사의 무량수전, 응진전과 조사당은 서로 삼각형을 이루면서 떨어진 거리에 위치해 있지만, 정확한 위치와 기운이 맺힌 가장자리의 범위를 읽을 수 있는 역량을 지녔을 것이다. 당시 이곳을 소점은 인물은 뛰어난 안력과 감지능력을 가졌음에 틀림없다.

5. 麻谷寺

마곡사의 대웅보전은 건물 기둥내부는 정확하게 지기가 맺혔다. 대웅보전의 서반부는 生氣, 동반부는 天氣가 응혈했으나, 전체적인 기운은 강하지는 않다. 마곡사는 지기로 보면, 이 대웅보전이 가장 중심건물로서 위치를 차지한다.

대웅보전의 아래에 자리한 대광보전은 음택지 1개소가 내부 중앙에 혈을 맺었다.

대웅보전의 주용맥은 바로 後山인 해발 230m지점에서 발원하여 약70여m까지는 남서향의 능선을 타고 오다가 발원지부터 200여m지점까지는 약간 경사진 지점으로 흐른다. 주용맥은 다시 이곳을 기점으로 남남서로 형성된 능선을 따라서 곧장 지금의 대웅보전 터까지 달려와서 혈을 맺은 것이다.

이 대웅보전으로 들어오는 보조 용맥은 1조로서 아래쪽에 위치한 남쪽 켠에 자리 잡아 마곡사

사진 13. 마곡사 大雄寶殿 전경1   사진 14. 마곡사 大雄寶殿 전경2

로 인도하는 길목에 있는 해탈문과 천왕문을 차례로 지난다. 또한 마곡천에 설치된 마곡사로 들어오는 다리와 대광보전의 중앙을 정확하게 관통하여 대웅보전으로 흘러온다. 이러한 보조맥이 들어오는 길목에 해탈문과 천왕문, 다리를 설치했던 것은 우연이 아닐 것이다. 이 보조맥을 정확하게 읽은 인물이 그 길을 따라 사찰안으로 들어올 수 있도록 배려했던 것으로 해석된다.

Ⅲ.터로 본 山寺가 가지는 의미

통일신라 후반경에 신라 유학승을 중심으로 중국에서 들어온 禪門계통은 대체적으로 개인 승려들이 수도에 본분을 두었던 것으로 판단된다. 이는 9山 禪門이 당시 도시에 집중해서 건립되었던 사찰이 산으로 돌아간 사실로 미루어 본 결과이다.

이즈음에는 새로 개창된 사찰의 주 건물과 시설물(법당이나 탑 등)은 대부분 地氣를 정확하게 소점할 수 있는 자에게 의뢰하거나, 그러한 역량을 갖춘 인물(스님)이 직접 자리를 잡았을 가능성이 높다.

정확한 지기가 맺힌 곳을 이른바 穴에 거주했을 때, 대단히 긍정적인 결과를 얻을 수 있다는 것이 이 분야의 통설이고, 대부분 확인되어 오고 있는 추세이다. 물론 이러한 혈터에 거주했을 때 일어나는 결과는 어느 정도 장기적인 안목에서 볼 필요성이 있다. 다만 주변의 지형 관찰만을 위주로 하는 요즈음의 形氣적인 관점으로는 이러한 결과에는 한계가 있음을 충분하게 인식되어야 할 것이다.

山寺는 스님들의 수도하는 도량이며, 거주처이다. 그것이 원 목적이었을 것이다. 이러한 점에서 보면, 산사의 위치를 소점하는 것은 대단히 중요한 의미를 갖는다. 그 의미를 필자가 인지하고 있는 범위 내에서 서술하면 아래와 같다.

1. 푸근한 온기를 품고 있다.
2. 마음을 편안하게 한다.
3. 주변의 지세가 안정되어 있는 경우가 대부분이다.
   - 혈이 맺힌 위치를 중심으로 뒷산이나 좌우 또는 앞산(朝案山) 있는 경우 나로부터 도망가는 형태가 아닌 바라보는 지세가 형성되어 있다. 이른바 有情하다고 한다. 물론 앞이 멀리 트인 경우나, 평야지대 등에 따라 다소 차이가 있거나 다양한 양상이 있지만, 대체적인 형상을 지칭한 것이다.
4. 바람이 주변에 비하여 적게 불거나 감추어지는 경우가 우세하다.
5. 비슷한 조건의 일을 할 경우, 피곤도가 현저히 낮고, 오히려 기운이 솟아나는 느낌을 받을 수 있다.
6. 보다 긍정적이거나 진취적인 생각을 하게 된다.
7. 혈이 맺힌 곳은 상대적으로 본인도 모르게 자주 찾게 된다.

혈이 맺힌 터의 긍정적인 면은 가능한 사실적인 범위에 한정하여 서술할려고 노력했으나, 위의 사실적인 내용을 확대하여 기술하면 훨씬 긍정적인 사실들을 확인할 수 있다. 先人들의 山寺 건립은 이러한 점에서 많은 의미에서 긍정적인 면을 확인할 수도 있을 것이다.

그밖에도 세속에 물들지 않고 개인 수도를 위해서는 밝고 맑은 기운을 받을 수 있는 곳을 선호하였을 것이다. 또한 쉼 없이 닦는 행위는 적지 않은 에너지를 필요로 할 수도 있을 것이기 때문이기도 하다. 물론 어느 경지를 넘어서면 자연의 많은 에너지를 스스로 자각할 수 있는 단계가 오겠지만, 그 전 단계에서 자각할 수 있기까지는 이러한 좋은 터를 상정 선호했음 직하다.

우리나라의 산사는 주변의 땅과 지세, 사람, 정확하게 소점된 산사의 건물은 이들과 함께 어우러져 바람직한 마음씨를 내고 영적인 성장을 돕는 좋은 공간이기도 하다. 이러한 모든 것의 가장 마지막 행위는 사람에 달려있다.

【참고문헌】

靜道和尙 編著, 『入地眼全書』

沈鎬, 『地學』

문화재청, 『鳳停寺 -화엄강당 고금당 정밀실측보고서(상)-』, 2010.

李箕永, 『浮石寺 -韓國의 寺刹 9-』, 韓國佛敎硏究院, 1982.

韓國佛敎硏究院 저, 『法住寺-韓國의 寺刹-』, 1982.

최맹식, 「乘生氣의 觀點에서 본 新羅主要遺蹟」, 『馬韓百濟文化』 25, 馬韓百濟文化硏究所, 2015.

傳 正祖大王 初葬地 出土 笲의 科學的 保存

宋智愛*, 鄭아름*, 金順館*

目 次

Ⅰ. 서론

正祖大王(조선 제22대, 재위 1776~1800)의 초장지는 정조 승하 후 능을 조성하여 왕비인 孝懿王后(1753~1821)와 합장하기 전까지 최초 매장지로 위치에 대해서는『正祖健陵山陵都監儀軌』,『正祖大王國葬都監儀軌』등 문헌기록에 기술되어 있으나 정확한 위치는 파악 할 수 없었다. 이에 따라 2011년 10월에서 12월까지 국립문화재연구소에서 국가사적 제206호로 지정한 융건릉 내 초장지로 추정되는 지점을 발굴하였다.[1]

그 과정에서 매장시설의 좌우와 후면을 감싸는 담장(곡장)지가 노출되면서 본격적으로 묘광과 그 주변시설에 대한 발굴 조사를 실시하게 되었다. 묘광은 凸字形의 구조이며 묘광 주변의 난간석 시설, 봉분 주변의 석물자리 등이 발견되었다. 유물은 백자 명기, 백자 소호, 청동 편종, 칠기 함, 坐向表石, 난간석의 하부 지대석 등이 수습되었다. 1차 조사를 통해 능의 규모와 구조를 확인하였고, 18세기 후반으로 보이는 백자 명기류와 백자 소호 등 다양한 유물이 발굴되었다.

발굴조사를 통해 본 연구 대상인 笲도 출토되었으며,『正祖大王國葬都監儀軌』-「이방의궤」-'명기질'에 설명된 도면 등 상세한 기록을 통해 성격을 규명할 수 있었다. 하지만 책의 형태가 완벽하지 않은 점, 내부의 다른 유물이 들어 있는 점을 미루어 재질 특성 파악 및 정확한 형태 파악 등이 필요하였으며 표면 이물질 제거, 손상부 보강 등 보존처리를 실시하였다.

본 유물의 보존처리는 유물의 재질이 초본류와 금속 등 복합재질이라는 점, 특히 초본이 주

---

* 國立文化財研究所 文化財保存科學센터

1) 이태종,「정조 초장지 출토 옥의 과학적 분석 및 보존처리」,『문화재』46(4), 국립문화재연구소, 2013, p.161.

그림1. 전 정조대왕 초장지 위치[2]

재료라는 점에서 의미가 있다. 초본류는 재료들이 쉽게 부식되고 약한 특징을 가지고 있어 일부 전세품 이외에는 다른 유물과 기록에 의해 유추될 뿐 깊이 있는 연구가 이루어지기 어려웠으나 최근 저습지유물로 다양한 초본류 유물이 다양하게 출토되고 있다. 이에 국내에서도 보존처리가 된 사례가 보고되고 있으나 주로 저습지에서 출토된 유물이다. 또한 금속과 같은 무기질과 함께 이루어진 복합초본유물에 대한 사례는 거의 전무한 실정이다.

이 연구결과는 책에 대한 과학적 재질분석과 문헌기록과 비교를 통해 정확성을 파악하고 초본류, 목재, 금속 등 복합재질로 된 유물의 보존처리 방법에 대한 기초자료를 제공할 수 있을 것이다.

II. 유물현황 및 문헌조사

1) 유물현황

정조대왕 초장지가 위치한 화성시는 동으로는 용인시, 서로는 서해에 면하여 있으며 북으로는 수원시 · 안산시와 남으로는 오산시 · 평택시와 접하고 있다. 초장지는 화성시의 태안지구 택지개발사업이 진행되며 발견되었다. 2005년과 2007년에 이루어진 경기문화재연구원의 발굴

2) 국립문화재연구소,『전 정조대왕 초장지 발굴조사보고서』, 2015.

조사로 정조의 능인 융릉의 동남쪽에서 재실터가 확인되었으며, 그 후에 2011년과 2012년에 이루어진 국립문화재연구소 발굴조사로 정조의 초장지로 추정되는 봉분터(그림 1)가 확인되었다. 초장지의 봉분 직경은 8m이며 묘광은 남북 10m × 동서 5.3~5.8m의 크기로 묘광 북편의 좁은 구간을 '퇴광'이라 칭하여 부장품을 매납하고 있었다.

유물 집중 출토지점인 퇴광에서 출토된 본 유물은 육각기둥형의 용기와 내부에 상부가 '凸자'형인 막대가 들어 있는 형태였다(표 1). 육각 기둥형 용기의 크기는 가로 4.0㎝ × 세로 (잔존길이) 3.6㎝ 였다. 상부에는 약 0.5~0.8㎝ 너비의 금속판이 가로 2.8㎝ × 세로 1.5㎝의 육각형 테를 돌렸으며, 전·후에 각 2개씩 4개의 못으로 고정하였다. 그 중 3개가 잔존하였으며, 못머리 약 0.2㎝, 못길이는 약 0.5~0.6㎝ 였다. 측면에는 크기 1.1㎝ × 1.0㎝ 인 경첩과 그 반대편에는 크기 0.2㎝ × 0.1㎝ 의 원형 고리가 2개 위치였으며, 경첩에는 못머리 약 0.2㎝, 못길이 약 0.6㎝ 의 못이 소편으로 남은 목재를 고정하고 있어 상부에 뚜껑이 존재하였을 것으로 추정하였다. 금속 테의 안쪽에는 약 0.1㎝ 두께의 목재가 가로 2.2㎝ × 세로 1.0㎝ 인 육각형의 테로 존재하였다. 목재의 내면에는 안료를 올렸다. 본 유물의 가장 넓은 면적을 감싸고 있는 것은 너비 약 0.15㎝ 의 초제로 엮어진 재질로 금속과 목재의 테 사이에 끼워져 있었다. 유물의 안쪽에는 너비 0.4㎝ × 두께 0.15㎝ 인 봉형의 막대가 존재하였다. 초제와 마찬가지로 하부가 결실되어 정확한 길이는 알 수 없었으며, 잔존길이는 3.6㎝ 였다. 막대의 상부에는 칠로 추정되는 테두리가 끼워져 있었는데, 그 평면 형태는 '凸자'형으로 크기가 가로 1.1㎝ × 세로 0.45㎝ 였다(그림 2).

【표 1】 대상유물의 구성재질

구성품의 형태	구성재질
육각기둥형의 용기	금속, 목재, 초제, 안료
상부가 '凸자'형인 막대	목재, 칠(추정), 안료

그림2. 대상유물의 보존처리 전 상태 (① 전면, ② 후면, ③ 상면)

대상유물은 열화로 인한 결실이 심하고 토압 등에 의해 전체적으로 찌그러진 상태로 원형추정이 어려웠다. 출토유물의 정확한 성격을 알기 위해 『정조국장도감의궤』, 『건릉산릉도감의궤』 등 고문헌 자료를 조사하고 재질분석을 확인하기 위해 분석을 실시하였다.

2) 문헌조사

전 정조대왕 초장지유적은 국립문화재연구소의 조사를 통하여 봉분의 규모 및 석물의 위치 등이 정조의 능인 융릉의 것과 유사하며 발굴된 부장품 중 궁중제례악에 사용되던 編磬과 編鐘이 명기로서 출토되어 왕릉의 격을 갖춘 묘제임을 밝혔다.[3]

명기는 『禮記』 檀弓 上篇에 '명기는 귀신의 그릇이요 제기는 사람의 그릇이다'라는 기록이 남아 있어 그 용도를 알 수 있으며 부장용으로 제작되어 실생활 용기보다 대체로 크기가 작다. 조선 왕실에서는 세종 1년(1419년) 장례의식부터 명기가 사용되었으며, 『世宗實錄』 「오례」(1454년) 凶禮 明器條에는 명기의 종류와 명칭, 도해가 수록되어 있다.

초장지에서는 백자, 토제 부, 토제 훈과 청동제 종 등이 명기질로 출토되었으며, 명기질에 대한 기록은 《正祖國葬都監儀軌》 〈이방의궤〉 명기질 편에 종류와 제작방법 등이 자세하게 수록되어 있다. 기록된 명기질의 종류에는 莆, 瓦甒, 甒, 鼎, 釜, 酒尊, 酒瓶, 盞, 爵, 簠, 簋, 籩, 豆, 飯鉢, 磬, 壎, 篪, 瑟, 笙, 簫, 鼓, 柷, 敔, 干, 甲, 胄, 彤弓, 彤矢, 笮 등 이다.[4] 본 보존처리 대상유물과 관련된 기록은 다음과 같다.

책(笮: 전통) 1건 - 海竹 육면을 엮어 만드는데 화살 8개가 들어간다. 豆錫으로 장식한다(그림 3).[5]
들어가는 것〔所入〕
가래나무 길이 4촌 둘레 지름 1촌 짜리 1편. 海長竹-土藤方箱에 쓰고 남은 竹皮로 쓴다. 장식 두석 1냥, 숯 5승, 영자에 소용되는 홍진사 5푼, 채색 - 이상은 명기에 들어가는 의장을 기화할 때 사용하는 것과 같으므로 모두 생략한다-(그림 4).[6]

기록에 따르면 책은 해장죽의 껍질부분〔竹皮〕으로 6면으로 엮고 두석으로 장식하여 제작하였다고 한다. 이는 겉면에 초제편물을 두른 것을 뜻하며, 의궤나 모사된 그림(그림 3과 16)를 보아 6면은 6각을 의미하는 것으로 판단된다. 초장지에서 출토된 대상유물 역시 6각의 형태를 띠고 있으며 초제의 편물이 유물의 외면을 두르고 금속판과 못으로 고정되어 있다. 비록 유물의 많은 부분이 결실되어 의궤에 모사된 책과 동일한 형태를 갖는지에 대해서는 판단이 이르다. 하지만 책의 내부에 8개의 화살을 담고 있고, 가래나무와 홍진사가 사용된 점은 유물의 내부에서 '凸자'형의 장식은 갖는 막대들과 목재테두리, 붉은 안료가 확인된 것과 유사성이 높아 대상유물이 책으로서 제작된 명기일 가능성이 짙다고 판단된다.

---

3) 국립문화재연구소 보도자료, "정조대왕 초장지"(2011년 11월 29일).
4) 국립문화재연구소, 앞의 보고서, 2015.
5) 국립문화재연구소, 『국역 정조국장도감의궤』, 2005, p.385.
6) 위의 책, p.386.

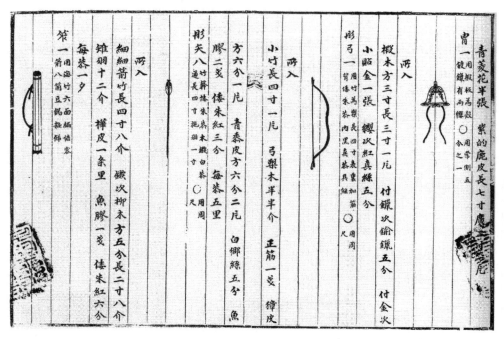

그림3. 筈 형태관련 문헌기록『정조국장도감의궤』(이방의궤-명기질)

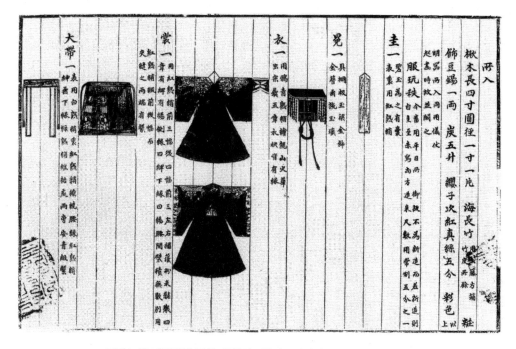

그림4. 筈 재질관련 문헌기록『정조국장도감의궤』(이방의궤-명기질)

III. 과학적 분석

1. 분석대상

대상유물의 제작에 사용된 재료는 유기 및 무기재료로 분류할 수 있었다. 유기질 재료로는 유물을 겉면을 싸고 있는 초제, 육각의 테를 이루는 목재테두리, 화살대 추정막대와 그 상부의 추정 칠로 총 네 부분이었으며, 재료의 동정을 위해서는 소량의 시료가 필요하여 미세 탈락편을 수집하여 분석에 이용하였다. 하지만 내부막대를 구성하는 화살대 추정막대와 추정 칠은 수집이 불가하여 분석대상에서 제외하였으며, 초제와 목재테두리를 분석대상으로 삼았다. 무기질 재료는 최외면에서 초제와 목재테두리를 고정하는 육각의 금속테두리, 못과 고리, 상부의 뚜껑을 고정하는 경첩 등의 금속구와 목재테두리 안쪽면과 화살대에 둘러진 붉은색 안료로 총 두 종류였다. 금속구는 비파괴 분석을 하였으며, 안료는 탈락된 분말편을 분석하였다.

2. 분석방법

1) 유기재료 분석

유기재료들의 단면을 현미경으로 관찰하여 그 특성을 분석하였다. 시료는 그 크기가 작아 시료의 포매가 필요하였다. 각 시료는 알코올 탈수하여 수분을 제거한 뒤 자일렌으로 치환한 후 파라핀으로 포매하여 시편으로 제작하였다. 각 시편은 트리밍한 뒤 마이크로톰(Thermo scientific, HM450)으로 박편을 채취하였다. 각 박편의 파라핀을 자일렌에 녹여 제거한 후 알코올로 치환하고 유파랄봉입제로 봉입하여 슬라이드를 제작하여 광학현미경(Nikon, Eclips Ni-E)으로 조직을 관찰하였다(표 2).

2) 무기재료 분석

금속구는 μ-XRF(Eagle XLL, EDAX Inc., America)를 이용하여 비파괴 분석으로 진행하였다. 분석은 진공상태에서 40kV, 500μÅ의 조건으로 point당 100sec씩 수행하였다. 안료는 SEM-EDS (JSM-5910LV, JEOL, JAPAN)을 사용하여 20kV 및 67μÅ의 조건으로 분석하였다(표 2).

【표 2】 분석 대상 및 분석 적용 방법

종류 및 대상		분석 적용 방법
유기재료	초제, 목재테두리	광학현미경을 이용한 조직관찰
무기재료	금속구 (못)	XRF를 이용한 분석
	안료	EDS를 이용한 분석

3. 분석결과

1) 유기재료 분석

(1) 초제

초제의 조직은 횡단면상에서 비교적 후벽을 갖는 세포들이 찌그러진 상태로 다열로 배열하여 있는 것으로 관찰되었다(그림 5의 ①). 측면에서는 후벽이며 단벽공이 발달한 섬유와 길이가 짧은 유세포들이 군집을 이루며 교대로 배열하고 있는 것을 확인 할 수 있었다(그림 5 의 ②,③).

이는 벼과의 식물과 같은 단자엽식물에서 주로 발견되는 부제중심주에서 나타나는 특징으로 설명할 수 있다. 줄기의 전체를 채우고 있는 유조직 사이에 유관속이 산재하여 있는 형태(그림 6의 ①)로 방사 및 접선의 측면에서 유관속을 이루는 후벽의 섬유, 도관요소 등과 유조직을 이루는 유세포가 교대로 나타나게 된다(그림 6의 ②,③). 이를 근거로 단자엽식물강에 속하는 초본의 식물로 분류가 가능하였다.

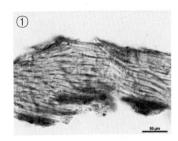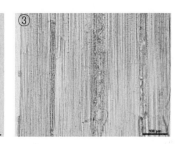

그림5. 초제의 단면구조 (①횡단면(×40), ②방사단면(×20), ③접선단면(×20))

죽재는 일반적인 초본류 동정의 주요한 기준인 규소질의 결정(silica)이 존재하지 않으며, 유관속을 구석하는 후벽의 섬유층이 비교적 두터운 것이 특징이다. 하지만 이것은 죽재로 동정하기엔 근거가 모호하여 조직의 형태학적 분류가 용이하지 않다. 이에 초제의 조직은 목재가 아닌 단자엽식물의 조직이라는 결론만이 가능하였다.

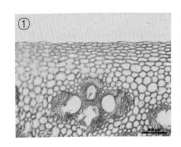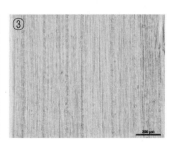

그림6. 대나무의 단면구조 (①횡단면(×10), ②방사단면(×20), ③접선단면(×10))

(2) 목재테두리

목재테두리는 활엽수재로 횡단면상에서 고립관공과 복합관공이 산재하는 형태로 관찰되었다. 시편의 면적이 적어 도관의 이행을 판단하기에 다소 어려움이 있었지만 후벽의 크기가 작은 목섬유가 연륜의 경계부의 좁은 범위에서만 관찰되고 관공의 크기차이가 비교적 덜 한 점을 미루어 반환공재로 판단하였다(그림 7의 ①). 축방향유세포는 산재하거나 짧은 접선상으로 관찰되었다(그림 7의 ④). 방사단면에서 천공은 단일상이였으며, 그 벽면에는 유연벽공이 교호상으로 배열하였다(그림 7의 ②,⑤). 방사조직은 평복세포로 이루어진 동성형으로 접선상에서 1-5세포나비로 존재하였다(그림 7의 ③,⑥). 이상의 특징으로 가래나무속으로 식별하였다.

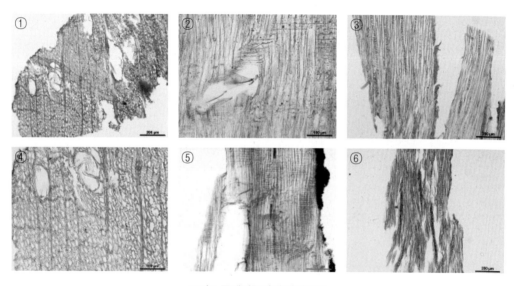

그림7. 목재테두리의 단면구조
(①횡단면(×10), ②방사단면(×20), ③접선단면(×20), ④횡단면(×20), ⑤방사단면(×10), ⑥접선단면(×10))

2) 무기재료 분석

(1) 금속구

대상유물로부터 분리된 못을 분석하여 검출된 구성 원소들을 표 3에 나타내었다. 질량비로 판단할 때, 85wt%이상을 구성하는 구리(Cu)를 주성분으로 하는 금속으로 아연(Zn), 주석(Sn), 납(Pb)을 첨가하여 제작한 동합금으로 판단하였다.

【표 3】 금속 못 분석결과

구성성분	Cu	Zn	Sn	Pb	Al	Si	P	Ca	Fe
Wt%(평균)	85.93	5.98	2.28	2.54	0.41	0.82	1.24	0.23	0.57
표준편차	3.51	2.59	1.05	1.20	0.39	0.52	0.37	0.05	0.28

(2) 안료

안료분말을 EDS로 성분 분석한 결과, 안료의 주요 구성성분은 수은(Hg)과 황(S)이였으며, C와 O가 검출되었다(그래프 1). 또한 EDS을 통해 정확한 정량분석은 어려웠으며 C와 O는 표면의 이물질에서 검출된 것으로 추정된다. 주요 성분이 수은(Hg)과 황(S)으로 그 원소비(Atomic%)가 Hg:S=1:1인 것(표 4)으로 보아 붉은색 안료는 진사(HgS)로 판단하였다.

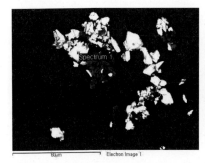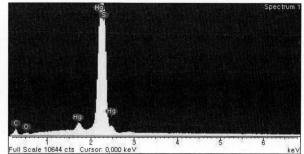

그래프 1. 안료의 EDS 분석결과

【표 4】 안료 분석결과

구성성분	C	O	S	Hg
Wt%	2.13	73.21	3.43	21.23
Atomic%	3.57	92.15	2.15	2.13

Ⅳ. 보존처리

유물의 형태 및 내부구조에 대한 정보가 절대적으로 부족하여 X-선을 이용하여 조사하였다. 이를 토대로 파악된 정보를 이용하여 유물의 분리작업을 수행한 뒤 각 재질에 알맞도록 세척 및 강화처리를 실시하여 오염물을 제거하고 재질에 강성을 부여하여 남아있는 유물의형태가 최대한 유지될 수 있도록 하였다.

1. 내부구조 조사

　대상유물은 전체적으로 흙으로 덮혀 그 형태파악이 쉽지 않았으며, 다른 재질의 유물(훈)과 함께 고착된 상태로 출토되었다(그림 8). 보존처리에 앞서 고착된 유물과의 경계부를 파악(그림 9)하여 분리할 필요가 있었다.

  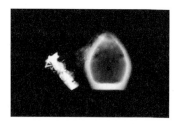

그림8. 유물의 출토 상태 (① 전면, ② 후면)　　　　　그림9. X-선 사진

　X-선 촬영사진을 기초로 훈으로부터 안전하게 분리한 유물은 내부에 미상의 물질을 담고 육각형의 복합재질로 유물형태를 파악하기 위해 내부구조 조사가 필요하였다. 대상유물은 각 재질간 X-선 투과도에 편차가 클 것으로 판단이 되었으며, 내부구조에 대한 명확한 파악을 위해 컴퓨터단층 촬영(X-ray Computed Tomography)을 실시하였다.

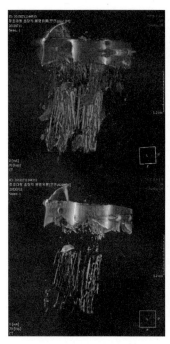 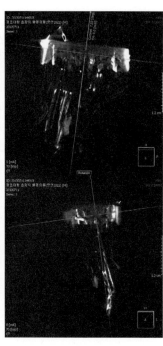 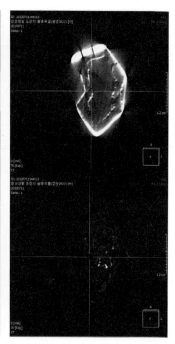

그림 10. X-선 CT 사진 1 (3D형태)　　그림 11. X-선 CT 사진 2 (종단면)　　그림 12. X-선 CT 사진 3 (횡단면)

X-선 CT촬영을 통해서 육각으로 제작된 초제의 내부에 막대형의 내용물이 존재하는 것을 확인할 수 있었으며(그림 10, 11 및 그림 12의 下), 그 재질은 알 수 없지만 막대의 외면에 밀도가 높은 물질이 겉면을 감싸고 있음을 확인할 수 있었다(그림 10의 下, 그림 12의 上).

2. 세척

과학적 재질분석을 통하여 대상유물이 금속, 초본, 목재, 안료 등 다양한 재질이 복합되어 제작되었음을 알게 되었다. 안정적인 보존처리를 위해 내부를 채우고 있는 막대들과 그것을 감싸고 있는 초제의 분리가 필요하다고 판단하였으며, 그 사이를 매우고 있는 흙을 조심스럽게 제거하며 분리하였다. 습식세척에 앞서 유물의 표면에 흙을 소도구를 이용하여 떼어내거나 부드러운 붓을 이용하여 흙을 털어주는 건식세척을 실시하였으며, 유물에 손상이 가지 않도록 주의하며 세척하였다(그림 13). 무기재질인 금속구 표면은 100% 알코올 용액을(그림 14의 ②), 나머지의 유기 재질부분에는 50% 알코올 수용액(그림 14의 ①)을 붓과 폴리에틸렌면봉 등에 적셔 표면에 고착된 흙 등의 이물질을 제거하였다. 안료가 칠해진 부분에는 안료가 세척용액에 묻어나 탈락되는 것을 방지하기 위해 습식세척을 제한적으로 실시하였다. 세척 후의 건조과정에서 수축에 의한 변형이 발생하지 않도록 유의하며 진행하였다.

그림 13. 건식세척   그림 14. 습식세척 (①초제 습식세척, ② 금속구 습식세척)

3. 강화 및 접합

수분에 취약한 금속구를 고려하여 유기용매에 용해성이 있는 Paraloid B-72로 강화제로 선택하였으며, 10% (in Acetone)로 제조한 강화제를 금속구는 물론 초제편물과 막대의 표면에 도포하여 안정성을 부여하였다(그림 15의 ①, ②). 분리하였던 금속구들은 본래에 위치로 접합하였으며, 불필요한 약제의 사용을 억제하기 위해 강화과정과 접착을 동시에 실시하였다(그림 15의 ③).

그림 15. 강화 및 접착 (①초제 강화처리, ② 내부막대 강화처리, ③ 금속의 강화 및 접착)

Ⅴ. 고찰 및 결론

본 연구는 정조 초장지에서 출토된 초본유물에 대한 문헌조사와 재질분석을 통해 유물의 재질 특성을 파악하였으며, 과학적 분석결과와 문헌기록과 비교하여 본 유물이 箙임을 확인하였다. 『正祖國葬都監儀軌』의 기록에 따르면 箙은 화살을 담아두는 전통을 이르는 것으로 명기로서 1점을 제작하여 동시, 동궁 등과 함께 부장하였다고 이르고 있다. 箙은 海長竹 육면을 엮어만들었으며 내부에 화살 8개가 들어가고, 두석으로 장식하며 가래나무와 해장죽, 두석과 홍진사를 사용하였다 기록하였으며 그 형태도 모사하여 나타내었다(그림 16). 긴 육각기둥형으로 상·하부에 붉은색의 진사 칠을 입혔고 중앙부에는 끈을 매달았다. 전 정조대왕 초장지에서 출토된 箙 추정유물은 육각기둥형의 용기로 그 내부에 막대를 담고 있다(그림 17). 이는 의궤에 이르는 箙과 매우 유사한 형태이지만 결손으로 인해 일부만이 남아 외형만으로는 판단이 어려웠다.

기록에는 箙 제작에 가래나무와 해장죽, 두석과 홍진사를 사용하였다고 나타나 있다. 앞서 유물의 과학적 재질분석을 통하여 금속은 아연과 납의 동합금, 내부 목재는 가래나무속, 외부 초제는 단자엽식물에 속하는 식물, 안료는 진사로 확인되었다.

가래나무는 가래나무과(Juglandaceae) 가래나무속(*Juglans spp.*)에 속하는 낙엽교목으로 국내에 분포하는 가래나무속에는 가래나무(Juglans mandshuricca Max.)와 호두나무(Juglans sinensis Dode)가 있다. 목재의 내후 및 보존성이 약하지만 뒤틀림이 적고 절삭가공이 용이하고 비교적 가벼운 것이 특징이며, 목재의 중요한 용도로는 건축, 반닫이, 문갑 등 가구에 사용된다.[7] 따라서 목재 가공이 용이하고 비교적 가벼운 목재의 특징으로 가래나무속이 육각형의 형태로 섬세하게 제작이 필요한 箙 내부 목재에 사용된 것으로 보인다.

해장죽은 벼과(Poaceae)의 해장죽속(*Arundinaria spp.*)에 속하는 식물로 국내에는 중남부지

---

7) 이필우,『한국산 목재의 성질과 용도(1)』, 서울대학교출판부, 1997, pp.96~100.

방에 분포한다. 국내에서 대나무라고 불리우는 식물은 크게 4속에 속하는 식물들도 일반적인 왕대속(*Phyllostachys spp.*), 해장죽속, 조릿대속(*Sasa spp.*), 이대속(*Pseudosasa spp.*)으로 분류할 수 있다. 그 중 해장죽속에는 해장죽(*A. simonii* A. et C. Riv.) 1종이 속한다. 해장죽은 시누대라고도 하며 굵게 자라지 않는 대나무로 화살을 만들거나 발, 바구니 등의 죽세공품의 제작에 주로 사용되는 재료이다.[8] 비록 재질분석결과 단자엽식물로만 확인되었으나, 문헌에 기록된 해장죽이 다른 대나무 종류에 비해 굵게 자라지 않아 예로부터 죽세공품 제작에 사용된 것으로 보인다.

이에 따라 문헌기록과 과학적 재질분석이 일치함을 확인할 수 있었으며, 이 결과를 바탕으로 책의 제작방법을 유추할 수 있었다. 책은 육각형 기둥으로 제작한 가래나무속의 목재의 내부에 진사로 붉은칠을 하고 그 겉면에는 얇게 제단한 단자엽식물에 속하는 초본의 줄기를 엮어 겉면에 두른 뒤, 아연 및 주석이 포함된 동합금판으로 테를 두르고 못으로 고정하여 제작하였음을 알 수 있다.

또한 『正祖國葬都監儀軌』문헌에 따르면 책 내부에는 화살 8개가 들어간다고 기록되어 있었는데,[9] 초본유물 내부에서 이 기록과 일치하는 봉형의 막대가 확인되었다. 이 막대는 표면에 진사로 붉은칠을 하고 얇게 다듬은 '凸자'형의 수피를 상부에 끼워 제작됨을 확인하였다.

책 筈

그림 16.
『正祖國葬都監儀軌』
에 모사된 책.

그림 17. 筈의 보존처리 완료

8) 이창복, 『원색 대한식물도감』, 향문사, 2003, pp.188~189.
9) 국립문화재연구소, 앞의 책, 2005, pp.384~386.

笻은 금속, 목재, 초본으로 제작된 복합재질 유물로 금속과 유기물을 함께 강화처리하는 방법으로 보존처리를 진행하였다. 이상의 연구 결과는 책에 대한 과학적 재질분석과 문헌기록과 비교를 통해 정확성을 파악하고 초본류, 목재, 금속 등 복합재질로 된 유물의 보존처리에 있어 좋은 사례가 될 것으로 판단된다.

【참고문헌】

『禮記』.
『世宗實錄』.
『正祖健陵山陵都監儀軌』.
『正祖大王國葬都監儀軌』.

이태종, 「정조 초장지 출토 옥의 과학적 분석 및 보존처리」, 『문화재』 46(4), 국립문화재연구소, 2013.

국립문화재연구소, 『국역 정조국장도감의궤』, 2005.
이창복, 『원색 대한식물도감』, 향문사, 2003.
이필우, 『한국산 목재의 성질과 용도(1)』, 서울대학교출판부, 1997.

국립문화재연구소, 「전 정조대왕 초장지 발굴조사보고서」, 2015.
국립문화재연구소 보도자료, "정조대왕 추정 초장지"(2011년 11월 29일).

高敞 茂長邑城의 保存 및 活用方案

白種伍*

目 次

Ⅰ. 머리말

주지하듯이 邑城은 지방의 주요 거점에 군사적인 기능과 행정적인 기능이 복합되어 축조된 성곽이다. 즉 지방의 위계에 따라 府·郡·縣 등 행정관서가 마련된 고을에 축조되어 유사시에 외적에 대비하는 한편, 행정적 편의를 제공한 성곽을 통칭한다.[1]

이러한 읍성은 현재 주요 지방도시의 근간이며 그 원형이기에, 이들 읍성 속에서 지역민의 정체성을 되살리는 각종 발굴조사와 연구, 정비·복원·활용 등이 활발히 진행되고 있다. 이때 역사문환경과 조화되는 주변경관 조성과 전통 역사공간으로의 활용이 무엇보다 필요하다. 과거에는 역사문화자원에 대한 역사적 고증을 바탕으로 주변 경관과 적절히 조화된 정비·복원 계획이 중요한 사안으로 인식되어 왔다. 하지만 최근에는 이들 전통문화 환경을 다양한 방법으로 활용하는 방안을 모색하고 있다. 그러기 위해서는 당해 문화유산과 그 주변지역이 가지고 있는 향토역사문화 자원의 특색 있는 잠재력을 최대한 개발 발굴하는 것은 꼭 필요한 사항이다.[2]

무장읍성은 사적 제346호(지정명칭은 무장현 관아와 읍성)로 전라북도 고창군 무장면 성내리에 자리한다. 조선시대 茂松縣과 長沙縣이 통합되면서 그 중간지점에 치소를 정하고 축조하였다. 조선 읍성의 구조를 잘 살필 수 있는 중요한 자료로서 현존하는 동헌[翠白堂], 객사[松沙官], 남문[鎭茂樓]이 있으며 문헌기록과 고지도를 통해 볼 때 약 35개소의 주요 시설이 있었던 것으로

※ 본 논문은 2015년 6월 4일 (재)호남문화재연구원이 『국가사적 제346호 고창 무장현 관아와 읍성』이라는 주제로 진행한 학술대회에서 발표한 「무장읍성의 활용방안」을 수정 보완한 것이다.
 * 한국교통대학교 교수
1) 심정보, 『韓國 邑城의 硏究』, 학연문화사, 1995, p.33.
    國立文化財硏究所, 「읍성」, 『韓國考古學專門事典 城郭 烽燧篇』, 2011, pp.1006~1008.
2) 백종오, 「韓國 城郭遺蹟의 文化資源 活用方案 硏究」, 『학예지』 14, 육군사관학교 육군박물관, 2007.
    _____, 「朝鮮時代烽燧遺蹟의 文化資源 活用方案」, 『城南文化硏究』 17, 城南文化院, 2010, p.60.

추정된다.[3] 고창군은 2003년 수립된 종합정비기본계획에 따라 2005년부터 연차적인 시 발굴조사를 진행하고 있다. 2014년까지 모두 8차례의 발굴을 통해 읍성 내의 고지형을 비롯한 각종 건물지와 시설물, 성벽, 문지 등의 현상이 확인되었다. 이를 바탕으로 남문 이전과 남 동벽 복원, 북서벽의 정비, 읍취루와 동헌의 담장과 삼문 그리고 연지와 정자 등의 복원이 이루어진 상태이다.

읍성에 대한 학술조사와 복원은 장기간의 계획과 이에 따른 많은 예산이 투입된다. 각 지자체별 대표적인 사례는 순천 낙안읍성, 고창읍성, 부산 동래읍성, 기장읍성, 창원 웅천읍성, 홍성 홍주읍성, 서산 해미읍성, 당진 면천읍성, 청주읍성, 강릉읍성, 삼척읍성 등을 들 수 있다. 이들 중 무장읍성은 종합정비기본계획 아래 체계적인 발굴조사와 정비 복원이 이루어지는 모범적인 예로 평가된다. 이처럼 무장읍성은 2003년 종합정비기본계획을 세운 후 학술조사와 정비 및 복원이 진행되고 있지만, 복원의 목적과 향후 방향성에 대하여 좀 더 숙고해야 할 시점이 된 것으로 여겨진다. 우리는 고창읍성과 순천 낙안읍성, 서산 해미읍성이 복원 정비된 뒤 복합적 역사공간으로의 활용되고 관광 상품화와 대중화를 위한 전통적인 역사문화자원으로 지역민 뿐 만 아니라 온 국민이 사랑을 받고 있음을 주목할 필요가 있다. 특히 낙안읍성은 지역민이 거주하면서 기능 및 지역 문화가 현재까지 유지되고 있으며, 2011년 3월에는 유네스코 세계유산 잠정목록(Tentative List)으로 선정되었고, 정부와 지자체에서 세계유산에 등재시키기 위한 노력을 경주하고 있다.

무장읍성 역시 앞으로 우리나라만이 아니라 세계인이 찾는 문화유산으로 거듭나려면 무장읍성의 역사성과 읍성 복원 및 활용에 대한 차별성, 새로운 문화관광 자원으로서의 가치성을 공개적으로 논의할 필요가 있다. 그리고 무장읍성의 정비·복원·활용의 중심 시기나 시점을 어디에 맞출 것 인가에 대해서도 관계 전문가 등이 심사숙고할 문제이다.

이 글에서는 무장읍성의 보존 및 활용방안에 대한 기본적인 방향을 설정하고자 한다. 이를 위해서 먼저 학술조사에 대한 검토 및 진행 방향을 정리한 후 보존·정비의 기본 방향, 고창군의 관리 및 활용 방안과 몇 가지 보완 사항에 대해서 살펴보고자 한다. 이는 고창군이 향후 무장읍성의 원형 고증과 복원 정비 등을 추진하는데 미력하나마 도움이 될 것으로 기대한다.

II. 기조사 검토와 향후 방향

고창군에서는 무장읍성에 대한 2003년 복원정비 기본계획[4]을 수립한 후에 2005년부터 연차적인 시·발굴조사를 진행시키고 있다. 이에 맞추어 호남문화재연구원이 조사를 진행하고 있으며, 지속적인 학술조사 성과를 도출해 내고 있다(표1참조). 현재까지 총 8차례의 시·발굴조사를 통해 읍성 내의 옛 지형을 비롯한 많은 건물지와 구조물, 성벽, 문지의 성격이 파악되었다. 이 장에서는 기존 조사 성과에 대한 검토와 향후 발굴조사 방향에 대해서 간략히 언급하고자 한다. 이는 그간의 학술조사 결과를 토대로 하여 무장읍성의 진정성(Authenticity) 확보라는 측

---

3) 國立文化財硏究所, 「무장읍성」, 앞의 책, 2011, pp.450~452.
4) 고창군, 『무장읍성 복원정비 기본계획(성곽·관아건축물)』, 2003.

면과 원형 고증에 대한 학술적 접근이라는데 그 의미를 둘 수 있다.

【표 1】무장읍성 발굴조사 개요[5]

구분	기간	내용	사진		비고
1차 시·발굴	2005.07.26. ~ 2005.12.07.	· 읍성 내 책실, 아관정과 형청, 문루, 읍취루, 관노청 건물지 6개소 노출 · 남문지 옹성과 성벽, 해자 등 확인			
2차	2006.09.01. ~ 2006.12.19.	· 동문지 옹성 확인 · 성벽 및 해자 구조			동문지 옹성 확인
3차 시·발굴	2007.11.19. ~ 2008.03.21.	· 시굴조사로 건물지 6개소 노출 · 제1건물지 배수로 및 연못			초축 유물 검출
4차	2009.03.02. ~ 2009.11.02.	· 관아청사와 부속지역에서 건물지 4기, 집수지, 연소, 수구 · 남동쪽 성벽			
5차 시·발굴	2011. 07.16. ~ 2011.11. 02. 2012.05.29. ~ 2012.11.09.	· 시굴조사 중문과 외삼문, 성황사의 유무 확인 · 향청과 장청 추정지에서 건물지와 부속시설 노출 · 건물지 15동, 담장시설, 배수로, 기단, 성벽, 해자 등이 확인 · 구릉부 성벽축조기법 파악			객사 주변 시굴
시굴	2012.05.24. ~ 2013.06.19.	남· 문지 주변 성벽 및 해자 축조기법 확인			
6차 시·발굴	2014.06.27. ~ 2015.02.20.예정	· 시굴조사에서 읍취루 앞 연지, 추정 사창지와 관련된 건물지 확인 · 건물지, 배수로, 수혈, 아궁이, 폐와무 성벽 수구 및 해자			

---

5) 호남문화재연구원, 『高敞 茂長邑城 I』, 2008; 『高敞 茂長邑城 II』, 2006; 『高敞 茂長邑城III』, 2010; 『高敞 茂長邑城IV』, 2012; 『高敞 茂長邑城 V』, 2014; 『고창 무장현 관아와 읍성 6차 시·발굴조사 완료약보고서』, 2014.

도면 1. 무장읍성 조사 현황도 (2014년, 호남문화재연구원 제공)

1. 기조사 검토

1) 문헌자료 분석 및 집성

무장읍성의 沿革은 2006년도에 발간된 1차 보고서에 자세하게 기록되어 있다. 여기에는 무장현과 무장진의 설치와 변화과정, 무장읍성의 축조와 변화과정, 그리고 시설에서 체성과 문과 문루, 해자, 치성, 관아 및 객사에 대해서 기록을 바탕으로 정리하였다. 그리고 부록에서 조선시대 전라도 지역 관방유적의 정비과정을 제시하였다. 그리고 2011년도에 발간된 4차 보고서에서 무장읍성과 관련된 고지도를 찾아서 성벽과 성내 시설물의 현황의 변화과정을 제시하고 있다.

그러나 조사단이 앞으로 무장읍성에 대한 종합보고서 발간을 계획하고 있다면, 보완해야 될 몇 가지 사항을 다음과 같이 제시하고자 한다.

ⓐ 먼저 문헌자료 정리이다. 무장현과 무장진, 무장읍성의 변화과정을 살피기 위해서는 무장읍성 관련기사를 연도별로 발췌하여 정리할 필요가 있다.

즉 『고려사』, 『고려사절요』, 『조선왕조실록』, 『(신증)동국여지승람』, 『증보문헌비고』, 『무장읍지』 등의 조선시대에 작성된 기록 및 개인 문집 등에서 조선시대 무장읍성에 대한 기록을 찾아야 한다. 이는 무장읍성 및 주변 지역에 대한 조선시대 상황을 이해할 수 있는 중요한 자료로써 활용될 수 있기 때문이다.

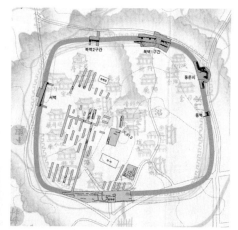

도면 2. 全羅道茂長縣圖의 건물지 배치 및 朝鮮後期地方地圖(1872年)와 2차 조사 현황

ⓑ 다음으로 고지도와 관련된 자료의 수집 및 정리이다. 고지도는 역사적 공간적 맥락에 따라 공간을 축소하여 문자와 부호, 색채를 통해 평면도상에 재현한 그림이다. 각각 지도가 제작되는 목적에 따라 지리 정보와 공간 구성의 일부 차이가 있다.

따라서 고지도에 표현된 모든 자료에 대한 해석과 판단을 할 수 있도록 고지도를 수집 정리할 필요가 있다. 그 후에 고지도(①備邊司印方眼地圖(18세기 중엽), ②海東地圖(1750年代), ③輿地圖(18세기 후엽), ④茂長縣地圖(1776年 以後), ⑤廣輿圖(1800年代), ⑥全羅道茂長縣圖(19世紀), ⑦朝鮮後期地方地圖(1872年), ⑧茂長郡地圖(1899年)에서 무장읍성의 축성 기사 및 성곽 시설물, 내부 관아 및 객사 등의 건물에 대한 현황과 변화과정을 일목요연하게 정리할 필요가 있다.

ⓒ 더불어 근세와 관련한 문헌자료 및 신문기사, 유리원판사진, 지적도 등 기록화 할 수 있는 자료에 대한 수집도 필요하다고 생각된다. 이들 자료는 당시 지리 인식과 지형지세 등과 같은 자연 형태 뿐 만 아니라 고창군의 행정 치소, 도로망, 관방 시설 등의 역사지리 정보도 파악할 수 있을 것으로 여겨진다.

이러한 문헌자료의 분석과 집성은 무장읍성이 축성된 15세기부터 100년 단위로 변화된 모습이 구분되기에 발굴조사 결과물과의 연계도 가능하지 않을까 한다.[6]

2) 발굴조사 자료 정리 및 고찰 강화

발굴조사 자료는 유구와 유물로 나누어진다. 유구는 체성벽과 부속시설물(여장, 해자, 문지와 옹성 등), 성내 건물지 및 부속시설물(담장, 연못, 배수시설, 우물 등) 등으로 구분되며 유물

---

6) 무장읍성과 관련된 문헌과 고지도는 2009년 종합정비기본계획 보고서의 수록 내용이 참고 된다(고창군, 『무장현 관아와 읍성 종합정비계획』, 2009). 추후 이들 자료는 발굴조사 성과와 비교 검토할 필요가 있다.

은 기와류, 토도류, 금속 및 옥석유리, 골각 및 목죽초칠 등으로 분류할 수 있다. 여기에서는 체성벽, 기와와 자기류에 대한 정리 및 고찰에 대한 몇 가지 사항만 언급하고자 한다.

(1) 체성벽

조사단은 무장읍성의 성벽이 평지에서는 기반토, 자연구릉에서는 상부를 정지한 다음에 외부는 석축, 내부는 내탁한 것으로 확인하였다. 또한 자연구릉 일부에서는 내부에 내탁부를 두지 않고 구릉의 외경사면을 이용한 구간도 있다고 하였다. 이를 통해 도면3과 같이 크게 3형식의 축조방법이 있다고 하였다.

평지는 먼저 기저부의 폭을 정하고 정지한 다음에 지대석을 놓고 성돌을 쌓아 올렸다. 내탁부는 석축부와 동시에 성의 내부 방향으로 완만하게 시설하였다. 구릉상에서는 구릉의 외벽을 깎아내고 석축을 쌓는 방식은 평지와 크게 다르지 않다고 하였다. 다음 도면3은 2014년 5차 보고서 고찰 부분에서 발췌한 성벽 축조방법이고 도면4는 앞서 언급한 내용을 토대로 2009년 종합정비기본계획에 수록된 성벽 추정 단면도이다.

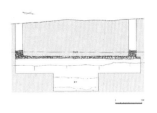 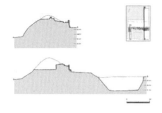 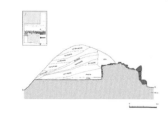

도면 3. 무장읍성 성벽 축조방식

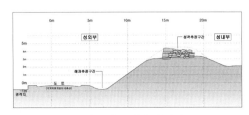

① 무장읍성 동벽 추정 단면도

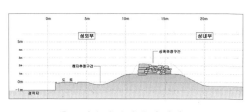

② 무장읍성 북벽 추정 단면도

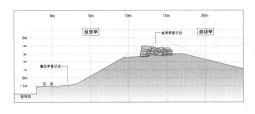

③ 무장읍성 서벽 추정 단면도

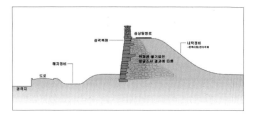

④ 무장읍성 남동벽 계획 단면도

도면 4. 무장읍성 성벽 추정단면도[7]

다음의 도면5에서 보듯이 충청도지역의 읍성과 진보성 성벽의 축조방식이 다르게 나타나고 있음을 알 수 있다. 충청남도의 조선시대 읍성과 진성의 축조방식은 고려 말부터 태종 연간(14세기~15세기 초), 세종·문종연간(15세기 중반), 성종·중종(15세기 말~16세기 중반) 연간에 변화상을 보인다. 가장 두드러진 변화상은 석축 뒤채움돌의 변화와 뒤채움흙의 축조방식을 들 수 있다.[8]

ⓐ 뒤채움돌의 변화이다. 축성연대가 앞서는 해미읍성·보령읍성·면천읍성은 세종 연간 한양도성의 축성법과 세종20년(1438) 읍성의 石築化를 기본으로 한 '築城新圖' 반포를 기반으로 축조되었다.[9] 그래서 뒤채움돌을 3~4단 정도 계단식으로 쌓아올리는 방식이 확인되며, 성종 6년(1454)에 축조된 서산읍성은 점토와 석재로 계단식으로 만들었으나 1단으로 간략화 되었다. 16세기에 축조된 충청수영성·장암진성에서는 계단식이 완전히 사라져 확인되지 않는다. 17세기의 안흥진성은 뒤채움돌을 단순하게 경사형으로 쌓아 면석을 지탱하는 역할만 수행한다. 그리고 후대로 갈수록 뒤채움돌 사용의 양은 현격히 줄어든다.

ⓑ 뒤채움흙의 변화는 해미읍성·보령읍성·면천읍성은 면석과 뒤채움돌을 쌓은 이후 뒤채움흙을 덮는 방식을 사용하였고, 서산읍성 이후부터 면석·뒤채움돌·뒤채움흙을 특정 높이씩 순서대로 쌓아올리는 방식을 사용하였다.

이러한 읍성 성벽의 축조기법의 변화는 충청남도 지역에 국한된 것은 아니었다. 창원의 웅천읍성은 세종 19년에 초축하고, 단종 원년에 대대적으로 증축하였는데, 초축 시기에는 '築城新圖'의 내용대로 석축화하여 내벽을 계단상으로 축조하였고, 증축 시에는 토사를 정교하게 다져서 경사 내탁한 것이 모두 확인되어 그 변화양상을 파악할 수 있다.[10]

무장읍성의 성벽에 대한 조사가 일부 진행된 상태이기에 필자가 판단하기 어렵지만, 성벽의 잔존상태가 양호한 성벽을 조사하기에 앞서 성벽 축조방식과 성벽 및 석재의 규모를 자세하게 구분하여 기록할 필요가 있다. 향후 성벽에 대한 조사는 성곽 조사방법론[11]에 기초하여 전반적인 조사과정에서 성곽 전문가의 자문을 구할 필요가 있다. 이러한 과정을 통해 도출된 성벽 축조방식의 변화는 문헌자료의 정리와 함께 무장읍성의 15세기부터 100년 단위로 변화과정을 구분하는 지표로 사용될 수 있을 것으로 생각된다.

---

7) 고창군, 위의 책, pp.69~145, 도면 전재.

8) 姜秀虎, 「충남지역 읍성·진성 축성법 연구」, 고려대학교 석사학위논문, 2014.
   김호준, 「안산읍성 조사성과와 과제」, 제1회 안산읍성 포럼 발표집, 2014.

9) 심정보, 앞의 책, 1995, pp.57~80 참조.

10) 웅천읍성에서는 읍성 축조논의에 따른 변화가 충실히 반영되어, '축성신도' 반포 전후의 축성기법이 모두 나타나고 있어 축성사 연구에 많은 자료를 제공하고 있다(심정보, 「읍성축조에 있어서 "축성신도(築城新圖)"의 반포 목적과 고고학적 검토」, 『文物研究』 22, 한국문물연구원, 2012, pp.174~175).

11) 국립문화재연구소, 『2011년 제8기 매장문화재 발굴조사원 연수교육-성곽의 이해와 조사법-』, 2011.
    한국문화재조사연구기관협회, 『성곽 조사방법론』, 2013.

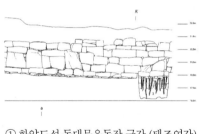

① 한양도성 동대문운동장 구간 (태조연간)

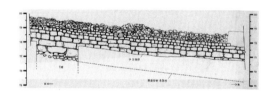

② 한양도성 송월동구간 (세종연간)

③ 해미읍성(태종 18년:1418)

④ 보령읍성(세종12년:1430)

⑤ 서산읍성(단종 원년:1452~성종 6년:1474)

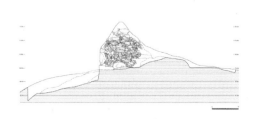

⑥ 충청수영성(중종 5년:1510)

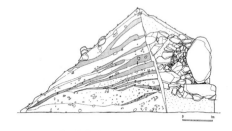

⑦ 장암진성(중종9년:1514)

도면5. 한양도성과 충청지역 읍성 진성의 축조방식 변화[12]

12) 도면 5는 다음의 문헌을 참고하였다.
　국립부여박물관,『장암진성』, 1997; 중원문화재연구원,『동대문운동장유적1』, 2011; 충청남도역사문화연구원,
　『해미읍성』, 2009; 충청남도역사문화연구원,『보령 충청수영성』, 2012; 한울문화재연구원,『종로 송월동서울
　성곽유적』, 2010; 강수호, 앞의 논문, 2014; 김호준, 앞의 논문, 2014; 서정석,「조선시대 읍성의 축성방법 고찰」,
　『조선시대 읍성과 관아』, 충남역사문화연구원, 2007.

(2) 기와 및 자기류

조사기관은 5차 보고서 고찰에서 막새기와와 평기와류를 건물의 폐기나 보수과정에 발생된 부산물로 보면서, 문양별 분류와 제작방식에 대해 정리하였다. 자기류는 분청사기의 경우 굽형태와 분장기법, 번조방법 등의 주요 속성을 통해 편년을 내리고 있다. 그러나 유물이 출토된 위치의 유구와 연관성을 나타내는 성과는 부족하다. 이러한 점은 향후 기존에 진행되고 있는 건물지의 문헌자료 정리와 함께 종합보고서에 철저하게 다뤄져야 할 내용이다.

건물지 발굴조사는 대부분의 유구가 여러 번에 걸친 증·개축으로 인해 중첩상태가 복잡하게 나타나기에 동반되는 유물을 면밀하게 관찰하여 선후관계와 변천시기를 판단하여야 한다.[13] 특히 건물지에서 출토되는 기와는 가능한 토층의 층위에 따른 분석 작업이 이루어져야 1차 자료로써의 가치를 유지하게 된다. 이러한 분류작업이 많이 반복되고, 지속적으로 확인된다면 문양과 제작기법의 변화추이를 검증할 수 있는 자료가 축적될 수 있다.[14] 다만 속성표에서 제시한 특성이 조선시대 시기적 차이점을 구분하여 편년이나 제작시기의 변화를 읽을 수 있는 등 비교대차가 가능하도록 해야 한다.[15]

필자는 기와의 편년에 있어서 2005년도 지표와 2009년에 출토된 '宣德癸丑年…'(世宗 15년:1433)의 명문기와, 건물지에서 가장 많은 개체수인 막새기와, 이와 접합되었던 평기와에 대한 분석을 면밀히 해 볼 필요가 있을 것으로 보인다. 편년이 확인되는 기와에 대한 문양과 제작기법에 대한 특성과 동반된 층위와 백자류에 대한 종합적인 분류가 이뤄진다면 건물지의 편년과 함께 시간적 변화과정을 유추해 낼 수 있을 것으로 판단된다. 또한 무장읍성에 대한 복원과 관련하여 복원 및 정비할 조선시대 시점이 결정된다면, 건물지에 사용된 기와에 대해서는 전통적인 제작방식을 요구하거나, 그 당시 사용된 기와의 문양을 통일시키는 것이 필요하다. 필자는 당시 사용된 기와의 문양에 대한 복원이 무장읍성의 복원에 대한 진정성을 확보하여, 원형에 대한 고증이 가능하지 않을 까 생각한다.

2. 향후 발굴조사 방향

1) 조사단의 구성

고창군은 무장읍성에 대한 발굴조사를 장기적이고 항시적으로 진행할 필요가 있다. 이와 더불어 조사기관을 부득이한 사정이 없을 경우에는 교체해서는 안 된다. 뒤에서 거론하겠지만 경

---

13) 장경호, 「건물터의 발굴조사」, 『한국매장문화재 조사연구방법론1』, 국립문화재연구소, 2005; 신창수, 「초석건물지의 발굴조사 방법」, 『한국매장문화재 조사연구방법론 3』, 국립문화재연구소, 2007, p.125.
14) 최맹식, 「건물지 출토유물 분류법」, 『한국매장문화재 조사연구방법론 3』, 국립문화재연구소, 2007, p.169.
15) 위의 글, p.155.

쟁입찰 등으로 발굴기관이 빈번하게 바뀐다면 조사의 진행뿐만 아니라 성곽에 대한 보존대책과 활용방안을 수립하는데 혼선이 야기될 것은 자명하다.

　조사기관은 조사계획의 수립과 운영 전반, 조사내용에 대한 학술적 연구 및 대외홍보와 발표, 향후의 보존 및 활용방안에 대한 전반적인 참여와 주도를 하는 것이 바람직하다. 또한 조사단은 성곽 전공자(석사급 이상)를 현장조사에 참여케 하여야 하며, 유구의 특성에 맞은 전공자가 참여할 수 있도록 조사단을 구성할 필요가 있다고 생각된다. 왜냐하면 성곽조사는 특히 성벽이나 문지, 건물지에 대한 정비나 복원을 위한 기초자료를 수집하는데 목적이 있는 경우가 많기 때문에 정비나 복원에 중요한 원형을 최대한 찾고 분석할 수 있어야 하기 때문이다.[16]

　한편으로 조사단은 유구가 여러 시기에 걸쳐 중복된 경우, 분석과 검토를 통해 변화 양상을 최대한 보여줄 수 있는 방안을 찾아야 하며, 조사 이후 공개 및 복구, 정비공사에 필요성에 대해서도 정리할 필요가 있다.

2) 발굴조사의 계획

　무장읍성은 일제강점기 우리나라의 다른 읍성들과 마찬가지로 훼철되었다. 하지만 5차 보고서에 실려 있는 무장읍성 주변 일제 강점기 지도를 통해 조선 후기 무장읍성의 대략적인 윤곽을 살펴볼 수 있다. 일제 강점기 지도는 全羅道茂長縣圖 및 朝鮮後期地方地圖(1872年)의 건물지 배치 및 공간 범위 보다 자세하게 보여 준다고 할 수 있다. 그리고 2014년 실시된 6차 발굴조사 지역에 대한 유구 배치 상태에 대한 해석 뿐 만 아니라 향후 발굴지역에 대한 선정에 있어서 참고할 수 있는 중요한 자료라고 생각된다.

　조사단은 기 발굴된 건물지의 시간적 변화에 대한 구분을 일반인들도 쉽게 발굴조사 성과를 이해할 수 있는 차원에서 접근할 필요가 있다. 그리고 건물지의 성격, 즉 조선시대 읍치소 내 공공건물의 배치에 따른 位階性을 정리할 필요가 있다. 우선적으로 객사와 관아 건물터에 대한 발굴조사 성과를 바탕으로 邑治의 방향성·위계성에 대한 접근이 필요하다. 그 다음에 건물지의 초석에 대한 기초 문제, 부속 건물과 담장터, 문지 및 통행로, 더 나아간다면 조경시설 및 배수 관련 문제에 대한 해석도 진행하여 무장읍성 내 건물지의 조감도도 고증을 통해 작성할 필요가 있다.

---

16) 서영일, 「경주 월성 연구조사 및 유적활용방안」, 『경주월성의 보존과 활용』, 경주 월성 보전정비정책연구 결과 보고회, 2013, pp.50~51.

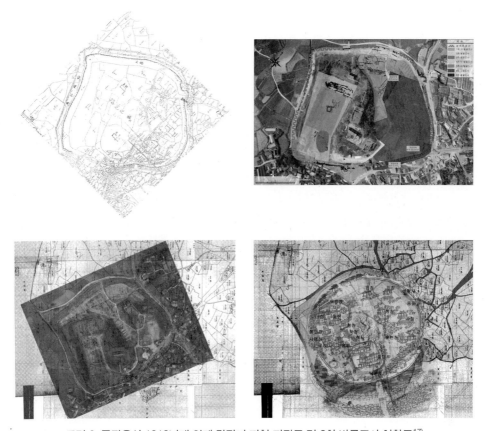

도면 6. 무장읍성 1910년대 일제 강점기 지형 지적도 및 6차 발굴조사 현황도[17]

Ⅲ. 관리 및 활용 방안

국내의 지방도시는 조선시대 읍치를 기반으로 도심이 형성되어 성장하였다. 즉 읍성은 도시의 역사와 문화의 공간이자, 정체성을 간직하고 있다 할 수 있다. 이러한 이유로 국가 및 지자체는 관방유적 자체의 역사적·학술적·경관적 가치 외에도 문화재의 정비 및 복원 등의 보전행위를 통한 가시적 효과의 부여와 문화재 활용의 가치를 부여하면서 성벽 및 문지에 대한 복원 사업이 활기를 띠고 있다. 특히 성곽유적의 정비·복원사업은 도시마다 '역사문화유산의 보존', '자연친화적이고 미관적인 녹지공간의 확보', '보행과 활동공간의 확보'라는 당면의 과제를 모두 해결할 수 있으며, 지자체마다 역사·문화적 정체성을 되살릴 수 있는 대안으로 떠

17) 고창군, 앞의 책, 2009, pp.149~151, 도면 전재.

오르고 있다.[18]

전라도의 읍성은 약 30개소로 고창읍성과 무장읍성·나주읍성·낙안읍성이 국가 사적으로 지정되었고, 광주읍성·강진읍성·흥양읍성·진도읍성 등 5개소가 시·도기념물, 문화재자료 2개소, 비지정 읍성이 19개소로 구분되어 관리되고 있다. 주지하듯이 고창군은 고창읍성과 무장읍성 2개소가 사적지이다. 이들 읍성은 고창군의 주도하에 발굴조사 후 복원 및 정비, 그리고 문화콘텐츠에 의한 축제 등의 활용이 지속적으로 진행되고 있다.

2002년 이후부터 문화재청에서 직접 관리하던 국가지정 성곽문화재 등은 각 관할 지방자치단체를 통해 위탁·관리되고 있다. 정부 주도의 성곽유적의 수리 및 복원사업은 지방자치단체 주도의 사업으로 전환되었다. 이에 지방자치단체는 2000년을 전후로 하여 성곽유적에 대한 종합정비계획을 수립하기 시작하였다. 고창군도 2003년과 2009년 종합정비기본계획을 수립하였으며 보존과 정비 시기를 19세기로 정하자는 의견이 개진된 바 있다.[19]

1. 종합정비계획의 절차

성곽유적의 종합정비계획의 현황과 실태조사는 2008년 문화재청의 『성곽정비 및 보존·관리 활용방안 연구』에 다루어 졌다. 이 당시 조사대상 성곽 16곳의 종합정비계획의 수립현황을 살펴본 결과, 2003년 이전에 작성된 종합정비계획의 대부분은 기초조사와 연계하거나 보수를 위한 정비계획으로 각 성곽들은 보수·정비 공사를 진행 중이면서 필요에 따라 종합정비계획이 수립되는 양상을 보였다. 이러한 계획 내용에는 '일괄적 복원계획의 수립', '중장기 연차별 세부계획의 부재', '형식적인 기초조사' 등의 문제점이 부각되었다.[20]

이를 보완하기 위해 2009년에 제정된 『사적 종합정비계획의 수립 및 시행에 관한 지침』[21]의 제9조 정비계획의 수립 시 유의사항에서는 유적의 정비계획에 있어 유적의 진정성과 활용가능성, 제반여건 등을 종합적으로 검토하여 정비계획의 타당성과 실효성을 확보할 것을 규정하고 있다. 즉 원형 고증조사를 비롯한 성곽의 현황 및 기초조사가 이루어진 다음 이를 토대로 유적의 보전정비계획의 수립 이전에 보존방향 설정을 제안한 것이다. 여기서 보존방향의 설정이란 성곽의 유적으로서 진정성의 가치와 현실적 가치를 종합적으로 판단하여 유적의 보전대상과 범위를 결정할 것을 의미한다.

이상의 사적 및 성곽 보존지침에서 나타나는 보전계획의 제안 및 세부지침의 내용을 정리하

---

18) 金弘坤, 「성곽유적의 整備復元구간 선정을 위한 평가지표 연구」, 서울시립대학교 석사학위논문, 2011, p.2.
19) 고창군, 앞의 책, 2009.
20) 金弘坤, 앞의 글, 2011, pp.13~14.
21) 문화재청, 『사적 종합정비계획의 수립 및 시행에 관한 지침』, 2009.

면 다음과 같다.

【표2】 사적 및 성곽 보존지침에서 나타나는 보전계획 제안 및 세부지침[22]

성곽보존지침사례	보전계획 제안 및 지침 내용
사적 종합정비계획의 수립 및 시행에 관한 지침(2009.09)	· 학술연구와 고증을 바탕으로 문화재의 진정성 및 가치가 유지되도록 보수·정비를 실시 · 보전계획수립에 있어 문화재의 진정성과 활용 가능성 그리고 제반여건 등을 종합적으로 검토하여 정비계획의 타당성·적절성과 함께 실효성을 확보.
성곽 정비 및 보존관리 활용방안지침 마련 연구(2008)	· 유적의 진정성과 현실적 가치판단을 기준으로 보전범위를 결정 · 성곽의 보존가치와 원형고증범위까지 복원수위 결정 · 성곽의 시대별유형별 사례가 상이하므로 다양한 보전방법을 적용
성곽 보존 정비 및 관리를 위한 일반지침[23](2009.05)	· 기초조사 결과를 바탕으로 고증 및 학술조사를 하며 보전계획에 반영 · 하나의 성곽에서도 시대적, 지형적 조건에 따라 축조방식에 차이가 있다는 점을 감안하여 일률적인 축성을 지양 · 수리는 고증에 의하며, 보전계획은 원형고증의 정도와 유실상태를 고려하여 차등적으로 적용
사적 종합정비계획의 수립 및 시행에 관한 지침(제정 2009.09)	· 사적의 지정 고시가 있는 날부터 1년 안에 해당 문화재의 성격 및 제반여건 등을 고려하여 5년 또는 10년 단위의 정비계획을 수립할 수 있다. · 문화재의 원형 보존에 중점, 학술연구와 고증을 통하여 문화재의 진정성 및 가치가 유지되도록 보수 정비 · 문화재의 특성과 관계법령, 주변상황 및 재정여건 등 제반환경을 종합적으로 고려, 중장기적으로 정비사업의 실행이 가능하도록 노력
사적 종합정비계획의 수립 및 시행에 관한 지침(개정 2011.04)	· 중장기 계획을 수립할 때 사업 시행 전에 필요한 경우에는 문화재청장과 협의 · 문화재청장은 제1항의 정비사업 추진을 위해 정비계획의 타당성과 실효성을 검토한 후 법 제51조에 따라 보조금의 일부를 연차적으로 보조

2009년도의 『성곽 보존 정비 및 관리를 위한 일반지침』 제12조에는 보존 정비 방향의 설정에 대해서 기술되었다. 여기에는 해당 성곽의 보존·정비의 방향 설정은 기초조사의 내용을 토대로 관계전문가의 검토와 자문을 거쳐 정하며, 성곽의 재료·기술·환경·양식·기능·역사·문화 등을 종합적으로 고려하여 대상 성곽의 진정성을 유지할 수 있는 기본 방향을 설정하여야 한다고 한다. 그리고 기본 방향은 성곽에 대한 접근성·연계성·편의성·교육성·경제성·활용가능성·

---

22) 金弘坤, 앞의 글, 2011, p.42, 표 2-2 일부 수정.
23) 이 지침에서 사용하는 용어의 정의는 다음과 같다.
  제3조 (정의)
  1. 기초조사: 현황조사 및 학술조사를 포함하는 성곽의 역사적 성격규명 및 고증과 전체적 경역 등의 파악을 위한 기본조사.
  2. 종합정비계획: 해당 성곽의 체계적인 보존·정비와 효율적인 관리를 위한 중·장기 계획 및 세부계획.
  3. 관리단체 등: 성곽의 보존·관리를 위하여 관리행위를 하는 사업단, 관할 지방자치단체, 문화재청 등이 이에 해당한다.
  4. 보수: 성곽의 원형 보존을 원칙으로 하며 열화·구조적 결함·손괴 등이 심하여 원형유지가 불가능한 경우 등을 의미한다.
  5. 복원: 성곽의 원형복원을 전제로 충분한 고증자료, 복원기술의 확보 및 원형 재료의 생산 및 수급이 가능한 경우 등을 의미한다.
  6. 정비: 성곽을 제외한 성곽주변의 시설물 설치 및 수리, 수목의 제거 또는 이전, 청결유지 등을 의미한다.

개발가능성 등도 함께 고려하여 설정할 것을 요구한다.

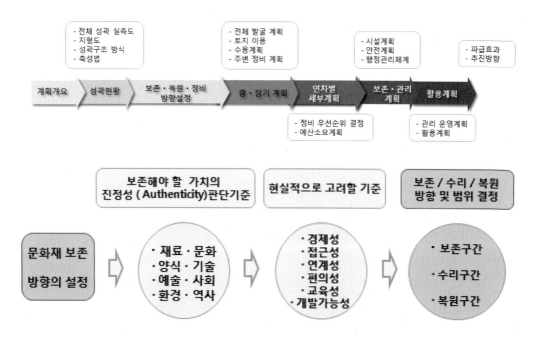

도면 7. 성곽유적 보존관리계획 개선방향[24]

결국 무장산성의 보존·보수·복원의 방향설정은 기초조사를 토대로 하여 성곽의 전체에 대한 종합정비계획을 수립할 수 있도록 진정성(Authenticity)을 확보하여, 원형에 대한 고증이 가능할 수 있게 하여야 한다. 이를 바탕으로 보존 및 활용방안의 가치 및 파급효과 등을 파악하여 성곽의 가치를 높일 수 있는 방안을 모색하여야 한다. 세부적으로 들어가서는 진정성의 확보와 현실적인 가치판단의 기준을 만족하는 방향으로 설정하여야 하며, 그 어떤 논리로도 원형의 파괴를 통한 무분별한 보수·복원은 지양되어야 한다. 또한 보존·보수·복원의 과정에서는 폭넓은 전문가의 의견 수렴이 필요하며, 각각의 보존·보수·복원 구간의 정비계획을 철저하게 수립하여야 한다.[25](표1, 도면1. 참조)

수정될 사항과 관련하여 아래의 도면 8과 같이 발굴조사에서 확인되지 않은 치성을 그려 넣어 무장읍성의 성벽과 치성과의 관계에 대한 오해의 소지를 발생하게 해서는 안 된다.

---

24) 문화재청, 『성곽 정비 및 보존 관리 활용방안 지침마련 연구』, 2008.
25) 고용규, 「여수 석창성의 보존 정비 및 활용방안」, 『여수 석보의 종합적 검토』, 한국성곽학회, 2011, p.143.

도면 8. 무장읍성 장기계획 종합계획도(고창군, 2009, 앞의 책)

2. 공간적 범위 설정

우리가 일반적으로 인식하고 있는 읍성은 고려말 초기왜구에 대책으로 해안지역의 고을마다 우선적으로 축성된 읍성과 내륙에서 도성과 가까운 지역의 도심지 혹은 왜인이 해안 포구로부터 도성까지 왕래하는 요충지에 축조한 읍성들이다.[26) 또한 조선이 건국된 이후에 왜구에 대한 강경책의 일환으로 1419년(세종 1년)에 對馬島를 정벌하였고, 유화책으로 부산포, 웅천, 염호 등 삼포를 개항하여 정식적인 무역을 유도하였다. 이러한 정책과 다른 한편으로 충청·전라·경상의 하삼도의 연해지역을 중심으로 왜구의 침입을 대비하기 위해 축성한 읍성들도 여기에 해당된다.[27)

조선시대의 읍성은 『세종실록지리지』에 의하면, 335개소의 행정구역 중 邑城이 수록된 것은 96개소, 『신증동국여지승람』에서는 330개소의 행정구역 중 읍성이 축조되어 있는 곳이 160개소가 있다고 한다.[28) 조선시대의 『萬機要覽』에 의하면 266개소의 행정구역 중 읍성은 120개소

---

26) 심정보, 앞의 책, 1995, p.49.
27) 차용걸, 『高麗末·朝鮮前期 對倭 關防史 硏究』, 충남대학교 박사학위논문, 1988.
28) 심정보, 앞의 책, 1995.

가 있다고 한다.[29] 『萬機要覽』의 기록에는 왜구의 침입이 많았던 하삼도에 98개소의 읍성이 축조된 사실을 보여주고 있다. 읍성은 고려말부터 조선 초기에 이르는 시기에 왜구의 침입을 방비하기 위한 목적으로 축성되었지만, 점차 조선의 지방통치체계를 구축하는데 상징적인 역할을 하였다.

조선시대의 일반적인 邑治는 산을 등지고, 넓은 평야를 전면으로 두는 남향을 하고 있었다. 읍성 축조에 있어서 입지조건은 넓고, 평평한 곳과 水泉이 풍부한 곳, 險阻함에 의지하는 곳과 교통이 편리하여야 한 곳, 그리고 경작지가 가깝고 비옥한 곳이 고려되었는데, 이것은 읍성의 축조목적이 [有事 시에는 성문을 굳게 닫고 방어하고, 無事할 시에는 힘껏 들로 나가 밭을 가는 것]이므로, 백성들이 入保하여 오랜 기간 머물 수 있으려면, 풍부한 水源과 백성들이 거주하고 官舍 및 창고를 설치할 만한 적당히 넓은 地形이 요구되었던 것이다.[30]

조선시대 읍성은 '周禮考工記'의 도시구성 원리에 따랐기에 도시의 기본적인 요건은 대부분 비슷하나, 일부 읍성의 풍수지리 및 지형적 여건에 따라 차이가 보인다. 읍성의 주요 시설물과 도시구성의 주요 요건은 첫째, 군사시설로 읍치를 둘러싸고 있는 성곽과 여장, 치, 문지와 문루, 옹성, 해자 등이 있다. 둘째, 지방 행정시설로 객사, 아사, 동헌, 향청, 작청, 사청과 각종 창고 및 부속시설, 셋째, 제사시설로써 유교적 제사공간과 지역의 토속적인 안녕과 평안을 기원하는 제사시설 등이 있다. 넷째, 교육시설로 향교 및 서원 등이 있다. 다섯째, 일반 주거시설 및 시장 등이 있다. 마지막으로 수원 시설로 연못, 우물, 샘 등이 있다.

읍성은 일반적으로 성벽을 경계로 하여 城郭 內에는 일반적으로 客舍 衙舍 鄕廳 등의 행정 및 공공시설물들이 위치하고 있었다. 이들 공공시설물 중에서도 왕을 상징하는 客舍가 邑城 內에 가장 중요한 위치를 차지한다. 鎭山을 背景으로 하여 읍성 내의 中央 또는 北端에 놓이고, 東軒 또는 鄕廳이 이와 병열하든지 혹은 바로 한 단 아래에 위치한다. 邑城 밖에는 교육시설인 鄕校 혹은 書院이 있었다. 그리고 종교시설로 한국 본래의 여러 神의 영향을 받은 각종 祠廟가 있었고, 고려시대까지 성행했던 사찰은 산간 등의 외진 곳에 자리하게 되었다.

朝鮮時代 읍치에 가장 중요한 祭禮施設은 1廟, 3壇으로 文廟와 社稷壇, 城隍壇(城隍祠), 厲壇으로 구성되었다. 향교에 위치한 文廟에서의 제사를 가장 중시했으며, 다음이 社稷, 城隍壇과 厲壇 순으로 중시되었다. 그리고 문묘의 위치는 서울의 경우, 성균관 내에 있었고, 지방은 향교 내에 있었다. 사직단은 고을 서쪽에 단을 두어 중춘과 중추에 제사를 지냈다. 성황당은 대부분 마을이나 고을의 진산에, 여단은 고을의 북쪽에 위치한다.

무장읍성은 향교가 읍성 외곽 동쪽에 위치하고 있으며, 성황사는 성 내에 위치하고 있다. 사

---

29) 차용걸, 앞의 논문, 1988.
30) 심정보, 앞의 글, 2012, p.164.

직단은 무장읍성 서북쪽 약 1.5km 지점에 위치하고 있으며, 여단은 동북쪽 약 2km 지점에 위치하고 있다. 사직단과 여단에 대한 학술조사는 진행되지 않아 그 원형을 확인하기가 어렵다. 이에 대해서는 향후에 학술조사가 시행될 필요가 있다.

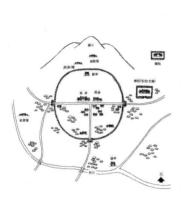

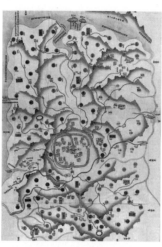

① 조선시대 邑治의 공간구조 (진산이 북쪽 위치한 사례)³¹⁾　　② 朝鮮後期地方地圖(1872年)　　③ 全羅道茂長縣圖(19世紀)

도면 9. 무장읍성의 공간적 범위 설정³¹⁾

특히 고창군에서 향후 세계유산 등재를 목표로 한다면 반드시 무장읍성의 공간적 범위에 대해 고려할 사항이 있다. 문화재청에서 세계유산 등재신청을 위한 자료에 신청 대상의 범위를 정리한 것이 다음과 같다.³²⁾

· 유산의 범위는 완전성 조건을 충족하는데 필요한 속성들을 포함해야 한다. 즉 유산의 범위를 뒷받침 할 수 있는 완벽하고 손상되지 않은 일련의 속성 및 관련과정을 지칭한다.
· 유산의 범위는 유산의 가치를 지닌 속성을 규명하는 것과 관련하여 논리적이고 합당해야 한다.

따라서 무장읍성의 범위를 읍성 자체와 그 외곽의 祭禮施設인 1廟, 3壇[文廟와 社稷壇, 城隍壇(城隍祠), 厲壇]를 포함하여야 된다고 생각한다. 이러한 공간 범위에 대해서는 조선후기 고지도를 바탕으로 현재 도시 정비 및 경관을 고려하여 관계전문가의 검토와 자문을 거쳐 정할 필요가 있다. 이러한 무장읍성이 갖는 공간 범위는 조선시대에 한정되지 않고, 동아시아의 유교

31) 이상구, 「朝鮮中期 邑城에 관한 硏究 - 輿地圖書의 分析을 中心으로」, 서울대학교 석사학위논문, 1983, p.196.
32) 문화재청, 『실무자를 위한 세계유산 등재신청 매뉴얼』, 2010.

도면 10. 무장읍성 문화재구역 및 주변 관련 유적(고창군, 2009, 앞의 책)

※ 무장향교(문화재자료 제107호는 표시 안됨)

문화권 내에서 지방행정도시인 읍성이 갖고 있는 도시계획 경관설계에 포함된 종교시설을 포함하고 있다는 점을 부각시킬 수 있을 거라 생각된다. 이러한 공간 범위 설정은 세계유산에 등재된 유럽의 성곽도시가 성곽 내에 대성당을 포함하는 것과 차별성을 갖고 있다고 보인다. 그리고 무장읍성 일대의 지리 문화적 삶의 방식을 포함하는 한편으로 조선시대 읍성이 갖고 있는 전통을 보여주는 모범이 사례가 될 것으로 판단된다.

3. 유물전시관 건립

고창군은 무장읍성의 역사적 가치와 의미를 홍보하고, 교육프로그램의 운영을 위한 전시관을 설치하여 발굴유물 전시 기능만이 아니라 다양한 체험과 교육을 위한 공간으로 활용하는 노력이 필요할 것으로 생각된다.

전시관에서는 무장읍성에서 출토된 유물의 수집 및 관리, 전시 기획, 고창군을 찾는 탐방객들에게 고창군 지역의 역사 문화자원에 대한 각종 안내책자, 팜플렛 등을 배포하고, 각종 홍보

매체를 활용하여 탐방객을 유치해야 하며, 소수의 핵심인력을 공무원으로 충원하여 무장읍성 및 관아 등에 대한 보존정비 및 활용사업을 책임·감독하는 업무를 같이 수반해야 할 것이다. 부수적으로 전시기획, 정비업무, 학술적 고증 등과 같이 전문성과 실무 능력이 요구되는 부분은 위탁방식으로 인력을 확보하여 이를 보완 할 필요가 있으며, 자원봉사자 활용을 통해 무장읍성에 대한 문화해설, 체험교실 운영 보조 등 일반인이 참여할 수 있도록 유도할 필요가 있다. 이를 수반할 조직구성과 직무 분담은 아래 도면 10을 참조하길 바란다.

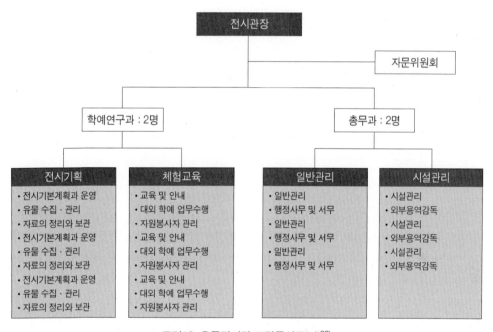

도면10. 유물전시관 조직구성도(안)[33]

4. 활용프로그램 및 콘텐츠 개발

문화재 활용이란 문화재를 그 자체로 이용하는 것이 아니라 그것이 지닌 가치와 기능을 잘 살려 지속적으로 이용가능하게 하는 행위를 말하며 동시에 이를 보존·관리하는 역할도 포함된다. 특히 읍성의 활용은 보존·관리를 소홀히 하거나 활용만을 위한 개념이 아니라 유적의 발굴 → 복원 → 보존 → 관리 → 활용의 순환구조를 재인식하고 그 가운데 활용 가능한 대상과 상태에 따라 다양한 부가가치를 창출하는데 목적이 있다. 이처럼 활용은 보존의 적극적인 개념으로

---

33) 중원문화재연구원,『曾坪 二城山城 보존 정비 및 활용 기본계획』, 2013, p.176, 표 전재.

원형보존을 원칙으로 삼는다.[34)]

세부적인 활용방안은 다음과 같다.

① 활용 프로그램 및 콘텐츠 개발(역사적 이야기의 발굴, 역사적 인물과 연관된 프로그램 개발, 읍성의 시설물 활용 프로그램-성곽 및 시설물, 관아시설, 제사시설, 교육시설 등)

② 탐방 방안(읍성 내외측 순환 탐방, 단계별 또는 주제별 탐방 방안 등)

③ 읍성 주변 공원화 방안(도심공원 활용, 읍성 내외공간 특성 차별화 등)

④ 연계방안(지역 문화유산과 연계, 읍성과 읍성 또는 산성 연계, 지역축제와 연계, 읍성 내외측 보행 네트워크 구성 등)

고창군의 고창읍성(사적 제 145호)은 사적 지정 이전에도 성곽의 형태가 남아 있었고, 성내 시설물의 복원 정비도 활발하게 진행되었다. 그리고 성벽 및 성벽 시설물에 대해서는 모양성제와 단오 때 '축원등 달기'와 '성 밟기'가 행해지고 있다. 성문에서는 수문장교대의식이 행해지고 있으며, '판소리 6마당'이 상설로 운영되고 있다. 모양성제 등 축제 기간에는 성내 시설물 중 동헌에서 원님부임행차 재현, 관청에서 전통혼례식과 병영체험, 옥사에서는 옥사체험과 옥사교대의식 등도 재현되고 있다. 이처럼 고창읍성은 전시 및 정보 콘텐츠가 잘 구성되어 있으나, 일정 기간의 축제에 따른 이벤트 및 체험과 각 공간의 기능과 특징에 맞는 체험 프로그램이 부족하다는 지적도 있다.[35)]

무장읍성은 '동학농민혁명 무장기포 기념제와 무장읍성 축제'를 통한 콘텐츠 사업이 진행되고 있다. 이 축제는 1894년 음력 3월 20일 갑오농민혁명 당시 무장현의 농민들이 고창군 공음면 구수리에서 '무장포고문'을 발표하고, 무장읍성으로 진격하여 읍성을 탈환한 것을 기념하기 위한 것이다. 고창군은 2008년부터 무장기포일을 기점으로 녹두대상(고창동학농민혁면대상) 시상과 창의문 낭독, 고사문 낭독, 동학농민군 진격로 걷기 체험을 진행하고 있다. 무장읍성 무혈입성 및 읍성탈환 재현을 비롯한 4대 군율선포와 더불어 집강소 운영 등 역사적 의미를 되새길 수 있는 체험형 프로그램을 운영하고 있다.[36)]

고창군이 무장읍성과 관련하여 진행하고 있는 '동학농민혁명 무장기포 기념제와 무장읍성축제'가 고창읍성과 다른 지역의 읍성과 차별성을 두고 있는 것은 사실이다. 그러나 무장읍성이 갖고 있는 역사적 특징과 지역성을 잘 반영한 콘텐츠인지는 고민할 필요가 있다. 필자는 현재 발굴조사된 성과와 향후 정리 및 연구될 자료 등을 반영했을 때, 보다 현실성 있는 콘텐츠의 개발이 가능하다고 생각한다.

---

34) 문화재청, 『읍성의 보존관리 매뉴얼』, 2014, pp.170~179.
35) 김민옥, 『낙안읍성의 역사문화자원과 문화콘텐츠 개발 방안』, 한국외국어대학교 박사학위논문, 2012, pp.80~85.
36) 위의 논문, pp.86~87.

5. 발굴조사 연계성 보장

무장읍성의 기초자료 확보 및 보존·정비의 방향 설정을 위해서는 먼저 2005년부터 진행해온 학술조사를 2003년도에 수립된 정비계획과 연관하여 계속 진행할 필요가 있다. 발굴조사 순위는 무장읍성의 특징을 잘 나타낼 수 있는 성곽시설물 뿐만 아니라, 원형을 고증할 수 있는 지역에 대해 선별하여 집중적으로 조사할 필요가 있다. 또한 읍성 내 배수로 및 관람객의 이동로 등의 우선적으로 정비가 필요한 지역에 대해서 조사를 진행하여야 한다.

그러나 필자가 우려하는 것은 지자체별로 행정 담당자가 교체되면서 읍성과 관련된 학술조사를 경쟁 입찰하게 하여 발굴기관이 교체되는 경우이다. 최근에 어느 지자체에서는 경쟁입찰을 통해 학술조사 대상자 선정의 투명성과 조사비를 절감하고자 하는 사례도 종종 있다. 이러한 경우, 새로이 조사에 참여하는 기관은 앞선 조사자료의 인수인계 및 사전 검토하는데 시일이 걸리고, 성곽에 대한 지형 분석 및 기조사지역에 대한 유구의 위치 및 출토유물에 대한 층위를 판단하는데 어려울 수가 있다. 이외에도 단순히 정해진 조사지역에 대한 조사만 충실히 진행할 수밖에 없게 될 것이다.

이러한 행정 편의는 학술조사의 원활한 진행과 조사성과의 분석과 집적, 성곽에 대한 보존대책과 활용방안을 수립하는데 혼선이 야기될 것으로 예상된다.

Ⅳ. 맺는말

우리는 무장읍성을 복원하고 활용하는 목표가 단순히 시각적인 건축물의 복원과 맞물려 전통문화 체험프로그램 및 재현행사에 그쳐서는 안 된다는 것에 동감할 것이다. 비록 추상적이지만, 무장읍성이 고창군의 지역 시대적 역사성과 문화적 정체성 및 공감대를 통해 다양한 이야기들이 복원되기를 바라는 한편에 현재 및 우리의 후손들에게 관광자원으로서 새로운 콘텐츠가 개발되어 활용되기를 기대하고 있을 것이다.

그렇다면 우리는 기성세대로써 초중고 학생들에게 양보해야 할 것이 한 가지 있다. 현재 우리의 관점으로 무장읍성에 대한 복원 및 활용방안도 중요하지만, 초중고 학생들에게 고창군의 역사와 문화를 배우고 느끼는 역사 교육현장으로서의 기능할 수 있는 콘텐츠의 개발이 매우 시급하다. 무장읍성의 복원은 고창군 및 주변 지역의 삶과 정체성을 확립할 수 있는 중요한 경관이 될 것이다. 이러한 복원과정을 통해 외세의 침입에 대한 경각심과 조상들의 우수한 건축기술을 깨닫는 계기가 될 것이다. 읍성 내 다양한 성격의 건물지는 조선시대 지방행정을 이해하고, 체험의 공간으로서 과거와 현재의 삶을 연결하는 역사적 태도를 갖게 해 줄 것이다. 무장읍성에 대한 복원과 콘텐츠 개발은 자라나는 학생들에게 고창군민으로서 주인의식과 애향심을 부각시키는 중요한 역할을 할 것이다.

세계적인 관광지를 보면, 역사적 유적을 관광자원으로 개발하여 경제적 이익을 창출하고 있다. 필자는 무장읍성에 대한 복원과 콘텐츠 개발이 고창군 미래의 문화관광산업터전이 되기 위한 장기계획과 자원확보 차원에서 꼭 필요하다고 생각한다. 여기에 지역사를 몸소 느끼고 배운 초중고 학생들은 지방의 역사유적과 문화재에 대한 인식을 제고하여, 지역의 실정에 맞게 개성을 살리며 문화관광을 활성화 시켜 나갈 것은 분명하다.

【참고문헌】

『高麗史』.
『高麗史節要』.
『萬機要覽』.
『茂長邑志』.
『世宗實錄地理志』.
『新增東國輿地勝覽』.
『朝鮮王朝實錄』.
『增補文獻備考』.

고용규, 「여수 석창성의 보존 정비 및 활용방안」, 『여수 석보의 종합적 검토』, 한국성곽학회, 2011.
김호준, 「안산읍성 조사성과와 과제」, 제1회 안산읍성 포럼 발표집, 2014.
백종오, 「韓國 城郭遺蹟의 文化資源 活用方案 硏究」, 『학예지』14, 육군사관학교 육군박물관, 2007.
_____, 「朝鮮時代烽燧遺蹟의 文化資源 活用方案」, 『城南文化硏究』17, 城南文化院, 2010.
서영일, 「경주 월성 연구조사 및 유적활용방안」, 『경주월성의 보존과 활용』, 경주 월성 보전정비정
　　　책연구 결과보고회, 2013.
서정석, 「조선시대 읍성의 축성방법 고찰」, 『조선시대 읍성과 관아』, 충남역사문화연구원, 2007.
심정보, 「읍성축조에 있어서 "축성신도(築城新圖)"의 반포 목적과 고고학적 검토」, 『文物硏究』22, 한
　　　국문물연구원, 2012.
신창수, 「초석건물지의 발굴조사 방법」, 『한국매장문화재 조사연구방법론 3』, 국립문화재연구소,
　　　2007.
장경호, 「건물터의 발굴조사」, 『한국매장문화재 조사연구방법론1』, 국립문화재연구소, 2005.
최맹식, 「건물지 출토유물 분류법」, 『한국매장문화재 조사연구방법론 3』, 국립문화재연구소, 2007.

姜秀虎, 「충남지역 읍성·진성 축성법 연구」, 고려대학교 석사학위논문, 2014.
김민옥, 『낙안읍성의 역사문화자원과 문화콘텐츠 개발 방안』, 한국외국어대학교 박사학위논문,
　　　2012.
金弘坤, 「성곽유적의 整備復元구간 선정을 위한 평가지표 연구」, 서울시립대학교 석사학위논문,
　　　2011.
이상구, 「朝鮮中期 邑城에 관한 硏究－輿地圖書의 分析을 中心으로」, 서울대학교 석사학위논문,
　　　1983.
차용걸, 『高麗末·朝鮮前期 對倭 關防史 硏究』, 충남대학교 박사학위논문, 1988.

가경고고학연구소, 「서산읍성 약보고서」, 2013.

중원문화재연구원, 『동대문운동장유적1』, 2011.

충청남도역사문화연구원, 『보령 충청수영성』, 2012

_____, 『해미읍성』, 2009.

한울문화재연구원, 『종로 송월동서울성곽유적』, 2010.

호남문화재연구원, 『高敞 茂長邑城 I』, 2008.

_____, 『高敞 茂長邑城 II』, 2006.

_____, 『高敞 茂長邑城 III』, 2010.

_____, 『高敞 茂長邑城 IV』, 2012.

_____, 『高敞 茂長邑城 V』, 2014.

_____, 『고창 무장현 관아와 읍성 6차 시·발굴조사 완료약보고서』, 2014.

고창군, 『무장읍성 복원정비 기본계획(성곽·관아건축물)』, 2003.

_____, 『무장현 관아와 읍성 종합정비계획』, 2009.

국립문화재연구소, 『2011년 제8기 매장문화재 발굴조사원 연수교육-성곽의 이해와 조사법-』, 2011.

_____, 『韓國考古學專門事典 城郭 烽燧篇』, 2011,

문화재청, 『사적 종합정비계획의 수립 및 시행에 관한 지침』, 2009.

_____, 『성곽 정비 및 보존 관리 활용방안 지침마련 연구』, 2008.

_____, 『실무자를 위한 세계유산 등재신청 매뉴얼』, 2010.

_____, 『읍성의 보존관리 매뉴얼』, 2014.

심정보, 『韓國 邑城의 研究』, 학연문화사, 1995.

중원문화재연구원, 『曾坪 二城山城 보존 정비 및 활용 기본계획』, 2013.

한국문화재조사연구기관협회, 『성곽 조사방법론』, 2013.

文化遺産 活用事業에 대한 檢討
- 생생문화재, 살아숨쉬는 향교서원 만들기 사업을 중심으로 -

沈俊用*

目 次

Ⅰ. 서론

생생문화재 사업(이하 '생생사업')과 살아숨쉬는 향교서원 만들기 사업(이하 '향교서원사업')은 문화재청과 지방자치단체, 문화재 소유자(혹은 기관)와 문화유산 활용전문가(혹은 전문기관)가 함께 추진하고 있는 명실상부한 대한민국 대표 문화유산 활용사업이다.

'문화재 문턱은 낮게', '프로그램 품격은 높게', '국민 행복은 크게'라는 전략으로 닫히고 잠자고 있는 문화재의 가치와 의미를 프로그램형 문화재관광 상품으로 깨우고 알리는 역할을 하고 있다[1].

생생사업이 시작된 지 어느새 9년이 되었다. 2015년 94억 원의 예산이 174건의 활용사업에 투자되었고 문화재 보존, 인지도 상승, 지역경제 활성화, 고용 창출, 전문인력 및 기관 육성 등 긍정적인 사업성과가 있음이 다양한 연구결과를 통해 입증되었다. 이에 정부에서도 생생사업과 향교서원사업을 분리하면서 예산을 더욱 증액하였고, 2016년에는 더욱 많은 문화재들이 생생사업과 향교서원사업을 통하여 국민들에게 가까이 다가갈 수 있을 것으로 예상된다.

하지만, 어떠한 사업도 마찬가지이듯, 생생사업과 향교서원사업 역시 압도적인 장점에도 불구하고 개선되어야 할 혹은 재고되어야 할 문제점을 안고 있다.

---

* A&A문화연구소 소장
1) 문화재청, 「2016년도 생생문화재 사업 공모 계획」, 문화재청 활용정책과, 2015, pp.1.

Ⅱ. 연구의 배경

문화유산활용사업이 학술적으로 연구된 사례는 많지 않다. 장호수는 그의 논문[2]에서 활용을 위한 법적, 제도적 장치를 마련하는 것이 중요하며, 전문 마케터 양성을 위한 제도적 장치와 관련 학문 분야의 노력이 필요함을 주장하면서 문화유산 활용의 학문화가 필요함을 역설하였다. 문화유산활용사업의 필요성이 제기되면서 문화재청 및 문화재연구소는 문화재 활용에 필요한 국내외의 다양한 자료를 보고서 형태로 정리[3]하였다. 이어 컬처앤로드 등 문화유산활용정책연구기관에서 문화유산활용 방법을 정리한 연구서를 발간[4]하였고, 이유범은 그의 논문[5]을 통하여 사회적기업을 활용한 문화재 관리방안을 분석하였는데, 문화유산활용프로그램의 운용이 문화재관리에 필요함이 주장되었다. 강경화·김진희는 생생문화재사업 '횡성회다지소리'프로그램의 에듀테인먼트 유형을 분석하기도 하였다[6]. 2014년에는 문화유산분야 사회적기업의 문화유산활용에 필요한 전문성이 언급되기도 하였으며[7], 문화재의 보존 정책에 문화유산활용이 매우 중요한 역할을 할 수 있다는 주장[8]이 제기되었다. 2015년에는 생생문화재사업을 소재로 한 최초의 학위논문이 발표[9]되었으며, 문화유산 콘텐츠 활용 현장에 대한 본격적인 분석이 시작되기도 하였다[10].

문화유산활용사업의 지속적인 확대와 연구에도 불구하고, 실질적인 문화유산활용사업에 대한 분석은 부족했다. 개별 현장에서 운영되고 있는 생생사업과 향교서원사업에 필요한 학술적 연구성과가 이제는 필요한 시점이 되었다. 이에 본고에서는 문화유산 활용의 필요성과 현재에 대해 진단하고 그 실질적인 개선방안을 제시하여 생생사업과 향교서원사업의 나아가야 할 방향에 대해 검토해보고자 한다.

---

2) 장호수,「문화재활용론」, 인문콘텐츠학회, 2006.
3) 문화재청,『문화재 활용 가이드북』, 문화재청, 2007.
　문화재청,『해외 문화유산 활용 사례집』, 문화재청, 2010.
　국립문화재연구소,『사적의 보존·활용을 위한 해외 조사자료집』, 국립문화재연구소, 2010.
　국립문화재연구소,『사적의 보존·활용을 위한 국내 조사자료집』, 국립문화재연구소, 2010.
4) 컬처앤로드,『보고, 느끼고, 즐기는 생생문화재』, 문화재청, 2011.
　컬처앤로드,『문화유산을 만나는 9가지 특별한 방법』, 문화재청, 2011.
　한국문화전략연구소·컬처앤로드,『문화재 유형별 활용 길라잡이』, 문화재청, 2011.
5) 이유범,『사회적기업 방식』을 통한 문화재 관리방안에 관한 연구, 목원대학교 산업정보언론대학원 건축공학과 문화재학 석사학위논문, 2013.
6) 강경화·김진희,「생생문화재의 에듀테인먼트 유형 분석」, 한국엔터테인먼트산업학회 2014.
7) A&A문화연구소,『문화유산분야 (예비)사회적기업의 활성화전략 개발을 위한 현장조사 및 연구』, 사)씨즈, 2014.
8) 심준용,「문화재 보존 정책에 대하여」, 지방행정 63권, 2014.
9) 임수연,『남한산성 생생문화재사업의 의미와 개선방안 연구』, 건국대학교 대학원 석사학위논문.
10) 심준용,『신 전통문화 육성·진흥 세미나 - 전통문화 대중화 콘텐츠의 개발과 과제 발표자료집』「문화유산 콘텐츠 개발과 활용」, 글로컬문화전략연구소·인문콘텐츠학회, 2015.

Ⅲ. 문화유산 활용의 필요성

혹자는 문화재에 사람들이 다니기 시작하면 훼손이 가속화된다는 생각을 아직도 가지고 있다. 이에 비교적 최근까지도 대다수의 문화재들이 펜스 안에 가둬져 있는 모습을 보게 된다.

〈사진〉 해체 전 영사정의 모습과 문화재 지정 전 도난당한 영사정의 현판(上)과 양주 윤근수 고택(下)

하지만, 문화재 특히 목조건축문화재의 경우 사람들의 왕래가 사라지면 그 훼손은 가속화된다. 관련된 예로 2010년도에 문화재자료로 등록된 '고양 경주김씨의정공파 영사정'이라는 건물이 있다. 1709년에 지어진 이 건물은 300년 동안, 사람들의 온기를 느끼면서 그 모습을 유지해왔지만, 사람들의 발길이 끊긴지 10여년 만에 붕괴 일보 직전의 모습으로 변해버렸고, 결국 문화재지정과 동시에 해체되고 만다. 양주 윤근수 고택 역시 같은 수순을 밟고 있는 사례이다.

또 하나의 문제는 '펜스를 치면 정말 사람이 들어가지 않느냐'인데, 펜스가 있어도 펜스를 넘어 들어갈 사람들은 다 들어가고, 그들은 하나같이 해당문화재를 어떠한 방법으로든 훼손한다.

그렇다면 펜스를 허물고 누구나 들어갈 수 있도록 해야 하는가? 그렇지 않다. 문화재를 일반에게 공개하기 위해서는 다양한 준비가 필요하다. 공개된 문화재를 체계적으로 관리할 수 있는 인력과 시스템이 갖춰진 후에 문화재가 공개되어야 한다. 반대로 생각하면 인력과 시스템이 갖춰져 있지 않기 때문에 문화재가 공개되어 있지 않다는 뜻이기도 하다.

문화재가 체계적으로 공개되어 효과적으로 활용되면 문화재의 보존관리에 긍정적인 역할을 가져온다. 문화유산을 활용하는 것은 문화유산을 통하여 역사를 교육하고, 문화유산을 온전히 지켜내려는 노력의 일환이다.

문화유산이 활용되지 않으면, 자연히 국민과 정부의 관심은 줄어들고, 줄어든 관심은 예산의 삭감으로 이어지며, 예산의 삭감은 문화유산을 황폐하게 만들 수 있다. 반대로 문화유산이 활용되면 국민과 정부의 문화유산에 대한 관심이 증가하여 관리예산도 증액되고 문화유산의 조사연구도 활발해질 것이다. 조사연구된 자료는 다시 문화유산의 활용에 도움을 주게 될 것이다.

지역의 측면에서 살펴보면, 문화유산의 관리에는 어차피 '우리의 세금'이 들어간다. 활용이 되던 되지 않던 간에 들어간다. 활용되지 않는 문화유산은 어쩌면 '세금만 잡아먹는 골칫덩어리'일 수도 있다. 하지만 콘텐츠가 좋은 문화유산을 적절하게 활용하면 지역을 널리 홍보할 수 있는 문화자산으로서 훌륭한 역할을 하게 된다. 홍보가 잘되어 사람들이 많이 찾아오면 지역경제에도 도움을 줄 수 있다.

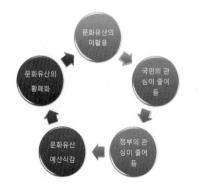

〈그림〉 문화유산 보존 활용의 악순환 구조

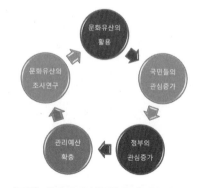

〈그림〉 문화유산 보존활용의 선순환 구조

지정문화재가 되면 주변부동산 매매가가 하락한다고 알려져 있는 사례가 많다. 실제로 문화재를 지정만 해 놓으면 주변지역에 대한 제한만 가해지기 때문에 매매가가 하락하는 사례가 많이 있다.

하지만 문화재의 지정과 동시에 잘 활용하면 주변부동산의 매매가는 오히려 상승한다. 지정문화재가 됨으로 해서 주변정비에 대한 정부의 예산을 확보하기가 용이하며, 지정문화재를 홍보함으로서 지역의 네임벨류를 높일 수 있다. 활용프로그램을 운영하면 많은 사람들이 찾기 때문에 지역의 상권도 발전시킬 수 있다. 포천 한탄강유역의 경우, 문화재지정과 동시에 주변의 부동산 매매가가 상승했다고 하며, 북촌한옥마을이나 전주한옥마을같은 곳은 문화유산을 잘 활용하여 부동산 매매가의 상승 및 지역경제활성화를 이룬 대표적인 사례이다[11].

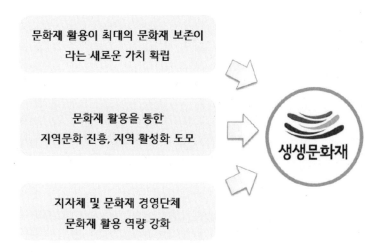

〈그림〉 생생문화재 사업의 목적

결론적으로 생생사업, 향교서원사업 같은 문화유산 활용사업의 효과는 다음과 같이 정리될 수 있다[12].

※ 문화유산 활용사업의 효과

- 문화재 활용의 사회적 기반 조성
- 대국민 문화재 이해 증진
- 문화재의 공공재적 한계효용 증대
- 문화재보호 사회적자본 형성의 기초 확보
- 문화재에 대한 적대감 해소 및 문화재 애호정신 함양
- 문화재 수리주기 연기 및 수리비용 절감
- 지역의 문화예술공연, 인쇄복제업, 도소매업, 식음료업, 숙박업, 차량임대업 등의 분야에 경제적 파급효과와 고용창출 증가
- 문화재형 일터 및 고용 파급효과
- 문화유산연구 및 활용 분야 전문인력 양성

---

11) 심준용, 「문화재 보존 정책에 대하여」, 지방행정 63권, 2014, p.40.
12) 문화재청, 「2016년도 생생문화재 사업 공모 계획」, 문화재청 활용정책과, 2015, pp.10,11.

Ⅳ. 정부지원 문화유산 활용사업의 문제점과 개선방안

언급된 수많은 장점에도 불구하고, 문화유산 활용사업에도 문제점은 있다.

1. 사업 예산 확보에 대한 검토

생생사업과 향교서원사업은 문화재청에서 지원되는 국비, 시도(예 : 경기도) 및 시군구(예 : 용인시)에서 지원되는 지방비, 사업운영기관의 자부담으로 예산이 확보된다.

생생사업, 향교서원사업은 문화재청, 시도, 시군구의 공모 후, 사업운영기관이 시군구에 사업제안서를 제출하고, 시군구 및 시도에서 검토된 후 문화재청에 제출되어 심사를 통해 예산배정을 하고 사업을 추진하게 된다.

최근 문화재청에서 사업비 책정 비율(생생사업의 경우 국비 : 시도 : 시군구 = 40 : 30 : 30)을 지침으로 전달함에도 불구하고 일부 시도에서 예산미확보를 이유로 예산확보의 책임을 시군구에 지우게 되는 경우가 발생하고 있다. 그런 경우 시군구는 60%의 예산을 확보해야하게 된다.

이런 경우가 자주 발생되면 그 파장은 크다. 시도에서 신청서를 검토하여 문화재청에 제출됨에도 불구하고 예산배정의 책임을 지지 않으면 시군구는 문화유산활용사업에 대해서만큼은 시도를 신용하기가 어렵게 된다. 또한 시군구의 시의원 등에게 문화유산 담당자들의 신용도 역시 떨어진다. 나몰랑 식의 이런 행정은 조속히 시정되어야 할 문제점이다.

2. 사업 예산 집행방식의 적합성에 대한 검토

대부분의 생생사업과 향교서원사업은 민간경상보조금의 형태로 사업운영기관에 배정된다. 민간경상보조금은 '보조금 관리에 관한 법률'에 의해 운용되는데, 보조금의 정의는 다음과 같다.

"보조금"이란 국가 외의 자가 수행하는 사무 또는 사업에 대하여 국가 (「국가재정법」 별표 2에 규정된 법률에 따라 설치된 기금을 관리 · 운용하는 자를 포함한다)가 이를 조성하거나 재정상의 원조를 하기 위하여 교부하는 보조금 (지방자치단체에 교부하는 것과 그 밖에 법인 · 단체 또는 개인의 시설자금이나 운영자금으로 교부하는 것만 해당한다), 부담금 (국제조약에 따른 부담금은 제외한다), 그 밖에 상당한 반대급부를 받지 아니하고 교부하는 급부금으로서 대통령령으로 정하는 것을 말한다. – 보조금 관리에 관한 법률 제2조(정의) 1항

즉, 기관에서 자체적으로 운영하는 사업이 공익적인 역할을 하는 등 국가에서 '보조'해줄 필

요성이 있는 사업에 대해 '지원'해주는 예산이다.

　그렇다면 생생사업과 향교서원사업은 어떠한가. 두 사업은 앞서 언급되었다시피 닫히고 잠자고 있는 문화재의 가치와 의미를 프로그램형 문화재관광 상품으로 깨우고 알리는 역할을 하는 '국가사업'으로 중앙정부와 지방정부가 예산을 모아 지원하는 사업이다. 사업시작 수개월 전부터 문화유산활용 전문가들이모여 많게는 10여개의 개별 프로그램을 기획해야하는 기획사업이기도 하다. 각 사업의 운영기관은 담당하고 있는 문화유산의 체계적인 보존과 효과적인 활용을 통해 다양한 부가가치를 창출하기 위해 지속적으로 조사·연구·운영해야하며, '자체사업이 아니기' 때문에 문화재청·시도·시군구·모니터링기관에 최소 월1회 이상 사업운영 관련 자료를 제출하면서 감독을 받는다. 생생사업, 향교서원사업은 발굴조사, 지표조사, 문화재 주변 정비계획수립 등과 유사한 방식으로 추진되고 있는 것이다.

〈표〉향교서원사업 프로그램 사례(2015 살아숨쉬는 서원 사업 프로그램 – 용인 심곡서원).
1개소의 향교서원사업으로 11종의 프로그램이 기획되어 운영되고 있음을 알 수 있다.

문화재명칭	행사명	주요내용	일시	장소	참여대상	참여인원
심곡서원 (경기도 유형문화재 제7호)	심곡서원 창의학교 '심곡서원 놀토체험장'	사모만들기, 심곡서원 답사, 서화체험, 도편수체험 등	4월~11월 셋째주 토요일 14:00~18:00 (9월제외)	심곡서원 교육관	초등학생	20
	일일 찻집 및 다도체험교실 '심곡다실–찻잔 속 예절'	심곡서원 창의학교 참여 어린이 학부모 및 일반 관람객 대상 다도체험교실	4월~11월 셋째주 토요일 14:00~18:00 (9월제외)	심곡서원 강당	일반관람객	10
	심곡서원에서의 하룻밤 '심곡 주말 캠핑'	사모만들기, 심곡서원 답사, 서화체험, 도편수체험, 연극체험, 가족자랑대회 등	4월~6월, 9월~10월 첫째주 토~일요일 토14:00~일11:30 (9월은 첫째,셋째주 토,일요일)	심곡서원	성인1명포함 누구나	20
	문화유산 배움터 '문화유산 도슨트 과정 3기'	선사시대부터 조선시대까지의 문화유산 강의	8월~12월 첫째, 셋째주 토요일 09:00~11:00	심곡서원 교육관	성인	20
	심곡서원 특별강좌 '고문헌을 보는 눈'	고문헌을 읽는 방법 교육 및 고문서 강독	3월~7월 첫째, 셋째주 토요일 11:30~13:30	심곡서원 교육관	성인	20
	심곡서원 특별강좌 '세계유산이란 무엇인가'	우리나라 세계유산에 대한 강의	8월~12월 첫째, 셋째주 토요일 11:30~13:30	심곡서원 교육관	성인	20
	심곡서원 특별강좌 '용인의 문화유산'	용인 관내 문화유산 강의	3월~7월 첫째, 셋째주 토요일 09:00~11:00	심곡서원 교육관	성인	20
	어린이교실 '심곡서원 천자문학교'	한자자격시험 5급수준의 천자문 교육	4월~8월 첫째, 셋째주 토요일 10:00~12:00	심곡서원 강당	어린이	20
	용인문화유산 서포터즈	심곡서원 문화유산 봉사 및 교육, 답사 프로그램	3월~12월 상설운영	심곡서원 빛 관내 문화재	제한없음	40
	브레인스토밍 학술회의 '심곡서원 및 용인시 관내 문화유산 활용 방안'	심곡서원과 용인시 관내 문화유산을 연계하여 활용하는 방안에 대한 브레인스토밍 토론	4월18일~19일	심곡서원	문화유산 관련분야 전문가	50
	'용인 문화유산 이야기꾼을 찾아라' 용인시 스토리텔링 공모	보다 생기있는 용인시 문화유산의 활용을 위해 필요한 방안 및 관련 이야기 공보	3월~10월	용인시 문화유산	제한없음	제한없음

하지만 생생사업, 향교서원사업은 학술연구용역의 형태로 운영되는 사업이면서 민간경상보
조의 형태로 예산을 지원받는 상황이다. 민간경상보조금[13]은 예산의 운용상 제한이 많고 제출
서류가 많아 다양한 프로그램을 연중 기획하여 진행하는 생생사업, 향교서원사업에는 적합하
지 않은 예산 배정 방식이라 판단된다. 예산 범위를 축소하더라도 예산 배정 방식을 현실화시
킨다면 예산을 절감하면서도 효율적인 문화유산 활용사업으로 발전시킬 수 있을 것이다.

3. 운영에 대한 검토

생생사업, 향교서원사업은 전국 곳곳에서 다양한 운영주체에 의해 운영되고 있다. 2015년에
는 각각 103개소, 71개소의 문화유산에서 사업이 진행되었다.

이들 프로그램 중에는 잘 운영되어서 지역에 소재한 문화유산의 가치를 널리 알리는데 일조
한 경우도 많이 있지만, 부실하고 방만한 운영으로 예산을 낭비한 사례도 존재한다. 기존의 프
로그램을 이름만 바꿔서 운영하는 사례, 참가자를 모집하는 것이 아니라 지인들을 참가시켜서
친목의 자리로 운영하는 사례, 동일 참가자가 계속 참가하여 사업의 취지에 맞지 않는 사례 등
이 대표적이다.

생생사업, 향교서원사업의 운영 주체는 크게 문화재 소유기관, 공공기관, 전문기관으로 구분
이 가능하다. 각 운영 주체별 전문성, 프로그램의 창의성, 지역 문화자원의 활용도, 체계적인 문
화재의 보존에 대한 전문성을 구분하면 다음과 같이 정리된다[14].

〈표〉 주최, 주관기관 별 특징

주최기관	전문성	창의성	자원활용도	문화재 보존	비고
소유기관	낮음	낮음	높음	낮음	
공공기관	낮음	낮음	높음	높음	
전문기관	높음	높음	낮음	높음	

생생사업, 향교서원사업의 운영은 장점을 극대화시키고, 단점을 최소화 시킬 수 있는 협력방
식 즉, 소유+공공, 소유+전문, 소유+공공+전문, 공공+전문 등으로 보완이 타당하다. 앞서 언급
된 문제점들은 소유기관 혹은 공공기관 혹은 전문기관 단독으로 진행하는 프로그램에서 드러
나는 사례가 많기 때문이다.

---

13) 현재의 민간경상보조금형태의 지원은 사업의 기획, 회계서무 등의 운영, 사업종료 후에도 지속되는 정산작업
    에 대한 인건비를 전혀 반영시켜주지 못한다. 이 업무를 담당할 인력의 인건비만 절감하더라도 문화유산활용
    기관의 경영환경을 혁신적으로 개선시킬 수 있다.
14) 심준용, 『신 전통문화 육성·진흥 세미나 – 전통문화 대중화 콘텐츠의 개발과 과제 발표자료집』「문화유산 콘
    텐츠 개발과 활용」, 글로컬문화전략연구소·인문콘텐츠학회, 2015, pp.56

　방만한 운영을 조장하는 주요한 이유 중의 하나가 바로 '무료 프로그램'이다. 지원사업으로서 무료로 운영되다보니 정보를 알게 된 일부 참가자만 그 혜택을 누리게 되고, 그들이 참가자로 모집되다보니 운영기관에서는 홍보 및 마케팅을 소홀히 여기는 사례도 볼 수 있다. 부수적으로 '무료'프로그램이다보니 참석을 예약했다가 취소하는 사례도 빈번하게 발생한다. 차기 프로그램 참석제한 등의 패널티로 무분별한 예약을 방지하고자 노력해 보지만 이 역시 쉽지 않다.

　이러한 문제점들을 개선하기 위해서는 전문기관(인력)의 운용, 자립성 확보를 위한 지속적인 노력과 평가, 충실한 모니터링 등의 방안을 검토해봐야 한다.

　먼저 전문기관의 운용은 생생사업, 향교서원사업의 취지에 맞는 사업을 기획하고 제대로 운영하는데 매우 중요하다. 전문기관이 참여하지 않은 사업의 경우 생생사업, 향교서원사업이 주사업이 아닌 경우가 많기 때문에, 운영에 필요한 충분한 노력과 인프라가 부족한 사례가 많기 때문이다. 소유기관 혹은 공공기관에서 자체사업으로 추진할 경우에는 전문가의 정기적인 컨설팅을 의무화하는 방안도 검토가 가능하다.

　두 번째로 운영기관의 자립성 확보를 위한 지속적인 노력이 필요하다. 생생사업, 향교서원사업의 주요 목표는 보존 가치 확립, 지역문화 진흥, 지역 활성화 도모, 문화재 활용 역량 강화 등이 있는데[15], 이중 지역 및 문화재의 활용 역량 강화를 위해서는 활용 프로그램의 자립, 즉 유료화가 필수적이기 때문이다.

〈사진〉 일본 나라 전해문(轉害門). 도다이지 유일의 창건 당시 건물이지만 찾아오는 이가 거의 없다.
이러한 문화유산의 경우 활용을 위한 예산지원이 필요하다.

---

15) 문화재청, 「2016년도 생생문화재 사업 공모 계획」, 문화재청 활용정책과, 2015, pp.1.

물론 가치가 높고 홍보가 필요하지만, 대중성을 겸비하지 못한 문화재의 경우 지속적인 예산 지원은 필요하다. 일반 축제 등의 프로그램은 재미를 추구하여 마케팅에 집중할 수 있지만, 문화 유산활용프로그램은 문화재의 보존, 의미, 재미를 동시에 목표로 해야 하기 때문에 상대적으로 제약이 많기 때문이다. 이에 정부지원금으로 운영되는 무료프로그램도 일부 유지되어야 한다.

하지만, 현재의 생생사업, 향교서원사업이 거의 대부분 무료로 운영되고 있다는 것은 자립성 확보를 위한 노력이 부족함을 반증하는 것이다. 시범 육성형(1년)기간에 시범운영 후, 집중 육 성형(2~4년)기간에 유료화를 위한 준비를 하고 지속발전형(5년~)기간에 들어가면 자립화비율 을 높이도록 지속적으로 노력해야 한다. 정부지원금을 '마중물'로 인식하고, 문화유산 활용의 활용 발전계획을 운영주체 스스로 준비해야 한다. 그것이 생생사업, 향교서원사업의 궁극적인 목표이기 때문이다.

이를 위해 운영주체 스스로의 노력도 중요하지만, 체계적인 평가와 발전적인 방향으로의 안 내를 위한 충실한 모니터링도 매우 중요하다. 현재의 모니터링은 전문가 평가, 모니터링단 평 가, 서면 평가, 설문조사 등으로 이루어지는데, 다양한 프로그램이 지속적으로 이루어지는 사 업의 경우 일부 프로그램의 평가로 종합적인 결과를 도출해내는 오류를 범할 수 있기 때문이 다. 이에 문화유산활용 전문가에 의한 충실한 컨설팅과 개별 프로그램에 대해 점검이 가능한 모니터링이 가능한 충분한 모니터링 예산의 수립이 선행되어야 할 것이다. 또한 모니터링단은 현장의 문제점을 찾아내기 위한 노력보다는 발전적인 방향으로서의 검토를 현장에서 운영하고 있는 기관과 함께 나눠보는 '동반자적'입장을 견지해야 모니터링단에게 '보여주기'위한 행사를 최소화할 수 있을 것이다.

4. 홍보에 대한 검토

2015년 현재 추진되고 있는 대부분의 생생사업, 향교서원사업의 홍보는 시군구 온/오프라인 게시판, 현수막 거치, 브로셔 및 카달로그 배포, 포스터 부착 등 소극적으로 이루어지고 있다. 사업 자체의 규모가 지역축제 등의 사업들에 비해 크지 않기 때문에 홍보비 역시 대규모 홍보 를 하기엔 부족하기 때문이다[16].

이에 홍보만 잘 되었으면 많은 사람들이 몰릴 문화유산활용 프로그램이 오는 사람들이 없어 부실하게 운영되는 사례가 적지 않게 발생되고 있으며, 이러한 현상은 참여가 가능한 인력이 많지 않은 비도심지역에서 더욱 두드러진다.

물론 지역에서의 홍보 역시 매우 중요하지만, 문화유산활용사업의 브랜드 가치 상승효과를

---

16) 중앙정부에서는 카달로그를 제작하여 지자체 관련부서에 배포하고 있다.

생각해보더라도 다양한 매체를 활용한 중앙정부 차원의 브랜드 통합홍보는 중요하다. 또한 문화유산활용사업 통합 홈페이지 구축 및 지원을 통하여 잠재적 참여자가 생생사업, 향교서원사업을 쉽게 찾을 수 있는 방안을 마련해 준다면 지금도 전국 어딘가에서 진행되고 있을 문화유산활용프로그램을 좀 더 효과적으로 알릴 수 있을 것이다. 사업의 목적상 문화유산활용프로그램은 운용만큼 홍보도 중요하기 때문에 홍보에 더욱 많은 관심이 필요할 것이다.

V. 결론

생생사업과 향교서원사업은 문화재청과 지방자치단체, 문화재 소유자(혹은 기관)와 문화유산 활용전문가(혹은 전문기관)가 함께 추진하고 있는 대한민국 대표 문화유산 활용사업으로서, 2008년부터 꾸준히 추진되어 문화재 보존, 인지도 상승, 지역경제 활성화, 고용 창출, 전문인력 및 기관 육성 등 긍정적인 사업성과가 있음이 다양한 연구결과를 통해 입증되었다. 이에 문화재청에서도 생생사업과 향교서원사업을 분리하면서 예산을 더욱 증액하는 등 문화유산활용사업을 더욱 확대해가고 있는 추세이다.

어떠한 사업도 마찬가지이듯, 생생사업과 향교서원사업 역시 압도적인 장점에도 불구하고 개선되어야 할 혹은 재고되어야 할 문제점을 안고 있다. 본격적으로 사업이 시작된지 8년째인 현재, 생생사업과 향교서원사업의 재검토가 필요한 시점이다. 본고에서는 문화유산 활용의 필요성과 현재에 대해 진단하고 그 개선방안을 제시하여 생생사업과 향교서원사업의 나아가야 할 방향에 대해 약소하나마 검토해보았다.

문화유산활용사업은 문화유산의 체계적인 보존, 의미 공감대 형성 그리고 재미의 3박자를 갖춰야하는 연구분야이다. 생생사업과 향교서원사업은 문화유산활용사업을 이끌어가는 견인차적인 역할, 마중물의 역할을 충실히 담당하고 있으며, 갓 태어난 아기같은 이 분야를 선도할 중요한 책임을 맡고 있다. 현실적인 행정지원과 충실한 현장 운영, 효과적인 홍보, 이끌어갈 전문인력 육성 등이 꾸준히 이루어진다면 생생사업과 향교서원사업은 사업의 목표를 무난히 성취할 수 있을 것이며, 다양한 나비효과를 가져올 것이라 확신한다.

【참고문헌】

강경화 · 김진희,「생생문화재의 에듀테인먼트 유형 분석」, 한국엔터테인먼트산업학회 2014.

심준용,「문화재 보존 정책에 대하여」, 지방행정 63권, 2014, p.40.

_____,『신 전통문화 육성 · 진흥 세미나 – 전통문화 대중화 콘텐츠의 개발과 과제 발표자료집』「문화유산 콘텐츠 개발과 활용」, 글로컬문화전략연구소 · 인문콘텐츠학회, 2015.

임수연,『남한산성 생생문화재사업의 의미와 개선방안 연구』, 건국대학교 대학원 석사학위논문, 2015.

이유범,『사회적기업 방식』을 통한 문화재 관리방안에 관한 연구, 목원대학교 산업정보언론대학원 건축공학과 문화재학 석사학위논문, 2013.

국립문화재연구소,『사적의 보존 · 활용을 위한 해외 조사자료집』, 국립문화재연구소, 2010.

_____,『사적의 보존 · 활용을 위한 국내 조사자료집』, 국립문화재연구소, 2010.

문화재청,「2016년도 생생문화재 사업 공모 계획」, 문화재청 활용정책과, 2015.

_____,『문화재 활용 가이드북』, 문화재청, 2007.

_____,『해외 문화유산 활용 사례집』, 문화재청, 2010.

장호수,「문화재활용론」, 인문콘텐츠학회, 2006.

컬처앤로드,『보고, 느끼고, 즐기는 생생문화재』, 문화재청, 2011.

_____,『문화유산을 만나는 9가지 특별한 방법』, 문화재청, 2011.

한국문화전략연구소 · 컬처앤로드,『문화재 유형별 활용 길라잡이』, 문화재청, 2011.

A&A문화연구소,『문화유산분야 (예비)사회적기업의 활성화전략 개발을 위한 현장조사 및 연구』, 사)씨즈, 2014.

梵鍾의 起源과 樣式變遷(1)
- 名稱 및 起源과 관련한 資料를 中心으로 -

鄭明鎬*

目 次

Ⅰ. 序論

오래전부터 梵鍾의 起源問題에 관한 關心을 갖고자 하였으나 이 문제에 대하여 이렇다할 어떠한 명확한 解答을 얻을 수 있는 자료를 찾지 못하였다. 그러나 우연한 기회에 중요하고 귀한 자료를 구하였고 연구의 실마리를 찾을 수 있게 되어 다행스럽게 생각된다.

현재에 이르기까지 널리 알려진 鳴具인 鍾의 종류에 대하여는 크게 東洋鍾과 西洋鍾으로 나누어 볼 수 있다. 이들은 모양새를 비롯하여 기능에 있어도 判異하게 다르게 발전하여 왔지만 발생과 발전과정에 대해서는 별로 문제 삼지 못하고 있다는 점은 명확한 사실이라고 하겠다. 그러나 종에 대해서 분명한 것은 종이라 하면 일반적으로 소리를 내는 기능을 갖고 있는 작품으로 알려져 오고 있으며, 소리를 내는 기능과 구조에 따라 양식의 변천과정이 이루어지고 있다는 점이 주목되어 왔다.

종의 기능과 구조적인 양식변천에 따른 대표적인 형상 가운데 특히 東洋鍾은 소위 外打深鉢形으로 발전해온 작품으로서 대체로 표면에는 여러 종류의 裝飾紋樣을 갖추고 있다. 반면에 西洋鍾은 內打喇叭形을 이루고 있는 것으로 표면에는 특별한 장식 문양을 갖추어 있지 않고 있다. 이처럼 造形樣式을 비롯하여 기능성도 명확히 다르다는 것이 직감된다.

이처럼 동양종과 서양종의 조형양식이 전형화되기에 앞서 명구의 발생동기를 비롯하여 시원양식에 대한 관심과 더불어 音律的 調和 등과 종교적인 儀式具로서의 의미 부연에 대하여 규명

---

* 덕난문화유산연구원 원장

하고자 한다. 즉 범종의 조형성을 비롯하여 양식론적 입장에서 鳴具種類인 범종의 起源과 發展過程에 대한 문제점을 다루어 볼 여지가 있으므로 文獻資料를 비롯하여 考古學的인 자료들을 통해 검토하여 보고자 한다.

Ⅱ. 梵鐘의 名稱과 意義

1. 방울[鈴]의 名稱과 意義

방울에 관한 명칭에 대하여 『說文解字』에 의하면 "鈴令丁也"라 하여 방울은 壯丁(民夫)에게 命하는데 쓰이는 것이라 하였다. 『左傳』에 의할 것 같으면 "錫鸞和鈴"이라 하였듯이 주석 방울은 방울과 같다고 하였다.

『詩經』에서는 "和鸞雝雝和鈴"이라하였는데 '鸞'字는 「방울 란」이라고 하며, '和'字도 「방울 화」의 의미를 갖고 있으며 '雝'字는 「화할 옹」자로서 방울소리의 현상을 묘사한 現形詞로 여겨지므로 이 「옹」자 역시 방울을 의미하는 것으로 여겨진다. '和鸞'을 비롯하여 '雝雝'과 '和鈴'은 서로 어울림을 드러내 보이는 것으로 이곳의 '鈴'字도 역시 방울을 의미하고 있는 것으로 미루어 볼 때, 鸞·雝·和·鈴 등 4字가 모두 방울을 의미하고 있다는 점은 주목된다. 방울은 『左傳』에 따르면, 錫鸞和鈴이라고 하였는데, 석란은 금속재인 朱錫으로 만든 방울로서 특히 '鸞'字의 뜻은 天子가 타는 마차 끄는 말의 방울장식을 가리킨다는 것으로 미루어 보아 방울은 고귀한 장식품임을 의미하였다고 생각된다.

이상과 같이 鳴具鈴에 대한 일반적인 상식으로는 령의 재질은 금속제 작품으로 알려지고 있지만 금속제 鳴具에 앞서 또 다른 재료로 만들어진 작품의 존재 가능성이 예견된다. 이를 확인할 수 있는 문헌자료로는 『釋氏要覽』과 『勅修百丈淸規』 등을 들 수 있다. 특히 『勅修百丈淸規』에는 "梵語語稚 凡瓦木銅鐵之有聲者 若鍾磬 鐃鼓 稚板螺唄 叢林至今倣其制利用之"라 하여 梵語의 揵稚는 소리를 내는 鳴具로서 그 재료는 瓦·木·銅·鐵이 있다는 사실과 더불어 기와가 토제품을 암시하는 것으로 미루어 볼 때 土鈴系 작품이 이미 석가모니시대에 揵稚라는 명구에 속하는 의식구로서 존재하였음을 알 수 있다. 즉, 건치라는 것은 모름지기 瓦·木·銅·鐵등의 재료들이 모두 소리를 내는 소재를 갖고 있으므로 이들의 재질과 음질에 따라 독특한 鳴具들 만들어 내었는데 흙을 빚어 만든 기와를 비롯하여 나무로 만든 목탁이나 稚板, 나무통에 가죽으로 빈공간을 매워 만든 鼓, 금속재료인 청동으로 만든 鍾과 징[鐃], 소라와 같은 貝殼類로 만든 螺唄, 그리고 돌로 만든 경쇠[磬] 등과 같은 鳴具인 악기들의 명칭을 통틀어 揵稚라고 總稱하였던 것으로 여겨진다. 불교국인 印度에서 발생한 佛敎儀式具의 일종으로 쓰여 지는 악기들의 명칭을 하나하나 기술하여야 마땅하다고 하겠지만 번거로움을 피하기 위하여 건치라는 명칭을 총칭하여 사용하였던 것으로 판단된다. 그러므로 개개의 독특한 音律의 특성에 따라 부처님을 찬미하는 여러 종류의 악기를 개발하여 叢林에서는 금일에 이르기까지 그들 제품을 의식에 따라 연주하는 전통이 이어져 왔다. 이것은 것은 불교 조형물들의 장식조각 작품들 속에서 여러 종류의 법구를 흔히 찾아 볼 수 있다는 사실로서 입증된다.

이처럼 불교의식에 따라 사용되는 法具들 중에 토제품의 鳴具가 있듯이 중국에 있어서도 일찍이 鳴陶鈴에 대한 기록이 존재하고 있다는 사실을 先秦文獻資料 중에 악기로서 陶容器를 사용하였다는 자료에서 찾아 볼 수 있다. 즉『易 · 離』에 수록된 자료 중에 "不鼓缶而歌"라는 구절 있는데, 이는 질그릇 장군을 두들겨 장단을 맞추지 않고 노래를 불렀다는 것이다. 또한『莊子 至樂』에서는 "莊子則方箕踞鼓盆而歌"이라고 하였는데, 장자는 의자의 모서리에 기대어 무릎을 꿇고 앉아 동이를 두드리면서 노래하였다는 것으로 매우 중요한 자료라 하겠다.

이상에서 문헌자료를 통해 비로소 흙 소재의 土鼓의 존재를 암시하는 동시에 노래와 연관되는 악기의 起源 問題를 암시하여 줄 뿐만 아니라 일반적으로 알려진 금속제 명구에 앞선 토제 명구의 존재 사실을 밝혀주고 있다. 더 나아가 이러한 내용이 범종의 시원과 유관되는 귀중한 자료가 될 수 있다는 사실이 주목된다. 그러므로 土鈴의 발생과 더불어 梵鍾의 기원 문제를 고찰할 계기를 마련할 기회를 얻게 되어 다행스러운 일로 여겨진다.

2. 범종의 鳴具 種類와 造形性

범종 종류의 범위와 조형적인 구조인 형태상의 특징을 살펴보면, 如意珠 모양의 球型의 방울인 鈴을 비롯하여 馬鐸 또는 風鐸과 같이 방울 고리와 방울 몸통, 그리고 몸통 속에 방울추가 달린 방울 종류인 鐸種類, 탁종류에 속하는 작품으로서 탁고리[鐸環:鐸鈕] 대신에 손잡이가 달린 搖鈴 등과 같이 여러 종류의 鳴具들이 개발과 발전을 거듭하는 과정에서 오늘날의 범종의 시원 문제를 제기할 수 있는 계기가 마련되었을 것으로 짐작된다.

명구의 일종인 범종의 시원자료로 여겨지는 방울인 鈴의 기능과 발전과정에 대하여 살펴보면, 외형상 방울의 고리 부분과 몸체 부분으로 크게 분류되며 天蓋 部分位에는 일반적으로 평평하고 그 중앙 부위에 반달형의 역U자형의 고리가 설치 되어있는 경우와 투구 형태의 천개 정상에 고리 형태의 작은 鈕가 설치 되어 있는 방울 고리 모양의 鈴鈕들이 발견되고 있다. 방울 몸통 모양을 살펴보면 횡단면에 나뭇잎 모양을 갖춘 合瓦形인 杏仁型 또는 橢圓形 양식과 圓形의 세 종류로 구분되며 鈴口인 아가리 모양이 평평한 것과 오목한 凹形에 弧形 두 종류로 구별되는 작품들이 존재하고 있다는 사실을 찾아 볼 수 있을 것이다. 이러한 외형적 특징은 후에 중국의 鍾이라는 기물로 이어지지만 鈴과 鍾이 다른 점이 있다는 사실도 찾아 볼 수 있다.

한편, 이상의 자료들의 기능에 대하여 살펴보면, 鍾은 외벽에 가장 볼록하게 나온 부분을 쳐서 소리를 내지만 鈴은 몸통 안에 메달아 놓은 방울추[鈴舌]가 흔들리면서 鈴의 몸체를 두드려서 소리를 내는 점이 다르다.

앞에서 밝힌 바와 같이 범종은 령으로부터 발전한 종의 소리를 내는 기능 즉 內打構造와 外打構造의 두 종류로 분류 발전된 명구 종류가 발생하기에 이르러 마침내 西洋鍾과 東洋鍾 樣式으로 각각 분류 발전하기에 이르렀다고 하여도 과언은 아니다. 방울의 크기는 10cm이하로 대부분 작은 것으로 鈴이라는 이름이 지어진 것인데 西周時代 初期에 제작된 王成周鈴에 보이는 金石文資料을 통해 처음으로 보이기 시작한 것으로 알려지고 있다.[1]

이상과 같이 방울[鈴]과 관련되는 문헌자료와 더불어 방울의 모양새에 대하여 대략적으로 소개되어 오고 있는 이들의 재질에 대하여는 일반적으로 금속재질 중에 청동 제품이 주류를 이루고 있는 것으로 인식되고 있는 常項하에서 앞에서 밝힌 바와 같이 금속재질에 앞서 흙재질[土質]의 명구 종류도 존재하였다는 사실도 찾아 볼 수 있어 주목된다. 일반적으로 명구 종류 중에 방울[鈴]종류와 鍾種類로 구분하고 있는데 전자는 대체로 작은 종류의 鳴具를 가리키는 것이며 후자는 비교적 큰 작품들로 구분되는 것으로 여겨진다. 이에 명구 종류인 방울과 종의 기원 문제를 문헌자료를 비롯하여 고고학 자료를 근거삼아 고찰하여 보고자 한다.

Ⅲ. 梵鍾의 起源

범종의 기원문제에 대하여는 명확하지 않으나 범종은 불교의 영향에 의하여 발전된 종교의식과 깊은 인연관계를 맺고 있는 문화유산으로 여겨진다. 범종은 일종의 鳴具施設에서 발달된 작품이라는 점에 비추어 볼 때 오늘날과 같이 寺院 基本施設로 이루어지기에 앞서 鳴具의 發源時期와 發源地域에 대하여 규명할 필요성이 요구된다. 그러므로 명구 시설의 기원 문제를 규명하기 위하여 우선 문헌자료와 더불어 考古學 資料를 바탕 삼아 고찰하려고 한다.

1. 鳴具에 관한 문헌자료

명구에 관한 문헌자료에 대하여는 이미 Ⅱ장1절에서 밝힌 바와 같이 풍부하지는 못하지만 『釋氏要覽』을 비롯하여 『勅修百丈淸規』와 先秦時代 문헌자료, 그리고 『易·離』 등의 자료를 통해 금속제 명구에 앞서 흙을 소재로 삼은 명구 제품이 제작된 것이라는 사실을 암시해 주는 자료로서 참고할 수 있을 것이다.

---

1) 『通考』, 도판 94-1.

2. 고고학 자료를 통한 명구 출토자료에 대한 양식분류

고고학의 발달로 인하여 일반적으로 인식되어온 명구 종류인 방울을 비롯하여 鐸種類와 鍾類 들은 한 결 같이 금속 제품들이 주류를 이루고 있는 경향이 컸던 것으로 여겨진다. 그러므로 금속 제품 외의 재질에 대하여는 별로 관심을 미처 갖지 못하던 차에 금속 명구의 시원자료로 여겨지는 토령 자료가 발굴을 통해 밝혀져 주목하게 되었다. 토령 자료의 출현 시기에 대하여는 명확하지는 않지만 적어도 신석기시대로 소급하여 고찰할 필요성이 있다. 발굴 자료를 검토한 결과 놀랄만하고 귀중한 중국 고고학 자료를 얻게 되어 소개하려고 한다. 발굴을 통해 밝혀진 청동기시대의 금속자료에 앞서 발생하였을 것으로 여겨지는 토제 명구 자료에 대하여 우선 新石器時代의 질흙 방울[土製鈴]이 출토된 곳부터 살펴보고자 한다.

(1) 廟底溝 馬鐸形 土製鈴

河南省 陝縣에 소재하고 있는 廟底溝387:9유적은 신석기시대에 該當되는데 1957년 이곳에서 始原的인 희귀한 명구 작품으로 추정되는 風鐸 혹은 馬鐸모양의 토제방울[土鈴]이 수습되었다. 이는 금속제 鳴鈴인 銅鈴에 앞서는 土製鳴具 資料가 최초로 발견된 사례로서 범종 연구자들이 바라던 범종

도 1. 陝縣 廟底溝387:9 출토 土鈴

의 시원문제에 대한 해소의 章을 열게 되었다. 즉 범종의 시원문제인 기원에 대하여 명확하게 밝힐 기회를 갖지 못하였던 차에 뜻하지 못했던 馬鐸形 土製鈴이 하남성 섬현에서 세상에 처음 알려짐으로서 비로소 快歌를 부를 수 있게 되었다. 마침내 금속제 명구 자료에 앞서 흙을 소재로 한 토제령이 존재하였다는 사실을 입증하는 귀한 자료를 확인하게 되었던 것이다. 이는 범종의 시원문제에 대한 해결의 열쇠를 암시하는 매우 중요한 자료로서 주목하게 되었다.[2]

廟底溝 유적에서 발견된 작품은 질그릇 계통의 고운 紅陶質 표면에 광택을 드러내 보이는 土鈴으로 여겨진다. 이 홍도질 작품이 생산되었던 시기에 대한 발굴조사보고서의 編年設定에 따르면 新石器時代의 작품으로 推定되는 것으로 밝혀지고 있다.

이상과 같이 馬鐸 혹은 風鐸 모양의 질방울[土鈴]이 최초로 밝혀짐으로서 비로소 鳴具의 시원문제에 대한 근원적 문제를 고찰할 기회를 갖게 되었다. 흙을 빚어 만든 소위 土鈴은 물그릇이 구득구득 마른 상태의 방울 표면에 산화철 성분이 풍부한 질흙을 얇게 바르고 다시 약간 건조

---

2) 中國科學院 考古硏究所, 『廟底溝與三里橋』, 科學出版社, 1959, 54頁.

된 표면을 고운 차돌로 곱게 광택이 나도록 문지른 후 산화불꽃[酸化焰]으로 구워 만든 고운 홍도이다. 이를 가리켜 질방울 즉 土鈴, 紅陶鈴, 혹은 陶鈴이라고 부르기도 한다.

이 토령이 鳴具의 일종으로 시원양식을 갖추고 있는 작품으로 밝혀지게 된 모양새를 살펴보면, 마치 風鐸 모양의 방울 몸체는 圓臺形을 이른 上促下寬의 방울로서 평평한 아가리는 넓고, 속이 비어있는 둥근 위쪽은 꽉 채워져 있는 上實下空의 형태이다. 또 어깨 부위는 둥글고 천개 부위인 정상에는 둥근 방울 고리[鈴鈕]를 갖추고 있다. 특히 주목되는 것은 앞에서 밝힌 바와 같이 천개의 정상에는 방울 고리가 마련되어 있지만 방울의 기능을 갖추기 위하여 요구되는 방울 추 시설을 몸통 어깨아래 좌우 양쪽에 一對의 대칭으로 엇비슷하게 구멍[斜孔]시설로 마련하고 있는 점이다. 이로 미루어 보아 이 시설은 명확치는 않으나 아마도 방울 추를 달기 위한 시설로 여겨진다. 한편, 몸통 속은 비워 있으므로 어깨 밑에 한 쌍의 貫通孔인 懸舌孔 施設은 自鳴具의 기능을 갖추고자 한 것으로 여겨진다. 自鳴具는 방울소리를 내는 역할을 하는 기구이다. 방울 몸통과 타격시설에 의한 작용에 따라 소리가 발생하는 효과를 얻게 하며 방울소리를 들을 수 있게 몸통 속 방울 추의 역할로 이루어지므로 추를 설치하기 위하여 천공시설이 어깨 밑 좌우에 설치되어 있는 것이다. 그러므로 이 작품은 방울의 3요소인 몸통을 비롯하여 방울 고리 시설과 방울추를 설치하기 위한 한 쌍의 관통공인 懸舌孔 施設을 갖추고 있는 것으로 여겨진다.

이 작품에 대해 일종의 完具鐘 혹은 完具樂器로 추정하는 학자도 있으며 또는 장신구로 추정하는 학자도 있으므로 상호간에 의견이 일치되지는 못하지만 자명구라는 사실은 뜻을 같이 하고 있다. 분명한 사실은 완구종이라고 하던 혹은 완구악기라고 인정하더라도 명구라는 점에서 그것이 완구종이라고 한다면 뚜렷이 틀린 바는 아니다. 그렇지만 이 작품이 완구종이라고 한다면 어쩌면 이 작품의 정상부에 고리시설[鈴鈕]과 어깨 아래의 좌우 양편에 대칭된 비스듬히 설치한 한 쌍의 구멍 등에 대한 합리적인 해석을 찾기 쉽지 않게 될 것이다. 그러므로 비스듬히 난 한 쌍의 구멍과 더불어 방울 정상에 방울 고리 시설이 있는 것으로 미루어 보아 완구로 보기보다는 어떠한 시설물에 매달아 흔들어 소리가 나게 하거나 혹은 바람에 추가 흔들려 소리를 내도록 하는 시설로 볼 수도 있는 것으로 여겨지기도 한다. 더불어 완구악기이라고 한다면 당시에 이미 正規樂器가 존재하고 있었다는 것이 인정되어야 하는데, 이 문제에 대하여는 아직까지는 考古材料의 제한을 받기 때문에 인정하기는 어려운 실정이라고 하겠다. 고고학 발굴에 의하여 밝혀진 早期完具樂器와 이에 대응하는 정규악기 간의 관계는 두 가지 가능성이 있으니, 첫째 逆向關係로서 곧 그것은 원래 이미 존재하였던 정규악기의 簡化된 모방품이라는 것이고 또다른 하나는 順向關係로서 곧 그 自體가 대응하는 정규 악기의 先行者라는 것이다. 이러한 문제를 해결하기 위해서는 상당한 수량의 고고재료와 상응하는 연구가 뒤따라야 할 것으로 믿어진다. 그러므로 이곳에서 소개하는 이 자료에 대한 보고서에서는 앞에서 언급하고 있는 조건과 부합되지 않으므로 적지 않은 類似한 문제점들에 대하여 분명히 밝힐 수 있는 방법이 없으므로 유감스럽지만 『詩經』에 보이는 和鸞雖雖의 구절과 부합되는 작품일 수 있지 않을까 한다. 더불어 앞에서 밝힌 『易·離』에 보이는 "不鼓缶而歌"와 『莊子·至樂』에 보이는 "莊子則方 箕踞鼓盆而歌"의 문헌자료와도 부합되는 작품일 수 있지 않을까 한다. 이상과 같은 사항 하에서 현재의 완구악기가 그 어떤 기구로부터 변화 발전되어 온 것인지 탐색하는 것도 또한 마찬가지로 곤란함이 존재하고 있다고 하겠다.

현재까지 중국에서 밝혀진 질방울[土鈴] 또는 陶鈕鈴을 비롯하여 金屬鈕鈴 중에 가장 빠른 작품으로 알려지고 있는 것으로 방울소리를 내는 시설에 대하여는 방울 속에 방울 추를 설치하기 위한 천공시설이 어깨 밑 좌우에 설치되어 있는 것이 특이하다. 방울소리는 방울 몸통속의 위쪽은 두껍게 채워져 있을 뿐만 아니라 방울 벽은 두꺼워 방울소리는 그리 곱지는 못한 것이 흠이 되고 있는 작품으로 양식상 I 型 1式으로 여겨진다.

(2) 江蘇省 邳縣 劉林 黑陶鈴

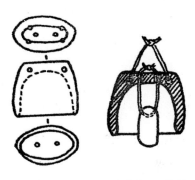

江蘇省 邳縣 劉林에 소재하고 있는 M118:7유적은 신석기시대 大汶口文化早前期에 속하는 晚期 墓葬으로서 1964년 이곳에서 출토된 유물 가운데 특이한 질그릇계 방울로 추정되는 자료가 발견되어 주목하게 되었다. 劉林所在地에서 출토된 작품은 廟底溝遺跡에서 발견된 일종의 平底小型 陶容器와 모양새가 다른 작품으로서 마치 사발모양[鉢形]을 갖춘 이 작품들은 실은 사발을 엎은 橢圓形의 독특한 질그릇으로 여겨진다.

도 2. 邳縣 劉林 M118:7유적 출토 黑陶鈴

이 질그릇은 평평한 橢圓形 天蓋를 갖추고 있는 長徑部位의 양편과 어깨 부위 양측 네 곳에 각각 작은 圓孔이 뚫려 있다. 몸통은 밑으로 처져있는 배 부위가 부른 黑陶質로 이루어진 작품으로 여섯 곳의 貫通孔을 갖추어 있는 것으로 미루어 보아 방울과는 다른 계통의 작품으로 알려 지고 있었다.[3]

발굴보고에 의하면 매우 특이한 모양새를 갖춘 작품으로서 쓰임새에 대하여 어느 용도로 쓰였는지 불분명하다. 타원형의 바닥으로 보이는 평평한 면에는 한 쌍의 천공이 뚫려있으며 어깨 부위 두 곳에 앞뒤로 관통공이 설치된 穿孔 陶器라고 불리는 용기로 알려진 유물이다. 조형적인 특성과 기능성을 참작하여 볼 때 無鈕 陶鈴으로 모종의 平底 陶容器를 이용하여 만들어진 것으로 추측되는 것으로 여겨진다고 밝히고 있다.

무뉴도령으로 추측되는 이 작품의 천개 부위와 어깨 부위에는 앞에서 밝힌 바와 같이 세 쌍

---

3) 南京博物院, 「江蘇邳縣劉林 新石器時代遺址 第二次發掘」, 『考古學報』 1965年 2期.

의 貫通孔인 천공시설이 설치되어 있는데 이들의 기능과 시설에 대하여 살펴보고자 한다.

평평한 타원형의 천개 부위에는 한 쌍의 穿孔이 시설되어 있는데 이는 아마도 懸舌孔으로 여겨지며 천개 어깨 부위에 설치되어 있는 한 쌍의 천공은 두 가닥의 방울고리 줄을 관통시키는 관통공 시설로서 이 구멍을 통해 네 가닥의 줄을 모아 天蓋 중앙 위치에서 매듭지어 방울고리 [鈴鈕]를 만들어 어떠한 시설물에 걸어 장식물로 사용되었을 것으로 여겨진다. 즉 용기의 밑 부분으로 여겨지는 바닥 부위에 설치되어있는 세 쌍의 천공들은 앞에서 밝힌 바와 같이 바닥 부위로 간주되는 한 쌍의 천공은 방을 추를 달기위한 현설공 시설로 추정된다. 또한 어깨 부위에 설치되어 있는 두 쌍의 천공을 통해 두 가닥의 가느다란 추줄을 통과시켜 네 가닥의 줄을 천개 중앙 부위에서 매듭지어 도용기의 고리줄[鈕線] 모양의 고리를 설치하려는 천공시설로 추정되는 것으로 반달모양의 靑銅鐸鈕의 시원양식으로 주목되는 양식으로 여겨진다.

이상과 같이 M118:7유적에서 출토된 異形土器에 대하여 기형을 비롯하여 시설된 천공들의 기능을 통해 쓰임새를 상고하여 볼 때 방울[鈴] 혹은 鐸種類의 작품으로 추정된다. 이 유물과 유사한 또 다른 유물이 山西省 襄汾縣 陶寺 지역에 소재하였던 墓地에서도 발견된 바 있는 것으로 미루어 보아 이 질방울도 시원양식의 일종으로 추정되는 작품으로 여겨진다. 그러나 이 자료에 대하여는 아직 발굴조사보고서가 발표되어 있지 않아 참고할 수 없어 유감이다.

그러므로 邳縣 劉林遺跡에서 출토된 無鈕 陶鈴의 조형성을 비롯하여 쓰임새의 기능성, 즉 鈕施設과 懸舌孔 施設을 참작하여 볼 때 河南省 陜縣 廟底溝 M387:9유적에서 출토된 風鐸形 土鈴에 앞서는 작품으로 추정되는 것으로 여겨지며 양식분류상 II型1式으로 분류하고자 한다.

(3) 河南省 鄭州縣 大何村遺址 灰陶鈴

1970年代에 河南省 鄭州縣 大何村에 소재하고 있는 T13②유적에서 仰紹文化晚期에 속하는 2개의 土製鉢形器가 발견되었다.[4] 이 두 개의 질그릇 자료는 모양새가 같은 것으로 이들 중 한 점은 밑부분으로 여겨지는 부분이 남아있지 않아 알 수 없어 유감스러움이 있으나 다행히 또 한 점의 작품은 완전하여 파손 된 작품의 모양새를 짐작할 수 있어 다행스럽게 생각된다.

완전한 작품의 모양새와 구조를 살펴보면 天蓋 部位는 좁고 평평한 타원형의 천판에는 한 쌍의 穿孔 施設인 懸舌孔이 설치되어 있으며, 그릇의 몸선은 완만한 곡선을 이루고 있다. 천판에 비해 넓은 口緣部를 갖춘 질흙질의 灰陶作品으로 주목되는 바, 비현 유림유적에서 발견된 흑도령과는 모양새가 판이한 작품이다. 이 작품에 설치되어 있는 천공시설에 대하여 앞에서 밝힌 바와 같이 한 쌍의 천공시설인 현설공을 갖추고 있을 뿐만 아니라 몸체는 완만한 곡선을 이루고 아가리는 넓은 찻잔 모양으로 보인다.

---

4) 鄭州市博物館,「鄭州大何村遺址發掘報告」,『考古學報』1979年 第3期.

그러므로 비현 유림에서 발견된 흑도령과 비교 고찰하여 보았을 때 이 작품에 설치되어 있는 천판 부위에 대하여 전자인 유림 출토 흑도령의 경우 평평하고 넓은 타원형의 천판에 한 쌍의 천공시설인 현설공을 갖추고 있는 것은 양자가 같은 의도에 의하여 시공된 시설로 추정된다. 그러나 전자의 경우 어깨 부위에는 두 쌍의 穿孔施設(懸孔施設)인 방울 고리 시설을

도 3. 鄭州縣 大何村遺址 T13②유적 출토 灰陶鈴

갖추고 있지만 후자인 대하촌 작품의 경우 어깨 부위의 천공 시설인 방울 고리 시설을 갖추고 있지 않을 뿐만 아니라 더불어 매우 넓은 아가리를 갖추고 있는 점 등이 다르다고 하겠다. 즉 유림유적에서 출토된 작품과 모양새와 구조가 다른 것으로 평면구조는 앞에서 밝힌 바와 같이 타원형을 이루고 있으나 천개시설 면에 있어서는 유림 출토품의 경우는 세 쌍의 관통공을 갖추고 있는데 반하여 대하촌 출토품에 있어서는 단 한 쌍의 천공시설만을 갖추고 있을 뿐 앞에서 밝힌 바와 같이 어깨 부위의 현공시설은 감소된 현상을 찾아 볼 수 있을 뿐만 아니라 기형 자체에 있어 현저한 차이를 찾아 볼 수 있다는 사실이다. 이상에서 두 작품에 대한 모양새와 시설에 대하여 살펴본 것처럼 상호간의 커다란 차이점은 어깨 부위에 두 쌍의 천공시설을 갖추고 있느냐 없느냐에 따라 제작 과정에 있어 전후 관계를 판가름하는 요소로 여겨진다.

전자와 후자 간에 설치되어 있는 천공시설의 기능문제를 살펴보면 천판에 설치되어 있는 한 쌍의 천공시설의 기능은 이미 앞에서 밝힌 것처럼 방울추의 줄을 설치하기 위한 공통된 시설로 여겨지며 어깨 부위에 설치되어 있는 별도의 두 쌍의 천공시설은 대하촌 출토품의 경우는 설치되어 있지 않지만 앞에서 밝힌 것과 같이 토령의 고리시설인 鈴鈕로 여겨진다. 그러므로 령뉴시설을 갖추고 있지 않은 대하촌 유물에 대하여 詳考하면 천개에 설치 되어있는 한 쌍의 천공시설을 통해 방울추시설과 방울 고리시설을 갖추는 일거양득일 것으로 추정된다. 즉 방울통 속에 방울 추를 달기위하여 두 가닥의 추줄 중간 부위에 추를 달고 천장의 길이만큼 기장에서 매듭을 내고 두 가닥의 추줄은 천장에 설치된 한 쌍의 천공을 통해 천판인 천개 중앙 부위에서 고정매듭을 낸 후 매듭 고리를 시설부위에 걸어 사용하였을 것으로 여겨진다.

그러므로 전자인 유림 출토 흑도령에 비해 후자인 대하촌 출토품은 천개 부위에 설치되어 있는 복잡한 천공시설을 단순화 발전단계로 도입시킨 작품으로 양식분류상 II型2式으로 분류하고자 한다.

(4) 刻文陶鈴

1954年度에 湖北省 天門縣 石家河에 所在하고 있는 靑龍泉 三期文化遺址에서 출토된 유물들

중에 타원형의 진흙질 紅陶系 容器의 몸체 한 면에 조각 장식을 갖춘 작품이 발견되어 주목하게 되었다.[5]

모양새는 나팔모양의 아가리와 좁은 바닥을 갖춘 작은 완이라고 簡報에서는 밝히고 있으나 宛형을 이룬 좁은 바닥면으로 여기는 평평한 면에는 한 쌍의 천공 시설이 시공되어 있으며 굽부분으로 보이는 면은 직립되어 있다. 기면은 완만한 외반 곡선의 느낌인 器壁線을 이룬 넓은 口緣部를 갖춘 타원형의 용기 모양을 이루고 있는 작품이다.

이 유물은 완형을 이룬 용기임은 틀림없으나 다만 저면에 한 쌍의 천공이 시공되어 있는 것으로 보아 정주현 대하촌유적에서 발견된

도 4. 天門縣 石家河 青龍泉 三期文化遺址 출토 陶鈴

회도령과 같은 계통의 작품으로 한 쌍의 천공시설은 방울추 줄을 설치하기 위한 시설인 동시에 추 줄이 방울 고리의 역할을 겸한 것으로 추정된다.

그러므로 이 작품도 대하촌 유물과 유림 유물과 비슷한 종류로서 한 면에는 짐승 얼굴과 유사한 무늬장식을 선각한 작품으로서 혹은 鐃로 의심하는 경향도 있는데 일종의 악기일 것으로 여겨지나 아리송한 작품으로 여겨지기도 한 것으로 양식분류상 Ⅱ型3式에 해당되는 陶鈴으로 추정된다.

(5) 湯陰 白菅 遠古鈴

1978년도에 河南省 湯陰縣 白菅遺跡인 T6⑤;50유구 河南龍山文化遺址에서 출토된 유물의 재질은 泥質灰陶로서 質은 堅勁한 수제품이다.[6]

모양새를 살펴보면 유림과 대하촌 및 석가하등 유적에서 발견된 토령계 작품들은 한결같이 타원형을 이루고 있으나 이곳 湯陰縣 白管遺蹟에서 발견된 유물

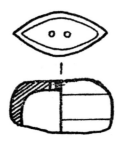

도 5. 湯陰縣 白菅遺跡 T6⑤;50 출토 古鈴

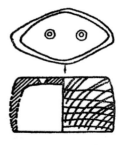

도 6. 襄汾縣 陶寺 출토 灰陶鈴

자료는 앞에서 소개한 작품들과 유사한 계통의 작품으로서 오직 방울 몸체는 合瓦形 즉 杏仁形을 이루고 있다는 점이 다르다. 행인형을 이루고 있는 작품의 구조와 양식은 앞에서 밝힌 것처럼 합와형의 행인형을 이루고 있으면서 평평한 천개에는 한 쌍의 현설공 시설을 갖추어 있으며 이 관통공을 통해 방울 추줄에 추를 달고 더불어 두 가닥의 추줄은 천개 중앙 부위의 방울 고리시설을 겸하였던 것으로 추정된다.

---

5) 石龍過江水庫指揮部 文物工作隊,「虢北京山, 天門考古發掘簡報」,『考古通訊』1956年 3期.
　　湖北省,「天門新石器時代遺址出土遺物」,『文物參考資料』1955年 8期.
6) 中國社會科學院 考古研究所,『新中國的考古發現和研究』136頁, 文物出版社, 1984.

몸통 벽면의 兩面 上·下端에 각각 一周의 소박한 선문 장식을 남겨놓고 있는 작품으로 양식 분류는 Ⅲ型 Ⅰ式에 속한다.

(6) 山西 襄汾 陶寺出土 灰陶鈴

山西省 襄汾縣 陶寺에 소재하고 있는 유적지에서 채집된 龍山文化 要素를 갖춘 陶寺類型의 灰陶로 알려져 있다.[7] 이 유물은 菱形體인 杏仁形으로 정상에 설치된 천개 중앙 부위의 두 곳에 懸舌孔이 뚫려있다. 이들의 기능에 대하여는 아마도 방울 추줄을 걸기 위한 구멍인 동시에 종고리와 방울추를 연결하도록 마련한 시설로 여겨진다. 또한 행인형의 鉢形器 몸통 벽 兩面에는 정제되지 않은 조잡하고 불규칙적인 빗격자무늬 장식인 方格汶의 선각 장식을 갖추고 있는 작품으로서 양식분류상 Ⅲ型2式에 속하는 것으로 여겨진다.

(7) 山西 襄汾 陶寺 紅銅鈴

1983년 山西省 襄汾縣 陶寺에 소재하고 있었던 龍山文化 陶寺類形 晚期墓藏 유적인 M3296유구에서 놀랄만한 귀중하고 새로운 문화의 轉機를 일으킬 만한 "紅銅製 銅鈴"이 발견되었다. 홍동제 동령은 男性 墓主의 骨架腿襠(넓적다리 잠방이) 왼편 위쪽에서 발견되었다.[8] 이 귀중한 紅銅製 鈴形 靑銅器 資料 한

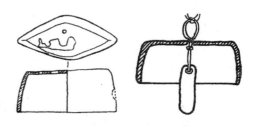

도 7. 襄汾 陶寺遺蹟 M3296유구 출토 紅銅鈴

점과 유사한 도질 제품의 방울도 함께 발견되어 매우 주목하게 되었다.

홍동제 방울의 단면은 행인형의 마름모꼴에 가까운 모습을 보이고 있어 앞서 살펴본 질흙 질 방울 모양과 대동소이한 양식을 따르고 있다. 즉 천개 부분의 중간의 뉴가 설치되어야할 위치인 정상 중앙 부위에는 주조시 결함으로 인한 氣孔 상태가 남아 있는 으며, 이곳에는 동그랗고 조그만 한 관통공으로 여겨지는 곳에 懸舌孔 시설이 남아 있는 점이 주목된다. 왜냐하면 함께 출토된 회도령의 경우는 한 쌍의 현설공 시설을 갖추고 있다는 점에서 홍동령의 경우는 單懸舌孔이라는 점에서 즉, 쌍현설공으로부터 단현설공으로 감소 현상이 보이는 전환기의 작품으로 여겨지기 때문이다.

한편 방울 몸통 상단에도 흠집이 있는 몸통 중앙부 周壁은 厚薄하고 고르지 못할 뿐만 아니라 방울 몸통 상단에는 흠집이 많은 것은 주조기술의 미숙한 원시적인 현상을 드러내 보이는 것으로 여겨진다. 즉 주조공법상 매우 중요한 공법으로 여겨지는 것으로 이의 역할은 방울추를

---

7) 中國社會科學院 考古研究所 山西工作隊·監汾地區文化局, 「山西襄汾陶寺遺址數次發現銅器」, 『考古』1984年 第12期.

8) 위의 글.

달기위한 시설이기도 하지만 더 중요한 요소는 방울 속 거푸집에서 발생하는 습기와 가스의 배출구 역할을 위한 시설로도 볼 수 있으며 冷范澆鑄術이라고 볼 수도 있다.

조사자의 보고서에 의하여 몸통 전체를 주성한 연후에 천개 부위는 鉆成한 紅銅鈴으로 제조공법은 複合范 鑄製造 工法으로 주조된 작품으로 주물재료의 순도는 97.86%으로 비교적 높은 것으로 밝혀졌다.

홍도령은 오늘날에 이르기까지 중국지역에서 고고학 발굴조사에 의하여 밝혀진 금속제 방울자료 중 가장 빠른 최초의 동령으로 알려지고 있다. 특히 주목되는 바는 작품의 표면 양면에는 아주 뚜렷한 방직물 무늬의 흔적이 붙어있어 아마도 섬유질의 방직물에 싸여 매장된 것으로 여겨진다. 방직물에 싸여 있었던 방울자료의 예는 도사유적에서 출토된 자료 이외에 하남성 언사현 이리두에 산재하였던 여러 고분에서 출토된 청동제 동령을 비롯하여 마탁 및 개방울 혹은 고양이방울 등에서도 간혹 찾아 볼 수 있다.

(8) 禹縣 瓦店 遠古鈴

1981年度에 河南省 禹縣 瓦店 81 II T7④:27 遺跡에서 泥質材料를 가지고 손으로 만든 平口 鉢形鈴으로 소성한 河南 龍山文化 晩期製品으로 알려진 유물이 발견된 바가 있다.[9]

모양새와 구조를 살펴보면 정상에 설치된 천개 중앙 부위에는 단 한곳의 懸舌 貫通孔이 마련되어 있는 외에 모양새는 모두 湯陽

도 8. 禹縣 瓦店 81 II T7④:27遺跡 출토 古鈴

白管 遠古鈴을 비롯하여 동일한 조형양식을 따른 구조적인 변화를 드러내 보이는 山西 讓汾 陶寺 紅銅鈴과 유사한 작품으로 여겨진다. 즉 주목되는 바는 앞에서 밝힌 것처럼 III型 1式의 양식 구조로부터 새로운 실용적인 구조를 갖춘 陶寺 紅銅鈴과 같이 단 한곳의 현설 관통공 시설은 방울추를 설치하기 위하여 마련된 관통공으로서 추를 달아맨 추줄은 방울 천정 길이 정도되는 곳에 매듭을 짓고 두 가닥의 추줄은 관통공을 통과하여 천개 부위에서 매듭을 짓고 방울 고리를 마련하였을 것으로 여겨진다. 약식 분류상 III型2式으로 III型1式에서 파생된 작품으로 여겨진다.

(9) 甘肅 皐蘭糜地峴 馬廠 遠古鈴

甘肅省 皐蘭糜地峴 馬廠에 소재하고 있는 墓地에서 고운 개흙을 활용하여 손으로 만든 공모양의 彩陶작품으로 바닥은 평평하게 메꾸었고 정상부에는 環鈕를 갖춘 土鈴이 수집되었다.[10]

9) 河南省文物研究所 鄭州大學 歷史係 考古專業,「禹縣瓦店遺址發掘簡報」,『文物』1983年 第3期.
10) 陳賢儒·郭德勇,「甘肅皐蘭糜地峴 新石器時代墓葬 淸理記」,『考古通迅』1957年 第6期.

방울몸통 표면에는 方格文이 장식되어 있으며 바닥에는 十字形 표시가 음각되어 있는 전형적인 작품으로 보인다. 방울의 정상부에 설치되어 있는 鈕를 갖추고 있는 것과 같은 響具(음향기구)는 향구에서 脫胎한 것이 아니라고 한다면 만약 이와 같은 방울의 출현은 모두 開口의 용기에서 기원한 것이 아니겠는가 하는 추정이 되기도 하며, 또한 본래 閉口의 향구가 있었던 것으로 보이기도 한다. 이상과 같이 몸통 밑이 막힌 閉口響具의 소리를 내게 하는 역할은 몸통 안에 들어 있는 작은 알맹이 [小粒]들이 鈴의 몸통과 서로 부딪쳐 소리가 나도록 고안된 작품이다. 이 새로운 특이한 작품이 발견되어 크게 주목되는 것으로 이러한 종류의

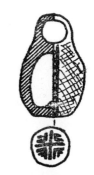

도 9. 皐蘭糜地峴 馬廠墓地 출토 土鈴

양식은 오늘날에 이르기까지 그 전통성이 이어져 오고 있는 始原樣式으로 樣式分類相 Ⅵ형으로 정하고자 한다.

앞에서 밝힌 9곳의 유적으로부터 출토된 자료는 총11점으로 이들 중 土鈴 資料가 발견된 곳은 8곳이고 나머지 한 곳의 유적에서 유일한 紅銅鈴 資料가 土鈴과 함께 발견되어 주목하게 되었다. 그러므로 金屬鳴具가 발견되기에 앞서 발생된 新石器時代의 鳴具 工藝資料로 추정되는 질 방울의 발전과정을 밝혀주는 귀중한 조형양식과 시설자료를 통해 비로소 鳴具 중에 梵鍾의 起源問題에 대한 구조적인 발전과정을 일목요연하게 고찰할 기회가 마련하게 되어 다행스럽게 여겨진다.

Ⅳ. 結論

앞에서 밝힌 범종의 기원 문제를 추구하는 과정에서 신석기시대로부터 초기청동기시대에 걸쳐 나타나는 질방울로부터 금속방울로 발전하는 과정을 토령 자료와 紅銅材 방울 자료들을 통해 살펴보았다. 일반적으로 梵鍾의 起源問題를 다루는데 있어 재료를 비롯하여 製造 工法과 방울고리인 紐의 실사고리 발생에서 흙고리로 이르기까지 발전하는 과정과 질방울과 금속제품 以前 問題에 대하여는 경솔하게 취급하는 경향이 있는 것을 보아 왔다.

이번 機會에 비로소 鳴具인 梵鍾의 始原問題와 材料를 비롯하여 構造的인 發展過程과 造型的인 樣式에 대한 변화과정을 검토하게 되어 다행스럽게 생각된다. 특히 범종의 기본구조는 종뉴와 몸통으로 이루어져 있다는 사실과 이들과 더불어 변화 발전관계를 일목요연하게 展階되는 과정을 검토할 기회를 얻게 되었다.

이상에서 살펴본 중국 출토의 土鈴은 방울 고리[鈕]가 있는 자료와 갖추어 있지 않은 질방울 고리 장식을 비롯하여 조형적인 양식 분류가 가능한 자료임을 확인하였다. 이를 통해 범종의 발전 과정을 검토할 수 있는 귀중한 자료들의 존재를 확인하였다고 판단된다.

【참고문헌】

『釋氏要覽』

『說文解字』

『詩經』

『易・離』

『莊子・至樂』

『勅修百丈淸規』

『通考』

中國科學院 考古硏究所,『廟底溝與三里橋』, 科學出版社, 54頁, 1959.

中國社會科學院 考古硏究所,『新中國的考古發現和硏究』136頁, 文物出版社, 1984.

南京博物院,「江蘇邳縣劉林 新石器時代遺址 第二次發掘」,『考古學報』1965年 2期.

石龍過江水庫指揮部 文物工作隊,「號北京山, 天門考古發掘簡報」,『考古通訊』1956年 3期.

鄭州市博物館,「鄭州大何村遺址發掘報告」,『考古學報』1979年 第3期.

中國社會科學院 考古硏究所 山西工作隊 監汾地區文化局,「山西襄汾陶寺遺址數次發現銅器」,『考古』1984年 第12期.

陳賢儒・郭德勇,「甘肅皐蘭糜地峴 新石器時代墓葬 淸理記」,『考古通迅』1957年 第6期.

河南省文物硏究所・鄭州大學 歷史係 考古專業,「禹縣瓦店遺址發掘簡報」,『文物』1983年 第3期.

湖北省,「天門新石器時代遺址出土遺物」,『文物參考資料』1955年 8期.

高句麗 '太和9年銘飛天文金銅光背'의 新例

金大煥*

　　일본 동경국립박물관의 法隆寺 寶物館 2층 전시실에는 日本 重要文化財로 지정된 우리나라 삼국시대 金銅光背가 전시되어있다(사진 1). 본래 三尊佛像의 光背인데 삼존불상은 모두 결실 되고 光背만 남은 것이다. 그런데도 이 光背가 일본의 중요문화재로 지정된 것은 遺物의 학술 적 가치와 예술성이 높다는 것을 立證해준다. 그러나 여러 차례 이 光背를 實見하면서도 彫刻 의 양식만으로는 우리나라 遺物인지 중국이나 일본 유물인지 확신이 서지 않았다. 金銅光背 주 변에 14像의 奏樂飛天像을 화려하게 透刻形式으로 조각을 했는데, 이런 경우는 오히려 中國에 서 많이 나타나기 때문이다. 그러나 日本 研究者들이 이 광배를 고구려나 백제의 한국유물로 판단한 것은 그만한 이유가 있으리라 생각하여 조사하던 중 광배뒷면의 銘文을 확인하고 나서 야 中國遺物이 아니라는 확신을 갖게 되었다.

사진 1) '甲寅銘金銅光背' 와 뒷면의 銘文

* 상명대학교 역사콘텐츠학과 석좌교수

  光背 뒷면에는 7행 59자의 銘文이 새겨져있는데 漢字의 書體중에 당시 中國에서는 사용하지 않는 異體字가 발견되었기 때문이었다. 오히려 우리나라에 소장된 銘文이 있는 고구려 금동불상이나 金銅光背銘文과 같은 계열의 書體이다. '延嘉七年銘金銅如來立像'(국보 제119호, 국립중앙박물관 소장, 사진 2), '癸未銘金銅一光三尊佛像(국보 제72호, 간송미술관 소장)[1], '建興五年銘金銅釋迦三尊佛光背'(국립중앙박물관 소장, 사진 3), '金銅辛卯銘三尊佛立像', 국보 제85호, 이건희 소유, 사진 4)의 銘文書體와 유사하며 북한의 '永康七年銘金銅光背'(조선중앙력사박물관 소장, 사진 5)의 銘文書體와도 유사하다. 이러한 공통점으로 법륭사 보물관에 전시된 '甲寅銘金銅光背'(일본 동경국립박물관 소장)도 비슷한 시기의 高句麗에서 제작된 光背로 볼 수 있게 되었다. 그러나 일본 법륭사 보물관의 '甲寅銘金銅光背'와 같은 양식으로 奏樂飛天像이 광배 주위를 透刻形式으로 둘러싼 형태의 遺物이 지금까지 國內에서 알려진바 없어서 書體의 유사성만으로 高句麗遺物로 단정하기에 무리가 있었다.

  이런 와중에 日帝强占期에 平壤부근에서 출토되어 전해오는 국내 개인소장가의 '太和9年銘飛天文金銅光背'를 조사하게 되었다(사진 6). 이 光背는 높이 15cm인 아담한 크기의 金銅光背

사진 2) 延嘉7年銘金銅如來立像

사진 3) 建興5年銘金銅光背

---

1) 銘文書頭에 年號銘이 없고 干支銘으로 시작되어 백제계로 보는 見解도 있으나 이는 誤謬이다. (壺杅塚 出土 壺杅의 銘文은 干支銘으로 시작된다.)

사진 4) 辛卯銘金銅三尊佛立像

사진 5) 永康7年銘金銅光背

로 전형적인 三國時代 양식이다. 光背의 가운데에 頭光과 身光을 갖춘 擧身光背를 중심으로 中間에 활활 타오르는 불꽃무늬와 광배외곽의 奏樂飛天像이 透彫形式으로 붙어있으며 광배뒷면의 銘文은 5행 39자로 모든 筆劃의 刻이 깊게 새겨져있다.

光背의 頭光에는 연꽃을 배치하였으며 그 둘레로 넝쿨무늬를 돌렸다. 身光은 三段의 세로줄로 표현하였고 불상을 끼워 고정시켰던 사각구멍이 세로로 뚫려있다. 그 다음으로 활활 타오르는 불꽃무늬는 광배를 감싸고 있으며 化佛은 없다. 광배외곽의 奏樂飛天像은 透刻形式으로 꽃무늬와 번갈아 5像을 배치하였는데 법륭사 보물관에 소장된 '甲寅銘金銅光背'와 같은 형식이다. 다만 조각의 세련미와 크기를 비교하면 '甲寅銘金銅光背'가 더욱 세련되고 잘 다듬어진 기술력을 보이는데, 이는 製作時期의 差異인지 같은 時期의 용도에 따른 예술성의 차이인지 구분하기가 어렵다.

뒷면의 銘文 중에 佛像 數의 단위를 '軀'로 표현하였는데 '甲寅銘金銅光背'와 '金銅辛卯銘三尊佛立像'과도 일치하며 太和9年(고구려 장수왕73년)인 서기485년에 佛像 1軀를 조성하여 父母의 功德을 기린다는 내용이다(사진 6).

사진 6) '太和9年銘飛天文金銅光背' 의 앞면과 뒷면의 銘文

彫刻은 화려한 옷자락을 휘감고 악기를 연주하는 飛天像의 생동감과 하늘에 떠있는 꽃들이 天上의 아름다움을 표현하였고 끊임없이 타오르는 불꽃무늬와 함께 거침없는 彫刻術은 비록 本尊佛은 없어지고 光背만 남은 작은 遺物이지만 강건한 高句麗의 힘을 느낄 수 있는 작품이다. 아울러 이 奏樂飛天像光背의 제작기법과 양식이 일본 법륭사 보물관에 전시중인 '甲寅銘金

사진 7) '太和9年銘飛天文金銅光背' (위)와 '甲寅銘金銅光背' (아래)의 文樣比較

銅光背'(사진 1)와 일치한다(사진 7). 즉, '甲寅銘金銅光背'와 '太和9年銘飛天文金銅光背'는 서로가 高句麗遺物의 證據物임을 제시해 주고 있는 것이다.

　高句麗의 金銅佛像이나 金銅光背에 명문이 있는 遺物은 일본에 1점, 북한에 1점을 포함하여 모두 6점이었으며 새로 조사한 '太和九年銘飛天文金銅光背'를 포함해도 7점에 불과하다. 이 유물들의 공통점은 고구려인들이 銘文을 새겨 넣을 때 그들의 年號나 干支를 銘文의 머리 부분에 明確하게 새겨 넣었다는 것이다. 이렇게 古代社會에서 제작된 작은 佛像에도 제작시기를 표기하였다는 것은 당시 고구려의 수준 높은 記錄文化를 알 수 있게 해 준다(사진 8). 그러나 製作時期를 기록해 놓은 고구려의 年號나 干支는 남아있지만, 그 年號를 확인할 자료가 모두 소실되어 後世의 연구자들이 정확하게 제작년도를 밝힐 수 없는 안타까운 현실에 부딪혀 있다.(延嘉七年.., 建興五年.., 永康七年.., 景四年.. 고구려의 독자적 年號로 추정되지만 확인할 자료가 남아있지 않아서 정확한 造成年代를 알 수 없다.) 그래서 다만 조각기법과 양식, 불교의 전래년도, 표기된 干支 등을 얽어서 제작시기를 추정하여 研究者마다 異見이 생기고 유물제작시기가 다르게 설정될 수밖에 없었다.

　이러한 상황에서 새로 조사한 '太和9年銘飛天文金銅光背'의 뒷면에는 정확한 年號와 干支가 새겨져있고 연호와 간지가 서로 맞아 떨어져 확실한 제작연대를 알 수 있게 되었다. "太和九年

사진 8) 고구려 금동광배뒷면의 銘文

歲在乙丑..."은 서기485년으로 고구려 장수왕 73년에 해당된다. 太和는 北魏(386년~534년)의 年號로 太和9年은 乙丑年과 맞아 떨어진다. 즉, 고구려 장수왕 73년인 서기485년에 이 금동광 배를 붙인 금동불상이 제작되었던 것이다. 중국 北魏의 年號를 사용하였지만 삼국시대의 유물 에는 중국의 年號를 사용하는 경우가 많고 이 유물이 중국유물이 아니고 高句麗遺物인 이유는 彫刻技法과 樣式, 새겨진 銘文의 異體字에서 확인할 수 있다. 즉, 中國에서 는 사용하지 않는 異 體字와 高句麗字로 추정되는 文字가 사용되었고(사진 9) 기존 고구려불상의 銘文과 같은 계열 의 書體('爲'字)가 발견되기 때문이다(사진 10). 광배의 銘文은 隷書의 筆劃이 간혹 보이는 완연

사진 9) 광배뒷면의 異體字, 高句麗字

사진 10) 太和9年銘, 太康7年銘, 甲申銘光背의 '爲' 자 비교

사진 11) 佛像의 단위를 '軀'로 표현한 광배

사진 12) 太和9年銘飛天文金銅光背의 銘文

한 楷書體로 異體字가 섞여있는 5세기후반 高句麗에서 유행한 書體이다. 現存하는 高句麗佛像 光背의 銘文 중에서 筆劃이 가장 뛰어나고 명확하며 剛健하다(사진 12).

일본 법륭사 보물관에 전시중인 '甲寅銘金銅光背'의 제작시기를 日本 硏究者들은 서기594년 으로 비정하였는데, 그 이유는 비슷한 시기의 중국 東魏(534년~550년), 北齊(550년~577년)의 飛天文佛像光背를 참고하여 製作時期를 설정한 것 같다. 그러나 이 時期보다는 '太和9年銘飛天文金銅光背'와 비슷한 시기인 서기474년이나 서기534년으로 보는 것이 더 타당하다. 이 두 유 물은 크기와 本尊佛의 용도 차이만 있을 뿐 光背彫刻의 기법과 양식이 일치함으로 서로 비슷한 시기에 제작되었을 확률이 높기 때문이다. 오히려 중국 東魏나 北齊의 불상보다 이른 時期에 조성되었고 서로 영향을 주고받았다고 볼 수도 있다.

한편으로 부여 관북리에서 출토된 金銅火焰文光背(사진 13의 왼쪽)도 飛天像을 별도로 鑄造 하여 붙인 광배로 추정되는데(광배가장자리의 사각홈 6곳), 서기524년경 조성된 金銅三尊佛立 像(중국 하북성 출토, 메트로폴리탄 미술관 소장)과 중국 산동성 용화사지에서 출토된 서기564 년 北齊時代의 金銅彌勒交脚像의 광배와 같은 양식이다(사진 13의 가운데와 오른쪽). 이로 인 하여 관북리출토 광배는 비슷한 시기에 중국에서 輸入한 불상의 광배로 보는 見解도 있다. 아 울러 百濟가 중국의 北朝와도 교류하였다는 證據品이 되는 셈이다.

河北省出土 金銅如來像과 山東省出土 金銅彌勒橋脚像(사진 13) 등의 중국 불상들은 부여 관 북리에서 출토된 금동광배처럼(사진13의 왼쪽) 光背의 가장자리에 네모난 홈을 만들어 별도로 鑄造한 飛天像을 끼웠다. 이런 제작기법의 동일성으로 부여 관북리에서 출토된 금동광배를 輸 入品으로 보는 것이다. 그러나 '甲寅銘金銅光背'(사진 1)와 '太和9年銘金銅光背'(사진 6)는 광배 를 鑄造할 때 이미 飛天像까지 하나의 鑄造틀로 만들어 제작하여 중국불상과는 제작기법의 차 이가 난다. (사진 7)에서 이 두 점의 光背文樣을 비교하면 飛天像과 本尊佛의 頭光과 身光, 비천 상 시작점의 꽃무늬, 활활 타오르는 화염무늬 등이 거의 같은 양식으로 일치한다.

사진 13) 夫餘出土 金銅光背, 河北省出土 金銅如來像(部分), 山東省出土 金銅彌勒橋脚像

'太和9年銘飛天文金銅光背'는 광배중앙의 頭光이 身光에 비하여 크기 때문에 소실된 主尊佛
은 立佛이 아닌 坐佛로 추정되며 主尊佛을 끼웠던 구멍이 하나만 있는 것으로 보아 양옆의 협
시불이 없는 獨尊佛로 추정할 수 있다. 국내에 奏樂飛天像이 있는 유일한 高句麗金銅光背이고

사진 14) 高句麗 '太和9年銘飛天文金銅光背' 의 세부문양

제작시기가 명확한 銘文이 있는 가장 오래된 金銅光背이며, 擧身光背의 가장자리에 飛天像이 있는 金銅光背중에서 日本은 물론 中國보다도 빠른 시기에 제작된 最初의 高句麗遺物이다.

　무엇보다도 이 光背가 중요한 것은 광배의 銘文에 절대연대가 새겨져있어서 그동안 추측만으로 설정했던 高句麗佛像의 造成年代를 규명하는데 큰 도움이 된다는 것이다. 즉, 編年이 확실한 최초의 基準作이 된다. 그리고 5世紀後半 조성된 고구려 금동광배의 발견은 일방적으로 중국의 영향만을 받은 것으로 생각되어온 古代佛敎彫刻史의 修正을 필요로 하고 있다. 古代文化의 交流는 일방적인 受用이 아니라 상호 주고받는 형태로 당시 强大國인 高句麗의 문화적 역량이 상당히 크게 작용했을 것이기 때문이다.

　정확하게 1530年前(高句麗 長壽王73年), 이 작은 佛像에 高句麗國의 한 여인네가 부모님의 공덕을 기원하며 불상 한 점을 만들어 봉안한다는 소박한 기원을 담았다. 그 후로, 수많은 王朝가 바뀌고 함께 자리했던 부처님은 오간데 없지만, 여인네의 작은 소망은 後孫들과 함께 아직도 그 자리에 永遠하다.

새로 접한 金銅佛像의 新例(2)

李浩官*

目 次

Ⅰ. 들어가며

필자가 2014년부터 2015년 상반기까지 금동여래상과 기타 불상 69구를 실견한바 있으며, 그 중 삼국시대와 통일신라 및 고려시대 불상으로 보이는 것이 20여구에 불과하였다. 이들 불상에 대한 내용을 간단히 소개하고자 한다.

실견한 불상의 종류는

1. 탄생불 1구
2. 여래상 15구
3. 보살상 1구
4. 좌상 2구
5. 외래 여래입상 1구

모두 20구이다.

---

* 전 국립전주박물관장

Ⅱ. 誕生佛

1. 金銅誕生佛(사진1)

(1) 시대 : 新羅時代

(2) 높이 : 10.6cm(總高)

(3) 현상 : 복련좌에 반나신으로 된 탄생 입불이며 오른손은 들어 하늘을 가리키고 왼손은 땅을 가리키고 있는 형태이다. 하반신의 의문은 신라시대 탄생불의 전형적인 양식인 스커트형 치마를 입고 있고 탄생불의 두상에는 육계를 설치하고 있으나 유난히도 상투형과 같은 높은 꼭지식의 육계를 갖춘 것이 특징이다. 온 전신의 금도금은 양호하나 유감스럽게도 여러 곳의 푸른 녹이 덮여있어 탄생불 전체의 결점이 있다고 볼 수 있는 탄생불이나 이와 같은 탄생불의 예는 그렇게 흔하지 않은 예의 하나이다.

사진 1. 金銅誕生佛　　　　사진 2. 金銅如來立像1　　　　사진 3. 金銅如來立像2

Ⅲ. 如來立像

1. 金銅如來立像1(사진2)

(1) 시대 : 三國時代

(2) 높이 : 9.8cm(總高)

(3) 현상 : 상하대좌를 갖춘 위에 手印은 施無畏與願印이고 法衣는 通肩衣를 하고 있다. 상호는 원만하고 소발에 높은 육계를 갖추고 있는 여래입상으로 여러 점으로 미루어볼 때, 시대는 삼국시대 말로 보는 것이 타당하다. 대좌는 앙련과 복련을 구비한 원형 대좌이며 일단의 받침을 하고 있다. 다만 여래입상의 전체에 푸른 녹이 짙게 덮여있는 것이 하나의 흠이라고 볼 수 있다.

2. 金銅如來立像2(사진3)

(1) 시대 : 統一新羅時代

(2) 높이 : 11.6cm(總高)

(3) 현상 : 팔각의 1단 받침대를 갖춘 상하로된 대좌를 갖추고 있다. 앙련의 상대와 복련의 하대로 되어 있고 그 위에 입상을 갖추고 있는데 法衣는 통견으로서 어깨에서부터 무릎 밑에까지 U자형의 의문을 장식하고 있다. 手印은 역시 施無畏與願印이며 불상의 상호는 원만하고 소발에 높은 유계를 갖추고 있는 금동불이다. 주목되는 것은 육계를 제외한 불상 전체에 금도금이 양호하다.

사진 4. 金銅如來立像3   사진 5. 金銅如來立像4   사진 6. 金銅如來立像5

3. 金銅如來立像3(사진4)

(1) 시대 : 통일신라시대 후기

(2) 높이 : 22.5cm(身高)

(3) 현상 : 안상을 갖춘 대좌에 직립한 여래입상으로 머리에는 소발에 큼직한 육계를 갖추고 있다. 상호는 양 볼에 약간 살이 찐 듯한 원만상이며 兩耳를 갖추고 이목구비가 정제되어 있다. 목에는 선조로 三道가 있으며 法衣는 통견 法衣이고 가슴부분은 U자형의 의문이 파도형으로 조식되어 있다. 깊은 U자형으로 조식된 가슴에는 掩腋衣와 裙衣의 매듭이 선명하다. 手印은 施無畏印과 與願印이다. 대좌는 팔각에 안상을 갖추고 하대는 복련이며 일단 받침의 상대는 단엽의 앙련으로 처리하였다. 전체적으로 도금이 양호한 여래입상이다.

4. 金銅如來立像4(사진5)

(1) 시대 : 통일신라시대

(2) 높이 : 6.8cm(身高)

(3) 현상 : 소발에 육계를 갖춘 여래입상으로 法衣는 通肩衣이고 의문은 U자형으로 가슴부분부터 발목까지 파도형으로 조식되어 있으며 手印은 施無畏印의 與願印이다. 대좌는 육각형으로 상하 2단인데 상대는 앙련받침이고 하대는 1단 받침에 복련으로 장식되어 있다. 도금은 두텁게 처리하였으나 많은 부분이 탈락되어 있다. 상태는 비교적 양호한 여래입상이다.

5. 金銅如來立像5(사진6)

(1) 시대 : 통일신라시대 후기

(2) 높이 : 23.4cm(身高)

(3) 현상 : 소발에 낮은 육계를 갖추고 상호는 원만하나 통일신라시대 후기에 흔히 보이는 상호로서 약간 살찐 형태이다. 이목구비가 정연하고 兩耳를 갖추고 있으며 목에는 三道가 뚜렷하다. 法衣는 通肩衣 이나 가슴에서 허리부분까지는 U자형 의문이 깊게 조식되어 있고 掩腋衣와 裙衣 등이 뚜렷하게 조식되고 요대도 뚜렷하다. 허리아래 부분은 W자형 의문으로 조식하였고 두 손 역시 시우외인과 與願印이다. 양 다리 아래의 대좌가 현재 결실되어 있으며, 도금은 전체적으로 박락이 심한 여래입상이다.

6. 金銅如來立像6(사진7)

(1) 시대 : 통일신라시대

(2) 높이 : 12.5㎝(身高)

(3) 현상 : 육계를 갖춘 소발에 양이를 구비하고 정제된 상호에 이목구비가 뚜렷하다. 목에는 두껍고 큰 三道를 조식하고 있으며 法衣는 通肩衣 이다. 의문의 조식법이 후육하며 手印은 시우외인과 與願印이다. 대좌는 팔각의 상단에 일단받침으로 처리하고 하대는 단판 복련으로 조식하고 있다. 머리 부분과 두 손, 그리고 대좌 등의 여러 부분에 푸른 녹이 깊게 나타나 있는 여래입상이다.

사진 7. 金銅如來立像6　　사진 8. 金銅如來立像7　　사진 9. 靑銅如來立像1

7. 金銅如來立像7(사진8)

(1) 시대 : 통일신라시대

(2) 높이 : 10.8㎝(身高)

(3) 현상 : 원래는 금도금이 두텁게 되어 있던 여래입상이나 현재는 전체가 도금이 탈락되어 청동상 상태이다. 높은 육계의 소발이며 두 귀를 갖추고 이목구비가 정제된 상호이다. 목에는 희미한 三道흔적이 있다. 法衣는 通肩衣이며 의문은 U자형이다. 두 손은 施無畏印과 與願印이고 대좌는 8각의 받침 위에 복련과 낮은 중대, 그리고 높은 원형의 상대를 갖추고 있는 여래입상이다.

8. 청동여래입상1(사진9)

(1) 시대 : 통일신라시대

(2) 높이 : 8.3㎝(身高)

(3) 현상 : 여래입상 전체의 도금이 탈락되어 현재는 청동여래입상으로 잔존하고 있다. 큼직한 육계와 소발의 머리에 약간 고개를 숙인 듯 하며 상호는 이목구비가 뚜렷하고 원만한 상이다. 목에는 三道가 보이지 않고 있으며, 法衣는 通肩衣로 상반신은 U자형 衣褶이나 하반신은 W자형 衣褶이고 두 손은 施無畏印에 與願印이다. 대좌는 8각형으로 낮은 상단을 갖추고 하단은 8각의 복련판으로 되어 있다. 입상에 비해 대좌가 비교적 크게 조성되어 있는 여래입상이다.

9. 金銅如來立像8(사진10)

(1) 시대 : 통일신라시대

(2) 높이 : 4.8㎝(身高)

(3) 현상 : 전체적으로 도금이 많이 탈락된 작은 여래입상으로 낮은 육계와 소발의 머리에 이목구비가 뚜렷한 동안의 상호이다. 목에는 三道가 보이지 않고 法衣는 通肩衣이며 두 손은 시우외인과 與願印이다. 대좌는 팔각인 듯하나 원형에 가깝고 1단의 받침에 복련좌이고 상단은 낮은 받침으로 간략하게 처리하고 있는 여래입상이다.

| 사진 10. 金銅如來立像8 | 사진 11. 金銅如來立像9 | 사진 12. 金銅如來立像10 |

10. 金銅如來立像9(사진11)

(1) 시대 : 통일신라시대 후기

(2) 높이 : 12.3cm(總高)

(3) 현상 : 鍍金이 비교적 양호한 여래입상으로 약간 높은 육계와 소발의 머리에 이목구비가 정연하고 후덕한 相好를 하고 있으며, 목에는 三道가 있다. 法衣는 通肩衣이며 하복부까지 깊게 U자형 衣褶을 갖추고 있다. 가슴에는 掩腋衣와 裙衣자락이 조식되어 있다.

하복부 아래에는 통일신라기 불상에서 많이 보이는 W자형 衣褶이 조식되어 있으며 두 손은 施無畏與願印으로 되어 있으나 특이하게도 오른손과 왼손이 반대로 조성되어 있다. 8각 대좌의 각 면에 안상을 갖추고 복련판을 조식하였고 그 위로 얕은 1단의 앙련판으로 처리한 여래입상이다.

11. 金銅如來立像10(사진12)

(1) 시대 : 통일신라시대 후기

(2) 높이 : 25cm(身高)

(3) 현상 : 대좌를 상실한 여래입상으로 두 다리 밑으로 대좌에 꽂는 꼭지가 남아있다. 육계를 갖춘 소발에 이목구비가 정연하고 후덕한 상호이며 三道가 있다. 法衣는 通肩衣이며 상복부까지 U자형 衣褶이 깊게 조식되고 가슴에는 掩腋衣와 裙衣의 매듭이 뚜렷하다. 하복부 상단에는 매듭 요대가 뚜렷하다. 그 아래로는 W자형 衣褶이 조식되어 있다. 두 손은 施無畏印과 與願印의 여래상이나 입상 전체에 깊은 푸른 녹이 덮여 있는 것이 아쉽다.

12. 청동여래입상2(사진13)

(1) 시대 : 統一新羅時代 後期

(2) 높이 : 14.8cm(身高)

(3) 현상 : 전체적으로 鍍金이 탈락되고 대좌를 상실한 청동의 여래입상으로 낮은 육계와 소발에 이목구비를 갖춘 상호를 하고 있다. 목에는 三道가 보이고 法衣 역시 通肩衣이다. 上腹部까지 깊게 조식한 U字形 衣褶에 가슴에는 掩腋衣와 裙衣의 매듭이 보이고 있다. 下腹部에도 U자형 衣褶을 파도문 같이 조식하고 있다. 두 손은 施無畏印과 與願印을 한 여래입상이다.

13. 金銅如來立像11(사진14)

(1) 시대 : 統一新羅時代 後期

(2) 높이 : 14.8cm(總高)

(3) 현상 : 전체적으로 鍍金이 두텁게 처리되고 各面에 안상을 갖춘 8각 대좌의 여래입상으로 法衣는 通肩衣이고 가슴 부분에 깊게 U자형 衣褶에 掩腋衣를 彫飾하고 있으며 下腹部는 W자형 衣褶으로 처리하였고 手印은 施無畏印과 與願印이다. 원형의 1단 낮은 받침을 구비하고 그 아래로 厚肉한 단판복련좌로 된 여래입상이다.

14. 金銅如來立像12(사진15)

(1) 시대 : 統一新羅時代 後期

(2) 높이 : 11.7cm(總高)

(3) 현상 : 鍍金이 두텁게 덮인 대좌를 갖춘 여래입상이다. 높은 육계에 나발의 두발을 갖춘 머리에 이목구비가 정연한 童顔의 상호이며, 목에는 三道가 있다. 法衣는 두꺼운데 U자형 衣褶을 한 通肩衣이고 下腹部의 法衣의 衣褶은 W자형이다. 手印은 施無畏印과 與願印이다. 圓形의 작은 대좌 밑으로 厚肉한 覆蓮座로 8각이며 각 面에 안상을 조식하고 있는 下臺座를 갖춘 여래입상이다.

사진 13. 靑銅如來立像2   사진 14. 金銅如來立像11   사진 15. 金銅如來立像12

15. 金銅如來立像13(사진16)

(1) 시대 : 統一新羅時代 後期

(2) 높이 : 14.8cm(總高)

(3) 현상 : 二重의 육계에 나발의 두발을 한 머리에 이목구비가 뚜렷한 상호를 하고 있으며 약간 고개를 숙인 듯하다. 목에는 三道의 표시가 있다. 法衣는 通肩衣이고 上腹部까지는 U자형의 衣褶이고 下腹部 밑으로는 W자형 衣文으로 彫飾처리하였다. 手印은 施無畏印에 與願印을 하고 있다. 대좌는 上下段으로 구성된 8각의 연화좌이나 上段은 仰蓮座이고 下段은 覆蓮座로 2단 받침을 하고 있다. 상태는 양호하나 여러 곳에 도금이 탈락된 곳이 있다.

사진 16. 金銅如來立像13   사진 17. 靑銅菩薩立像   사진 18. 金銅如來坐像

IV. 菩薩像

1. 靑銅菩薩立像(사진17)

(1) 시대 : 統一新羅時代 後期

(2) 높이 : 7.5cm(總高)

(3) 현상 : 8각의 대좌를 갖춘 보살입상으로 머리에는 큰 상투를 갖춘 듯 높고 후육한 結髮의 머리를 하고 이목구비가 정연한 상호를 갖추고 있으며, 목에는 三道가 보이고 있다. 法衣는 通肩衣에 兩肩을 따라 대좌 상단까지 흘러내린 天衣를 갖추고 있으며 왼손에는 寶瓶을 들고 있고 오른손은 天衣 자락을 쥐고 있다. 가슴에는 胸飾을 彫飾하고 있고 허리에는 腹帶를 장식하고 있으며, 허리 아래 부분은 W자형 衣褶으로 조식하고 있다. 대좌는 상하 2단에 8각의 높은 받침을 갖추고 있고 그 위의 下段은 覆蓮座로 되어 있는 보살상이나 호상의 살찐 듯한 모습과 法衣 등이 後期 佛像들에서 보이는 점이 많이 나타나고 있는 보살상으로 사료되고 원래는 金銅이었으나 후에 도금이 탈락되어 현재 청동입상으로 된 듯하다.

Ⅴ. 坐像

1. 金銅如來坐像(사진18)

(1) 시대 : 高麗時代
(2) 높이 : 6.9㎝(總高)
(3) 현상 : 화염의 맞뚫린 문양의 두광과 신광을 갖추고 8각의 상하 대좌에 결과부좌한 여래좌상이다. 오른손은 施無畏印을 하고 왼손은 무릎 위에 얹어 놓고 있는 좌상으로 육계는 둔탁하나 이목구비를 갖춘 상호에 목에는 三道가 보이지 않고 있다. 法衣는 通肩衣이며 좌상 전체에 푸른 녹이 심하게 덮여 있어 상호와 法衣, 그리고 두 손의 형태 등과 대좌 등의 다른 구체적 문양 彫飾이 分明치 않지만 제작초기에는 도금이 양호하였던 것으로 보인다. 여러 수법으로 보아 고려시대의 좌상이었을 것으로 보인다.

2. 金製菩薩坐像(사진19)

(1) 시대 : 高麗時代
(2) 높이 : 5.7㎝(總高)
(3) 현상 : 純金製로 된 보살좌상으로 고려시대 특유의 上下 연화를 彫飾한 사다리꼴의 대좌에 결가부좌한 보살상으로 머리에는 한송사 석불좌상, 월정사 석불좌상 등에서 보이는 원통형 보관을 갖추고 있으며 보관 중앙에 化佛이 있다. 그 밑으로 丸形의 돋을 문을 장식하고 있다. 法衣는 通肩衣이며 가슴에 胸飾를 갖추고 있고 두 손은 施無畏印과 與願印을 하고 있는 보기 드문 고려시대의 금제 보살좌상이다.

사진 19. 金製菩薩坐像　　　사진 20. 金銅藥師如來立像

Ⅵ. 外來 如來立像

1. 金銅藥師如來立像(사진20)

(1) 시대 : 明代

(2) 높이 : 15.4cm(總高)

(3) 현상 : 8각의 2단 받침 위에 伏蓮과 鼓形의 원형 中臺를 놓고 그 위에 다시 접시형태의 소문 받침에 直立하고 있는 입상이다. 머리에는 큼직한 육계가 있고 소발의 머리에 유난히 길게 장식된 두 귀를 갖추고 있으며 눈과 코, 口脣이 정연하게 나타나고 목에는 三道가 뚜렷하다. 法衣는 通肩衣이나 깊게 U자형 의문을 상복부까지 나타내고 하복부까지는 섬세하게 W자형 衣褶을 하고 있다. 가슴에는 掩腋衣의 彫飾이 있으며 두 손 중 왼손에는 藥盒을 들고 있는 약사여래입상으로 제작수법, 양식과 상호, 대좌 등이 통일신라시대 불상과 여러 점에서 相異하며, 연대적으로 볼 때 宋 元代를 지나 明代의 中國佛像으로 사료되는 약사여래입상이다.

Ⅶ. 맺는말

필자가 『文化史學』 第40號(韓國文化史學會, 2013.12)에 발표한 [새로 접한 金銅佛像 新例] 26軀와 금번 발표하는 금동 불상 20軀 등 46軀의 佛像들에서 대략 三國時代, 統一新羅時代, 高

麗時代 등에 속하는 金銅製 如來像들에 대한 樣式과 形式, 그리고 衣褶 등에서 보이는 특징 등을 비롯한 여러 점이 관찰비교 될 수 있다고 보며 佛像 연구에 귀중한 자료가 되기를 바라면서 글을 맺고자 한다.

刊行後記

豪佛 鄭永鎬 박사님께서는 1950년대 초 불모지나 다름없는 한국의 考古學과 美術史에 관심을 갖고 답사와 공부를 병행하시었습니다. 그리고 그 이후 한번도 고고학과 미술사를 손에서 놓지 않고 70여년 동안 평생을 고고학과 미술사 등 다양한 분야의 연구에 매진하시었습니다. 특히 고고학과 미술사뿐만 아니라 역사를 연구함에 있어서 사료에 남아있는 기록과 유존되고 있는 유적 유물과의 상관관계를 파악하여 역사적 사실을 밝히는 입체적인 연구방법론을 제시하셨습니다. 그래서『三國史記』,『三國遺事』,『東國輿地勝覽』,『東史綱目』등 다양한 史料를 읽고 해석하고 기록된 역사의 현장을 찾는 역사연구 방법론을 확고히 구축하여 오늘날까지 많은 연구자들에게 영향을 미치고 있습니다. 지금도 豪佛 박사님은 한국의 고고미술사 연구에 진력하고 계십니다.

豪佛 鄭永鎬 박사님은 한국미술사의 태두이신 又玄 高裕燮 선생님의 제자인 蕉雨 黃壽永 교수님을 은사로 하는 韓國美術史의 정통 계보를 잇고 계신 분입니다. 又玄 선생님은 일찍부터 근대 미학과 미술사학을 전공하여 한국미술사 연구의 토대를 구축한 분입니다. 又玄 선생님은 한국 고대 미술사의 주류를 형성했던 佛敎美術史를 중시하시었고, 그중에서도 塔像에 대한 연구에 중점을 두었습니다. 이외에도 又玄 선생님은 한국미술사와 관련된 다양한 분야에 걸쳐 연구를 진행하였으며, 괄목할만한 연구 성과를 창출해 내시었습니다. 이러한 又玄 선생님의 학문적 계보를 이으신 분이 蕉雨 黃壽永 교수님이시며, 그 문하에서 수십 년 동안 수학했던 분이 豪佛 鄭永鎬 박사님이십니다. 특히 豪佛 박사님은 평생 동안 단 한번도 蕉雨 黃壽永 교수님과의 師弟關係를 저버리지 않고 한결같이 君師父一體의 정신을 그대로 보여주어 각박한 현실에서 많은 사람들의 귀감이 되고 있습니다.

豪佛 鄭永鎬 박사님은 1950년대 중반부터 본격적으로 한국의 석조미술을 비롯한 여러 유적과 유물들에 대한 踏査와 調査를 시작하여 최초로 地表調査의 방법과 용어를 만들어 내신 분이시기도 합니다. 1960년 考古美術同人會가 발족하면서『考古美術』의 간행에 열정을 다하시었으며, 新羅五岳學術調査團(1964년)과 新羅三山學術調査團(1967년)의 일원으로서 신라와 관련된 수많은 유적과 유물들을 직접 찾아 발굴하시었고, 괄목할 만한 연구 업적도 내시었습니다. 또한 오늘날 曹溪宗의 宗祖라 할 수 있는 양양 陳田寺址의 道義國師 史蹟을 찾아내어 학술조사를 진행하시었고, 특히 1978년 1월 丹陽 新羅 赤城碑와 1979년 4월 忠州 高句麗碑 발견 조사는 한국 고대사 연구를 한 단계 끌어올린 쾌거였다고 할 수 있을 만큼 중요한 연구 업적입니

다. 이외에도 수많은 유적 유물에 대한 답사, 연구에 대한 집념과 열정은 후학들에게 귀감이 되는 바가 실로 크다고 할 수 있습니다. 또한 日本 對馬島韓國先賢顯彰會를 조직하여 대마도 韓國 先賢들의 顯彰碑 10基를 건립한 것은 역사에 길이 남을 일로 한·일간의 우호증진에도 많은 기여를 하시었습니다. 지금도 우리나라 전국 각지와 세계 여러 나라를 답사하시며, 문화유산과 문화사 연구에 열정을 다하고 계십니다.

이처럼 豪佛 鄭永鎬 박사님께서 평생을 바쳐 답사하고 조사하고 발굴하고 연구하신 업적과 연구 성과, 인간적인 면모 등을 본받고 선양하고자 제자들과 후학들이 停年論叢, 古稀論叢에 이어 八旬論叢을 간행하기로 의견을 모았습니다. 이에 따라 2014년 八旬에 맞추어 논총을 간행하기 위하여, 2013년 8월 豪佛鄭永鎬博士 八旬頌祝紀念論叢을 발간하기 위한 준비와 협의를 시작하였습니다. 그런데 豪佛 鄭永鎬 박사님께서는 又玄 高裕燮 선생님의 가르침을 받아 오랫동안 한국미술사학계를 이끌어 오시던 蕉雨 黃壽永 교수님과 樹默 秦弘燮 교수님께서 永眠에 드신지 오래지 않아, 두 분을 위한 追慕事業과 功德追慕碑 건립에 온 정성을 다해야 하고, 두 분을 위한 추모사업이 완료되어야 시름을 놓을 수 있다고 하시며, 八旬頌祝紀念論叢 刊行을 미루자고 하시었습니다. 이후 豪佛 鄭永鎬 박사님의 주도로 두 분을 위한 추모사업이 진행되어 2014년 11월 15일 蕉雨 黃壽永 교수님, 2015년 3월 7일 樹默 秦弘燮 교수님의 功德追慕碑가 大王岩이 잘 보이는 경주 대종천 입구에 성대하게 제막되었고, 이곳은 師弟關係의 돈독함과 아울러 開城三傑로 불린 세 분의 학문과 업적을 영원히 기리는 곳이 되었습니다. 이로써 蕉雨 黃壽永 교수님과 樹默 秦弘燮 교수님에 대한 추모사업이 완결되지는 않았지만 큰 매듭을 지었다고 할 수 있습니다.

이후 제자와 후학들은 2015년 7월 豪佛 鄭永鎬 博士님의 八旬頌祝紀念論叢 刊行을 위한 협의를 다시 진행하였습니다. 그리고 豪佛鄭永鎬博士 八旬頌祝紀念論叢 刊行委員會 구성을 완료하였습니다. 刊行委員會는 위원장 1인, 부위원장 1인, 위원 19인, 실질적인 논총 편집과 간행 등을 진행할 수 있는 실행위원 1인을 두기로 하여, 총 22명으로 구성되었습니다. 위원회는 일정이 넉넉지 않은 관계로 곧바로 향후 논총 구성과 필자 등에 대한 협의를 진행하였고, 제자들과 후학들을 중심으로 구성될 필자들에게 안내장을 발송하였습니다. 그래서 2015년 10월부터 八旬頌祝紀念論叢에 수록할 원고를 수집하여 초상화 2점, 축사 2편, 회고담 2편, 논문 및 자료 51편 등, 총 57편이 八旬頌祝紀念論叢에 실리게 되었습니다. 논총은 초상화, 축사, 회고담, 논문 및 자료의 순으로 분류하였으며, 이중에서 논문 및 자료는 고고학 논문, 미술사 논문, 자료의 순으로 구성하였습니다. 이 논총은 최근 역사학계에서는 볼 수 없는 다양한 분야에 대한 방대한 연구 성과들을 한권으로 묶은 큰 성과라 할 수 있습니다.

그리고 八旬頌祝紀念論叢 刊行委員會는 2016년 1월 위원회를 개최하여 구체적인 논총 간행

일정, 봉정식 날짜와 장소 등을 협의하였습니다. 그 결과 봉정식 날짜는 팔순이 상당히 지났으므로 豪佛 鄭永鎬 박사님에게 기념되는 생신을 전후하여 거행하기로 의견을 모았습니다. 이후 八旬頌祝紀念論叢 刊行에 박차를 가하여 2016년 2월까지 원고를 수합하고, 3월 중순까지 편집과 교정을 완료하여 무사히 간행하게 되었습니다.

마지막으로 바쁘신 중에도 초상화, 축사, 회고담, 논문 및 자료 등 옥고를 보내주신 분들과 豪佛鄭永鎬博士 八旬頌祝紀念論叢이 계획대로 진행될 수 있도록 협조해주신 분들께 진심으로 감사의 말씀을 올립니다. 특히 정영호 박사님과의 인연으로 친히 옥고를 보내주신 일본 大西修也 교수님께 깊이 감사드립니다. 그리고 豪佛鄭永鎬博士 八旬頌祝紀念論叢이 간행될 수 있도록 물심양면으로 도움을 주신 기관과 관계자 여러분들께도 심심한 사의를 표합니다. 또한 八旬頌祝紀念論叢의 원고 수집과 편집, 교정 등에 심혈을 기울인 엄기표 교수와 오호석 학예연구원에게도 위원회를 대표하여 감사드립니다. 나아가 어려운 여건 속에서도 작업하기 힘든 八旬頌祝紀念論叢 간행을 맡아 진행해 주신 학연문화사 권혁재 사장님을 비롯하여 조혜진 차장님 등 관계자 여러분에게도 깊이 감사드립니다.

끝으로 豪佛 鄭永鎬 박사님 내외분을 비롯한 모든 분들의 건강과 행복을 기원합니다.

2015년 12월

豪佛鄭永鎬博士 八旬頌祝紀念論叢刊行 委員長 金項勾 拜

권덕영 김광수 김항구 박경식 박광열
백종오 송호정 신창수 신형식 양기석
엄기표 오호석 이병희 이영문 이존희
장준식 정제규 지현병 최맹식 최몽룡
최인선 허중권 (가나다순)

豪佛 鄭永鎬 博士
八旬頌祝紀念論叢 刊行委員會

위 원 장	김항구 (한국교원대학교 명예교수)
부위원장	이영문 (목포대학교 교수)
위　　원	권덕영 (부산외국어대학교 교수)
(가나다순)	김광수 (서울대학교 명예교수)
	박경식 (단국대학교 교수)
	박광열 (성림문화재연구원 원장)
	백종오 (한국교통대학교 교수)
	송호정 (한국교원대학교 교수)
	신창수 (백두문화재연구원 이사장)
	신형식 (이화여자대학교 명예교수)
	양기석 (호서문화유산연구원 이사장)
	엄기표 (단국대학교 교수)
	이병희 (한국교원대학교 교수)
	이존희 (서울시립대학교 명예교수)
	장준식 (충청북도문화재연구원 원장)
	정제규 (문화재청 문화재전문위원)
	지현병 (강원고고문화연구원 원장)
	최맹식 (국립문화재연구소장)
	최몽룡 (서울대학교 명예교수)
	최인선 (순천대학교 교수)
	허중권 (육군3사관학교 교수)
실행위원	오호석 (단국대학교 학예연구원)

豪佛 鄭永鎬 博士 八旬頌祝紀念論叢

2015年 12月 26日 印刷
2015年 12月 30日 發行

發 行 : 豪佛鄭永鎬博士八旬頌祝紀念論叢 刊行委員會
印 刷 : 學硏文化社
　　　08507 서울특별시 금천구 가산디지털1로 168(우림라이온스밸리 B동 712호)
　　　(Tel)02-2026-0541 (Fax)02-2026-0547

ISBN 978-89-5508-341-5　93900

刊行委員會 연락처

16890 경기도 용인시 수지구 죽전로 152
　　　단국대학교 미디어센터 314호(엄기표 교수 연구실)
(Tel) 031-8005-3036 (E-mail) pentieum@hanmail.net